长 寿 年 鉴

CHANGSHOU YEARBOOK

（2024）

重庆市长寿区地方志研究室　编

方志出版社
Publishing House of Local Records

图书在版编目（CIP）数据

长寿年鉴. 2024 / 重庆市长寿区地方志研究室编.
北京：方志出版社, 2024. 12. -- ISBN 978-7-5144-6685-0

Ⅰ. Z527.193
中国国家版本馆CIP数据核字第20241HU757号

责任编辑：李静
责任校对：张玉霞
责任印制：梅中英
出版者：方志出版社
地址：北京市朝阳区潘家园东里9号（国家方志馆4层）
邮编：100021
网址：http://www.zgfzcb.cn
发行：方志出版社图书营销中心（010）67110500
印刷：重庆巴南彩印厂
开本：889毫米×1194毫米 1/16
印张：31
字数：1091千字
版次：2024年12月第1版
印次：2024年12月第1次印刷
定价：380.00元

重庆市长寿区地方志编纂委员会

顾　　问：刘小强　王身高　何以龙　师明萌　冉　洪

主　　任：戴　明

副 主 任：汤晓强　郑钦予　李吉华　李　佳　袁　翔

成员单位：区委办公室　区人大常委会办公室　区政府办公室

区政协办公室　长寿经开区党政办　区委组织部

区委宣传部　区财政局　区志研室

《长寿年鉴（2024）》编辑部

主　　编：陈　影

执行主编：龚成才　朱凤乔　游　江　陈朝权

编　　辑：张玉洁　任小虎　冉莉丽　张　巧　李春兰　程　伟

审　　稿：徐　斌　夏小平　殷　智　郭永彬　周　清　罗　杨

李治碧　王　丽　李才东　王尔欢

《长寿年鉴（2024）》组稿单位及组稿负责人

（按类目先后为序）

区委办公室　张晓晖
区政府办公室　刘瑶
长寿经开区党政办　曾杨
区委宣传部　赵中华
区住房城乡建委　余冲泽
区志研室　冉莉丽
区规划自然资源局　王芳
区气象局　黎明
区水利局　饶巍巍
区林业局　陈红羽
区文化旅游委　吴彦林
区民政局　周永彬
区公安局　高丽岚
区委统战部　张馨心
区农业农村委　杨岚
区委组织部　王子龙
区委编办　张恩豪
区委直属机关工委　田盛
区委老干局　何杰
区委党校　何莲
区人大常委会办公室　张忠荣
区发展改革委　殷巧玉
区政务服务管理办　余冬梅
区人力社保局　石文斌
区政府研究室　常耿
区信访办　李颜
区机关事务局　王颖
区政协办公室　杨娟
区纪委监委机关　黄正林
区委巡察办　苏月
民革长寿区委会　朱玲
民进长寿区委会　龚秋源
农工党长寿区委会　陈杰
九三学社长寿区委会　周丽容

区工商联　冉小冬
区总工会　陈虹娟
团区委　池相漾
区妇联　喻洁
区科协　高小鸿
区侨联　王桥
区残联　林金卫
区委政法委　何苗
区卫生健康委　陈杰
区司法局　王鑫珏
区检察院　刘子琦
区法院　王思亲
风城监狱　周多琦
区人武部　陈学彭
武警长寿中队　殷杰
武警执勤十三中队　杜洲宇
区退役军人事务局　陈琳
区应急局　张宁
区国资委　詹婷
区财政局　陈航
区税务局　袁洪昊
人行长寿分行　黄雪
区审计局　肖淋伊
区统计局　毕启秀
区市场监管局　邹若思
区招商投资局　周筱易
区商务委　崔桂花
长寿高新区　罗昊
区经济信息委　吴珊珊
区畜牧兽医事务中心　余佳林
区供销社　周遵华
长寿乡建集团　周雯杰
区现代农业园区发展服务中心　张玉兰
渝邮管五分局　郭晨书

烟草长寿区局　张煜
长寿邮政　余华
区交通运输委　卢泽宇
长寿海事处　谭超
区大数据发展局　蔺红宾
区土地房屋征收事务中心　曹铭静
区城市管理局　汪闯
区生态环境局　牟建川
区科技局　冉玉婷
区教委　邵美妮
区融媒体中心　汪月琴
区档案馆　叶聚
区医保局　殷冰洁
区消防救援支队　令狐锐洁
住房公积金长寿分中心　傅歆芯
长寿湖镇　游诗语
云台镇　蓝浚涵
葛兰镇　冉瑞
但渡镇　陈宇豪
邻封镇　叶子榆
云集镇　杨晋华
双龙镇　张米想
龙河镇　高丹
海棠镇　朱倩
石堰镇　李林
洪湖镇　敖浩涵
万顺镇　杨智文
菩提街道　周雷
凤城街道　周子溶
晏家街道　陈秋吟
江南街道　刘泓岑
渡舟街道　吕丹妮
新市街道　吴萍
八颗街道　彭佳

重庆市长寿区行政区划图

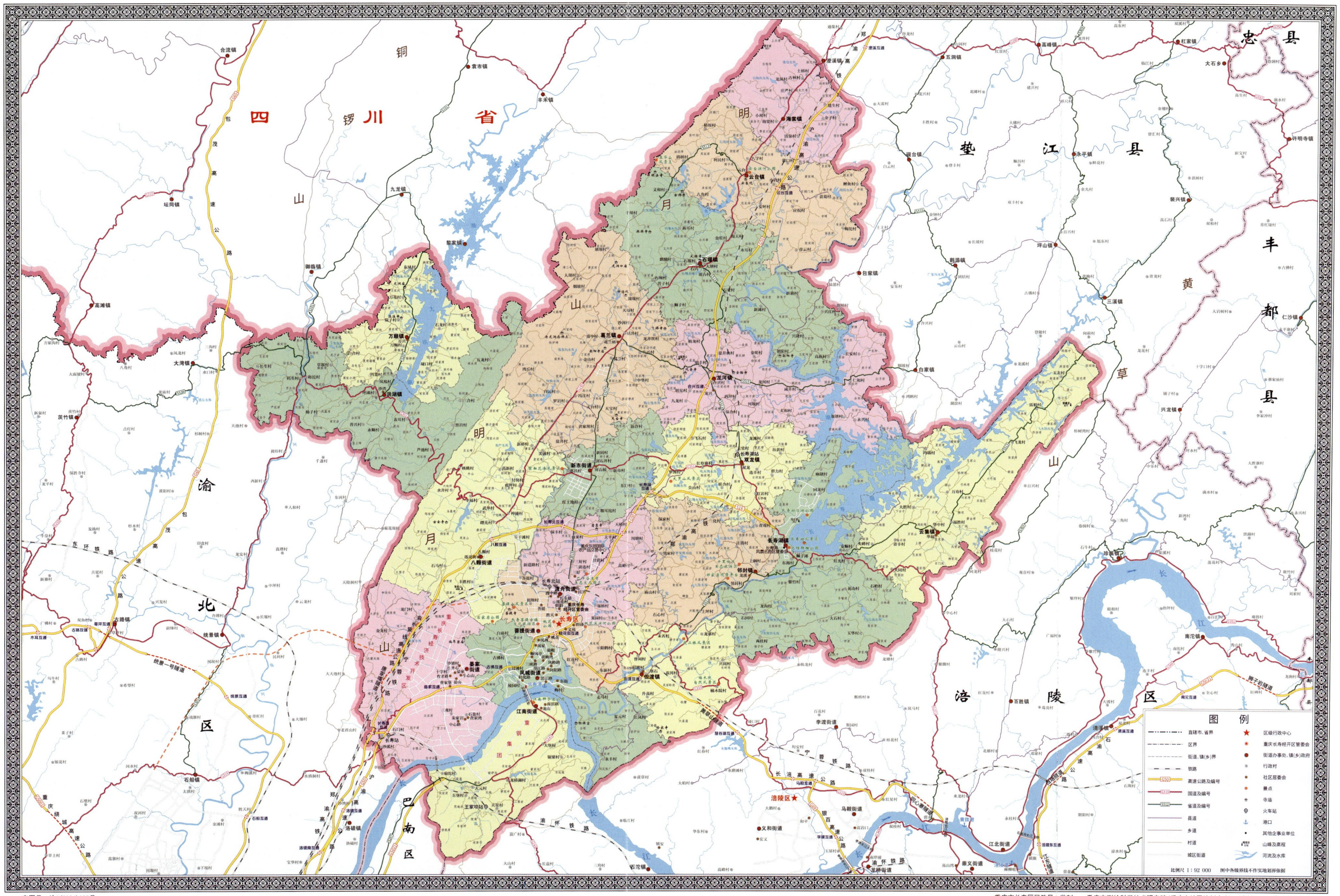

审图号：渝S(2024)083号

重庆市长寿区民政局 监制 重庆市测绘科学技术研究院(重庆市地图编制中心) 编制 二〇二四年四月

长寿区城区图

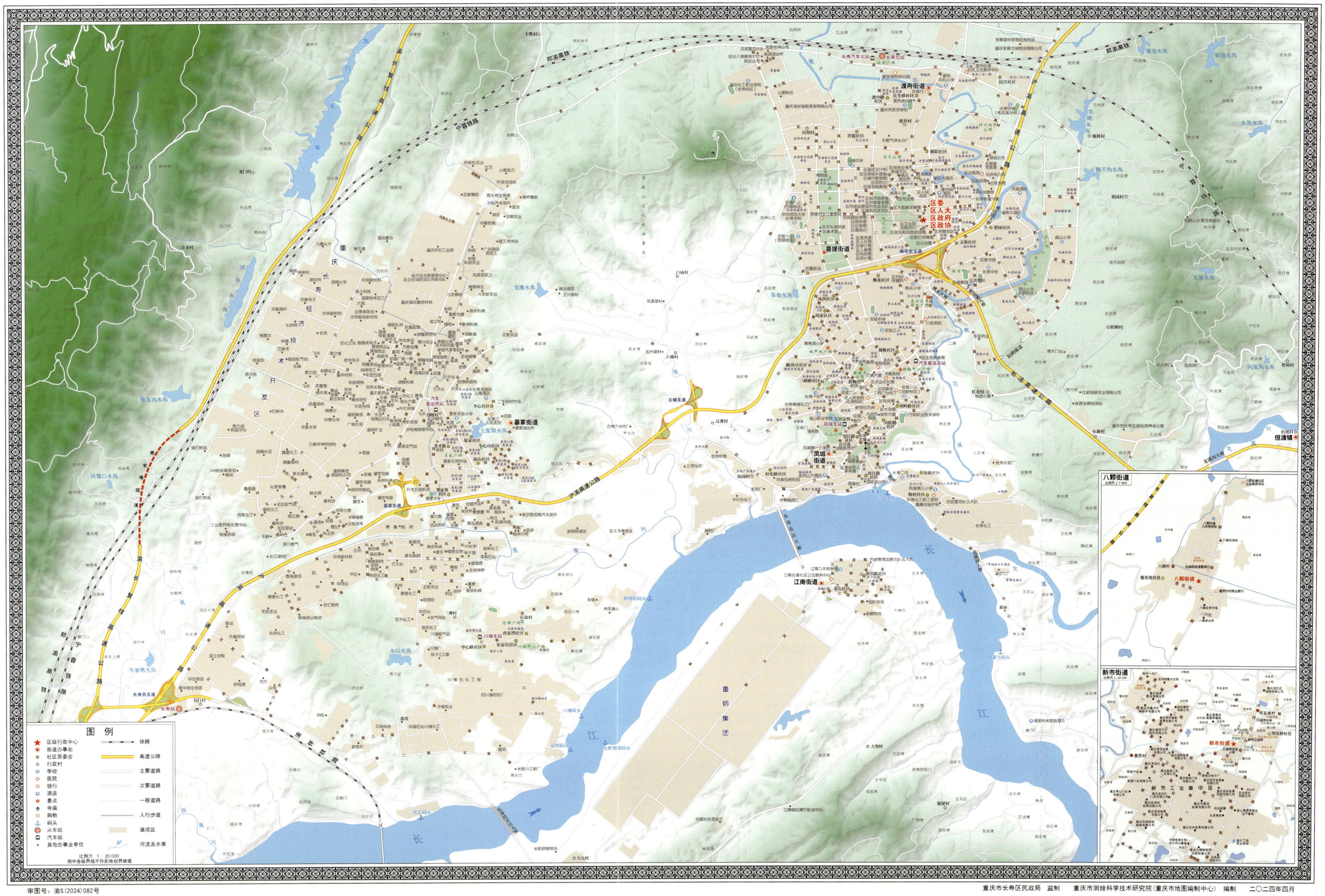

审图号：渝S（2024）082号

重庆市长寿区民政局 监制　重庆市测绘科学技术研究院（重庆市地图编制中心） 编制　二〇二四年四月

编 辑 说 明

一、《长寿年鉴》是由重庆市长寿区地方志研究室编纂的地方综合年度资料性文献，1987年开始编纂，每年一卷。《长寿年鉴（2024）》为第38卷。

二、《长寿年鉴（2024）》（以下简称本年鉴）以马克思列宁主义、毛泽东思想、邓小平理论、“三个代表”重要思想、科学发展观、习近平新时代中国特色社会主义思想为指导，坚持辩证唯物主义和历史唯物主义的立场、观点和方法，力求全面真实记录2023年长寿区自然、政治、经济、文化、社会、生态文明建设等方面概貌和发展情况。

三、本年鉴记述时限为2023年1月1日至2023年12月31日。采用分类编辑法，设类目、分目、条目3个层次。卷首设专题图片、特载、专文、大事记，正文设区情概览、中国共产党重庆市长寿区委员会、重庆市长寿区人民代表大会、重庆市长寿区人民政府、中国人民政治协商会议重庆市长寿区委员会、中国共产党重庆市长寿区纪律检查委员会 重庆市长寿区监察委员会、民主党派 工商联、群众团体、法治、军事、长寿柚、经济管理、开放与合作、民营经济、农业、水利、工业、建筑业、商贸服务业、交通运输、信息产业、金融业、旅游业、房地产业、城市建设、乡村振兴、生态环境、科学技术、教育、文化、卫生健康、体育、社会生活、应急管理、镇 街道、人物 荣誉36个类目。卷尾设统计资料、附录。除专题图片、特载、专文、大事记、人物 荣誉、统计资料、附录外，其余均为条目体，条目统一用黑体字加【 】表示。

四、本年鉴篇目结构较上卷作了调整：“综述”由以前的“概况+条目”改为文章体；增设“开放与合作”“民营经济”“长寿柚”3个类目；将“水利”“乡村振兴”2个分目升格为类目；将“经济”类目更名为“经济管理”，“农业农村”更名为“农业”，“商贸物流业”更名为“商贸服务业”，“交通 邮政”更名为“交通运输”，“人物”更名为“人物 荣誉”；将“住房与城市建设”类目拆分为“城市建设”“建筑业”“房地产业”3个类目，“文化 体育”拆分为“文化”“体育”2个类目，“教育 科技”拆分为“教育”“科学技术”2个类目；撤销“工业园区”“中央市属企业”2个类目，将相关内容并入“开放与合作”和“工业”类目；新增“农业产业化经营”“知识产权保护与服务”“教育督导”等分目及相应的条目。

五、本年鉴用规范的语体文、记述体，直陈其事，文字力求简洁、朴实。凡涉及各种机构在文中首次出现时用全称，并括注简称，以后则用规范简称。

六、本年鉴“市委”指“中共重庆市委”，“区委”指“中共重庆市长寿区委”，除“民主党派”部分外，未标明党派的“党员”指“中共党员”，“党建”工作指“中国共产党建设”工作。

七、本年鉴数字用法、标点符号、计量单位分别执行国家标准《出版物上数字用法》（GB/T 15835—2011）、《标点符号用法》（GB/T 15834—2011）、《国际单位制及其应用》（GB 3100—1993）和《有关量、单位和符号的一般原则》（GB 3101—1993）。考虑到社会使用习惯，书中“亩”不作统一换算。

八、本年鉴文字由各撰稿单位提供，并经撰稿单位领导审核。主要数据和统计资料由长寿区统计局提供，部分数据由各相关部门提供。文中所列数据，均保持各单位提供时的原貌，不做省略或改动，因统计方法或口径不同，不同部门提供的同项数据或有不一致，以统计部门公布的数据为准。部分数据因四舍五入等原因，总数与分项和之间存在合理范围内误差。

九、本卷年鉴配备双重检索系统，书前有中文目录，书后有主题分析索引，范围涉及条目和表格。

欧洲重庆中心新材料产业基地

重庆生产服务型国家物流枢纽

国家新型工业化产业示范基地

全国十大木业产业加工园区

国家知识产权强国建设试点园区

全国科普示范基地

全国义务教育发展基本均衡区

国家级慢性病综合防控示范区

全国基层中医药工作先进单位

全国残疾人工作先进单位

国家级节水型社会建设达标区

国家食品安全示范区

全国餐饮服务食品安全示范区

全国民政工作先进县

全国村务公开民主管理示范单位

全国第四批社会信用体系建设示范区

荣誉长寿

RONGYU CHANGSHOU

中国气候宜居城市

全国『书香城市（区县级）』

全国田径之乡

全国文化先进单位

全国未成年人思想道德建设工作先进城区

国家农业科技园区

国家农业科技创新与集成示范基地

全国平安渔业示范区

国家化工新材料高新技术产业化基地

国家循环化改造示范试点园区

国家外贸转型升级基地

国家绿色园区

长寿区桃花新城一景　（区融媒体中心　供图）

长寿区邻封镇十里柚乡　（袁志龙　摄）

2023数字长寿

SHUZI CHANGSHOU

辖区面积	1421.44平方千米	长寿柚产值	4.17亿元
户籍人口	86.4万人	社会消费品零售总额	338.7亿元
常住人口	68.14万人	进出口总额	101亿元
地区生产总值	956.73亿元	金融机构本外币存款余额	835.08亿元
第一产业增加值	66.58亿元	金融机构本外币贷款余额	595.93亿元
第二产业增加值	585.14亿元	城镇常住居民人均可支配收入	4.66万元
第三产业增加值	305.01亿元	农村常住居民人均可支配收入	2.25万元
规模以上工业企业总产值	1577.9亿元	学校（不含高校）	200所
一般公共预算收入	51.11亿元	教职工（不含高校）	9413人
一般公共预算支出	90.47亿元	在校学生（不含高校）	99940人
长寿柚种植面积	3625公顷	医疗卫生机构	485家
长寿柚产量	4.8万吨	医疗卫生人员	3927人

（区统计局 区农业农村委 区教委 区卫生健康委）

图说长寿

TUSHUO CHANGSHOU

长寿湖景区“天赐寿岛”　　（刘 贇 摄）

唱好“双城记”共建经济圈

成渝地区双城经济圈建设是习近平总书记亲自谋划、亲自部署、亲自推动的国家重大区域发展战略。2023年，长寿区认真贯彻习近平总书记关于推动成渝地区双城经济圈建设系列重要指示精神，按照市委关于把成渝地区双城经济圈建设作为“一号工程”和全市工作总抓手总牵引的决策部署，坚持全区域融入、全方位推进，奋力推动《成渝地区双城经济圈建设规划纲要》《重庆市推动成渝地区双城经济圈建设行动方案（2023—2027年）》等落地落实，“融主城、联双城”发展新格局加快构建，城市综合承载力持续增强，与周边地区协同发展能级和水平稳步提升。

2023年7月12日，共建明月山绿色发展示范带党政联席会第五次会议在长寿区举行

（区融媒体中心　供图）

2023年7月12日，明月山绿色发展示范带西部陆海新通道铁海联运班列首发　（区融媒体中心　供图）

2023年12月5日，成渝地区双城经济圈建设重大项目——黄草峡储气库加紧建设　（区融媒体中心　供图）

2023年，长寿区推进成渝地区双城经济圈建设合作共建重大项目——龙溪河生态修复综合整治项目建设。图为整治后的龙溪河沿岸

（区融媒体中心2023年9月　摄）

2023年11月2日，成渝地区双城经济圈建设合作共建重大项目——黄草峡储气库建设工程项目施工现场

（区发展改革委　供图）

2023年12月8日，成渝地区双城经济圈建设合作共建重大项目——重庆两江新区至长寿区快速通道项目建设现场

（区融媒体中心　供图）

2023年5月17日，长寿区举行2023年“国际博物馆日”川渝主会场活动暨区博物馆开馆仪式　（区融媒体中心　供图）

2023年7月11日，第三届明月山生态旅游文化节文艺会演在长寿区举行

（区融媒体中心　供图）

2023年，长寿区落实“川渝通办”改革要求，线下办理“川渝通办”事项。图为区政务中心工作人员为群众办理事项

（区融媒体中心2023年8月 摄）

2023年9月20日，共建成渝地区双城经济圈2023年重大项目——重庆恩捷锂离子电池微孔隔膜项目竣工仪式在长寿经开区举行

（区融媒体中心　供图）

推进数字重庆建设
打造重庆市数据要素集聚区

2023年12月15日，位于长寿高新区的重庆长寿制造业数字化转型赋能中心开始试运行　　（区融媒体中心　供图）

2023年，长寿区落实数字中国、数字重庆战略部署，围绕数字重庆建设“1361”整体框架，大力推进治理体系和治理能力现代化：三位一体建设数字化城市运行和治理中心、制造业数字化转型赋能中心和数据交易中心；引进优质数商58家；120家规模以上企业上云上平台；全力推广应用“一表通”智能报表；在全市率先实现“区—镇（街）”两级中心事件流转贯通；“网格卡”和社区专职网格员人选库做法在全市推广；举办数字大讲堂12期；数字经济核心产业增加值增长10%。

2023年11月23日，长寿区人民政府与阿里巴巴（中国）软件有限公司在杭州签署合作框架协议，共建中国西部数谷数字乡村项目
（区融媒体中心　供图）

2023年1月31日，长寿经开区工作人员运用智慧园区平台开展工作

（区融媒体中心　供图）

2023年4月26日，长寿区智能预警信息自动发布系统正式上线运行

（区融媒体中心　供图）

2023年5月14日，长寿区数字化城市运行和治理中心正式运行

（区融媒体中心　供图）

2023年11月18日，长寿开投集团与浙江中国小商品城集团股份有限公司签署合作协议，共建义乌中国小商品城重庆数智产业园 （区融媒体中心　供图）

2023年8月1日，亚士创能新材料（重庆）有限公司全自动化立体仓库机器人进行有序包装、入库

（区融媒体中心　供图）

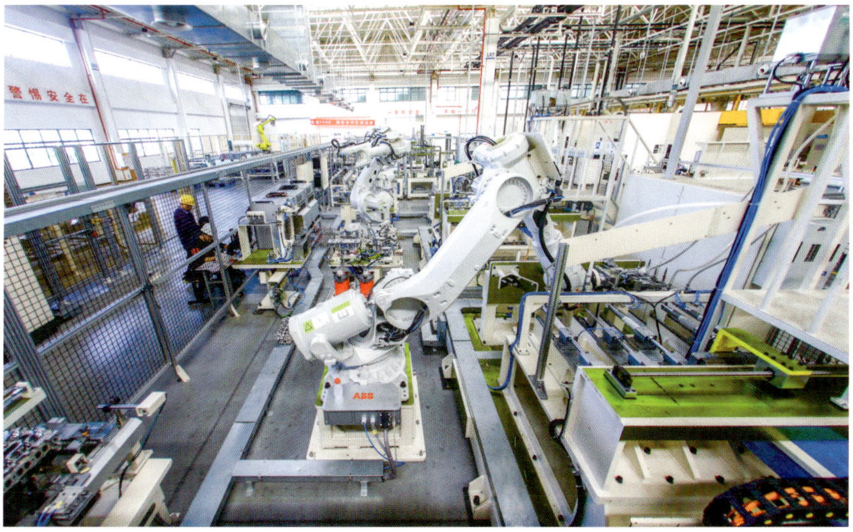

长寿经开区小康动力有限公司数字化车间智能机加线

（长寿经开区2023年10月　摄）

2023年12月28日，长寿区数字大讲堂第十二期开讲

（区融媒体中心　供图）

“两地一城”建设

“两地一城”建设是长寿区第十四次党代会擘画的区域发展战略。2023年，长寿区深入实施“3113”项目攻坚行动计划，“两地一城”建设奋进成势。具有全球影响力的新材料高地建设笃定前行，推进特别重大项目21个、重大建设项目82个，完成投资180亿元，长寿经开区在国家级经开区综合发展水平考核评价中再次蝉联全市第一；世界级运动康养旅游目的地建设蹄疾步稳，完工重大项目6个，开工特别重大项目7个、重大项目31个，完成投资约28亿元，全年接待游客1400万人次、实现旅游收入111亿元，分别增长20.4%和18.1%；中国长寿生命科学城建设行稳致远，实施特别重大项目33个、年度建设项目69个，完成投资42亿元。

2023年3月10日，长寿区2023年工业高质量发展大会召开　　（区融媒体中心　供图）

位于长寿经开区长江沿岸的生产服务型国家物流枢纽　　（区融媒体中心2023年3月13日　摄）

2023年10月9日，重庆市首卷不锈钢复合钢卷产品在“国家高新技术企业”重钢试轧成功

（区融媒体中心　供图）

2023年11月11日，长寿经开区全景　（袁志龙　摄）

大桥建成前，乐温渡口最后的车渡

2023年4月27日，长寿区重大项目龙溪河乐温大桥正式通车　（区融媒体中心　供图）

2023年1月4日，重庆壹石通新能源科技有限公司锂电用陶瓷粉体材料项目开工仪式在长寿经开区举行

（长寿经开区　供图）

2023年10月29日，长寿经开区中润新材料产业园项目施工现场　（区融媒体中心　供图）

2023年，国家AAAA级旅游景区长寿湖入选“2023年中国体育旅游十佳精品景区”和“长江安澜见证之旅”旅游线路

（袁志龙2023年5月　摄）

2023年6月30日，长寿菩提古镇第十届重庆啤酒火锅节开幕（区融媒体中心　供图）

2023年10月10—14日，2023年全国太极拳公开赛（南部赛区）暨中国（长寿）太极拳公开赛在长寿区体育中心举行（区体育局　供图）

2023年6月16日，长寿区与瓦里安医疗器械贸易（北京）有限公司共建国际一流癌症防治中心签约仪式在长寿区举行

（区融媒体中心　供图）

2023年8月21日，清华大学社会科学学院积极心理学专家彭凯平（右一）一行到长寿区考察指导幸福长寿示范区建设

（区融媒体中心　供图）

2023年7月26日，国际棋联主席德沃尔科维奇（中右）到长寿区宣传推广体育文化　　（区融媒体中心　供图）

2023年10月28日，2023年重庆长寿湖全国铁人三项冠军杯系列赛总决赛暨成渝双城铁人三项公开赛开幕

（张颂东　摄）

人文长寿

2023年，长寿区积极涵育“长于文、寿于和”，崇德向善、人人利他、人人成长、人人长寿的新时代长寿人文精神，实施党建统领全域，推进红色文化传承，建设清廉文化工程，弘扬优秀传统文化，开展系列文化活动，提升公共文化服务水平，大力推动文化繁荣兴盛，扎实谱写习近平文化思想的长寿实践。

2023年9月25日，杨克明故居陈列馆被重庆市人民政府命名为“重庆市国防教育基地”。图为杨克明故居陈列馆大厅

（云集镇　供图）

2023年4月23日，“阅读悦美·悦享长寿”全民阅读活动启动仪式暨“4·23”世界读书日活动在长寿时代广场举行

（区委宣传部　供图）

2023年10月18日，记录长寿特色水电文化的文献纪录片《水电摇篮》开机仪式在长寿区举行

（区融媒体中心　供图）

2023年4月3日，“贯彻二十大 相约漫慢城”橘香清明田园诗会在长寿区龙河镇保合书院举行

（区融媒体中心　供图）

2023年 6月10日，第八届重庆非物质文化遗产暨老字号博览会在长寿区开幕　　（区融媒体中心　供图）

2023年11月9日，群众在长寿凤山公园进行太极拳晨练　　（区融媒体中心　供图）

2023年6月7日，长寿区志愿者参加爱心送考活动助力高考　　（区融媒体中心　供图）

2023年10月23日，葛兰镇盐井村十四届重阳文化节暨2023年农民丰收节上的坝坝宴

（区融媒体中心　供图）

2023年11月8日，20对老人在长寿菩提古镇举行金婚纪念仪式

（区融媒体中心　供图）

2023年年末，长寿区有百岁及以上老人46人。图为江南街道扇沱村105岁老人李淑芳（右二）和家人

（区融媒体中心　供图）

长寿柚

长寿柚原名长寿沙田柚，是长寿区最具影响力和美誉度的大宗特色果品，自1978年被列为“世界先进柑橘品种”开始，先后获评日内瓦“第一届国际植物新品种展览会”最感兴趣品种之一、全国优质水果评选“金杯奖”、“重庆市十大名柚”、“中华名果”、地理标志农产品、全国名特优新农产品，入选《中华名牌年鉴（2023）》，上榜《重庆柑橘地图》，赢得“源于沙田、优于沙田”的美誉。2023年，长寿柚种植面积3625公顷，产量超4.8万吨，产值4.17亿元。已建成出口基地3个。2023年4月，长寿柚亮相“第八届全球外交官中国文化之夜”。

2023年4月17日，长寿区邻封镇柚农为长寿柚授粉

（区融媒体中心　供图）

2023年12月9日，长寿湖镇柚农捧着丰收的长寿柚喜笑颜开

（区融媒体中心　供图）

2023年11月18日，中国地理标志商标产品长寿柚（长寿沙田柚）在北京市举行的“自然长寿”品牌推介活动上展示

（区融媒体中心　供图）

2023年12月，长寿柚包装实现“智能化”，日包装4000箱　　（区融媒体中心　供图）

2023年11月29日，“青耘重庆·百村行”长寿区助农直播活动在云集镇大同村进行

（区融媒体中心　供图）

2023年12月19日，长寿区邻封镇举行长寿柚销往香港发车仪式　（区融媒体中心　供图）

2023年12月26日，中华名果长寿柚在川渝明月山臻品博览会受青睐

（区融媒体中心　供图）

长寿柚文创产品

（陈　希　2023年12月摄）

2023年11月10日，长寿区晶山小学在2023年长寿区中小学生田径运动会开幕式上表演集体舞《柚娃爱家乡——长寿》

（区融媒体中心　供图）

目　录

特　载

专　文

大事记

区情概览

中国共产党重庆市长寿区委员会

重庆市长寿区人民代表大会

重庆市长寿区人民政府

中国人民政治协商会议重庆市长寿区委员会

中国共产党重庆市长寿区纪律检查委员会　重庆市长寿区监察委员会

民主党派　工商联

群众团体

法 治

军　事

长寿柚

经济管理

开放与合作

民营经济

农　业

水　利

工 业

建筑业

商贸服务业

交通运输

信息产业

金融业

旅游业

房地产业

城市建设

乡村振兴

生态环境

科学技术

教 育

文　化

卫生健康

体　育

社会生活

应急管理

镇　街道

人物　荣誉

统计资料

附　录

索　引

特　载

区委工作报告

——2024年1月8日在中共重庆市长寿区委十四届七次全会第一次全体会议上

中共重庆市长寿区委书记　刘小强

本次全会的主要任务是：坚持以习近平新时代中国特色社会主义思想为指导，全面贯彻落实党的二十大和中央经济工作会议精神，落实市委六届二次、三次、四次全会和市委经济工作会议、全市“三攻坚一盘活”改革突破动员部署会要求，总结回顾区委常委会一年来的工作，审议《中共重庆市长寿区委关于深入贯彻落实习近平总书记重要指示精神奋力实现“三攻坚一盘活”改革突破的实施意见》，深入推进国有企业、园区开发区、政企分离改革攻坚和国有资产盘活工作，为现代化建设破解难题，为高质量发展增添动力，为全市改革发展大局作出贡献，推动国际化绿色化智能化人文化中国长寿城建设迈上新台阶、开创新局面，为书写新时代新征程新重庆长寿华章注入强大动力。

首先，我代表区委常委会向全会报告工作

刚刚过去的2023年，是全面贯彻落实党的二十大精神的开局之年，是全面建设社会主义现代化新重庆的起步之年，也是全面建设国际化绿色化智能化人文化中国长寿城和“两地一城”的奋进成势之年。面对复杂严峻的国际形势和艰巨繁重的改革发展稳定任务，区委常委会坚持以习近平新时代中国特色社会主义思想为指导，全面学习贯彻党的二十大精神和市委六届二次、三次、四次全会部署要求，主动在中国式现代化宏大场景中谋划推进各项工作，突出稳进增效、除险清患、改革求变、惠民有感工作导向，追求卓越、争创一流，聚精会神、脚踏实地，确保长寿始

终沿着习近平总书记指引的正确方向前行。经过一年的团结奋斗，全区上下政治站位和战略站位进一步提升，高质量发展态势持续向好，人民群众幸福指数不断提高，广大干部唯实争先、善作善成的精气神持续提振，共同用热血和汗水刻画了一个在识变应变中开拓奋进的长寿，一个在新时代新征程让人充满更多信心和期待的长寿。

重点抓了5件大事：

一是统筹推动党的二十大精神、习近平总书记重要指示批示和市委系列工作部署在长寿一贯到底，抓纲带目丰富完善高质量发展工作体系。坚持第一议题抓学习、第一遵循抓贯彻，健全完善习近平总书记重要指示批示精神和党中央决策部署以及市委、市政府工作要求闭环落实机制。对标落实成渝地区双城经济圈建设“一号工程”、西部陆海新通道、数字重庆、现代制造业“33618”集群体系、“416”科技创新战略布局等现代化新重庆建设目标任务，迭代丰富完善“1333”工作构架，形成了系统性谋划、整体性推进、项目化落实的整体合力。

二是统筹学思用贯通、知信行统一，扎实开展学习贯彻习近平新时代中国特色社会主义思想主题教育。严格落实“学思想、强党性、重实践、建新功”总要求，一体推进理论学习、调查研究、推动发展、检视整改、建章立制，开展专题党课713场，形成高质量调研报告753份，项目化清单化推进7个专项整治，扎实办好主题教育15件民生实事，党的创新理论源源不断转化为武装头脑、指导实践、推动工作的强大力量。

三是统筹高质量发展和高水平安全良性互动，交出经济社会发展高分报表。全年预计地区生产总值突破1000亿元大关、增长7%，规上工业总产值1600亿元、增长7.8%，固定资产投资350亿元、增长12.9%，经济总量迈上新台阶，新质生产力加快培育。防范化解政府隐性债务风险有力有效，市级“保交楼”任务全部销号，安全生产、社会稳定等基石越来越牢固。

四是统筹推进深层次改革和高水平开放，内生动力活力不断释放。满腔热忱拥抱数字文明新时代，按照数字重庆建设“1361”整体构架谋划打造中国西部数谷“11538”总体布局，一体推进数字经济、数字治理、数据市场建设，数据正在加快实现从资源到资产的嬗变。加快打造川渝首个生产服务型国家物流枢纽，建设长江江海联运和西部陆海新通道枢纽节点、交通数据能力中心，开放层次和水平不断跃升。

五是统筹抓好党建统领“三项重点任务”，全面提高各级党组织领导力组织力。强化党建统领“八张报表”目标管理、“八张问题清单”问题管控、“五项机制”结果导向，形成了抓党建带全局的工作格局。部署推进新时代市域党建新高地长寿范例建设，推动新时代“红岩先锋”变革型组织打造，组织力量、干部活力正加速转化为澎湃不竭的发展动能。

主要做了10个方面的工作：

（一）深入推进成渝地区双城经济圈建设“一号工程”，加快基础设施互通。两江新区至长寿快速通道8个作业面同时施工，合广长高速纳入两省市高速路网规划并启动前期工作，渝宜高铁长寿至涪陵段完成项目初设，中航油西南战略储运基地建成投用，西南地区最大供氢中心建成投运。聚力产业能级跃升。12个川渝合作共建重大项目完成年度投资32亿元，与自贡市共建千亿级天然气新材料基地，长寿经开区获批成渝地区双城经济圈合作示范园。全力承载重大功能布局。携手吉利铭泰集团打造国际方程式赛车项目，举办气凝胶、NMP、PVDF等高端学术论坛及国际棋联女子世界锦标赛等国际赛会31场。加强川渝毗邻地区合作。承办明月山绿色发展示范带、合广长协同发展示范区党政联席会，明月山7区县西部陆海新通道铁海联运班列首发。

（二）深度融入西部陆海新通道建设打造生产服务型国家物流枢纽。加快打造综合交通通道。与浙江海港集团共建川江物流枢纽，渝巴物流化工新材料分拨中心等27个项目有序推进，开行中欧班列（成渝）长寿多式联运集结中心班列。加快打造双向贸易通道。签约浙江中国小商品城集团共建重庆义乌数智产业园，获批建设“一带一路”进出口商品集散中心暨内陆国际物流分拨中心示范基地，陆海新通道长寿班列货运量增长2.6倍，全年实现外贸进出口100亿元。加快打造数字智慧通道。与交通运输部下属企业交信物联携手推进“部市共建”，打造换电重卡数字网等“1+4”数字交通体系。

（三）以数字化变革引领全面深化改革。推进数字重庆建设打造中国西部数谷。承接部署一体化智能化公共数据平台，三位一体建设数字化城市运行和治理中心、制造业数字化转型赋能中心和数据交易中心，引进数商主体58家，率先完成国有企业首笔数据资产入表，六大系统“一件事”谋划有序推进，19个镇街基层治理指挥中心初步具备实战能力。压茬推进“三个一批”重点领域改革。推动实施“三个一批”重大改革项目111项，率先在全市规范农村产权流转交易市场，“政务承诺+信用履约”机制获评2023年度全国信用承诺优秀案例。

（四）推动“两地一城”奋进成势。加快建设具有全球影响力的新材料高地。签约双欣PVA光学膜、领新凝胶固态电池、中船特种材料等新材料项目22个，恩捷锂电池隔膜等36个重点项目投产，新增产能450亿元，先进结构材料获评首批市级战略性新兴产业集群。长寿经开区在国家级经开区综合发展水平考核评价中连续两年位居全市第一。加快建设世界级运动康养旅游目的地。长寿湖旅游度假区获批十佳中国体育旅游精品项目，携手红树林集团打造大洪湖零碳康养旅游度假地，联合阿里巴巴共建数字乡村生态实验室，与中科院合作打造数字农田伏羲系统、智能农机创新平台，新增文旅体市场主体257家，游客、旅游收入增长20.4%和18.1%。加快建设中国长寿生命科学城。完成中国长寿城全域空间战略规划，引进瓦里安打造国际一流的癌症防治中心，引进火石数智等18家数字健康企业。联合清华大学构建积极心理学社会服务体系，幸福学校、幸福时代广场等幸福细胞启动建设。加快城市品质提升，启动17个老旧片区改造，国家方志馆长江分馆成功落地，区博物馆建成投用。

（五）深入实施科技创新和人才强区首位战略。大力实施高新技术企业、科技型企业倍增计划。梯度培育世界级原生企业，支持康乐制药申报国家企业技术中心，推动博腾、国际复合等创建市级制造业创新中心，新培育高新技术企业54家、科技型企业289家。全力打造高能级科创平台。加快能量材料孵化基地和长江低碳产业研究院建设，与市人社局共建国际化特色化新材料产业人才专区，新认定市级技术创新中心1家、企业技术中心5家。深入实施“十万英才聚长寿”育才计划。成功举办2023重庆国际人才交流大会——新材料产业国际人才合作专场活动，与清华大学联合开展领军企业人才培训“鲲鹏计划”，引进高精尖缺人才1900余人。

（六）提升区域发展承载力促进市场主体倍增。厚植产业生态。抓存量企业增效和招大引强并举，巴斯夫、双象等19家企业追加投资81亿元，新签约项目115个、合同引资708.7亿元，其中10亿元以上项目18个，市外项目资金到位额增长19.8%。推动扩量提质。大力实施“十百千万”领航行动，培育百亿级种子企业16家、上市入库企业27家、专精特新企业38家、“小巨人”企业2家，上榜重庆百强民营企业8家，升规达限企业105家，新发展市场主体12832户、新发展率16.9%。优化营商环境。出台优化营商环境改革27条举措，减税降费、留抵退税11.5亿元，获批全国第四批社会信用体系建设示范区。

（七）推进美丽重庆建设打造幸福城市美丽乡村。夯实“百湖之区、生命之城”本底。统筹实施山水林田湖草生态保护修复专项规划7类70个生态保护修复项目，实施“两岸青山·千里林带”建设约2.2万亩，“三线一单”分区管控获评全国先进。健全生态环境“九治”体系。提前两年完成“十四五”大气污染物总量减排任务，长江长寿段水质稳定达标，桃花溪纳入水利部全国15条幸福河流创建试点，建成投运西南地区规模最大、工艺最先进的工业固废处置中心。加强减污降碳协同增效。长寿经开区入选重庆市“近零碳园区”试点、国家清洁生产审核创新试点，36家企业进入碳交易市场，新增国家级绿色工厂5个，单位地区生产总值能耗下降3%。

（八）坚持在发展中保障和改善民生。持续巩固脱贫攻坚成果。引导6806名脱贫劳动力外出就业，脱贫对象人均纯收入增长15.3%，巩固脱贫成果后评估、财政衔接资金绩效评价连续4年获得“一好一优”成绩。突出抓好就业保障。实施“长创常新”等就业创业扶持行动，推进全民参保计划，城镇新增就业2万人，调查失业率5.3%。着力提升公共服务水平。实施基础教育品质提升十项行动，普惠性幼儿园覆盖率94.1%。全国健康区创建通过市级技术评估，新增四叶级养老机构2家。扎实推进民生实事。财政民生支出占一般公共预算支出比重达62%，21件年度重点民生实事全面完成。

（九）建设更高水平的平安长寿。坚决维护政治安全。深入推进“反制、筑墙、净土、攻心”四大工程，网络意识形态阵地管理覆盖率保持100%。坚决维护经济金融安全。盘活“三资”41.1亿元，化解存量隐性债务16.12亿元。严厉打击非法集资、“伪私募”行为，依法查处涉嫌非法集资企业5家。坚决维护社会稳定。中央联席办交办“治重化积”案件全部化解，信访总件次、人次下降15.7%、22.26%，生产安全事故起数下降6.3%，矛盾纠纷化解率97.3%，110接报警情下降19.78%，群众安全感指数达98.6%。

（十）加快建设新时代市域党建新高地长寿范例。坚定拥护“两个确立”、坚决做到“两个维护”。完善可视可评可治政治生态评价系统，科学设定十个关键指标，分类开列六张评价清单，反向检视立案查处10件10人，相关做法获评全市基层改革典型案例。健全完善全域有形有效覆盖的组织体系。扎实推进“党建扎桩·治理结网”党建统领基层治理改革，推进中组部重点村分类管理试点，新成立“三新”领域党组织27个，整顿软弱涣散村（社区）党组织19个，试点打造工业社区3个。固本强基锻造勇担重任的干部队伍。健全素质培养、知事识人、选拔任用、从严管理、正向激励的干部工作体系，注重在“3113”项目攻坚行动计划、基层治理、乡村振兴等一线锤炼成长干部，提拔重用区管干部60名。以上率下增强战略领悟力和战术执行力，修订实施《长寿区领导干部工作生活带头十条要求》。开展“数字大讲堂”等重点专题培训班36期、3万余人次参训。全面从严建设风清气正的清廉长寿。全域构建“3+84+N”的清廉单元创建体系，深化“全周期管理”一体推进“三不腐”，开展“中梗阻”专项整治，查处违反中央八项规定精神问题33件41人，惩治腐败立案121件127人、留置7人，给予党纪政务处分123人，谋划以“周恩来总理长寿足迹”为主线的长寿廉洁文化谱系，获评全市廉洁文化示范基地。对24个区管党组织、83个基层党组织开展政治巡察。坚持党的全面领导凝聚强大工作合力。发展更为广泛的全过程人民民主，实施区级民生实事项目代表票决制，7个街道推行议事代表会议制度。支持政协构建“1厅8室N站点”立体化协商格局，高标准建成“翰墨丹青”“渝阅寿乡”等特色品牌委员工作室。实施统一战线同心聚力六项提升行动。坚持党管武装，成功创建市级双拥模范城市。圆满完成工会、共青团、妇联、科协等群团组织集中换届。

同时，区委常委会高度重视自身建设，带头践行习近平新时代中国特色社会主义思想，带头落实《长寿区领导干部工作生活带头十条要求》，带头站稳人民立场，带头保持清正廉洁，自觉担当管党治党主体责任，不断提高领导能力和工作水平。

回顾过去一年的工作，有5点体会尤为深刻、值得总结：

一是坚决拥护“两个确立”、坚决做到“两个维护”是我们事业前进的定海神针。必须始终沿着习近平总书记指引的正确方向前行，立足中国式现代化宏大场景和现代化新重庆建设时代背景，坚定不移落实国家重大战略，把习近平总书记重要指示批示和市委系列工作部署在长寿一贯到底。

二是系统思维、抓纲带目、聚焦特色、闭环落实是我们从全局谋划一域、以一域服务全局的实践路径。必须始终聚焦“国之大者”，融入全局、服务大局，选准赛道、立柱架梁，谋深做实具有长寿辨识度的有形载体和有效抓手，一件一件抓落实，一年接着一年干，加快把“两地一城”美好愿景从“大写意”绘制成“工笔画”。要把从全局谋划一域、以一域服务全局作为抓工作的重要思想方法和工作方法，不断提高战略领悟力和战术执行力，从全球、全国和全市的发展大局思考谋划长寿工作，从历史与未来的贯通中审视当下、继往开来，日拱一卒、功不唐捐、久久为功。

三是以新迎新、革新立新是我们稳大局、应变局、开新局的不竭动力。必须始终坚持“发展出题目、改革做文章”，与时俱进、永不停歇地推动与现代生产力发展相适应的生产关系变革，不断推动理念更新、方法进阶、机制革新，打破思维藩篱、路径依赖，以思想认识的新飞跃开辟各项工作的新局面。

四是追求卓越、争创一流，聚精会神、脚踏实地是我们干事创业的鲜明导向，也是成事的必备条件。必须始终拉高标杆、以上率下、以老带新、上下同欲增强战略领悟力和战术执行力，在高质量发展的赛马比拼中提升能级、挺立潮头、跑在前列。

五是坚持党建统领是适应和引领现代化的根本保证。必须始终牢牢抓住提高各级党组织的领导力组织力这个“牛鼻子”，加强党的全面领导、全面加强党的建设、深入推进全面从严治党，不断淬炼忠诚、建强组织、用好干部、集聚人才、提升能力、锤炼作风，不断汇聚形成全区强大的愿景认同、目标认同、路径认同，激发广大干部群众的区域认同、职业认同、身份认同，以高质量党建引领保障高质量发展行稳致远。

同时，我们也清醒看到工作中还存在不少问题短板：有的干部战略领悟力和战术执行力仍需提升，经济恢复增长的基础还不牢固，主导产业转型升级仍需提速，数字化变革和高水平开放还需加力，改革攻坚特别是国有企业改革、政府隐性债务化解等难题客观存在，社会事业和社会治理还有短板弱项，惠民便民实效仍需增强。这些问题，我们必须高度重视，切实加以解决。

2024年，是新中国成立75周年，是实现“十四五”规划目标任务的关键一年，是现代化新重庆建设从全面部署到纵深推进的重要一年，也是国际化绿色化智能化人文化中国长寿城和“两地一城”建设整体成势之年。区委常委会将坚持以习近平新时代中国特色社会主义思想为指导，全面贯彻落实党的二十大、二十届二中全会和中央经济工作会议精神，进一步深学细悟笃行习近平总书记重要指示批示精神，坚持稳中求进工作总基调，完整、准确、全面贯彻新发展理念，牢牢把握高质量发展首要任务，强化稳进增效、除险固安、改革突破、惠民强企工作导向，团结带领全区广大党员干部群众乘势而上、接续奋斗，努力交出经济社会发展高分报表，以优异成绩迎接新中国成立75周年。

第二，关于“三攻坚一盘活”改革突破工作

党的十八大以来，以习近平同志为核心的党中央高度重视全面深化改革工作，将其纳入“四个全面”战略布局，也作为习近平新时代中国特色社会主义思想的“十个明确”“十四个坚持”之一。党的二十大也明确要求，着力破解深层次体制机制障碍，把我国制度优势更好转化为国家治理效能。习近平总书记对重庆改革工作更是十分关注、寄予

厚望，2016年、2019年两次视察重庆和2018年参加全国两会重庆代表团审议时，都对改革工作提出了明确指示要求，为我们推进全面深化改革指明了前进方向、提供了根本遵循。当前，全市上下正处在以改革攻坚突破强化稳进增效、除险固安、惠民强企的关键阶段，市委专题召开六届四次全会，对全市深化机构改革任务，深入推进国有企业、园区开发区、政企分离改革攻坚，全力推动国有资产盘活进行了全面部署，吹响了深化重点领域改革攻坚的“号角”。我们要深入学习贯彻习近平总书记关于全面深化改革的重要论述，认真贯彻落实党中央决策部署和市委六届四次全会要求，牵住改革牛鼻子、下好改革先手棋，通过改革求变锻造高质量发展强大引擎，为建设国际化绿色化智能化人文化中国长寿城、“两地一城”注入强大动力。

一、坚决在政治上认识，深刻领会“三攻坚一盘活”改革突破的重要意义

市委六届四次全会强调，“三攻坚一盘活”改革突破是现代化新重庆建设必须跨越的重要关口，抓住了牵一发动全身的改革关键，是现代化新重庆建设必须啃下的“硬骨头”。我们要坚决提高政治站位，深刻认识市委部署“三攻坚一盘活”改革突破的重大政治意义、战略意义、实践意义，切实把思想和行动统一到市委六届四次全会部署上来，拿出过硬作风和真招实招统筹应变与开新、引领变革与发展。

*（一）重大改革激发高质量发展的强大动力，必须作为重大政治任务强力推进。*国有企业是“两地一城”建设的主力军，园区开发区是高质量发展的主战场。近年来，我区积极推动国企平台转型发展，先后将7家国企战略性重组为3家集团化国企，大力推动世界一流园区和具有全球影响力的新材料高地建设，长寿经开区在2022年商务部国家级经开区综合发展水平考核中居全国第36位、西部第3位，为全区经济社会高质量发展作出了突出贡献，但与建设国际化绿色化智能化人文化中国长寿城和“两地一城”的要求相比，支撑带动作用还不够强。市委部署“三攻坚一盘活”改革突破，既是落实党中央决策部署的政治任务，也是增强高质量发展内生动力的重要路径，对于不断激发和释放园区引领力、产业支撑力、国企竞争力、创新驱动力具有重要作用。我们必须坚决从政治上认识、从政治上把握，将“三攻坚一盘活”改革突破成效作为检验政治判断力、政治领悟力、政治执行力的试金石，作为衡量我们各级各部门党组织政治领导力的重要标准，下定决心、锚定目标、全力攻坚，全面提升国企国资管理和园区开发区管理、机制、产业现代化水平，不断增强对“两地一城”建设的战略支撑能力。

*（二）重大改革蕴含重大发展机遇，必须乘势而上、迎头赶上。*每次重大改革必将伴随和释放重大政策红利、重大战略机遇，抓住了就能借势赶超、跨越发展。多年来，我们一直着力推动经开区行政审批、行政执法等赋权制度改革，统筹化解债务与国企平台市场化改革、国有资产资源盘活联动，虽然取得了初步成效，但总体上步子迈得还不够大。市委部署“三攻坚一盘活”改革突破，为我们进一步理顺园区开发区管理体制机制、争取市级赋权、优化布局、招大引强带来了新的契机，为进一步强化国企市场化运营能力、提升国资配置效率提供了新的路径。我们要增强机遇意识主动应变求变，抓住政策窗口期和机遇期，尽全力解决长期想解决而未解决的难题，汇聚各方资源增强园区和国企的生存力、竞争力、发展力、持续力，在新一轮区域竞争中赢得主动、抢占先机、跨越发展。

*（三）重大改革亟须破解深层次突出问题，必须勇于面对、攻坚克难。*改革是由问题倒逼而产生，无可回避、不能逃避；改革又在不断解决问题中得以深化，通过破解体制机制性障碍，不断解放和发展生产力。当前，全区国有企业负债率偏高、“出血点”多、市场化水平低等问题还比较突出，长寿经开区和长寿高新区主导产业不够突出、创新活力不够强、开放力度不够大等问题客观存在，部分国有资产资源闲置、管理不规范，大量国有农用地亟待盘活。这些问题，多是长期积累的深层次矛盾，有的已经成为制约全区高质量发展和高水平安全的突出瓶颈和重大风险隐患。我们要突出问题导向，敢于突进深水区，敢于啃硬骨头，通过“三攻坚一盘活”，助力国有企业、园区开发区轻装上阵、脱胎换骨，实现更高质量、更有效率、更加公平、更可持续、更为安全的发展。

二、坚决在目标上兑现，不折不扣完成“三攻坚一盘活”改革突破目标任务

推动“三攻坚一盘活”改革突破，总的要求是：坚持以习近平新时代中国特色社会主义思想为指导，全面贯彻落实党的二十大和中央经济工作会议精神，深入落实习近平总书记关于全面深化改革重要论述和关于重庆工作重要指示批示精神，认真贯彻落实市委六届二次、三次、四次全会部署要求，加强和改善党对改革工作的领导，坚持稳中求进、先立后破，坚持统筹兼顾、系统推进，坚持有效市场和有为政府更好结合，坚持问题导向、目标导向、结果导向，敢涉深水区、敢啃硬骨头、敢闯激流险滩，坚决打赢国有企业改革、园区开发区改革、政企分离改革攻坚战，全力推动国有资产盘活取得重大成果，助力全区经济稳进增效、除险固安，为书写新时代新征程新重庆长寿华章注入强大动力。

为扎实推动市委六届四次全会部署要求落地落实，区委区政府与市委、市政府签订了2024年度“三攻坚一盘活”改革突破目标责任书。这次全会也研究制定了《中共重庆市长寿区委关于深入贯彻落实习近平总书记重要指示精神奋力实现“三攻坚一盘活”改革突破的实施意见》，进一步明确了改革核心绩效目标要求，必须打表计时、挂图作战、保质保量按期推进。

（一）国企改革攻坚的目标：2024年3月底前全面形成区属国企实质性“止损”“瘦身”方案并实施。6月底前力争没有经营现金流的区属国企实现全面“止损”，推动区级国资监管机构建立完善权责清单，构建全链条监管体系。9月底前区属国企“瘦身”基本完成。12月底前区属国企重点风险基本处置完毕，70%的区属亏损国企实现减亏、10%以上的区属亏损国企实现扭亏为盈，区属国有企业综合融资成本下降40个基点（BP），国企债务风险化解取得明显成效，持续推动国企聚焦主业、提质增效、提升竞争力，区属国企法人、融资平台公司分别压减10户、4户。

（二）园区开发区改革攻坚目标：2024年3月底前园区开发区整合全面完成，机构精简调整到位。6月底前完成开发区管理机构“三定”制定和相关事业单位调整，管理机构人员全部到位，明确开发区承担的经济事务管理职能和需要剥离的社会事务管理职能。12月底前制定开发区权力清单和责任清单，开发区存量债务综合融资成本有效压降，管理机构和开发运营公司职责边界实现100%厘清。开发区规模以上工业营业收入达到1600亿元以上，制造业规上企业亩均税收增长4%以上。

（三）政企分离改革攻坚目标：2024年1月底前完成党政机关和事业单位所属企业资产全面调查摸底和资产清查。6月底前党政机关和事业单位所属企业全部完成“脱钩”，实现经营性国有资产100%集中统一监管。

（四）国有资产盘活目标：2024年1月底前制定实施国有资产盘活方案。2024年3月底前分别制定行政事业性国有资产、企业国有资产、国有土地资产盘活方案。12月底前实现盘活存量国有资产112.05亿元。

三、坚决在任务上落地，打赢打好“三攻坚一盘活”改革突破攻坚战

全会《意见》明确了“三攻坚一盘活”的任务举措，全区各级各部门要坚持目标导向、问题导向，紧盯3月、6月、12月三个重大节点，按照全市“三步走”统一要求，进一步细化量化实化工作任务，集中攻坚、奋力突破。

（一）坚决打赢国企改革攻坚战。按照“止损、瘦身、提质、增效”思路，加快推动国企功能、优势、体制机制重塑，实现国企全面止血、风险有效化解、布局优化集中，建成一批主业突出、核心竞争力强的现代新国企。

一是要全覆盖、重监测、防风险抓好“止损治亏”。全覆盖排查区属国企“出血点”，建立亏损企业动态监测、国企债务风险全生命周期监测机制，严格执行企业重大经营风险报告制度。“一企一策”制定国企止损治亏方案，确保按时保质完成减亏扭亏。

二是要减层级、减数量、压成本推动“瘦身健体”。当前，各国企平台要继续抓好筹融资工作，严格执行债务融资四级调度、资金平衡四级统报机制，强化分平台分债项资金需求和来源筹措统筹调度，全力推动存量债务续贷、展期、置换、降息，坚决防爆雷、控增量、减存量、优结构、降成本。同时，全面落实“户头”“人头”双控要求，持续优化扁平高效的管理模式和组织架构，减少机构重叠和交叉，严控员工无序增长。建立“两非”（非主业、非优势业务）、“两资”（低效、无效资产）预警长效机制，加大处置出清力度，坚决防止“脓包化疮”。

三是要抓主责、明主业、强监管加快提质增效。长寿发展集团重点围绕园区开发建设运营、新材料、临港经济、文旅体养等领域，打造世界一流产融发展综合投资运营商。长寿开投集团重点围绕数字资源开发、城乡开发建设等领域，打造世界一流新型产城融合综合运营商。长寿乡建集团重点围绕农业产业、农村建设等领域，打造现代农业领军企业和乡村振兴示范企业。三个集团要进一步攥紧拳头、聚焦主业、汇聚资源、深耕一域，形成与“两地一城”建设相匹配的现代化国企集团。深化央地合作，支持引进战略投资者参与国企改革，不断提升企业在市场竞争中“虎口夺食”的能力。区国资委要以管资本为主建立完善出资人监管权责清单，健全完善权力运行“全周期”监督体系，不断提高国资监管质效，推动国有资产保值增值。

（二）坚决打赢园区开发区改革攻坚战。按照“精简机构、压减平台、优化布局、招大引强、世界一流”的思路，以“一个平台、一个主体、一套班子”的“三个一”为导向，对标打造世界一流园区报告明确的目标任务和实施路径，推进“138”改革措施。

一是要整合一个管理机构。将长寿高新区党工委、管委会并入长寿经开区党工委、管委会，在经开区加挂长寿高新区牌子。落实“机构改革、人事薪酬、财税分配、国企改革、行政审批”等五大重点改革任务，按照大部制扁平化原则优化调整内设机构、精简管理层级。

二是要厘清三个关系。厘清行政管理权责关系，制定园区开发区权力、责任“两张清单”，积极争取前期梳理的40项市级行政审批、行政管理、行政执法权限下放。厘清财税分配权责关系，优化完善经开区财政体制，形成完善的独立核算机制。厘清社会事务权责关系，经开区主要履行经济发展、开发建设、招商引资、企业服务等职责，进一步剥离社会事务管理职能并交由属地街镇承担。推动建立工业社区党群社会服务中心，承接经开区企业非公党建及群团建设任务。

三是要实施八项行动。实施承载能级跃升行动。深化空间规划、产业项目、公用工程、物流配送、安全环保、管理服务“六个一体化”发展，做大做强数字园区平台、产融服务平台、生产服务型国家物流枢纽、国际合作产业园等专业化高端化园区品牌。实施产业集群集聚行动。聚焦先进金属材料、化工新材料、新能源材料三大千亿级主导产业集群，打造产业大脑，绘制产业图谱，做实重点项目库和目标企业清单，支持存量企业增资扩产和新上产业链关联项目，深化链主企业和关键节点性企业招大引强，打造世界一流化工产业集聚区。要把数字健康产业作为中国长寿生命科学城的核心支撑，着力打造以数字健康产业为主导的国家级高新区。实施科技创新提升行动。围绕产业链部署创新链，加强高能级创新载体建设，到2027年培育国家级研发平台10家以上，成为前沿新兴科技策源地。实施高标准市场体系培育行动。实施“十百千万”能级提升计划，强化“一企一策”政策供给，加快培育一批具有国际影响力的百亿级、十亿级企业，成为世界级原生企业根植地。实施运营平台能力提升行动。加快现有企业重组整合，聚焦主业、分类推动长寿发展集团、长寿经开集团、长寿港公司、飞华环保公司、渝巴物流公司分别打造集团管理型总部、建设营运综合服务商、千亿级临港经济带运营平台、新材料产业集团和危化品铁路运输公共物流平台，打造信用评价3A级国企。实施人才发展高地建设行动。深入实施“十万英才聚长寿”育才计划和领军企业人才“鲲鹏计划”，建设全国重要的新材料产业人才集聚地和成长地。实施要素保障护航行动。加强用地、用气、用电等传统生产要素和数据等新型生产要素供给能力，千方百计争取能耗、环境容量。实施“亩均论英雄”改革行动。分行业、分产业链开展亩均效益差异化评价，建立亩均税收、亩均增加值、亩均就业、亩均用能、亩均排污等综合评价指标，到2027年亩均产出强度增长20%左右。对于存量企业，综合运用经济、法律、环保等手段，技改提升一批、倒逼规范一批、关停并转一批，促进低效企业改造提升、腾笼换鸟。对于新引进企业，按照万亩千亿、千亩百亿、百亩十亿要求评价招商质量，建立与亩均效益挂钩的差异化用地、用能、财税金融政策体系。强化土地集约利用，全面清理处置“批而未供、供而未建、建而未完、完而未投、投而未达”用地问题。

（三）坚决打赢政企分离改革攻坚战。要持续推动政企分离、防止反弹新增，让服务回归政府，企业市场化运行，形成责权利明确的政企关系。

一是要全面彻底摸排。加强国资、财政、人社、税务等部门联动，对党政机关和事业单位所属企业进行再次清查摸底，摸清机关事业单位经营企业数量，摸清所属企业资产状况、债权债务、人员结构和历史遗留问题，“一企一策”建台账、制方案。

二是要干净彻底“脱钩”。对与出资单位业务运转关联度不高的企业，及时退出企业股权；对与出资单位业务运转高度关联、承担特殊功能的企业，无偿划转到区国资委确定的区属国有企业并签订委托管理协议；对政策允许继续开办的企业，保持原出资人不变，纳入统一监管体系、执行统一制度规范。同时，要推动企业做优做强市场化主营业务，建立完善法人治理结构，提升公司治理水平。

三是要严格彻底监管。区国资委要切实履行监管职责，设置经营行为“红绿灯”，严格按照企业设立要求对新设企业进行审查，严防新增。要切实做好政企分离“后半篇文章”，健全集中统一监管制度，推动投资、产权、财务、考核等重点事项制度标准全覆盖，确保国资监管无死角、无盲区、无例外。

（四）全力推动国有资产盘活取得重大成果。国有资产盘活是国企改革、防范化解政府隐性债务的关键点和突破口，也是以改革促发展的重点难点。要统筹国有资产盘活与国企平台市场化转型、园区开发区改革、化解债务联动，把存量的国有资产用起来，让沉睡的国有资产动起来，形成规范运营、保值增值的管理体系。

一是要全面准确清产核资。财政、国资、规资部门要在前期国有资产调查摸底的基础上，全覆盖动态建立待盘活的闲置低效资金，实物、债权、股权、特许经营权等资产，土地、房屋等资源明细台账。要抓好权属登记，对符合条件的限期完成权属登记，对前期手续不齐全的要尊重历史、实事求是，开设绿色通道，抓紧补办相关手续，对产权不明晰的依法依规理顺关系。

二是要千方百计盘活资产。坚持能用则用，通过优化在用资产管理、加强资产调剂等方式，推动党政机关和事业单位长期低效运转资产共享共用。坚持该售则售，对房产、土地、股权、债权，鼓励按规定通过协议转让、资产置换、联合整合等方式进行盘活。坚持能租则租，对于短期内难以出售变现的资源资产实行委托管理或公开招租，引入央企、市级国企、社会资本参与运营。坚持能融则融，优化整合综合能源站、水电管网、停车位、充电桩等公共资源注入国有企业集中统一经营，采取资产证券化等方式盘活公租房、土地等体量较大的基础设施资产。

三是要健全完善盘活机制。针对企业国有资产、行政事业性国有资产、自然资源国有资产等分别制定盘活方案，分批分类开展资产盘活变现。要强化考核监管，做好财务审计、资产评估、决策审批等工作，严防国有资产流失和新增地方政府隐性债务。

关于机构改革工作。党的二十届二中全会对做好机构改革工作作出全面部署、提出明确要求。地方机构改革是党和国家机构改革的重要组成部分，市里将于近期召开机构改革动员会。我们要严格按照全市统一部署，有序抓好机构改革方案的起草、上报以及后续组织实施，确保不打折、不变形、不走样，坚决如期完成机构改革任务，发挥好机构改革对各领域改革的体制支撑和保障作用。

四、坚决在组织上保障，加强对“三攻坚一盘活”改革突破的统筹领导

“三攻坚一盘活”改革突破任务时间紧、任务重、难度大、要求高，全区各级各部门务必压紧压实责任、周密组织实施，不折不扣把各项任务落到实处。

（一）要强化组织领导。区级层面成立深化机构改革和“三攻坚一盘活”指挥部，下设5个领导小组，加强工作统筹调度。各领导小组要尽快明确成员单位，做实做细各自涉及的改革工作方案，逐项明确改革目标、实施路径、时间节点、责任人员，做到“一小组一方案、一单位一方案、一企业一方案”。牵头区级领导要以上率下亲自抓、具体管，在方案上把关、在任务上部署、在推进中协调、在落实中督导。各级各部门各国企“一把手”要当好抓落实的第一责任人，国企、园区开发区要签订责任书、立下军令状，做到动真格、真改革。

（二）要树立改革思维。要勇于自我革命，突破思维定势、打破路径依赖，创新方式方法，不断拓宽改革攻坚的新通道。要突出数字赋能，用数字化引领推动重点改革攻坚业务协同、流程再造。要注重大成集智，汇集高端智库等各方面智慧力量参与攻坚。要加强调查研究，在解剖麻雀中找准改革切入点和发力点，正确处理好改革发展稳定关系，及时研判化解改革过程中可能带来的经济金融、社会稳定、舆论舆情等风险隐患。

（三）要优化推进机制。指挥部要建立“周调度、旬分析、月推进”闭环推进落实机制，定期听取工作进展汇报、研究解决重大问题。将改革突破工作纳入重点督查督办事项，强化工作通报、成果交流，及时表扬激励改革力度大、成效突出的部门、企业，在重大改革任务中发现培养干部；及时约谈督办工作推进缓慢、效果不佳、造成重大不良影响的单位和干部。要强化市区联动、央地合作，加大与市级部门、金融机构、央企衔接力度，积极争取政策、资金、项目支持。

（四）要严明工作纪律。严格落实请示报告制度，对于涉及稳定、重大资产处置问题，要及时向区委和指挥部请示报告，突发情况第一时间报告。要严明人事纪律，正确处理干部的进退留转、人员安置问题，确保改革过程当中思想不乱、秩序不散、工作不断。要严明财经纪律，严防虚增收入、财务舞弊、数据造假等行为。要严格保密纪律，严格控制改革相关工作知悉范围。要严明廉政纪律，对改革过程中发生的违法违纪问题零容忍。

政府工作报告

——2024年1月12日在重庆市长寿区第十九届人民代表大会第四次会议上

重庆市长寿区人民政府区长 戴 明

一、2023年工作回顾

过去一年是全面贯彻党的二十大精神的开局之年，是新时代新征程新重庆建设的起步之年，也是全力推进“两地一城”建设的奋进之年、成势之年，我们扎实开展学习贯彻习近平新时代中国特色社会主义思想主题教育，强化党建统领，坚决落实市委稳进增效、除险清患、改革求变、惠民有感工作导向，以成渝地区双城经济圈建设为总抓手总牵引，全面贯彻市委、市政府战略部署和区委工作要求，经济社会总体呈现稳中有进、稳中向好。

——“四个导向”实现发展新成效。突出“稳进增效”，实施稳经济保增长促发展系列政策措施，着力扩大内需、优化结构、提振信心，实现地区生产总值956.7亿元、增长7.1%，增速比全市高1个百分点，一般公共预算收入增长1.3%、其中税收增长5.8%。突出“除险清患”，更好统筹发展和安全，有效防范和化解经济金融风险，保交楼任务全部销号，扎实开展重大事故隐患专项排查整治和重点领域监管执法，安全生产事故起数下降6.3%。突出“改革求变”，以数字化变革引领全面深化改革，谋划实施“三个一批”重大改革项目111项，规范农村产权流转交易市场走在全市前列，政治生态评价案例纳入全市基层改革典型案例评比，“政务承诺+信用履约”机制获评全国信用承诺优秀案例，获新华社刊载推介。突出“惠民有感”，树牢以人民为中心的发展思想，财政民生支出占一般公共预算支出比重达62%，21件年度重点民生实事全面完成，群众获得感幸福感安全感大幅提升。

——“三个载体”构建发展新体系。聚力实施党建统领全域党建整体提升引领社会治理体系和治理能力现代化行动计划，成立党建统领“三项重点任务”指挥部，“八张报表”“八张问题清单”综合排名处于全市第一梯队，连续3个季度在全市区县委书记和部门一把手例会交流经验。聚力实施“3113”项目攻坚行动计划，获批全市首批市区（县）协同招商示范基地，签约项目115个、合同引资708.7亿元，有序推进190个年度重点项目，实际开工率、完工率分别达90%和95%，完成固定资产投资346亿元、增长11.5%，其中工业投资增长15.2%、高技术产业投资增长近1.4倍。聚力实施高标准市场体系引育市场主体倍增行动计划，开展第五次全国经济普查，推进“2344”行动方案，新增市场主体12832户、新发展率16.9%，市场主体总数达8.2万户，105家企业升规达限，经济证券化工作获市政府通报激励。

一年来，我们重点抓了以下10个方面工作：

（一）积极融入成渝地区双城经济圈建设，区域协调发展纵深推进

着力打造便利交通圈。合广长高速纳入川渝高速路网规划，两江新区至长寿快速通道8个作业面同时施工，建成毗邻干线公路9.2公里，乐温大桥实现通车。渝宜高铁长寿至涪陵段完成项目初设，广涪柳铁路前期工作加快推进，明月山绿色发展示范带西部陆海新通道铁海联运班列成功首发，成渝高铁等4条线路启用公交化票制。携手合川、广安共建长寿港。

着力打造协同产业圈。承办明月山绿色发展示范带、合广长协同发展示范区党政联席会。中航油西南战略储运基地等12个项目纳入年度川渝合作共建项目库，数量全市第一。巴斯夫等16家企业携手彭州石化等25家川企，建立产品原料互供互动机制，长寿经开区获批成渝地区双城经济圈合作示范园。举办明月山生态旅游文化节，共同推出9条精品旅游线路，积极共建巴蜀文化旅游走廊。联合邻水县打造大洪湖有机鱼品牌，年销售额超亿元。

着力打造宜居生活圈。成立“行知行”教育共同体、心育共同体，15所学校加入双城古道教育协同联盟。建成首个“川渝两地妇女儿童维权站”。全面承接落实“川渝通办”改革要求，线下办理“川渝通办”事项6400余件。成渝地区双城经济圈专家团“走进长寿”，面对面开展助企惠民服务活动。建立合广长环评会商、突发环境应急联动等机制，龙溪河环境综合整治与生态保护等10个重点项目有序推进。

（二）深入实施“3113”项目攻坚行动计划，“两地一城”建设奋进成势

加快建设具有全球影响力的新材料高地。签约PVA光学膜、偏光片及研发中心等新材料项目22个，壹石通陶瓷粉体材料等76个项目开工，望变高端磁性新材料等82个项目有序推进，恩捷高性能锂电池隔膜等市级重点项目全部投产、新增产能450亿元。长寿经开区国际合作产业园开工，低碳循环片区、光伏新材料片区启动开发，实现双气源供气，在全市率先建成投用能源数据中心，获批重庆市承接产业转移示范园区，在国家级经开区综合发展水平考核评价中蝉联全市第一。

加快建设世界级运动康养旅游目的地。全年接待游客1400万人次、实现旅游收入111亿元，分别增长20.4%和18.1%。完成全域旅游规划编制，携手红树林文旅打造大洪湖零碳康养旅游度假地，长寿湖文化产业园等项目有序推进，长寿山文化公园部分完工开放，国家方志馆长江分馆成功落地。长寿湖旅游度假区获评十佳中国体育旅游精品项目，长寿湖景区入选全国精品线路。举办“国际博物馆日”川渝主会场活动等20余场大型文旅活动。联合类乌齐县开展渝藏文化系列交流。获评市级体育旅游试点城区。以“全民运动·健康长寿”项目为引领，承办国际棋联女子世界锦标赛对抗赛等重要赛事31场，举办区第三届运动会，长寿籍运动员实现亚运会金牌零突破。

加快建设中国长寿生命科学城。完成中国长寿城全域空间战略规划及重点项目库设计、长寿文化价值系统研究及城市品牌战略规划。建成北斗+新型智慧城市项目，实现重点区域5G全覆盖。与温州市结成数字经济友好城市，携手共建数字产业园区。联合吉利铭泰集团推进国际方程式赛车项目。引进火石数智等18家数字健康企业，打造癌症防治中心和西部康复医疗高地。启动国际儿童友好城市创建。联合清华大学构建积极心理学社会服务体系。小石门长江水源工程有序推进。

（三）积极融入西部陆海新通道建设，对外开放与合作走深走实

提高内畅外联水平。制定加快建设西部陆海新通道五年实施方案，谋划物流通道枢纽及产业项目27个。加快沿江货运铁路、重庆东向物流大通道等前期工作，开建兴港大道，协同推进长江干线朝天门至涪陵段航道整治。开行中欧班列（成渝）长寿多式联运集结中心班列，促进西部陆海新通道与中欧班列、长江黄金水道高效联动。长寿经开区获批重庆市内陆国际物流分拨中心暨“一带一路”进出口商品集散中心示范基地。

提升通道运输能效。加快构建江海联运和西部陆海新通道枢纽节点，深化与宁波舟山港、长航集团市场运营合作，长寿港纳入全市8个重点港区之一，完成重钢泊位功能改造提升、化工码头改扩建工程。“疆煤入长”铁水联运实现首发，经西部陆海新通道铁海联运班列发货货运值达4.5亿元。新培育3A级以上物流企业2家，港口货物吞吐量、铁路货运量分别增长9.6%、16.3%。与菜鸟集团开展战略合作，电商交易额180亿元、增长9%。

深化对外经贸合作。承办中国重庆市—乌兹别克斯坦纳沃伊州经贸合作交流会，与扎拉夫尚市建立友好合作关系。“仙鹤系列绣品”入选外事礼品名录，长寿柚亮相全球外交官中国文化之夜。携手浙江中国小商品城集团共建重庆义乌数智产业园，探索打造重庆外贸全球供应链数字化服务平台。实现外贸进出口101亿元、离岸服务外包1.5亿美元，外商直接投资1096万美元。

（四）全力推动制造业高质量发展，创新生态持续优化

优化产业布局。积极融入全市“33618”现代制造业集群，着力育龙头、调结构、优效益，夯实“1+3+2”产业发展格局，规上工业总产值1577.9亿元、增长6.2%，规上工业增加值增长8.6%。实施“十百千万”领航行动，做强天然气化工新材料、硅基新材料、新能源材料三大核心产业链，先进结构材料获评首批市级战略性新兴产业集群，百亿级种子企业增至16家。实施重钢“一基五元”等重点项目，推动传统产业增品种、提品质、创品牌。盘活存量用地1700余亩，工业用地地均产值、规上工业企业税收率高于全市平均水平，制造业规上企业亩均增加值140.9万元、增长7.6%。

加快智改数转。建成合成材料制造业标识解析二级节点平台，120家规上工业企业上云上平台，数字化研发设计普及率达100%。实施智能化改造项目56个，建成智能工厂1家、数字化车间11个、5G全连接工厂1家，小康动力荣获重庆数字化车间和智能工厂评比考核第一名，博腾制药获评全国智能制造示范工厂。长寿经开区智慧园区管理平台纳入全市数字经济产业发展项目库。

强化创新支撑。谋定科技创新“1416”总体布局，R&D经费投入强度超过全市平均水平。新认定市级技术创新中心1家，市级企业技术中心5家、工信化重点实验室1家。新培育高新技术企业54家、科技型企业289家，专精特新中小企业38家、专精特新“小巨人”企业2家。发放知识价值信用贷款1.2亿元，技术合同交易额9.4亿元。实施科研项目“揭榜挂帅”攻关机制，凯林制药、重庆钢铁分别荣获全市科技进步奖、技术发明奖。入选全市首批先进材料产教联合体，举办2023重庆国际人才交流大会——新材料产业国际人才合作专场活动。深入实施“十万英才聚长寿”育才计划，引进院士1人、市区级人才计划专家204名。

（五）全力提振有效需求，市场主体活力加速释放

促进消费恢复提升。开展“爱尚重庆·购在长寿”系列活动，发放文旅惠民消费券，社零总额338.7亿元、增长9.2%。完成金科美邻汇等商圈智能化改造，打造时代中心“光合梦工厂”等网红潮玩夜市。全年过夜游客122万人次、增长22.2%，长寿古镇成功创建国家级夜间文化和旅游消费集聚区。组织房交会、汽车展销会等系列展销，汽车、商品房销售额分别增长24%和22.8%。智慧物流中心正式营业，钢材市场年交易额超过100亿元。举办川渝农产品批发市场联盟产销对接大会等特色活动。

积极扩大有效投资。全力招大引强、招新引优，签约10亿元及以上项目18个，市外项目资金到位额同比增长19.8%，招商投资赛马榜上榜次数位居全市第4。落实抓项目促投资专项行动，加强前期、开工、在建、完工“四张清单”管理，231名服务专员靠前服务，42个年度市级重大项目超额完成投资计划，领新新能源0.5GWh电池生产线等18个项目当年开工、当年投产。发行新增政府专项债券24亿元。争取重大交通基础设施等获得国家部委、市级部门支持，在库项目投资余量增长8.8%。

激发市场主体活力。出台优化营商环境改革27条举措，获批全国第四批社会信用体系建设示范区。长寿高新区荣获十佳优质营商服务园区。落实稳经济一揽子政策措施助企纾困，新增减税降费5.7亿元、留抵退税5.8亿元，帮助中小微企业融资150亿元，45家企业获批应急转贷资金5亿元。构建“1+6+N”全周期企业服务工作体系，税收超千万元“四上”企业增至91家、同比净增13家，江苏双象等19家企业追加投资81亿元，民间投资逆势增长17.6%。福安药业等8家企业入选重庆市民营企业百强，奕翔化工等3家企业获评重庆市优秀民营企业。实施领军企业人才培育“鲲鹏计划”，3人获评重庆市优秀民营企业家。

（六）积极推进数字重庆建设，全面深化改革释放发展活力

系统构建发展骨架。确立打造中国西部数谷“11538”总体格局，构建推进数字重庆建设“1+4”体系构架。落地一体化智能化公共数据平台，推进六大应用系统建设，全覆盖梳理核心业务。建设数据交易中心，启动数据资产交易。引进基石数商、能力数商、生态数商58家，重庆长寿制造业数字化转型赋能中心建成投用。数字经济核心产业增加值增长10%。举办数字大讲堂12期，全民数字素养显著提升。

着力提升治理效能。数字化城市运行和治理中心建成投用，“141”基层智治体系覆盖全部镇街，在全市率先实现“区—镇（街）”两级中心事件流转贯通，村社赛马智治平台上线运行，菩提街道基层治理中心建设运行入选全市先进典型。精准划分网格1111个，“网格卡”和社区专职网格员人选库做法全市推广。专班推进“一表通”试点，开展“一标三实”基础信息集中采集。

集成推进重点改革。开展国家级试点项目21个、市级试点项目56个。推进“一件事一次办”改革，运行集成服务75项，办理事项近7000件。搭建长寿产融服务平台，上线金融产品49个。长寿经开区“龙头企业+孵化”双创特色载体荣获“2022十大重庆经济改革创新案例”。长寿发展集团、长寿开投集团获AA+主体信用评级。建立国库收支余动态管理机制，盘活存量资金1.4亿元。科学谋划“平急两用”基础设施布局。

（七）全力推动城乡融合发展，城乡面貌持续改善

提升城市功能品质。实施城市品质提升工程，桃花大道景观带等27个项目建成投用，新增口袋公园2个、城市绿地66万平方米，补栽植物10万平方米。制定凤城、渡舟、晏家、江南、八颗城市更新方案，启动17个老旧片区改造，推进桃东片区棚户区改造。新建城市道路5.3公里，新增小微停车场停车位3500个，整治道路及人行道19.4万平方米。整治城区农贸市场4个，全面推行城市垃圾分类，建成城区垃圾分类示范小区30个。

推动乡村全面振兴。坚决守住“三条底线”，脱贫对象人均纯收入增长15.3%，建设高标准农田8.5万亩，整治耕地“非粮化”2.5万亩。与中科院合作打造数字农田伏羲系统，联合阿里巴巴集团共建数字乡村生态实验室。成功举办长寿农业产业高质量发展北京研讨会暨自然长寿品牌推介活动，签约北农大蛋种鸡产业基地等项目，推动“一主两辅”全产业链发展。新建四好农村路50公里，改造农村户厕1000户，建成农村生活垃圾分类示范村136个，完成农村小水厂水质提升改造。启动石堰等4个场镇品质提升规划编制，万顺镇获评重庆市卫生乡镇，获评市级宜居宜业和美乡村3个。组建区农村产权流转交易公司，云台镇农业社会化服务基地模式全市推广。葛兰镇盐井村获评全国乡村治理示范村。邻封村纳入全国村级议事协商和全市“清廉村居”建设试点单位。

（八）全力推进美丽重庆建设，幸福城市美丽乡村更可感知

打好蓝天碧水净土保卫战。提前两年完成“十四五”

大气污染物总量减排任务。长江长寿段保持Ⅱ类水质，龙溪河、御临河水质稳定达标，城乡饮用水源地水质达标率100%，桃花溪作为全市唯一河流入选全国15条幸福河湖创建试点。启动“无废化工园区”试点，固危废处置能力全市领先。全面完成中央生态环保督察反馈问题整改，英斯凯化工搬迁完成厂房建设，小康动力重铸车间关停并启动入园流程，环境投诉下降68.2%。

加强生态空间管控修复。全面启动“三城联创”，优化划定生态保护红线170.8平方公里，“三线一单”减污降碳协同管控国家试点经验获新华社报道，打击环境违法犯罪专项行动受到国家部委联合表扬。建设“两岸青山·千里林带”约2.2万亩、碳汇林2600亩，森林覆盖率保持50%。47个生态保护修复项目有序推进，修复“四山”矿山生态525亩，水土保持率超过75%。长寿湖、龙河等5个镇成功创建市级生态文明示范镇。

大力推进绿色低碳发展。完成西藏绿电入渝首单交易，实施企业节能技术改造8项，新增国家级绿色工厂5个，长寿综合智慧零碳电厂望变项目、国际复合分布式光伏项目建成投用，投用全市首座一站式重卡换电站、川维化工西南地区最大供氢中心。长寿经开区入选全市近零碳园区试点、国家清洁生产审核创新试点，单位地区生产总值能耗下降3%。36家企业进入碳交易市场，履约数量、金额和碳减排量均排名全市前列。建设绿色金融改革创新试验区，绿色贷款余额增速达38.5%。

（九）全力增进民生福祉，群众获得感成色更足幸福感更可持续

突出抓好就业增收。开展招聘活动109场次，提供就业岗位4.6万个，发放稳岗返还等各类补贴约2亿元，实现城镇新增就业2万人，全体居民人均可支配收入增长5%。新建国家级和市级高级技能人才培训基地各1个，组织创业活动62场次。开展特殊工时改革试点。劳动争议纠纷一站式处置平台获评全国突出基层劳动人事争议调解组织。

完善社会保障体系。深入推进全民参保计划，养老保险、医疗保险参保率分别保持在97%、98%以上。新增四叶级养老机构2家，兴隆、鹿坪两所区域性老年养护院主体完工，乐温医养中心建成投用，双龙社区获评全国示范性老年友好型社区。推广“救助通”应用，发放各类救助金2亿元，完成1050户困难老人居家适老化改造，分类安置照护3946名分散特困人员。发放住房公积金贷款约3.5亿元，配租公租房1万余套，完成滨江区域危旧房产权置换600户。建成投用“劳动者港湾”示范点4个。

优化公共服务水平。实施基础教育品质提升计划，3所幼儿园建成投用，普惠性幼儿园覆盖率达94.1%，建设幸福学校试点校21所。长寿中学与成都七中合作办学。联合西南大学建设心理健康“快乐驿站”53个。校外培训监管、老校长下乡经验做法获教育部推广。加快实施突发公共事件医疗救治中心等项目，菩提街道社区卫生服务中心投用，区精神卫生中心成为全市首家标准化三级精神卫生中心，率先实现与全市医学影像数据互通共享、结果互认，全国健康区创建通过市级技术评估。优化三级公共文化阵地免费开放效能，建成全市公共文化服务示范镇街2个，杨克明故居等红廉文化研学基地获评重庆市廉洁文化示范基地。编制城乡公交一体化规划方案，开行首条城乡公交线路。获评市级双拥模范城，1人获评全国最美退役军人。完成年度征兵工作，大学毕业生征集比例达74%。

（十）全力推动平安长寿建设，高质量发展根基夯实筑牢

防范经济金融风险。全力防范化解政府债务和国有企业债务风险，出台6项国资国企管理制度，完成国有“三资”盘活41.1亿元。依法严厉打击非法集资、“伪私募”等违法行为，查处涉嫌非法集资企业5家，清退资金600余万元。深入开展医药领域腐败问题集中整治，注销恶意骗保医院1家。

坚守安全防范底线。创新出台“两个职责清单”，危化企业隐患深度治理“七步法”获全国推广。成功应对7轮暴雨天气过程，气象智能预警信息发布系统获中国气象局肯定。开展自建房安全专项整治，整治隐患经营性自建房629栋。出台森林防灭火10条措施，林火视频智能监控系统建成投用，全年森林火灾零发生。19个镇街全部配备应急保障车、设置消防工作站。代表全市接受国务院安全生产和消防工作考核巡查。

维护社会和谐稳定。常态化开展全民反诈、扫黑除恶等专项行动，群众安全感指数98.6%。完成信访工作法治化试点任务，中央联席办交办“治重化积”案件全部化解，社会矛盾纠纷化解率达97.3%。长寿湖人民法庭获评一星级全国青年文明号，获最高人民法院批示肯定。深化长江生态检察官制度，相关案件办理成效在央视《今日说法》栏目正面推广。区重大疑难复杂矛盾纠纷调委会驻法院调解室获评全国模范人民调解委员会。

一年来，我们深学笃用习近平新时代中国特色社会主义思想和党的二十大精神，深刻领悟“两个确立”的决定性意义，进一步增强“四个意识”、坚定“四个自信”、做到“两个维护”，加快建设新时代“红岩先锋”变革型组织，政府系统党的领导力组织力不断提升。主动接受人大法律监督、工作监督和政协民主监督，自觉接受社会监督、审计监督，办理人大代表建议369件、政协提案371件，办结办复率100%、综合满意率99%，成功创建市级法治政府建设示范区。严格落实全面从严治党新要求，力戒形式主义、官僚主义，坚持过“紧日子”，压减一般性支出3110万元。此外，国家安全、国防动员工作取得新进展，审计、档案、保密、邮政、哲学社会科学工作取得新成绩，民族宗教、港澳台、妇女儿童、残疾人、慈善等工作取得新成效。

过去一年，我们在多重挑战中逆势而上，在巨大困难中承压前行，在复杂矛盾中主动变革，取得的成绩来之不易。这些成绩的取得，根本在于习近平新时代中国特色社会主义思想科学指引，是市委、市政府和区委坚强领导的结果，是区人大、区政协监督支持的结果，是长寿经开区强力支撑的结果，更是全区干部群众团结一心、奋勇前进的结果。

在肯定成绩的同时，我们也清醒看到，宏观经济有效需求不足、部分行业产能过剩、社会预期偏弱、风险隐患较多，制约当前经济进一步回升向好。我区新兴产业、未来产业发展任重道远，有效内需提振偏慢，数字化变革和高水平开放还需加力；居民收入增长不及预期，社会民生事业还有不少短板，群众获得感幸福感安全感仍需提升；少数干部作风能力还不能适应“两地一城”建设需要。但总体上看，我们正处于重大战略部署落地生效、市场活力持续恢复、政策效应加速释放带来的重要机遇窗口期，经济回升向好、长期向好的基本趋势没有改变，支撑高质量发展的要素条件不断积聚增多。

二、2024年工作安排

2024年是新中国成立75周年，是实现“十四五”规划目标任务的关键一年，是现代化新重庆建设从全面部署到纵深推进的重要一年，是改革攻坚突破的奋斗之年，也是国际化绿色化智能化人文化中国长寿城和“两地一城”建设整体成势之年。今年政府工作的总体思路是：坚持以习近平新时代中国特色社会主义思想为指导，全面贯彻党的二十大、二十届二中全会和中央经济工作会议精神，全面落实市委六届二次、三次、四次全会和市委经济工作会议精神，坚持稳中求进工作总基调，完整、准确、全面贯彻新发展理念，积极服务和融入新发展格局，着力推动高质量发展，牢牢把握稳进增效、除险固安、改革突破、惠民强企工作导向，全面深化改革开放，统筹扩大内需和深化供给侧结构性改革，统筹新型城镇化和乡村全面振兴，统筹高质量发展和高水平安全，全面落实国家重大战略，以科技创新引领现代化产业体系建设，切实增强经济活力、防范化解风险、改善社会预期，聚力实施“3113”项目攻坚行动计划，加快建设“两地一城”，巩固和增强经济回升向好态势，持续推动经济实现质的有效提升和量的合理增长，增进民生福祉，保持社会稳定，追求卓越、争创一流，聚精会神、脚踏实地，奋力书写新时代新征程新重庆长寿华章。

2024年经济社会发展的预期目标为：地区生产总值增长6%以上，规上工业增加值增长8%以上，固定资产投资增长7%、其中工业投资增长14%以上，社零总额增长8%，城镇新增就业1.6万人，一般公共预算收入增长6%，全体居民人均可支配收入增长6.5%以上。重点做好11个方面工作：

（一）积极融入和服务新发展格局，加快推进成渝地区双城经济圈建设

主动在融入区域协调发展战略大局中找定位、作贡献，强化辐射带动、深度联动，更好参与区域全方位合作。

加快推动同城先行发展。坚持同城通勤带动，完成两江新区至长寿快速通道阶段性工程建设，力争渝宜高铁动工开建，推动市域快线C7线纳入国家轨道规划，开行渝长同城巴士。主动承接中心城区产业转移和功能疏解，共创重庆市智能网联新能源汽车特色产业园，联动两江新区、涪陵区发展先进材料、新能源及新型储能、化学原料药及制剂等产业集群，共建两江长涪先进制造业集聚区。联合周边区县共建强链延链补链重点项目，争取全市重大装备、核心零部件生产线在长布局。融入主城都市区冷链物流核心区主城新区布局，开工三科农商城一级冷链物流节点主体，打造区域农产品冷链物流集散分拨中心。

协同推进川渝毗邻合作。积极推进中润新材料产业园等6个年度川渝合作共建项目，推动明月山绿色发展示范带、合广长协同发展示范区走深走实。织密内联外畅交通圈，加快广涪柳铁路、合广长高速、城宣大邻高速前期工作，新（改）建毗邻公路30公里。积极参与成渝先进制造业和高端创新分工，高标准建设川渝JM科技协同创新中心、成渝新材料生态港。深度融入成渝高效特色农业带、巴蜀文化旅游走廊，共建明月山—大洪湖生态康养旅游带、成渝优质农产品供应基地，联合推出更多精品旅游线路。促进“川渝通办”稳定运行，深化便民服务合作。健全区域跨界污染协同治理机制，共同开展大洪河流域水生态保护修复。

更好发挥承区带群作用。落实全市“小县大城”“强镇带村”试点，围绕特色农业、绿色制造等领域，共建绿色产业带和宜居城镇群，打造长垫梁绿色经济走廊。提速合川—北碚—长寿高速、重庆东向物流大通道、渝宜高速长寿至梁平段等重要通道前期工作。力争开工狮子滩抽水蓄能项目，加快推进四三五油库等项目建设，建成投用黄草峡储气库，打造区域能源物资储运高地。共同推进明月山国土绿化试点示范，加强区域森林火灾防控、野生动物保护联动，共建明月山—长寿湖生态廊道。深化长寿—垫江对口协同发展，加快澄海新区建设，推动年度重点合作事项落地见效。

（二）深度参与全市“33618”先进制造集群产业分工，加快建设具有全球影响力的新材料高地

深刻把握新时代新征程推进新型工业化的基本规律，以科技创新推动产业创新，推动主导产业高端化、特色产业规模化，发展新质生产力，锻造竞争新优势。

推动产业聚优集新。突出龙头企业带动，加快实施江苏双象PMMA/MS等100个重大产业项目，抢占产业发展新赛道。积极承接全市天然气化工新材料产业重点项目布局，推动川维化工BDO一体化、渝化天然气化工新材料一体化等百亿级项目落地，争创先进材料类国家级战略性新兴产业集群。加快国际复合玻纤复合新材料、华陆新材气凝胶技改等项目建设，延伸拓展玻纤、硅基纳米气凝胶等产业链条。发展新能源装备应用材料、电动汽车及储能电池材料等产业，推进新宙邦锂电化学品等项目，构建锂电制造全产业链。加快重钢千万吨产能绿色智造等项目建设，加速传统优势产业基础再造和链条提升。提质扩面智改数转，创建智能化工厂2家、数字化车间10家。围绕产业全生命周期做强生产性服务业，发展服务型制造，加速“两业”融合发展。

突出创新核心地位。加速产业链创新链资金链人才链“四链融合”，建设全市科技创新重要战略支点，R&D经费投入占地区生产总值比重3%。优化科技企业引育体系，深化知识价值信用贷款改革试点，推进高新技术企业和科技型企业“双倍增”行动计划，培育高新技术企业40家、科技型企业150家以上。支持康乐制药申报国家企业技术中心，投用康普化学中国（重庆）新能源金属材料工程技术中心，推动中节能在长建设中试研发基地。鼓励川维化工等链主企业发挥领军作用，加强关键核心技术和共性技术集成攻关。加快建设长寿经开区国际合作产业园创新创业基地，培育一批校企创新联合体、市级技术转移示范机构，助推碳化硅陶瓷膜技术等创新成果在长转化。实施人才强区首位战略，推进科技创新人才引领工程，引进院士1名、高层次人才210名，建设中国·长寿国际化特色化新材料产业人才专区。举办第二届新材料产业发展交流活动、新能源金属湿法冶金技术国际研讨会。

培育优化产业生态。开展“一链一网一平台”试点，有序推动规上工业企业纳入可视化管理，打造“产业大脑+未来工厂”。构建新材料产业数据库，参与长江中上游产业备份基地建设，做好重要原料和关键渠道备份，引导骨干企业提高原料本地配套率，保证产业链供应链安全稳定。设立长寿经开区股权投资基金，培育壮大科技金融、绿色金融、普惠金融和数字金融。扩大产业用地供给，国土空间规划中工业用地按不低于城市建设用地30%比例配置。加强电力、天然气高峰时期保供稳价。启动长寿经开区智能装备、临港经济片区开发，实施新能源材料区低碳循环管廊等24个园区建设项目。强化大中小企业融通发展，新增市级以上专精特新企业15家，力争百亿级种子企业增至20家。

（三）稳步推进农文旅城融合发展，加快建设世界级运动康养旅游目的地

坚持一体两面、统筹推进，深度发掘利用长寿山水人文，促进运动、康养、旅游、现代农业多业态融合、多方位延伸，建设长寿特色巴渝和美乡村。

做优做强特色文旅产业。开展文旅项目建设突破行动，加快长寿湖文化产业园建设，启动大洪湖零碳康养旅游度假地前期工作，实施菩提山—菩提古镇整体提升项目，推动长寿慢城业态提升、品牌塑造，打造地标文旅IP。大力提升文化产业竞争力，培育数字文化产业，力争文化产业增加值增长8%以上。积极承办国际国内高水平赛事，做大赛会经济，创建全国全民运动健身模范区。保护利用长风“三线”建设展览馆、狮子滩梯级水电站等国家工业遗产，推动工业艺术、红色革命教育价值转化。启动“长寿人家”民宿综合体、明月山民宿集聚区建设，打造品牌民宿5家以上。依托“两湖一山”资源，发展近郊避暑、亲子露营、休闲垂钓、水上娱乐等新业态，创新宣传推介，以数据流量扩大游客流量，游客接待人数、旅游收入分别增长10%以上。

全域争创国家现代农业产业园。编制《长寿区国家现代农业产业园规划》，打造重庆现代农业示范区核心区。坚决守住粮食安全和不发生规模性返贫底线，遏制“非农化”、防止“非粮化”，新建和改造提升高标准农田3万亩，实施“稳粮扩油”工程和粮食单产提升行动，集成配套良田良种良法良机良制。启动自主品牌种鸡培育，建设百万只数字蛋鸡示范基地。发展“两湖”大水面生态渔业，举办具有全国影响力的休闲渔业垂钓大赛。大力发展食品及农产品加工业，打造高品质粮油、休闲食品、火锅食材等特色产业集群，建设中国米粉交易中心、菜鸟产地上行枢纽仓。加快“自然长寿”品牌实质运营，推动特色农产品常态化进入北京、成都等市场，新认证“三品一标”10个以上。深化农业社会化服务市级创新试点，组建区社会化服务组织联盟。探索农业“标准地”建设和运营机制，全面完成第三次土壤普查。开展强村富民改革，实施农民增收促进行动，推进美丽乡村合伙人计划，推动90%以上的村集体经济经营性收入突破10万元、农村居民人均可支配收入2.4万元以上。

深化美丽乡村建设。深入学习运用“千万工程”经验，统筹乡村规划、风貌设计、环境整治，不断优化“三生”空间布局。推动基础设施提档升级，建成四好农村路45公里，完成农村危旧房改造100户，村级文体活动场所实现全覆盖。加速城乡供水一体化，推进新市片区饮水安全和环境综合提升工程等项目，完成4座农村供水工程标准化建设。实施中型灌区续建配套与现代化改造项目，开展中小河流治理和病险水库加固。聚焦“五沿”区域、村民聚居点等重点区域，集中连片实施农村人居环境整治提升行动，加快葛兰片区等污水管网升级改造，加强面源污染治理，深化农村黑臭水体“清零”行动。积极争创巴渝和美乡村示范镇村，推进龙溪河流域美丽乡村示范带建设。坚持和发展新时代“枫桥经验”，持续打造乡村治理示范村，建设平安乡村。

（四）持续增强城市综合承载力和发展吸引力，加快建设中国长寿生命科学城

全面推进以人为核心的新型城镇化，培育壮大数字、健康产业，外提品质、内增底蕴，着力打造巴蜀风貌、长寿底蕴的宜居韧性智慧城市。

培育壮大数字经济。科学谋划数字经济产业发展项目库和企业库，发布数字经济产业发展指数（长寿指数），引进基石数商、能力数商、生态数商100家以上。成立数字产业引导基金，组建数字产业备选招商数据库，培育发展云计算、工业APP等数据应用类下游产业，力争新增亿元以上产值企业5家、千万元以上产值企业10家，数字经济核心产业增加值增长10%以上。加快建设上汽集团5G智能网联及自动驾驶汽车示范运营项目、交信物联数字交通调度指挥中心等重点项目，推动“东数西算”成渝枢纽节点城市数据中心科学运行。积极融入全市“芯屏端核网”全产业链，打造全市集成电路材料生产及储备基地。

大力发展健康产业。加快数字健康服务与数字健康器械产业布局，开工火石数智医疗健康大数据训练服务平台、易造科技运动健康器材等19个项目，加快中药MAH持有及研发平台等项目建设，争取攀华集团、康思宁医疗等项目落地。以重粮集团等为牵引，打造重庆健康食品及农产品加工产业特色园区。优化全民全生命周期健康管理服务，推进国家级肿瘤防治中心、慢病管理中心和健康宣教中心建设，完成慢病综合防控示范区复评审。完善中医药服务体系，申报重庆市中医特色专科、中医急诊急救建设项目，提档升级基层中医馆，创建市级精品中医馆3个。

提升城市功能品质。推进国家方志馆长江分馆等城市品质提升重点项目，实施“增绿添园”“增光添彩”行动，新建城市绿道6公里、口袋公园2个，新增绿地16万平方米，打造城市景观廊道体系。推动房地产投资逐步回暖，择优引进高品质房地产项目，持续改善城市居住环境。积极争创市级历史文化名城，实施城市历史文化遗产保护行动，加快推进国家级水电博物馆、长寿山文化公园建设，加强老建筑、老巷子、老街区保护和活化利用。启动渡舟老街片区、凤城老城片区、菩提桃花片区城市更新，推进长寿湖镇美丽宜居示范乡镇建设，分步实施长垫公路沿线场镇品质提升工程。开展农贸市场及周边市容市貌整治，推进生活垃圾分类及餐厨（余）垃圾处置一体化项目建设，启动垃圾分类先锋创建，建成生活垃圾分类示范小区90个。加快建设幸福长寿科学馆、幸福学校、幸福社区，打造幸福长寿示范区城市品牌。

（五）聚焦稳定预期提振信心，全力推动经济持续回升

激发有潜能的消费，扩大有效益的投资，形成消费和投资相互促进的良性循环，千方百计提振市场主体信心，依靠改革增强内生发展动力，为经济持续回稳向上提供有力支撑。

刺激消费持续复苏。推动消费从疫后恢复转向持续扩大，培育壮大新型消费，大力发展数字消费、绿色消费、健康消费，积极培育智能家居、文娱旅游、体育赛事、国货“潮品”等新的消费增长点。稳定和扩大汽车、家电、餐饮、家居消费。完善商圈业态功能，引进必胜客等名品名店，打造示范性和特色消费场景。以文化、文创、文艺为内核做大夜间经济，联动长寿古镇、金科美邻汇、长寿博物馆举办夜游、夜展活动，扩面提质夜间经济点位。加快建设重庆义乌数智产业园，支持本土电商发展，打造网货生产、产地直播基地，建设出口商品海外仓、海外运营中心。加强农村流通体系建设，推动消费品下乡、农产品进城，丰富农村消费产品和服务。引导区域汽贸企业入驻东部汽贸城，推动快递企业投产运营、钢贸企业扩大经营，大宗交易额增长8%以上。

促进有效投资放量。健全“1+3+N+19”招商工作体系，严格产出、就业、税收等招商标准，加强清单招商、协同招商、以商招商，提高招商项目落地率，合同引资700亿元以上，引进百亿级特大项目1个。发挥政府投资带动放大效应，重点支持关键核心技术攻关、新型基础设施、节能减排降碳，促进社会投资合理增长。加强“四张清单”

管理，全速推进228个年度重大项目建设。强化并联审批、信用承诺+容缺受理，用好项目前期工作经费池，先期做好土地预审、环评安评等工作，计划投资完成率保持90%以上。制定技改税收增量奖补政策，技改投资不低于工业投资总额30%。抢抓国家政策窗口期，加强项目策划储备，争取中央转移支付、政策性开发性金融工具、“提升防灾减灾救灾能力”特别国债等各类专项资金25亿元以上。

培育服务市场主体。深化营商环境改革创新试点，全面落实市场准入负面清单制度，推进要素市场化配置综合改革。持续推进优质市场主体梯度培育，新增市场主体1万户以上。完善常态化服务企业工作机制，助力企业解决融资难融资贵、负担重成本高等发展难题。深入推进“5+3”专项行动，充分挖掘“四上”企业增量，动态更新升规上限纳统企业培育库，分级分类制定培育计划，新增升规达限企业75家。实施“保市场主体、护民营经济”检察护航专项行动，完善企业家参与涉企政策制定机制，鼓励民间资本参与政府重大项目建设，加强企业人才培育。推进企业上市融资，力争2家企业首发上市、3家企业新三板挂牌。

（六）持续推进西部陆海新通道建设，充分释放“通道+经贸+产业”联动效应

坚持畅通道、建枢纽、优服务、促发展，全力打造西部陆海新通道重要枢纽节点，持续扩大高水平对外开放。

持续优化港口功能布局。优化“前港、中仓、后园”空间布局，完善《长寿港区码头规划功能调整方案》，加快推进新恒阳团山堡码头、川维物流铁公水管廊多式联运示范工程基础设施等临港项目建设，推动盘子石码头片区动工开建。统筹利用港区岸线资源，科学整合码头泊位。启动渝巴物流综合化工新材料分拨中心建设，力争保税物流中心（B型）落地，做好明月山绿色发展示范带陆海新通道班列、中欧班列（成渝）长寿多式联运集结中心班列运营组织，争取设立“一带一路”医药出海先行示范区。加快建设数字运输物联网、换电重卡数字网、数字物流服务网、大宗物流数字网。积极融入“智慧长江”航运多跨场景应用。

加快构建现代物流体系。科学编制生产服务型国家物流枢纽方案，开建川维物流新区，争取重庆港水运口岸扩大开放至长寿港区，争创国家首批物流枢纽经济示范区。深化与重庆物流集团合作，加快培育物流规上企业、国家A级物流企业，推动长航集团、重庆轮船集团在长注册水运企业，提高本土水运企业承运区内货源市场份额。完成长明码头、长航钢城、川江船业“三企合一”，深化与宁波舟山港战略合作，打造长航西南航运物流枢纽。加强与三峰靖江港合作，推动共建江海联运中转枢纽。探索组建区域港口联盟，引导物流枢纽资源整合、业务协同、联网运行，促进企业专用铁路扩面增效。落实全市降低社会物流成本方案。

大力提升外向型经济水平。推进服务业扩大开放综合试点，实施“百团千企”国际市场开拓计划，开拓东盟、南美、非洲等新兴市场，优化外贸结构，稳定货物贸易规模，做大跨境电商、服务外包，探索数字贸易，实现外贸进出口增长3%以上。落实国务院24条稳外资措施，加强“三送一访”，积极跟进梅塞尔电子特气、索尔维新能源材料等重点外资项目，挖潜存量外资项目，实际使用外资3000万美元以上。完善自贸区联动创新区功能，承接市级权限下放、加快自主改革创新，推广多式联运“一单制”，进一步推动贸易和投资自由化便利化。

（七）深度融入数字重庆建设，加快打造中国西部数谷

遵循数字重庆建设“1361”整体框架，锚定打造中国西部数谷“11538”总体格局，聚“数”成势、以“数”赋能，构建高质量发展新引擎、高品质生活新图景、高效能治理新范式。

构建数字生态系统。完成打造中国西部数谷发展规划及实施方案编制。推动重庆长寿制造业数字化转型赋能中心市场化运营，组建数字化转型专家委员会和行业委员会，力争转型赋能企业10家以上。建立数据要素市场运行机制，做好数据归集，推进数据资产入表，做优数据交易，做大数据资产。科学梳理归集共享全区政务数据资源。健全两级治理中心贯通运行机制，融跨六大应用系统，贯通基层治理体系，带动实现镇（街）、区和市三级贯通，打造城市运行和治理智能中枢。聚焦重要、高频、急迫、多跨事项，深化“三张清单”编制和核心业务梳理，以“一件事”应用为支撑，构建数字化协同工作场景，争取更多“一件事”通过市级论证审查或赋权长寿试点。

加速释放改革活力。积极争取更多国家级和市级重大改革试点，全力争创全市最佳实践案例。加快建设全市“平急两用”示范区。完成新一轮机构改革。深化投融资体制改革，加强政府投资项目管控。用好碳减排支持工具，探索生态产品价值实现机制，建设绿色金融改革创新试验区。完善公共资源交易监督管理，消除各类招标投标不合理限制和壁垒。探索实施“社区服务个体工商户集中登记”，推广“集群注册”模式，有效降低创业成本。

完善智慧治理体系。全面承接市级下沉数据，深化“一网通办”，建成“渝快办”长寿服务专区，打造“长寿畅快办”政务服务品牌。完成新政务服务中心搬迁，推进“一窗综办”改革，实现“一站式”“集成式”服务，除负面清单以外的政务服务事项100%可在行政服务中心办理。增强基层智治体系实战能力，完善镇街、村社、网格职责清单，推动线上智治平台与线下“141”体系深度融合，构建一体贯通、高效协同的履职能力体系。出台“四板块”岗位设置指导目录，深化镇街综合行政执法改革，创新探索网格驿站、网格治理积分等制度，打造长寿特色党建统领网格治理品牌。持续优化村社智治平台。

（八）奋力实现“三攻坚一盘活”改革突破，推动高质量发展行稳致远

坚决落实市委部署要求，坚持问题导向、目标导向、结果导向，扎实推进国企改革、园区开发区改革、政企分离改革攻坚，有效盘活国有资产，为高质量发展注入强大动力。

打赢国企改革攻坚战。按照“止损、瘦身、提质、增效”思路，重塑国企功能、优势、体制机制，打造核心竞争力强的现代新国企。全覆盖排查区属国企“出血点”，严格执行企业重大经营风险报告制度。分类抓好国企“止损治亏”，坚决重组、关停、清理退出长期亏损、扭亏无望的企业，对有市场潜力的企业尽快扭亏，年内70%区属亏损国企实现减亏、10%以上区属亏损企业实现扭亏为盈。推动国企“瘦身健体”，区管国企管理层级严格控制在3级以内，严控“户头、人头”，推进国企资产管理数字化平台建设。持续推进国企市场化改革，深化国企子企业专业化、同质化整合，建立非主业非优势业务和低效无效资产预警长效机制，推进经营性资源资产注入区管国企，健全区管国企领导人员选配管理体制，增强国企核心竞争力。推动长寿发展集团、长寿开投集团、长寿乡建集团进一步聚焦主业、深耕一域，形成与“两地一城”建设相匹配的现代化国企集团。坚持以管资本为主推进出资人监管职责转变，创新业务监督、综合监督、责任追究“三位一体”监督体系，严禁超越财务承受能力举债投资。

打赢园区开发区改革攻坚战。全面完成开发区体制机制改革。完成长寿经开区、长寿高新区机构整合，系统重构管理体系，剥离社会事务管理职能交由属地镇街承担，制定开发区权力清单和责任清单，争取市级权限下放，制定财政扶持定期结算清零机制，推进财权事项与支出责任相匹配。高效推进市场化运营，推进开发区运营公司资产重组、业务重塑，加大债务优结构、降成本力度，提升投融资能力。推动长寿发展集团争创3A级信用评级。实行“亩均论英雄”，分行业分区域开展亩均效益差异化评价，加快闲置低效用地处置，完善资源要素差别化配置与亩均效益挂钩机制，有序推进低效企业改造提升、转型升级、淘汰退出，开发区制造业规上企业亩均税收增长4%以上。加快推进工业社区建设，扩面实施首席代表制，提质全程帮办导办服务。

打赢政企分离改革攻坚战。巩固深化政企分离成效，系统摸排处置党政机关和事业单位所属企业“脱钩”不彻底问题，“一企一策”建立台账、制定方案，坚决防止反弹。进一步理顺政企关系，推进企业承担的属于党政机关和事业单位职责回归到位，企业依法自主经营、规范管理，积极参与政府购买服务。推动企业做强市场化主营业务，建立完善法人治理结构，构建新型经营责任制，提升公司治理水平。健全集中统一监管制度，建立联合会商机制、监督检查机制、整改机制，强化企业财务运行、规划投资、经营业绩考核等事项统一监管。加强舆论引导，做好划转人员思想工作，有效处置改革风险。

全力推动国有资产盘活取得重大成果。推进国有资产盘活改革，让国有资产用起来、活起来，形成规范运营、保值增值国有资产管理体系。建立常态化国有资产清查管理制度，推进清产核资、确权颁证等工作。坚持能用则用、该售则售、能租则租、能融则融，分类制定行政事业性国有资产、企业国有资产、储备土地盘活方案，通过调剂使用盘活一批、完善经营盘活一批、转让变现盘活一批，力争盘活存量国有资产150亿元。强化考核监管，做好财务审计、资产评估、决策审批等工作，严防新增地方政府隐性债务和国有资产流失。用好“央渝同行”交流合作机制，积极参与央地合作盘活国有资产创新试点，争取中央政策支持。

（九）加快推进绿色低碳转型发展，积极争创国家生态文明示范区

坚持生态优先、节约集约、绿色低碳，深入推进美丽重庆建设，加快打造“百湖之区、生命之城”。

稳妥推进碳达峰碳中和。推动生产生活绿色化低碳化，推行“生态+”“+生态”发展新模式，加快产业、能源、交通运输、城乡建设等领域绿色低碳转型发展。加强“三线一单”协同减污降碳国家试点成果运用，完成生态环境分区管控与国土空间规划衔接全国首批试点。实施绿色低碳企业育苗工程，引进培育绿色制造实验室，发展碳捕集利用等先进低碳技术，推进清洁生产审核创新全国试点，加强重点行业清洁生产和绿色低碳改造，创建市级以上绿色工厂3家，推动长寿经开区创建国内领先近零碳示范园区。持续壮大循环经济，加快推进二氧化碳干重整、金属循环产业园等项目，提升国家循环经济示范园区。加强工业副产氢利用技术研发，培育氢气制备与储运等技术产品。落实全面节约战略，营造绿色低碳生活新风尚。

大力推进环境污染防治。强化大气污染联防联控，开展涉气产业集群综合整治，深化施工工地扬尘智慧监管，实施重污染天气应急减排清单制度，空气质量优良天数323天以上。压实河长制，建设桃花溪国家幸福河湖，推进幸福河湖建设“百千行动”，持续开展入河排污口排查整治，实施重点河湖流域生态环境治理，强化龙溪河、御临河跨界流域横向补偿机制，“一江三河”水质优良率保持100%。加强饮用水水源保护管理，积极创建重庆市节水型城市。开展土壤污染源头防控行动，实施建设用地、农用地土壤污染分级分类管控，推进化工用地修复试点，争创全市首个无废化工园区，打造无废标杆工厂5家，严防耕地、园区新增污染。实施化工园区突发水污染事件“一园一策一图”全国试点，抓好长江经济带生态环境警示片等反馈问题整改。

协同推进生态保护修复。全面启动国家生态园林城市创建，推动总体规划通过国家预审，开展城市绿地遥感调查、绿地系统规划编制等工作，完成第一批永久保护绿地及现状绿线划定。落实林长责任，实施长江长寿段生态环境综合提升工程，防范库区生态灾害，建设“两岸青山·千里林带”1万亩。试点推进全域土地综合整治，深化滨江长寿谷生态修复与整治，加强龙溪河环境综合整治与生态保护，推进明月山片区废弃矿山生态修复，加大水土保持综合治理。实施绿盾行动，完善自然保护地管理机制，排查整治各类自然保护地内违法违规行为，保护生物多样性。

（十）切实增进社会民生福祉，兜住兜准兜牢民生底线

坚持以人民为中心的发展思想，尽力而为、量力而行，驰而不息追求更高水平“民生七优”，努力让群众生活更加幸福美满。

完善就业社保体系。更加突出就业优先导向，确保重点人群就业稳定，防范规模性失业风险，积极应对隐性失业。有效扩大中等收入群体，增加低收入者收入。实施“渝你同行”和谐劳动关系构建工程，严格落实“一金三制”，强化欠薪源头治理，保障农民工合法权益。深化社保基金管理提升行动，基本养老保险参保率稳定在97%以上。稳妥推进职工基本医保门诊共济，构建“15分钟医保服务圈”。做好工伤预防、新就业形态就业人员职业伤害保障试点，构建“15+5”人社便民服务圈。健全低保、特困等分层分类社会救助体系，推进“物质+服务”社会救助。加强公租房动态管理和优化配置。完善退役军人三级服务体系。

提高教育医疗质量。坚持“五育”并举，争创义务教育优质均衡发展区。加快明德小学、长寿中学桃花溪校区扩建前期工作，新（改）建学校3所、增加学位3300个，加强区域教学交流合作。积极引进名校办学，规划建设重庆城乡发展职业学院、消防职业学院。深化“双减”工作，引导规范民办教育发展。优化教师教学激励、职称评聘考核办法，严格规范社会事务进校园。推动学校家庭社会协同育人。打造“满天星”心理教育品牌，护航师生心理健康。加快推进区精神卫生中心扩建等项目，推动区人民医院通过三甲复评审，创建三级甲等中医院，建设葛兰、洪湖、长寿湖区域医疗次中心。深化“县聘乡用”“乡聘村用”改革，完善分级诊疗体系。强化全民心理健康服务，加强严重精神障碍患者服务管理。

构建全龄友好社会。落实完善生育支持政策体系，优化关心下一代服务质量体系，加强妇女儿童权益保障，实施“渝好空间”项目，启动长寿区综合托育服务中心建设，大力发展普惠托育服务，打造儿童友好先导实践区。健全未成年人保护体系，建设未成年人保护中心。推进市级青年发展型城市建设试点，塑造城市“青和力”。优化养老服务体系，加强普惠养老服务城企联动，提高社区居家养老服务质效，提升农村薄弱养老机构能力，建成投用兴隆、鹿坪区域性老年养护院，新增养老床位300张。有序推进困难老年人居家适老化改造、残障人士无障碍设施改造。

（十一）有效防范化解风险隐患，全面提升安全发展水平

坚持总体国家安全观，探索符合长寿城市特点和规律的社会治理路径，健全风险隐患闭环管控体系，以新安全格局保障新发展格局。

维护经济金融安全。加强风险排查和宣传引导，健全跨市场、跨业态、跨区域金融风险监测预警处置机制，防范化解债务、非法集资、房地产、产业链供应链等金融风险。坚持遏增量、去存量，防范化解国有企业债券兑付风险。加强央地金融监管部门、行业主管部门、镇街联动，加强资源资产处置变现，加快高风险企业资产处置、债务重组和司法重整。强化专项债券项目“借、用、管、还”全周期管理。加强全民反诈，打击电信网络诈骗。

维护公共领域安全。全面推行“两单两卡”制度，扎实开展危化工贸、建设施工、燃气消防、特种设备等重点领域排查整治，防范较大及以上安全事故。实施路桥隧安全整治三年行动，建设道路生命护栏42公里，开展交通违法行为专项整治。完善公共卫生应急指挥体系，有效预防和处置突发公共卫生事件。保障食品药品安全。强化气象监测预警，加强洪涝、地灾隐患监测，推进危岩地灾治理项目。建立应急救援专家库和应急救援技术指挥官队伍，提升响应处置能力。争创全国双拥模范城。建设渝东片区军民融合实训基地，强化基层武装部规范化建设水平。

维护社会稳定安全。持续完善社会立体化防控体系，纵深推进严打暴恐、扫黑除恶等专项斗争，全面开展“一标三实+N”基础信息采集，推动公共安全治理模式向事前预防转型，推进无毒城市创建。深化大调解体系建设、信访制度改革，深入推进信访工作法治化，完善民事、行政、执行“三室融合”体系，加快信访领域“治重化积”，加强矛盾纠纷动态排查、源头防控，实现“两在三不”“三降两升”。

三、全面加强政府自身建设

坚持用习近平新时代中国特色社会主义思想凝心铸魂，始终以奋发有为的姿态，走好赶考路，干出新气象，努力建设人民满意政府，奋力交出人民满意答卷。

（一）坚持政治立身。坚持把旗帜鲜明讲政治贯穿始终，巩固拓展主题教育成果，切实做到学思用贯通、知信行统一。健全政治忠诚淬炼机制，确保坚定拥护“两个确立”、坚决做到“两个维护”一贯到底，真正在思想上对标对表、行动上紧跟紧随、落实上坚定坚决。胸怀“国之大者”，认真贯彻落实市委、市政府和区委各项工作部署，确保最终效果符合党中央决策意图。

（二）秉承依法行政。深入贯彻落实习近平法治思想，坚决做到尊崇宪法、遵守法律、规范行政，全面推行权力清单、责任清单、负面清单管理，争创国家级法治政府建设示范区。认真执行人大及其常委会的决定决议，高质量办好人大代表议案、建议和政协提案。主动接受人大、政协及社会各方监督，强化政务公开，让权力在阳光下规范运行。

（三）强化担当作为。始终保持“崇尚实干、极端负责”工作状态，加强生成性学习、保持创造性张力，加快思想观念之变、作风状态之变、能力素质之变。主动担当作为，加强协同配合，讲求工作推进的方式方法，积极谋划用好牵引性、撬动性强的工作抓手，将抓部署、抓落实、抓督查结合起来，以推动改革发展的成效说话，以干事创业的实绩交卷。习惯过“紧日子”，坚决把资源和财力更加高效地用于推动发展、为民服务。

（四）严守廉洁底线。深入贯彻全面从严治党要求，深入推进清廉重庆建设，扎实抓好政府系统党风廉政建设。严格落实中央八项规定及其实施细则精神，坚决纠治形式主义、官僚主义。加强重点领域廉政风险防控，深化“全周期管理”一体推进不敢腐、不能腐、不想腐，做到一心为公、一身正气，永葆为民务实清廉政治本色。

名词解释：

1.“三个一批”：即加快实施一批、准备启动一批、谋划储备一批。

2.“三项重点任务”：即八张报表、八张问题清单、五项机制。

3.“八张报表”：即党建、经济、平安、改革、创新、生态、民生、文化八张报表。

4.“八张问题清单”：即巡视巡察、督查、审计、环保、网络舆情、安全生产、信访、社会平安稳定八张问题清单。

5.“2344”行动方案：“2”即“两大目标”，总量规模稳步提升、质量效益显著提高；“3”即“三大行动”，“倍增”行动、“壮骨”行动、“纾困”行动；第一个“4”即“四大措施”，营商环境、招商引资、拓展市场、要素供给；第二个“4”即“四大保障”，组织领导、统筹推进、宣传引导、评估考核。

6.“33618”现代制造业集群：第一个“3”即聚力打造智能网联新能源汽车、新一代电子信息制造业、先进材料3大万亿级主导产业集群；第二个“3”即升级打造智能装备及智能制造、食品及农产品加工、软件信息服务3大五千亿级支柱产业集群；“6”即创新打造新型显示、高端摩托车、轻合金材料、轻纺、生物医药、新能源及新型储能6大千亿级特色优势产业集群；“18”即聚焦未来产业和高成长性产业培育壮大18个“新星”产业集群，包括卫星互联网、生物制造、生命科学、元宇宙、前沿新材料、未来能源6个未来产业集群，功率半导体及集成电路、AI及机器人、服务器、智能家居、传感器及仪器仪表、智能制造装备、动力装备、农机装备、纤维及复合材料、合成材料、现代中药、医疗器械12个高成长性产业集群。

7.“十百千万”领航行动：即到2027年，培育10家百亿级企业、100家十亿级企业、3个（金属材料、天然气化工、新能源材料）千亿级产业，联动两江新区、涪陵区打造万亿级新材料产业核心示范带，推动长寿工业稳进增效高质量发展。

8.科技创新“1416”总体布局：第一个“1”即锚定一个总目标，建设成为全市科技创新重要战略支点；“4”即打造四大科技创新主阵地；第二个“1”即创建十个国家级创新平台；“6”即实施六项重点工程。

9.“1+6+N”全周期企业服务工作体系：“1”即培育服务市场主体领导小组办公室；“6”即常态化服务农业文旅企业、工业企业、商贸交通企业、房地产及建筑企业、其他服务业、网格化服务其余企业6个专项；“N”即企业服务专员。

10.“四上”企业：即规模以上工业企业、资质等级建筑业企业、限额以上批零住餐企业、国家重点服务业企业等四类规模以上企业。

11.打造中国西部数谷“11538”总体格局：第一个“1”即“一个总遵循”，遵循数字重庆“1361”总体架构；第二个“1”即“一个总目标”，建成中国西部数谷，率先驶入数字文明新时代；“5”即“五区发展定位”，数字治理标杆区、数字产业集聚区、数据市场先行区、数字合作典范区、数字生活示范区；“3”即“三个关键载体”，区级数字化城市运行和治理中心、重庆长寿制造业数字化转型赋能中心、数据交易中心；“8”即“八项重点工程”，即实施数字党建统领整体智治、产业智慧化跃升、“长寿”IP特色产业品牌、数据要素价值释放、数字民生普惠、以社会主义核心价值观为引领的数字文化、数字化绿色化协同转型发展、数字化能力筑基八项重点工程。

12.数字重庆建设“1+4”体系构架：“1”即长寿区推进数字重庆建设体系构架图；“4”即目标体系、工作体系、技术支撑体系、督查体系。

13.六大应用系统：即数字党建、数字政务、数字经济、数字社会、数字文化、数字法治六大应用系统。

14.“141”基层智治体系：第一个“1”即每个镇街均建立1个基层治理指挥中心，作为镇街运行的“中枢”；“4”即聚焦镇街主要职能，构建党的建设、经济发展、民生服务、平安法治4个板块；第二个“1”即村（社区）网格。

15.“平急两用”基础设施：即平时用作旅游、康养等功能，遇重大公共突发事件时可立即转换为应急场所的设施。

16.“三条底线”：即粮食安全、耕地保护、不发生规模性返贫三条底线。

17.国有“三资”：即国有企业的固定资产、流动资产、无形资产。

18.“两个职责清单”：即《长寿区安全生产监管职责清单》《长寿区部分领域区域安全生产监管职责划分清单》。

19.危化企业隐患深度治理“七步法”：即全面体检、抽丝剥茧、追根溯源、对症下药、系统治理、评估改进、推广应用“七步法”。

20.“一链一网一平台”：即重点支持制造业企业，围绕产业“一条链”，建设应用工业互联网“一平台”，打通信息数据孤岛，加快形成“一张网”，带动上下游核心配套企业协同发展。

21.“五沿”区域：即沿高铁两线、沿江两岸、沿高速公路两旁、沿城郊环线、沿旅游景区周边的区域。

22.“1+3+N+19”招商工作体系：“1”即区招商引资领导小组；“3”即“两地一城”3个专项指挥部；“N”即主要经济部门；“19”即19个镇街。

23.“5+3”专项行动：“5”即支持企业“升规上限纳统”、构建专精特新企业生成体系、培育引进高新技术企业、发展壮大“龙头链主”企业、全力促进企业挂牌上市；“3”即建设政府服务型平台、打造一流营商环境、全域信用体系建设。

24.“一江三河”：即长江长寿段、龙溪河、大洪河、御临河。

25.“一园一策一图”：即一个化工园区、一套环境应急处置对策、一张环境应急作战图。

26.“民生七优”：即幼有善育、学有优教、劳有厚得、病有良医、老有颐养、住有宜居、弱有众扶。

27.“一金三制”：“一金”即农民工工资支付保证金；“三制”即农民工实名制、农民工工资专用账户制、农民工工资银行代发制。

28.“15+5”人社便民服务圈：“15”即城区步行15分钟；“5”即乡村辐射5公里。

29.“两单两卡”：“两单”即岗位风险清单、岗位职责清单；“两卡”即操作规程卡、应急处置卡。

30.“一标三实+N”：即依托标准地址、实有房屋、实有人口、实有单位，将与之密切相关的治安管控要素关联叠加，形成全面完整的基础数据体系。

31.“三室融合”体系：即创设“寿乡情理调解室”“行政争议实质化解工作室”“执行纠纷和解工作室”，推动“三室”在物理空间、人员队伍、职责功能等方面深度融合、协同用力，切实将矛盾纠纷解决在前端、化解在萌芽。

32.“两在三不”：即矛盾纠纷化解在基层、化解在萌芽状态，小事不出村、大事不出镇、矛盾不上交。

33.“三降两升”：即“民转刑”命案、到市进京访、诉讼案件下降，初次信访一次性化解率、社会矛盾纠纷基层化解率提升。

专　文

具有全球影响力的新材料高地建设

区第十四次党代会确定长寿经开区“打造世界一流园区　建设具有全球影响力的新材料高地”战略目标。2023年，长寿经开区对标一流发展系统工程编制印发《五年行动实施方案》，聚焦项目“招、建、培、产”全流程发力，高效推进特别重大项目21个、重大建设项目82个，完成投资180亿元，国复高性能玻纤、恩捷锂电隔膜、望变成套装备及磁性材料、华陆新材硅基气凝胶等项目完成年度目标任务。重钢产量破千万吨，产品首次出口国际市场，不锈钢复合板轧制成功。双象光学新材料、中润新材料产业园、巴斯夫MDI优化提升等项目建成投用。生产服务型国家物流枢纽、国际金属循环产业园、渝化新材天然气化工、国际合作产业园、国际社区等项目全速推进。企业主体信用等级提升工程、企业上市倍增培育行动项目实施步伐加快。长寿经开区综合发展水平提升工程在2023年商务部国考居西部第三、重庆第一。

一、协同作战机制逐步完善

（一）高位推动导航定向。区委书记、区长现场调度，先后作出10余次专门批示，组织召开专题会议，围绕《五年行动实施计划》中确定的园区产业基础、要素保障、资金筹措、安全生产、生态环保等各领域各年度可量化的116项指标体系，把“路线图”变成“实景图”。力争到2026年，新材料特色产业集群基本成型，加速形成4000亿级特色产业经济带；高质量技术创新体系初步建成，有效期内发明专利拥有量超过2000件；高水平开放协同能力显著提升，五年间累计使用外资总额不低于4亿美元；高标准新型产城园区搭建形成，水、电、气、汽要素供给稳定完善，单位增加值CO_2排放量不高于6.6吨/万元。

（二）横向联动整合力量。按照市委部署“目标任务要闭环，工作流程要闭环，工作机制要闭环”工作要求，对标对表党建统领“885”三项重点任务，优化“专项指挥部”组织架构，实行“专项指挥部统筹+3个片区分片负责+区级部门助推+责任单位推进+服务专员靠前服务+区督查组全程督察”的重大项目管理模式，更新作战图，细化按季列清单、按月抓推进的时间节点和具体任务，与晏家、江南、八颗街道形成高效协同机制，新能源材料片区作为共建成渝地区双城经济圈重大项目用地区域，3个月完成458户拆迁，400万立方米挖填方基础平场，江南组团盘子石片区1个月完成91户拆迁，打好重特大项目推进“组合拳”。

（三）企业主动增添动能。川维化工PVA光学膜突破“卡脖子”技术；小康动力单月产能增长超10倍；恩捷锂离子电池微孔隔膜项目竣工现场举行重大项目集中开工暨投产视频连线活动；中航油西南战略储运基地、旭阳汽车内饰系统融合电子信息化、长风化工等项目达产见效；神龙腾达高耐蚀热镀锌板项目、千信集团金属循环产业园等多个重特大项目赶工期、抢进度，冲刺全年目标。全年新开工项目35个，续建项目28个，建成投产项目24个。

二、龙头企业带动势头强劲

（一）百亿级企业落地生根。新材料专项指挥部围绕天然气化工新材料、硅基新材料、新能源材料及装备集成应用三大品牌，实施跨产业联动、专班专人跟踪招商，举办日资企业上海专场招商推介会、英国企业长寿行、宁波专场推介会等重大招商活动，招商引资成效显著。渝化新材投资170亿元建设天然气化工新材料一体化、领新新能源投资106亿元建设20GWH聚合物凝胶固态电池2个百亿级项目签约落户，领新能源第一条产线实现当年签约、当年开工、当年投产。全年新签约项目56个，协议引资414亿元，其中三大品牌项目38个，协议引资285亿元。

（二）上市企业增蓄后劲。健全企业上市工作体制机制，实施“深入挖潜”“头脑风暴”“多元培训”“问题清零”“资本赋能”“国企上市”“扶企惠企”七大专项行动；建上市评估平台，主动对接证监、证券、金融等部门为拟上市企业把脉号诊，将42家企业纳入拟上市资源库，重庆中润新材料股份有限公司、重庆欣欣向荣精细化工有限公司2家企业进入市级上市辅导；建立18名区级领导联系拟上市培育企业跟踪服务机制，邀请重庆证监局、券商、基金公司、会计所和律所联合走访调研20余次，为企业“点对点”协调办理企业推动上市过程中的环保、技改、资质荣誉、职工公租房等问题和诉求事项35件。已上市的康普化学、望变电气、国际复合等企业“双招双引”，产业发展“强基延链”，募投项目不断增加，势头强劲。

（三）科技支撑成效显著。深度融入全市“416”科技创新战略布局，渝化新材、博腾制药、重庆钢铁通过国家级企业技术中心复审，国家级企业技术中心数量实现从0到3的突破；实施高新技术企业和科技型企业“双倍增”计划，培育科技型企业277家、高新技术企业136家，市级以上各类研发创新机构增至86家；举办走进武汉工程大学、四川大学等招才招智系列活动，从四川、重庆聘任12位专家，成立市级博士后科研工作站4个，推动成立企业科协8个，柔性引进院士7名，培育国家级万人计划1人、市级鸿雁计划85人，为建设具有全球影响力新材料高地提供重要支撑。

三、新材料高地建设效果明显

（一）要素保障助推企业高质量发展。推进土地高效利用，启动实施项目征收土地2200亩，获批土地1089亩，推进已获批项目征迁补偿面积5700亩，盘活企业低效用地913亩。推进基础设施建设，实施片区综合开发，新建路网8.5千米、公共管廊6千米。科学调度生产要素，电、气、煤、水、蒸汽分别比上年增长3%、2.9%、7.2%、8%、7.7%，保障巴斯夫、望变电气、重钢股份、国际复合等重点企业满负荷生产。全年实现规上工业产值1349亿元，比上年增长10.5%；固定资产投资196亿元，比上年增长17.9%；外贸进出口100.1亿元；税收34.6亿元。230家国家级经开区综合发展水平商务部国考，居西部第三、全市第一。

（二）加快推进成渝地区双城经济圈、西部陆海新通道建设。恩捷锂离子电池隔膜项目、中润新材料产业园项目、双象光学级PMMA/MS新材料和MMA项目3个重大项目年度投资23.8亿元，超额完成计划，长寿-沿滩千亿级天然气化工新材料产业合作示范园区、长寿经济技术开发区、生产服务型国家物流枢纽3个重大平台阶段性完成建设目标。其中与自贡沿滩高新区共建千亿级天然气化工新材料产业园，获批成渝双城经济圈产业合作示范园区。承担西部陆海新通道项目16个，其中物流枢纽项目5个，物流通道项目3个，物流产业项目8个。

（三）新材料产业集群初具规模。首次在西部举办国家级的中国责任关怀促进大会、BDO与锂电材料NMP、PVDF产业国际论坛，在行业内引起巨大反响；2023重庆国际人才交流大会暨首届“汇智成渝”新材料专场活动效果初显，中科院原院长白春礼等7名院士到现场指导，国家科技创新汇智平台“川渝新材料科技树”成为重庆的一张名片，5家央企、科研院所及高校通过平台争取JG渠道项目30余项，先进材料产业布局的4个创新平台揭牌。全年新材料产业规上工业产值833亿元，占开发区规上工业产值的62%；“三大品牌”工业产值439亿元，占新材料产业产值的53%。天然气新材料产业建成投产规上企业35家，实现产值约240亿元；硅基新材料产业建成投产规上企业15家，实现产值约54亿元；新能源材料及装备产业建成投产规上企业36家，实现产值约145亿元；龙头企业带动、重大项目支撑、细分产业协同配套的新材料产业集群初具规模。

（曾　杨）

世界级运动康养旅游目的地建设

2023年，长寿区按照“一年打基础、两年有突破、三年见成效、四年大变样、五年基本成形”的工作思路，推进世界级运动康养旅游目的地建设。全年谋划重大项目101个，项目总投资1581.4亿元，其中特别重大项目23个，总投资1309.5亿元。计划实施39个重大建设项目（含8个特别重大项目），总投资469.1亿元，年度计划投资27.9亿元。发展“文化+”“旅游+”产业，统筹推进全域农文旅产城深度融合。长寿湖旅游度假区获评十佳中国体育旅游精品项目，长寿湖景区入选全国精品线路，桃花溪被纳入2023年全国15条幸福河湖创建名单。首次在北京举行农业产业高质量发展研讨会暨“自然长寿”品牌推介活动，长寿柚亮相第八届全球外交官中国文化之夜。

一、工作路径

（一）坚持全域旅游标准，做实世界级运动康养旅游目的地规划

围绕实现让寿城山水走向世界、让世界来宾同享长寿，充分借助具有全球视野的中介机构及其资深专业规划团队的智慧和力量，高起点、高水平编制全域旅游发展规划，打造以运动康养为主要特征的世界级旅游目的地，集中推出一批地标性文旅IP、文旅消费产品和服务，点线面结合推进全域旅游，真正建设世界旅游城市。

（二）厚植中华长寿原乡本底，立足山水做好运动康养这篇大文章

围绕建设好长寿湖国际会展中心和国际康养旅游目的地，完善长寿湖与国际赛会相匹配的功能设施，承接国际铁人三项、环长寿湖国际马拉松、环长寿湖国际自行车等顶级赛事，打造国际赛事、国际会展承载地。建设国际会展中心，力争落地博鳌长寿湖论坛、上合组织长寿论坛、亚洲财富长寿湖论坛，精心打造各具特色的星级酒店。推动“康养+”融合发展，深度开发寿湖、寿山、寿泉、寿谷系列山水人文资源，推出居养、动养、食养、文养、医养等沉浸式体验产品和服务，打造湖泊度假、运动乐园、森林氧吧、温泉康养、乡村漫游等一批独具魅力的地标性文旅IP。

（三）培育自然长寿品牌，打造具备世界水准的人文农旅体验区

以长寿湖文化产业园项目为牵引，系统性开发长寿湖，打造集运动、康养、休闲、度假、会展于一体的国家级旅游度假区。推动大洪湖打造以温泉疗养、休闲度假、农耕体验为主的零碳康养旅游度假地，推进明月山、黄草山特色化一体化开发。以市场为导向，严格按照国际慢城认证标准，加强“快旅慢游”全要素提升，做精做特一批必吃、必住、必玩、必购的文旅消费产品和服务，打造长寿国际慢城。推动农业生产标准化、绿色化、精细化管理，开发“长寿果”“长寿鱼”等绿色有机产品，集中打造“自然长寿”区域证明商标。

（四）共享人类长寿文明成果，弘扬优秀传统文化为长寿旅游赋魂

挖掘长寿独特人文资源，加强历史文化街区、名镇名村保护和村史馆建设，加强文峰塔、桓侯宫等历史遗迹和巴蜀曲艺、工艺等非物质文化遗产保护传承，复建怀清台、谯定书院、李寿民故居，串珠成链打造文化地标和文化景观，擦亮“中华长寿原乡”品牌。将红色文化遗址与红色旅游线路深度融合，高起点保护利用杨克明故居、狮子滩水电站等红色资源，修复提升林庄学堂、刘伯承避难养伤旧居等红色文化教育基地。

二、工作举措

（一）成立组织架构

设立长寿区世界级运动康养旅游目的地工作专项指挥部，由区委副书记任指挥长，负责“世界级运动康养旅游目的地”建设的总体规划、整体推进、督促落实。指挥部下设办公室，由区委常委、宣传部部长任办公室主任，协调推进世界级运动康养旅游目的地建设及专项指挥部日常事务。专项指挥部办公室设综合组、规划招商组、项目推进组和服务专员组，负责具体工作开展。建立起指挥长、项目组组长、工作专班、服务专员、项目联络员“五级联动”组织领导体系。

（二）开展规划策划

坚持高起点、高水平谋划世界级运动康养旅游目的地

建设，引进北京知行堂品牌有限公司、北京红树林国际有限公司、重庆广阳岛绿色发展公司等国际、国内一流规划运营管理团队，遵循“点、线、面一体化”思路，系统开展项目规划。以全域旅游标准和系统推进思维，以“城乡景、农文旅”深度融合为牵引，完成全域旅游规划、国土空间生态保护修复、道路工程系统建设3个全域性系统规划，推动塑造全域一体、功能互补、宜居宜业、运动康养的城乡格局。推进澄海新区、明月山—黄草山人文农旅体验区、小城镇品质提升等片区规划，明晰区域功能定位和主攻方向。完成长寿山文化公园、G351梓潼至洪湖等项目规划，完成长寿星辰岭谯定书院、国家水电博物馆等概念策划，细化项目落地方案。

（三）狠抓招商引资

坚持政府撬动与市场推动相结合，统筹做好“走出去”和“请进来”招商引资。参加智博会、西洽会等招商推介活动12次，到北京市、上海市、江苏省、浙江省等发达地区开展招商引资20余次，邀请新兴际华集团、春禾现代化农业集团、中国城乡控股集团等20余家央企、国企、民企到长寿区考察洽谈合作，签约红树林文旅投资管理有限公司、阿里巴巴（中国）软件有限公司、北农大科技股份有限公司、重庆市供销合作总社等多个巨头企业、重要单位。

三、工作成效

2023年，全区完工重大项目6个，开工特别重大项目7个、重大项目31个，完成投资约28亿元。全年接待游客1400万人次，比上年增长20.4%；实现旅游收入111亿元，比上年增长18.1%。承办国际棋联女子世界锦标赛对抗赛等重要赛事31场，举办“国际博物馆日”川渝主会场活动等20余场大型文旅活动，获评市级体育旅游试点城区。长寿湖文化产业园项目天鹅堡酒店整装完成90%，未来水世界完成主体基础施工，罗山半岛主岛道路完成路基施工；长寿山文化公园完成还珠楼主景观工程建设。

（区委宣传部）

中国长寿生命科学城建设

2023年，建设中国长寿生命科学城专项指挥部以成渝地区双城经济圈建设为总牵引，党建统领数字化变革为总抓手，围绕建设高质量发展高品质生活新范例和同城化发展先行区，补齐民生设施短板，全力推进数字重庆建设，持续推动中国长寿生命科学城建设。

一、工作路径

（一）立足世界城市理念，实施中国长寿城规划编制。围绕“长寿”这个核心IP，以长寿中心城区为主要载体，以长寿高新区为生命科学产学研核心平台，聚焦到生命城市开展规划，推动文化旅游、国医国学、时尚运动、生命生活生态多元共生产城融合，推动建设F1赛事场地，充分彰显生命哲学魅力、生命美学张力、生命科学活力，绘就天人合一、道法自然生命城市美好图景。

（二）高标准建设城市中心、文化体育中心。对标国际范式实施全域空间管控，高起点建设城市数据中心、城市规划馆、城市财富中心，培育高端商贸、金融服务、总部经济等业态，打造一批商业地标、特色商业街，构筑

2023年2月9日，中国长寿生命科学城推进大会召开　（区融媒体中心　供图）

“城市大脑”和“城市中心”。实施文化惠民工程，统筹规划布局城乡公共文化设施，优化公共文化产品供给和服务，建设长寿奥体中心、文化艺术中心等一批标志性文体设施。

（三）打造以高新区为载体的数字健康核心平台。围绕打造生命科学产学研核心平台，统筹建设中国生命科学院、生物医药公共技术服务平台，发展与医药制造业密切相关的研发生产外包服务，建立健全研发外包与生产性服务产业链条。发展数字健康产业，深化新一代数字技术在医疗、康养服务等领域的创新应用，发展远程诊疗、智慧医疗、智慧康养新业态，实施全民全生命周期健康管理，形成全民可及、全生命周期覆盖、数字化管理的社会形态。发展以中药配方颗粒和古代经典名方中药复方制剂为代表的现代中药，以生物制品、新型疫苗、抗体药物为代表的生物药，以体外诊断、医用耗材、家用医疗为代表的医疗器械等产业。

（四）高规格打造大河文明长江国家文化公园。围绕三倒拐、定慧寺、长寿旅游码头等滨江沿线文化资源所承载的重大事件、重要人物、重头故事进行整合、保护、利用，贯通融合，依托大剧院、音乐厅等建设，构建长寿滨江文化IP体系，营造丰富的长江文化场景生态系统，打造“文化—产业—城市”融合创新发展闭环，吸引集聚人才、知识、技术等高端要素，推动核心城区的动能更新、功能更新、内容更新、形态更新、治理更新，推动高质量建设中国长寿生命科学城。

（五）高水平建设阳鹤山国医城。围绕“传承精华、守正创新”中医药发展规律，从中国中医药文化精华之要、传承守正之路、国医传承创新发展史、新时代中医药传承创新实践应用四个方面，实施文化工程、学术工程、人才工程、产业工程“四大工程”，推动阳鹤山片区集聚中医药传承创新发展。依托现有山水资源，结合中医传承底蕴，打造中医养生国际社区，承载高端人才衣食住行需求，形成中国长寿生命科学城中心城市公园。

二、工作措施及成效

2023年，实施特别重大项目33个、年度建设项目69个，完成投资42亿元。重庆长寿制造业数字化赋能中心、区中医院医技大楼等12个项目建成投用；中国西部数谷、城市生活垃圾分类、城市绿道等37个项目全面启动；小石门长江饮水源工程、滨江排危纾困等32个续建项目加快推进；国际方程式赛车项目、渡舟老城综合改造等17个项目前期工作进展顺利，推动中国长寿生命科学城建设整体成势。

（一）抓规划落地。《中国长寿城全域战略规划及重点项目库设计》作为首次提请区人民代表大会审议的战略规划，每年接受区人民代表大会的监督。2023年六大领域重构策略执行成效初步显现，6项指标超前完成。指导规资、林业、文旅、环保、交通等部门编制32项规划、国家方志馆长江分馆暨重庆方志馆等多个重大项目策划。

（二）抓向上争取。多次到市发改委、市住建委、市交通局、市物流集团、市城投公司等单位协调对接两江新区至长寿区快速通道、渝宜高铁、市域快线C7线、东向物流大通道等重大交通项目。到市教委、市经信委、市卫健委、市供销社对接优质教育均衡发展工程、产业数字化能力中心建设、全民全生命周期健康管理平台、城乡发展职业学院建设等项目。积极争取市生态环境局、市林业局、市住建委等部门支持长寿创建生态文明建设示范区、森林城市、生态园林城市等国家级名片。

（三）抓招商引资。赴北京、浙江、广东、山东、西藏等多地招商、学习30余次，同上汽集团、青岛琅琊台等30多家单位签订合作协议，协议引资151.9亿元。引进火石数智等18家数字健康企业，引进基石数商、能力数商、生态数商58家。

（四）抓民生实事。晶山、菩提、树人3所幼儿园建成投用。晏家医康养项目进场施工，区中医院医技大楼投用，区精神卫生中心成为全市首家标准化三级精神卫生中心。建成街镇、机关、学校、企业图书分馆117个，举办全民阅读活动150余场。城市道路总里程达373公里，打通横一路东段等城市断头路3条，新增小微停车场停车位3500个，在公共停车场新设充电桩390套。累计完成老旧小区改造101.66万平方米，惠及近8000户居民。实现全区19个街镇基层医疗机构就诊信息区域共享，建成全区60万常住人口卫生健康档案，区内二级以上公立医院医学影像全部上云，并与重庆市影像云联通，率先在全市首位达成区域医学数字影像检查结果互通互认。 （仇 巧）

大事记

1月

3日　长寿区云台镇八字村、小岩村、拱桥村，万顺镇万兴社区，龙河镇四坪村、河堰村被重庆市爱国卫生运动委员会命名为“2022年重庆市卫生村”。

6日　重庆市规划和自然资源局、重庆市地理信息和遥感应用中心联合推出《重庆号子地图》，长寿石工号子、翻叉号子、龙溪河拖滩号子入选。

7日　重庆市大洪湖水产公司被评定为国家大宗淡水鱼产业技术体系重庆综合实验站核心示范点。

9日　长寿区党政代表团赴垫江县考察交流，推进与垫江县对口协同发展。

同日　重庆望变电气（集团）股份有限公司、重庆博腾制药科技股份有限公司入选“2022重庆民营企业科技创新指数100强”榜单。

10日　重庆化工职业学院、重庆市医药学校、长寿实验中学校、长寿区桃花小学校入选“重庆市第五批智慧校园建设示范学校”名单。

11日　长寿区确定重庆奕翔化工有限公司、重庆宝丞炭材有限公司、中化学华陆新材料有限公司等11家研发创新机构为区级企业研发创新中心。

12日　国家电网红岩（长寿）共产党员服务队被重庆市委宣传部、市文明办授予2022年度“重庆好人”特别奖先进集体称号。

13日　长寿经开区获商务部2022年度国家经济技术开发区综合发展水平考核西部第三、重庆第一。

17日　长寿非遗文化馆在2022年长三角及全国部分省市最美公共文化空间大赛中，获评“优秀公共文化空间案例——基层文化空间”。

19日　2022年度市级创新型中小企业评选名单出炉，重庆金泰汽车艺术设计有限公司、重庆缘得科技有限公司、重庆力标汽车部件有限公司、立邦涂料（重庆）化工有限公司等21家长寿区企业上榜。

20日　中国侨联确定2021—2022年度全国侨联系统“侨胞之家”典型选树单位，长寿区侨联“侨胞之家”入选。

2月

1日　重庆市志愿服务联合会发布“重庆市五星级志愿者”名单，长寿区菩提街道桃花社区志愿者罗云芳上榜。

3日　长寿区举行2022—2023年度“自然长寿”橘王评选活动，长寿区先玛果树种植家庭农场、重庆市长寿区高新果业有限责任公司、长寿区长寿湖镇冰清水果种植场选送的柑橘分别获各柑橘类第一名。

4日　最高人民检察院副检察长、民革中央委员会常务委员张雪樵一行到长寿区调研贯彻落实《中华人民共和国长江保护法》相关情况。

7日　长寿区人民政府与重庆中医药学院战略合作协议签约仪式在重庆中医药学院举行。

8日　重庆钢铁股份有限公司《一种半自动换辊控制方法及装置》获中国金属学会第五届冶金青年创新创意大赛企业组三等奖。

9日　重庆市推动成渝地区双城经济圈建设联合办公室发布《共建成渝地区双城经济圈2023年重大项目清单》，长寿区12个项目上榜，位居重庆各区县之首，总投资326亿元。

11日　2022年度重庆市技术创新示范企业名单公布，重庆钢铁股份有限公司、重庆长风化学工业有限公司、重庆双羽家俱有限公司、重庆聚狮新材料科技有限公司上榜。

12日　长寿区图书馆获评“2022年度重庆市人文社会科学普及基地工作先进单位”。

15日　长寿区铁公水多式联运第一个落地项目“疆煤入渝”首航发运活动在长明码头举行。

同日　重庆市文旅康养专委会发布市内10条精品康养旅居线路，“长寿+长寿湖康养旅居”上榜。

16日　重庆三田农业科技有限公司、重庆长寿温氏畜牧有限公司被重庆市农业农村委评为“重庆市2022年农业产业化市级龙头企业”。

22日　2022年度重庆市学雷锋志愿服务先进典型名单出炉，长寿区凤城街道三峡路社区志愿服务队志愿者王厚娟，长寿区龙河镇新时代文明实践志愿服务分队志愿者、“长寿老兵”志愿宣讲团副团长王亚明，长寿区文艺志愿者服务队志愿者罗小松获评最美志愿者；长寿区盐井村“集结号”退役军人志愿服务队获评最佳志愿服务组织；长寿区云集镇青丰村新时代文明实践站获评最美志愿服务站（岗）。

23日　长寿区示范幼儿园园长高俊英获“2022年重庆市中小学骨干校长”称号。

25日　长寿区妇幼保健院儿科获评“全国巾帼文明岗”。

26日　长寿区与红树林文旅投资管理有限公司签订合作协议，围绕大洪湖零碳康养旅游度假地建设开展合作。

27日　广西壮族自治区投资促进局党组书记、局长黄卫平率队到长寿区，调研广西壮族自治区对口支援长寿区三峡移民工作。

同日　重庆市长寿区、四川省邻水县两地检察院、公安局、农业农村委员会（局）以及相关乡镇9家单位，在邻水县黎家镇人和社区举行检察协作框架协议签约仪式暨检政机关增殖放流活动。

28日　西南地区最大氢燃料电池供氢项目——川维化工3000立方米每小时氢燃料电池供氢项目建成投产。

3月

1日　长寿区人力社保局党组书记、局长叶俊英获2022年度重庆市“三八红旗手”称号。

同日　长寿区首个“复调对接”调解优先的行政调解工作室——“松柏工作室”挂牌成立。

同日　长寿区文联“曲艺屋”创作基地获重庆市2022年度基层文联十佳专项工作案例。

3日　在第六届“三峡杯”优质晚熟柑橘评选活动中，重庆市长寿区柑橘行业协会推选的“W.默科特”获欧美系杂柑类金奖；重庆市长寿区张容农业发展有限公司推选的“春见”获日系杂柑类金奖；重庆市长寿区冰清水果种植场、重庆市长寿区柑橘行业协会推选的“塔罗科”获血橙类银奖。

4日　长寿籍运动员贺相红以2小时22分55秒的成绩获2023年全国竞走大奖赛（第1站）暨世锦赛及亚运会选拔赛冠军。

6日　英国商业贸易部创新与工业中国区副总监陆岩、英国驻重庆总领事馆政治经济领事丁山墨率英国先进制造企业代表团到长寿经开区交流合作事宜。

7日　长寿区公安局刑警支队七大队被市公安局、市妇联授予重庆市“巾帼文明岗”称号。

10日　重庆市渝北区、长寿区、垫江县和四川省邻水县四地法院、检察院共同签署联合共建“川渝司法协作明月山生态修复示范带”协议，开展补植复绿活动。

同日　重庆化工职业学院与华为ICT学院在长寿区举行战略合作签约仪式。

11日　2023重庆渝东第一届“绿豆大曲·蟾宫折桂杯”围棋双人联棋邀请选拔赛在长寿区开幕。

同日　长寿区4个代表队参加第二届重庆市青少年智能机器人编程大赛选拔赛，2个队获一等奖，2个队获二等奖。

13日　长寿湖旅游度假区被重庆市文化和旅游协会评为“重庆市智慧旅游示范景区（度假区）”。

16日　长寿区邻封镇、新市街道新同村、葛兰镇盐井村、云集镇青丰村被重庆市乡村振兴局评为第三批“市级乡村治理示范村镇”。

19日　长寿区非物质文化遗产仙鹤系列绣品入选重庆市外事礼品名单。

22—23日　长寿区党政代表团赴浙江省温州市考察交流。其间，长寿高新区与温州高新区签订共建数字产业园区战略合作协议。

24日 长寿区与重庆建工集团股份有限公司签订战略合作协议。

27日 石堰镇被重庆市生态环境局评为第十一批“重庆市生态文明建设示范乡镇”。

同日 长寿区司法局菩提司法所被评为重庆市首批“枫桥式司法所”。

29日 长寿区精神卫生中心被确定为三级精神卫生中心。

30日 长寿柚在北京进入“第八届全球外交官中国文化之夜”晚宴。

同日 长寿经开区入选重庆市首批近零碳园区试点。

4月

2日 长寿区代表队在2023年重庆市田径短跳项群赛上获金牌2枚、银牌2枚、铜牌1枚，获儿童组团体第一名。

4日 重庆电力行业首个区域特色检测中心在长寿区投运。

7日 宝武碳业·重庆千信·长寿区经信委合作签约仪式暨西部化工企业数字化转型高峰论坛在长寿区举行。

12日 长寿区与浙江吉利铭泰科技集团有限公司签订战略合作协议。

同日 2023年“书香重庆·全民阅读盛典”举行。长寿新华书店获评“十佳最美书店”，长寿区渡舟街道办事处陈菲获评“十佳全民阅读点灯人”，长寿区委宣传部申报的《孩子，你要学会保护自己》获评“十佳渝版渝创图书”，长寿区凤城街道凤家社区居民委员会“爱读书，读好书，共创书香社区”全民阅读推广活动获评“优秀全民阅读推广活动”。

同日 长寿区法院判决指定长寿区民政局为未成年人夏某的监护人，并明确区民政局承担监护职责的具体方案。该案是民法典施行后，长寿区法院首例指定区民政局担任监护人的典型案例。

13日 中国石油和石化工程研究会石油化工技术装备专业委员会主办的“华陆杯”第六届石油化工、天然气（LNG）行业保温保冷工程与材料技术交流会暨创新成果展示会在长寿区举行。

同日 长寿中学学生陈文俊在2023年重庆市中学生田径锦标赛中以50秒成绩获初中丙组男子400米项目第一名。

14日 长寿区土地革命战争时期杨克明烈士使用过的枪支被认定为二级文物。

15日 2023重庆长寿湖半程马拉松在长寿湖举行。

18日 “常来长寿 人才长寿”2023重庆市长寿区“十万英才聚长寿”育才计划人才招引推介会暨科技成果转化交流会在武汉工程大学举行。

20日 长寿桃花溪入选第二批全国幸福河湖建设试点。

同日 长寿区270个基层综合文化服务中心建成投用。

24日 重庆标杆农牧科技有限公司养殖场的23.7万枚鲜鸡蛋启运发往香港，是“重庆产”鲜鸡蛋首次自营出口。

26日 长寿区人民政府与重庆市供销合作总社签订合作协议，共建重庆城乡发展职业学院。

同日 中华全国总工会发出《关于表彰2023年全国五一劳动奖和全国工人先锋号的决定》，重庆一洋化工设备有限公司冉龙江获“全国五一劳动奖章”称号。

27日 长寿区“3113”重点攻坚项目——乐温大桥建成通车。

同日 2023年重庆市全民数字素养与技能提升月启动仪式暨论坛活动举行。长寿区委网信办推荐的“共创共享3D打印数字服务”入选全市10个优秀案例之一。

同日 重庆市总工会、重庆市人力资源和社会保障局发出《关于表彰2023年重庆五一劳动奖和重庆市工人先锋号的决定》，长寿区获“重庆五一劳动奖状”2个、“重庆市五一劳动奖章”3个、“重庆市工人先锋号”3个。

30日—5月2日 由长寿区人民政府和类乌齐县人民政府共同主办的“2023年长类心连心·文化艺术交流节”在长寿湖景区举行。

5月

5日 2023年成渝地区双城经济圈专家团“走进长寿”活动仪式举行。中国工程院院士、市科协主席潘复生等11名高层次专家为长寿区高质量发展献智赋能。

同日 文化和旅游部推出10条长江主题国家级旅游线路，长寿湖旅游区入选“长江安澜见证之旅”旅游线路。

8日 长寿中学入选首批全国健康学校建设单位。

同日 长寿经济技术开发区入选第一批重庆市内陆国际物流分拨中心暨“一带一路”进出口商品集散中心示范基地名单。

同日 长寿区挂牌设立“重庆市长寿区劳动争议纠纷一站式处置平台”，区劳动争议法律援助工作站等5家实体入驻。

11日 长寿区“政务承诺+信用履约”案例获评全国2023年信用承诺优秀案例。

同日 长寿实验一小获评2023年第一批“全国围棋特色学校（幼儿园）”。

14日 长寿区桃源大道被命名为

“重庆市园林式市街”，凤城华府被命名为“园林式居住小区”。

17日 2023年“国际博物馆日”川渝主会场活动暨重庆市长寿区博物馆开馆仪式在长寿区举行。

同日 长寿区杨克明故居陈列馆《讲好西路军烈士故事 传递红色革命正能量——红军高级将领杨克明专题陈列》展览获评“2022年度重庆市博物馆优秀展览项目”。

18日 第五届西洽会央地合作暨重点项目签约活动举行，长寿区现场签约项目2个，合同投资额43亿元。

同日 长寿区首个中高端特色养老项目宜康百龄帮晏家街道养老服务中心开业。

23日 长寿区人民政府办公室印发《重庆市长寿区健全重特大疾病医疗保险和救助制度实施办法》。

27日 2023年重庆市“书香重庆 红岩少年”阅读大赛、少儿讲故事复赛在长寿区龙河镇保合书院举行。

30日 长寿区“长寿老兵”志愿宣讲团入选全国“传承红色基因·赓续红色血脉”——退役军人关爱青少年志愿服务项目。

6月

2日 长寿区人民政府与中铁隧道局集团有限公司签订战略合作协议，围绕“两地一城”建设开展合作。

2—4日 “2023中国·长寿湖第三届休闲垂钓大赛”在长寿湖东岸渔文化村举办。罗红获台钓组第一名，官宇获滑漂组第一名，李健获筏钓组第一名。

8日 长寿区人民政府与重庆市气象局签署《加快推进新时代长寿气象高质量发展合作备忘录》。

10日 2023年文化和自然遗产日重庆主场活动——非遗购物节·第八届重庆非物质文化遗产暨老字号博览会开幕式在长寿区时代广场举行。

12日 长寿经开区开发投资集团有限公司安全环保部、重庆长风化学工业有限公司智能化班组获评“2022年度重庆市青年安全生产示范岗”。

16日 长寿区人民政府与攀华集团有限公司签订食品“灯塔工厂”项目合作协议。

同日 长寿区人民政府与瓦里安医疗器械贸易（北京）有限公司签订合作协议，共建国际一流癌症防治中心。

17日 第二届重庆长寿中匈皮划艇邀请赛在长寿湖开赛。匈牙利、英国、意大利、荷兰、中国等国家的200余名选手参赛。秦著华、叶朝阳分获皮划艇公开组200米女子、男子决赛第一名；刘发苹、余常利分获桨板公开组200米女子、男子决赛第一名。

18日 重庆市第三届龙舟公开赛（长寿站）在长寿湖举行，13支队伍参赛，合川龙舟队、彭水龙舟队、三峡学院龙舟队获前三名。

21日 长寿区凤城街道梅村社区综治中心调解员李洪志获评“中国好人”。

25日 重庆朗天制药有限公司、重庆富美包装印务有限公司等38家长寿企业被评为2023年重庆市专精特新中小企业。

26日 长寿区5家企业获评“重庆市农产品加工业重点企业”。

27日 重庆市长寿区妇联与四川省广安市邻水县妇联在长寿区万顺镇东风村联合成立长寿区首个“川渝两地妇女儿童维权站”。

29日 由九三学社中央社会服务部、九三学社重庆市委会主办的“九三学社中央院士专家科普行”活动在长寿区举行。

同日 经坦桑尼亚教育部认定，重庆化工职业学院参与编制的环境监测技术员4级行业岗位职业标准被纳入坦桑尼亚国家职业教育体系。

7月

2日 重庆市美术家协会副主席、重庆雕塑学会副会长、长寿区文化馆副馆长邓刚“赤子初心”红色主题雕塑作品展在重庆王琦美术博物馆开展。

2—13日 俄罗斯、意大利等国家的27名海外华裔青少年及领队到长寿区参加“2023‘中国寻根之旅’夏令营重庆长寿营”活动。

4日 长寿区运动员郭娜以2小时53分23秒的成绩获2023年全国竞走锦标赛女子成年组35千米竞走金牌。

同日 长寿区人民政府与喜悦资本有限公司签订战略合作协议，共建西部康复医疗高地。

6日 第六届重庆市公民科学素质大赛复赛在长寿区举办，长寿代表队获片区赛一等奖。

12日 明月山绿色发展示范带西部陆海新通道铁海联运班列在渝巴物流首发，标志着明月山绿色发展示范带七区县开始通道物流经贸合作。

同日 重庆市梁平区、长寿区、垫江县和四川省邻水县、达川区、大竹县、开江县等川渝毗邻七区县签订《明月山绿色发展示范带文旅合作共建协议》，联合实施旅游惠民政策，推出5条精品旅游线路。

同日 成都七中、长寿中学联合举行“远程双师 协同育人”授牌仪式，签订《远程直播教学协议》，开展异地同堂、双师教学合作。

13日 重庆市人力社保局与长寿区人民政府、长寿经开区签订战略合作协议，共建中国·长寿国际化特色化新材料产业人才专区。

14日 长寿区人民政府与中国证监会重庆监管局签订战略合作协议。

14—24日 2023年“长寿湖杯”国际棋联女子世界锦标赛对抗赛在长寿区举行，上海棋手居文君获女子个人世界冠军。

21日 中国（重庆长寿）第十二批援巴新医疗队妇产科专家牟海波副主任医师助巴布亚新几内亚莫尔兹比港总医院完成首例腹腔镜粘连松解术及盆腔脓肿引流术，患者术后3日康复出院。

24日 长寿区人民政府与重庆市体育局签订合作协议，共建重庆市田径优秀运动队。

25日 长寿区29名学生在中国侨联、全国台联、《人民日报》（海外版）、快乐作文杂志社主办的第二十三届世界华人学生作文大赛中分别获一、二、三等奖。

26日 长寿区人民政府与恒丰银行重庆分行签订战略合作协议。

28日 中国共产党重庆市长寿区第十四届委员会第五次全体会议举行。

31日 长寿区获评全国第四批“社会信用体系建设示范区”。

8月

1日 重庆市农业农村委等12个市级部门印发《关于开展“县乡村公共服务一体化”试点工作通知》，长寿区为首批试点区县。

同日 长寿区首个国企拓展型退役军人服务站——国网重庆长寿供电公司退役军人服务站正式揭牌。

10日 长寿区首个村级微型消防站——邻封镇庙山村微型消防站揭牌仪式在庙山村村委会举行。

16日 中国农村专业技术协会批准设立“重庆长寿蜜李科技小院”。

18日 长寿区人民政府与北农大科技股份有限公司签订战略合作协议，共建现代化智慧蛋鸡全产业链基地。

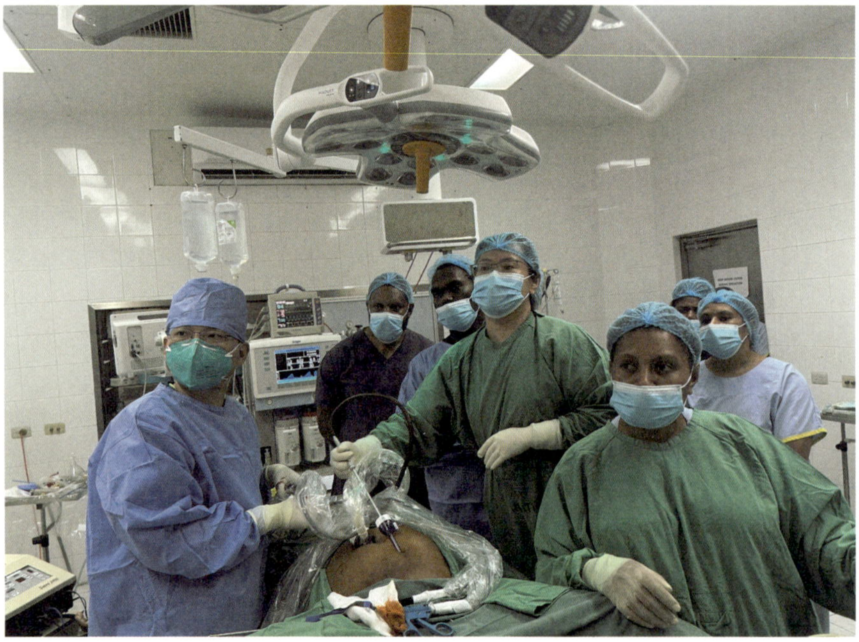

2023年7月21日，长寿援外医生牟海波（中）助巴布亚新几内亚完成当地首例腹腔镜盆腔脓肿手术（杨　畅　摄）

19—22日 重庆化工职业学院代表队参加“2023年‘中银杯’全国职业院校技能大赛（高职组）化工生产技术赛”，以全国第一名的总成绩获团体一等奖。

20日 长寿区运动员于京生获2023年“康比特杯”全国武术散打锦标赛男子70公斤级冠军。

21日 长寿区人民法院长寿湖人民法庭被共青团中央、最高人民法院、国家发展改革委等23个全国创建青年文明号活动组委会成员单位命名为“一星级全国青年文明号”。

22日 长寿区首家养老服务助餐点——晏家街道曹家堡社区养老服务站社区长者食堂正式营业。

24日 长寿区侨联主席廖传荣被中国侨联、国务院侨务办公室授予“全国归侨侨眷先进个人”称号。

28日 梅塞尔集团与长寿经开区签约电子特气项目。梅塞尔集团在长寿经开区追加投资5亿元，用于120万瓶/年电子特气及6000标准立方米每小时的高纯氢气生产、储存和物流项目。

同日 长寿区首个社会化服务基地粮食烘干中心建成投用。该中心占地面积1729平方米，总投资5000万元，单批次烘干能力180吨。

是月 长寿区文化馆党支部书记、馆长赵广辉获评2022年全国文化科技卫生“三下乡”活动服务标兵。

9月

11日 长寿区清迈良园农旅融合科普基地被命名为“2023年重庆市十佳农村科普示范基地”。

12日 “书香有爱·阅读无碍”2023年川渝残健融合诵读大赛颁奖晚会暨2023年重庆市特殊艺术巡演在长

寿区举行。

12—16日　2023年金砖国家职业技能大赛（金砖国家未来技能挑战赛）农业物联网赛国际总决赛在南非约翰内斯堡举行，重庆化工职业学院学生杨维获银牌。

13日　由市文化旅游委主办的“和谐社区·幸福生活”第七届重庆市社区艺术节社区团队文艺秀暨颁奖晚会在长寿时代广场举行。

14日　长寿区人民政府与中国电信股份有限公司重庆分公司签订战略合作协议，协同建设中国西部数谷。

18日　长寿区人民政府与中国十九冶集团有限公司签订战略合作协议。

27日　长寿区人民政府与国投甘肃售电有限公司、国网重庆市电力公司长寿供电分公司签订战略合作协议，在绿电入渝、电力市场化交易及综合能源项目开发等方面开展合作。

28日　重庆博腾制药科技股份有限公司承建的重庆市药物合成工艺技术创新中心被重庆市科技局认定为“重庆市技术创新中心”，是长寿区首家获市级认定的技术创新中心。

29日　重庆市文化旅游委、长寿区人民政府、西藏自治区昌都市旅游发展局、昌都市类乌齐县人民政府共同主办的“迎中秋·庆国庆民族团结一家亲”2023年渝藏文化交流长寿行系列活动在长寿区菩提古镇举行。

10月

4日　长寿籍竞走运动员贺相红获杭州亚运会混合35公里竞走决赛冠军。这是长寿区获得亚运会首金。

7日　重庆钢铁研发的不锈钢复合钢卷创新性采用直轧工艺，首卷14.51吨试轧成功，是重庆市首家生产出的不锈钢复合钢卷。

8日　长寿区杨克明故居陈列馆被命名为“重庆市国防教育基地”。

10—14日　2023年全国太极拳公开赛（南部赛区）暨中国（长寿）太极拳公开赛在长寿区体育中心举行。

14日　“‘就’在长寿　‘职’引未来”全国大中城市巡回招聘重庆长寿站招聘会举行，来自长寿区、四川省彭州市等地的164家用人单位参会，5800余人进场求职咨询。

15日　长寿区重大疑难复杂矛盾纠纷人民调解委员会驻法院调解工作室被评为“全国模范人民调解委员会”。

同日　长寿区获“重庆市第八届双拥模范城（县）”称号。

16日　长寿区人民法院民事审判一庭副庭长张琛琛被中华全国妇女联合会授予“全国维护妇女儿童权益先进个人”称号。

18日　重庆市首部水电题材文献纪录片《水电摇篮》在长寿区开机。

19日　全国名中医刘华宝传承工作室在长寿区中医院成立。

同日　蒙特费罗（重庆）电梯配件有限公司领取全市首份“即办即走”特殊工时许可批复。

27日　重庆市出租汽车有限责任公司第二分公司驾驶员殷其龙，被中共中央宣传部、退役军人事务部、中央军委政治工作部联合授予2023年度全国“最美退役军人”称号。

28日　2023年重庆长寿湖全国铁人三项冠军杯系列赛总决赛暨成渝双城铁人三项公开赛开赛。

同日　中科微针（重庆）科技有限公司总经理孙朝国获“2022年重庆经济年度创新人物”称号。

30日　“万里长江绘宏图”首届全国长江摄影大展暨“亲近长江·向往长寿”平行摄影展在长寿区江南街道沿岸举行启动仪式。

11月

2日　长寿区青少年业余体校和重庆市远恒佳学校被国家体育总局命名为“国家高水平体育后备人才基地（2021—2024）”。

6日　长寿区保合村被认定为市级第二批“农村法治宣传教育基地”。

7日　重庆钢铁股份有限公司被认定为“全国高新技术企业”。

8日　长寿区艺术家邓强的抛沙画展在四川省邻水县博物馆开展，展出作品25件。

同日　长寿区云集镇青丰村村歌《青丰颂》晋级“唱和美庆丰收”2023中国村歌大赛总决赛，获总决赛三等奖。

15日　明月山七区县人社事业协同发展联席会议第七次会议在长寿区举行，共同签订《共创“智能+技能”人才高地　共建和谐劳动关系协同发展合作协议》。

17日　长寿区标杆养鸡股份合作社入选《2023年农业农村部畜禽养殖标准化示范场名单》。

17—20日　重庆化工职业学院学生彭炬鑫、张琳在“2023年全国医药类职业院校药品生产专业技能大赛”中获一等奖。

18日　重庆市长寿区农业产业高质量发展研讨会暨“自然长寿”品牌推介活动在北京举行，是长寿区首次组织特色农产品集中进京展示推介。

同日　长寿区与浙江中国小商品城集团股份有限公司签订合作协议，共建义乌中国小商品城重庆数智产业园。

20日　长寿区万顺镇东风村入选《重庆市第四批乡村旅游重点村名录》。

同日　2023年邻封镇长寿柚擂台

赛在柚香广场举行，上坪村2组柚农周朝均获擂台赛金奖，邻封村5组柚农包明书的柚子以2.66千克获“柚王”称号。

21日 长寿区人民检察院依法批捕一件涉嫌贩卖含有依托咪酯成分的“电子烟”毒品犯罪案件。该案是依托咪酯被列入第二类精神药品目录后，长寿区办理的首件涉依托咪酯毒品犯罪案件。

23日 长寿区人民政府与阿里巴巴（中国）软件有限公司在杭州市签订合作协议，共建中国西部数谷数字乡村项目。

同日 位于长寿区万顺镇白合村的重庆瑞庄农民工返乡创业园入选“重庆市2023年市级农民工返乡创业园区”。

23—25日 重庆化工职业学院教学团队作品《智能输送与离心泵操作》获“2023年全国职业院校技能大赛教学能力比赛”一等奖。

29日 长寿区化工新材料行业在长寿经开区举行重庆市首次特殊工时专项行业集体协商会议。

12月

1日 “凝心铸魂强根基　团结奋进新征程”主题教育暨民进长寿地方组织成立四十周年庆祝大会召开。

5日 长寿法院团委被共青团重庆市委员会选树为重庆市“5个100”示范性团组织。

同日 国网长寿供电公司完成重庆市首单西藏绿电交易，校核电量65万千瓦时，用户侧电价0.53元/千瓦时。

6日 中欧班列（成渝）首趟长寿多式联运集结中心班列在渝巴物流铁路站正式开行。

同日 长寿区公安局刑事技术室获“全国示范刑事科学技术室”称号。

8日 长寿区经复核通过，保留“全国平安渔业示范县（市、区）”称号。

同日 长寿湖旅游度假区入选“2023中国体育旅游十佳精品景区”。

11日 中国石化重庆石油分公司长寿供氢中心正式投用，是中国石化西南地区首个“一体化”供氢中心。

12日 人力资源和社会保障部办公厅等4部门联合发文通报表扬2023年度工作突出基层劳动人事争议调解组织，长寿区劳动争议纠纷一站式处置平台获评“百家金牌劳动人事争议调解组织”。

13日 国内首例大水深环境下潜坝抛投在长江上游航道长寿王家滩段实施。施工水深60米，至月末，累计抛石15万立方米。

16日 国家科技创新汇智平台“川渝新材料科技树”被点亮，该平台已在长寿经开区建立国家科技创新汇智平台重庆中心暨川渝科技协同创新中心。中国（重庆）天然气化工新材料研究院、中国（重庆）新能源电池金属材料工程中心、中科（西部）科创产业园、重庆先进材料产教联合体化工新材料学院长寿先进材料产业创新平台揭牌。

18日 长寿区龙新路获中国交通报社与交通运输部规划研究院联合主办的首届公路助力乡村振兴创新实践优秀案例“公路+农业”融合发展“十佳案例”。

19日 邻封镇举行长寿柚销往香港发车仪式，首批100余箱长寿柚销往香港。

同日 重庆市人力资源和社会保障局认定石堰镇石兴社区为“2022年度市级充分就业社区”。

20日 长寿区人民政府与中国移动通信集团重庆有限公司签订战略合作协议，在通信基础设施、算力基础设施、“5G+”应用场景等领域开展合作。

25日 长寿区万顺镇获评“重庆市卫生乡镇”。

27日 巴斯夫聚氨酯（重庆）有限公司、重庆市特丽洁物业管理有限公司、重庆钢铁股份有限公司3家长寿企业入选重庆市人力资源和社会保障局等4个市级部门公布的《2022年重庆市和谐劳动关系AAA级企业名单》。

29日 重庆长寿制造业数字化转型赋能中心正式启用。　（区志研室）

区情概览

自然地理

【位置面积】 长寿区位于重庆市东北隅，距重庆主城区50余千米。地跨长江南北，东南与涪陵区接壤，西南与渝北区、巴南区为邻，东北接垫江县，西北与四川省邻水县相接。地处北纬29°43′25″～30°12′30″、东经106°49′22″～107°27′30″。2023年末，辖区面积1421.44平方千米，其中中心城区面积约67.49平方千米。

【地质地貌】 长寿区地质构造属压应构造形迹，以北北东向梳状褶皱形为主，具有背斜紧闭、向斜开阔和陡倾纵横张裂隙发育的特征。近背斜轴部件有压性逆冲断裂构造。区域地质构造大致分为三部分：华蓥山隆褶皱带。东南以明月峡背斜或开江潼梓基底断裂带为界，由平行排列的背斜向斜组成。背斜隆起较高，出现二叠系龙潭组长兴组地层。此背斜位于华蓥山隆起带东部边缘的长寿明月山一带，经东北边境穿越垫江倾优于开县中心场附近的黄家梁子，轴线平直，无大的弯曲。长垫梁坳褶皱带。背斜隆起较低，背轴部只露出中山三叠系地层，形成较规则的雁列，向斜轴部零星保存着遂宁组、蓬莱镇组地层，在长寿区境内分为长垫向斜，卧龙河背斜，万县向斜，狮子滩、新市多字形褶曲轴组等四种次级构造。南部复合构造。晏家、古佛、但渡（北纬29°50′）一线以南地带，由北东至北东东褶皱轴和南北向褶皱的复合，使北东东至北东向构造痕迹展布和组合形态。因黄草峡背斜位于蔺市盆地北缘，涪陵区、长寿区两地交界部位的崖壁陡坎、黄草山百盛寨一带，全长37千米，北东段轴向为北东35°与苟家场背斜北西翼呈锐角相交，其间形成一系列的向南北倾伏的小褶皱。南西端扬起，呈鼻状反接丰盛场背斜上，地层倾角15°～40°，个别达50°以上。北段南东翼稍陡，20°～50°北西两翼较缓，20°～40°背斜轴部北东段及中段各发育有一条断层。黄草峡断层，位于背斜中断轴部南东翼的黑山、黄草峡上袁家湾一带，断层面倾向东南，倾角57°，地层断距为165米，属走向逆冲断层；太平寨断层，位于黄草峡背斜北东段近轴部的百盛寨至缺头垭一带。北西翼的须家河组逆冲于南东翼侏罗系珍珠地层之上，断层面倾向北西，倾角50°，断层走向随背斜轴向而变化，属走向逆冲断层。

长寿区地域地貌受构造控制明显，山体走向与构造形迹展布方向基本一致。背斜构成条状中低山岭，向斜构成宽缓开阔的槽谷丘陵。岭谷相间，构成平行岭谷地貌景观，为典型的梳状褶皱地貌。长江北岸地势顺大巴山支脉由东北向西南呈阶梯下降，东侧黄草山（亦名东山，海拔600～942米）、中偏西侧明月山（亦名西山，海拔500～1034米）、西部边缘铜锣山（海拔500～600米）将全境切割为“三山夹两槽”地形。三山之间丘陵波状起伏，梯土层层，冲田密布。东西二山之间沿长垫公路两侧地势平缓，渡舟、双龙为较大平坝。长江南岸范围窄小，南端五堡山耸峙，冈峦起伏，沿江是丘陵台地，黄金水道长江流经凤城、晏家南部、江南北部，境内流长20.9千米。一级支流龙溪河、御临河和二级支流大洪河等河和桃花溪、大石溪、沙溪等13溪纵横全区，境东西分别有长寿湖、大洪湖。长寿湖为西南最大人造湖泊，有“川东明珠”之称。全境山区约占18%，深丘35%，浅丘42%，江湖水面5%；全境海拔高度多在300米以上，最高点是明月山主峰白云山1034米，最低点是长江黄草峡出口黄尾岭江面175.6米（三峡电站175米蓄水后）。

（区志研室）

【山脉】 长寿区山脉体系是由铜锣山脉、明月山脉、黄草山脉等三条南北向平行褶皱山脉，以及菩提山、阳鹤山、长寿山共同组成的“三脉三山”体系，总面积457.38平方千米，占全区面积的32.18%。长寿区整体地形地貌呈“三山两槽”格局，由东向西，分别为黄草山脉、东部槽谷、明月山脉、西部槽谷和铜锣山脉，其中东部槽谷面积841.59平方千米，是长寿区城乡发展的主要区域。

（陈　曦）

【河流】 长江　横贯西南而东，从长寿区晏家街道石门村一组大石门码头入境，流经凤城街道办事处，至凤城街道永丰村一组江家岩出境，区境内河道长度20.9千米，主要支流有北岸的御临河、沙溪河、晏家河、古佛河、桃花溪、龙溪河和南岸的锅锣溪、萝卜溪，区内流域面积1420余平方千米。

龙溪河　发源于重庆市梁平区明达镇龙马村，自河源流经梁平区城北至沙河铺称小沙河，纳川西河后称高滩河；南行至僚野滩纳七间河，复南流经七里滩入垫江县境；再经垫江县永安乡纳回龙河、桂龙河，经高安至澄溪镇纳卧龙河，继至硐纳大沙河，水量大增，始称龙溪河，自高硐西南流至云台镇梅沱村吴家沱进入长寿区境，干流绕云台、石堰、龙河、双龙、长寿湖、云集、邻封、但渡、菩提、凤城10个街镇，在长寿区凤城街道走马村十五组龙溪河大桥汇入长江。龙溪河由东北流向西南，总长238千米，区内70.06千米；总流域面积3248平方千米，区内661.6平方千米。多年平均流量51.31立方米/秒。

御临河　是长江左岸一级支流，发源于四川省大竹县周家镇八角村，在洪湖镇秤沱村进入长寿区境。河道全长231千米，流域面积3867平方千米，总落差538米，河床平均坡降2.8‰，河口多年平均流量50.74立方米/秒。长寿区境内流域面积164.03平方千米，河道长5.3千米，起点为长寿区洪湖镇称沱村一组花生堡，终点为长寿区洪湖镇码头村一组石子桥。

大洪河　属长江水系，发源于四川省大竹县双溪乡双溪村，流经大竹、邻水、长寿、渝北区境，在渝北区石船镇民利村注入御临河，全流域面积1451平方千米，河长158千米。长寿区境内流域面积135.8平方千米，境内长度18.9千米，起于万顺镇东风村九组牛背山，止于洪湖镇普兴村八组秧基湾。

桃花溪　发源于长寿区境内云台镇拱桥村四组望哨坡，由北向南流经云台镇、石堰镇、葛兰镇、新市街道、八颗街道、渡舟街道、菩提街道、凤城街道8个街镇，后于凤城街道东街社区长寿大桥汇入长江，桃花溪全长65.1千米，流域总面积363.8平方千米，河道平均坡降8.8‰，河床河宽15～30米，多年平均流量5.43立方米/秒。

打渔溪　龙溪河右岸的一级支流，发源于垫江县太平镇龙华村九道拐，流经太平镇、澄溪镇进入长寿区海棠镇，再流经云台镇、石堰镇，在石堰镇木耳村七组墩河坎汇入龙溪河。打渔溪流域呈扇形，全流域面积117.9平方千米，河道全长38.3千米，多年平均流量1.27立方米/秒，天然落差656米，平均比降6.92‰。打渔溪流域河床高程为325～981米，河宽12.52～68.89米，河谷呈不对称“V”形谷。其中长寿区境内流域面积73.03平方千米，区境内河流长度26.4千米。

晏家河　长江左岸一级支流，晏家河发源于长寿区境内八颗街道水井村二组窝凼，流经八颗街道水井村、石马村，晏家街道龙门村、十字村、晏家村、石盘村和凤城街道过滩村、轻化路社区，在凤城街道过滩村十五组胡家坪注入长江。境内流域面积81.65平方千米，河道长度为21.8千米，河道平均比降19.36‰，平均河宽6～10米，多年平均流量1.09立方米/秒，岸线总长度51.29千米，其中左岸长度23.93千米，右岸长度27.36千米。

高洞河　龙溪河左岸一级支流，发源于涪陵区百胜镇回龙村，流经云集镇、长寿湖镇，河势总体“上陡下缓”。高洞河流域面积58.05平方千米，河流长度为20千米；长寿区境内流域面积为45.31平方千米，境内河流长度15.9千米，多年平均流量0.65立方米/秒，天然落差235米，平均比降13.13‰。

双龙河　属龙溪河中游右岸一级

支流，发源于双龙镇罗围村六组高潮水库，流经双龙镇（双龙场）、龙河镇。在龙河镇咸丰村二组老娃咀注入龙溪河。流域面积57.2平方千米，河道总长19.5千米。岸线总长度42.73千米，其中左岸岸线长21.96千米，右岸岸线长20.77千米。

焦家河　龙溪河右岸一级支流，起于双龙镇尖山村五组石堰水库，流经双龙镇、邻封镇、渡舟街道，最后经但渡镇汇入龙溪河，流域面积52.75平方千米，全长17.2千米，河道平均宽度9米，天然落差80米，河道比降9.01‰。岸线总长度为39.76千米，其中左岸岸线长度20.05千米、右岸岸线长度19.71千米。

千滩河　桃花溪右岸的一条支流，发源于八颗街道核桃村六组冒水洞，主流流经核桃村、新桥村、高新村、付何村、武华村、梓潼村、千滩村，在八颗街道千滩村一组河咀湾汇入桃花溪。千滩河流域面积50.2平方千米，主河道长14.2千米，平均坡降10.75‰，天然落差610米。

【湖泊】　长寿境内无天然湖泊。中华人民共和国成立后，长寿区兴修龙溪河狮子滩电站拦河坝和大洪河电站拦河坝，形成长寿湖和大洪湖两大人工淡水湖。

长寿湖　位于区域东北，距长寿中心城区22.5千米（长寿湖旅游高速公路里程）。1956年狮子滩电站拦河大坝竣工蓄水形成，是西南第一个大型人工湖。长寿湖控制流域长140千米，受水面积3020平方千米，水库面积65.5平方千米。湖区平均气温略高，气温变化平缓，冬季升温和夏秋季降温均较慢，加之湖岸为深丘低山相依，形成湖盆半封闭地形谷地气候效应，对柑橘类尤其是夏橙生长有利，是优质水果基地。湖区内有岛屿200多个，湖水清澈，岛上花果林木茂盛，是国家AAAA级旅游景区。

大洪湖　位于区域西北隅，距长寿中心城区约41千米。1958年动工兴建大洪河电站拦河坝后蓄水形成。湖呈枝叶状，跨越四川省邻水县和重庆市长寿区，水库控制流长90千米，受水面积1326平方千米，入库总水量6.43亿立方米，设计水位297米，水库面积43平方千米。由于淹没田地较多，设计改为正常水位294米，沿岸农民亦有意见，后经有关部门协商，正常水位暂为290.8米，秋后蓄水位292米，水库面积26平方千米，库容量占多年平均入库总水量的18.5%。

（区志研室）

【气候】　2023年，长寿区总体气候特征为气温偏高，日照偏多，暴雨次数多，高温干旱偏弱；春季、夏季开始时间早，冬季开始时间晚。年平均气温18.8℃，较多年平均值（17.9℃）偏高0.9℃，较上年（19.5℃）偏低0.7℃。年总降水量1139.6毫米，较多年平均值（1145.5毫米）略偏少，较上年（872.6毫米）偏多3成。年总日照时数1199.8小时，较多年平均值偏多5.8%，较上年（1400.8小时）偏少14.3%。全年发生的气象灾害主要有暴雨、大风、冰雹、高温、干旱、雷电、大雾、连阴雨、强降温、低温雨雪等以及气象衍生灾害。年内出现区域暴雨7次（“6·18”“6·21”“7·4”“7·14”“7·21”“7·24”“9·12”），局地暴雨10次（“4·18”“5·26”“5·30”“6·29”“8·1”“8·5”“8·20”“10·1”“10·6”“11·3”），局地冰雹1次（“8·23”海棠），局地大风13次（“3·12”“4·6”“5·21”“7·13”“8·1”“8·5”“8·7”“8·12”“8·18”“8·23”“10·19”“10·27”“12·15”）。强降温4次（“1·12—1·16”，降温8.9℃，特强；“4·20—4·24”，降温10℃，特强；“4·2—4·7”，降温8.1℃，强；“12·14—12·16”，降温11.2℃，特强），≥35℃高温39天，≥37℃高温13天，连阴雨4次（“1·12—1·18”“9·20—9·26”“9·28—10·6”“10·23—10·28”），低温雨雪天气2次（“1·14”“12·16”），4—5月出现轻至中度气象干旱。　（黎　明　徐元照）

2023年1—12月长寿区气温统计表

表1　单位：℃

月份	1月	2月	3月	4月	5月	6月	7月	8月	9月	10月	11月	12月	全年
气温	7.1	10.5	14.6	19.8	22.3	24.3	28.0	29.0	25.9	19.0	15.2	9.7	18.8
比多年平均值上升	0	1.1	1.2	1.5	0.6	−0.3	−0.2	0.8	2.1	0.8	1.5	1.3	0.9

2023年1—12月长寿区降水情况统计表

表2

月份	1月	2月	3月	4月	5月	6月	7月	8月	9月	10月	11月	12月	全年
降水量（毫米）	21.6	29.6	59.3	80.8	98.5	186.8	269.0	60.7	137.9	152.7	35.5	7.2	1139.6
比多年平均值上升（%）	3.8	23.8	3.9	−22.5	−43.8	−0.6	99.9	−53.1	17.5	38.1	−39.9	−71.4	−0.5

2023年1—12月长寿区日照情况统计表

表3

月份	1月	2月	3月	4月	5月	6月	7月	8月	9月	10月	11月	12月	全年
日照时数（小时）	55.6	33.1	88.4	141.1	71.1	83.1	153.5	219.6	150	69.1	81.4	53.8	1199.8
比多年平均值上升（%）	65.0	−28.4	1.4	25.4	−35.8	−20.9	−16.9	13.1	31.5	6.6	56.8	87.5	5.8

【水文】 2023年汛期，长寿区总雨量1149毫米，比常年同期（832毫米）增长38.1%。各个站点水位均未超过警戒水位或保证水位。6月18日，云台水文站出现最高水位380.84米（低于警戒水位1.9米），流量每秒76.4立方米。7月2日，称沱水文站出现最高水位193.82米（低于警戒水位1.3米），流量每秒634立方米。7月21日，普兴水文站出现最高水位274.14米（低于警戒水位2.2米），流量每秒23.3立方米；晏家水文站出现最高水位311.31米（低于警戒水位2.1米），流量每秒9.58立方米；新市水文站出现最高水位318.21米（低于警戒水位2米），流量每秒54立方米；龙河水文站出现最高水位217.64米（低于警戒水位3.1米），流量每秒150立方米。（帅德锐）

自然资源

【土地资源】 2023年，长寿区土地总面积14.21万公顷。其中，耕地面积4.39万公顷，占全区总面积的30.89%；园地面积1.14万公顷，占全区总面积的8.02%；林地面积4.53万公顷，占全区总面积的31.88%；草地面积358.75公顷，占全区总面积的0.25%；湿地面积563.41公顷，占全区总面积的0.4%；城镇、农村居民及工矿用地面积1.74万公顷，占全区总面积的12.24%；交通运输用地面积4100.9公顷，占全区总面积的2.89%；水域及水利设施用地面积1.24万公顷，占全区总面积的8.73%；其他土地面积6488.9公顷，占全区总面积的4.57%。

【矿产资源】 2023年，长寿区境内主要矿产资源有天然气、岩盐、煤、石灰岩、页岩、砂岩、白云岩、矿泉水、铁矿、地热等。岩盐设采矿权2个，矿泉水设采矿权1个，地热设探矿权4个。（陈　曦）

【水资源】 2023年，长寿区有“一江两湖三河十三溪”。流域面积1000平方千米以上的河流有长江、龙溪河、御临河、大洪河，均属长江流域，多年平均过境径流量3518亿立方米。多年平均降水量1179毫米，多年平均径流深492毫米，多年平均水资源总量6.96亿立方米。全区取水总量约2.87亿立方米（水库重复取水和河道内的发电取水除外）。（区水利局）

【生物资源】 2023年，长寿区维管植物有170余科、630余属、960余种。有国家重点保护野生植物12种，其中国家级重点保护野生植物3种（银杏、苏铁、水杉），国家二级保护野生植物9种（南川木波罗、利川润楠、楠木、天竺桂、苏铁蕨、土沉香、香果树、鹅掌楸、莲）。长寿区鸟类有16目、48科、183种，其中国家二级保护鸟类26种；有兽类6目、16科、36种，其中国家一级保护动物有小灵猫，国家二级保护动物有黄喉貂、豹猫。（区林业局）

【旅游资源】 2023年，长寿区旅游资源有8大主类、23个亚类、117个基本类型。旅游资源单体有371个，其中地文景观类28个，水域景观类44个，生物景观类11个，天象与气候景观类9个，建筑与设施类151个，历史遗迹类57个，旅游购品类31个和人文活动类40个。包括五级旅游资源1处、四级旅游资源22处、三级旅游资源85处、二级旅游资源108处、一级旅游资源155处。集合型旅游资源单体32个，包括四级旅游资源4个、三级旅游资源15个、二级旅游资源13个。全区共有优良级旅游资源108处，普通级旅游资源263处，分别占旅游资源总量的29.11%和70.89%。（杨　浩）

【森林资源】 2023年，长寿区林地面积45302.81公顷，其中森林面积39063.91公顷（乔木林地32744.94公顷，竹林地6318.97公顷），灌木林地5739.68公顷，其他林地499.22公顷，林木蓄积量254.4万立方米。

（区林业局）

2023年长寿区旅游资源单体类型等级构成统计表

表4

主类	五级（个）	四级（个）	三级（个）	二级（个）	一级（个）	合计（个）	优良级比例
A地文景观类	0	6	13	2	7	28	67.86%
B水域景观类	1	2	9	11	21	44	27.27%
C生物景观类	0	1	2	2	6	11	27.27%
D天象与气候景观类	0	0	3	3	3	9	33.33%
E建筑与设施类	0	9	39	50	53	151	31.79%
F历史遗址类	0	2	6	13	36	57	14.04%
G旅游购品类	0	1	6	15	9	31	22.58%
H人文活动类	0	1	7	12	20	40	20.00%
合计	1	22	85	108	155	371	67.86%

2023年长寿区优良级旅游资源单体名称及得分统计表

表5

等级	单体名称及得分	数量（个）
五级（≥90分）	长寿湖（91分）	1
四级（75～89分）	菩提山（89）；大洪湖（85）；百寿园（84）；长寿柚（80）；玉溪寺（80）；杨克明故居（78）；长寿湖铁人三项赛事（78）；黄草山（78）；三倒拐（77）；五华山（76）；三洞沟峡谷（76）；菩提古镇（76）；中科未来城创意产业园（76）；田园乐温（76）；明月山长寿段（75）；长江长寿段（75）；楠木院（75）；罗山森林公园（75）；乐温半岛（75）；张家寨民居（75）；白云山景区（75）；海棠唢呐（75）。	22
三级（60～74分）	杨克明（74）；徐里沟生物化石带（72）；袁家湾传统村落（71）；晏子山历史文化园（71）；铜锣山（70）；狮子滩电站水电文化展厅（70）；菩提圣灯（69）；长寿湖拦河大坝（69）；桃花溪（68）；天台寺（68）；谯定（68）；万寿天梯（67）；金盘山（67）；天主教堂（66）；长寿血橙（65）；定慧寺（65）；醉美东山农业园（65）；长寿湖郁金香展暨风车节（65）；大雄寺（65）；老龙洞（65）；周家坡神火（65）；大洪湖岛群（65）；玉溪寺山门（65）；周恩来题词纪念亭（65）；晏渊（65）；东林古寺（65）；巴清丹砂园（65）；五华山狮寨嘴（63）；长寿血豆腐（63）；长寿薄脆饼（63）；长寿柑橘（63）；聂氏宗祠（63）；长寿湖龙舟民俗文化节（63）；西岩观城门（63）；桓侯宫（62）；菩提寺（62）；菩提桥（62）；五堡山（62）；巴清（62）；锅顶温泉（62）；老陈菜生态农庄（62）；葛兰观音寺（62）；聂贤（62）；菩提山日出日落（62）；龙溪河云台段（61）；长寿夏橙（61）；黄草峡（61）；百年荔枝园（61）；长寿区紫云宫（61）；邻封镇百里花海（61）；阳鹤山水果种植园（61）；澳凯生态园（61）；洪湖酒（61）；秀才湾（61）；千亩荷田（60）；海棠明月山日出日落（60）；凤山公园（60）；长寿经济技术开发工业园（60）；万寿公园（60）；龙桥水库（60）；江家祠堂（60）；邻封百年柚树（60）；丁木湖（60）；但渡回龙寨（60）；杉树坪民居（60）；张家祠堂（60）；高铁长寿湖站（60）；双龙国家现代农业公园（60）；祝家洞水库（60）；龙河现代农业种植园区（60）；秦家古村（60）；石狮艺术（60）；奶子山（60）；八洞桥梯田（60）；狮子嘴梯田（60）；长寿北站（60）；水碾河峡谷（60）；郭家大洞（60）；东篱田园综合体（60）；清迈良园（60）；不语滩（60）；范家桥水库（60）；菩提山云雾（60）。	85

建置区划

【建置沿革】 约2万年前，长寿区境内就有人类活动，4000年前进入渔猎和原始农耕阶段。据《尚书·禹贡》记载，长寿属梁州，春秋属巴国枳邑，战国、秦汉至北朝西魏（公元前314—556）属巴国（郡）枳县（邑）之地，其间蜀汉章武年间（221—223）首置常安县，北周至隋朝时期（557—618），县地划入巴县。唐武德二年（619）分巴县地置乐温县，以“县东北有乐温山，其地常温，禾稼早熟，民亦乐之”而名。同时又置永安县、温山县，后永安、温山二县分别于唐开元二十二年（734）、北宋熙宁三年（1070）撤并入乐温。元至元二十年（1283），乐温撤县入涪州，置为涪陵巡检司。在县历史常安30余年、永安115年、温山451年、乐温664年。元至正二十三年（1363），西系红巾军将领明玉珍建大夏国定都重庆，置长寿县，以“县东北有长寿山，居其下者，人多寿考”而名，明、清、民国前期皆属重庆府所辖。民国24年（1935），划属大竹专区。1950年3月，划属涪陵专区。1952年9月，长寿县由涪陵专区划属重庆市。1953年1月，长寿县由重庆市划归涪陵专区辖。1959年4月，长寿县由涪陵专区划归重庆市辖。2001年12月25日，经国务院批准，撤销长寿县设置重庆市长寿区。 （区志研室）

【行政区划】 2023年，长寿区行政区划无调整。辖凤城街道、菩提街道、晏家街道、江南街道、渡舟街道、新市街道、八颗街道7个街道，辖长寿湖镇、云台镇、葛兰镇、但渡镇、邻封镇、云集镇、双龙镇、龙河镇、海棠镇、石堰镇、洪湖镇、万顺镇12个镇。有49个居民委员会、221个村民委员会。 （区民政局）

2023年长寿区行政区划一览表

表6 单位：个

序号	街道、镇	社区	居民小组	社区名称	村	村民小组	村名称
1	菩提街道	7	252	桃花 古镇 胜天 朝阳 菩提 文苑 碧园	6	53	东新 红花 阳鹤 松柏 菩提 田坝
2	凤城街道	13	252	骑鞍 向阳路 凤岭路 望江路 三峡路 轻化路 滨江路 东街 梅村 顺风亭 黄桷湾 凤西 凤家	9	118	复元 永丰 长风 走马 三洞 陵园 过滩 古佛 白庙
3	晏家街道	9	159	中心路 查家湾 朱家岩 晏家 曹家堡 育才路 晏山 牛心山 齐心	8	49	三观 石盘 石门 沙溪 沙塘 金龙 龙门 十字
4	江南街道	2	26	南滨路 龙山	7	46	龙桥湖 扇沱 五堡 大元 锯梁 大堡 天星
5	渡舟街道	4	27	长生桥 渡中路 民兴 三好	13	150	渡舟 堰桥 果园 黄连 三好 新道路 太平 白果 天桥 甘蔗 高峰 保丰 河塘
6	新市街道	1	6	河石桥	8	54	红土地 河石井 新合 新同 新市 东门 堰耳沱 惠民
7	八颗街道	1	6	莲花街	15	119	八颗 丰胜 石马 曙光 武华 幸福 水井 核桃 新桥 高新 美满 付何 鹿坪 梓潼 干滩
8	长寿湖镇	1	13	狮子滩	13	102	响塘 东海 回龙 红光 花山 石岭 大石 石回 龙沟 紫竹 两桂 安顺 玉华

续表6

序号	街道、镇	社区	居民小组	社区名称	村	村民小组	村名称
9	云台镇	1	4	云台	13	103	八字 寨口 小岩 安坪 八角 利民 桥坝 拱桥 黄葛 应祝 青云 梅沱 鲤鱼
10	葛兰镇	1	11	葛兰桥	21	162	湾丘 白云 冯庄 罗岩 盐井 天台 天宝 大坝 塘坝 烟坡 潼观 天福 沙河 南中 金山 葛兰 枯井 兰兴 中华 黄家坝 龙井坎
11	但渡镇	1	5	三堡石	8	61	楠木院 但渡 升高 双河 兴同 龙寨 未名 曾祠
12	邻封镇	1	7	龙溪	10	89	邻封 上硐 青观 汪塔 上坪 三化 保家 焦家 庙山 石心
13	云集镇	1	3	华福	11	90	华中 玉龙 雷祖 飞龙 万寿 福胜 大胜 玛瑙 青丰 大同 尖峰
14	双龙镇	1	8	双龙	11	77	龙滩 谷黄 飞石 长寿寨 联合 罗围 尖山 红岩 群力 连丰 天堂
15	龙河镇	1	6	龙兴	17	115	长安 仁和 堰塘 保合 明星 合兴 明丰 骑龙 龙河 金明 四坪 河堰 咸丰 太和 永兴 盐井凼 九龙
16	海棠镇	1	6	海花	9	59	海棠 小河 龙凤 庄严 古林 建生 清泉 土桥 金子
17	石堰镇	1	11	石兴	20	133	大塘 兴隆 石堰 海天 金星 燕耳 麒麟 石坝 普子 狮子 石安 雨台 木耳 义和 干坝 朝阳 高庙 兴庄 新寨 新滩
18	洪湖镇	1	9	沙湾	14	99	凤凰 表耳 永顺 普兴 坪滩 称沱 梯子 草堰 码头 芦池 黑岩 三合 五龙 长生
19	万顺镇	1	5	万兴	8	71	万顺 四重 白合 院子 万花 东风 石龙 垭口
合计		49	816		221	1750	

人口　民族　宗教

【人口】　2023年，长寿区户籍人口86.4万人，比上年下降0.63%。其中，男性比上年下降0.77%；女性比上年下降0.47%。全年出生人口4077人，比上年下降5.8%。其中，男性2122人、女性1955人。死亡人口5989人，比上年增长2.1%。年末全区常住人口68.14万人，城镇化率71.9%。

（张丽丽）

【民族】　2023年，长寿区有少数民族36个，总人数6610人。其中，土家族2489人，苗族1517人，彝族620人，其他少数民族人口1984人。占全区总人口的7.7‰，分布在全区19个街镇。于1987年成立长寿区（县）少数民族联谊会。

【宗教】　2023年，长寿区有佛教协会、道教协会、天主教爱国会、基督教三自爱国会4个宗教团体。批准开放的宗教活动场所35个。其中，佛教14个，道教4个，天主教2个，基督教15个。有信教群众3.2万人。全区有宗教确权房产面积3308平方米，有宗教教职人员18人。（张高举）

历史人文

【历史文化资源】 2023年，长寿区有重庆市历史文化街区1个（三倒拐），重庆市历史文化名镇1个（邻封镇），重庆市历史文化名村1个（葛兰镇大坝村）。有石堰镇狮子村代家祠堂、双龙镇红岩村张家祠堂、海棠镇张家寨、葛兰镇邵家桥、狮子滩水电站大坝、狮子滩电厂厂房及办公楼、双龙镇正街52号、原天台公社办公楼、深沟塆碉楼、但渡镇楠木院村杉树坪民居、洪湖镇梯子村梯子岩民居以及洪湖镇坪滩河大桥12个重庆市级历史建筑。（陈　曦）

【水电文化】 民国26年，长寿人王绍吉在桃花溪三洞沟建成长寿第一个水力发电厂“恒星电厂”。同年春，清华大学留美土木工程硕士、国民政府资源委员会工程师黄育贤率中国第一支水电测量队——龙溪河测量队张昌龄、蒋贵元、蔡镇宇等，对龙溪河、桃花溪水力资源进行勘测，认定龙溪河具有重大开发利用价值，随后成立龙溪河水力发电工程处，黄育贤任处长、张光斗任设计工程师、吴震寰任工程师兼工务长。张光斗等将工程处接管的“恒星电厂”改扩建为“桃花溪电站”，这是中国政府自己投资修建的第一座水电站。民国33年，吴震寰等试制成功的龙溪河下清渊硐2000马力水轮机，则是当时中国自主设计制造的最大水轮机组。民国33年，世界著名高坝建筑专家美国人萨凡奇，考察三峡后在长寿完成《扬子江三峡计划初步报告》，引发了世界影响。长寿及龙溪河因此被誉为中国水电事业的发源地、母亲河。

1958年建设中的狮子滩水电站厂房　（区融媒体中心　供图）

狮子滩水电枢纽工程是中国“一五”计划156项重点工程项目之一，为“一五”时期最先建设的水电站中工程量最大的一个，是中国自己开发、设计、施工的第一座梯级水电厂。主体工程于1954年8月1日开工，第一台机组于1956年10月1日发电；1957年3月4台机组全部投产，总装机容量4.8万千瓦。龙溪河梯级开发从1954年8月动工到1959年5月，建成蓄水10亿立方米的多年调节大型水库1座和日调节水库3座，狮子滩、上硐、回龙寨、下硐4个梯级电站安装水轮发电机组10台，装机总容量10.45万千瓦。

1958年1月13日，电力工业部部长刘澜波到狮子滩电站视察并题词；1958年3月5日，国务院总理周恩来，副总理李富春、李先念在四川省委书记闫红彦和重庆市委书记任白戈陪同下，到狮子滩视察，周总理对龙溪河水力资源的综合利用给予称赞，写下

运行中的狮子滩电站　（刘　鬻　2023年7月摄）

“为综合利用四川水力资源树立榜样，为全面发展四川经济开辟道路”的题词。1963年4月23日，全国人大常委会委员长朱德到狮子滩电站视察，并留下《狮子滩电站》等亲笔题诗三首。

1958年9月开工的长寿大洪河电站，其建设时期正处于“大跃进”和“三年困难时期”，1964年10月1日4台机组全部投产，是四川省在“大跃进”中唯一建成的水电站。

国家电投集团重庆狮子滩发电有限公司（简称狮子滩发电公司）下属的龙溪河梯级电站被誉为“西南明珠”“功勋电厂”“水电专家的摇篮”。

2009年，立有“狮子滩水电站纪念碑文”和周恩来题词的六角亭被列入市级文物保护单位；2017年，狮子滩水电站大坝入选“重庆市优秀历史建筑”，狮子滩水电站厂房及办公楼入选“重庆市历史建筑”；2020年，狮子滩梯级水电站枢纽入选第四批国家工业遗产；2021年，狮子滩水电文化展厅入选第七批重庆市爱国主义教育基地，狮子滩水电文化联线成为国资委命名的首批中央企业爱国主义教育基地；2022年，狮子滩水电入选川渝工业文化教育实践基地；2023年，狮子滩发电公司完成发电量5.24亿千瓦时，建成重庆市工业文化旅游示范基地、重庆市少先队校外实践教育基地、重庆市廉洁文化示范基地以及重庆市能源系统产业工人思想引领教育示范基地。（狮子滩发电公司）

【物质文化遗产】 2023年，长寿区有不可移动文物605处。其中，市级文物保护单位8处，区级文物保护单位31处，8处文物进入重庆市不可移动革命文物名录。区博物馆馆藏国有可移动文物734件（套），其中国家二级文物7件、三级文物95件。

2023年10月30日，保养维修后的不可移动文物——长寿文峰塔

（区融媒体中心　供图）

【非物质文化遗产】 至2023年12月，长寿区累计入选非遗项目9批和非遗传承人8批。非遗项目共84项，其中市级12项、区级72项。传承人83人，其中市级传承人8人、区级传承人75人。（林武亮）

【历史人物】 中国第一个女实业家——巴寡妇清。清（生卒不详），战国末期至秦朝时期巴国枳邑枳里乡（今长寿区江南街道）人。清早年守寡，史称“巴寡妇清”。据《史记货殖传》《一统志》《括地志》《地舆志》《舆地记胜》《府州志》等记载，清是秦朝时期中国南方女大工商业主。其先辈在战国时得丹穴，世代以开发丹砂矿提炼硫磺、水银为业，家财富不可计。继承祖业后，经营有方，产业更加兴旺，拥有家僮千人，并以财自卫，他人不敢侵犯。秦统一全国后，清捐巨资修筑万里长城。秦皇帝派人将其接至京城以礼相待，谕为“贞妇”而欲留之。清不愿秦楼玉箫，返归故里仍操旧业。后卒，葬于清台山（长寿区江南街道寨沟村龙寨山）上。公元前221年—210年，秦皇帝诏令为其筑女怀清台于山上，以表怀念。当地人将台墓合称为“寡妇坟”。东汉才女班昭著《女戒七章》颂扬古代杰出妇女，将其与曹娥齐名，赞曰：“巴寡妇能捐己产而保乡民，曹娥抱父尸于汙江。”明代金俊明《怀清台》诗曰：“丹穴传赀世莫争，用财自卫守能贞。祖龙势力倾天下，犹筑高台礼妇清”。

儒学宗师——谯定。谯定（生卒不详，寿130年），字天授，四川省涪州涪陵西北部（后属长寿云集）人。北宋绍圣年间（1094—1098），研讨《易经》，终日不倦。北宋靖康元年（1126），经吕好问推荐，钦宗召为崇政殿说书，辞不就。后归蜀，隐居青城山中，蜀人指其地曰谯岩，敬定不敢名，称之曰“谯夫子”，因绘像祀之。晚年隐居今长寿区邻封镇，曾讲学于但渡乡北7千米峻子山。定之学本于程颐，传于胡宪、刘勉之，而冯时行、张行成则得其绪余。著有《易传》，《诗括总龟》后集录其诗九首，《新编事文类聚翰墨全书》录其文一篇，《宋史》《南宋书》、旧《长寿县志》有传。《剑南诗稿》载陆游寄谯先生诗序称“其百三十岁犹存”，云：“寄谢谯夫子，今年一出无?万缘随梦断，百念与形枯。云护巢松谷，神呵煅药炉。凭高应念我，白首学征租。”

刚直清廉的明代三部尚书——聂贤。聂贤（1454—1544），字承之，号凤山，谥号荣襄，今长寿区晏家街道人。明弘治二年（1489年）中举人，弘治三年（1490年）中进士。弘治七年（1494年）任湖广钟祥县知县。正德年间（1506—1521年）先后任湖广荆南兵巡副使、云南金沧副使。任前副使驻襄阳，发动修城及大堤，筑蒋家埠捍水，保全万家生命。任后副使反贪惩恶，劝诱贪虐谄媚权贵的大理卫指挥官尽吐其私贿，令其归还原主，然后将其下狱，深受绅民称赞。后升任都察御史。嘉靖五年（1526年）由御史升按察佥事出按山西，会审巡按御史马录所奏妖贼李福达狱，并劾朱元璋永嘉公主与郭镇的嫡重孙武定侯郭勋庇奸乱法一案，认真核实，依马录所奏，力言勋党逆罪。而勋以功臣自居，拉帮结派为己辩护，又激怒帝反前狱，将马录及前问官一律下狱，构成冤案，共处理42人，聂贤被解官闲住。大赦后被廷荐起用工部尚书，后改任刑部尚书、户部尚书。嘉靖十四年（1535年）81岁以疾乞休，百官饯行送至芦沟桥。嘉靖二十三年（1544年）寿终90岁，葬于今长寿区晏家街道龙山村马斑滩聂氏祠后。是年九月朝廷赐祭葬，谥聂贤“荣襄”号，追封其三代，恩荫一子，赠少保兼太子少保。

近代武侠小说之王——李寿民。李寿民（1902—1960），原名李善基，笔名还珠楼主，今重庆市长寿区凤城街道人。民国19年，创作武侠小说《蜀山剑侠传》，后著有《青城十九侠》《云海争奇记》《柳湖侠影》等武侠小说。民国28年冬，日本宪兵以“涉嫌重庆分子”将他抓捕入狱70余天。后经友人营救出狱，避祸于上海卖字营生，七八年里写出《蜀山剑侠传后传》《长眉真人传》《蜀山剑侠前传》《蛮荒侠隐》《边寨英雄传》《女侠夜明珠》《力》等数十部小说，被誉为近代武侠小说之王。他还擅长创作戏曲作品，二十世纪三十年代曾为尚小云剧团编写过《汉明妃》《墨黛》《卓文君》《林四娘》《福寿镜》《摩登伽女》等京戏剧本；他以“文戏武唱”理论，将昭君和番中哭哭啼啼的弱女子形象改为只身出塞、不畏艰险、舍身和番、安国安民和气概不减男儿的英烈女性形象。中华人民共和国成立后，他把创作重点转移到写京剧和历史小说，先后在上海天蟾京剧团、中央军委总政文化部京剧团任编导。几年中创作改编的剧本有《南山化蝶》《李岩之死》等数十部，同时写有《岳飞传》《大侠郭解传》《大侠剧孟》等长篇小说。1956年他根据周恩来总理建议，将昆剧《五十贯》改为章回小说。1958年6月，罹患脑溢血，左身偏瘫，至1960年2月19日去世前3天，还带病完成小说《杜甫》草稿。他一生作品有4000余万字，其中《蜀山剑侠传》长约500万字。

“还珠楼主”李寿民

（区志研室　供图）

红军高级将领——杨克明。杨克明（1905—1937），本姓陶名正，又名陶树臣，化名洪涛尔。四川省涪陵县云集乡（今重庆市长寿区云集镇）人。民国15年（1926年）在涪陵省立第四中学读书时加入中国共产党。后被派往涪陵、丰都、石柱、忠县一带从事党的秘密工作，曾发动群众，举行武装起义，创建红军游击队。民国19年（1930年）任四川第二路红军游击队副队长。民国21年（1932年）担任中共梁（梁山，后为梁平区）达（达县）中心县委书记，配合王维舟领导的红军川东游击军开展游击战争。民国22年（1933年）10月，任中国工农红军第四方面军第三十三军政委，后任红军补充师政委、独立师师长等职，参加过川陕革命根据地反击四川军阀“六路围攻”战役和红军长征。民国25年（1936年）1月，任红5军政治部主任。10月，部队长征到甘肃后奉命渡过黄河西征。民国26年（1937年）1月，与红5军军长董振堂一道率3000余人攻占甘肃高台县城，随即遭到马步芳、马步青率领的2万多“马家军”围攻，1月20日壮烈牺牲，头颅遭反动派割掉。中华人民共和国成立后，高台县人民政府修建红军烈士纪念馆，并专为董振堂和杨克明建立纪念亭。2022年6月28日，杨克明故居陈列馆在长寿区云集镇落成开馆；7月29日，杨克明故居被列入重庆市市级文物保护单位。2023年4月14日，杨克明使用过的枪支被认定为二级文物。

【民俗】　长寿民间习俗涵盖社会生产生活的各个方面。随着岁月的流逝、社会的进步以及生产生活方式和观念的改变等，很多传统民俗已经发生较大变化：过去在传统农业、工商业中较为流行的生产民俗，随科学技术的运用和机械化、智能化程度的提高而逐渐淡化或放弃，过去在生产劳作中的一些祭拜民俗已极其少见；生活民俗中带有封建迷信色彩或者不健康因素的落后习俗，已逐渐被抛弃，人们衣食住行均追求健康、环保、舒适、时尚，城乡房屋多为砖混结构，手持电话机、燃气灶、空调、洗衣机、冲水厕所和家用轿车普及率高，一些带有民族文化色彩的民俗得以传承和保留。长寿的社会生活民俗中，社会组织民俗的家族和姓氏一直传承，近些年一些家族修族谱、修家谱、组织清明会等得以延续；村、社区作为村（居）民自治组织的作用愈益增强。长寿的岁时节日民俗保留过春节、元宵节、清明节、端午节、中秋节、重阳节等传统节日的习俗。其中，过春节的习俗尤为隆重：杀年猪、办年货、贴春联、吃年饭、放鞭炮烟花、发压岁钱、祭祖、守岁和上门拜年等传统习俗与网络拜年等新兴形式，把春节过得热闹喜庆。长寿在元旦、“三八”国际劳动妇女节、“五一”、“六一”、“七一”、“八一”、教师节、国庆节等节日也举行仪式、开展活动。人生礼俗的婚嫁习俗已经简化，说媒、合婚、纳聘等已不多见，少有人索要彩礼，网络相亲、工会和共青团组织的联谊活动等为未婚青年创造联姻机会；婚宴酒席在城市规模较小，以至亲密友为主，农村更热闹，习惯于扩大至村民组的乡亲，也有年轻人选择不办酒席旅行结婚。生日习俗的满月酒、满岁酒由孩子父母操办，除满十的“整生”外，操办散生酒的越来越少，一般是家人亲朋聚餐庆祝。城镇居民操办酒席大多到餐馆，农村居民操办酒席则请“红白喜事一条龙”专业队伍，从食品采购、烹饪制作、炊餐具、餐饮服务到现场文艺演出等全程提供。丧葬习俗的丧葬程序和用品有所简化，城市市民到殡仪馆举行亲友告别仪式，实行火葬；农村的土葬习俗仍然存在。长寿的精神生活民俗，传统的游戏、社火等娱乐已经少见，旅游、跑步、走路、广场舞、坐茶馆等新的娱乐休闲方式兴起。

【方言】 长寿方言（亦称长寿话）属现代汉语北方方言区、西南官话四川方言片、川东小片重庆方言语音系统，使用人口已近百万人，覆盖面积1400余平方千米。其语音、词汇、语法均有其自身特点，较之于普通话，在语音、词汇、语法诸方面均有差异，尤以语音差异为大。但用长寿话在北方方言区内与人交流，一般人都能听懂。长寿话是长寿人在历史长河中适应政治、经济变化、人口迁移、民族融合而形成的方言体系，大致分为城区、云集、洪湖3个方言小片。3个方言小片的语音和词汇，历史上有过明显差异，至今仍保留着某些痕迹。但随着经济社会的发展和人民文化生活水平的不断提高，加之推广普通话的影响，3个方言小片间的差异，已经明显缩小。（区志研室）

土特名产

【长寿柚】 长寿柚素有“天然罐头”之称，自清光绪十三年（1887年）由广西容县沙田村引进，栽培历史逾百年，经过多年选择培育，形成独具特色的水果。长寿沙田柚果形似葫芦，橙黄色艳，醇甜芳香，果肉醇甜如蜜，汁多味浓，脆嫩化渣，营养丰富。2001年被评为中国国际农业博览会名牌产品，2006年获“中华名果”称号，2009年注册“长寿沙田柚”地理标志商标。2023年12月，入选《中华品牌年鉴（2023）》。2023年，长寿柚种植面积3625公顷，产量4.8万吨，产值4.17亿元。

【长寿夏橙】 长寿是全国的夏橙生产基地，种植区域主要分布在长寿湖湖区周边的云集、长寿湖、双龙、龙河、石堰5个镇。长寿夏橙果形高桩，颜色深橙，甜酸适度，汁多味浓，2010年被国家工商总局评为名优产品地理商标。2023年，长寿夏橙种植面积4666公顷，产果4.5万吨。

【长寿米粉】 1961年，重庆市二轻局为传承七区三县（市中区、江北区、沙坪坝区、九龙坡区、南岸区、北碚区、南桐矿区和巴县、綦江县、长寿县）名特产品，在渝中区民生路安排铺房一幢，邀请长寿商业局组织开设长寿薄脆馆，兼营米粉业务，由长寿河街米粉食店的袁作然主厨。1964年，“长寿米粉”在重庆形成小吃品牌，后传回长寿。长寿米粉以扁

长寿米粉 （张方玉 2023年10月摄）

形为特色，有汤粉与炒粉两种，以汤粉为主。汤粉有小粉与大粉之分。小粉有红汤、清汤之分，红汤有各种佐料的搭配，清汤有各种汤型的讲究。大粉，是以肉类为臊子的汤粉，如炸酱粉、肉丝粉、肥肠粉、牛肉粉、羊肉粉、鸡杂粉等。长寿米粉以晏家、八颗、梓潼、付河、天台、渡舟、新市、葛兰、石堰、云台、海棠、双龙、合兴、龙河等地为主产区，以葛兰米粉最负盛名。2023年，长寿区生产经营长寿米粉的企业和个体有150多户，有生产设备600余台、生产线20条、冻库20间、锅炉25个、生产老米粉灶80余个，其他设备机具500台，运输车辆60余辆。全年生产经营米粉1万余吨，进入商业超市、农贸市场、餐饮行业，销售收入2.7亿余元。

【长寿肥肠饭】 肥肠饭历史悠久，是长寿最有特色的美食之一。肥肠切得极细，配以辣椒、花椒、八角、三柰、老姜、蒜瓣等烧制而成。咸淡适宜，鲜辣兼备，跟米饭可以混合而食，减少起腻的程度。衬底的食材是松软可口的黄豆，营养价值丰富，还会使肥肠沾上黄豆的清甜。除肥肠外，将香辣交织的汤汁淋在饭上，亦是美味无比。

【长寿薄脆】 薄脆制作工艺起源于宋代，于明末清初"湖广填四川"时传入长寿。清朝中期，王海将原油炸薄脆改为干锅烘焙，去掉油腻，提升酥脆的品质，保存时间更长。清末，长寿薄脆制作工艺最为鼎盛，许多人家都制作薄脆，或作为点心，或劳作充饥，或作出门行路的干粮。此时，开始出现专门制作薄脆的手工业者。至民国时期，特别是抗战时期，长寿县城三倒拐、鱼市街等遍布薄脆制作作坊，长寿薄脆远销市内外，战时陪都重庆都有长寿薄脆销售点。长寿薄脆棕黄色，薄而不碎，脆而不焦，又酥又香。

【长寿血豆腐】 长寿血豆腐内嵌制猪肉，外裹精制豆腐，以其色泽红润而得名，外形椭圆，色金黄、味咸鲜、腊香、麻辣爽口，令人回味无穷，且含丰富的蛋白质及多种微量元素，经常食用有增强免疫抵抗能力，增强食欲等多种益处。

【巴村人手工糍粑】 巴村人手工糍粑传承已久，早在远古时代，人们为庆贺丰收，在谷黄米熟的中秋佳节，部落首领在宗庙亲自主持打制糍粑，用以祭奉天地、祖宗、神灵以求得风调雨顺、五谷丰登、国泰民安。出于对神灵的敬畏和虔诚，糍粑的制作工艺非常精细和考究，将上好的高山糯米蒸熟，然后倒入石碓窝用碓窝棒舂打至精细看不见米粒，制作成圆砣形或饼状，形成糍粑，是可以蒸、炸、炒、煮、煎、烤食用的一种传统食品。传统制作的糍粑，柔软细腻，香甜可口、晶莹如玉、色白如雪，细腻而有嚼劲，色香味俱全，无任何添加剂和防腐剂。包装延续了传统的意识，保存时间更长，是招待客人、馈赠亲友的上等佳品。

【长寿鲜鱼】 长寿湖产的白鲢、花鲢、草鱼、翘壳、乌鳊5个品种获国家有机食品认证，并注册"富硒"有机鱼，长寿湖翘壳鱼滑嫩爽口，营养丰富，口味独特。大洪湖产的白鲢、花鲢、翘鱼红鲌、甲鱼、鲤鱼、鲫鱼、鲶鱼、鳊鱼8个品种获国家有机食品认证，并注册"渔缘"牌商标。长寿区引进并推广大口黑鲈、黄颡鱼、叉尾鮰、大口鲶、鳜鱼、湘云鲫、翘嘴红鲌、佳鳙1号等新品种，80%以上产品进入重庆主城批发市场及大型超市销售。2023年，长寿鲜鱼产量4.85万吨，比上年增长3.14%。

（区农业农村委　区文化旅游委）

经济社会发展

【经济建设】 2023年，长寿区完成地区生产总值956.73亿元，比上年增长7.1%。其中，第一产业增加值66.58亿元，第二产业增加值585.14亿元，第三产业增加值305.01亿元，分别比上年增长4.5%、7.9%、6.3%。全年实现农业总产值101.2亿元，比上年增长3%；工业增加值501.2亿元，增长7.7%；建筑业增加值83.9亿元，增长9.2%；批发和零售业增加值82亿元，增长8.2%；规模以上服务业营业收入64.8亿元，增长1.8%。全年固定资产投资总额比上年增长11.5%。其中，工业投资增长15.2%，基础设施投资增长16%，民间投资增长17.6%，房地产开发投资增长0.4%。

（区政府办公室）

【政治建设】 2023年，长寿区开展学习贯彻习近平新时代中国特色社会主义思想主题教育，围绕"学思想、强党性、重实践、建新功"总要求，一体推进理论学习、调查研究、推动发展、检视整改、建章立制，完成主题教育15项民生实事，统筹抓好党建统领"三项重点任务"，提高各级党组织领导力组织力。强化党建统领"八张报表"目标管理、"八张问题清单"问题管控、"五项机制"结果导向，形成抓党建带全局的工作格局。推进"党建扎桩·治理结网"党建统领基层治理改革。推进纪检监察监督、巡察监督、审计监督协同高效，提升监督治理效能。抓好意识形态工作，支持人大、政协工作。建设风清气正的清廉长寿，构建清廉单元创建体系，一体推进"三不腐"，查处违

反中央八项规定精神问题33件，惩治腐败行为。推进依法治区，拓展法治政府建设成果。（区委办公室）

【文化建设】 2023年，长寿区文化及相关产业增加值15.1亿元，比上年增长5.0%。全区有博物馆1个，文化馆（站）20个，公共图书馆1个。广播覆盖率和电视综合覆盖率100%。有各类教育机构200所（不含高校），在校学生83056人。全区有体育场地3604个，体育场地面积233.06万平方米，人均体育场地面积3.42平方米。全区竞技体育获国际级赛事金牌1枚，国家级赛事获金牌5枚、银牌6枚、铜牌3枚，市级赛事获金牌42枚、银牌47枚、铜牌69枚。

【社会建设】 2023年，长寿区居民人均可支配收入39696元，比上年增长5%。其中，城镇居民人均可支配收入46625元，增长4.3%；农村居民人均可支配收入22504元，增长6.3%。全年企业职工、机关事业单位养老保险参保人数35.5万人，工伤保险参保人数14.6万人，城乡居民养老保险参保人数33.4万人。

【生态文明建设】 2023年，长寿区规上工业能源消耗总量1096.9万吨标准煤，比上年增长1%。全年空气质量优良天数308天。长江长寿段水质保持Ⅱ类，龙溪河、御临河监测断面水质均保持Ⅲ类，城市、街镇集中式饮用水源地水质稳定达标。危险废物、医疗废物规范处置率均达100%。废弃矿山生态修复41.6公顷，治理水土流失972.6公顷。完成营造林1466.67公顷，森林覆盖率50%。

（区政府办公室）

中国共产党重庆市长寿区委员会

综　述

2023年，中国共产党重庆市长寿区委员会（简称区委）以习近平新时代中国特色社会主义思想为指导，学习贯彻党的二十大精神和市委六届二次、三次、四次全会部署要求，开展学习贯彻习近平新时代中国特色社会主义思想主题教育，开展专题党课713场，制定践行“四下基层”13条措施，推进7个专项整治。强化党建统领“八张报表”目标管理、“八张问题清单”问题管控、“五项机制”结果导向，形成抓党建带全局的工作格局。部署推进新时代市域党建新高地长寿范例建设，推动新时代“红岩先锋”变革型组织打造。突出稳进增效、除险清患、改革求变、惠民有感工作导向，对标落实成渝地区双城经济圈建设“一号工程”，12个川渝合作共建重大项目完成年度投资32亿元，与自贡市共建千亿级天然气新材料基地，长寿经开区获批成渝地区双城经济圈合作示范园。明月山7区县西部陆海新通道铁海联运班列首发，陆海新通道长寿班列货运量增长2.6倍，全年实现外贸进出口额100亿元。推进数字重庆建设，集聚数商58家，率先完成国有企业首笔数据资产入表。全年实现地区生产总值956.73亿元，一般公共预算收入51.11亿元，城镇和农村居民人均可支配收入分别为46625元、22504元。实施“十万英才聚长寿”育才计划和领军企业人才培训“鲲鹏计划”，引进高精尖紧缺人才1900余人。发展社会民生事业，城镇新增就业2万人，普惠性幼儿园覆盖率94.1%，21件年度重点民生实事全面完成。（夏传举）

重要会议

【概况】　2023年，长寿区召开区委全会2次、区委常委会会议45次、议事协调机构会议13次，学习贯彻习近平新时代中国特色社会主义思想和党的二十大精神，学习贯彻党中央、市委有关会议精神，研究全区重点工作。

【区委全委会议】　2023年，长寿区召开区委全会2次，学习贯彻习近平新时代中国特色社会主义思想和党的二十大精神，审议通过有关意见和决议。

十四届区委五次全会　7月28日，中国共产党重庆市长寿区第十四届委员会第五次全体会议在区科技文化中心召开。32名区委委员、8名区委候补委员出席会议，市第六次党代会代表等共207人列席会议，区委常委会主持会议。会议学习贯彻党的二十大精神和习近平总书记关于党的建设的重要思想，落实市委六届三次全会部署，审议通过《中共重庆市长寿区委关于深入学习贯彻习近平新时代中国特色社会主义思想　加强党建统领　持续修复净化政治生态　全面提高党的领导力组织力　加快建设新时代市域党建新高地长寿范例的意见》和《贯彻落实市委〈持续修复净化政治生态十项举措〉任务清单》。

十四届区委六次全会　8月17日，中国共产党重庆市长寿区第十四届委员会第六次全体会议在区科技文化中心召开。29名区委委员、8名区委候补委员出席会议，市第六次党代会代表等共212人列席会议，区委常委会主持会议。会议学习贯彻习近平总书记关于数字中国建设的重要论述和党的二十大战略部署，落实数字重庆建设大会精神，审议通过《中共重庆市长寿区委关于推进数字重庆建设打造中国西部数谷的意见》《中国共产党重庆市长寿区第十四届委员会第六次全体会议决议》。（于海波）

2023年8月17日，中国共产党重庆市长寿区第十四届委员会第六次全体会议在区科技文化中心召开　（区融媒体中心　供图）

【区委常委会会议】　2023年，长寿区召开区委常委会会议45次，分别是十四届区委常委会第40次会议至第84次会议，会议学习习近平总书记重要讲话和系列重要指示批示精神、党中央和市委有关会议精神，研究部署全区重点工作。

十四届区委常委会第40次会议　1月5日召开。会议学习习近平总书记在中共中央政治局民主生活会、中央农村工作会议上的重要讲话精神和对爱国卫生运动的重要指示精神，研究审议调整相关机构设置及区管领导职数有关事宜。

十四届区委常委会第42次会议　1月28日召开。会议学习习近平总书记春节前夕视频连线看望慰问基层干部群众重要指示精神、二〇二三年新年贺词和在二〇二三年春节团拜会上的重要讲话、同党外人士座谈并共迎新春时的重要讲话精神，研究审议召开区十九届人大三次会议和区政协十六届二次会议有关事宜。

十四届区委常委会第44次会议　2月10日召开。会议学习习近平总书记在学习贯彻党的二十大精神研讨班开班式上的重要讲话精神，研究审议长寿发展集团与长寿开投集团深化改革发展方案、成立中共长寿经开区直属国有企业委员会有关事宜。

十四届区委常委会第45次会议　2月16日召开。会议学习贯彻习近平总书记署名文章《当前经济工作的几个重大问题》，研究审议《支持长寿高新区创建国家级高新区的意见》《长寿区关于进一步加强老干部管理服务工作的实施意见》。

十四届区委常委会第48次会议　3月6日召开。会议学习习近平总书记在参加十四届全国人大一次会议江苏代表团审议时的重要讲话精神和李克强总理在十四届全国人大一次会议上所作政府工作报告精神、党的二十届二中全会精神。

十四届区委常委会第52次会议　4月10日召开。会议学习习近平总书记在学习贯彻习近平新时代中国特色社会主义思想主题教育工作会议上的重要讲话精神，传达学习全市学习贯彻习近平新时代中国特色社会主义思想主题教育动员大会精神，研究全区贯彻措施。

十四届区委常委会第62次会议　7月10日召开。会议学习习近平总书记对防汛救灾工作的重要指示精神，听取云集镇及时转移群众避险工作情况汇报。

十四届区委常委会第65次会议　7月27日召开。会议学习习近平总书记在7月24日中央政治局会议上的重要讲话精神，听取全区防汛抗旱、森林防火、安全稳定有关工作情况汇报，研究审议区委十四届五次全会有关会议材料。

十四届区委常委会第67次会议　8月11日召开。会议学习习近平总书记在中共中央政治局第六次集体学习时的重要讲话精神，听取“具有全球影响力的新材料高地”专项——重庆中润化学股份有限公司新材料产业基地项目推进情况汇报，听取区政务服务管理办、但渡镇服务市场主体工作情况汇报，研究审议区委十四届六次全会有关事宜、《区行政服务中心搬迁工作方案》。

十四届区委常委会第72次会议 9月14日召开。会议学习习近平总书记向全国优秀教师代表致信精神，研究审议《关于在全区深入开展学习贯彻习近平新时代中国特色社会主义思想主题教育的实施方案》《长寿区委常委会深入开展学习贯彻习近平新时代中国特色社会主义思想主题教育工作安排》《区级领导深入开展调查研究工作安排》等文件及区委书记刘小强在全区学习贯彻习近平新时代中国特色社会主义思想主题教育动员大会上的讲话提纲。

十四届区委常委会第77次会议 10月27日召开。会议学习习近平总书记在中共中央政治局第八次集体学习时的重要讲话精神，听取长寿区推进数字重庆建设相关工作情况汇报，研究部署下阶段工作。

十四届区委常委会第81次会议 11月24日召开。会议学习习近平总书记在北京河北考察灾后重建工作时的重要讲话精神、在中央全面深化改革委员会第三次会议上的重要讲话精神及《依靠党的自我革命跳出历史周期率》《以党的政治建设为统领》，听取长寿区行政服务中心搬迁工作推进情况汇报，研究审议《重庆市长寿区国民经济和社会发展第十四个五年规划和二〇三五年远景目标纲要实施情况中期评估报告》。（张晓晖）

【区委议事协调机构会议】 2023年，长寿区召开议事协调机构会议13次。传达上级有关会议精神，研究部署全区深化改革、国家安全、机要保密等工作。（区委办公室）

重要决策

【乡村振兴重点工作意见出台】 2023年3月8日，区委、区政府印发《关于做好2023年全面推进乡村振兴重点工作的实施意见》，明确守牢“三条底线”（防止规模性返贫、确保粮食安全、加强耕地保护）、实施“四个一”工程、落实“四千行动”、打造“一园两区三名片”、提升长寿乡村“三化”水平、坚持科技和改革“双轮驱动”、构建乡村振兴工作保障机制、加强党对“三农”工作的全面领导7个方面、29项工作任务的牵头单位和责任单位。年内，引入中国科学院雄安创新研究院、中国科学院智能农业机械装备工程实验室，建设重庆丘陵地貌“伏羲农场”智慧农业项目。发放城乡低保、临时救助、特困供养资金1.55亿元，发放农村残疾人补贴436万元。引导脱贫劳动力外出就业6806人，申报巩固脱贫产业到户奖补3075户718万元，脱贫人口小额信贷获贷率71.5%。

【国家级高新区创建】 2023年3月9日，区委、区政府印发《支持长寿高新区创建国家级高新区的意见》，明确推动数字健康创新资源和产业资源集聚，打造全国一流的高新技术产业开发区，提出构建高端产业集群、做强数字经济产业等8项主要任务和建立扁平一体的决策体系等9项主要措施。提出到2026年，成功创建以数字健康为特色的国家级高新区。年内，实施重大建设项目32个，总投资164亿元。其中，政府类8个，市场类24

2023年长寿区委议事协调机构会议（部分）一览表

表7

会议时间	会议名称	会议内容
2月14日	区警卫工作领导小组会议	传达全市公安警卫工作会议精神，部署全区2023年警卫工作
3月14日	区委保密委员会会议	审定《中共重庆市长寿区委保密委员会2023年工作要点》
4月3日	区委国家安全委员会会议	传达学习习近平总书记“1·20”重要批示精神
4月28日	区委落实中央第十二巡视组巡视反馈意见整改工作领导小组会议	传达学习《中央巡视工作规划》《中共重庆市委巡视工作规划（试行）》，全国巡视工作会议、全市巡视巡察工作会议等会议精神，研究全区贯彻措施
5月26日	区委密码工作领导小组会议	传达全市保密、机要密码、专用通信工作会议精神
8月11日	区委国家安全委员会会议	传达学习全市党委国安办主任会议精神，审定《中共重庆市长寿区委国家安全委员会2023年度工作要点》《重庆市长寿区重点领域国家安全工作协调机制工作规范》

个，全年完成投资32.37亿元。与中国科学院、重庆大学、迪比智能研究院等多所高校及科研院所签订战略合作协议，推进数字健康产业链、人才链深度融合。

【基础教育品质提升行动】 2023年5月18日，区委、区政府印发《重庆市长寿区基础教育品质提升行动计划》，明确党建领航品质提升、学前教育普及普惠区建设、义务教育优质均衡区创建、普通高中分类发展示范区建设、教育品牌培育赋能、“三名”工程拓源提质、学生综合素养提升、学校办学活力激发八大具体任务。提出到2026年，实现基础教育质量明显提升、基础教育品牌初步建立、基础教育特色日渐彰显；到2035年，长寿基础教育质量进入全市第一梯队，基础教育生态呈现新变革，长寿学校形态展现新局面，长寿学生样态实现新发展。年内，建成投用3所示范幼儿园，新增公办学前教育学位810个。引导8所民办幼儿园申办为普惠园，对城乡11所公办幼儿园进行提档改造，学前教育普惠率90.62%，2所新办民办幼儿园被评为一级园。依托城区优质学校，组建8个义务教育集团和2个示范幼教集团。义务教育巩固率100%。创建德育品牌学校市级6所、区级18所。投入870万元改造8所普通高中教学设备。

【西部陆海新通道建设推进】 2023年8月9日，区委、区政府印发《长寿区加快建设西部陆海新通道五年实施方案（2023—2027年）》，要求主动融入和加快推进西部陆海新通道建设，以建设生产服务型国家物流枢纽为统领，明确提升运营组织能力，凝聚通道协作合力；做大做强生产服务型国家物流枢纽，提升通道支撑能级；构建内畅外联的现代物流体系，提升通道运行效率；发挥“通道+经贸+产业”联动效应，推动开放型经济发展；建设多跨协同的数字通道平台，助力通道整体智治；提升物流园区服务功能，促进交通物流经济深度融合；培育壮大市场主体，激发市场发展活力7个方面、20项工作任务。年内，首发明月山绿色发展示范带西部陆海新通道铁海联运班列、中欧班列（成渝）首趟长寿多式联运集结中心专列。建成铁路物流网、公路集疏运网络和水运物流网。年通过能力500万吨的新恒阳码头多式联运示范项目开库运行，陆海通道多式联运“一单制”使用率100%。获批第一批重庆市“一带一路”进出口商品集散中心暨内陆国际物流分拨中心示范基地。

【经济技术开发区行政审批和行政执法体制改革】 2023年1月20日，区委办公室、区政府办公室印发《关于进一步深化长寿经济技术开发区行政审批和行政执法体制机制改革实施方案》，明确坚持打造一流园区、坚持依法行政、坚持高效运转3项改革基本原则，提出深化长寿经开区行政审批改革、深化长寿经开区行政监督执法改革2项主要措施、6项具体任务。年内，区发展改革委、区住房城乡建委、区规划自然资源局等9个区级部门向长寿经济技术开发区派驻代表27人，靠前提供行政审批服务，实施行政监督执法，形成非化工类项目、化工类项目、政府类项目审批服务一张图，提升审批效率，形成监管合力。通过构建专班服务工作机制，“一对一”全周期服务解决企业问题，新能源片区2个月完成土地征迁220公顷，恺迪苏、亚士创能等10个项目当年签约当年开工，领新新能源从开工到投产仅4个月。 （张晓晖）

全面深化改革

【概况】 2023年，长寿区将原18个改革专项小组整合设置为党建统领、经济、社会民生、民主与法治、文化、平安法治6个专项小组，制定印发《关于贯彻落实党的二十大精神坚定不移推进长寿全面深化改革的实施举措（2023—2027年）》《2023年长寿区全面深化改革重点任务推进方案》，谋划实施年度重大改革项目111项，新增国家级改革试点项目4项、市级改革试点项目35项。编发《改革速递》5期、《改革工作通报》4期，改革经验获全国肯定性评价34次、获全市性推广130次，获5家央媒报道74次，获评基层改革典型案例1个。

【区委全面深化改革委员会会议】 2023年，区委全面深化改革委员会召开会议4次。5月12日，区委全面深化改革委员会召开第十九次会议，传达学习二十届中央全面深化改革委员会第一次会议及六届市委全面深化改革委员会第三次会议精神；审议《中共重庆市长寿区委全面深化改革委员会关于调整设置区委全面深化改革委员会专项小组的通知》《关于贯彻落实党的二十大精神 坚定不移推进长寿全面深化改革的实施举措（2023—2027年）》《2023年重庆市长寿区全面深化改革重点任务推进方案》等；党建统领体制改革、经济体制改革、社会民生领域改革、民主与法治领域改革、文化体制改革、平安法治领域改革6个专项小组汇报2023年度改革工作安排。7月24日，区委全面深化改革委员会召开第二十次会议，传达学习二十届中央全面深化改革委员会第二次会议及六届市委全面深化改革委员会第四次、第五次会议精神；听取区委改革办关于改革报表工作情况的汇报。10月16日，区委全面深化改革委员会召开第二十一次会议，传达学习六届市委全面深化改革委员会第六次会议精神；听取区委改革办关于最佳实践案例培育机制工作情况的汇报。12月18日，区委全面深化改革委员会召开第二十二次会议，传达学习中央全面深化改革委员会第三次会议和六届市委全面深化改革委员会第七次会议精神；听取区委改革办关于全面深化改革工作情况的汇报。

【党建统领体制改革】　2023年，长寿区实施党建统领全域党建整体提升引领社会治理体系和治理能力现代化行动计划，探索建立政治生态量化评价机制，开发政治生态评价智慧系统被纳入全市“党建公权力大数据监督应用”向全市推广。分类推进机关、国企、中小学、医院、“三新”等领域党建攻坚，试点打造“工业社区”3个。推进“党建扎桩·治理结网”党建统领基层治理现代化改革，划分网格1111个，配备“一长三员”3582名，“网格卡”和社区专职网格员人选库做法编入区县优秀做法指南。

【经济体制改革】　2023年，长寿区围绕产业发展、经济运行、科技创新、生态环保等重点领域，分类梳理经济领域改革项目55项，推进“生态环境分区管控与国土空间规划衔接”“‘三线一单’减污降碳协同管控”“全国幸福河湖”等5个国家级改革试点项目实施。培育最佳实践案例3项，“长寿区创新‘政务承诺+信用履约’机制、进一步释放消费潜力”案例获评2023年全国信用承诺优秀案例并在全国信用承诺现场会作交流发言；“长寿区‘三线一单’减污降碳协同管控”试点经验获新华社《高管信息》深度专题报道；“打造‘龙头企业+孵化’基地，探索完善大中小企业融通发展‘试验田’”案例获评“2022年十大重庆经济改革创新案例”。

【社会民生领域改革】　2023年，长寿区印发《社会民生领域改革专项小组运行机制》《社会民生领域改革专项小组工作规则》《社会民生领域改革专项小组办公室工作细则》等制度文件。建立分级培育、市区联动的案例培育体系，制定“一案一策”培育计划，全年纳入储备库案例14个，“长寿区创新中小学国防教育工作机制”经验做法获教育部、中央军委政治工作部肯定，探索构建“医防融合”的一盘棋医防体系经验做法获国家卫生健康委通报表扬，《长寿区创新劳动争议纠纷一站式处置模式惠民利企》入选全市社会民生领域改革典型案例（第三批），先进做法在全市推广。

【民主法治领域改革】　2023年，长寿区在全市率先把专项规划纳入人民代表大会表决事项，区十九届人大三次会议首次听取审议并表决通过区政府关于《中国长寿城全域空间战略规划及重点项目库设计》《长寿区国土空间生态保护修复专项规划》的报告。创设区、镇人大代表“掌上代表之家”履职移动终端平台，推动基层人大代表之家迭代升级。深化村民自治制度改革，以邻封镇邻封村全国基层议事协商实验试点为载体，探索构建“五五议事　合和共兴”村民议事协商模式，协调解决居民难点堵点问题96件。推动“渝事好商量”协商民主长寿实践迭代升级，完善“一厅八室N站”协商平台，推动政协协商与基层社会治理有机融合。打造全链条闭环式的建言直通车，举办建言献策沙龙4次、专题培训3次。

【文化体制改革】　2023年，长寿区印发《重庆市长寿区新时代文明实践分中心、所、站建设评估办法（试行）》，打造星级所2个、星级站7个、星级点1个，建成“1+7+19+270”三级文明实践工作体系。构建“十位一体”全媒体矩阵，用户覆盖数达130万+。深化文化事业单位改革，将区博物馆（区文物管理所）调整为区委宣传部下属事业单位。推进文化数字化建设，推动全市首批试点菩提街道率先开展微信群接入网格管理系统工作，接入微信群96个，覆盖人数1.2万余人。完善“人人长寿”APP网络问政交办和问效机制，全年收到群众反映急难愁盼问题57件，办结率100%。

【平安法治领域改革】　2023年，长寿区完善平安建设重大矛盾、典型案件复盘事项清单和倒查问责机制，平安长寿建设半年和年度督查机制，全区信访总件次、总人次比上年分别下降24.6%、30.59%，区重大疑难复杂矛盾纠纷调委会获评全国模范人民调委会称号。构建“三位一体”诉调对接一站式多元解纷机制，“寿乡情理调解室”案例获评全市平安法治领域改革优秀实践案例。开展社会治安突出问题专项整治7大行动，治安案件比上年下降19.6%，刑事案件下降14.9%，命案下降83.33%，群众安全感指数98.86%。完善未成年人综合司法保护机制，全区未成年人犯罪比上年下降87.8%，侵害未成年人犯罪下降22.3%。（区委办公室）

组织工作

【概况】　2023年，长寿区共有基层党组织1463个，其中党委100个，党总支28个，党支部1335个。有党员

44517名，其中，女性党员13277名，占29.8%；男性党员31240名，占70.2%。大专及以上文化程度的党员17741名，占39.8%；中专（高中）文化程度的党员9862名，占22.2%；初中及以下文化程度的党员16914名，占38%。有行政村221个，100%建立党支部；有社区49个，建立党委32个，党支部17个。全区有干部14502名，其中党政干部3145名，占21.69%；事业干部11357名，占78.31%。女干部7701名，占53.1%。在党政干部中，女干部1066名，占33.9%；市管领导干部38名，占0.26%；区管领导干部685名，占4.72%。全区人才总量13.6万人。其中，党政人才0.32万人，企业经营管理人才1.88万人，专业技术人才5.37万人，高技能人才4.22万人，优秀农村实用人才1.4万人，社会工作人才0.42万人。柔性引进院士4人，享受国务院政府津贴专家6人，入选重庆英才计划5人、创新创业示范团队6个、“鸿雁计划”58人，市委直接联系专家2人，省部级突出贡献中青年专家5人，省部级学术学科带头人（含后备人选）2人，省部级优秀专业技术人才25人。

【思想政治建设】 2023年，长寿区把新时代党的创新理论列为党校主体班、专题班的第一课和必修课。推动政治理论学习横向到边、纵向到底，推动“领导干部上讲台、讲党课”，结合工作实际模块化、系统化学习。通过开展党建督查、全覆盖列席区管领导班子民主生活会、定期开展区管党组织贯彻执行民主集中制专项检查等，严肃党内政治生活。开展学习贯彻习近平新时代中国特色社会主义思想主题教育，组织全区155个区管领导班子、1331个基层党组织对标对表落实各项重点措施。推动各级领导干部领题调研753个课题，打造中国西部数谷等141项调研成果转化落地。29个突出问题专项整治全面销号，总结经验做法70个，补齐制度短板169个，建立长效机制90个。《人民日报》、《光明日报》、《重庆日报》、重庆电视台等媒体推介长寿经验做法27次。

【干部选拔任用】 2023年，长寿区落实新时代好干部标准，选拔任用实干实绩突出、一贯表现好、群众认可度高的干部。全年提拔重用干部中80后占69.4%。运用“885”工作机制通报成果，加强综合分析研判，运用提拔、交流、轮岗、调配等方式优化班子结构，择优调配38名熟悉招商引资、项目建设、文化旅游、环境保护等工作干部，充实到经济发展一线部门和镇街领导班子；从市级单位、市外高校引进一批经济、农业、卫生、城市建设等领域的专家型干部充实到区管领导岗位。

【干部教育培训】 2023年，长寿区主动争取省部级培训班、市级进修班和专题班到长寿区开展现场教学，邀请市委组织部领导干部到长寿区授课、指导12人次。在区委党校主体班推行“学员微课堂”“案例教学”“随堂测验”等系列改革创新，聘请“两院”（中国科学院、中国工程院）院士、高校专家教授、行业领军人物担任专题讲师，提升“点单式”定制培训课程质效。举办“数字大讲堂”“3113”项目攻坚行动计划等重点专题培训班63期，培训干部6万余人次。选拔251名干部到经济建设、信访维稳、重大项目、巡察一线顶岗锻炼，推荐4名90后科级干部到市级部门顶岗实训，选派22名年轻干部赴温州市开展数字化跟岗学习3个月。

【干部监督管理】 2023年，长寿区定期召开干部监督联席会议，分析研判干部监督信息，强化干部“八小时”之外监督，开展区管领导干部家访工作。印发《长寿区领导干部“负面清单”管理制度实施办法》，建立5个方面28项负面清单内容，累计完成1194名干部负面清单建档，作为干部选拔任用、职级晋升、评先评优的“第一道关口”。开展选人用人专项检查，发现并反馈问题139个。组织819名区管干部填报个人有关事项，开展随机抽查、重点查核、查核验证

2023年11月7日，区委党校举行2023年第三期主体班实岗锻炼集中交流汇报会暨结业典礼

（区融媒体中心　供图）

累计229人。执行科级拟任人选预审制度，累计审核同意241人。

【公务员管理】 2023年，长寿区公开招录公务员61名，面向村（社区）干部招录公务员2名，公开遴选公务员25名，培训新录用公务员、新提拔科级领导干部200余人。完成公务员登记165人、退出登记276人，办理转正定级手续2批63人，办理退休手续245人。制定全区抽（借）调干部管理办法，落实《重庆市长寿区机关事业单位工作人员调配管理办法》。全年晋升二级巡视员及相当层次职级11名，一至四级调研员及相当层次职级164名，六级职员10名，其中对在征地拆迁、疫情防控等重点工作中表现突出的5人晋升职级。推荐1人获评2022年度“重庆市担当作为好干部”。

【人才工作】 2023年，长寿区开展“常来长寿　人才长寿”专场招聘会等活动110余场，引进急需紧缺人才1960余人，其中硕士及以上203人、市级人才计划专家37人，柔性引进院士3人。启动领军企业人才培育“鲲鹏计划”，累计培训各行业、各领域专家人才8.5万人次。打造中国·长寿国际化特色化新材料产业人才专区，与清华大学签订共建研究生社会实践长寿基地协议，承接清华大学、北京理工大学等高校学子社会实践活动200人次，新培育科技型企业、高新技术企业320余家，新增省部级及以上企业技术中心、研发机构等72家。评选表彰长寿英才112名，提档升级“一站式”服务平台质量，选优配强人才服务专员130名。

【基层党组织和党员队伍建设】 2023年，长寿区实施党组织标准化规范化建设，“一支一策”整顿转化软弱涣散村（社区）党组织19个，评选村（社区）“五好”班子23个。推进重点村分类管理试点工作，解决村级问题短板370余项。指导建立功能型的天然气化工新材料产业链联合党委，覆盖链上非公企业、主要涉链部门等单位41家、党组织26个。把好发展党员“入口关”，全年发展党员306名。实施“头雁工程”，推荐获评全市“担当作为好支书”2名。开展发展壮大村集体经济专题培训，组织全区221名村党支部书记参加全国村党组织书记和村委会主任视频培训。长寿区冬训案例评为2022—2023年度全市村（社区）党员冬训十佳案例。

【党建统领基层智治】 2023年，长寿区推动19个镇街建成“一中心四板块一网格”基层智治体系，出台党建统领基层智治体系建设工作指南（1.0版），科学划分网格1111个，配备社区专职网格员753人、N力量10332人，构建三色分流等机制，将专职网格员统一纳入社区工作者队伍管理，制发网格管理服务事项清单和网格员任务清单，推广使用“网格卡”，打造集政策宣传、便民服务、民意搜集等功能于一体的网格驿站93个，实现网格服务“零”距离。运行一体化治理智治平台，归集各类数据200余万条，累计下派任务68.47万条，上报事件6.49万件，任务完成率和事件办结率均超过99%。谋划构建“一件事”场景25个，进入全市“一本账”1个。

（区委组织部）

宣传工作

【概况】 2023年，中共重庆市长寿区委宣传部（简称区委宣传部）把学习宣传贯彻习近平新时代中国特色社会主义思想和党的二十大精神作为首要政治任务，用新时代党的创新理论武装全党、教育人民、指导实践。加强理论武装，获“学习新思想　建设新重庆　强国伴我行”片区赛一等奖、总决赛三等奖。“学习强国”全国达人挑战赛获重庆选拔赛第一名。在《重庆宣传》《重庆学习论坛》《重庆思想政治工作》等发表理论文章4篇。完成全市宣传思想文化战线大调研32项。推进意识形态工作，获评全市网络舆情工作突出单位。

【理论武装】 2023年，区委宣传部

2023年7月13日，“学习新思想　奋进新征程　建设新重庆”长寿区2023年微宣讲半决赛在行政中心举行

（区委宣传部　供图）

征订使用《习近平著作选读》《习近平新时代中国特色社会主义思想学习纲要（2023年版）》等理论读物3万余册。落实“第一议题”制度，区委常委会开展理论学习70余次，区委理论学习中心组开展专题学习8次，列席旁听90余次，带动各级党组织专题学习1700余次。培育“板凳讲堂”“369讲堂”等微宣讲品牌，开展“学习新思想　奋进新征程　建设新重庆”等微宣讲6000余场。

【意识形态工作】　2023年，长寿区委常委会专题研究意识形态工作2次，专题学习习近平总书记关于意识形态工作重要论述3次，定期召开全区宣传思想工作会、意识形态工作联席会。对24个区管党组织开展意识形态专项检查。排查全区户外公益广告设施1900余处、电子显示屏2200余处。开展网络执法约谈4次，下达警告处罚通知1份。打造互联网企业示范党支部1个，培育“乡土网红”4人，巴渝网络名人3人。

【新闻宣传】　2023年，长寿区围绕加快推进西部陆海新通道、数字重庆建设等优化提升新闻采访线，全国100多家知名媒体到长寿采访报道。“陆海之约”全国网络媒体重庆行——西部陆海新通道主题传播长寿行活动全网刊发稿件530余篇，在《人民日报》、中央电视台、《光明日报》、《经济日报》刊发稿件85条，在《重庆日报》要闻版、重庆卫视《重庆新闻联播》刊发稿件260余篇。上榜2023年一季度“全国县融中心主题报道典型事例”榜单。

【主题宣传】　2023年，长寿区开设“全面推动党的二十大精神在重庆落地生根开花结果”“学习贯彻习近平新时代中国特色社会主义思想主题教育”等30余个专题专栏，编发转载稿件9800余篇。构建“十位一体”全媒体矩阵，覆盖用户130万户。

【社会宣传】　2023年，长寿区统筹线上线下宣传资源，聚焦“全面推动党的二十大精神在重庆落地生根开花结果”“学习贯彻习近平新时代中国特色社会主义思想主题教育”等重大主题，利用智慧电梯、公交站台显示屏、公交宣传栏、公交车载电视，城区商圈、长寿北站大型LED显示屏等各类宣传载体、阵地和平台，通过滚动播放海报标语，张贴宣传海报等方式，实行精准化传播。

2023年11月9日，100多家全国知名媒体参加陆海之约全国网络媒体重庆行——西部陆海新通道主题传播长寿行活动。图为记者在长寿经开区采访

（区融媒体中心　供图）

【对外宣传】　2023年，长寿区承办2023年“长寿湖杯”国际棋联女子世界锦标赛对抗赛、“中国寻根之旅”夏令营等文化推广活动24场，参加“中外人文交流小使者”、第五届中美友城大会、东盟博览会旅游展等推介活动5场。举办感知重庆长寿专场活动，依托西部国际传播中心邀请外籍青年到长寿开展“听Ta讲重庆”“渝味传五洲”等系列主题活动。

【新闻发布】　2023年，长寿区在市政府新闻办发布厅举办2023年长寿湖全国铁人三项冠军杯系列赛总决赛暨成渝双城铁人三项公开赛新闻发布会。围绕“长寿湖杯”国际棋联世界锦标赛等重大活动举办新闻发布会9场、“发言人来了——我为群众办实事”系列发布活动4场。

【文化事业】　2023年，长寿区4件作品入选全国第三届书法临帖作品展、第十三届全国水彩粉画作品展等展会，160余件文艺作品获市级及以上荣誉。书法作品《草书中堂王勃〈滕王阁诗〉》被南京博物院收藏。“赤子初心”邓刚红色主题雕塑作品展在王琦美术博物馆展出。举办2023年度“国际博物馆日”川渝地区主会场活动暨长寿区博物馆开馆仪式。举办“情系明月山”2023长寿、邻水、垫江三地美术书法联展。新建新型公共文化空间6个，建成图书馆分馆122个，建成“学习强国”数字“农家书屋”6个。组织“我们的中国梦——文化进万家”等文艺系列活动200余场。“仙鹤系列绣品”入选外事礼品名录。

【电影和出版印刷管理】　2023年，长寿区组织各级各单位6000余名干部职工、中小学生观看《望道》《开山人》等重点题材电影。深化惠民电影放映工程，全年累计放映3559场。巩固64家党政机关软件正版化工作成果，筹措201.8万元财政资金推动街镇、教育行业、卫生行业办公软件正版化率达100%。开展校园周边环境检查、青少年版权保护专项检查、印刷业检查、“小黄卡”专项整治等行动80余次，检查各类文化经营单位400家（次），办结行政案件10件，收缴非法出版物及宣传品2500余件。开展“护苗”进校园活动20余次，发放“绿书签”1.2万余份。

【“书香长寿”建设】　2023年，长寿区先后6次召开长寿“书香城市”规划编制专题会，研究审定《书香城市项目工作方案》《重庆市长寿区“书香城市”建设“阅读悦美·悦享长寿”全民阅读活动方案》工作方案。提档升级图书馆分馆，与村委会办事大厅融合建设，推动文化阵地辐射一线。新增图书馆分馆5个，累计建成122个，依托基层公共图书馆、文化馆（站）、村（社区）文化中心改扩建新型公共文化空间12个。建成校园图书角686个、读书走廊60个。开展“中华魂”“少年向上，我和我的家乡”“书香重庆·绿书签正好行动”等主题教育读书活动。开展“贯彻二十大　相约漫慢城”橘香清明田园诗会、“阅读悦美·悦享长寿”全民阅读活动启动仪式暨“4·23”世界读书日活动、全民阅读“七进”活动、图书馆暑期夏令营活动、“成渝地　巴蜀情”领读者“方言诵经典”诵读大赛。举办《习近平走进百姓家》读书分享会、“红心向党　玫瑰书香”读书分享会，开展“书香飘万家，陶冶你我他”读书看报活动、“文明乡风　书香伴我”乡村阅读推广等活动60余次，惠及群众8万人次。

（区委宣传部）

统战工作

【概况】　2023年，长寿区坚持把党的领导贯穿统一战线各领域和统战工作全过程，把统战工作与全区中心大局同谋划、同部署、同落实，区委常委会先后8次研究部署统战工作，区委主要领导对统战工作批示9次。制定《关于加强新时代长寿统一战线工作的实施方案》《2023年统战工作要点》，中共重庆市长寿区委统一战线工作部（简称区委统战部）发挥牵头抓总作用，制定《统战工作应知应会》《基层统战工作责任落实任务清单》并形成工作制度，深入镇街、区级重点部门开展《中国共产党统一战线工作条例》贯彻落实情况督查，推进统战领域各项工作开展。

【思想政治引领】　2023年，区委统战部开展“凝心铸魂强根基、团结奋进新征程”主题教育28次，举办市外专题培训班3期、区内专题培训班和专题讲座等9期，引导和支持各统战组织和团体开展党的二十大精神宣讲、思想政治理论学习150余次。开展意识形态教育和思想政治工作，组织党外人士代表召开暑期谈心会、双月座谈会，区委领导班子带头走访慰问党外人士196人次，区级领导“一对一”与党外人士谈心谈话285人次，增强统一战线成员听党话、跟党走、与党同心奋斗的政治自觉。发动统战成员参与重庆统战文化月系列活动，筹拍统战历史“60秒”短视频参加全市展演并获得优秀奖，推荐统战主题书法作品入选全市“同心书画展”。承办全市小学教师“溯百年统战史　讲同心好故事”竞赛第四片区赛活动，参赛选手获片区赛第一名和总决赛二等奖。

【民主党派工作】　2023年，区委统战部实施“集智”提升行动，教育引导统战成员围绕中心大局献计出力。安排11名党外代表人士到区“3113”项目攻坚行动计划工作指挥部相关机构进行实践锻炼。打造“同心·荟智助民”社会服务品牌活动，整合资源开展法律援助、医疗下乡、志愿服务等活动83次，服务群众2000余人次，捐款捐物10万余元。健全党外人士建言“直通车”，收集报送建言献策352篇，市级以上采用41篇次，市领导批示10篇次。全年建言献策单项工作在全市排名第四，九三学社长寿区委会获评重庆市各民主党派、无党派人士议政建言赛马十佳组织并在全市作交流发言，第四季度统战工作在全市“885”考核中获评A等。

【党外代表人士和新的社会阶层人士工作】　2023年，区委统战部实施“凝新”提升行动，为助推高质量发展团结新力量、贡献新智慧。加强新的社会阶层人士联谊组织建设，组织召开跨区域共话数字新专联建设座谈交流会，举行“新光之声”首届名家艺术作品全国邀请展，面向文艺界新的社会阶层人士建立新光艺术院并邀请全国知名艺术家到长寿区召开新光艺术院书法艺术研讨会。探索新专联数字化建设路径，“数字新专联”APP正式投用。推进新的社会阶层人士实践创新基地建设，协调解决基地建设面临的具体问题13个，建立区级相关部门服务基地入驻企业的沟通协调机制。基地吸引网络主播520人，孵化助农企业51家，开展各类品牌活动53场次，服务代表人士720人次。支持新的社会阶层人士参与招商引资和服务产业发展，组织新专联会员开展送春联下乡活动，书写并向基层组织和困难群众赠送“福”字1360张、春联1480副。

【民营经济统战工作】 2023年，区委统战部实施“亲清”提升行动，成立区新材料产业商会，发起成立并携10个基层商会加入“渝广毗邻地区商会联盟”。落实“非公经济人士接待日”等工作机制，召开民营企业座谈会5场，收集、办理民营企业家意见建议63件。探索“长亲不扰”涉企执法监管新路径，开展多部门联合执法1次，减轻企业迎检压力。构建多元化解商事纠纷机制，调解涉案标的1800余万元。优化营商环境，发放政策汇编515册，协调服务34次，协助民营企业融资73.4亿元，实现留抵退税5亿元。民营企业家和民营企业投身光彩公益事业，累计捐资捐物1000万余元。全年8家企业入选重庆民营企业100强，总量居全市第四；8家企业入选重庆制造业民营企业100强、总量居全市第三。区工商联获评全国“五好”县级工商联。菩提商会获评全国“四好”商会。

【长寿区党外知识分子联谊会】 长寿区党外知识分子联谊会是具有统战性、联谊性和非营利性的组织，主要任务是学习教育、培养人才、建言献策、服务社会、联谊交友。2023年，发展会员8人，总数182人，其中会长1人，副会长6人，秘书长1人，理事23人。设有法律、教育、经济、农业、医卫5个小组。建立健全《会长办公会议制度》《理论学习制度》《领导班子成员职责分工》等制度，推进“凝心铸魂强根基、团结奋进新征程”主题教育，组织会员学习20余次，参加政党协商会、暑期谈心会等系列活动10余次。推荐会员实践锻炼1名，开展“双走访”工作4次、谈心谈话70余人次。围绕区委、区政府中心工作和长寿区经济社会高质量发展大局，组织会员参加各级各类协商、情况通报会等民主政治活动，4篇提案被评为区政协2022年度优秀提案、3篇建议被评为区人大2022年度优秀建议、1条建言被区长批示。深化“智汇长寿·同心助力”社会服务活动品牌，开展相关活动10余次，受益群众2000余人次。 （张馨心）

【侨务工作】 2023年，长寿区开展“助力3113·侨企在行动”座谈会，40余名侨商参加。组织侨企重庆市长寿区哈图文化传播有限公司参加第四届“一带一路”侨商组织年会现场展览，吸引英国、日本、缅甸等近20个国家和地区观展，100余名华商关注和了解，推动全区侨联文创产品拓展海外市场。邀请海外专家回长寿区开展讲座1场。深化与中国华侨公益基金会项目合作，争取2023年度项目资金160余万元，免费实施白内障手术923例、胬肉手术207例；申报中国侨联“侨爱心·乡村学生眼视光工程”公益项目，为全区10所乡村学校的1600余名中小学生开展免费视力检查，免费配赠眼镜341副；申报2023年度“上海国峯慈善基金会·叶爷爷莲花奖助金”项目，长寿一中20名品学兼优的贫困高中生获捐赠2万元。组织侨界人大代表、政协委员聚焦中心工作开展专题调研，市、区“两会”期间提交提案9件。春节、中秋节开展“爱心暖侨”活动，走访慰问侨界企业、侨界群众200余人次，发放慰问金、慰问品3万余元。邀请专家为侨界群众开展卫生健康、法律法规、育儿科学等知识讲座4场。走访调研侨企43家，提出建议意见20余条，帮助企业解决问题10余个。

（区侨办）

港澳台事务

【概况】 2023年，长寿区共有台胞30余人、台属500余人、台企10家，其中投资额1000万美元以上的台企有正新橡胶（重庆）有限公司、中橡炭黑有限公司和长明码头。长寿籍港澳台乡亲共有90余人。

【台湾事务】 2023年，长寿区接待到长寿区参访的台湾团组6个共200余人次。每次接待都准确了解参访人员意愿，量身定制参访点位和路线，让参访人员对大陆发展成果有更深切的感受。举办台资企业负责人座谈会，叙友谊、话团结，促进渝台经济融合发展。帮助解决台资企业困难，增强台企发展信心。为台胞台属排忧解难，凝聚台胞台属合力。全年走访慰问台胞台属80余人次，邀请台胞台属参加餐叙3次。落实1名台胞子女义务教育阶段入学，享受大陆居民同等待遇。

【重庆高校港澳台学生国情教育研修长寿行】 2023年11月16—20日，“重庆高校港澳台学生国情教育研修”之长寿行活动举行，重庆各高校的67名港澳台大学生及老师参加活动，区委常委、统战部部长李兴建在研修活动开班仪式上致辞。活动由重庆市教育委员会、重庆市台湾事务办公室和重庆大学主办。活动期间，举办题为《传统与现代：中国经济的逻辑》的专题讲座；开展实地调研邻封村乡村振兴示范项目，参访长寿国际慢城、长寿古镇和博物馆等长寿人文文化景点以及高新企业等。 （区委统战部）

调查研究

【概况】　2023年，长寿区大兴调查研究之风，围绕服务和保障党中央推动成渝地区双城经济圈建设、西部陆海新通道建设、国家战略腹地建设、长江经济带高质量发展等重大战略布局，以及市委“33618”现代制造业集群体系、“416”科技创新战略布局、“1361”数字重庆建设整体框架、“141”基层智治体系建设等部署要求在长寿区落实落地，开展调查研究，全年形成调研成果64项。

【区级领导调研】　2023年，长寿区坚持“没有调查就没有发言权，更没有决策权”的理念，全体区级领导把深化调查研究促进科学决策作为谋事之基、成事之道，以身作则、人人领题，深入基层调查研究，掌握“第一手资料”，构建起“精准选题、科学破题、扎实解题、有效答题”的“四位一体”工作模式，形成调研成果30余项。

【社科调研】　2023年，长寿区社会科学界围绕加快建设国际化绿色化智能化人文化中国长寿城、书写新时代新征程新重庆长寿华章这一主题，聚焦服务具有全球影响力的新材料高地、世界级运动康养旅游目的地、中国长寿生命科学城“两地一城”建设、实施“3113”项目攻坚行动计划等重点工作，采用调研座谈、走访调查、蹲点取样、典型剖析、实地考察等方式开展调查研究，完成社科课题26项。

【调研成果转化】　2023年，长寿区根据调研成果制定调研成果转化运用清单144项，明确转化形式载体及效果，明确责任单位、责任人、转化完成时限，把调查研究成果转化为推进工作、战胜困难的实际成效。

（夏传举）

2023年长寿区部分区级领导调研成果一览表

表8

序号	区领导	调研成果
1	刘小强	关于党建统领基层治理的研究——以长寿区菩提街道、石堰镇为例
2	刘小强	关于长寿区推进数字重庆建设打造中国西部数谷的研究
3	戴　明	加快推动制造业高质量发展积极构建现代化产业体系
4	王身高	关于长寿区推进西部陆海新通道建设情况的调研
5	何以龙	推进全民全生命周期健康管理
6	冉　洪	优化人才引进服务，助推长寿经开区建设具有全球影响力的新材料高地
7	师明萌	关于长寿区发展壮大农村集体经济的研究
8	汤晓强	牢牢掌握意识形态工作领导权
9	卓大林	村（社区）财务监管
10	张明万	关于全区未成年人保护和犯罪预防的研究
11	胡红兵	关于围绕“两地一城”建设提升招商引资质效
12	胡文军	深入推进清廉建设，深化政治生态评价，推动持续修复净化政治生态
13	李福科	关于重点村分类管理试点工作的研究
14	李兴建	探索实施“无事不扰”机制助力打造一流营商环境
15	李吉华	关于我区培育服务市场主体工作推进情况的调研报告
16	王永全	进一步提升基层医疗服务能力
17	罗建平	关于长寿区全过程人民民主基层单元建设情况调研
18	廖智辉	关于全区稳就业工作情况调研
19	邓永春	关于长寿区垃圾分类推进情况的研究
20	刘朝煜	长寿老城区城市更新
21	江发茂	关于长寿区加快推进内陆开放高地建设的调研报告

续表8

序号	区领导	调研成果
22	涂　庆	关于健全完善社会稳定体系提升社会治安整体防控能力的研究
23	蒋发平	关于长寿区基础教育品质提升的研究
24	邹翔名	关于健全涉农资金使用监管和全过程绩效评价机制的研究
25	李　佳	基本养老服务体系建设及实践
26	付　恺	关于区政协委员作用发挥的调研
27	郑　勇	社会治理信息化建设及网格化管理
28	陈　红	关于加快长寿区钢铁行业转型升级的研究
29	杨华林	关于加强全区粮油生产社会化服务体系建设
30	谭静波	关于加强我区心理健康服务体系建设的调研
31	袁　翔	立足人文长寿高度提升城市文化品位
32	杨泽民	关于促进长寿区民营经济高质量发展的研究
33	殷湖北	探索工业社区建设，创新园区治理新模式
34	程学明	围绕产业链打造安全链
35	谭　卫	关于打造民事、行政、执行纠纷系统集成化解平台的基层实践路径的研究
36	陈　康	社会治理检察建议弊症检视与完善

2023年长寿区社科调研成果一览表

表9

序号	调研成果	承担单位
1	推动长寿区制造业高质量发展的路径研究	区政府研究室
2	长寿区廉洁文化内涵研究及发展建议	区委宣传部
3	长寿区打造新时代“红岩先锋”变革型组织研究	区委组织部
4	长寿区推动基层治理智能化发展研究	区大数据发展局
5	中小学国家安全教育在区域范围内有效推进的策略研究	区教师发展中心
6	新时代推进乡村治理现代化的对策研究	区审计局
7	长寿区数字经济发展研究	区发展改革委
8	关于长寿区民营经济高质量发展研究	区委党史研究室
9	关于全区未成年人保护和犯罪预防实践探索的思考	区委政法委
10	关于长寿区推动全民阅读建设书香城市的路径探索	区文明城区建设管理中心
11	以理论宣讲为抓手推动党的创新理论深入人心研究	区委宣传部
12	长寿区大力发展数字经济相关研究	区委办公室
13	关于深化川渝跨界河流共建共保、联防联治建设的研究报告	民革长寿区委会
14	建立健全高质量党建引领保障高质量发展机制研究	区委组织部
15	长寿区大力推动发展方式绿色转型相关研究	区委办公室
16	数字化转型背景下基层现代化生态环境监测能力建设面临的问题及对策建议	区生态环境监测站

续表9

序号	调研成果	承担单位
17	关于打造党建引领乡村振兴长寿慢城最佳实践的研究	长寿慢城文旅公司
18	长寿区长江流域生态环境跨界保护研究——以大洪湖流域跨界保护为样本	区检察院
19	推动“两地一城”建设，长寿区以文旅高质量融合助推高品质生活研究	区委网信办
20	长寿区全面优化职业技能培训有效助力稳就业促就业相关研究	区政府研究室
21	以城市品牌形象事例下的长寿原创歌曲，探究提升长寿的城市知名度、美誉度和影响力	区融媒体中心
22	深化文化文艺人才队伍建设为建设新时代文化强区聚能聚势	区委宣传部
23	红色基因传承助力我区乡村振兴问题研究	区委党校
24	关于人民政协在网络舆情中发挥全过程人民民主制度优势的研究	区委网信办
25	以文化遗产保护利用助推文化强区建设相关工作研究	区博物馆
26	长寿区锻造坚强有力的“红岩先锋”变革型党组织相关研究	区委直属机关工委

督查工作

【概况】 2023年，区委督查办制定全年督查计划和督查重点工作安排，聚焦全区重点工作统筹安排督查任务29项、督查重点14项。开展成渝地区双城经济圈建设、“两地一城”建设等专项督查，报送督查专报22期、专项督查报告38期，指出问题69个，提出意见建议166条，推动整改问题55个，区委、区政府主要领导对督查工作作出批示47次。

【督查机制建设】 2023年，区委督查办探索建立习近平总书记重要指示批示精神和党中央决策部署以及市委、市政府工作要求闭环落实机制，组建贯彻落实习近平总书记对重庆所作重要讲话和系列重要指示批示精神“回头看”工作专班，检视、梳理贯彻落实情况。对区委主要领导书面批示意见实行台账动态管理，每半月收集报送办理结果，跟踪督办涉及成渝地区双城经济圈建设、西部陆海新通道建设、数字重庆建设等重要事项425件，形成“分工落实—建账督查—跟踪推进—结果报告”全流程工作闭环。

【专项督查】 2023年，区委督查办对习近平总书记有关重要批示精神事项、市委常委会会议决定事项、市委主要领导指示批示事项逐件登记建档、逐件跟踪督办，上报市委督查办贯彻落实情况66件，比上年增加39件，增长144.4%。聚焦“3113”项目攻坚行动计划，督察74个特别重大项目、220个年度重大建设项目。推进区级层面整治形式主义，每季度收集汇总全区各单位发文、开会情况，推动区级层面全年发文、会议数量分别比上年下降37.56%、33.12%。开展防止形式主义突出问题为基层减负专项整治，统筹落实整治实施方案5大类23项整治措施，排查基层治理不良现象和形式主义突出问题8个，其中被纳入市级督查问题清单整改2个，被纳入区级督查问题清单整改6个。针对耕地“非粮化”问题，联合区政府办、区规资局开展督查，连续8天每天制发督查通报，耕地“非粮化”问题得到解决。 （区委办公室）

机构编制工作

【概况】 中共重庆市长寿区委机构编制委员会办公室（简称区委编办）主要负责全区党政机关，人大、政协、监委机关，各民主党派机关、群团组织机关机构编制管理工作；负责区级事业单位登记管理工作等。2023年，全区区级行政机构72个，其中纪检监察机关1个，党委工作机关10个，人大常委会机关8个，政府工作部门32个（含审计局），政协机关5个，民主党派机关4个，群众团体机关12个（含工商联）；事业单位370个，比上年增加2个，其中镇街所属事业单位133个，教育事业单位69个，卫生健康事业单位30个，其他区级部门所属事业单位138个。

【重点领域体制改革】 2023年，区委编办按照“一乡一策”原则，印发镇街“两张清单”，明确各镇法定职责事项分别为197项或200项，各街道法定职责事项分别为170项或171项，各镇街协同配合事项为62项。根据《中共中央关于新时代坚持和完善人民代表大会制度加强和改进人大工作的意见》《中共重庆市委关于进一步加强和改进新时代人大工作的实施意见》精神，在区人大常委会设置法制工作委员会，与区人大监察和法制委员会办公室合署办公、一套机构，主要承担区人大常委会对法制工作的督查调研、组织开展相关法律法规的咨询宣传、督促办理有关的代表议题、建议和批评意见等工作职责。根据《重庆市疾病预防控制体系改革实施方案》精神，在区卫生健康委加挂区疾病预防控制局牌子，接受市疾病预防控制局的业务指导，区疾病预防控制局局长兼任区卫生健康委副主任。推进“小散弱”事业单位整合撤并，形成《长寿区“小散弱”事业单位整合撤并工作方案》，完成全区11个编制数3名及以下、规模较小或职责相同相近、设置过于重复分散或职能严重萎缩弱化的事业单位整合撤并。通过调整，共减少正科级事业单位4个，减少正科级领导职数4名。推动区人民医院纳入全市公立医院人员总量备案管理，按照“一次核定、分年下达、逐步到位”原则，市委编办首批下达新增人员总量54名，主要用于引进医、护、药、技等专业技术人才和核心岗位综合管理人才。

【机构编制监督管理】 2023年，长寿区将机构编制工作情况和纪律要求执行情况纳入区委巡察、督促检查、选人用人专项检查、党政主要领导干部经济责任审计等监督范围。将《中国共产党机构编制工作条例》《“三定”规定制定和实施办法》《机构编制监督检查工作办法》及相关配套法规制度纳入组工干部专题培训班学习培训内容。全年全区共退休行政人员250余名、事业人员620余名，核减全区后勤服务人员事业编制11名。为19个镇街增核事业编制27名，主要用于加强基层财务、综合行政执法、乡村振兴等工作；批复同意各单位使用行政编制、事业编制通过公招、遴选等途径进人600余名；核减非紧缺必要招录用编计划指标40余个。

【事业单位登记管理】 2023年，区委编办共完成66家单位信息变更登记以及7家事业单位法人设立登记工作。组织全区457家单位完成2022年度事业单位法人年度报告工作，并将所有信息在区人民政府网站进行公示。开展年度事业单位法人公示信息抽查工作，随机抽查事业单位139家，实地核查事业单位8家，推进事业单位规范履职。（张恩豪）

区直机关党建

【概况】 2023年，中国共产党重庆市长寿区委直属机关工作委员会（简称区委直属机关工委）围绕加强党的全面领导、全面加强党的建设、全面从严治党三大主线，推动机关党建高质量发展。年内，新建机关党支部8个，撤销机关党支部5个，整建制转移机关党支部28个。新发展党员46名，预备党员转正63名。举办培训班2期，培训党员发展对象458名。命名首批区直模范机关30个。至年末，区委直属机关工委辖基层党组织112个，其中机关党委6个，党总支4个，在职机关党支部79个，直接管理的退休党支部23个；区直机关共有党员3608人。

【机关党的政治建设】 2023年，区委直属机关工委开展学习贯彻习近平新时代中国特色社会主义思想主题教育，发挥区直机关基层党组织战斗堡垒作用和党员先锋模范作用，推动主题教育走深走实。履行主体责任，建立健全意识形态工作责任制，规范党员网络言行，杜绝“低级红”“高级黑”。对区委直属机关工委直属的88个基层党组织进行全覆盖调研督查，督促各单位党组织建立并执行“第一议题”制度，引导区直机关党组织完善重温入党誓词、入党志愿书以及党员过“政治生日”等政治仪式。

【机关党的思想建设】 2023年，区委直属机关工委引导区直机关党组织

2023年6月28日，区委组织部、区委直属机关工委为30个“区直模范机关”授牌（区委直属机关工委 供图）

学习宣传贯彻党的二十大精神，抽调区直机关基层骨干组成宣讲队，深入区直机关党组织开展党的二十大精神进机关宣讲30场，听众678人次。落实理论学习中心组列席旁听制度，完成42个区级部门党组织理论学习中心组学习列席旁听。利用“学习强国”、重庆干部网络学院等平台，组织区直机关党员参加“学思想 强党性 共奋斗”知识挑战赛和“学习新思想 奋进新征程 建设新重庆”微宣讲活动，督促区直机关党员加强学习，确保在思想上政治上行动上同党中央保持高度一致。

【机关党的组织建设】 2023年，区委直属机关工委以建设模范机关为总牵引，建设“七个机关”（政治机关、学习机关、创新机关、服务机关、效能机关、绿色机关、清廉机关），打造新时代“红岩先锋”变革型组织，做到“总书记有号令、党中央有部署、市委有要求、长寿见行动、机关作表率”。修订完善《长寿区直机关基层党建工作标准规范》，明确“四强党支部”建设标准，引导区直机关党组织争创“红岩先锋·四强党支部”。制定印发基层党组织党建活动经费管理办法，常态化整顿软弱涣散基层党组织。建立区委直属机关工委工作模块，系统梳理机关党建核心业务流程，完善核心业务构架图、业务事项编目表，为“红岩先锋智慧党务”平台上线使用、实现工作流程数字化作准备。落实《中国共产党党和国家机关基层组织工作条例》精神，推行区直机关党支部书记由所在单位党员主要负责人担任，覆盖率100%。落实“三会一课”、主题党日、组织生活会等制度，实施主题党日方案、信息备案制度，采编主题党日优秀案例供各党支部参考。组织开展党务干部业务培训3期，依托小平干部学院、四川省攀枝花市三线干部学院开展党务干部能力提升专题培训2期，培训机关党务干部440人次。“七一”前夕，区委组织部、区委直属机关工委命名首批30个区直模范机关。

【机关党的作风建设】 2023年，区委直属机关工委推进党建和业务深度融合，引导区直机关带头形成党建统领问题管控机制，构建党建和业务纵向贯通、横向联动、高效协同发展，探索推进“党建+重点项目”“党建+一流营商环境”“党建+职能目标”模式。组织区直机关党员干部深入企业提供项目、资源、政策等方面帮助，建立174个小区党员志愿者服务微信群，2000余名区直机关党员自愿加入志愿者队伍，参与小区治理。推动落实区直机关领导班子成员建立基层联系点，深化城乡基层党组织结对共建和在职党员到社区报到，通过共上党课、共办主题党日、共商发展难题、共建党建阵地、共开组织生活会、共评党员等，帮助村、社区解决实际问题，将区直机关的组织、资源、人才等优势转化为以基层党建引领基层治理的工作效能。

【机关党的纪律建设】 2023年，区委直属机关工委以“亲清机关·勤廉干部”为主题，推进清廉机关建设，选取长寿经开区机关、区委党校、区科技局、区审计局、团区委5个区直机关，菩提街道、云台镇2个镇街作为试点单位，实施“5+2”试点示范工作。牵头负责对区直机关、镇街党政机关的清廉机关建设工作进行指导、调度和评价，向区直机关及镇街机关印发《关于开展清廉机关建设试点示范的工作方案》，将镇街机关和区直机关的清廉机关建设同谋划、同部署、同安排、同督导、同评价，形成镇街机关与区直机关统筹安排、协同推进、互促共建的局面。要求全区各机关统一落实《清廉机关建设暨政治生态评价指标体系》共性指标，镇街根据基层治理等方面要求，完善其个性指标供单独评价。指导区直机关党组织梳理排查廉政风险重点，完善廉政风险防控措施，加强廉政教育提醒，运用好监督执纪“第一种形态”。围绕巡视巡察、党纪处分、干部选拔任用等工作，办理巡察部分单位机关党建方面存在问题回复1份，党纪处分征求意见回复1份，回复人事任用廉政意见1份。 （田 盛）

网络安全和信息化

【概况】 2023年，中共重庆市长寿区委网络安全和信息化委员会办公室（简称区委网信办）贯彻落实习近平总书记关于网络强国的重要思想，加强网络安全管理。全年检查网站平台48次，整改网络安全高危漏洞32个，举办网络安全宣传周活动375场。

【网络综合管理】 2023年，区委网信办开展“清朗”系列专项行动，依法整治“饭圈”乱象、网络沉迷、网络水军、流量造假、网络“黑公关”等突出问题。加强网络平台管理，检查网站平台48次，依法关停假冒网站1个，行政约谈负责人1次。加强行业从业人员管理，开展新闻记者专题培训会2次，指导区融媒体中心开展互联网新闻许可证年审。指导开展网络公益活动30场次。开设“网信长寿”辟谣专区，发布转载辟谣信息20条，开展群圈辟谣500余次。

【网络安全保障】 2023年，区委网信办对全区党政机关网站、信息系统开展常态化网络安全扫描，发现整改网络安全高危漏洞32个，发出《责令限期整改通知书》42份。建立网络安全工作通报制度，每季度就各相关单位网络安全工作落实情况进行通报。开展网络安全工作责任制监督检查，对区教委、区卫健委、区大数据发展局等8家单位网络安全工作责任落实情况开展专项检查，发现整改问题15个。

【网络安全宣传】 2023年，区委网信办举办网络安全宣传周活动375场，发放宣传资料2.6万份，制作《你安全吗》等宣传短视频3个，覆盖10万余人次。开展网络安全应急演练和网络安全工作专题培训，200余人参训。开设“网信普法”专栏，宣传网络安全法等法律法规，刊载网络安全宣传文章113篇。

【网络阵地建设】 2023年，区委网信办建立健全央媒、市媒、区媒、商业平台、自媒体“五媒联动”和报（台）、网、端、微、屏“五端融合”的全媒体传播格局。推动移动新媒体旗舰平台建设，构建起以“人人长寿”APP、长寿电视台、《长寿日报》、长寿新闻网、《长寿手机报》、长寿日报微信公众号、“长寿之声”广播电台（FM91.1）、长寿手机台、“长寿融媒”抖音号、“长寿日报”视频号、“人人长寿”头条号、长寿发布“十二位一体”的全媒体矩阵。打造长寿文化、长寿圈、今日长寿等属地具有影响力的社会网络媒体，共同唱响长寿好声音，传播正能量。

【网络信息化建设】 2023年，区委网信办推进网络信息化建设，实施“机器换人、智能化减人”工程，推动55家企业完成智能化改造、35家企业上云平台，建成国家级两化融合贯标企业40家、智能工厂6家、数字化车间51个。创建重庆市电子政务云平台同城双活数据中心，获重庆市电子政务云平台“两地三中心”授牌，并纳入全国一体化算力网络成渝国家枢纽节点城市数据中心布局。联合制定《重庆市长寿区贯彻落实〈数字乡村发展行动计划（2022—2025）〉任务分工方案》，打造中国西部数谷。

（曾洪伟）

老干部工作

【概况】 中共重庆市长寿区委老干部局（简称区委老干部局）是区委主管离退休干部工作的机关。2023年，被纳入区委老干部局服务管理的离退休干部1250人，其中离休干部9人，市管退休干部55人，区管退休干部1074人，原县管实职科级退休干部112人。

【离退休干部党的建设】 2023年，区委老干部局开展老干部政治理论学习8次，传阅重要文件45份，组织老干部代表参加全区学习宣传贯彻党的二十大精神和主题教育动员、区情通报等重要会议6次。局领导带队到区卫生健康委、区经济信息委、新市街道等单位调研指导老干部工作，选派年轻干部到各离退休干部党支部开展党建指导和理论宣讲48次，引导老干部听党话、跟党走。选派15名离退休干部党支部书记参加全市离退休干部党建工作示范培训班，区委老干部局组织开展支部书记、委员党务培训和党建联络员、老干部工作者业务培训，以基层组织建设、党员教育管理、党务基础工作为重点，参训人员200余人次。印发《2023年全区老干部工作要点》，明确分级负责、分期分批开展离退休干部党建培训的工作要求；利用离退休干部党支部书记、老干部联络员微信群每月转发学习参考、推送学习资料；结合离退休干部工作、红岩青松微信公众号、“学习强国”等线上平台开展日常教育培训。

【离退休干部服务管理】 2023年，区委老干部局落实离休干部“一人一策”和特殊困难帮扶等制度，安排专项经费5万元为离休干部提供送医上门、家政保洁、后勤保障等服务，全年帮助就医就诊8人次，走访慰问11人次，为企业离休干部据实报销医药费37.34万元；全年开展特殊困难帮扶工作2次，向82名特殊困难老干部进行暖心帮扶，发放帮扶资金24.75万元；对接区委组织部、区人力社保局和区财政局开展“建初干部”（新中国成立初期参加革命工作的干部）生活补贴调标工作，落实企业“建初干部”生活补贴及医疗补贴。区领导在元旦春节、重阳、“七一”等节日带队走访慰问老干部。区委老干局在重阳节、春节开展暖心慰问，全年发放慰问金243.32万元。举行重阳节集体祝寿活动，为183名“逢九满十”的老干部购买精品礼物，共庆“集体生日”。开展送健康、送服务、送快乐“三送活动”，提升老干部晚年生活品质。保障碧园社区和凤岭路社区“四就近”工作经费，安排社区工作人员为老干部代购物资、帮办急事。开展全市老干部学习活动示范阵地创建，聘请重庆旅游与文化研究院对老干部学习活动阵地开展设计打造，设置支部书记工作室、“五老”工作室、理论学习驿站、荣誉退休室等功能室，加强党建引领，推动阵地建设提档升级。老年大学开设太极拳、书法、声乐等11个专业49个班次，全年招收学员3500余人次。

【离退休干部作用发挥】 2023年，区委老干部局引导老干部讲好初心故事。区人大、区政协组织老干部参与社区党建，讲好入党故事引导年轻党员坚定理想信念；洪湖镇退休支部党员进村入社宣传先进典型，用樊崇敞老党员的故事感染大家学习先进、见贤思齐。健全“党建带关建”机制，区委老干部局、区关工委倡导老干部参与各级关工委工作，“五老”宣讲团全年开展爱国主义教育巡讲和法治进校园活动206场，受教育学生4万余人次；开展“中华魂”（毛泽东伟大精神品格）主题教育，收集优秀征文543篇；落实帮困助学专项经费17.5万元，为132名学子点亮心愿、助学圆梦。分级分类建立“银发人才”库，发现、收集老干部中科、教、文、卫等方面的专家。新市街道组织老干部助力老年学校建设和文艺下乡活动，为农村老人带去多彩生活；区农业农村委、区畜牧兽医事务中心等20余个退休党支部开展乡村振兴建言活动，收集意见建议80余条。组织老干部代表参与成渝地区双城经济圈建设座谈会，老干部建言献策15条。区法院、区公安局老干部深入社区义务普法，开展反诈宣传12次；双龙镇、云台镇等10余个街镇成立老干部乡风文明宣传队，为美丽乡村建设献智出力；区纪委监委老干部担任楼栋长，参与矛盾调解；洪湖镇老干部连续10年开展爱心帮扶志愿活动，助学助困、助残就业、转化失足青年200余人次。（何　杰）

保密工作

【概况】　2023年，长寿区建立健全涉密文件管理制度、国家秘密和工作秘密管理制度、脱密人员管理制度，将保密工作纳入督查、巡察和考核体系。对习近平总书记关于保密工作的重要讲话、重要指示批示精神和党中央关于保密工作的决策部署以及市委、市委保密委关于保密工作的工作安排，均第一时间在区委常委会或区委保密委员会全体会议上传达学习，研究提出落实举措。区委常委会12次研究部署保密工作，推动各级各部门各领域落实保密工作责任制，守住“零泄密”底线。区委主要领导对保密工作作出指示2次，并亲自协调解决保密工作领域重大问题。

【保密宣传教育】　2023年，长寿区将保密教育作为区委党校干部教育培训必学课程。分批次组织相关人员参加市保密教育实训平台培训。“4·15”期间，组织发放张贴保密宣传海报6000余张，悬挂保密宣传标语100余幅，在广场、商圈等人员密集场所和机关、村（社区）办公楼利用LED屏幕持续1周播放保密公益宣传片。

【保密监督管理】　2023年，长寿区对19个街镇和14个区级部门从保密体系建设、工作责任制落实等5个方面进行保密检查，检查互联网电脑，对发现的问题限期进行整改。建立完善对借用、聘用等涉密人员的管理制度，组织全区涉密人员签订保密承诺书及渝快政使用管理保密承诺书。

【保密服务保障】　2023年，区委办公室与区公安局、区教委、重庆化工职业学院等单位协作，共同制定实施高考、成人高考、国家英语等级考试、教师招录等国家教育考试保密工作方案，按照保密要求管理和使用试卷，对区教委、重庆化工职业学院试卷保密室和高考考场开展保密检查27次，所有考试均未发生失泄密事件。

（区委办公室）

党校工作

【概况】　2023年，中共重庆市长寿区委党校（简称区委党校）将习近平新时代中国特色社会主义思想和党的二十大精神作为主业主课纳入全年培训规划，从政治共识教育、文化认同教育、能力素质培养等方面开展培训。完善学员管理制度，构建多维度考核评价体系。围绕区委、区政府中心工作开展理论研究，撰写理论文章、调研报告37篇。围绕学科建设，组织开展教研活动，组织集体备课24次。全年干部培训、科研资政以及开放教育等方面，在重庆各区县同类学校中处于第一梯队。

【干部培训】　2023年，区委党校承办各类培训班30期，培训干部2876人次。其中，组织部调训主体班11期484人，党的二十大精神专题研讨班4期859人，其他专题班15期1533人次。学校教师到各部门、街镇、社区、企业宣讲习近平新时代中国特色社会主义思想、党的二十大精神共23场次，受训干部2520人次。按照区委统战部统一战线教育培训相关安排，全年培训学员120人。协助区委统战部举办1期统战系统干部学习贯彻习近平新时代中国特色社会主义思想培训班，组织48名统战干部赴厦门大学学习1周。牵头举办1期为期1个月的民主党派、知联会和新专联骨干成员培训班，培训学员72人，邀请市委统战部、市社会主义学院、市委党校专家教授围绕习近平新时代中国特色社会主义思想和党的二十大精神、中央统战工作会议精神、《中国共产党统一战线工作条例》、市委六届三次全会精神、统战意识形态、网络统战和数字化管理等专题授课，并组织学员到长寿经开区企业调研数字化管理和新材料产业发展情况。

【教学管理】 2023年，区委党校根据教学对象分设专题，满足不同层级、不同领域学员的培训需求。修订完善主体班《学员临时党支部（班委会）制度》《学员党性锻炼实施办法》《学员学习管理制度》《学员重大事项报告请示制度》《学员考勤及请销假制度》《学员考风考纪若干规定》等10余项学员管理制度。制定完善《主体班学员量化考核管理实施细则》，将“软任务”量化细化成具体可行的“硬指标”，进行量化赋分。构建入学情况、学习表现、结业考试、调研资政报告、学风建设、学校评价和加分项等多个维度的考核评价体系，学习培训全过程根据学员具体表现进行加减分，实现学习培训激励和约束并重的多维度全方位量化管理。年内，落实领导干部讲课总课时占比不低于20%的要求，区人大常委会主任、区政协主席、区纪委书记监委主任、区政府副区长等区领导10人次到主体班授课。培训班教学开设“微课堂”“班级交流”“学员讲堂”，让学员“变身”教师走上讲台，实现教学相长。强化现场教学，新增杨克明故居与长寿区博物馆党性教育现场教学基地。组织1个月以上班次的学员开展党性分析，确保党性教育课程不低于总课时的20%。

【科研资政】 2023年，区委党校按照“地方出题、科研解题”的思路，紧扣区委、区政府中心工作开展理论研究，发挥科研资政作用。组织教师撰写理论文章、调研报告37篇，19篇获奖。其中，《深化成德眉资同城化发展的路径研究》入选川渝蓉党校（行政学院）系统“学习贯彻党的二十大精神推动成渝地区双城经济圈高质量发展”学术研讨论文集，与会教师作为重庆党校系统的代表之一作大会发言，发言内容被《学习时报》刊登，实现科研成果上中央党校报刊零的突破。通过《领导参阅》上报资政报告60篇，其中30篇资政报告获区长、区政协主席等多名区领导肯定性批示，1篇资政报告在全市党校（行政学院）系统第三片区协作组第一届资政工作经验交流会上获一等奖。发表论文13篇，其中3篇理论文章入选全市党校（行政学院）系统“学习贯彻习近平新时代中国特色社会主义思想和党的二十大精神”理论研讨会论文集，1篇入选江苏省习近平新时代中国特色社会主义思想研究中心中国矿业大学基地高端学术论坛2023暨中国式现代化与中国道路学术研讨会，1篇入选“山东社科论坛2023——中国共产党历史使命与中国式现代化”。课题结项13个。

【师资队伍建设】 2023年，区委党校组织教师123人次，参与中干院基层干部培训师资网络集中培训、全市党校系统骨干师资能力提升专题培训、全区“3113”项目攻坚行动计划专题培训、数字大讲堂系统培训以及南京大学、湖南大学等高校专题培训。通过“以赛促教”，选派青年教师参加宣讲比赛活动，提升青年教师教学能力。通过“以讲促教”，选派6名骨干教师走进社区讲党课，提高教学水平。组织党员教师到区土地勘测规划院、长寿中学、农行长寿支行、工商联、渡舟街道等单位宣讲习近平新时代中国特色社会主义思想、党的二十大精神14场次，受众2670人次。微党课《乡村振兴的“慢”思考》被市委宣传部评为2023年度全市优秀理论宣讲微视频。通过“以炼促教”，选派2名青年教师在市委党校挂职锻炼。

【教研成果】 2023年，区委党校集体备课24次，组织骨干教师帮助2位新任教师打磨出主体班专题课《扎实推进共同富裕》《伟大建党精神》，两门课程在党校（行政院校）系统第三片区第五届精品课赛课活动中均获二等奖。选派青年教师参加各类师资培训以及主体班跟班学习。结合社区教育开发微党课4门。其中，《重庆全面推进乡村振兴的“慢”思考》在全市“开大公开课”微视频评选中获二等奖。区社会主义学院向市社会主义学院申报的《网络空间铸牢中华民族共同体意识的路径研究》《民营企业担当社会责任促进共同富裕的实践路径研究》《新乡贤统战助力乡村振兴问题探究》等5项课题获市社院立项，当年全部结项，其中1个课题获得优秀等次，2个课题获得良好等次，2个课题合格。组织5名教师申报市社会主义学院课程项目开发，教师李文阳开发的统战课程《从华夏到中华：中华民族融合发展简史》被市社院评为优秀等次。

【交流协作】 2023年，区委党校持续强化交流协作。创建哲学（马克思主义中国化）、党史党建学科小组，加大专业培养力度。对接市委党校哲学教研部，通过邀请教授到长寿指导授课等方式，提高学科建设水平。围绕学科建设，组织开展教研活动，提高主业主课水平。（何　莲）

党史工作

【概况】 2023年，中共重庆市长寿区委党史研究室（简称区委党研室）挖掘长寿红色文化、地方特色文化资源，服务书香城市、长寿山文化公园、“廉洁文化建设”等“3113”项目攻坚行动计划特别重大项目。开展中共中央西南局红色资源专题调研，形成《关于长寿区中共中央西南局红色遗址的调研报告》。会同市委党史研究室等部门调研杨克明故居、林庄学堂、韩子重旧居、程谦谋旧居、长寿合作金库旧址等红岩英烈革命遗址遗迹，推动杨克明故居陈列馆、长风三线建设展览馆被命名为市级国防教育基地。在“人人长寿”全媒体开辟《追寻红色足迹　感悟光辉历程》专栏，宣传长寿红色文化资源。开展党史类题材审读工作，坚持以党关于历史问题的三个决议和党中央有关精神为依据，审读《长寿湖六角亭片区景观提升设计方案》《长寿区部分著名革命烈士简介》等文稿材料。为区纪委、区委宣传部、区委统战部等单位提供相关党史资料。

【资料征集】　2023年，区委党研室围绕长寿党组织建立、红岩英烈等到武汉、涪陵、垫江等地开展党史资料征集，征集到档案、资料150余页。征集到长寿第一位共产党员、长寿党组织创建者李一谔照片、武昌师范大学通讯录、发表文章3篇，征集到长寿牺牲最早的共产党员宋继武档案资料5篇，以及长寿籍红岩英烈程谦谋烈士日记《泪与剑》等党史资料。

【编研成果】　2023年，区委党研室以大事记形式梳理和记录长寿区各级党组织领导全区干部群众开展的各项重要活动、重大事件等；开展党史资政研究，形成《关于中国共产党长寿建党历史的再考察和新发现》《关于长寿区民营经济高质量发展研究》等资政文章，其中《关于长寿区民营经济高质量发展研究》获2023年度社科调研课题二等奖。

【宣传教育与服务】　2023年，区委党研室联合区融媒体中心推出《追寻红色足迹　感悟光辉历程》专栏，连续刊登介绍长寿区有代表性的革命遗址遗迹12处，传承红色基因，赓续红色血脉。传播长寿红色文化，区委党研室干部职工自编、自导、自演情景剧《续红岩精神　谱寿乡华章》，再现长寿籍红岩英烈韩子重进步成长、为新中国献身的革命事迹，该情景剧在“学习新思想　奋进新征程　建设新重庆”区直机关选拔赛中获特等奖，在长寿区2023年微宣讲决赛中获二等奖。（区委党研室）

2023年6月28日，区委党研室编排的情景剧《续红岩精神　谱寿乡华章》在长寿区机关服务中心会议室演出（区融媒体中心　供图）

关工委工作

【概况】　2023年，长寿区关心下一代工作委员会（简称区关工委）以“立德树人”为目标、“培育和践行社会主义核心价值观”为主线、“急党政所急、想青少年所需、尽关工所能”为中心开展关心下一代工作。全区有关工委组织369个，其中区级1个，街镇19个，行政村267个，学校55个，区级部门2个，园区2个，企业23个。区关工委成员单位29个。

【关爱队伍建设】　2023年，区关工委调整充实区“五老”工作团成员，制定“五老”工作团管理办法，明确职能职责，落实工作任务。指导江南街道、新市街道、龙河镇、洪湖镇等关工委组建“五老”工作团和志愿者队伍。至年末，全区从事关心下一代工作的“五老”志愿者队伍239人。

【青少年法治教育】　2023年，区关工委组织“五老”法治宣讲团成员联合公检法司专业讲师团成员、街镇法治宣讲团成员、法治副校长、法治宣讲志愿者到学校开展法治宣讲206场，受教育青少年4万余人次。区关工委为中小学校征订《青少年法治教育》读本2740册、法治宣传挂图61套、《青少年与法》400册。

【“中华魂”主题教育演讲比赛】　2023年11月，区委宣传部、区关工委、区教委、团区委在区青少年活动中心、实验一小童话剧场，联合举办“中华魂”（毛泽东伟大精神品格）主题教育读书活动小学组、中学组、青年组的演讲比赛。区委宣传部、区关工委、区教委、团区委有关领导出席活动。学校、部门、街镇、园区、医

2023年8月23日，长寿区关工委2023年帮困助学优秀大学新生助学金发放仪式在龙河镇慢城保合村举行　　（袁志龙　摄）

院的93名青少年选手参加比赛，评出一等奖24名、二等奖24名、三等奖31名、优秀奖14名。

【家长学校】　2023年，长寿区共有家长学校322所，开展家庭教育讲座2085场，受教育家长4万余人次。年内，区关工委向葛兰中学、渡舟中心校、双龙中心校资助6万元购买“三宽家庭教育学校”教育网课136节，帮助学生家长能在网上家长学校学习培训教育孩子理念和技巧；组织法治宣传教育团、心理健康教育团、家教家风家训教育团到学校、院坝宣讲家庭教育促进法、未成年人保护法、预防未成年人犯罪法，开展孝道文化、红色文化、传统文化宣传教育活动40余场。

【“五老”关爱帮扶】　2023年，区关工委组织“五老”工作团成员到学校作理想信念宣教报告100余场，受教育学生3万余人次；开展金秋助学，向30名大学新生发放助学金10万元；协调园区、小康动力、慈善会捐助资金8万元开展关爱活动；投入经费6万元，对云集、龙河、云台、海棠4个街镇的留守儿童、困难儿童开展“帮困助学百名学子”新年心愿兑现活动，向10户家庭经济特别困难的学生发放助学金1万元。街镇关工委“五老”工作团成员进校入村作教育宣讲报告23场，受教育学生5000余人；洪湖、龙河等街镇关工委、志愿者开展助学奖学活动和留守儿童、困境儿童帮扶慰问活动。　（刘小兰）

2023年11月29日，区委宣传部、区关工委等部门在区实验一小古镇校区联合举办“中华魂”（毛泽东伟大精神品格）主题教育演讲比赛　　（王志祥　摄）

重庆市长寿区人民代表大会

综　述

2023年，长寿区有两级人大组织，包括区人民代表大会及其常务委员会，12个镇人民代表大会，区人大常委会在7个街道设立人大工作委员会。全区有三级（市、区、镇）人大代表1192人，其中市人大代表22人，区人大代表312人，镇人大代表858人。区第十九届人民代表大会设监察和法制委员会、财政经济委员会、教育科学文化委员会、社会建设委员会4个专门委员会。区十九届人大常委会组成人员34人，其中主任1人，副主任5人，委员28人。区人大常委会下设办公室、人事代表工作委员会、城乡建设和环境保护工作委员会、财政预算工作委员会、信访办公室、法制工作委员会6个工作部门。重庆市长寿区人民代表大会常务委员会（简称区人大常委会）坚持每周一集中学习制度，跟进学习习近平总书记系列重要讲话和重要指示批示精神。全区各级人大全年举办习近平新时代中国特色社会主义思想学习研讨19次，开展专题调研29项，形成制度性成果7项。牵头围绕西部陆海新通道建设、培育服务市场主体、提升基层医疗服务能力、全过程人民民主基层实践、稳定就业、城市生活垃圾分类等开展专题调研，撰写调研文章56篇，四项机制提升代表建议办理质效等6篇信息获市人大常委会领导批示，发展中药材产业、从税费收取看经济运行等26项政策建议获区委、区政府领导批示。

助推重大战略实施，区人大常委会作出推动成渝地区双城经济圈和西部陆海新通道建设的决定，分别同广安市人大、彭州市人大签订协同助力成渝地区双城经济圈建设合作协议，与毗邻6区县人大签署明月山绿色发展示范带建设合作备忘录，参加梁平、达川两地举办的明月山区县人大常委会主任联席会，召开长寿邻水毗邻乡镇人大联席会，共同推动双城经济圈建设。聚焦西部陆海新通道建设，联合广安、合川人大共同呼吁广涪柳铁路、合广长高速、城宣大邻高速等互联互通项目加快落地，会同广安人大开展联合视察调研，从通道运行、枢纽建设、经贸发展等方面提出工作建议。

推动“两地一城”建设，区人大常委会主要领导担任中国长寿生命科学城专项指挥部指挥长，全年召开指挥长会及专题会58次，启动编制各类规划32个，外出考察招商30余次，同上汽集团、青岛琅琊台等30多家单位签订合作协议，协议引资151.9亿元。实施特别重大项目33个、年度建设项目69个，完成投资68亿元。区人大常委会5位副主任牵头推进幸福长寿示范区建设、自然长寿品牌打造、全民运动健康长寿、上汽集团云计算中心及西南地区研发运营总部项目、数字底座及场景开发、书香城市建设等多个特别重大项目，区人大代表、人大机关干部以服务专员等身份直接参与重大项目建设。

重要会议

【概况】 2023年，区人民代表大会召开会议1次，区十九届人大常委会召开常委会会议7次。

【区人民代表大会会议】 2023年2月17—20日，区十九届人民代表大会第三次会议在区科技文化中心召开。会议应到代表311人，实到代表300人。大会听取和审议区人民政府工作报告、区人大常委会工作报告、区人民法院工作报告、区人民检察院工作报告；审查和批准长寿区2022年国民经济和社会发展计划执行情况与2023年国民经济和社会发展计划草案的报告，批准长寿区2023年国民经济和社会发展计划，审查和批准长寿区2022年预算执行情况和2023年预算草案的报告，批准2023年区级预算；审议《区人民代表大会议事规则（草案）》，听取和审议区人民政府关于《中国长寿城全域空间战略规划及重点项目库设计》的报告、区人民政府关于《长寿区国土空间生态保护修复规划》的报告。大会收到代表建议369件。

【区人大常委会会议】 区十九届人大常委会第九次会议 2023年2月6日在机关服务中心召开。会议听取审议区人大常委会主任会议关于提请审议接受程涛辞去重庆市长寿区第十九届人民代表大会代表职务的议案，听取审议区人民政府提请的人事任免议案，审议区人大常委会代表资格审查委员会关于个别代表的代表资格的报告。

区十九届人大常委会第十次会议 2023年4月4日在机关服务中心召开。会议传达学习全国两会精神，听取审议区人大监察和法制委关于规范性文件备案审查工作报告。听取审议区人民政府关于行政执法工作情况、2022年度环境状况和环境保护目标任务完成情况、2021年度区级预算执行和其他财政收支审计查出问题整改情况的报告，听取审议区人民政府关于提请审议2023年第一批新增政府债券分配方案的议案，听取审议区人大常委会主任会议关于提请审议接受陈显明辞去长寿区人大财经委主任委员职务的议案、关于提请审议接受陈发奇辞去长寿区十九届人民代表大会代表职务的议案，听取审议区人大常委会主任会议、区人民政府提请的人事任免议案，审议区人大常委会代表资格审查委员会关于个别代表的代表资格的报告。

区十九届人大常委会第十一次会议 2023年5月31日在机关服务中心召开。会议听取审议区法院关于“一站式”多元解纷工作报告、关于提请审议2023年第二批新增政府债券分配方案的报告、关于《长寿区国土空间分区规划（2021—2035）》情况报告，审议并通过区人大常委会主任会议关于《区人大常委会关于加强经济工作监督的实施办法（草案）》，听取审议区人民政府、区人民检察院提请的人事任免议案，审议区人大常委会代表资格审查委员会关于个别代表的代表资格的报告。

区十九届人大常委会第十二次会议 2023年7月28日在机关服务中心召开。会议听取审议区人民政府关于全区2023年上半年国民经济和社会发展计划执行情况的报告、关于2023年上半年预算执行情况的报告、关于2022年政府债务情况的报告，关于2023年一般债券、第三批专项债券分配和2023年第一批债券调整方案的报告，听取审议区人民政府、区人民检察院提请的人事任免议案，决定任命李佳为重庆市长寿区人民政府副区长。

区十九届人大常委会第十三次会议 2023年9月12日在机关服务中心召开。会议听取审议区人大常委会主任会议关于提请审议《区人大常委会关于推动成渝地区双城经济圈和西部陆海新通道建设的决定（草案）》的议案，听取审议区人民政府关于重庆市长寿区2022年决算草案的报告、关于全区2022年度预算执行和其他财政收支的审计工作报告、关于义务教育督导情况工作报告、关于培育服务市场主体情况报告、关于稳就业工作情况报告，听取审议8名区人大常委会任命人员的履职情况报告，并进行满意度测评。听取审议区检察院关于民事行政检察工作报告，听取审议区人大常委会主任会议、区监察委员会提请的人事任免议案，听取审议区人大常委会主任会议关于提请审议接受王舰辞去重庆市长寿区第十九届人民代表大会代表职务的议案，审议区人大常委会代表资格审查委员会关于个别代表的代表资格的报告。

区十九届人大常委会第十四次会议 2023年11月29日在机关服务中心召开。会议听取审议区人民政府关于提请审议国民经济和社会发展第十四个五年规划和二〇三五年远景目标纲要实施情况中期评估报告的议案、关于2022年度国有资产管理情况的报告、关于2022年度企业（含金融企业）国有资产管理情况的报告、关于提请审议2023年区级预算调整方案（草案）的议案、关于区十九届人大三次会议代表建议办理情况的报告，听取区人大常委会各街道工委工作报告，听取部分市人大代表履职情况报告，听取审议区人大常委会主任会议关于提请审议接受潘正庆辞去区第十九届人民代表大会代表职务的议案，听取审议区人大常委会主任会议、区人民政府、区人民法院、区人民检察院提请的人事任免议案，审议区人大常委会代表资格审查委员会关于个别代表的代表资格的报告。

区十九届人大常委会第十五次会议　2023年12月28日在机关服务中心召开。会议听取审议区人大常委会主任会议关于提请审议《关于召开区十九届人民代表大会第四次会议的决定（草案）》的议案，审议区人大常委会工作报告（审议稿），审议区人大各专委会工作报告（审议稿），听取审议区人民政府关于《中国长寿城全域空间战略规划》执行情况的报告、关于《长寿区国土空间生态修复规划》执行情况的报告，听取审议区人大常委会主任会议、区人民政府提请的人事任免议案，决定任命郑钦予为重庆市长寿区人民政府副区长，决定免去卓大林的重庆市长寿区人民政府副区长职务，审议区人大常委会代表资格审查委员会关于个别代表的代表资格的报告。

重大事项决定和人事任免

【概况】　2023年，区人大常委会依法行使任免权，对重要事项依法作出决议决定12项，任命干部39人次。

【重大事项决定】　2023年，区十九届人大三次会议作出批准《中国长寿城全域空间战略规划》《长寿区国土空间生态保护修复专项规划》的决议。区人大常委会会议，作出关于批准2023年长寿区第一批新增政府债券分配方案的决定、关于推动成渝地区双城经济圈和西部陆海新通道建设的决定、关于批准2023年长寿区第二批新增政府债券分配方案的决定、关于批准2022年区级决算的决议、关于批准2022年区级决算的决议、关于召开重庆市长寿区第十九届人民代表大会第四次会议的决定。

【人事任免】　2023年2月6日，区第十九届人民代表大会常务委员会第九次会议决定任命：戚谊熙为区住房和城乡建设委员会主任；陶颖为区城市管理局局长；程涛为区统计局局长；余勇为区人民政府研究室主任；张斐为区招商投资促进局局长。决定免去：唐贤明的区住房和城乡建设委员会主任职务；刘勇的区城市管理局局长职务；陶中荣的区统计局局长职务。

4月4日，区第十九届人民代表大会常务委员会第十次会议决定任命：曹友树为区国有资产监督管理委员会主任。决定免去：陈小钢的区国有资产监督管理委员会主任职务。免去：陈显明的区人民代表大会财政经济委员会办公室主任职务；陈大强的区人民代表大会城乡建设环境保护工作委员会副主任职务。

5月31日，区第十九届人民代表大会常务委员会第十一次会议决定任命：胡勇为区水利局局长；唐红伟为区林业局局长。决定免去：贺楠的区林业局局长职务。免去：韩为民的区人民检察院检察委员会委员、检察员职务。

7月28日，区第十九届人民代表大会常务委员会第十二次会议决定任命：李佳为区人民政府副区长。任命：乔璟璟为区人民检察院检察委员会委员。

9月12日，区第十九届人民代表大会常务委员会第十三次会议任命：王舰为区监察委员会副主任。免去：王舰的区人大常委会凤城街道工作委员会主任职务；唐红伟的区监察委员会副主任职务。

11月29日，区第十九届人民代表大会常务委员会第十四次会议决定任命：王涛为区人民政府办公室主任；张常宝为区教育委员会主任；樊飞为区交通局局长；江翊萍为区机关事务管理局局长。任命：王世平为区人大常委会城乡建设环境保护工作委员会副主任；黎韬为区人大常委会法制工作委员会副主任；雷现平为区人大常委会凤城街道工作委员会主任。决定免去：张常宝的区人民政府办公室主任职务；张新明的区教育委员会主任职务；王涛的区交通局局长职务；樊飞的区机关事务管理局局长职务。免去：黄尤秀的区人民法院审判员职务；李小林、黄龙明、周萍的区人民检察院检察员职务。

12月28日，区第十九届人民代表大会常务委员会第十五次会议决定任命：郑钦予为区人民政府副区长。决定免去：卓大林的区人民政府副区长职务。免去：罗耀的区人大常委会晏家街道工作委员会主任职务。

专项监督调研

【概况】　2023年，区人大常委会听取和审议工作报告30项，专题主任会议听取工作情况汇报19项，开展执法检查5项、专项视察6次、专题调研56项。

【专项监督】　2023年，区人大常委会开展经济运行工作监督，突出稳进增效工作导向，听取审议“十四五”规划和二〇三五年远景目标纲要中期评估、计划和预算执行、决算、审计、政府债务、企业国有资产管理、培育服务市场主体等专项工作报告；听取经济指标、税务、金融、数字化改革、春耕备耕、重要农产品稳产保供、高标准农田改造等情况，每季度组织市区人大代表视察“3113”重大项目建设，督促政府做好稳增长各项工作。参与预算公开评审，审减资金3145万元，提出评审意见70条，推动预算绩效管理提质增效。开展全面依法治区工作监督，听取审议区人民政府行政执法、区人大监察和法制委规范性文件备案审查专项工作报告，开展涉信用惩戒条款规范性文件专项清理审查、镇级规范性文件集中清理研判；开展大气污染防治法执法检查，对特种设备安全法、《重庆市养犬管理条例》等5部法律法规开展执法检查；听取审议区法院“一站式”解纷、区检察院民事行政检察专项工作报告。组织开展《重庆市人大常委会关于促进和保障长江流域禁捕工作的决定》执法检查，协助市人大开展特种设备安全法执法检查。开展社会治理工作监督，听取审议《中国长寿城全域空间战略规划》《长寿区国土空间生态保护修复专项规划》执行情况、2022年度环境状况和环境保护目标任务完成情况、城市管理工作情况。听取审议稳就业、义务教育督导情况，听取镇街卫生院运行情况。听取全民反诈、打击跨境赌博、禁毒工作、赡养案件审理情况，组织市区人大代表视察基层治理指挥中心、基层法庭和派出所。听取环境保护、社会保障、食药品监管、综合应急救援、城市污水管网运行、物业管理等工作汇报，开展视察，督促有关方面受理群众来信来访49件，推动信访案件化解。

【专题调研】 2023年，区人大常委会领导牵头围绕西部陆海新通道建设、培育服务市场主体、提升基层医疗服务能力、全过程人民民主基层实践、稳定就业、城市生活垃圾分类等开展专题调研，建立问题清单，推动调研成果转化。组织开展税费征管、专项债券使用、笼养蛋鸡产业发展、科技创新工作情况、长寿港运行情况调研，推动全区产业发展。开展城区污水管网建设运行情况、城区交通堵点纾解情况调研，推动城市品质提升。开展医养情况、农村饮水保障、社会保障工作、中医药事业发展、红色文化传承保护工作、教师职业道德情况、地方志事业发展、“一庭两所”联动参与基层社会治理情况、社区矫正、家庭教育促进法及实施条例情况等专题调研，推动社会民生事业发展。

人大代表工作

【概况】 2023年，区人大常委会落实市人大常委会关于推行街道议事代表会议制度等四项改革的部署要求，印发关于推行街道议事代表会议制度的实施意见、关于在区人大推行“年中会议制”的实施方案、关于推行镇人大“季会制”的实施意见、关于区级年度民生实事项目人大代表票决制的实施意见。年内，在全区各街道推行街道议事代表会议制度，在双龙、云集试点开展镇人大“季会制”，区十九届人大四次会议票决区级民生实事项目。部分区人大代表列席常委会会议、参加执法检查等活动。

【人大代表履职服务保障】 2023年，区人大常委会分批组织300多名区人大代表赴浙江大学学习生命科学、新材料、大数据、现代农业、文化旅游、人大制度等相关知识，考察借鉴乡村振兴、数字经济、健康产业等先进经验。立足代表履职所需，举办建议写作培训、城乡规划讲座、政策形势报告7期。邀请全国人大代表，与市区人大代表联动开展集中视察活动。将市区镇三级人大代表全部编入代表之家、代表工作站，集中开展活动。在区法院设立4个代表联络点，邀请代表轮流驻点参与案件调解。建立代表履职考核评价机制，评选优秀基层代表20名、优秀代表建议37件。

【“两联一述”制度落实】 2023年，区人大常委会落实“两联一述”制度，34名常委会组成人员联系基层人大代表190人次，区人大代表联系群众8400人次，312名区人大代表提交书面述职报告。168名区人大代表列席常委会会议、参加执法检查等活动。

【“主任接待日”活动】 2023年，区人大常委会开展“主任接待日”活动6次，常委会领导走访接待区人大代表135人次，转交有关部门办理的98件意见建议全部办结回复，龙河高标准农田建设遗留工程，但渡、江南天然气入户等建议得到办理。

议案建议

【概况】 2023年，区十九届人大三次会议收到代表建议369件。实行区领导牵头重点督办、建议办理进度通报等制度，提高建议办理质效，按时回复率100%。其中，区领导牵头督办27件代表建议，促成城区充电桩建设、城镇排水系统工程等民生项目落地见效。建立代表建议与公益诉讼检察建议转化机制，盲道设施改造、污水管网整治等6件建议通过转化为公益诉讼。协助在长市人大代表提出建议35件，推动合广长交通协同发展、加快打造成渝地区双城经济圈区域性物流中心等建议纳入全市规划编制。

【关于加快推进全区新能源汽车智慧型充电基础设施建设的建议】 2023年，区人大代表徐泽明提出《关于加快推进全区新能源汽车智慧型充电基础设施建设的建议》，建议结合长寿区城市发展和机动车发展趋势，制定充电站、换电站等基础设施布点规划，保障充（换）电设施建设用地，加快充换电基础设施项目建设，优化完善新能源汽车与充电基础设施监测平台，加强平台数据应用与商业化运营。该建议由区委书记刘小强督办，区发展改革委主办。区发展改革委编制完成《长寿区综合能源站“十四五”布局规划》，面向各类投资主体公平开放充电基础设施投资，对投资建设充电基础设施实行项目备案制，计划在全区已建成的室外停车场、室内停车场分别增设充电桩1049台、386台。

【关于完善城区生活污水管网建设的建议】 2023年，第二代表团提出《关于完善城区生活污水管网建设的建议》，建议及时编制完善相关规划，实施管网改造工程；加强运行监管，提高污水处理厂建设进度；拓展融资渠道，加大资金投入。该建议由区委副书记、区政府区长戴明督办，区住房城乡建委主办。区政府认真研究办理，完成阳鹤山截污干管工程建设和长寿污水处理厂三期扩建项目，新增污水处理能力4万吨/天。加强污水管网改建，启动城市排水系统和场镇排水系统提质增效工程。对凤城、菩提、渡舟等7个街道排水管网进行精细化普查，发现410处混接点、240千米管网缺陷缺失并制订整改计划。

【关于加快桃东路沿线改造提升的建议】 2023年，第一代表团提出《关于加快桃东路沿线改造提升的建议》，建议由区住房城乡建委牵头，征收事务中心及街道等相关单位配合，尽快启动棚户区改造征迁工作，同步做好道路增宽扩容、绿化改造提升规划设计，提升城市形象。该建议由区人大常委会主任王身高督办，区住房城乡建委主办。区政府认真研究办理，计划投入资金约1.5亿元，实施桃东路沿线房屋征收工作。

【关于建设粮油产业和乡村振兴融合发展示范基地的建议】 2023年，区人大代表黄广泉提出《关于建设粮油产业和乡村振兴融合发展示范基地的建议》，建议结合明月山绿色发展示范带和长垫梁绿色经济走廊建设，整合美丽乡村建设、水库移民扶持、人居环境整治等项目资金，实施小河村美丽乡村建设，开展周边人居环境整治，配套完善粮油基地道路、灌溉设施、数字化建设等。该建议由区委副书记师明萌督办，区农业农村委主办。区农业农村委认真研究办理，完成海棠镇小河村乡村振兴试验示范项目，开展农村厕所革命、农村生活污水治理、农村生活垃圾治理和村容村貌整治提升四项重点工作，实施海棠镇海棠村等5个村农田改造提升项目。

【关于盘活闲置安置房的建议】 2023年，区人大代表余舸提出《关于盘活闲置安置房的建议》，建议结合“3113”项目攻坚行动计划，对成功落地项目可给予一定数量安置房一定年限免费租赁优惠，变闲置劣势为招商优势。结合“十万英才聚长寿”计划，变闲置劣势为吸引人才、留住人才的资源优势。该建议由区委常委、区政府常务副区长卓大林督办，区国资委主办。区政府认真研究办理，探索闲置安置房盘活方式，探索存量企业根据对地方税收贡献大小享受一定数量安置房一定期限免费租赁优惠政策。决定提供邻近长寿经开区的多处公租房、定销房房源，为经开区入园企业提供房源保障。年内，盘活闲置安置房496套。

【关于加大社区养老机构建设工作的建议】 2023年，区人大代表江光群提出《关于加大社区养老机构建设工作的建议》，建议有效地应对老年人口的实际居家养老问题，扩大公立养老机构容量，探索多元化的社会养老服务体系，完善社区居家养老服务监管机制。该建议由区政府副区长刘朝煜督办，区民政局主办。区政府认真研究办理，推动社区居家养老服务全覆盖。年内，争取中央预算内投资4168万元，发行地方债3800万元，对全区公办养老机构进行提档升级，兴隆和鹿坪老年养护院完成主体工程施工。引进3家专业养老机构分别运营晏山、民兴和轻化路社区养老服务站，提供助餐、助洁和康复理疗等专业化社区居家养老服务。至年末，全区建成19个街镇养老服务中心和40个社区养老服务站。（张忠荣）

2023年长寿区领导重点督办区十九届人大三次会议代表建议一览表

表10

序号	建议类别	督办领导	领衔代表（团）	建议题目	承办单位
1	具有全球影响力的新材料高地	冉　洪	唐　凌	关于缓解长寿至晏家早晚高峰时段交通拥堵的建议	区公安局
2		殷湖北	罗　耀	关于实现渝长扩能长寿西立交全互通的建议	区交通局
3		程学明	邹德伟	关于继续加大力度推进晏家至城区快速通道的升级建设的建议	区住房城乡建委
1	世界级运动康养旅游目的地	师明萌	黄广泉	关于建设粮油产业和乡村振兴融合发展示范基地的建议	区农业农村委
2		胡文军	陈　霄	关于逐步建设龙溪河至黄草山十里画廊的建议	区农业农村委
3		李福科	周　兵	关于设立长寿区乡村振兴基金的建议	区财政局
4		汤晓强	黄明惠	关于重点打造长寿明月山　翡翠大洪湖零碳康养、休闲旅游区的建议	区文化旅游委
5		张明万	白腊泉	关于统筹推进农村基层治理水平的建议	区公安局
6		罗建平	尹　红	关于打造梓潼现代农文旅融合乡村振兴示范样板的建议——原中德项目土地合理利用的建议	区农业农村委
7		江发茂	邹红梅	关于布局长寿山文化公园高速路口的建议	区交通局
1	中国长寿生命科学城	刘小强	徐泽明 杨千千	关于加快推进全区新能源汽车智慧型充电基础设施建设的建议	区发展改革委
				关于提升基础医疗卫生服务能力建设的建议	区卫生健康委
2		戴　明	第二代表团 第一代表团	关于完善城区生活污水管网建设的建议	区住房城乡建委
				关于加快推进菩提山、菩提古镇景区提档升级的建议	区文化旅游委
3		王身高	第一代表团 黄广生	关于加快桃东路沿线改造提升的建议	区住房城乡建委
				关于桃花溪主城段健身步道修建延伸至三洞沟瀑布风雨廊桥打造升级版的建议	区住房城乡建委
4		卓大林	余　舸	关于盘活闲置安置房的建议	区国资委
5		李兴建	龚致平	关于加快推进中医药研学基地建设的建议	区卫生健康委
6		李吉华	辜春艳	关于加强长邻合作，促成渝双城经济圈建设的建议	区发展改革委
7		王永全	陈　勇	关于广泛宣传和落实《家庭教育促进法》的建议	区教委
8		廖智辉	向小莉	关于加快实施渡舟场镇旧城改造工作的建议	区住房城乡建委
9		邓永春	赵莉婷	关于尽快设置动物买卖交易场所的建议	区商务委
10		刘朝煜	江光群	关于加大社区养老机构建设工作的建议	区民政局
11		涂　庆	余勇刚	关于缓解城区公路拥堵的几点建议	区公安局
12		蒋发平	黄灵容	关于加强全区中小学生心理健康教育的建议	区教委
13		邹翔名	杨　勇	关于桃花溪菩提段污染治理的建议	区住房城乡建委

重庆市长寿区人民政府

综　述

2023年，长寿区推进成渝地区双城经济圈建设，12个川渝合作共建重大项目完成年度投资32亿元，与自贡市共建千亿级天然气新材料基地，长寿经开区获批成渝地区双城经济圈合作示范园。携手吉利铭泰集团打造国际方程式赛车项目，举办气凝胶、NMP、PVDF等高端学术论坛及国际棋联女子世界锦标赛等国际赛会31场。深度融入西部陆海新通道建设，打造生产服务型国家物流枢纽，陆海新通道长寿班列货运量增长2.6倍，全年实现外贸进出口100亿元。承接部署一体化智能化公共数据平台，三位一体建设数字化城市运行和治理中心、制造业数字化转型赋能中心和数据交易中心，引进数商主体58家，率先完成国有企业首笔数据资产入表。全年实现地区生产总值956.73亿元，比上年增长7.1%；规上工业总产值1577.9亿元，比上年增长6.2%；固定资产投资346亿元，比上年增长11.5%；社会消费品零售总额338.7亿元，比上年增长9.2%；居民人均可支配收入39696元，比上年增长5%。

加快现代产业发展，长寿区作为国家首批环都市区产业转型升级示范区、西部地区重要的钢铁和综合化工基地，持续推进国家级长寿经开区、市级长寿高新区建设。长寿经开区累计开发面积45平方千米，入驻企业600余家，连续多年入选“中国化工园区20强”，获国家绿色园区、国家新型工业化产业示范基地等“国字号”头衔7张，长寿经开区在国家级经开区综合发展水平考核中连续两年位居西部第三、重庆第一。长寿高新区开发面积17.15平方千米，入驻企业235家，是重庆市健康科技产业基地。主导产业集群发展、特色鲜明，依托重钢、川维、巴斯夫等国际国内有影响力的龙头企业构筑起钢铁冶金、化工医药、新材料新能源、装备制造、新一代信息技术和消费品“5+1”产业集群，集聚世界首套天然气制蛋白质、国内最大硅基气凝胶等一批高新产业项目，落户世界500强企业27家、跨国公司64家、上市公司63家。有规上工业企业303家，获批欧洲重庆中心新材料产业基地，新材料产业产值占重庆1/4。拥有国家级企业技术中心3家、高新技术企业218家、科技型企业1049家，研发投入占比2.5%。获批建设川渝地区首个生产服务型国家物流枢纽，常态开行西部陆海新通道长寿直达班列，累计培育本土上市公司6家、总量居全市第四。

推进“两地一城建设”，加快建设具有全球影响力的新材料高地，签约双欣PVA光学膜、领新凝胶固态电池、中船特种材料等新材料项目22

个，恩捷锂电池隔膜等36个重点项目投产，新增产能450亿元，先进结构材料获评首批市级战略性新兴产业集群。加快建设世界级运动康养旅游目的地，新增文旅体市场主体257家，游客、旅游收入增长20.4%和18.1%。加快建设中国长寿生命科学城，引进瓦里安打造国际一流的癌症防治中心，引进火石数智等18家数字健康企业。

实施“3113”项目攻坚行动，持续完善“1+3+N”指挥部统筹联动机制，落实高频调度、闭环督查、考核奖惩制度，全体区级领导各司其职，外出拜访企业、招引项目230余次，项目组长、工作专班、牵头单位、责任部门、服务专员、督查小组联动发力，全区上下形成“项目为王、齐抓共推”的火热局面。全年签约10亿元及以上项目18个，市外项目资金到位额同比增长19.8%，招商投资赛马榜上榜次数位居全市第四。举办两次项目集中开工活动，集中开工项目29个、投资总额265亿元。加强“四张清单”管理，年度重点项目实际开工率、完工率分别为90%和95%，18个项目实现当年开工、当年投产，民间投资逆势增长17.6%。用好重大项目前期工作经费池，支持52个项目提前开展前期工作。申报35个特别国债项目资金27.4亿元、城中村改造PSL（抵押补充贷款）资金40亿元、86个“平急两用”公共基础设施建设项目贷款224亿元。强化产业用地供给，累计申报获批用地计划666.67公顷，保障项目建设需求。（区政府办公室）

重要会议

【概况】 2023年，长寿区人民政府召开全体（扩大）会议1次、政府常务会议39次、区长办公会24次。

【区政府全体会议】 2023年12月27日，长寿区人民政府召开全体（扩大）会议，审议2024年《区政府工作报告（送审稿）》。会议就2024年《区政府工作报告（送审稿）》的起草过程、基本原则、总体框架和主要内容进行说明，与会人员围绕报告内容提出意见建议。

【区政府常务会议】 2023年，长寿区人民政府召开常务会议39次（第41次至第79次）。

1月6日，召开长寿区第十九届人民政府第41次常务会议，传达学习市政府第十六次全体会议精神，通报全市农村地区疫情防控工作视频会议精神等。

1月17日，召开长寿区第十九届人民政府第42次常务会议，研究2023年重点民生实事工作目标任务，传达全市安委会暨减灾委2023年第一次全体会议精神、全市2023年抓项目促投资专项行动动员部署会精神等。

1月31日，召开长寿区第十九届人民政府第43次常务会议，研究《重庆市长寿区“8·23”森林防火受灾区域林区规划》《重庆市长寿区矿产资源规划（2021—2025年）》等。

2月9日，召开长寿区第十九届人民政府第44次常务会议，研究《关于支持长寿高新区创建国家级高新区的意见》等，传达全市农村工作会议精神等。

2月22日，召开长寿区第十九届人民政府第45次常务会议，研究长寿区政务服务整改提升工作方案，通报2022年度耕地保护和粮食安全责任制落实情况。

3月6日，召开长寿区第十九届人民政府第46次常务会议，传达全市发展改革系统一季度经济运行调度会精神，审议《关于实施长寿区数字底座及场景开发一期项目的请示》。

3月14日，召开长寿区第十九届人民政府第47次常务会议，研究全区2023年重点工作目标任务，通报2023年全市教育工作会议精神等。

3月20日，召开长寿区第十九届人民政府第48次常务会议，审定《关于2023年1—2月全区经济运行总体情况及一季度工作计划的报告》《关于报请重庆市长寿区废旧物资循环利用体系建设实施方案》。

3月28日，召开长寿区第十九届人民政府第49次常务会议，传达重庆市建设西部陆海新通道工作推进大会精神，研究审定2023年一季度全区经济运行工作计划等。

4月10日，召开长寿区第十九届人民政府第50次常务会议，研究长寿区安全生产监管职责清单、长寿区部分领域区域安全监管职责划分清单，长寿区创建市级法治政府建设示范区工作方案等。

4月17日，召开长寿区第十九届人民政府第51次常务会议，研究审定《重庆市长寿区高新技术企业和科技型企业“双倍增”行动计划工作实施方案（2023—2027年）》《长寿区2023年度生活垃圾分类工作要点》《重庆市长寿区道路交通安全和运输执法领域突出问题专项整治工作实施方案》等。

4月23日，召开长寿区第十九届人民政府第52次常务会议，通报2023年一季度全区经济运行总体情况、安全生产与自然灾害防治工作情况、全区信访稳定工作情况、关于稳住经济大盘政策措施落实情况专项审计整改有关情况、关于助企纾困稳就业政策措施落实情况审计整改有关情况等。

5月8日，召开长寿区第十九届人民政府第53次常务会议，研究审定《全区重大事故隐患专项排查整治

2023行动方案》《长寿区创建重庆市节水型城市工作方案》等。

5月25日，召开长寿区第十九届人民政府第54次常务会议，研究审定《推动邮政快递业高质量发展战略合作协议》《关于全市交通局系统建设管理审计调查审计整改落实情况的报告》等。

5月31日，召开长寿区第十九届人民政府第55次常务会议，通报1—4月全区经济分析情况，审定《2023年新建学校（古镇中学）初中招生范围的方案》《2023年第一批次违法违规占用耕地问题整改方案》。

6月6日，召开长寿区第十九届人民政府第56次常务会议，审定《关于对工业企业租赁（购置）柴油发电机组在迎峰度夏用电高峰期自发电保生产给予一次性补贴的请示》，通报全区防汛抗旱工作情况。

6月14日，召开长寿区第十九届人民政府第57次常务会议，传达学习习近平总书记关于安全生产的重要论述和安全生产“十五条硬措施”，通报全区危岩地灾应急救援和安全生产重大事故隐患整治工作情况，审定《长寿区2023年耕地保护工作实施方案》。

6月29日，召开长寿区第十九届人民政府第58次常务会议，传达2023年全市推动民营经济高质量发展大会精神，研究审定《常态化“三服务”机制服务企业工作方案》《长寿区养老服务设施专项规划》《长寿区养老服务发展“十四五”规划》。

7月13日，召开长寿区第十九届人民政府第59次常务会议，通报市安委会（市减灾委）2023年第三次全体（扩大）会议精神、长寿区2023年第一季度城市生活垃圾分类工作情况等。

7月20日，召开长寿区第十九届人民政府第60次常务会议，通报2023年上半年全区经济运行情况、长寿区2023年上半年消防重点工作情况等。

7月26日，召开长寿区第十九届人民政府第61次常务会议，通报全区当前就业工作情况，审议《重庆市长寿区物业管理品质提升工作方案》等。

7月28日，召开长寿区第十九届人民政府第62次常务会议，传达学习习近平总书记在7月24日在中央政治局会议上的重要讲话精神，听取第三季度经济运行情况汇报。

8月15日，召开长寿区第十九届人民政府第63次常务会议，通报1—7月全区经济运行情况及8月份工作计划、长寿区落实营商环境改革措施有关情况等。

8月24日，召开长寿区第十九届人民政府第64次常务会议，通报全区重大事故隐患专项排查整治行动推进情况及自然灾害防治重点工作情况、全市高层建筑消防“除险清患”专项行动推进会精神及推动规范全区动火作业消防管理工作、全国城镇燃气安全专项整治工作部署推进视频会议暨全市燃气安全整治调度视频会议精神，通报国务院第二次全体会议精神及近期有关重点工作落实情况。

8月30日，召开长寿区第十九届人民政府第65次常务会议，审议《长寿区强化农村基层党组织政治功能和组织功能扶持发展新型农村集体经济实施方案》《重庆市长寿区林区规划——森林防火、森林质量提升专篇》。

9月12日，召开长寿区第十九届人民政府第66次常务会议，通报全区1—8月经济运行情况、全市巩固拓展脱贫攻坚成果同乡村振兴有效衔接工作会议精神、全市城镇燃气油气安全专项整治工作部署推进视频会议精神以及全区燃气安全贯彻落实工作情况。

9月20日，召开长寿区第十九届人民政府第67次常务会议，传达市政府第19次常务会议精神，通报1—8月全区招商投资促进情况，研究全区深入打好长江保护修复攻坚战行动方案等。

9月26日，召开长寿区第十九届人民政府第68次常务会议，学习贯彻习近平新时代中国特色社会主义思想主题教育相关文件精神，通报全市中秋国庆假期安全防范工作视频会议精神和全区中秋国庆及亚运会期间安全防范工作安排情况。

10月8日，召开长寿区第十九届人民政府第69次常务会议，通报2023年前三季度经济运行情况，研究2023年度市对区营商环境考核短板提升任务分工方案等。

10月17日，召开长寿区第十九届人民政府第70次常务会议，通报前三季度全区经济运行总体情况、2023年部分重点工作推进落实情况等。

10月25日，召开长寿区第十九届人民政府第71次常务会议，通报2023年前三季度经济运行总体情况及四季度工作安排，通报近期“非粮化”问题处置和“非农化”问题处置等耕地保护工作情况。

11月1日，召开长寿区第十九届人民政府第72次常务会议，通报全区前三季度培育服务市场主体工作推进情况、全市2023年度区县党委和政府落实耕地保护和粮食安全责任制考核工作视频会议精神。

11月9日，召开长寿区第十九届人民政府第73次常务会议，听取关于市政府第22次常务会议精神及全区安全生产与自然灾害防治工作情况的汇报、关于长寿区迎接2023年度国务院推动高质量发展综合督查工作方案的汇报。

11月20日，召开长寿区第十九届人民政府第74次常务会议，通报

1—10月全区经济运行情况，传达学习习近平总书记对山西吕梁市永聚煤矿一办公楼火灾事故作出的重要指示精神及迎接国考国巡工作情况。

11月24日，召开长寿区第十九届人民政府第75次常务会议，审定关于确定长寿区防洪管控水位的请示，通报关于迎接国考国巡工作开展情况。

12月4日，召开长寿区第十九届人民政府第76次常务会议，通报区政府履行教育职责实地督查反馈会议精神、关于“3113”项目攻坚行动计划重大项目推进情况的报告。

12月12日，召开长寿区第十九届人民政府第77次常务会议，审定《重庆市长寿区全面推深做实林长制工作措施（2023—2027年）》，审议《长寿区打造无毒城市实施方案》，通报全区城镇燃气油气安全专项整治工作开展情况。

12月22日，召开长寿区第十九届人民政府第78次常务会议，传达学习习近平总书记重要指示精神及岁末年初安全生产重点工作，审定《长寿区区镇村三级物流体系建设方案》。

12月28日，召开长寿区第十九届人民政府第79次常务会议，通报区医疗保障局关于职工门诊共济改革相关工作情况的报告、审议《关于郑钦予同志任重庆市长寿区副区长的请示》、审定《关于区政府领导班子主题教育问题清单整改销号的报告》等。

【区长办公会】 2023年，长寿区政府召开区长办公会24次（第27次至第50次）。

1月6日，召开第27次区长办公会议，听取关于根治拖欠农民工工资工作情况的汇报、关于重庆磷能新材料项目一周工作情况的汇报。

3月6日，召开第28次区长办公会议，听取关于重庆磷能新材料项目一周工作情况的汇报、关于全市PPP项目整改会议有关情况的汇报。

3月14日，召开第29次区长办公会议，听取关于重庆市碧桂园房地产开发有限公司转让阳鹤山片区E15/01及E21-1/01地块国有建设用地使用权的汇报、关于长寿区2023年度城市综合管理工作市级日常考核提升方案的汇报。

3月20日，召开第30次区长办公会议，听取关于长寿区一季度税收收入及重点企业税收情况的汇报。

3月28日，召开第31次区长办公会议，听取关于深化亚士、华陆等新型材料应用推广工作机制的汇报、关于长寿区PPP项目全面核查及问题整改情况的汇报。

4月10日，召开第32次区长办公会议，听取关于迎接创建市级双拥模范城评估验收相关工作的汇报。

4月23日，召开第33次区长办公会议，听取关于第三届长寿美食大赛系列活动方案的汇报。

5月8日，召开第34次区长办公会议，听取关于新能源材料及循环经济项目工作进度情况的汇报、关于原长寿棉纺织厂集资投劳临时合同工信访群体维稳工作方案的汇报、关于长寿区拟置换地块及北城院区建设和发展规划相关问题的汇报、关于审计整改未到位问题相关情况的汇报、关于长寿区国道G243长寿长江大桥危桥改造工程实施方式的汇报、关于贯彻落实《关于进一步深化改革促进乡村医疗卫生体系健康发展的意见》有关情况的汇报。

5月31日，召开第35次区长办公会议，听取关于2023年需重点推进的招商引资项目有关情况的汇报、关于2023年区管国有企业融资工作推进情况的汇报、关于安排2023年第三批区级防疫资金的汇报、关于举办2023年长寿夏季汽车展销会的汇报、关于重庆市长寿区第七次全国人口普查工作表现突出集体和个人有关情况的汇报。

6月6日，召开第36次区长办公会议，听取关于长寿区2023年秋期城区幼儿园招生入学工作方案（试行）的汇报、关于长寿区装配式建筑推进情况的汇报。

6月14日，召开第37次区长办公会议，听取关于长寿区培育建设国际消费中心城市工作情况的汇报。

7月13日，召开第38次区长办公会议，听取关于长寿城区桃花组团桃A5、桃A6地块用地条件论证研究的汇报。

7月26日，召开第39次区长办公会议，听取关于“实地·常春藤”项目一期一批次交房及同步推进系统销号有关情况的汇报。

8月15日，召开第40次区长办公会议，听取关于加快推动超期未开发土地依法处置情况的汇报。

8月24日，召开第41次区长办公会议，听取关于新能源材料及循环经济项目工作进度的汇报。

9月12日，召开第42次区长办公会议，听取关于李庆荣房屋处置事宜的汇报、关于新能源材料及循环经济项目工作进度的汇报。

10月8日，召开第43次区长办公会议，听取关于2023年四季度计划开工重大项目有关情况的汇报。

10月25日，召开第44次区长办公会议，听取关于长寿区“十四五”中期评估、2023年度重大项目中期调整、2024年度重大项目谋划有关情况的汇报。

11月1日，召开第45次区长办公会议，听取关于2023年四季度计划开工重大项目进展情况的汇报、关于重庆长寿机械总厂职工安置方案的汇报。

11月9日，召开第46次区长办公会议，听取关于开发区（园区）管理体制改革进展情况的汇报、关于中科路成新材料（重庆）有限公司沥青混凝土及水稳料生产项目入园事宜的汇报。

11月20日，召开第47次区长办公会议，听取关于2023年1—10月招商引资情况的汇报、关于2023年四季度计划开工重大项目进展情况的汇报。

12月4日，召开第48次区长办公会议，听取关于2024年区政府工作报告（送审稿）的汇报、关于长寿区地方债务风险防范化解工作推进情况的汇报。

12月12日，召开第49次区长办公会议，听取关于长寿区限额以下工程建设项目施工发包有关情况的汇报。

12月22日，召开第50次区长办公会议，听取关于长寿区双龙镇龙滩村岩盐矿采矿权出让方案的汇报。

（区政府办公室）

重点民生实事

【概况】 2023年，长寿区财政民生支出占一般公共预算支出比重62%，完成年度重点民生实事21件，其中市级任务14件、区级自拟任务7件。涉及老旧小区改造、农村公路生命安全防护工程建设、普惠性学前教育发展、“百千万惠残助残行动”开展、“劳动者港湾”示范点建设、小微停车场建设、城市公园建设等方面。

【城镇老旧小区改造】 2023年，长寿区投入3520万元，完成凤城街道向阳路社区协信广场片区、凤城大院片区，骑鞍社区兴学园片区、园丁路片区，凤岭路社区沙井片区、邓家巷片区等22个老旧小区改造，改造面积146.6万平方米。

【农村公路生命安全防护工程建设】 2023年，长寿区投入320万元，实施农村公路生命安全防护工程建设。全年计划任务16千米，实际实施里程17.2千米，完成年度目标任务的107.5%。其中，双龙镇完成4.6千米，洪湖镇完成4.5千米，石堰镇完成4.8千米，龙河镇完成3.3千米。

【普惠性学前教育发展】 2023年，长寿区继续实施公办幼儿园“改薄”工程，筹措资金366万元对城乡11所公办幼儿园进行提档升级改造，增添更新设施设备，改善办园环境，提升全区公办幼儿园整体办园水平。示范园幼教集团晶山分园（位于区行政服务中心旁，占地面积11392平方米，建筑面积9979平方米，办园规模12个班、360个学位）、树人幼教集团菩提分园（位于璞缇1号小区，占地面积6460.1平方米，建筑面积3048.58平方米，办园规模9个班、270个学位）及树人路分园（位于凤城学府小区，占地面积1100平方米，建筑面积1947.97平方米，办园规模6个班、180个学位）3所幼儿园建成投用，共新增公办普惠性学位810个。至年末，

2023年长寿区“渝馨家园”（残疾人之家）建设一览表

表11 单位：平方米

序号	“渝馨家园”名称	位置	面积
1	凤城街道凤家社区渝馨家园	凤城街道凤家社区居委会	1700
2	晏家街道渝馨家园	晏家街道育才路35号附4号	2000
3	新市街道渝馨家园	新市街道河石桥社区居委会	547.4
4	但渡镇渝馨家园	但渡镇但渡村300号	880
5	云集镇渝馨家园	云集镇尖峰村原尖峰村小学内	420
6	葛兰镇盐井村渝馨家园	葛兰镇盐井村委会	200
7	邻封镇渝馨家园	邻封镇龙溪社区居委会	150
8	龙河镇渝馨家园	龙河镇卫生院顶楼	720
9	洪湖镇渝馨家园	洪湖镇码头村委会	500
10	万顺镇渝馨家园	万顺镇万兴社区	600
11	菩提街道阳鹤村渝馨家园	菩提街道阳鹤村委会	260
12	新天包装渝馨家园（集中安置残疾人企业）	菩提街道红花村委会	200
13	兰利包装渝馨家园（集中安置残疾人企业）	晏家街道兰利包装厂区内	150
14	特殊教育学校渝馨家园（特教学校）	长寿区特殊教育学校校区内	720

全区学前三年毛入园率95.23%，公办幼儿园在园幼儿占比62.6%，普惠率90.59%，全区“十四五”学前教育事业发展目标任务提前完成。

【“百千万惠残助残行动”开展】 2023年，长寿区投入480万元，实施困难重度残疾人家庭无障碍改造394户；帮助80名就业年龄段内有就业需求和就业条件的残疾人落实就业；建成“渝馨家园”（残疾人之家）14家。

【“劳动者港湾”示范点建设】 2023年，长寿区投入30万元，建成“劳动者港湾”示范点4个，分别为古镇大门公交站劳动者港湾21平方米，协信广场劳动者港湾10平方米，东方水岸劳动者港湾15平方米和圣天湖桥劳动者港湾15平方米。

【小微停车场建设】 2023年，长寿区投入200万元，在全区老旧小区、学校、医院、商圈等区域新建小微停车场75个，新增停车泊位1960个。

【城市公园建设】 2023年，长寿区投入200万元，建成城市公园2座。其中，碧园路口袋公园，面积1.2万平方米；菩提社区口袋公园，面积1.1万平方米。

【城区农贸市场整治】 2023年，长寿区投入1700万元，实施城区农贸市场整治提升。全年完成凤中菜市场的摊位拆除，转型为停车场；关闭凤城街道益民街临时市场；建成江南智慧农贸市场并投入使用；完成八颗农贸市场规范化改造。（叶　哲）

重大施政

【节水型城市创建】 2023年5月24日，区政府印发《重庆市长寿区创建重庆市节水型城市工作方案》。提出推动实施全面节约战略，把节水理念贯穿到长寿区经济社会发展全过程、全领域，完善科学用水和节约用水管理体系，推动城市用水效率和效益全面提升、全民节水意识显著增强，为长寿区实现高质量可持续发展贡献力量。年内，投资2060万元，更新改造城市老旧供水管网55.7千米，管网漏损率控制在8.5%以下。创建节水型小区、企业、单位187个。

【养老服务发展】 2023年9月12日，区政府印发《长寿区养老服务发展“十四五”规划》。提出到“十四五”期末，养老服务政策体系基本完善、设施体系初步建成、市场体系顺畅运转、管理体系更加协调全面、老年人福利补贴提标扩面，基本建成与国际化绿色化智能化人文化的中国长寿城相适应的养老服务体系的目标任务。年内，为20家公办养老机构配备护理型床位828张，护理型床位占比89.7%。对1054户困难老人家庭进行居家适老化改造。投入64万元对8家公办养老机构天然气入户安装等项目进行改造提升。推进老年食堂建设，服务老人753人次。

【招商投资促进工作】 2023年12月27日，区政府办印发《重庆市长寿区进一步强化招商投资促进工作的若干政策措施》。提出优化招商工作统筹机制、推进高质量招商引资、强化招商保障3个方面，压实招商主体责任、强化产业链精准招商、优化招商考评激励等14条政策措施，进一步提升全区招商投资促进工作水平，推动加快构建现代化产业体系，推进“3113”项目攻坚行动计划实施，加快建设“两地一城”，促进全区经济高质量发展。年内，全区签约项目115个，合同额708.7亿元。市外项目资金到位194.4亿元，增速19.78%。

【冷链物流高质量发展】 2023年3月24日，区政府印发《重庆市长寿区冷链物流高质量发展实施方案（2021—2025年）》，明确以冷链物流保障能力显著增强、设施网络全面覆盖、发展质量不断提升、监管体系更加完备4个方面、8项具体任务，提出到2035年，全面建成现代冷链物流体系，基础设施网络、技术装备、服务质量力争达到国内先进水平，行业监管和治理能力基本实现现代化，有力支撑现代化经济体系建设，有效满足人民日益增长的美好生活需要。年内，打造全市一级冷链物流节点，完成三科农商城平场和周边管网、道路建设。开展三级冷链物流节点全程追溯模式改造，改造门店40家。

【用水权交易改革】 2023年12月23日，区政府印发《重庆市长寿区用水权交易改革工作方案》，提出把水资源承载能力作为用水权初始分配的重要依据，统筹生活、生产、生态用水需求，强化水资源刚性约束，推进水资源集约节约利用。加快明晰区域用水权、取水权、灌溉用水户水权等，推进多种类型的用水权交易，提高水资源配置效率和可持续利用，为全区经济社会高质量发展提供用水保障。年内，完成水权交易4例，交易总水量93.3万立方米，交易金额4.66万元。

【知识产权保护和运用】 2023年1月6日，区政府印发《关于贯彻落实重庆市知识产权保护和运用“十四五”规划（2021—2025年）的实施意见》，提出到2025年，力争全区万人发明专利拥有量达到20件，每万人高价值发明专利达全市平均水平，海外发明专利授权量10件，每万户市场主体有效注册商标量1500件，地理标志拥有量4件，马德里商标国际注册累计申请20件，知识产权质押融资登记金额累计达到2亿元、知识产权保护社会满意度80分以上。至年末，全区万人发明专利拥有量23.64件，万人高价值发明专利拥有量5.93件，海外发明专利授权量16件，每万户市场主体有效注册商标量1688件，地理标志拥有量3件，马德里商标国际注册累计申请23件，知识产权质押融资登记金额2.77亿元。

【推动成渝地区双城经济圈建设】 2023年6月29日，区政府印发《重庆市长寿区推动成渝地区双城经济圈建设实施方案（2023—2027年）》，提出长寿区推动成渝地区双城经济圈建设总体要求，明确实施城市能级跃升行动、实施建设现代化基础设施网络行动、实施构建现代化产业体系行动等10项行动、49项重点任务，加快全区域融入、全方位推进，推动成渝地区双城经济圈建设走深走实。年内，长寿区联合四川省有关区（市、县）制定和协同实施合广长平台7类15项、明月山平台6类35项、长寿区与彭州市联建联动8类44项年度重点任务，12个川渝共建项目完成年度投资32亿元。长寿经开区与沿滩高新区共建千亿级天然气化工新材料合作示范园，合作规上企业63家。

【绿色金融改革创新试验区建设】 2023年3月28日，区政府办印发《长寿区建设绿色金融改革创新试验区实施方案》，提出坚持降碳、减污、扩绿、增长协同推进，坚持生态优先、绿色发展，共抓大保护、不搞大开发，更加注重从全局谋划一域，以一域服务全局，以金融支持绿色低碳产业发展和生态保护为主线，深化绿色金融体制机制改革，促进长寿区绿色低碳转型和生态发展。至年末，全区绿色贷款余额71.92亿元，比年初增长18.64亿元。

【长江保护修复攻坚战】 2023年12月20日，区政府办印发《重庆市长寿区深入打好长江保护修复攻坚战行动方案》，要求把修复长江生态环境摆在压倒性位置，以改善生态环境质量为核心，深化综合治理、系统治理、源头治理，协同推进高质量发展和生态环境高水平保护，筑牢长江上游重要生态屏障，推动山清水秀美丽之地建设取得重大进展。提出到2025年，全区水质总体保持优良，长江干流长寿段水质保持为Ⅱ类，运输桥国控断面水质稳定达到Ⅲ类，烟坡城区集中式饮用水水源水质达标率达到100%；城市建成区内无黑臭水体，城市生活污水集中收集率达到73%以上，城镇生活垃圾无害化处理率保持100%；水土保持率提高到75.5%；化肥农药利用率达到43%，畜禽粪污综合利用率稳定在80%以上，农膜回收率稳定在90%以上；尾矿库环境风险隐患基本可控；长江水生态系统功能逐步恢复，长江生物完整性持续改善。至年末，长江干流长寿段水质保持Ⅱ类，运输桥国控断面水质Ⅲ类，烟坡城区集中式饮用水水源水质达标率100%。城市黑臭水体全面消除，城市生活污水集中收集率67.48%，城镇生活垃圾无害化处理率95%；水土保持率提高到70.4%。

【高新技术企业和科技型企业“双倍增”行动】 2023年4月25日，区政府办印发《重庆市长寿区高新技术企业和科技型企业“双倍增”行动计划实施方案（2023—2027年）》，提出加快培育高新技术企业和科技型企业，着力壮大优质创新主体，服务构建现代化产业体系，为推动长寿高质量发展提供科技支撑。年内，全区新培育科技型企业289家，累计1049家；新培育高新技术企业53家，总量218家。（区政府办公室）

数字政府建设

【概况】 2023年，重庆市长寿区人民政府办公室（简称区政府办）深入推进“一网、一门、一次”改革，利用推进数字重庆建设、关键信息基础设施建设、政府门户网站建设、探索创新便民利企服务举措，加快推进政务服务标准化规范化便利化，打造便捷高效数字政府服务品牌。长寿区人民政府网站在清华大学国家治理研究院发布的《2023年网上政府创新发展报告》中，处于全国中等水平，在重庆市41个区县（含两江新区、重庆高新区、万盛经开区）政府中排第六位。

【智慧办公】 长寿区智慧政务协同办公平台是区政府办按照国家政务机关核心公文流转工作的特点，涵盖通知、文档、信息、值班、会议、督查等核心业务，进行全区政务机关内部全方位的信息化覆盖和业务处理优化设计，打造出符合全区党政机关业务、满足网络安全需求的办公平台。2023年，在全市率先完成“渝快政”接入，打通“渝快政”账户权限，实现单点登录，将APP功能全部再造为“渝快政”H5应用。对区委办、区政府办、经开区党政办等单位的流程进行优化，提升公文流转的便捷度和效率。做好运维保障，全年进行系统巡检269次，检查清理数据库表空间、服务器磁盘空间269次；应用备份58次，数据库全量备份58次，确保应用数据安全、稳定、可靠、高效运行。加强数据安全和隐私保护，通过水印、防截图、加密传输等措施保障数据安全性和隐私性。

【电子政务】 2023年，区政府办通过电子政务外网建设，实现“渝快办”和“渝快政”畅通，发挥政府之间、政府与社会、社区以及政府与公民之间的纽带作用，提高公共服务质量，夯实数字政府建设根基，推进政府职能转变。全年建成电子政务外网链路400条，实现“渝快办”办理、智慧政务协同办公、固定资产管理、视频监控等多个应用复用。完成重要视频会议室专线整改，减少网络中间环节，确保视频会议质量，全年保障市级延伸及区级重要视频会议50余场。规范政务外网接入管理，对接入电子政务外网的单位进行逐一清理，执行实名接入制度，需绑定使用人IP地址、MAC地址和姓名。定期组织开展全区电子政务外网网络安全等级保护测评工作，发现安全问题及时整改。

【政府网站管理】 2023年，长寿区开设区政府网站主站1个，街（镇）、区级部门及其他单位子网站51个。其中，街道办事处和镇人民政府19个，区政府部门30个，长寿经开区和长寿高新区各1个。政府网站全年发布信息16609条。其中公开目录信息12406条，动态类信息3970条，概况类信息233条。网站总访问量431万余次，构建起以网上发布为主、其他发布渠道为辅的政策发布新格局。同步开展重大政策转载。转载党中央、国务院、新华社发布的重大政策，确保高层声音直达基层，同时在全区政务新媒体同步转载重大政策139条。贯彻落实《重庆市政府系统公开信箱管理办法》，开设“三服务在行动”专栏，畅通政民互动渠道。全年办理公开信箱383件。其中，投诉类122件，咨询类164件，建议类58件，其他类39件，多数咨询类信息在1个工作日内回复。 （区政府办公室）

公共资源交易管理

【概况】 2023年，长寿区共有60个依法必须招标项目进入区公共资源交易中心公开招标，招标总限价24.51亿元，中标总金额21.88亿元，节省资金2.63亿元，节资率10.72%。政府采购项目成交59宗，预算交易总额1.09亿元，成交总金额1.03亿元，节省资金0.06亿元，节资率5.5%。企业采购项目成交13宗，预算交易总额2.87亿元，成交总金额2.54亿元，节省资金0.33亿元，节资率11.50%。

【电子招投标】 2023年，区公共资源交易中心推进招投标全流程电子化。依托重庆市电子招投标系统，实现依法必须招标的工程建设项目线上完成招标文件备案、递交和解密投标文件、开具电子保函等。全区工程建设项目招投标全流程电子化率100%。

【“不见面开标”和“远程异地评标”】 2023年，区公共资源交易中心推进不见面开标系统提档升级，推广“不见面开标”和“远程异地评标”，实现让数据“多跑路”、企业“少跑腿”。完成主城区和本地区评标专家库资源共享。全年采用“不见面开标系统”开标项目9个，“远程异地评标”项目1个。

【中介服务超市】 2023年，长寿区共有247家采购人入驻中介超市，机关事业单位、区管国企等全量进驻。入驻中介超市服务机构130家，其中25家机构获评“重庆市5星中介机构”。全年完成中介服务交易量3748宗，交易量位列全市第八位。

【招投标投诉处理】 2023年，区发展改革委按照《招标公告和公示信息发布管理办法》，要求招标人在中标候选人公示中载明提出异议的渠道和方式。全年累计收到依法必须招标项目投诉8件，其中撤回投诉3件、办结投诉5件，办结率为100%。

【国有土地使用权及矿业权出让管理】 2023年，长寿区国有土地使用权及矿业权成交36宗，起始价总额11.48亿元，成交金额11.73亿元。

（袁　木）

政务工作

【概况】 2023年，长寿区行政服务中心总面积8600平方米，设置工程建设审批、医保、交通、市场监管、开办企业、综合服务、社保、不动产登记、住房公积金、税务等服务专区，办事窗口130余个，进驻单位59个，进驻工作人员220余名，进驻事项1294项（其中，行政许可695项，公共服务219项，其他行政权力161项，行政确认161项，行政给付24项，行政奖励24项，行政裁决10项）。全年共受理各类事项93.5万件，办结93.3万件（含历史在办件），办结率99.83%。

【行政审批制度改革】 2023年，重庆市长寿区政务服务管理办公室（简称区政务服务办）推进“川渝通办”改革，与四川省彭州市行政审批局签订“川渝通办”政务服务合作协议，与重庆市渝北区、北碚区、大渡口区、合川区政务服务办和重庆市两江新区政务中心以及四川省广安市政务服务管理局签订《渝广毗邻地区政务服务“跨省通办”合作协议》，全年“川渝通办”事项线下办理7900余件；推进“一窗综办”改革，分领域设置税务、不动产、开办企业、工程建设审批等11类38个综合受理窗口，

2023年12月21日，长寿区行政服务中心综合窗口实行“一次取号，一窗受理”（余冬梅 摄）

实现全区34个部门700余项事项“一次取号，一窗受理”；落实“一件事一次办”改革，领取市政府办公厅统筹发布的“一件事一次办”套餐75项，争取市级试点农村建房、返乡农民工创业“一件事”2项，申报区县特色购车“一件事”1项，设立“一件事一次办”服务专窗3个，全年办理“新生儿出生一件事”“企业开办一件事”“婚育一件事”等共计7000余件；实施涉企服务“帮代办”，在区行政服务中心组建帮办代办队伍，在19个镇街、2个园区设立经营主体帮办导办服务窗口21个，纳入个体工商户及个人独资企业设立、变更、注销登记等13项高频服务事项，惠及市场主体1万余家。推进电子证照全面使用，承接落实《川渝电子证照互认共享清单（第一批）》，实现身份证、营业执照等34项电子证照川渝互认共享。推进社会保障卡、营业执照等个人和企业常用证照实现电子化，推动电子证照场景应用，全区领用各类电子证照230种，完成电子身份证和电子营业执照应用场景2302个。（余冬梅）

【政务公开】 2023年，长寿区公开区政府行政规范性文件99件，街镇部门规范性文件107件。办理依申请公开28件。新增广播电视、交通运输、旅游、自然资源、统计、新闻出版版权、水利7个基层政务公开领域。公开优化营商环境信息34条、减税降费政策12条、稳经济政策包132条。公开行政许可事项380项，公开一件事办理清单80项，公开政策问答475条。

【信息调研】 2023年，长寿区综合运用座谈访谈、随机走访、蹲点调研等形式，深入街道社区、村组农户、田间地头、项目现场、中小企业等20余家单位开展调研，累计发现并形成调研问题28个，提出解决措施47条，坚持立行立改解决问题20个。围绕推进成渝地区双城经济圈建设、西部陆海新通道建设、数字重庆建设等重大战略部署，结合“两地一城”建设和实施“3113”项目攻坚行动计划等全区中心工作，向市级上报政务信息251条，被采用59条，部分信息专报获市领导批示认可。全年采编《政务工作动态》28期。

【政务督查】 2023年，长寿区申报市级问题249个，其中申报市级清单问题22个，市级一般问题40余个；接收并负责整改市级清单问题73个、市级一般问题205个，年度考核排名全市第三。推动政府工作报告涉及重要工作的落实，细化分解区政府工作报告为9项共同目标、177项具体目标任务，及时督查督办，督查结果按季度在区政府常务会上进行通报。推动区政府常务会、区长办公会议定事项落实，全年共督办区政府常务会议定事项178项、区长办公会议定事项9项。开展政府单项重大决策、重要工作、区政府主要领导指示批示专项督查，先后开展重大项目、拖欠中小企业账款、耕地保护、高层建筑消防、专项债支付等专项督查27项。

【建议和提案办理】 2023年，区政府承办市人大建议1件、市政协提案2件；承办区人大代表建议369件、区政协提案371件。其中，区领导重点督办建议27件、提案29件。代表对人大建议办理满意率99.2%，答复满意率98.6%；提案者对政协提案办理和答复满意率均为99.2%。

（区政府办公室）

人事人才

【概况】 2023年，长寿区人力社保局围绕服务“416”科技创新战略布局和“33618”现代制造业集群体系建设，贯彻落实市委和区委人才工作会议精神，实施“十万英才聚长寿”育才计划，加快集聚各类人才，优化人才政策，构建规划先行、产业引领、服务提质的人才工作格局，以“人才链”推动“产业链”“创新链”有机融合发展，打造人才高地。全年推荐专业技术人员申报职称1670人。新增设立重庆中润新材料股份有限公司、贝利科技有限公司博士后工作站。开展成渝地区双城经济圈专家团“走进长寿”活动。至年末，全区事业干部1.12万人。

【事业单位人事管理】 2023年，长寿区开展事业单位年报工作，收集汇总186家事业单位领导人员年报信息并按时上报，完成2022年度全区333个事业单位人事年报、岗位设置及使用情况统计。全区事业干部共11199名，其中女干部6568名。从年龄结构看，35岁以下干部3770名、36~45岁2925名、46~54岁3198名、55岁以上1306名；从学历分布看，研究生学历778名、本科学历8255名、大专学历1980名、中专（高中）及以下学历186名。核定全区事业单位考核优秀比例，完成2022年度事业单位工作人员及机关工勤人员考核。采集313家事业单位基本信息和事业单位机构及操作用户信息，推进新系统上线工作。组织召开优化基层事业单位岗位设置工作推进会，推动街镇优化岗位设置，全年19个街镇133个事业单位增设定向高级岗位12个。开展2023年聘用退休“双高”人员需求征集，征集聘用岗位5个，聘用“双高”人员11人。聚焦“十万英才聚长寿”专项行动计划，新增设立重庆中润新材料股份有限公司、贝利科技有限公司博士后工作站。落实卓越工程师集聚行动计划，培训数字技术工程师247人，完成全年目标任务的123.5%。开展成渝地区双城经济圈专家团“走进长寿”活动，11名高层次专家到长寿重大项目、重点企业、重要领域，开展各类技术指导49次，学术讲座7场，座谈交流13次，提出意见建议上百条，直接培训指导274人，惠及基层群众2500余名。到鲲量科技有限公司、康普化学公司、望变集团公司跟踪专家建议和意见落实情况，推动“北斗”“物联网”“硫化矿”及潘复生院士团队合作4个项目落地。开展2022年专家春节慰问活动，慰问国务院特殊津贴专家、优秀专业技术人才、高技能人才、文化艺术人才、卫生教育人才、乡村振兴人才65人。

【事业单位待遇调整】 2023年，长寿区事业单位年平均人数11159人，年人均工资总额166331元。落实工资正常增长机制，依据事业单位工作人员2022年度考核结果，对合格及以上事业单位工作人员从2023年1月起增加薪级工资，人均月增资95元，惠及11238人。岗变薪变，事业单位人员岗位变动1160人，人均月增资208元。办理事业单位新招聘人员工资业务530人、调动人员工资业务181人，重新认定工龄240人次。调整超额绩效参考线水平核定口径，指导督促事业单位完善考核分配办法；公立医院薪酬制度改革持续推进，坚持以增加知识价值为分配导向，完善适应医疗行业特点的公立医院薪酬制度；落实绩效工资追加单列机制，针对思政课教师津贴、寄宿学生管理绩效、残疾学生随班就读管理绩效和社会化职业培训等项目以绩效总量单列追加方式据实核定和定向考核分配，将高中学校发放的高考质量奖纳入超额绩效规范管理。办理620名到龄人员退休审批工作，发放一次性退休补贴595人2433.9万元；将新增退休人员移交社保经办管理；办理事业单位工作人员死亡后抚恤待遇审批255人，发放抚恤金和丧葬费等相关待遇1919.7万元。

【专业技术职称评审】 2023年，长寿区推荐专业技术人员申报职称1670人。其中，高级职称申报641人，中初级职称1029人，评审通过高级专业技术职称439人。长寿区工程技术类中初级职称申报812人，评审通过746人。其中，中级职称通过403人，初级职称通过343人。线下教育系统中初级职称评审申报106人，评审通过103人。其中，中级通过100人、初级3人。考核确定中初级职称496人，办理到渝职称确认71人。（区人力社保局）

政策研究

【概况】 2023年，重庆市长寿区人民政府研究室（简称区政府研究室）立足以文辅政、调查研究等职能职责，发挥参谋智囊团作用，围绕经济社会发展、重点项目推进、民生保障等重点热点问题，协调政府系统调研力量和社会力量开展专题研究10余次，撰写调研报告10余篇，提出行业领域工作建议70余条。

【融入成渝地区双城经济圈建设研究】 2023年，区政府研究室立足长寿区位优势、政策优势、产业优势，围绕贯彻落实市委推进成渝地区双城经济圈建设“十项行动”开展调研，提出依托明月山绿色发展示范带、合广长（合川、广安、长寿）协同发展示范区两大平台，加快推进共建便利交通圈、协同产业圈、宜居生活圈。配合市委党校厅级干部主体班完成现代化渝东新城建设专项调研课题，提出“尽快在市级层面启动渝东新城建设规划及配套政策研究”等5条建议，力争将两江长涪（长寿、涪陵）万亿级先进制造业集聚区建设纳入市级重大战略获得相应支持政策，大力发展先进材料、新能源及新型储能、化学原料药及制剂等产业集群，承接中心城区重要功能和重要生产力布局，带动渝东新城六区县加快打造成渝地区双城经济圈建设创新示范排头兵、城乡区域融合发展样板区、先进制造业集聚区、西部陆海新通道重要枢纽、沿江环山绿色发展示范带，整体作为成渝地区双城经济圈东部发展的重要支撑。

【融入西部陆海新通道建设研究】2023年，区政府研究室通过实地调研长寿港口码头整合提升、生产服务型国家物流枢纽建设、西部陆海新通道长寿班列组织运营等相关情况，向市政府研究室、市发改委等相关部门提出“支持长寿港设立保税物流中心（B型）（远期设立长寿综合保税区）及重庆港水运口岸扩大开放至长寿港区，将主城港区洛碛、麻柳作业区纳入重庆生产服务型国家物流枢纽整体规划建设运营，联动共建亿吨级铁水联运枢纽港，争创重庆枢纽港产业园拓展区和国家首批物流枢纽经济示范区，助力重庆市打造长江上游航运中心”建议，为加快建设西部陆海新通道重要枢纽节点提供决策参考。

【制造业高质量发展研究】2023年，区政府研究室牵头组织相关部门深入园区、企业开展现场调研，围绕提升产业链供应链韧性、加速“两业融合”发展水平、培育新质生产力、优化营商环境、增强企业竞争力等方面开展调研，形成《推动长寿制造业高质量发展的路径研究》。协助区政府主要领导以《加快推动制造业高质量发展　积极构建现代化产业体系》为题，围绕“亩均论英雄”改革等7个方面开展系统分析，提出推进资源要素差别化配置、全面推行标准地出让等建议，为深度融入全市“33618”先进制造业集群体系，参与成渝先进制造业和高端创新分工提供决策参考。

【新材料延链补链强链研究】2023年，区政府研究室通过资料收集、企业走访、集中座谈等方式，系统调研新材料产业发展情况，形成《长寿“四链融通”提升新材料产业能级　加速构建具有全球影响力的新材料高地》专项报告，提出联动两江新区、重庆高新区共建以新材料为代表的科技创新联盟等建议送市委参阅。编撰《长寿提升产业聚集度　加快建设具有全球影响力新材料高地》专报，获市政府信息专报采用并分送市长、副市长参阅，为争取市委、市政府支持长寿区建设新材料高地赢得先机。

【经济体制改革研究】2023年，区政府研究室牵头统筹全区经济体制改革工作，组织协调有关单位和企业从稳增长扩内需、数字化变革、改革开放创新等方面展开调研，谋划报送经济体制改革事项55项、占全区“三个一批”改革事项总数的49.5%，其中19个入选区级优秀案例，2个案例获2023年全区改革创新奖，《强化川渝跨区域协作　推动成渝地区双城经济圈一体化发展》《统筹高水平保护高效能治理高质量发展　努力在推进长江经济带绿色发展中发挥示范作用》2个案例入选全市最佳实践案例备选名单。（常　耿）

外　事

【概况】2023年，长寿区委外事工作委员会办公室先后在区委常委会、区政府常务会上传达学习六届市委外事工作委员会第一次会议精神和全市外事工作会议精神，对照《2023年全市外事工作要点》梳理全区工作任务清单，细化量化重点任务。协助接洽梅塞尔、武藏涂料、贝利科技和瑞泊莱等重点外资企业。全区实际利用外资736万美元，外贸进出口额完成75.5亿元，实现离岸服务外包执行额1亿美元。

【外籍师生“感知巴渝”长寿行】2023年，长寿区开展“四川外国语大学‘感知中国’重庆行暨外籍师生‘感知巴渝’长寿行”活动，组织四川外国语大学国际合作处40余名外籍

2023年3月15日，四川外国语大学40余名外籍师生走进长寿“感知巴渝”

（区融媒体中心　供图）

师生对长寿区经开区应急展览厅、重钢展览厅、川维展览厅、长寿湖、长寿国际慢城等进行参观考察。

【外宾到长寿考察指导】 2023年，长寿区利用参加陆海新通道商务对接会、中新峰会等涉外活动的契机，邀请外宾到长寿考察指导，推介长寿区优质企业、优质产品。

【仙鹤系列绣品入选第四届“重庆好礼”外事礼品名单】 2023年3月19日，第四届“重庆好礼”旅游商品（文创产品）大赛暨外事礼品征集活动落幕，从608件参赛参展作品中评选70件入选外事礼品名单，长寿区仙鹤系列绣品榜上有名。长寿刺绣起源于清代，2012年被列入第三批区级非物质文化遗产。长寿刺绣主要工艺为手工挑花，在布上挑出花草、鸟兽、书法等图案用于小孩衣帽、床上用品、摆件挂饰等装饰。仙鹤系列绣品深挖长寿地区民俗，突出民间艺术特色，根据现代生活习性，创新产品样式，植入生活场景，结合传统古法和现代装裱工艺全手工制作而成。

【国际交往合作】 2023年，长寿区筛选9个国家的重要城市作为创建国际友好城市的目标，逐个制定交流交往工作方案。8月初，乌兹别克斯坦纳沃伊州经贸代表团访渝期间，长寿区承办中乌经贸合作会，并在会上与乌方纳沃伊州扎拉夫尚市签订友好合作关系备忘录。8月底，由区政府常务副区长带队前往匈牙利进行初次拜访，递交友城建设方案，与匈牙利琼格拉德州塞格德市建立联系渠道并表达友好交流意愿。年内，与匈牙利驻重庆总领事馆、重庆市体育局共同举办第二届重庆长寿中匈皮划艇邀请赛，中外选手200余人到长寿参赛，匈牙利驻重庆总领事馆总领事葛凯达一行到长寿出席赛事活动；推进长寿区重庆化工职业学校、重庆市长寿中学校、重庆市远恒佳学校与韩国庆尚北道安东科技大学、丰山高等学校、文明高等学校开展教育交流，帮助两地学校搭建沟通交流渠道；举办2023“中国寻根之旅”夏令营重庆长寿营活动，俄罗斯、意大利等国家的27名海外华裔青少年及领队参营。

【外事活动服务管理】 2023年，长寿区印发《关于进一步加强海外领事保护宣传工作的通知》，明确属地管理责任，建立涉外应急事件报送处置机制流程，提升应急处突能力。强化宣传、公安、外事等部门信息共享、资源整合和协调联动，建立重大涉外事项会商制度。全年审核报批因公出国团组14批次81人次，其中2个团组12人次由区级领导带队出访日本、韩国、英国、匈牙利等国家，开展城市推介、文旅招商等工作。

（区政府办公室）

信访工作

【概况】 2023年，长寿区委常委会研究信访工作7次，区政府常务会研究信访工作32次；召开区信访工作联席会议12次，研究重点工作14项，会议复盘8件，分析研判稳定形势12次。区党政主要领导对信访工作作出指示批示118次。重庆市长寿区信访办公室（简称区信访办）共受理信访事项2636件次、3168人次，分别比上年下降15.7%、22.26%。

【信访办理】 2023年，区信访办受理办理群众初访2010件，全部“点对点”精准交办、跟踪督办，解决群众合理诉求1951件，化解率97.06%。累计征集人民建议40条，人民网领导留言板收集意见181件。挂牌督办国家信访局交办重点案件36件、市信访办交办重点案件6件，办结率100%。从信访类别看，群众反映诉求主要集中在6个领域，占信访总量的73.28%。其中，城乡建设类728件，占26.68%；政法类380件，占13.92%；民政与应急类307件，占11.25%；劳动和社会保障类305件，占11.18%；农村农业类253件，占9.27%；自然资源类244件，占8.94%。

【领导干部接访下访】 2023年，长寿区各级领导干部接访下访群众7511件次、8575人次，解决群众诉求7285件次，化解率97%。实行重点矛盾挂牌交办督办制度，全年排查交办重点矛盾纠纷42件，化解42件，化解率100%。

【信访积案化解】 2023年，长寿区持续开展“治重化积”专项行动，对中央信访联席办交办的335件“治重化积”信访事项，由33名区级领导包案，46个牵头责任单位组建工作专班推进，化解率100%。区信访工作联席会议研究交办涉及群众利益的突出问题74个，全部得到有效处置。

【清单管理】 2023年，长寿区按照《信访工作条例》和清单管理要求，完善与信访信息系统衔接机制，建立健全发现问题、录入问题、整改问题、举一反三闭环工作机制，排查信访领域矛盾纠纷，主动录入区级全量库问题2550个，规范整改2550个，销号率100%。全年闭环整改区级清单问题31个、市级清单问题19个，整改销号率100%。群众信访问题清单管控力指数位列全市第六位。

【信访工作督查】 2023年，长寿区每月在信访工作联席会议上通报相关单位信访工作负面清单，抄送区党政主要领导和责任单位。制定信访工作督查及追责机制，明确督查主体、对象、形式以及督查结果的应用。全年发出工作建议33件，书面督办案件25件，书面工作通报4期，开展问题复盘8次，约谈责任单位8个。案件评查化解疑难信访事项，印发《长寿区信访事项评查工作办法（试行）》，邀请责任单位、人大代表、政协委员等评查化解疑难信访事项，全年共评查案件12件。追责倒逼干部履责，全年移送区纪委监委问题线索1件，1名干部受到纪律处分，11名干部受到组织处理。

【信访法治宣传】　2023年，长寿区开展信访工作法治化宣传月活动，各街镇各部门开展宣传活动32次，编发宣传资料5.3万册，长寿电视台录制播放专题片6期，在《长寿日报》等媒体刊发专题信息12期，营造“信访先信法”的氛围。建立信访举报跟踪督查追责问责制度，督促各级干部依法行政、高效履职。（李　颜）

机关事务管理

【概况】　2023年，重庆市长寿区机关事务管理局（简称区机关事务局）完成接待服务780余次、各项会议和活动服务保障1560余场次；完成区委宣传部、区委编办、区公安局、晏家街道、主题教育办等办公用房调整；改革机关食堂，获评市级“营养健康食堂”；完成维修3000余次。

【公务活动保障】　2023年，区机关事务局完善接待用车跟车服务、公务接待礼仪、会议服务和公务商务接待餐费管理制度4项。全年完成接待服务780余次，其中部级及以上34次49人次，无超标准和超规格接待。完成各项会议和活动服务保障1560余场次，其中重要会议和活动140余场次。

【公务用车管理】　2023年，区机关事务局处置公务用车8辆、新购2辆、调剂2辆、划转1辆。至年末，全区公务用车编制758辆，实有公务车702辆。规范公务用车定点维修、定点保险、定点租赁、定点加油管理，通过公开招标采购全区2023—2026年党政机关、事业单位公务用车定点租赁服务单位8家；全年审核3000元以上公务用车维修206车次，未发现超标维修等现象。依托公务用车信息化管理平台，运用大数据智能化手段，提升车辆调度、租赁等监管效能，规范公务用车使用管理。配合区纪委监委对全区公务用车运行管理进行常态化监督检查，并进行情况通报。

【办公用房管理】　2023年，区机关事务局完成区委宣传部、区委编办、区公安局、晏家街道办事处、主题教育办等办公用房调整。规范办公用房市场租赁管理，联合区财政局制定《关于加强办公用房租赁及管理有关工作的通知》，为区农业农村委、区救助站等36家单位统一租赁16栋办公楼用作办公用房，面积13.99万平方米。至年末，全区党政机关62家（不含街镇）共有房屋用地面积26.52万平方米、总建筑面积28.82万平方米（办公用房建筑面积25.57万平方米，技术业务用房建筑面积3.25万平方米）。

【机关后勤保障】　2023年，区机关事务局征求40余家就餐单位干部职工意见，改革机关食堂，调整每日菜品结构，丰富早餐和明档品种。机关食堂被评为市级营养健康食堂，并在重庆市机关食堂反食品浪费工作成效抽查评估中获优秀等级。不定期开展用电、用气设备及电路安全排查整改，全年完成维修3000余次。

（区机关事务局）

中国人民政治协商会议重庆市长寿区委员会

综　述

2023年，中国人民政治协商会议重庆市长寿区第十六届委员会（简称区政协）委员有292名。其中，中共党员委员117人，占委员总数的40.07%；非中共党员委员175人，占委员总数的59.93%。全年召开全体会议2次，常务委员会会议10次，主席会议10次。推进“3113”项目攻坚行动，区政协主席担任“两地一城”总督察长，持续开展“两地一城”专项督察，聚焦双象光学级新材料等特别重大项目和重大项目，实地察看项目现场200余次，召开问题研判会31次，报送工作督察专报16期、专项督察报告37期，区委、区政府主要领导批示45次。区政协班子成员担任“3113”项目负责人，部分机关干部担任企业服务专员，联系服务重大项目和重点企业30余个。启动“主席会议班子成员全覆盖开展界别走访”活动，全年走访11次，通过走访看望界别委员，了解履职情况，听取意见建议，协调解决问题。加强理论研究，组织政协委员和理论工作者、各党派团体，围绕“政协联动履职推动成渝地区双城经济圈高质量发展的思考”“从制度生成到制度自信”等课题撰文，研究政协工作中的一些理论和实践问题，评出等级奖17篇，其中特等奖1篇，一等奖1篇，二等奖3篇，三等奖5篇，优秀奖7篇。

重要会议

【概况】 2023年，区政协组织召开全体会议2次，常务委员会会议10次，主席会议10次，选举产生政协重庆市长寿区第十六届委员会副主席1名，调整政协委员3次。

【区政协全体会议】 2023年2月16—19日，区政协十六届二次会议在区科技文化中心召开。应出席委员283人，实到264人。会议听取和审议政协重庆市长寿区第十六届委员会常务委员会工作报告、政协重庆市长寿区第十六届委员会常务委员会关于提案工作情况的报告。协商讨论重庆市长寿区人民政府工作报告、计划报告、财政报告，重庆市长寿区人民政府关于《中国长寿城全域空间战略规划及重点项目库设计》的报告、关于《长寿区国土空间生态保护修复专项规划》的报告，长寿经开区工作报告，区人民法院工作报告、区人民检察院工作报告。审议通过政协重庆市长寿区第十六届委员会第二次会议关于政协重庆市长寿区委员会常务委员会工作报告的决议，审议通过政协重庆市长寿区第十六届委员会第二次会议决议。

2023年12月20日，区政协十六

2023年2月17日，中国人民政治协商会议重庆市长寿区第十六届委员会第二次会议在区科技文化中心召开　　　　（区融媒体中心　供图）

届三次会议在区科技文化中心召开。大会应到291人，实到253人。会议审议通过政协重庆市长寿区第十六届委员会第三次会议议程，通过大会选举办法和总监票人、监票人名单。选举政协重庆市长寿区第十六届委员会副主席1名、常务委员3名。唐贤明增选为政协重庆市长寿区十六届委员会副主席。

【区政协常委会会议】　2023年2月18日，区政协十六届六次常委会会议召开。会议听取秘书处汇报区政协十六届二次全体会议各组讨论情况；审议政协重庆市长寿区委员会常务委员会工作报告的决议（草案）和政协重庆市长寿区第十六届委员会第二次会议决议（草案）。

2023年2月19日，区政协十六届七次常委会会议召开。会议听取秘书处汇报区政协十六届二次全体会议各组讨论情况；审议通过政协提案委员会关于提案审查情况的报告；审议关于政协重庆市长寿区委员会常务委员会工作报告的决议（草案）；审议关于政协重庆市长寿区第十六届委员会第二次会议决议（草案）。

2023年3月28日，区政协十六届八次常委会会议召开。会议传达学习全国两会精神和新修订的《政协章程》；审议通过十六届区政协委员调整事宜；审议通过区政协有关人事任免事项；审议通过区政协2023年工作要点。

2023年7月26日，区政协十六届九次常委会会议召开。会议传达学习习近平总书记在全国生态环境保护大会上的重要讲话精神；传达学习市委六届三次全会精神；协商全区上半年经济社会发展情况；通报《重庆市长寿区国土空间分区规划（2021—2035年）》有关情况；通报全区数字化建设推进情况；启动民主评议区退役军人事务局、区大数据发展局工作。

2023年11月1日，区政协十六届十次常委会会议召开。上午，围绕全区“3113”项目攻坚行动计划特别重大项目建设推进情况开展监督性视察。下午，传达学习习近平总书记关于党的建设的重要思想、习近平总书记主持召开进一步推动长江经济带高质量发展座谈会上的重要讲话精神；通报全区提案办理情况；通报全区文体融合相关工作开展情况；审定《关于民主评议区大数据发展局工作情况的报告》和《关于民主评议区退役军人事务局工作情况的报告》。

2023年12月15日，区政协十六届十一次常委会会议召开。会议审议通过十六届区政协委员调整事宜、区政协有关人事任免事项、区政协十六届三次会议的决定；审议通过区政协十六届三次会议议程（草案），日程（草案），各次大会执行主席和主持人名单，大会秘书长、副秘书长名单，特邀领导名单，邀请在主席台就座领导名单，分组讨论召集人建议名单和委员分组讨论人员名单；审议通过关于召开区政协十六届四次会议的决定。

2023年12月20日，区政协十六届十二次常委会会议召开。会议审议政协重庆市长寿区第十六届委员会副主席辞职名单（草案）；审议选举政协重庆市长寿区第十六届委员会副主席和常务委员候选人建议名单、大会《选举办法（草案）》；审议总监票人、监票人建议名单。

2023年12月20日，区政协十六届十三次常委会会议召开。会议听取秘书处汇报区政协十六届三次会议分组讨论情况；通过政协重庆市长寿区第十六届委员会副主席辞职名单（草案）；通过选举政协重庆市长寿区第十六届委员会副主席和常务委员正式候选人名单；通过大会《选举办法》；通过总监票人、监票人名单。

2023年12月20日，区政协十六届十四次常委会会议召开。会议听取选举结果报告。

2023年12月20日，区政协十六届十五次常委会会议召开。会议传达学习12月8日习近平总书记主持召开的中共中央政治局会议精神、习近平总书记在党外人士座谈会上的重要讲话精神及中央经济工作会议精神；听取区人民政府2023年全区经济社会发展情况通报；听取区人民法院、区人民检察院2023年工作情况通报；听取区政协十六届四次会议筹备情况；审议通过区政协常委会工作报告报告人建议名单和提案工作情况的报告报告人建议名单；审议通过区政协十六届四次会议议程（草案）、会议日程（草案）、各次大会执行主席和主持人名单、大会秘书长、副秘书长名单、特邀领导名单、邀请在主席台就座领导名单、分组讨论召集人建议名单和委员分组讨论人员名单；审议通过区政协常委会工作报告（审议稿）、区政协十六届二次会议以来提案工作情况的报告（审议稿）、区政协《关于加快实施全民全生命周期健康管理的调研报告》；审议区政协各委室、街镇联络组、界别小组2023年工作情况。

【区政协主席会议】 2023年1月29日，区政协十六届十五次主席会议召开。会议传达学习全市两会精神、重庆市建设成渝地区双城经济圈工作推进大会精神。审议通过《关于召开中国人民政治协商会议重庆市长寿区第十六届委员会第二次会议的决定》。

2023年2月8日，区政协十六届十六次主席会议召开。会议审议通过《关于召开政协重庆市长寿区第十六届委员会第二次会议的决定（草案）》。

2023年3月17日，区政协十六届十七次主席会议召开。会议传达学习习近平总书记在全国两会期间的重要讲话精神和全国两会精神；传达学习习近平总书记在中共中央政治局第二次、第三次集体学习时的重要讲话精神；传达学习中国共产党第二十届中央委员会第二次全体会议精神。传达学习全区工业高质量发展大会精神、区委农村工作会议暨建设世界级运动康养旅游目的地工作推进会精神。审议区政协2023年工作要点。

2023年3月22日，区政协十六届十八次主席会议召开。会议传达学习习近平总书记在中国共产党与世界政党高层对话会上的主旨讲话；传达学习中国人民政治协商会议章程修正案。传达学习2023年加强基层治理推动平安长寿建设大会暨区委政法工作会议和全区组织宣传统战工作会议精神。审议十六届区政协委员调整事宜、区政协有关人事任免事项。审定区政协“渝事好商量”特色元素征集结果、区政协委员培训方案、区政协十六届八次常委会会议建议方案。

2023年6月20日，区政协十六届十九次主席会议召开。会议传达学习习近平总书记在中共中央政治局第五次集体学习时的重要讲话精神。传达学习全市推动制造业高质量发展大会精神、全市党建统领重大应用工作推进会精神、《领导干部报告个人有关事项规定》精神。听取改善生态环境质量提升公众满意度有关情况通报；专题协商农村人饮安全保障提升工程情况。

2023年7月18日，区政协十六届二十次主席会议召开。会议传达学习习近平总书记对防汛救灾工作的重要指示精神。传达学习袁家军书记在调度全市防汛救灾工作时的讲话精神、市委六届三次全会精神。听取区法院关于行政诉讼情况的通报；专题协商全面提升消费提质扩容——全区消费集聚区建设情况；研究长寿区政协网站关闭事宜。审议通过《区政协民主评议区退役军人事务局、区大数据发展局工作方案》《政协重庆市长寿区委员会反映社情民意信息工作规定》《政协重庆市长寿区委员会关于聘用特邀信息员的实施办法》、区政协十六届九次常委会会议建议方案。传达《关于2023年全市机关事业单位集中有序休假的工作提醒》精神、《关于开展规范公务员工资津贴补贴实施情况专项自查的通知》精神。

2023年10月24日，区政协十六届二十一次主席会议召开。会议传达学习习近平总书记关于党的建设的重要思想、习近平总书记在广东考察时作出的重要指示精神、习近平总书记在浙江考察时作出的重要指示精神和“千万工程”经验案例、习近平总书记主持召开进一步推动长江经济带高质量发展座谈会上的重要讲话精神、习近平总书记在文化传承座谈会上的重要讲话精神。传达学习区主题教育办转发《关于印发〈把学习推广“四下基层”作为第二批主题教育重要抓手的工作措施的通知〉的通知》精神、市委保密委《关于转发〈中央保密委员会保密要情（2023年第10期）〉的通知》精神。听取区司法局关于法治政府建设情况的通报。审议《关于民主评议区大数据发展局工作情况的报告》《关于民主评议区退役军人事务局工作情况的报告》。审议通过区政协十六届十次常委会会议建议方案。

2023年11月29日，区政协十六届二十二次主席会议召开。会议审定关于设立区政协十六届全体会议筹备领导小组和筹备工作组的建议方案。

2023年12月14日，区政协十六届二十三次主席会议召开。会议传达学习11月27日习近平总书记在中共中央第十次集体学习时的重要讲话精神、12月8日习近平总书记主持召开中共中央政治局会议精神、习近平总书记主持召开深入推进长三角一体化发展座谈会的重要讲话精神、习近平总书记在党外人士座谈会上的重要讲话精神。专题协商长寿区“加快构建1416科技创新体系，打造全市科技创新重要战略支点”工作情况；专题协商长寿区城市夜景灯饰建设情况。审定区政协2023年度理论研讨论文获奖情况、区政协2023年度优秀政协委员建议名单、区政协2023年度优秀提案、2023年度优秀社情民意信息建议名单。审议十六届区政协委员调整事宜、有关人事任免事项；审定区政协十六届十一次常委会和十二次常委会会议建议方案；审议区政协十六届三次全会和四次全会会议指南；听取各筹备组汇报筹备工作情况；审议区政协常委会工作报告（草案）和提案工作情况的报告（草案）。

2023年12月28日，区政协十六届二十四次主席会议召开。会议传达学习习近平总书记在中央经济工作会议上的重要讲话精神和市委经济工作会议精神、习近平总书记在纪念毛泽东同志诞辰130周年座谈会上的重要讲话精神、市委六届四次全会精神。审定区政协十六届四次会议大会发言内容及名单、区政协十六届四次会议市民代表名单、区政协十六届四次会议预备会上的表彰方案。

政治协商

【概况】 2023年，区政协深化全体会议总体协商、常委会会议专题协商、主席会议每月协商、提案办理全程协商、“渝事好商量”基层小微协商“五位一体”协商格局，推动落实年度协商计划，开展全体会议协商、常委会会议协商、主席会议协商、专题协商、基层小微协商近20次。

【常委会会议协商】 2023年7月26日，区政协十六届九次常委会会议专题协商全区上半年经济社会发展情况。12月20日，区政协十六届十五次常委会会议专题协商区人民政府2023年全区经济社会发展情况及区人民法院、区人民检察院2023年工作情况。

【主席会议协商】 2023年6月20日，区政协十六届十九次主席会议专题协商农村人饮安全保障提升工程情况；7月18日，区政协十六届二十次主席会议专题协商全面提升消费提质扩容——全区消费集聚区建设情况；12月14日，区政协十六届二十三次主席会议专题协商长寿区城市夜景灯饰建设情况。

【“渝事好商量”基层小微协商】 2023年，区政协打造1个区级协商议政厅、8个街镇协商议政室、N个“黄葛树下好商量”站和“楼宇协商”点，构建起“1厅—8室—N站点”立体化协商格局。全年围绕消费集聚区建设、滨江片区排危纾困等主题开展“渝事好商量”协商活动8场，解决民生实事20余项，作为重庆市“同心聚力巴渝行”7个集中采访区县之一，接受人民网、新华社、中新社、人民政协报等10余家国家级、市级媒体集中采访宣传报道。长寿区政协“渝事好商量”工作经验分别被市委改革办《改革要情》和市政协办公厅《政协工作信息》刊载。

【政协委员下沉基层开展小微协商】 2023年，区政协将292名政协委员分配到8个街镇联络组开展小微协商活动，全年开展“黄葛树下好商量”“楼宇协商”10余场次，惠及群众20余万人。

民主监督

【概况】 2023年，区政协围绕“国土空间分区规划”及“三区三线”划定情况开展常委会会议通报，就“改善生态环境质量　提升公众满意度”开展主席会议通报，组织开展“古镇中学建设情况”专题视察，提出意见建议。对区退役军人事务局、区大数据发展局工作开展民主评议，对区医保局、区应急管理局开展民主评议“回头看”，促进部门改进工作作风、提高服务质效。

【会议监督】 2023年，区政协常委会会议、主席会议听取《重庆市长寿区国土空间分区规划（2021—2035年）》、全区数字化建设推进、全区提案办理、全区文体融合相关工作开展、改善生态环境质量提升公众满意度、区法院行政诉讼、区司法局法治政府建设等情况通报，推动有关工作落实。

【视察监督】 2023年，区政协围绕非物质文化遗产、残疾人之家建设运营、桃花溪幸福河流建设、古镇中学建设、新材料发展、社会治理信息化建设及网格化管理等开展专题视察，帮助发现问题、找出症结，提出建设性意见，推动区委、区政府工作部署的落实。

【民主评议】 2023年7月26日，区政协启动民主评议区退役军人事务局、区大数据发展局工作。7—9月，评议组采取听、看、访、察、问相结合的方法，先后视察走访部分管理服务对象和街镇，召开评议座谈会，征求管理服务对象、部分部门和街镇、部分政协委员和被评议单位干部职工意见，发放征求意见表，广泛收集意见建议，分别形成《关于民主评议区退役军人事务局工作情况的报告》《关于民主评议区大数据发展局工作情况的报告》，报送区委、区政府决策参考。

提案与社情民意

【概况】 2023年，区政协收到提案371件，审查立案359件，采纳落实316件。其中，“关于农民工工资支付履约保证保险代替保证金的建议”被区人力社保局采纳，并在全市范围内先行先试，为防范和化解拖欠农民工工资风险提供经验。全年编报社情民意信息344篇，其中被市政协采纳27篇，“破解托育服务痛点 推动托幼一体化发展”等信息获市领导批示，转送市级相关部门办理落实。

【关于三轮驱动，共建长寿之城的建议】 2023年，区政协委员金霞提出《关于三轮驱动，共建长寿之城的建议》。区发改委对此拟定以生态环境为导向，加快构建绿色发展体系。以数字化为引领，加快建设现代产业体系。依托数字政府系统建设，打造跨系统、跨部门、跨业务的协同应用，实现长寿智慧政务“一张网”、智慧园区平台、环保电力大数据监控平台等智能应用场景。依托数字底座及场景开发项目建设，开发能实现全区“数据资源可见、可查、可享、可用”的数据底座平台，实现数据内外交换共享、数据流动、数据交换和数据要素价值化。以人民为中心，打造数字健康产业体系。围绕提高全区居民健康素养水平以及预防治疗心脑血管、恶性肿瘤等影响全区居民健康的最主要疾病因素，建设以全民全生命周期健康数据为基座，以建成“国内一流数字健康产业生态集聚区”为目标，建设以长寿高新区作为产学研核心平台、以健康医疗大数据提升长寿人民健康水平和助推数字健康产业发展为主线的数字健康产业园。

【关于高效推进“3113”项目攻坚行动计划的建议】 2023年，区工商联提出《关于高效推进“3113”项目攻坚行动计划的建议》。区发改委对此表示：“量力而行”，精准安排年度重大建设项目。“尽力而为”，支持民营企业参与项目建设。鼓励民营企业主体等各类企业在长寿再投资再建设，实施存量项目的扩建、改建、再建计划。并承诺继续贯彻《关于进一步完善政策环境加大力度支持民间投资发展的意见》《长寿区营商环境优化提质 促进民营经济高质量发展实施意见》等支持民营经济和民营企业发展的系列政策，在重大项目建设领域，不断加码支持民营企业发展。

【关于沪渝高速晏家互通扩能改造，提高通行能力的建议】 2023年，区政协委员曾永寿提出《关于沪渝高速晏家互通扩能改造，提高通行能力的建议》。区交通局对此启动长寿至两江新区快速路、沿江高速长寿支线二期工程等一系列特别重大项目的相关工作。其中，长寿至两江新区快速路已开工，建成后将直接连通长寿经开区和两江新区，区间通行的货运及通勤车辆可不再经高速公路行驶，大大缓解晏家收费站的压力。沿江高速长寿支线二期工程开展前期工作，该项目建成后，江南重钢片区车辆可直接从长寿港、长寿南互通上下高速，长寿经开区往巴南、涪陵等地的车辆也可通过长江二桥至长寿港互通上下道，分流晏家收费站的车辆，改善长寿经开区的对外高速通道，提升通行效率。

【关于加快推进儿童友好城市建设的建议】 2023年，区政协委员黄程提出《关于加快推进儿童友好城市建设的建议》。区住房城乡建委对此承诺：高起点科学规划儿童友好城市体系框架，高质量编制研究项目方案内容，高效能提升城市配套设施管理水平。

【关于建设长江国家文化公园（长寿段）的建议】 2023年，区政协委员谢小勇提出《关于建设长江国家文化公园（长寿段）的建议》。区文旅委答复：将挖掘长寿水电文化、工业文化、寿文化等本土特色文化，细化项目总体规划策划方案，优化项目建设实施步骤方案，推动项目建设；加强部门横向沟通，整合政策资源，创新投融资渠道，尽快落实项目建设资金；加大招商引资力度，在严格落实国家保护为主、开发为辅开发理念基础上，探索项目市场建设运营途径。

【基层反映亟待做好综合行政执法改革后半篇文章】 2023年，区政协委员邹楚蕾撰写社情民意信息《基层反映亟待做好综合行政执法改革后半篇文章》，被市、区两级政协采纳。

【基层反映第三卫生间建设存在三方面短板亟待补齐】 2023年，区政协委员余勇撰写社情民意信息《基层反映第三卫生间建设存在三方面短板亟待补齐》，被市、区两级政协采纳。

2023年长寿区领导重点督办区政协十六届二次会议委员提案一览表

表12

序号	提案类别	督办领导	督办协助单位	编号	提案者	提案主题	主办单位	协办单位
1	具有全球影响力的新材料高地	冉　洪	长寿经开区党政办	126	陶伯林	关于加快引进钙钛矿太阳能电池技术和相关产业的建议	区招商投资局	长寿经开区党政办
2		殷湖北	长寿经开区党政办	236	肖　寒	关于加快建设“工业大脑”助力工业高质量发展的建议	区经济信息委	长寿经开区党政办、长寿高新区
3		程学明	长寿经开区党政办	262	谭紫昕	关于加快生产服务型国家物流枢纽建设，在国家高质量发展版图中争创新地位的建议	长寿经开区党政办	
1	世界级运动康养旅游目的地	师明萌	区委办	31	九三长寿区委会	关于创新农业社会化服务体系　助力乡村振兴的建议	区农业农村委	
2		汤晓强	区委办、区委宣传部	91	余　勇	关于充分发挥杨克明故居红色教育基地作用的建议	区委宣传部	
3		张明万	区委办、区委政法委	308	张晓涛	关于加强打击电信网络诈骗的建议	区公安局	
4		李福科	区委办、区委组织部	329	罗　健	关于大力实施人才战略，推进长寿区“两地一城”高质量发展的建议	区委组织部	
5		邹翔名	区政府办	42	民进长寿区委会	关于推动我区观光农业高质量发展的建议	区农业农村委	
6		付　恺	区政协经济委	56	无党派界别	关于打造桃花河沿线示范带扎实推进乡村振兴发展的建议	区农业农村委	
7		陈　红	区政协城环委	143	梁　伟	关于长寿湖片区实行产城融合发展的建议	区发展改革委	区规划自然资源局、区文化旅游委
8		谭静波	区政协社事委	301	刘　平	关于加强个体诊所合理用药监管的建议	区卫生健康委	
9		袁　翔	区政协文化文史和学习委	70	张光勇	关于长寿区建立“长寿碑林”的建议	区文化旅游委	区委党研室 区文联 区社科联
1	中国长寿生命科学城	刘小强	区委办	2	民革长寿区委会	关于加快实施全民全生命周期健康管理行动计划筑牢长寿经济社会发展“健康基石”的建议	区卫生健康委	区委宣传部
2		刘小强	区委办	151	金　霞	关于三轮驱动，共建长寿之城的建议	区发展改革委	
3		戴　明	区政府办	312	谭正荣	关于推进慢病管理中心建设的建议	区卫生健康委	区医保局
4		戴　明	区政府办	353	刘江鹏	关于将长寿区肿瘤防治中心项目纳入长寿区重大科技创新专项的建议	区科技局	区卫生健康委

续表12

序号	提案类别	督办领导	督办协助单位	编号	提案者	提案主题	主办单位	协办单位
5	中国长寿生命科学城	何以龙	区政协办	133	戚谊熙	关于长寿区申报市级历史文化名城的工作建议	区规划自然资源局	
6		何以龙	区政协办	332	周成伟	关于加快出台数字健康专项产业政策助推中国长寿生命科学城建设的建议	长寿高新区	区科技局 区经济信息委 区大数据发展局
7		卓大林	区政府办	60	区工商联	关于高效推进“3113”项目攻坚行动计划的建议	区发展改革委	
8		胡文军	区委办、区纪委监委机关	8	民革长寿区委会	关于加强我区文化基础设施建设，活跃群众精神文化生活的建议	区文化旅游委	
9		李兴建	区委办、区委统战部	41	民进长寿区委	关于推动惠企政策落地落实，助推我区经济高质量发展的建议	区发展改革委	区科技局 区经济信息委 区财政局 区政务服务管理办
10		刘朝煜	区政府办	175	彭　磊	关于建设“智慧城市”彰显“长寿文化”的建议	区城市管理局	区交通局
11		江发茂	区政府办	268	徐　春	关于依托三科农商城打造长寿区现代农业产业链的建议	区农业农村委	
12		涂　庆	区政府办	364	但小平	关于对非公交车辆违规停车占用公交车站位行为进行清理整治的建议	区公安局	
13		蒋发平	区政府办	195	罗　亮	关于加强职教实训基地建设的建议	区教委	区人力社保局
14		郑　勇	区政协社法委	238	朱　玲	关于进一步加强社区矫正检察监督工作的建议	区检察院	区司法局
15		杨华林	区政协提案委	170	陈松涛	关于进一步加快完善农村快递物流体系　助力乡村振兴的建议	区交通局	区商务委 区农业农村委 区供销社
16		杨泽民	区政协经济委	208	谢小勇	关于进一步加大充电桩设置的建议	区发展改革委	区经济信息委

调研与视察

【概况】 2023年，区政协开展“全民全生命周期健康管理”常委会调研，提出意见建议。围绕保障农村人饮安全开展调研，提出“坚持城乡供水一体化目标路径、实现城乡供水一体化建设管理、加强城乡一体化备用水源建设”对策建议，区委主要领导作出肯定性批示，区政府常务会议专题研究推动改进落实。围绕残疾人之家建设运营工作开展调研，提出筑牢“联动工作体系、政策保障体系、就业支持体系、健康服务体系”等意见建议，助力党委政府把好事办实、实事办好。

【全民全生命周期常委会专题调研】 2023年10—12月，区政协组织开展“全民全生命周期健康管理”常委会调研，提出“完善健康管理顶层设计、推进健康卫生服务能力建设、补齐健康管理供给短板、实施健康环境建设、构建健康管理保障体系”等意见建议。

【桃花溪幸福河湖建设专题视察】 2023年3月7日，区政协主席何以龙、副主席陈红带队到桃花溪城区段开展巡河工作，并召开座谈会，讨论研究桃花溪治理工作。5月11日，区政协

2023年10月26日，区政协开展“全民全生命周期健康管理”专题调研
（区融媒体中心　供图）

主席何以龙陪同市水利局党组成员、副局长任丽娟一行调研桃花溪幸福河建设情况。

交流联谊

【概况】　2023年，区政协聚焦成渝地区双城经济圈建设“一号工程”，与四川省彭州市政协签订友好政协交流合作协议，开展务实有效的联合履职。主办“丹青浸川渝·翰墨润寿乡”川渝地区书画联展，推动文化合作与艺术交流。联合重庆市渝北区、四川省邻水县围绕森林防灭火工作开展“推动川渝毗邻地区协同发展”联合协商，共同筑牢森林防灭火安全防线。

【重庆市长寿区政协与四川省彭州市政协签署合作协议】　2023年5月18日，重庆市长寿区政协、四川省彭州市政协在长寿区举行友好政协交流合作协议签约仪式。长寿区政协党组书记、主席何以龙，彭州市政协党组书记、主席米兰佳，长寿区政协副主席付恺、陈红、袁翔和彭州市政协副主席周权、曾云出席签约仪式。

【“同心聚力巴渝行”采访活动】　2023年11月14日，重庆市“同心聚力巴渝行”媒体采访团走进长寿，就长寿区政协助力全区中心工作、开展“渝事好商量”等特色亮点工作进行专题采访报道。《多问一下　多想一点　多帮一把》《黄葛树下好商量　36户居民告别危房》等文章在《人民政协报》《重庆日报》《重庆政协报》等10余家媒体上刊载。

【川渝七区市县书画联展】　2023年7月4—10日，“丹青浸川渝　翰墨润寿乡”建功新时代川渝地区七区市县书画联展在重庆市长寿区博物馆举行。活动由重庆市长寿区政协主办，重庆市梁平区、垫江县和四川省广安市、达州市、邻水县、大竹县政协联办。展出作品260余幅，参观展览1万余人次。（杨　娟）

中国共产党重庆市长寿区纪律检查委员会 重庆市长寿区监察委员会

综　述

2023年，中国共产党重庆市长寿区纪律检查委员会、重庆市长寿区监察委员会（简称区纪委监委）以贯彻落实党的二十大精神为主线，以开展学习贯彻习近平新时代中国特色社会主义思想主题教育和纪检监察干部队伍教育整顿为重点，围绕加强党的全面领导、全面加强党的建设、全面从严治党，推动健全全面从严治党体系，开展党风廉政建设和反腐败斗争，推进新时代纪检监察工作高质量发展。年内，获评市纪委监委考核一等奖、全市“双十佳”精品案件、全市巡视巡察推动解决民生事实十佳案例，清廉单元建设获评1个标杆单位和3个优秀实践案例，“以周恩来总理长寿足迹”为核心的红廉文化研学基地获评全市廉洁文化示范基地，宣传工作全市第一，获评全市“十佳”新媒体和“十佳”新闻稿件，形成政治生态评价智慧系统、清廉单元建设等标志性工作成果，中央纪委国家监委网站、《中国纪检监察报》、《重庆日报》、风正巴渝等中央、市级媒体刊登经验做法208次。

加强纪检监察队伍建设。区纪委监委开展区纪委常委会学习、党支部学习等442次，主要领导上党课5次，引导全区纪检监察干部上好理论武装、党性教育、业务能力、警示教育“四堂课”，推动纪检监察队伍建设。举办“长寿清风·学习讲堂”31期，组织参加全区“数字大讲堂”培训11期，全覆盖参加党内法规和国家法律应知应会知识测试，平均得分98.1分。优选17名干部参加中央纪委国家监委、市纪委监委专案等工作，提高实战能力。树立重政治品质、重实干实绩、重能力水平的选人用人导向，提拔重用32人，职级晋升30人，交流轮岗22人，新招录优秀年轻干部25人，2个纪检监察机构被表彰为区级及以上先进（优秀）集体，37名纪检监察干部被表彰为区级及以上先进（优秀）个人。清仓起底纪检监察干部问题线索74件，新收到并处置问题线索7件，立案审查1件1人，给予组织处理3件3人。首次确认监察官等级179人，全覆盖开展家访走访2轮，谈心谈话392人次，为2名纪检监察干部澄清正名。帮助解决纪检监察家庭重大困难23人次，慰问因病住院等26人次。

推进纪检监察机制建设。区纪委监委建立深学习、实调研、抓落实工作机制，形成关于推进清廉建设、纪检监察干部队伍建设等调研成果16项。建立“一把手”例会、监督执纪执法典型问题案例分析复盘机制，形成唯实争先、赛马比拼的良好氛围。坚守政治机关定位，坚定拥护“两个确立”、坚决做到“两个维护”，落实意识形态工作责任制、民主集中制和请示报告制度等规定，向市纪委监委请示报告18次、向区委请示报告16次。提高机关党的建设质量，创建成为首批区直模范机关。将严的基调贯穿纪检监察干部全职业周期，推动健全办案业务、干部监督管理、机关内控3个制度汇编，废改立制度39个。

重要会议

【十四届区纪委三次全会】 2023年2月8日，中国共产党重庆市长寿区第十四届纪律检查委员会第三次全体会议在区科技文化中心召开。会议总结2022年纪检监察工作，部署2023年任务，审议通过区纪委常委会所作的《深入学习贯彻党的二十大精神，坚定不移推进全面从严治党，为谱写新时代新征程新重庆长寿华章提供坚强保障》工作报告。

【全市纪检监察宣传教育工作中心城区及渝西片区座谈会】 2023年4月25日，全市纪检监察宣传教育工作中心城区及渝西片区座谈会在长寿区召开。会议强调，全市纪检监察宣教工作者要从党中央关于全面从严治党的战略部署中，从依然严峻复杂的形势、依然艰巨的任务中，从新时代新征程新重庆的历史方位中体悟使命感、责任感;要突出辨识度，重实效、抓重点、破难点、出亮点，切实抓好主题教育宣传引导，教育整顿宣传舆情，纪律教育，以媒体融合提升党风廉政宣传教育实效等工作;要强化责任落实，推动宣教各项任务落地落细，紧盯清单台帐，评估分析、打表推动、定期盘点销号，推动宣教工作结出丰硕成果。

【全区纪检监察工作会议暨一把手例会】 2023年8月10日，长寿区纪检监察工作会议暨一把手例会召开。会议要求，要贯彻落实市委六届三次全会、全市纪检监察工作会议暨一把手例会和区委十四届五次全会精神，推进党风廉政建设和反腐败斗争，为加快建设新时代市域党建新高地长寿范例作出新贡献。

2023年2月8日，中国共产党重庆市长寿区第十四届纪律检查委员会第三次全体会议在区科技文化中心召开　　（区纪委监委　供图）

监督执纪

【概况】 2023年，区纪委监委靠前监督、主动监督，开展政治监督、“一把手”监督、“四风”监督，保障党中央决策部署落实落地。政治生态评价智慧系统被纳入数字重庆“党建·公权力大数据监督应用”并在全市推广，获评市委改革办2023年基层改革典型案例和清廉重庆建设优秀实践案例，被市纪委监委推选参评重庆市改革创新奖。

【政治监督】 2023年，区纪委监委围绕习近平总书记关于防汛救灾、安全稳定等重要指示批示精神和成渝地区双城经济圈、西部陆海新通道、“三新一高”、生态环保、耕地保护、粮食安全等党中央重大决策部署，开展量化闭环式监督检查80余轮，督促整改问题9个，推动除险清患150余处，查处违反政治纪律3件4人。与四川省广安市、彭州市签订合作协议，开展联动监督12次，督促整改问题23个。

【政治生态评价】 2023年，区纪委监委协助区委制定落实市委《持续修复净化政治生态十项举措》任务清单，迭代升级政治生态评价智慧系统，对全区政治生态进行综合研判，对“关键少数”和“一把手”精准画像，反向检视立案查处案件10件10人，留置2人，向6个党组织发出预警通知书，督促修复指标51个。落实“凡提四必”（凡提必审、必核、必听、必查），回复党风廉政意见80批490人次，否定或暂缓提拔2人。

【“四风”监督】　2023年，区纪委监委开展会风会纪监督126场次，通报批评2次，集中约谈8人。查处违反中央八项规定精神问题案件33件41人，给予党纪政务处分32人。

纪律检查和案件办理

【概况】　2023年，区纪委监委主动应对反腐败斗争新形势新挑战，坚持不敢腐、不能腐、不想腐一体推进，治理腐败取得新成效。运用“四种形态”批评教育帮助和处理431人，其中第一、二种形态占89.3%。处置问题线索392件，立案121件127人，涉及“关键少数”和关键岗位34人，给予党纪政务处分121人，留置7人，涉嫌犯罪移送检察机关6人。

【“三不腐”一体推进】　2023年，区纪委监委健全一体推进“三不腐”领导体制工作机制，区委常委会专题研究反腐败工作7次，区委书记组织召开一体推进“三不腐”领导小组会议，对全区深化“全周期管理”一体推进“三不腐”工作提出要求。领导小组办公室定期召开区委反腐败协调工作会暨一体推进“三不腐”工作推进会，细化完善7个专项小组全年重点工作任务清单，打表推进44项重点任务。

【惩治腐败】　2023年，区纪委监委坚持有腐必反有贪必肃。处置问题线索392件，立案121件127人，涉及“关键少数”和关键岗位34人，给予党纪政务处分121人，留置7人，涉嫌犯罪移送检察机关6人。

【纪巡审联动】　2023年，区纪委监委加强反腐败协调，建立健全与公安、检察、法院、审计等部门移送问题线索、通报案件情况等贯通协同机制。全年召开“纪巡审”三方联席会议5次、巡审联动例会13次，与公安、检察、法院、审计等部门相互移送问题线索87件，审计移交问题线索查实率92.1%。制定“铁案工程”评价指标及评分细则，开展案件质量评查，获评全市纪检监察系统“双十佳”精品案件。

专项整治

【概况】　2023年，区纪委监委坚持党性党风党纪一起抓，监督落实《长寿区区委常委会成员工作生活带头十条要求》和《长寿区领导干部工作生活带头十条要求》，协助区委印发《长寿区禁止违规饮酒工作提示》。开展民生领域、医药领域、乡村振兴领域专项整治和“中梗阻”专项整治。

【民生领域专项整治】　2023年，区纪委监委推进养老社保、就业创业、农村集体“三资”、学生资助等民生领域专项治理，查处群众身边腐败和作风问题28件41人，给予党纪政务处分24人。

【医药领域专项整治】　2023年，区纪委监委配合开展医药领域腐败问题和不正之风集中整治，处置问题线索37件，立案查处4件7人，留置2人。

【乡村振兴领域专项整治】　2023年，区纪委监委开展乡村振兴领域不正之风和腐败问题专项整治，督促职能部门完成221个村集体经济组织和村民委员会账务分离工作。全年处置问题线索17件，立案查处8件9人。

【“中梗阻”专项整治】　2023年，区纪委监委开展对企业和群众反映强烈的“中梗阻”问题进行专项整治，纠治部分党员、干部不作为慢作为乱作为问题。全年督促整改问题957个，查处案件26件43人。开展损害营商环境作风和腐败问题专项整治，立案查处案件11件11人，推动解决企业和群众急难愁盼问题75个。开展财政补贴企业类资金专项治理，督促整改公示公开不到位、超进度支付等问题40个，立案查处4件6人。

反腐倡廉宣传教育

【概况】　2023年，区纪委监委与重庆红岩联线文化发展管理中心签署合作协议，加强反腐倡廉宣传，强化党性党风党纪教育，发挥党风廉政宣传舆论导向作用。开展警示教育，实施清廉单元建设，以周恩来总理长寿足迹、狮子滩水电站、杨克明故居、《红岩》小说创作地等为据点，打造红廉文化研学基地，获评重庆市廉洁文化示范基地。

【警示教育】　2023年，区纪委监委拍制《亮剑“中梗阻”》警示教育片，开展“类案四说”302场次，受教育人员2.12万余人次，发出纪检监察建议7份，督促区人社局、区交通局等单位整改问题88个，完善制度46个。精准运用“四种形态”批评教育帮助和处理431人，其中第一、二种形态占89.3%，回访教育93人，澄清正名3人，促使主动投案、交代、退赃87人次。开展“家风助廉、青春倡廉、社区创廉”三大行动，举办川渝地区“青春倡廉”主题示范等系列活动。

【清廉单元建设】　2023年，区纪委监委结合实际制定清廉建设方案，构建一体化责任体系、标准化创建体系、系统化治理体系，推动清廉单元

2023年4月25日，重庆市长寿区纪委监委与重庆红岩联线文化发展管理中心合作共建签约仪式在长寿区举行　（区纪委监委　供图）

建设。成立区纪委监委主要领导为组长的工作总专班，指导成立9个清廉单元建设分专班，形成“1+9”工作格局。区委书记专门批示2次，区委常委会听取汇报5次，相关区领导带队专题调研9次，推动解决实际问题21个。构建以邻封镇邻封村、黄桷湾小学、区检察院3个市级试点示范单位为牵引、84个区级试点示范单位为支撑、N个自主建设单位为外延的“3+84+N”清廉单元创建体系。邻封镇邻封村获评清廉重庆建设标杆单位，政治生态量化评价体系、邻封村村级清廉议事监督机制、黄桷湾小学“455”工作机制获评清廉重庆建设优秀实践案例。坚持将清廉单元建设融入区域治理、行业治理、部门治理、基层治理，督促各分专班紧盯审批监管、执法司法、投资融资、工程建设等重点岗位、重点领域梳理排查廉政风险点2096个，制定防范措施1720条，建立完善制度机制265个。

（区纪委监委机关）

巡察工作

【概况】　2023年，区委巡察工作领导小组、区纪委监委持续深化政治巡察，发挥党内监督利剑和密切联系群众纽带作用，推动巡察工作开展。区委常委会研究巡察工作5次，区委书记组织召开书记专题会2次，批示22次。区委巡察工作领导小组召开会议5次，深入一线调研指导29次。按照中央巡视办要求，开展区县党委授权街镇对下属村（社区）党组织开展巡察的全国试点，探索形成巡察村（社区）党组织“五步分类法”“四查五看六谈七访”、巡察整改监督员等制度机制12个，累计走访群众2100余户，发现问题675个，收集群众意见建议470条，推动立行立改事项130件，获中央巡视办和市委巡视办肯定。

【巡察实施】　2023年，区委巡察工作领导小组、区纪委监委通过常规巡、延伸巡、系统巡、“轻骑兵”机动巡等方式，对24个区管党组织、111个基层党组织开展两轮政治巡察，累计发现问题1059个，移交问题线索40件，立案26件26人，立案率65%，获评全市巡视巡察推动解决民生实事十佳案例。

【巡察整改】　2023年，区委巡察工作领导小组、区纪委监委健全分管区领导督改促改机制，推动19个多跨协同重难点问题立行立改。实施巡察整改“三方联动”，审核整改方案和报告56份，反馈意见128条。融入“885”体系，同步录入“巡视问题清单”系统和“渝巡在线”督查系统问题1059个，整改1044个，整改率98.6%。开展十四届区委第一轮巡察整改综合评估，发现问题151个，约谈提醒76人次。

【巡察成果运用】　2023年，区委巡察工作领导小组、区纪委监委推动巡察成果运用，督促被巡察党组织整改问题298个，建章立制292个，问责处理76人次。对31个单位开展巡察整改成效综合评估，发现问题及时开展批评教育、书面检查、谈话提醒。在4个街镇8个村（社区）开展巡察整改“面对面”评议，收集意见建议56条，以群众满意度检验巡察整改成效。

（区委巡察办　区纪委监委机关）

民主党派　工商联

中国国民党革命委员会重庆市长寿区委员会

【概况】　2023年，中国国民党革命委员会重庆市长寿区委员会（简称民革长寿区委会）有支部9个，民革党员216人。民革党员中，博士研究生2人，硕士研究生22人，本科及以上学历178人；高级职称69人，其中正高级职称5人；机关事业单位82人，教育系统62人，医疗系统34人，国有企业20人，其他18人；市人大代表1人、市政协委员1人，区人大代表7人（其中区人大常委会副主任1名、常委会委员1名）、区政协委员28人（其中副主席1名、常委4名）；厅级干部2人，处级实职干部8人；民革市委委员2人（其中常委1人）、各专委会委员10人（其中主任1人）；市人民监督员1人，区特约监察员2人。区委会领导班子成员主委1人、副主委4人，区委会委员15人。区委会获评“民革重庆市机关工作先进集体”“思想宣传工作先进集体”，1人获优秀通讯员，1人获民革重庆市祖统工作先进个人。

【思想建设】　2023年，民革长寿区委会以“凝心铸魂强根基、团结奋进新征程”主题教育为统领，聚焦“学思想、强根基、重履职、建新功”的总要求，夯实共同思想政治基础。全年召开学习习近平新时代中国特色社会主义思想、中共二十大精神等会议60余次，教育引导全区民革党员始终在思想上政治上行动上同以习近平同志为核心的中共中央保持高度一致。开展纪念中共中央“五一口号”发布75周年、宋庆龄同志诞辰130周年、五四运动104周年活动。组织党员参观重庆宋庆龄旧居。组建理论学习宣讲团，累计宣讲10余场。围绕主题教育召开专题民主生活会。开展政协理论研究，发挥长寿民革微信公众号、民革党员之家等平台的宣传阵地作用。向各级媒体和官方网站报送信息48条，采用率100%。

【组织建设】　2023年，民革长寿区委会发展党员8名。举行参政议政工作会等10余次，党员参加各级履职能力提升培训150余人次。4名党员参加区级党外代表人士顶岗锻炼，1名党员提拔为处级领导干部。医卫支部完成届中调整。内部监督委员会增设副主任1名。支部常态化开展组织生活和联谊活动，综合三支部与九龙坡区综合五支部缔结为友好支部，联合合川民革综合支部开展主题教育。强化政治监督，确保领导班子成员严守政治纪律和政治规矩。强化履职监督，通报基层组织和党员履职情况。向党员单位发送履职《喜报》。开展廉政教育，创新监督手段，推进党员履职管理平台建设。修订规章制度，提升机关工作制度化、规范化水平。

【参政议政】 2023年，民革长寿区委会与合川、广安民革签订合广长民革组织合作共建协议，围绕“共促交通互联互通、共建国家物流枢纽”开展联合调研，形成《关于合广长协同发展示范区调研报告》。与广安民革联合开展“长广跨界河流共建共保”实地调研。围绕“两地一城”建设和“3113”项目攻坚行动计划开展调研，形成调研报告16篇。参加区委暑期谈心会和双月座谈会，提出意见建议9条。5名党员到“具有全球影响力的新材料高地”专项指挥部、“世界级运动康养旅游目的地”专项指挥部、“两地一城”督察组顶岗锻炼。承接民革市委会、区社科联、区科技局课题3个，区委会立项重点课题4个。课题成果《关于进一步提升川渝跨界河流联合治理能力的建议》被民革市委会用为市政协集体提案，《关于加快推进我市城乡供水一体化建设的调研》获市政协采用，《基于耕地地力保护粮食安全保障机制研究》获区领导批示，《农村人居环境多元共治对策研究》转化为区政协集体提案。区“两会”期间，提交政协全体会议发言10篇，采用7篇；提交提案56件，其中4件评为重点提案，4件评为优秀提案。5人获评区优秀政协委员。全年报送社情民意信息209篇，获市政协采用2篇，市委统战部采用10篇，民革市委会采用31篇，区政协采用102篇。

【社会服务】 2023年，民革长寿区委会开展走访慰问五保老人和困境儿童活动，为大同村贫困村民捐赠爱心医疗款8000余元，帮助4名困难学生完成学业。组建“三团”开展社会服务，医疗服务团开展“爱心义诊活动”和“心理健康服务进校园”活动。教育服务团开展送教下乡活动。法律服务团开展“普法进社区、进校园”活动。6名党员被检察院招募为“益心为公”志愿者。组织党员参观重庆抗战遗址博物馆，参观“两岸一家亲共圆中国梦”渝台交流35周年回顾图片展。

2023年9月6日，民革重庆市长寿区委会、民革重庆市合川区工委、民革四川省广安市委会在广安签订《民革合广长结对共建友好组织合作协议》

（民革长寿区委会 供图）

【区域合作】 2023年，合广长三地民革组织携手共建，推进成渝双城经济圈建设。9月5日，民革长寿区委会和民革广安市委会“川渝毗邻地区协同开发绿色发展研究”课题组，赴广安市邻水县调研长广跨界河流共建共保工作。9月6日，民革长寿区委会、民革合川工委、民革四川省广安市委会在广安签订《民革合广长结对共建友好组织合作协议》。11月24日，以“共促交通互联互通、共建国家物流枢纽”为主题的合广长民革组织第二次交流研讨会在长寿举行。与会人员实地考察长寿经开区“六维一体”应急联动机制和智慧化园区运营管理平台建设、创新示范智能工厂建设、文旅融合发展以及乡村振兴等情况，就加强三地交通互联互通、助力西部陆海新通道建设进行交流研讨，形成《关于合广长协同发展示范区调研报告》。（朱 玲）

中国民主促进会重庆市长寿区委员会

【概况】 2023年，中国民主促进会重庆市长寿区委员会（简称民进长寿区委会）下设1个总支委员会，13个支部，5个专门委员会。有会员427人，其中教育文化主界别占会员总数74.9%，会员平均年龄56.6岁。年内，民进长寿区委会被评为民进重庆市思想政治工作先进单位、社情民意信息工作和电子信息化建设先进单位。

【思想建设】 2023年，民进长寿区委会完善理论学习中心组学习制度，制定中心组年度学习计划。围绕重要会议、重要文件、重大庆祝和纪念活动，开展集体学习活动10次。按照“凝心铸魂强根基、团结奋进新征程”主题教育方案，开展主题教育4次，举办知识竞答6场，参与会员110余人次。举办“凝心铸魂强根基　团结奋进新征程”主题教育暨民进长寿地方组织成立四十周年庆祝大会，200余名会员参加。各支部开展主题教育14场170人次。组织会员参观建川海疆博物馆、重庆宋庆龄旧居及保卫中国同盟总部旧址，加强爱国主义教育。

2023年12月1日，民进长寿地方组织成立40周年庆祝活动在区中医院举行
（区融媒体中心　供图）

【组织建设】　2023年，民进长寿区委会规范开展民主生活会、述职和民主评议会，坚持班子成员联系支部制度，指导支部建设，参加支部调研、社会服务等活动15余次。组织会员参加统战系统参政议政培训。以“如何当好一名民进会员”为题开展新会员入会专题学习。推荐2名会员参加党外代表人士实践锻炼活动。全年发展会员5名，其中主界别以外会员2名。根据《民进重庆市长寿区委员会内部监督工作办法》，开展内部监督工作。召开《中国民主促进会纪律处分办法（试行）》专题学习会，开展干部廉政警示教育，组织会员观看警示教育片、旁听区法院庭审等教育活动7场次。完善主委会、区委会、区委扩大会等决策和议事规则。组织机关干部参加各类学习培训活动9场次，观看革命历史题材影片2场次。

【参政议政】　2023年，民进长寿区委会发动会员履行职责，参政议政。区“两会”期间，民进会员共提交区人大代表建议13件，区政协集体提案7件、个人提案25件，大会发言5篇，7人获得区优秀政协委员称号。参与中共长寿区委、区委统战部组织的政党协商5次。班子成员带头承担地方政协理论与实践课题2项。科技局立项课题《关于加强高标准农田建设项目后期管护利用研究》，成果获区领导批示，转为建言信息1篇。全年社情民意信息被民进中央采用7篇，市政协采用6篇，市委统战部采用2篇，其中《建议高度重视未成年人阅读网络小说现象》获市领导批示。

【社会服务】　2023年，民进长寿区委会组织书画家会员开展“壬寅年春联万家推动共同富裕”活动，向乡镇村民送出春联和福字850余副。发挥界别优势，打造“小桔灯·同心守未”社会服务工作品牌。7月，承办“未成年纹身治理宣传活动”，走访全区注册登记的文身场所，设置禁止向未成年人提供文身服务告知牌18块，制作和发放传单、广告扇共2000份，凝聚依法保护未成年人合法权益的社会共识。

【民进长寿地方组织成立40周年庆祝大会】　2023年12月1日，民进长寿地方组织成立40周年庆祝大会举行。会议回顾民进长寿地方组织40周年发展历程；表彰“光荣在会40年”的23名老会员；会员代表钟运梅（长寿民进首名会员）进行大会发言。会上，民进重庆市委会主委、市政协副主席陈贵云指出，40年来，民进长寿区委会始终坚持思想政治引领、围绕中心服务大局、关注民生服务社会，在思想政治建设、参政议政、社会服务、自身建设等各方面取得了好成绩、展现了好风貌。区委书记刘小强强调，民进长寿区委会要继续坚定信念、把握机遇、执着前进，继承和发扬民进优良传统，切实担负起中国特色社会主义参政党地方组织的光荣使命和重要责任，团结引领全区会员，为推动长寿区经济社会高质量发展再谋良策、再建新功。　（龚秋源）

中国农工民主党重庆市长寿区委员会

【概况】　2023年，中国农工民主党重庆市长寿区委员会（简称农工党长寿区委会）下设14个支部、9个专委会，党员298名。年内，农工党长寿区委会被农工党重庆市委会评为宣传思想工作、反映社情民意信息工作、组织建设工作、社会服务工作先进集体。

【思想建设】 2023年，农工党长寿区委会完善《农工党长寿区委会理论学习中心组学习制度》，通过中心组学习会、主委会、全委会、支部学习会等形式，集中学习系列会议及文件精神70余次，组织党员撰写学习心得体会和理论文章，组织开展理论研讨。完成“农工党党员之家”基础设施和文化墙建设，举办农工党党史“大讲堂”。制定《农工党长寿区委会关于开展“凝心铸魂强根基、团结奋进新征程”主题教育的工作方案》，开展“党的二十大精神主题宣讲”“党史理论征文研讨”“共庆七一党的生日”“五一口号”发布75周年、游览“同心之旅”统战文化基地等专题活动；组织骨干党员赴广安武胜红色文化基地、长寿区预防犯罪法治教育基地、杨克明故居等开展主题教育；组织开展主题征文，收集理论征文18篇，向市委会选送7篇。运用农工党市委会门户网站、微信公众号、《重庆农工》《长寿农工》简讯以及市政协、市委统战部、区政协网站等媒体和刊物，宣传党务活动、履职成效、先进典型、感人事迹。全年宣传信息被“中新网”采用3篇，“华龙网”采用2篇，“人人长寿”APP采用7篇，市政协网站采用1篇，市委统战网站采用4篇，农工党市委会网站采用12篇，区政协网站采用25篇。

【组织建设】 2023年，农工党长寿区委会召开党员大会选举产生区委会主委，完成届中调整，对领导班子成员进行重新分工。修订完善《主委会工作规程》《全委会工作规程》；制定《参政议政工作管理办法》《课题调研工作管理办法》《理论和宣传工作管理办法》3个专项工作制度；召开领导班子“凝心铸魂强根基　团结奋进新征程”主题教育专题民主生活会，开展领导班子述职和民主评议。与合川、广安农工党组织建立长期合作关系，签订三地农工党组织战略合作协议。组织骨干党员赴复旦大学参加“学习贯彻中共二十大精神”专题培训3人次；组织骨干党员参加长寿区党外代表人士培训18人次；组织党员中的人大代表、政协委员赴浙江大学参加代表委员履职培训32人次。推荐1名党员成为市政协委员、1名青年党员作为市青年联合会委员，推荐3名党员分别在“具有全球影响力的新材料高地”专项指挥部、“世界级运动康养旅游目的地”专项指挥部、“两地一城”督察组顶岗锻炼。全年发展党员9人，党员累计298人。撰写《深化十项举措　狠抓新党员教育培养》实践创新报告，被区委统战部采用，并转报市委统战部。筹备建立农工党长寿区新党员支部。

【参政议政】 2023年“两会”期间，农工党长寿区委会共提交市人大代表建议4件，区人大代表建议25件，区政协提案55件（其中集体提案12件），区政协全体会议书面发言10篇，其中1人作现场发言；2名党员被评为优秀政协委员，3件提案被评为优秀提案，3件代表建议被评为优秀建议。推进全员覆盖课题调研模式，全年开展16个方向的课题调研，所有课题均结题，其中，承办区政协委托课题《如何解决区县政协“两个薄弱”问题》被区政协评为“一等奖”，《完善政协协商体系》课题被评为“二等奖”，2篇课题报告均被区政协转报市政协，其余14个课题全部转化为政协十六届四次会议的发言资料或集体提案。参与中共长寿区委、区委统战部组织的政党协商5次。收集报送社情民意信息140余条，其中被农工党中央采用1条，被市政协采用8条，被市委统战部采用2条，被区政协采用16条。全国两会期间，通过统战信息“直通车”渠道，直接报送党外人士建言和信息64条，其中市委统战部转报全国“两会”7条。协助市委会开展长江生态环境保护专题民主监督，实地调研长寿双龙河、长寿湖污水处理厂，开展新一轮长江（长寿段）生态环境保护民主监督工作。

2023年2月9日，农工党长寿区第五届委员会第二次党员大会在行政中心C1会议室召开

（区融媒体中心　供图）

【社会服务】　2023年，农工党长寿区委会与区中医院党委共建农工党“同心健康社会服务基地”，10月，该基地被批准为农工党重庆市社会服务基地。依托农工党中央和谐社会联系点和统战履职基地，运用“中国环境与健康宣传周”和“中国国际科学与和平周”平台，开展环保宣传、环保知识答疑、健康体检等活动。发动非公经济和新的社会阶层的农工党党员投身于社会公益，支持各支部、专委会开展各项社会服务活动。助推贵州毕节市大方县安乐乡和重庆云阳县清水乡乡村振兴工作，组织参与消费帮扶资金4428.8元。（陈　杰）

九三学社重庆市长寿区委员会

【概况】　2023年，九三学社重庆市长寿区委员会（简称九三学社长寿区委会）下设长寿化工总厂支社、四川维尼纶厂支社、医卫科技支社、综合支社、教育支社、长寿经开区支社6个支社，共有社员204人，其中博士研究生2人、硕士研究生39人；高、中级职称197人，占96.57%；高级职称96人，占47.06%。社员中，有副厅级领导干部1人、正处级领导干部3人、副处级领导干部6人；有市人大代表1人、市政协常委1人、区人大代表10人（常委2人）、区政协委员24人（常委6人），有九三学社市委会常委1人、专（工）委委员19人，有市一中院特邀监督员1人、区监察委特约监察员1人、区法院人民陪审员1人。九三学社长寿区委会获九三学社市委会思想政治和宣传、参政党理论与社史研究、参政议政、社情民意信息、社会服务、机关建设工作先进集体等社务工作表彰6项，获评市委统战部2023年度重庆市各民主党派、无党派人士议政建言赛马十佳组织，获第十届重庆九三青年论坛优秀组织奖，获九三学社市委会社务工作先进个人表彰30人次。

【思想建设】　2023年，九三学社长寿区委会以“凝心铸魂强根基、团结奋进新征程”主题教育为主线，召开各类学习会议42次，引导全区社员“学思想、强根基、重履职、建新功”，坚定拥护“两个确立”、坚决做到“两个维护”。组织参加纪念“五一口号”发布75周年专题讲座、“地方政协工作理论与实践”研讨征文活动，参加九三学社中央、市委会主题征文以及第十届重庆九三青年论坛，开展“学习二十大，巾帼向未来”知识竞赛，组织参观吴藻溪生平事迹纪念馆、红岩革命纪念馆等教育基地，推动主题教育开展。

2023年11月13日，九三学社重庆市委员会主委屈谦（主席台中）到长寿区调研指导主题教育（九三学社区委会　供图）

【组织建设】　2023年，九三学社长寿区委会加强代表人士队伍和青年社员队伍建设，1人被提拔为国企副处级领导干部，1人被推荐为市第六届青联委员，1人被推荐参加党外人士实践锻炼，全年新发展社员4人，其中高级职称2人、区人大代表1人。构建“大机关”工作格局的做法得到九三学社中央办公厅领导的肯定，并在九三学社机关能力建设工作分片区交流研讨会上作交流发言。组织社员到长寿区预防职务犯罪基地开展警示教育2次，开展廉洁从业从政提醒60余次。完成长化、经开区支社届中调整，撰写的《“五抓五促”助推民主党派基层组织规范化建设》，被市委统战部评为创新实践优秀成果奖。

【参政议政】　2023年，九三学社长寿区委会大兴调研之风，完善参政议政工作机制，形成一批高质量议政建言成果。全国两会期间，与九三学社重庆市委会联合课题成果《关于完善法律援助经费保障制度的建议》获全国政协十四届一次会议立案，并获评全国政协2023年度好提案。组织提交的《关于加强林业碳汇市场监管的建议》，获全国政协十四届一次会议立案，建言被市委统战部采用7条。市两会期间，提交人大建议2件、政协提案3件。区“两会”期间，提交人大建议18件、政协提案46件，大会发言材料13件，作为区领导重点督办提案3件，4人获评优秀政协委员，4件提案获评优秀提案。全年确定重点课题3个、自选课题14个，形成调研成果17项，其中主委牵头的《加快重

2023年6月29日，九三学社中央院士专家科普行（长寿站）活动举行

（九三学社区委会　供图）

庆钢铁行业转型升级，助力现代化产业体系建设高质量发展》课题成果，作为九三学社市委会在九三学社中央第五届“九三绿色发展论坛”上的发言素材；1项课题成果获区领导批示。全年报送社情民意信息97条，其中被九三学社中央采用14条、市政协采用14条、市委统战部采用7条，4条建言获市领导批示，1条建言获区领导批示，6条建言被九三学社市委会表彰为2023年议政建言“优秀案例”。组织参加九三学社市委会长江生态环境保护民主监督调研2次，撰写建言1篇，被市、区政协采用。4名“益心为公”志愿者参加桃花溪公益诉讼现场核查等活动。2名社员作为驻庭代表、委员参与诉前调解，调解民事纠纷5起。

【社会服务】　2023年，九三学社长寿区委会与市委会联动，开展“九三学社中央院士专家科普行”活动，为中国长寿生命科学城建设献计出力。开展“九地合作”“健康知识讲座”“送医下乡”“送课下乡”“农技下乡”等品牌社会服务活动。发动社员向甘肃省积石山县捐款1.63万元，支援甘肃省抗震救灾。与九三学社海南省三亚市委会签订《结对共建合作协议》，推进“渝琼合作”。与九三学社合川区工委、九三学社广安基层委签订《结对共建合作协议》，开展联合活动3次，推进成渝地区双城经济圈建设，推动“合广长”示范区建设。

（周丽客）

重庆市长寿区工商业联合会

【概况】　2023年，重庆市长寿区工商业联合会（简称区工商联）有执行委员126名，其中主席（会长）1名，党组书记1名，专职副主席2名，企业家副主席（副会长）43名，常务委员23名；会员3684个，其中企业会员1171个，个人会员2479个，团体会员34个。团体会员包括19个街镇商会、7个行业商会、3个异地基层商会、5个其他团体会员。区工商联被全国工商联认定为“2022—2023年度全国‘五好’县级工商联”，被市工商联评为“重庆市工商联系统2023年度信息工作先进单位”。

【基层商会建设】　2023年，区工商联推动街镇商会分管领导担任商会支部书记，实现19个街镇商会党组织全覆盖。指导基层商会党组织发挥“把方向、议大事、促落实”的作用，通过组织会员学习党的大政方针政策、外出考察学习、接受红色革命传统教育等方式，引领会员把握宏观经济形势，增强发展信心。举办基层商会工作能力提升培训班，全区各基层商会会长、副会长、秘书长等近50人参加培训。开展2022—2023年度区级“四好”商会创建互学互促活动，构建起全国、市级和区级“四好”商会创先争优体系。江南商会获评“2023年度特色示范商会”，菩提商会获评全国“四好”商会。菩提商会、江南商会、晏家商会、渡舟商会等12家商会被认定为2022—2023年度区级“四好”商会。组织长寿区菩提商会、长寿区渡舟商会等11个基层商会加入由四川省广安市和重庆市渝北区、长寿区、合川区、垫江县五地工商联共同发起成立的“渝广毗邻地区商会联盟”，共推区域民营经济融合发展。先后与四川省彭州市工商联、大邑县工商联缔结友好工商联关系。

【民营经济人士培养】　2023年，区工商联引领民营经济人士学习贯彻习近平总书记在全国政协十四届一次会议民建工商联界别联组会上的重要讲话精神、习近平总书记致中华全国工商业联合会成立70周年的贺信精神和党的二十大精神、重庆市推动民营经济高质量发展大会精神等。组织召开相关宣传会议20余场次、走访民营企业600余家次，促进民营经济人士用习近平新时代中国特色社会主义思想凝心铸魂，合力推动全区经济社会发展。组织50余名民营企业家代表赴南京大学开展为期7天的“民营企业高质量发展专题培训班”。组织30余名青年企业家赴四川省广安市开展“五四”青年节“追寻伟人足迹，汲取发展动能”主题活动。组织50余名年轻民营经济人士赴深圳大学进行为期6天的“年轻一代民营经济人士经营管理能力提升学习培训”。举办“走进望变学习经营之道，助力青商谱写美好华章”活动，促进50余名基层商会青年企业家现场学习上市公司创新发展和管理方面的先进理念。

【服务民营企业】　2023年，区工商联分三期向区政府梳理反映政策落实、要素保障、营商环境等4个方面具有代表性的10余个民营企业突出困难问题及意见建议。通过工作信息等方式反映民营经济发展共性问题建议10余条，其中2条被全国工商联采用。组织召开长寿区推动民营经济高质量发展座谈会，区委书记刘小强主持会议并听取民营企业家反映的问题和意见建议，将25个问题和意见建议交办至相关职能部门，限期完成办理。协助召开长寿区推动民营经济高质量发展大会，通报全区民营经济发展情况和服务企业工作推进情况，对贯彻落实全市推动民营经济高质量发展大会目标任务进行分解部署。每两月收集一次企业经营发展困难问题和意见建议，对重要问题建立“直通车”制度，书记、区长批示5件次。组织重庆望变电气（集团）股份有限公司等企业赴韩国考察交流，组织2家企业对接白俄罗斯汽配厂商寻求合作事宜。

【民营经济人士参政议政】　2023年，长寿区有民营经济人士市人大代表1名、市政协委员1名，区人大代表24名、区政协委员35名。民营经济人士人大代表、政协委员发挥实践优势，围绕中心服务大局提交提案、建议50余篇。民营经济人士聚焦全国“两会”，围绕民营经济高质量发展主题建言献策，报送建议信息16篇。

【民营经济社会服务】　2023年，区工商联引导民营企业开展慰问偏远山区儿童及困难群众活动，联系帮扶石堰镇干坝村巩固脱贫成效，引领履行社会责任。年内，全区民营企业家和民营企业投身扶弱济困、修路筑桥等各类光彩公益事业，累计捐资捐物1000余万元。

【民营经济调查研究】　2023年，区工商联开展民营经济领域专题调研，紧扣“当前复工复产存在的问题及对策建议”“民营企业限电问题”“快递群体困难问题”“民营经济政策落实最后一公里”“民营船企运营面临的困难问题”等主题，开展专题调研10余次，走访民营企业70余家，形成专题调研材料10余篇，以信息、报告等方式向市工商联反映，6条获采用。区工商联被市工商联评为重庆市工商联系统2023年度信息工作先进单位。

【民营经济法律服务】　2023年，区工商联指导各基层行业商会以培训、讲座等方式，面向民营企业和民营经济人士开展公司法、合伙企业法、个人独资企业法等普法宣传教育。定期举办民营企业法治教育专题培训，提高企业负责人、经营管理人员依法治企能力。推出“中小民营企业权益保护和维权途径”广播节目，促进民营企业增强权益保护意识；深化“万所联万会”机制，助推民营企业纠纷多元化解，全年为会员企业开展维权服务20余次。制定出台服务保障民营经济高质量发展12条措施，开展“安商护企”专项行动，依法惩治各类侵害市场主体合法权益的刑事犯罪64件68人。

【民营经济会员企业党建】　2023年，区工商联举办2023年非公企业和社会组织党组织负责人培训示范班，集中培训党组织负责人134人。指导成立长寿区互联网行业联合党支部，实现“三有”互联网企业党组织全覆盖。全年新建非公党组织33个，依规撤销11个，新发展党员20名，非公企业和社会组织党组织覆盖率分别为88%、86%，党的工作覆盖率100%。开展“党建联建·助企强链”专项行动，结合全区制造业10条重点产业链和长寿经开区七大产业集群，指导建立天然气化工新材料产业链联合党委，有效覆盖链上非公企业、国有企业、主要涉链部门等单位41家、党组织26个，通过“日常问题党建工作指导员（企服专员）协办、重点问题联链领导领办、专业问题职能部门承办、疑难问题联动各方合办”解决企业生产经营、招商融资等难题13个。

【“万企兴万村”行动】　2023年，区工商联引导民营企业通过“万企兴万村”行动开发乡村市场，对符合要求的涉农企业进行授信。打造2个市级首批“万企兴万村”行动实验项目、20个区级“万企兴万村”行动实验项目，行动中投资经营类项目近3年投资总额38.9亿元。提高村集体经济收入2800余万元，支付村民各类劳务报酬7500余万元。　（冉小冬）

群众团体

重庆市长寿区总工会

【概况】 重庆市长寿区总工会（简称区总工会）有园区总工会2个，街镇工会联合会19个，区卫生健康委员会工会联合会1个，区教育委员会工会联合会1个，直属工会70个。工会联合会主席和直属工会主席由同级党员副职领导担任。2023年，区总工会加强职工思想引领，组织900余名职工参加党的二十大精神网上知识竞赛。加强工会组织建设，新增基层工会组织24家。竭诚服务职工，组织调解劳动纠纷590件。发挥桥梁纽带作用，指导园区企业签订集体合同近100份。

【职工政治思想引领】 2023年，区总工会坚持“党建带工建”。坚持“第一议题”制度，学习宣传贯彻中国工会十八大精神特别是习近平总书记同全国总工会新一届领导班子成员集体谈话时的重要讲话精神，开展学习贯彻习近平新时代中国特色社会主义思想主题教育，党组专题学习6次，全年向区委请示6次、报告9次，向市总工会请示6次、报告7次。开展“榜样面对面”党的二十大精神宣讲8场次，举办2023年五一庆祝活动暨长寿区最美产业工人颁奖典礼，组织900余名职工参加学习贯彻党的二十大精神网上知识竞赛活动，开展劳模宣讲进校园、进基层、进企业活动5场次。压实意识形态工作责任，执行信息发布“三审三校”制度，维护网络意识形态安全。

【工会组织建设】 2023年，区总工会确立“党建带工建”“组建与规范”“提高与创新”相结合的工作思路，形成区、乡镇（街道）、村（社区）三级联动抓建会、促规范的工作格局，同新就业形态劳动者群体行业主管部门协调联动，建立工作台账，实行动态管理。全年新增基层工会组织24家；新建新就业形态工会5个；建成重庆市职工之家市域标杆2家、市级模范职工之家1家、市级职工小家1家。依托农民工输出地和新就业形态劳动者工作地的街镇工会联合会以及园区总工会，引导农民工和新就业形态劳动者加入工会组织，全年新增会员12892名。

【职工权益维护】 2023年，区总工会在《长寿日报》、“人人长寿”APP开辟维权知识宣传窗45期，开展“春风送法律·平安万里行”“尊法守法·携手筑梦”服务职工等线上线下普法活动10余场。建立“工会+司法+人社+法院+检察+信访”群众性劳动纠纷化解工作“六方联动机制”。全年调解案件590件，调撤金额1028万余元，提供法律援助123件次。长

2023年1月19日，区总工会开展“送年猪进企业”春节慰问活动
（区总工会　供图）

寿区劳动争议纠纷一站式处置平台获评全国2023年度工作突出基层劳动人事争议调解组织。

【职工关爱服务】　2023年，区总工会推评全国五一劳动奖章1个（重庆一洋化工设备制造有限公司职工冉龙江），重庆五一劳动奖状2个（重庆云天化天聚新材料有限公司、重庆联诺家居用品有限公司），重庆市五一劳动奖章3个（区中医院口腔科主任谭正荣，重庆钢铁股份有限公司总裁、党委副书记孟文旺，国网重庆市电力公司长寿供电分公司输变电运检中心无人机班班长梁宇），重庆市工人先锋号3个（国网重庆市电力公司长寿供电分公司徐家坪运维站、重庆博腾制药科技股份有限公司博腾长寿工厂设备维护中心应急维修班、长寿区工会劳动争议纠纷人民调解委员会调解室）。筹集资金62.4万余元，走访慰问劳模、困难职工、农民工、新就业形态劳动者、互助保障重疾会员等5425人。开展“送年猪进企业”春节慰问活动，为12家企业送去年猪17头，惠及职工5600余人。开展助力圆梦高考活动，为职工的近3000名高三学子进行“高考作文深度解析”专题指导；开展爱心送考志愿服务1000余人次。开展职工互助保障工作，全年参保单位334家，参保金额581万元，理赔金额454万余元，受助职工1160人次。

【产业工人队伍建设】　2023年，区总工会与社会培训机构合作，开展养老护理、特种作业、电子器件装配等“订单式”培训18期，累计培训859人。联合区委宣传部等相关单位选树2023年度最美产业工人10名，评选2022年度技术能手100名。

【劳动技能竞赛】　2023年，区总工会制定下发《长寿区2023年劳动和技能竞赛实施方案》，突出“建功新时代奋进新征程建设新重庆长寿华章”主题，以“3113”攻坚行动计划重点领域、重点工程为抓手，组织参加各类线上线下劳动和技能竞赛10余场次。构建与川渝工会全方位合作交流机制，组织长寿区职工参加2023年川渝电力职工职业技能大赛、川渝职工创伤急救技能大赛、川渝畜牧劳动和技能大赛、川渝首届预防接种技能竞赛等赛事，获赛事特等奖3个、一等奖1个。

【和谐劳动关系创建】　2023年，区总工会推动集体协商工作，指导园区企业签订集体合同近100份；联合区人社局，组织29家企业开展长寿区化工新材料行业集体协商谈判，现场形成特殊工时岗位清单；建成重庆市民主管理集体协商建制扩面工作点1个，重庆市厂务公开民主管理示范单位1家。维护劳动领域政治安全，与街镇、部门以及重点企业工会签订维护劳动领域政治安全责任书，制定《关于维护劳动领域政治安全工作方案》，明确32家成员单位职能职责。

【职工文化建设】　2023年，区总工会丰富惠工学校教学内容，开设视频剪接、书法、新媒体运营等特色课程和歌唱练习、国画等日常课程，丰富职工文化生活。联合区文化旅游委开展区级职工运动会、乒乓球、篮球赛等文体活动3场。联合区应急局拍摄科普公益片《防“危”杜渐·消除隐患》获重庆市2022年度应急科普公益片创作比赛二等奖。组队参加重庆市第二届职工运动会、重庆市职工诗词大赛等文体活动，长寿区代表郭静、黄雪获得2023年重庆市职工羽毛球大赛暨成渝地区友谊赛甲组女双单项赛冠军，长寿选送节目《丹心向阳开》《二乔》在重庆市第二届职工文艺展演赛（电视舞蹈大赛）暨成渝地区双城经济圈职工舞蹈邀请赛分别获现代舞二等奖、中国舞三等奖。

【长寿区首届电工职业技能大赛】2023年6月21—22日，由区总工会、区人力社保局和国网长寿供电公司联合主办的长寿区首届电工职业技能大赛在国网长寿供电公司花庄实训基地举行。长寿经开区21家企业组织78名职工参赛。经过理论考试、心肺复苏触电急救实操比赛、入户照明线路及三相设备安装实操比赛、高压设备故障停电处置情景模拟比赛，重庆广汇服务公司长寿分公司员工邱睿等12名选手分别获得个人一、二、三等奖

2023年6月22日，由区总工会、区人力社保局和国网长寿供电公司联合主办的长寿区首届电工职业技能大赛在国网长寿供电公司花庄实训基地闭幕

（区总工会　供图）

和优胜奖，重庆格梓劳务公司等3个团队分别获得团体一、二、三等奖，重庆钢铁股份有限公司获得优秀组织奖。

【职工普惠服务】 2023年，长寿区启动区职工活动中心建设。新增市级妈咪小屋1个，建成户外劳动者港湾19个，在建3个。开设视频剪接、书法、新媒体运营等特色课程班43个，服务职工1672人。开设歌唱练习、国画等7个日常班课程，服务职工1.18万人次。

【职工心理赋能】 2023年，区总工会打造线上教育训练营，通过清华大学积极心理学慕课，举办职工家庭教育午间云课堂以及积极心理学公益线上训练营8期，惠及职工群众近4000人。开展3期心理护理培训线下课程，提升300余名教师会员的心理辅导技巧。邀请清华大学社会科学学院院长彭凯平以《活出心花路放的人生——积极心理学的启示》为题，为全区机关企事业单位2300余名职工会员授课，线上观看人数2.3万余人次。

（陈虹娟）

中国共产主义青年团重庆市长寿区委员会

【概况】 2023年，长寿区发展团员1186名，团员总数36285名。有基层团组织1136个，其中团（工）委45个，团总支18个，团支部1073个。年内，共青团重庆市长寿区委员会（简称团区委）组织召开共青团重庆市长寿区第十八次代表大会，完成换届选举；开展仪式教育、主题团及队日活动1800余场，组织2023年大学生“返家乡”社会实践、交友专场等青少年活动、青年志愿服务活动；举办未成年人保护和犯罪预防进校园主题活动、2023重庆市长寿区全民禁毒宣传月主题活动启动仪式，维护青少年权益；开展区级“两红两优”“双十佳”等先进评选工作；4个团组织入选全市“5个100”示范性团组织，1人获评“全国优秀共青团干部”，1名团员和2名团干部分别获评2023年“重庆市优秀共青团员”“重庆市优秀共青团干部”和“两新领域好团干部”。

【青少年政治思想引领】 2023年，团区委在全区各级团组织、少先队中开展“青年大学习”主题团课、“红领巾爱学习”行动，推动新时代党的创新理论走进青少年、深入人心。开展入队、离队入团、祭奠革命英烈、十八岁成人礼等仪式教育活动和主题团、队日活动1800余场。定期开展区级“两红两优”“双十佳”等先进评选工作，并对优秀集体和个人优秀事迹进行多渠道展播。

【基层团组织建设】 2023年，长寿区召开贯彻落实《重庆市中长期青年发展规划（2018—2025年）》工作联席会议第五次全体会议。组织召开共青团重庆市长寿区第十八次代表大会，完成换届选举。理顺团组织关系，实现党政机关、事业单位、国有企业、学校、乡镇（街道）、村（社区）等传统领域团组织应建尽建。区人民法院团委、邻封镇团委、万顺镇团委、渡舟街道渡中路社区团支部4个团组织入选全市“5个100”示范性团组织。新发展28岁以下青年党员134人，全部经过团组织规范推优入党程序。办理团员组织关系转接，“学社衔接”率100%。全年发展社会领域团员75名。举办2023年长寿区团干部学习贯彻党的二十大精神暨业务能力提升专题培训班，培训各镇街团委（团工委）、村社区团组织和部分新任团组织书记50人。

【“智慧团建”】 2023年，团区委打造“网上共青团”，创建“寿城青年”小程序，关注粉丝3万余人，全年发布原创作品90余篇（条），单条微信最高阅读量3.57万人次。

【青少年活动】 2023年，团区委开展2023年大学生“返家乡”社会实践活动，联合20余家机关、企事业单位，提供实践岗位80余个。联合区委组织部开展“学习二十大　永远跟党走　奋进新征程”乡村振兴　“相寓”慢城首届村（社区）干部“乡亲”交友专场活动，60余名青年参加，4对有情人现场牵手成功。联合区教委等单位举办“学习二十大　永远跟党走　奋进新征程”2023年长寿区标准化离队入团仪式暨“开学第一课”主题育人活动，通过离队入团仪式教育和“开学第一课”厚植团员青年爱党、爱国、爱社会主义情感。联合区教委举办“青春倡廉·廉心育人”主题演讲大赛决赛，全市各区县29名青年教师同台竞技。开展“奋进新征程·青‘廉’向未来”川渝地区“青春倡廉”主题示范活动，50名长寿区青年干部、教师以及50名广安市青年干部、团员代表和队员代表直播连线共倡青“廉”，共绘青“廉”。举办“清风合秋影·玉兔拜皎月”青少年传统文化主题活动，120余人体验猜灯谜、投壶等传统小游戏。联合区农业农村委等单位开展“青耘重庆·百村行”长寿区助农直播活动，青年主播通过现场直播、线上抢单等方式完成农产品销售额3万余元。

【青年志愿服务】　2023年，团区委组织50余名“寿小青”志愿者开展“青春志愿行　温暖回家路”长寿区“站小青”服务春运行动，为旅客提供咨询、搬运行李、协助购买车票等服务1000余人次。开展“热血青年献热血　携手共护长寿城”长寿区青年无偿献血活动，全区50余名青年志愿者参与献血。联合共青团邻水县委开展“同饮一江水，共护母亲河”川渝“河小青”保护长江志愿服务行动，组织两地青年志愿者80余名清理白色垃圾、开展水质检测，并向周边群众宣讲爱水护水的重大意义及相关法律法规。组织发动各级团组织开展以“学习二十大、永远跟党走、奋进新征程”为主题的志愿服务活动20余场，服务群众1200余人次。联合区委组织部打造“红岩先锋·寿城青春驿站”，为快递员、外卖员、网约车司机等新业态、新就业群体提供临时休息等志愿服务。

【青年创新创业行动】　2023年，团区委、重庆市青促会三十一分会联合开展青年创新创业分享交流活动。10月19日，联合开展“青创桥·青年创新创业活动”——创业面对面，青创导师在活动现场就“新媒体助力企业发展”作主题分享，与会代表围绕新媒体电商面临的挑战与机遇进行交流讨论；10月31日，联合开展“青创桥·平台提升计划”创新创业服务活动，青创导师在活动现场围绕专利代理、知识产权法律法规、竞争策略运用等内容作分享交流。

【青少年权益维护】　2023年，团区委联合区委政法委等相关单位举办未成年人保护和犯罪预防进校园主题活动启动仪式，开展未成年人犯罪预防知识宣讲、校园禁毒安全教育。联合区禁毒办等单位举行“感恩生命、健康生活”2023重庆市长寿区全民禁毒宣传月主题活动启动仪式，1282人参加活动。依托长寿青年微信公众号开设“安全自护”和“犯罪预防”专栏，发布防溺水、防拐、防骗等相关微信宣传60余期，印制《长寿区青少年安全自护和犯罪预防手册》7万余份面向全区中小学生发放。依托新桥医院心理关爱专线开展心理个案咨询帮扶，每月定期开展“寿城·菁英护航”云讲堂，专题开设心理健康、生理发育、营养方案等课程。

【青年人才服务】　2023年，长寿区有全国项目（西南大学研究生支教团）、“山茶花”乡村振兴青年志愿服务行动、“馨小青”阳光助残志愿服务行动、扩容行动及区县计划等志愿者128人，其中年内招募71人。面向市内高校在校生招募大学生实践团队，组织开展长寿区大中专学生志愿者暑期文化科技卫生“三下乡”社会实践活动，吸引西南大学、西南政法大学、重庆师范大学等10余所高校的近千名大学生到长寿开展乡村旅游宣传推介、历史人文挖掘调研、农产品推介等社会实践活动。分层分类开展青年人才培训计划，构建“政治学习+技能提升+实践锻炼”培育体系，全年开展团队干部培训100余人次，西部计划志愿者“青马工程”学员人均学习时长100小时。

【新社会组织团建】　2023年，团区委坚持新兴青年群体到哪里，团的工作就开展到哪里。年内，团区委联合区委组织部、区交通局在长寿区协信广场老体育馆停车楼一楼打造“寿城青春驿站”，常态化为快递小哥、外卖配送员、网约车司机等新兴领域青年群体提供临时休息、免费饮水、应急药箱、手机充电、学习阅读、避暑取暖以及定制化志愿服务项目。

【少先队工作】　2023年，长寿区6个中队获评“2023年度全国红领巾中队”，3个集体获评2023年重庆市“红领巾奖章”集体四星章，54人获评2023年重庆市“红领巾奖章”个人四星章。联合区教委开展长寿区2023年度“红领巾奖章”三星章争章评选活动，共评选“红领巾奖章”个人三星章654个，“红领巾奖章”集体三星章34个。

【青年先进典型选树培育】　2023年3月，长寿区1名团干部以及5名大学生分别获评2022年重庆市大学生实习

“扬帆计划”贡献突出工作者和表现突出学生；1名团干部获评重庆市2022年大中专学生志愿者暑期文化科技卫生“三下乡”社会实践活动优秀工作者。5月，1名团干部获评“全国优秀共青团干部”；1名团员和2名团干部分别获评2023年“重庆市优秀共青团员”、“重庆市优秀共青团干部”和“两新领域好团干部”称号。

（祖唯梅）

重庆市长寿区妇女联合会

【概况】　2023年，长寿区有机关部门妇委会79个，机关事业单位行业系统妇联5个，高校妇联1个，街道妇联7个，镇妇联12个，村妇联221个，社区妇联49个，非公有经济、社会组织中建妇女组织84个。区、街镇、村（社区）三级妇联执委3718人。年内，区妇联召开长寿区第十六次妇女代表大会；新建高校妇联1个、特色妇女小组10个，新建行业妇联、合作社联合社妇女小组等妇联组织2个；组织开展寻找“最美家庭”、巾帼建功等各类活动350余场。在《中国妇女报》、《重庆日报》、华龙网、央广网等国家级、市级媒体用稿50余条，重庆妇女网、重庆女性微信公众号用稿20余条，《长寿日报》、“人人长寿”APP等媒体用稿100余条。编发妇联大事记12期、妇联工作专报11期。入选中国妇女报（全国妇联网络信息传播中心）2023年度妇女宣传舆论阵地建设优秀榜。区妇联被评为重庆市“书香润万家”家庭阅读活动表现突出单位，被区委组织部、区委直属机关工委命名为首批“区直模范机关”；区妇幼保健院儿科入选“全国巾帼文明岗”；凤城街道凤西社区获评“全国文明实践巾帼志愿阳光站”。全区获评“重庆绿色家庭”2户、“重庆最美阳台”2个、“重庆最美庭院”3个；获评“全国维护妇女儿童权益先进个人”1人；组织参加重庆市第六届家庭诵读大赛，获一等奖、三等奖各1户，参加重庆市家庭廉洁文化征集活动获三等奖1户。

【长寿区第十六次妇女代表大会】2023年4月20日，长寿区第十六次妇女代表大会召开，会议听取和审议区妇联第十五届执行委员会工作报告，讨论、决定后五年妇女工作任务，选举产生区妇联第十六届执行委员会。同日，召开长寿区妇联第十六届执行委员会第一次全体会议，选举产生主席况敬蓉，副主席5人及9名常务委员。

【妇女思想政治引领】　2023年，长寿区围绕“巾帼心向党”活动品牌，深化“思想政治引领第一课”“百千万巾帼大宣讲”等活动，成立长寿区“巾帼大宣讲”宣讲团、巾帼志愿者宣讲队，常态化开展党的创新理论宣传宣讲、男女平等基本国策宣传“六进”等活动50余场，中国妇女十三大精神宣讲30余场，参与妇女群众4000余人次。多形式学习《习近平走进百姓家》《习近平关于妇女儿童和妇联工作重要论述摘编》，开展读书分享、学习研讨、赠书活动等，邀请《中国妇女报》总编孙钱斌到长寿开展读书分享会，受益家庭3000余个。“长寿女性”微信公众号开设“巾帼大学习”“喜迎中国妇女十三大”“家有宝贝”等专题栏目，发布各类信息500余期。举办“巾帼心向党·奋进新征程”纪念“三八”国际妇女节系列活动，开展三八红旗手、巾帼建功标兵创评活动，获评全国巾帼文明岗1个，重庆市巾帼文明岗3个、巾帼建功标兵2名、三八红旗集体1个、三八红旗手1名，命名长寿区巾帼文明岗10个、巾帼建功标兵10名。

【基层妇联组织建设】　2023年，长寿区召开第十六次妇女代表大会，选举主席1名、副主席5名（其中挂职副主席1名，兼职副主席2名），常委15名，执委35名。组织11名妇女代表参加市第六次妇代会，推荐1名妇女代表参加中国妇女十三大。新建高校妇联1个、特色妇女小组10个，新建行业妇联、合作社联合社妇女小组

2023年3月1日，长寿区纪念“三八”国际妇女节113周年大会在区机关服务中心举行

（区妇联　供图）

等妇联组织2个。建立执委轮值主席制度，改革经验获《中国妇女报》等专题报道4次。成立妇联执委工作室2个，构建“妇联联动执委，执委联系群众”的工作格局。指导菩提街道菩提社区入选第一批创新示范建设市级“渝好空间”项目点。新建“妇女微家”4个。推动菩提街道碧园社区、文苑社区完成儿童友好社区建设目标任务。建成菩提街道文苑社区、江南街道龙山社区、渡舟街道“三好社区基层妇女儿童工作示范点”3个，开展活动120余场次，惠及妇女儿童3700余人次。举办“巾帼领头雁培训班”，培训妇联干部70余名。以打造有长寿辨识度的“妇”字品牌“美凤大姐”为抓手，强化对基层妇联组织引领联系服务，形成优秀案例，在《中国妇女报》等刊发。

【巾帼建功行动】 2023年，重庆市长寿区妇联与四川省广安市邻水县妇联签署《巾帼助力成渝地区双城经济圈建设战略合作框架协议》。4月25日，联合长寿区农业农村委、四川省广安市邻水县妇联在长寿区洪湖镇举办长寿邻水农村妇女“双学双比”技能竞赛暨巾帼科技助农服务活动，120余人参加。7月24—26日，重庆市长寿区妇联到四川省眉山市开展“眉长巾帼一家亲·携手奋进新征程”成渝两地交流促进活动，11人参加。开展科技创新寿乡巾帼行动，组织观看科技女性创新论坛，培树选拔巾帼先进典型，开展送奖到基层活动。开展“智慧女性 心向阳光”心理健康及家庭教育讲座，为80余名长寿经开区、高新区和长寿医疗系统女科技工作者解答女性身心健康、家庭教育困扰。深化乡村振兴巴渝巾帼行动，开展“巾帼助农科技服务团”进乡村活动90余场次，发放技术资料8万余份，惠及群众9万余人次。组织开展高素质女农民、女致富带头人培训，提升100余名妇女干事创业能力水平。开展“巴渝巾帼·美丽我家”农村妇女卫生习惯养成、村庄清洁行动秋冬战役等活动10余场次。开展绿色生活寿乡巾帼行动，组织各级妇联开展“巴渝巾帼·美丽我家”植绿护绿暨2023年妇女春季义务植树活动20余场次。评选长寿区“绿色家庭”“十佳最美阳台”“十佳最美庭院”34户。

【家庭文明建设】 2023年，长寿区持续开展寻找“最美家庭”活动，3户家庭获评市级“最美家庭”。开展“书香润万家”家庭阅读活动，4户家庭获评“重庆最美书香家庭”。出台《关于指导推进重庆市长寿区家庭教育的五年规划（2021—2025年）》《长寿区家庭教育指导联动工作机制》，健全完善家校社育人机制，开展家庭教育指导，印制《家庭教育指导读本》，向新生儿家庭、幼儿园新入学儿童家庭赠阅1万余册；探索开展早期家庭教育，启动“家有宝贝”0~3岁婴幼儿照护指导品牌，发布科学育儿短视频28期，惠及2万余个家庭。更新家庭教育讲师团和志愿服务队，召开家庭教育工作推进会1次，举办讲师团专题培训1场，培训讲师及志愿者100余名。开展家庭教育公益讲座进村（社区）、家庭教育指导服务项目“四进”“家庭教育流动学校百场讲座进万家”“送法进万家家教伴成长”等主题活动200余场，惠及家庭2500余户。开展“清风常伴 廉洁齐家”家庭助廉立德活动，组织19组区管领导干部家庭到重庆党风廉政教育基地开展警示教育活动，以家庭为单位签订《家庭廉洁承诺书》。征集家庭廉洁文化作品200余份，1户家庭获市级三等奖。区教委、区公安局妇联分别举办廉洁作品展览1次，展出作品500余件。在江南街道、新市街道家风家教创新实践基地举办主题院坝会、家风故事分享会3场次。

【妇女创新创业服务】 2023年，区妇联会同区人力社保局开展“春风行动”送岗活动，举办春风行动暨就业援助月专场招聘会、女性专场招聘会和大学生就业双选会2场，4100余名妇女达成就业意向。成立长寿区“助力女大学生创业就业联盟”，组织80余名女大学生开展“敢闯敢创”创新创业培训。组织开展养老护理、家政服务技能培训，提升50余名城乡就业困难妇女创业就业能力。9月18—20日，在重庆化工职业学院制药工程学院、长寿区人民医院神经内科、长寿区中医院药剂科挂牌成立巾帼创新工作室3个。与重庆化工职业学院签署校地共建非遗文化实践项目协议，开展民法典剪纸宣传活动5场次。

【妇女儿童权益维护】 2023年，长寿区印发新一轮妇女儿童发展规划任务分解方案和统计监测指标体系。开展《中华人民共和国反家庭暴力法》宣传活动5场次。组建婚姻家庭兼职调解员队伍，调解离婚案件13件。落实保护未成年人人身权益“五项机制”（妇女儿童侵权案件发现报告机制、多部门联防联动机制、重点人群和家庭关爱服务机制、上下联动妇女儿童舆情应对机制、妇女儿童侵权案件工作督查制度）、“一站式”办案取证救助机制和人身安全保护令申请机制，共申请人身安全保护令3件。落实“八五”普法规划，实施培育妇联“法律明白人”计划。开展“学习宣传贯彻党的二十大精神 千万妇女大学法”等宣传活动10余场次，发放宣传资料5000余份。新建村（社区）妇女儿童维权站3个、川渝两地妇女儿童维权站1个，累计接访300余人次。

与区教委联合录制防性侵操视频，在全区中小学推广防性侵操。召开“妇女儿童心理健康服务”项目调研座谈会，对部分儿童开展一对一心理咨询。开展长寿区家庭监护困境未成年人群体排查，分级分类建立工作台账、制作关爱手册，落实一人一档、一人一策。推进村（社区）妇女议事会制度，指导270个村（社区）妇女议事会开展议事活动1000余次。

【妇女儿童关爱救助】 2023年，区妇联争取全国妇联中央专项彩票公益金和区级民生实事资金，为8名低收入“两癌”妇女发放救助金8万元。开展重大节日巾帼暖心慰问活动，走访慰问困难妇女140余名。开展“情暖童心　相伴成长”“春日慢城爱相守　橘乡妈妈暖童心”“文润福寿乡　爱心传真情”等主题活动4场次，“守护童年　安全伴成长”暑期儿童安全教育活动25场，受益家庭2500余户。9月，为175名困境儿童发放重庆市烟草专卖局助学金20万元。

【长寿区首个“川渝两地妇女儿童维权站”成立】 2023年6月27日，重庆市长寿区妇联携手四川省广安市邻水县妇联在长寿区万顺镇东风村挂牌成立“川渝两地妇女儿童维权站”。挂牌仪式结束后，长寿区妇联和邻水县妇联共同开展法治宣传讲座，邀请长寿区万顺镇派出所民警谭斌讲解防拐卖知识，长寿区万顺镇、邻水县黎家镇30余名妇女群众参加活动。

（喻　洁）

重庆市长寿区科学技术协会

【概况】 2023年，重庆市长寿区科学技术协会（简称区科协）组织开展全国科普日系列活动，“‘数’聚长寿　‘谷’动未来”主题科普展、节水宣传进学校等6个活动被评为重庆市全国科普日优秀活动。防范邪教宣传月主场活动被评为重庆市“防范邪教宣传日（周、月）活动”优秀宣传活动。肖长发获2023年重庆市“最美科技工作者”提名。区科协推荐的《田园变游园　游园变校园》案例入选全国“基层科普行动计划”典型案例汇编；推荐的王维浩著作《孩子，你要学会保护自己》被评为2023年度“点赞·科普重庆”科普作品；推荐的迪比（重庆）智能科技研究院有限公司申报成为海智工作站。新成立2家企业科协（重庆飞华环保科技有限责任公司科学技术协会、重庆钢铁股份有限公司科学技术协会）、1家区级协会（重庆市长寿区专精特新科创协会）。

【科技志愿服务】 2023年，区科协开展新时代文明实践讲理论、讲政策等“六讲”志愿服务活动，组织科技志愿者在19个街镇开展新时代文明实践“讲科技”宣讲活动，累计受众2000余人。在科技三下乡、科技活动周、全国科普日等活动期间，组织农业、卫生、工业、教育等领域的科技志愿者到学校、企业、社区、农村等基层一线开展科普宣传、技术推广等志愿服务活动，全年共开展技术培训30余场，科普健康讲座15场，技术咨询、技术诊断、设备改良等科技志愿服务10场。

【科普宣传】 2023年，区科协落实《重庆市长寿区全民科学素质行动规划纲要实施方案（2021—2025年）》精神，推荐龙河镇保合村村民委员会申报基层科普行动计划，获项目资金10万元。组织开展以“提升全民科学素质，助力科技自立自强”为主题的全国科普日活动，上报活动26个，区科协分别获中国科协、市科协优秀组织单位。承办重庆市第六届公民科学素质大赛片区赛，长寿区获片区赛一等奖，获全市总决赛三等奖。开展“科技活动宣传周”“世界环境日”“防灾减灾日”“全国科普日”“宪法宣传周”等科普宣传活动，开展科技下乡12场次，发放科普宣传资料1.5万余册。联合区委政法委、区公安局举办长寿区2023年防范邪教宣传月主场活动，参与群众5000余人，发放反邪教宣传资料1万余份。社区科普大学分校引领教师志愿者及学员群众参与新时代文明实践各项活动，开展科学家精神宣传、健康中国重庆行动、

2023年6月14日，长寿区2023年公民科学素质大赛在区机关服务中心举行

（重庆科技报社　供图）

碳达峰碳中和宣传、反邪教宣传、食品安全、疾病预防、防电信诈骗、垃圾分类等各类宣传讲座200余场。

【科普阵地建设】 2023年，长寿区清迈良园农旅融合科普基地被命名为“十佳农村科普示范基地”，被中国农村专业技术协会认定为2023—2027年“中国农村专业技术协会科普教育基地”。年内，有区级学（协）会9个，园区科协1个，高职院校科协1个，企业科协9个，科普社区19个。成立老年科技大学，开设手机摄像摄影及视频剪辑培训班2个，招收学员120余人。在《长寿日报》和“人人长寿”APP上开辟科普之窗专栏，每周更新3期，内容涉及高新技术、身边科学、农业技术、健康科学、实用技术、创新发明、生活技巧等。

【青少年科技活动】 2023年11月举办长寿区青少年科技创新作品展评活动，51所学校参加，收到作品1280件。16所学校获团体一等奖、10所学校获团体二等奖，438件作品获一等奖、450件作品获二等奖、349人次获优秀辅导教师一等奖、378人次获优秀辅导教师二等奖。组织参加第三十八届重庆市青少年科技创新大赛，14件作品获奖，其中一等奖3件、二等奖3件、三等奖8件。开展重庆市院士专家校园行科普活动，邀请重庆市院士专家科普讲师团专家罗光、汤永隆等9人到9所中小学校，为3000余人开展科普讲座。

【科技创新与服务】 2023年，区科协组织企业与科研院所开展产学研对接活动，助力武汉工程大学重庆研究院组建化工新材料技术研发团队，实现SIC陶瓷膜固液分流系统、超高纯电子化学品、固体废弃物资源化利用、生态环保技术等成果落地。组织全区一线科技工作者开展岗位创新争先行动申报评选工作，向市科协推荐项目35项，获奖18项。其中，一等奖1项、二等奖4项、三等奖13项。在重庆钢铁股份有限公司、重庆小康动力有限公司、重庆欣欣向荣精细化工有限公司等企业开展重庆市企业“创新达人”宣讲活动3次，推荐的19名“创新达人”中有5人获评2023年重庆市企业“创新达人”，1人被评为重庆市企业“创新达人”宣讲代表。

【全国科普日系列活动】 2023年9月20—25日，区科协联合区委宣传部、区委网信办、区科技局等15家单位在长寿区时代广场举行以“提升全民科学素质，助力科技自立自强”为主题的“‘数’聚长寿 ‘谷’动未来”主题科普展。活动现场通过展板图片、宣传视频、现场体验等形式向群众展示数智科技在国内、市内取得的最新科技创新重大成果，展示长寿区数智产业的新成就，发放宣传资料4000余份，参与群众3000余人。开展科技特派员助力乡村振兴、规划自然资源科普宣传、税收政策宣传进企业、节水科普宣传等系列联合行动。

【科技助力乡村振兴】 2023年，区科协组织行业专家和高校教师到大石乡走访调研，开展技术交流座谈会，在建立校企合作、平台搭建、技术攻关、人才培养等方面给予支持，科技助力乡村振兴行动获区领导肯定性批示。长寿区标杆现代畜禽养殖科普基地总经理柳阳获评2023年度神内基金农技推广奖（畜牧业）。组织农业科技专家到农业龙头企业、农村专业技术协会、农村科普示范基地开展玉米大豆带状复合种植技术、油菜春管及菌核病防治、红薯栽培新技术、大实蝇防治技术等科技培训20余次，推广农业科技信息应用100余条。（高小鸿）

重庆市长寿区归侨侨眷联合会

【概况】 2023年，重庆市长寿区归侨侨眷联合会（简称区侨联）下设融媒体分会、教育分会、卫生健康分会、侨商会、留学生家长联谊会、侨界青年联谊会、紫荆花艺术团等7个基层组织。年内，加强侨界思想引领，举办党的二十大精神宣讲3场，组织中心组集中学习17次、支部学习25次。开展引资引智，争取项目资金160余万元。服务侨界，为侨企协调解决问题10余个。

【侨界政治思想引领】 2023年，区侨联召开第九次归侨侨眷代表大会，150余名侨界人士参加，完成换届选举。组织侨界群众收看全国两会直播，通过微信群、微宣讲等方式传达学习习近平总书记最新重要讲话精神，举办党的二十大精神主题宣讲3场。向美国长寿硅谷同乡会、部分留学生及家长传达学习党的二十大精神，宣介“十万英才聚长寿”育才计划政策。举办第十一次全国归侨侨眷代表大会精神专题宣讲4场。开展“学习二十大·共画同心圆”新春交流座谈会。开展学习贯彻习近平新时代中国特色社会主义思想主题教育，制定《区侨联主题教育工作方案》，组织开展为期7天的集中学习研讨读书班、理论学习中心组集中学习17次、支部学习25次。落实“四下基层”要求，到基层侨胞之家、侨企等开展调研9次，撰写调研报告2篇。

【侨界引资引智】 2023年，区侨联主动到北京向中国侨联、中国华商会、中国华侨公益基金会汇报基层组织联系点工作情况，争取项目落地长寿。开展“助力3113·侨企在行动”“书写新时代·侨商话发展”等侨商座谈会，40余名侨商参加。引荐20余名海外博士人才及归国留学生参加2023年重庆国际人才交流大会·新材料产业国际人才合作专场。邀请重庆大学人工智能研究院院长开展讲座1场。深化与中国华侨公益基金会项目合作，争取项目资金160余万元。申报中国侨联“侨爱心·乡村学生眼视光工程”公益项目，为全区10所乡村高完中学校1600余名中小学生开展免费视力检查及眼健康科普宣教，免费配赠眼镜341副。申报2023年度“上海国峯慈善基金会·叶爷爷莲花奖助金”项目，长寿一中20名品学兼优的贫困高中生获捐赠2万元。

【侨胞权益维护】 2023年，区侨联以春节、中秋节等重大传统节日为契机，开展“爱心暖侨”活动，走访慰问侨界企业、侨界群众等200余人次，开展侨法宣传2场次，发放慰问金、慰问品3万余元。开展“消防安全·侨在行动”到江南、“月圆中秋·欢度国庆”侨界团建联谊等活动4场；邀请专家为侨界群众开展卫生健康、法律法规、育儿科学等知识讲座4场；邀请侨界专家进晶山小学开展教育心理讲座3场；与检察机关沟通协作，依法保护归侨侨眷和海外侨胞合法权益。全年为侨企协调解决问题10余个。

【侨界联络联谊】 2023年，区侨联邀请广安市侨联一行到长寿考察乡村旅游发展及高新技术产业项目，宣传和推介长寿发展蓝图及招商引资政策。邀请同济大学师生团队到长寿开展2023同济大学学生双创项目“长寿之音”——“非遗+地点”双核心乡村振兴模式探索与实施项目调研活动。组织2家侨企参加第五届“西洽会”专场活动——第四届“一带一路”侨商组织年会现场展览。接待回长侨胞10余批次，开展聚焦“长寿数字化经济”等主题座谈交流会8场。邀请专家为侨界群众开展卫生健康、法律法规、育儿科学等知识讲座3场。联合菩提社区开展“迎端午　叙侨情　暖侨心”端午节活动、开展“月圆中秋·欢度国庆”侨界团建联谊活动，200余人次参与。

【参政议政】 2023年，区侨联引导侨界群众建真言、谋良策。市、区两会期间提交提案9件，《关于加强预防未成年人违法犯罪的建议》被评为优秀提案。组织侨界人大代表、政协委员到侨企和侨胞之家实地走访调研，走访调研区内重点侨企43家，提出建议意见20余条，协调企业解决发展初期宣传、人才引进等问题10余个，并就侨联界别政协委员如何更好履职开展主题座谈交流。8月31日—9月3日，廖传荣作为代表参加第十一次全国归侨侨眷代表大会，并获“全国归侨侨眷先进个人”称号。

【服务侨界】 2023年，区侨联推荐5名留学生参加国际象棋比赛同声翻译。组织5000余名长寿籍高中生参加第二十三届世界华人学生作文大赛，获优秀组织单位奖，29篇作文获评大赛一、二、三等奖。组织侨界家庭到江南消防站开展以“消防安全·侨在行动”为主题的消防救援现场观摩学习活动，受益300余人次。邀请归国留学生、儿童教育学专家为晶山小学授课，3000名学生家长听课。举办葫芦丝、非洲鼓、太极拳、八段锦等侨界课堂，参与300余人次。组织侨界群众参加区第七届传统武术精英赛，获优秀组织奖。选送3幅作品入选“翰墨书川渝·丹青颂盛会——川渝侨界书法展”，获优秀奖。开展侨法知识讲座、组织观看人民法院在线调解平台直播，与司法局公证处联合打造侨法宣传角，发放侨法宣传资料1000余份。利用3个侨胞之家，举办第三届“书香润侨·悦享长寿”“长寿侨商聚力发展”等活动。

【“中国寻根之旅”夏令营活动】 2023年7月3—12日，由中国侨联主办，重庆市侨联承办，长寿区侨联和

2023年7月6日，27名海外华裔青少年在长寿参加“中国寻根之旅”夏令营——重庆长寿营活动
（区侨联　供图）

重庆市远恒佳学校协办的中国寻根之旅夏令营（重庆长寿营）举行。俄罗斯、意大利的27位华裔青少年及领队在重庆沉浸式体验一次难忘的"寻根之旅"、丰富的文化之旅、暖心的亲情之旅。活动期间，组织营员们参观大足石刻、狮子滩水电站、白鹤梁题刻、816核工程遗址、重庆洪崖洞、十八梯、三峡博物馆等人文景观，人民日报海外版、新华社海外版、中国新闻网等中央媒体，华盛顿中文电视台、《欧洲青年报》、《北欧华人报》等海外媒体，新浪、腾讯等新闻门户网站，以及华龙网、《长寿日报》等20余家海内外媒体对活动进行报道。

（王　桥）

重庆市长寿区文学艺术界联合会

【概况】　2023年，长寿区文联有文艺协会12个（区作家协会、区美术家协会、区书法家协会、区摄影家协会、区音乐家协会、区舞蹈家协会、区曲艺家协会、区民间文艺家协会、区收藏协会、区赏石协会、区老年书画研究会、区诗词学会），会员1703人。全年组织各文艺协会开展活动30余次，指导协会开展自主活动150多次。获市级以上表彰作品160余件。区文联秘书长获评"重庆市最美志愿者"称号；区文联"曲艺屋"金钱板推广创作基地建设获全市2022年度基层文联十佳专项工作案例；区书协3个项目入选重庆市文联主题文艺创作扶持项目；全区12人作品入展第二十一届重庆市美术书法摄影联展，其中4人作品获奖。

【文艺家协会活动】　2023年，区文联带领12个文艺协会围绕长寿发展大局，开展"长寿山"、"书香城市"、谯定书院等项目的历史文化挖掘活动。组织创作慢城主题文学、美术、书法、摄影、曲艺作品60余件。2月，主办"春风万里新征程"——长寿区首届美术书法摄影名家作品展，展出61件区内国家级会员创作的文艺精品。3月，举办长寿首部原创乡村题材小说《送你一座不孤城》作品研讨会，中国作协主席团委员、重庆市作协荣誉主席、国家一级作家黄济人等出席研讨会；邀请南岸、南川、北碚的作家与长寿区作家联合开展"行走长寿"跨区文学创作采风活动。4月，主办2023年书法临创作品展，展出优秀作品81幅，受众1500余人。7月，"赤子初心"邓刚红色主题雕塑作品展在重庆王琦美术博物馆开展、邓强抛沙画作品展在长寿区美术馆开展。9月，"情系明月山"2023长寿、邻水、垫江三地美术书法联展继邻水、垫江展出后亮相长寿。10月，"万里长江绘宏图"首届长江影像展及长寿平行展启动。全年组织区书协、美协、摄协、音协、曲协等文艺协会开展沙龙、座谈、学习活动30余次，指导协会开展"桃园书社""曲艺屋"等自主活动共150多次。

【文艺创作】　2023年，长寿区文联引领12个文艺协会，1700余名会员投身文艺创作，创作出一批有鲜明地方特色的文艺精品：在国家级比赛中，秦启俊的《因明入正理论后疏》等2件书法作品、熊兴伦的《李璧墓志》等2件书法作品入选全国第三届书法临帖作品展。张颂东的摄影作品《铁塔上的舞者》、李炎的摄影作品《云上列车》入展第十六届中国西南六省区市摄影作品联展。罗小松的书法作品被南京博物院收藏。王朝的美术作品《激越千山》入选"第十三届全国水彩·粉画作品展"。区文联推选区书协3个项目入选重庆市文联主题文艺创作扶持项目，全年各门类共有160余件作品获得市级及以上荣誉。

【文艺为民服务】　2023年1月，区文联组织开展"我们的中国梦——文化进万家"2023年送春联活动，分别在区行政中心二号商务楼、菩提街道、双龙镇、川维厂区、慢城、大同村为市民送上新春祝福，共计送出春联/福字6000余副。5月，开展"文艺进万家　健康你我他"系列文艺志愿服务活动，受众1200余人。10月，开展为期4天的首届曲艺研讨培训班，培训内容包括四川清音、金钱板、竹琴等，受众130余人次。实施新时代文明实践"六讲"志愿服务等项目，探索文艺宣讲新方式，用"小分队"传"新思想"、讲"大道理"，让党的创新理论"飞入寻常百姓家"。

（张　草）

重庆市长寿区残疾人联合会

【概况】　2023年，长寿区有镇（街道）残联19个，村（社区）残协269个，有盲人协会、聋人协会、肢体残疾人协会、智力残疾人及亲友协会、精神残疾人及亲友协会5个残疾人专门协会。有持证残疾人28515名。年内，重庆市长寿区残疾人联合会（简称区残联）完成区、镇（街道）、村（社区）三级残联换届工作；建成"渝馨家园"12家；将残疾人证办理时间由20个工作日压缩到7个工作日，开展残疾评定上门服务101人；完成394户困难残疾人家庭无障碍改造、残疾人精准康复家庭医生签约服务6700余人；推进残疾人就业指导、职业培训、就业援助、劳动保障等综合服务工作，服务残疾人1万余人次，残疾人康复服务率99.96%，残疾人辅助器具适配率100%；开展文体活动70余场次，参与活动3000余人次，组织首届“生命阳光·共享芬芳”残疾人主题摄影展，参与各级各类赛事获奖10余项，全区残疾人文体活动参与率60.72%。

【残联基层组织建设】 2023年4月12日，长寿区残疾人联合会第八次代表大会召开，选举刘朝煜为区残联第八届主席团主席，7名副主席；聘请5人为区残联第八届主席团名誉主席；推举王伟为区残联第八届执行理事会理事长，熊中志为副理事长，通过刘源为执行理事会理事。年内，投资264万元，建成“渝馨家园”12家，覆盖16个街镇残疾人，其中在集中安置残疾人就业的新天包装股份有限公司、兰利包装股份有限公司以及特殊教育学校建立“渝馨家园”、残疾人小组或残疾人协会。开展各级残疾人事业干部培训5期，举办志愿服务活动30余场，协会活动6场，服务残疾人3000余人次。

【残疾人社会保障】 2023年，区残联落实困难残疾人生活补贴4878人、重度残疾人护理补贴7268人、居民医保参保补贴15123人、居民养老保险参保补贴1829人，为全区2.85万名持证残疾人购买人身意外保险，为4000余名严重肇事肇祸精神病患者购买监护人责任险。实施“阳光家园”项目，残疾人寄宿制托养服务49人、日间照料服务208人、居家托养服务462人。政府采购居家服务，为70名残疾人提供洗衣、买药、打扫卫生等上门服务。

【残疾人职业技能培训】 2023年，区残联开展残疾人职业技能培训。举办果蔬种植农村实用技术培训班11期，累计培训559人；举办健康照护师职业技能培训班3期，累计培训157人；举办“德法相伴　助盲提升”盲人按摩实训班1期，培训残疾人70名；开展抛沙画、长寿刺绣等非遗技艺传承培训残疾人80名。挂牌区县级残疾人职业培训基地3家。组织开展长寿区2023年度盲人按摩技能竞赛；选送残疾人参加第七届全国残疾人职业技能大赛，获美甲项目第六名，选送重庆春晓实业有限公司参加成渝双城残疾人创业先锋大赛，获银奖。在全市2023年残疾人创业培训工作会中，长寿区3名残疾人创业代表交流发言。

【残疾人就业】 2023年，长寿区培育扶持残疾人就业基地2家，开展“2023年春风行动暨就业援助月”专场招聘会，70余家用人单位提供残疾人就业岗位50余个。开展残疾人就业服务，在企事业单位按比例稳定就业残疾人945人，新增残疾人就业159人，高校残疾人毕业生就业率92.6%，辅助性就业安置残疾人100余人。

【残疾人教育】 2023年，区残联设立残疾人教育专家委员会，推进融合教育，落实普通幼儿园招收残疾幼儿25名。开展辅助器具进校园服务，服务学生59名。落实扶残助学资助政策，180名残疾大学生享受入学救助和生活救助，175名特教学校学生享受生活补贴。

【残疾人康复服务】 2023年，区残联持续实施残疾人精准康复服务行动，为6700余名残疾人提供家庭医生签约服务，为679名残疾人提供辅助器具适配服务，为1485名精神残疾人提供服药和住院救助，救助实施免费白内障手术患者55人，累计服务残疾人1万余人次。实施共享美好计划，为全区困难重度肢体残疾人适配纸尿裤、纸尿片等护理类辅具。通过购买服务在江南街道龙山社区、菩提街道菩提社区开展精神障碍社区康复服务，康复者接受服务比例80%，参加社区康复活动70%。出台《长寿区残疾儿童康复救助实施方案（试行）》，将7～14周岁家庭经济困难、三孩及以上家庭残疾儿童纳入康复训练救助范围，享受残疾儿童康复救助政策278人，救助金额350余万元，残疾

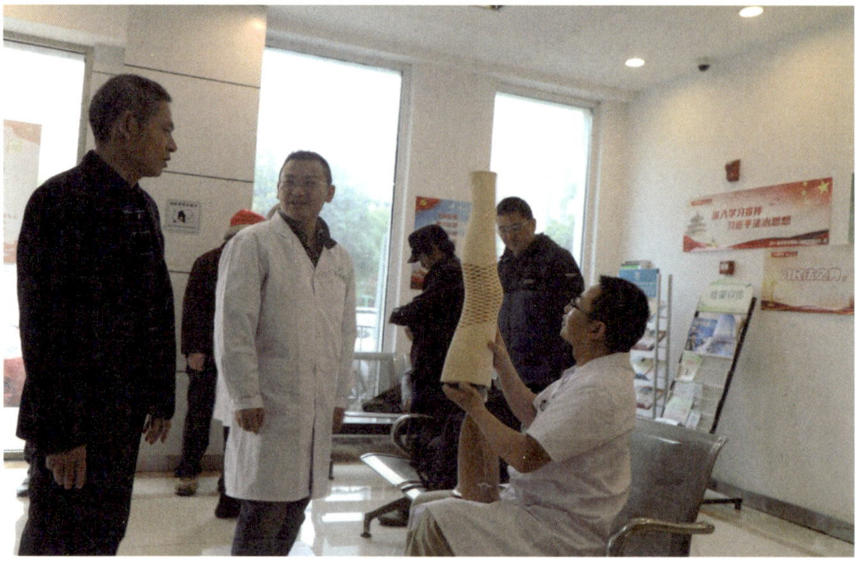

2023年4月，区残联在区残疾人综合服务中心为8名肢体残疾人进行免费假肢安装

（区残联　供图）

儿童康复训练救助288人次，儿童辅具救助56人次。举办精准康复、家庭医生、社区康复、康复机构专业技术人才等各类培训班4期，培训总人数300余人次。辖区内专业技术人员录入“中国残联康复人才信息管理系统”。

【扶残助残活动】 2023年，长寿区将残疾人家庭无障碍改造、残疾人就业、“渝馨家园”建设等纳入民生实事重点推进，全年完成困难残疾人家庭无障碍改造394户，新增残疾人就业159人，建成“渝馨家园”12家。各残工委成员单位、各级残疾人组织为残疾人康复、创业就业、医疗、教育、法律维权等提供帮扶，区镇村三级残联累计入户探视残疾人3.5万余次，医疗服务9800余人、评残办证101个，发放辅助器具679人800余件；为28名盲人按摩人员发放盲人按摩社会保险参保补贴14.63万元，为4名残疾人发放创业担保贷款75万元。区医保局落实城乡残疾人参保补贴387.29万元，惠及15318人。区民政局发放困难残疾人生活补贴和重度残疾人护理补贴782.61万元，惠及9.62万人次。实施“普通学校随班就读+特殊教育资源教室+特殊教育学校+送教上门”工作机制，全区残疾儿童义务教育入学率100%。区法律援助中心受理残疾人法律援助案件58件，办结22件，挽回经济损失或取得利益63.4万元。希怡社会工作服务中心、乐善社会工作服务中心等4家社会组织承接政府购买残疾人服务项目，针对性开展适残就业岗位开发、残疾人新媒体就业培训等助残活动。3家爱心企业通过基金会向全区残疾人开展“亮彩有爱·助残惠民”“便民惠民·智能锁”等公益捐赠活动，折合人民币230万元。

【残疾人权益保护】 2023年，区残联推进无障碍环境建设，为394户残疾人家庭实施无障碍改造，协同多部门对已建和在建停车场进行改造建设无障碍停车位，推进老旧小区加装电梯。开展残疾人机动轮椅车燃油补贴、路桥费用减免和C5驾照补贴，惠及残疾人131人；走访慰问2000余户困难残疾人。开展“德法相伴”“‘莎姐’大普法·关爱残疾人”专项活动7次，参与812人次。开展“残疾人证核发管理主动服务专项行动”，通过减时间、减环节、减材料、减跑动，将残疾人证办理时间由20个工作日压缩到7个工作日，缩短70%；为101名行动不便的残疾人开展上门评残服务。

【残疾人文体活动】 2023年，区残联组织开展文体活动70余场次，参与活动3000余人次，全区残疾人文体活动参与率60.72%。7月，在葛兰镇“渝馨家园”举办精神类别残疾人广播体操比赛。组织首届“生命阳光·共享芬芳”残疾人主题摄影展，80幅（组）作品展出。组织残疾人参与各级各类赛事，蹇孟君获第七届全国残疾人职业技能大赛美甲项目第六名；2023全国残疾人围棋项目推广比赛获听力组第三名、第六名，肢体组第七名；全国残疾人啦啦操推广赛获智力组第四名；2023年重庆市残疾人羽毛球锦标赛获听力组女单第一名和上肢组男单第二名；“画里山河·陶趣人生”2023年残疾人创意绘画暨陶艺作品终评活动获绘画组一等奖；承接“书香有爱·阅读无碍”2023年川渝残健融合诵读大赛决赛暨颁奖仪式并获“最佳口才奖”“优秀诵读者”“优秀组织奖”等奖项。推荐肢体残疾人程香为自强不息代表，获评2023年第二季度“长寿好人”。

【残疾人基础设施建设】 2023年，区残联建成区级辅助器具展示体验中心暨无障碍生活体验馆，建筑面积约300平方米，设辅具展示、无障碍生活体验、多功能活动等功能区，为常态化开展辅具适配、功能体验、使用训练、维修、租赁、康复知识科普等专业活动提供平台。开展“质效同行”残疾儿童康复机构服务能力提升行动，推动3所残疾儿童康复机构实现星级提升或服务类别扩展。

【残疾人事业信息化建设】 2023年，区残联围绕残疾人服务保障“全生命周期”管理，开发残疾人入户访视“一件事”应用平台，打通数据壁垒，智能化工作流程，该项纳入区县应用“一本账”。承接国家级示范项目“互联网+辅助器具服务”，搭建辅具服务网络平台，实施“实物适配”和“限额补贴”2种救助方式，打造“申请审批 支付 配送/限额补贴 指导”服务一条链，实现辅具适配精准化、个性化、便捷化。与中国广电长寿区公司共推“智慧残联”机顶盒入户残疾人家庭，打造8大应用场景，推进残疾人共享数字生活。

【残疾人福利基金会工作】 2023年，长寿区参与市残疾人福利基金会项目，开展“亮彩有爱·助残惠民”洗衣液捐赠公益活动，折合人民币60万元。开展“便民惠民·智能锁”公益捐赠活动，为全区持证残疾人免费安装智能锁200把，折合人民币20万元。联系凤凰集团募捐150万元建设残疾人辅助器具展示体验中心。全年募集资金（物资）总量230万元。

【残疾人就业保障金征收】 2023年，区残联推动落实《机关、事业单位、国有企业带头安排残疾人就业办法》，带头安排1个编制岗位，通过公开招

2023年9月12日，“书香有爱·阅读无碍”2023年川渝残健融合诵读大赛颁奖晚会暨2023年重庆市特殊艺术巡演在长寿区举行　　（区残联　供图）

聘录取1名残疾人干部。长寿区40余个机关事业单位、238个企业和非企业组织安排残疾人按比例就业1379人。全年共征收残疾人就业保障金3980.8万元。

【长寿区首届残疾人主题摄影展】 2023年5月，长寿区举办首届残疾人摄影作品大赛，共收到作品1000多幅（组），组织首届主题为“生命阳光·共享芬芳”残疾人主题摄影展，展出作品80幅（组）。

【2023年川渝残健融合诵读大赛颁奖晚会暨2023年重庆市特殊艺术巡演】 2023年9月12日，“书香有爱·阅读无碍”2023年川渝残健融合诵读大赛颁奖晚会暨2023年重庆市特殊艺术巡演在长寿区举行。长寿区4名选手获“最佳口才奖”，长寿区残联获“优秀组织奖”。（罗净萍）

重庆市长寿区法学会

【概况】 重庆市长寿区法学会（简称区法学会）成立于2011年8月。2017年5月，长寿区法学会依法注销社会团体组织法人登记，成为在中共重庆市长寿区委领导下主管法学工作的群团组织。2023年11月8日，区法学会召开换届大会，选举会长1名、常务副会长1名、副会长8名、秘书长1名。全年发展会员10名。至年末，有团体会员23个，个人会员490名。

【法学会组织建设】 2023年，区法学会在23个会员单位、19个街镇设立联络站，实现270个村（社区）法律咨询服务平台全覆盖，累计建成中心站室三级平台289个，61名法律服务人员担任270个村（社区）的法律顾问。建成民主法治村（社区）57个，其中全国民主法治示范村3个。调整充实普法志愿讲师团170余名，建成12个群众基层“法律之家”，培养法律明白人800余人。会同团区委等单位发动新会员和新兴领域青年组建青年普法志愿者800余人，基本覆盖全区各行业。

【法学活动】 2023年，区法学会组织开展“双百活动”专场宣传100余场次，举办培训讲座40余场次，覆盖干部群众3万余人次，推送习近平法治思想宣传短信10万余条。区内各大宣传平台均开设习近平法治思想宣传专栏，刊发相关图文报道、图解、评论文章等1000余条次。在长寿之声FM91.1创立“法治大讲堂”公益普法栏目，累计播出193期；开通4条公交线路75辆公交车的“法治专线”，衔接中心城区100余个重要站点；建成开放法治文化广场1座，法治长廊2个。组织开展“关爱明天、普法先行”等主题宣传活动20余场次；以法治文化基层行活动为抓手，与区司法局、团区委制定出台实施方案，常态运用院坝普法、集市设点等方式向群众开展反诈骗、讲民法、宣宪法等“面对面”普法活动650余场，动态提供法律咨询5000人次。会同区司法局组建“3113”项目攻坚行动计划法律服务团，成员20余名，为中小微企业提供法律咨询和建议50件次，开展法治体检10余家。

【法学研究】 2023年，区法学会联合区委宣传部建立审查工作机制，对讲座、授课活动、学术交流、征文评审等严把政治关，审查20余次；组织各会员单位参加课题申报10余个，区级立项2个；组织会员单位从各条线报送论文、案例等180余篇，获奖17项，其中获全国性奖项6项。

（何　苗）

重庆市长寿区红十字会

【概况】 2023年，长寿区在19个街镇成立村（社区）红十字会55个，在葛兰镇中学、双龙中心校、双龙中学、龙溪中学成立学校红十字会4个。全区有红十字基层组织104个，会员3461名，其中成人会员2164名，红十字青少年会员821名。年内，渡舟街道社区卫生服务中心、龙河镇卫生院加入区红十字会团体会员单位，全区有团体会员单位6个。成立长寿区人民医院红十字志愿服务队等12支志愿服务队，累计有志愿服务队16支；新增志愿者260人，累计有红十字志愿者389名。9月，长寿区凤城街道三峡路社区红十字会创建成为市级第二批模范基层组织。

【人道救助】 2023年，重庆市长寿区红十字会（简称区红十字会）持续开展“博爱送万家”送温暖活动，19个街镇的遗体器官捐献家庭、计划生育特别扶助家庭、困难党员及其他困难群众共380户家庭受益；开展“博爱救助·幸福长寿”人道救助活动，12个因突发事故、患重大疾病家庭共获得救助金3万元。

【无偿献血】 2023年，区红十字会与区医院血站联合19个街镇、重庆化工职业学院以及卫生健康系统开展无偿献血宣传，发动群众参与无偿献血。全年无偿献血5356人次，献血量8963U（1792600毫升）。

【造血干细胞捐献和遗体捐赠】 2023年，区红十字会与卫生健康系统开展造血干细胞捐献宣传、登记、采集、劝募工作，招募造血干细胞捐献志愿者。通过大型活动与“人人长寿”媒体等宣传遗体、人体器官捐献。全年造血干细胞志愿登记入库165例，遗体（角膜）捐献志愿登记108例，器官捐献志愿登记176例。

【人道筹资】 2023年，区红十字会接受齐鲁制药捐赠价值2.68万元家居服400套，慰问区精神卫生中心住院患者。接受重庆普雅花智能家居有限公司捐赠19件价值2.6万元的家具，改善区精神卫生中心住院病区环境。接受重庆凯年食品有限公司捐赠5.2万个总价值26.8万元的粽子，慰问区精神卫生中心住院患者、石堰镇敬老院、长寿区养老中心等5家养老机构入住老人。接受中展电器经营商行捐赠100台价值28.6万元的智能净水器，改善19个街镇红十字会及辖区内较为困难的村居办公点。接受爱心人士捐款3600元，用于救助易受损群众。

【红十字志愿服务】 2023年，成立长寿区红十字蓝天应急救援志愿服务队，救援队队员52人加入红十字志愿者队伍，全年开展志愿服务总时长889.5小时。10月28—29日，全国铁人三项冠军杯系列赛总决赛暨成渝双城铁人三项公开赛在长寿湖举行，区红十字会招募具有医学知识的20余名红十字志愿者，为赛事提供医疗保障志愿服务工作。在两天的服务中，红十字志愿者共救治失温、外伤、运动损伤、消化系统疾病等伤员39人次。全区389名红十字志愿者全年总服务时长1537小时。

【应急救护培训】 2023年，区红十字会选派重庆化工职业学院、长寿二中、龙溪中学、晏家实验小学4名老师参加市红十字会举办的师资班培训并取得资格证；承办市红十字会2023年第5期应急救护师资培训班，向学校校医、体育老师普及应急救护技能。调动红十字应急救护骨干师资力量走进机关、学校、社区、农村、企业，开展应急救护知识培训88场，受益群众24171人次，普及率占全区常住人口的3.49%。将应急救护知识培训融入高一新生军训中，普及心肺复苏术及气道异物梗阻急救法，受益师生5000余人次。通过区红十字会的普及培训，累计6万余人次受益，群众应急救护知识普及率超过8%。

【红十字会阵地建设】 2023年，区红十字会在凤城街道三峡路社区建成红十字生命教育基地1处，展示红十字运动起源、常见应急救护知识阅览，提供公众应急救护培训场地等。在长寿慢城悠悠谷儿童游园建成红十字救护站1处，站内配置体外自动除颤仪（AED）、常用救护设施、宣传画卷、宣传资料，提供公众应急救护培训场地等，为慢城游客提供人道救护与服务。在八颗街道灵安园建成长寿区遗体器官捐献纪念园1座，将2004年以来的96名遗体器官捐献者姓名镌刻在纪念碑上，传播社会主义精神文明和红十字精神。 （刘铃铃）

法　治

政法委与综治

【概况】　2023年，长寿区政法系统推进社会治理体系建设，常态化开展扫黑除恶斗争，推动平安长寿建设。实施信访法治化试点，制定出台加强信访工作“十五条”措施。优化法治营商环境，服务保障民营经济高质量发展。多元化解矛盾纠纷，开展社会治安突出问题专项整治、社会矛盾纠纷“大排查大起底大化解”、防范发生恶性刑事案件等专项行动，累计排查矛盾纠纷41199件，全区未发生恶性刑事案件，未发生“民转刑”命案。加强政法队伍建设，开展清廉政法示范创建、政法系统先进典型选树活动，推选出10名先进典型代表。全区政法系统获区级及以上表彰奖励325人次。

【维护政治安全和社会稳定】　2023年，长寿区守牢根本底线，确保政治安全。集中开展园区企业国家安全风险集中清查、新型电子投放设备意识形态隐患清理等系列专项行动，处置社会矛盾纠纷，完成全年安保任务。

【平安建设】　2023年，长寿区推进存量矛盾化解，深化“治重化积”攻坚和重复访专项治理，区领导带头包案，推动化解影响全区社会稳定的重点问题。实施信访法治化试点，制定出台加强信访工作“十五条”措施，建立重点复杂信访案件抽评复核机制，对涉及群众切身利益的重大事项和重大决策实施社会稳定风险评估。开展社会治安突出问题专项整治7大行动，对侵财案件、入室盗窃、电信网络诈骗、未成年人犯罪案件、严重精神障碍患者肇事肇祸案件等问题突出的11个镇街和区教委实施挂牌整治。制定出台政法机关服务保障民营经济高质量发展13条措施，搭建政法机关与重点企业对接工作平台，在13家企业建立法官联系服务企业直联点。

【社会治理体系建设】　2023年，长寿区推进社会治理体系建设，依托区综治中心、区诉调中心、区人民群众来访接待中心等实体平台，开展矛盾纠纷大排查大化解大起底、社会矛盾纠纷化解处置攻坚战等专项行动。在19个镇街建成基层治理指挥中心，推动菩提、凤城、八颗、长寿湖4个镇街纳入全市基层平安法治重点镇街建设试点，创建1个市级清廉村居，132个市级平安网格，利用24小时心理援助热线累计开展心理干预1265次、心理危机干预31次。将全区19个镇街、270个村（社区）划分为1109个网格，延伸设置微网格5464个，在全市率先打造93个网格驿站，建立实施网格员报告、AB岗等制度7项，形成上联区、下通村（社区）、直达网格、横向板块协同的社会治理体系。

【扫黑除恶斗争常态化】 2023年，长寿区健全完善常态化扫黑除恶工作机制，聚焦“打早打小打苗头”，核查各类涉黑涉恶线索10条，侦办涉黑涉恶十类案件77起，破获案件26起，十类涉恶个案移送起诉129人，移送起诉恶势力组织1个，打击恶势力成员4人。

【政法智能化建设】 2023年，长寿区成立数字法治专题组，由区委常委、政法委书记为责任区领导，区委政法委、区委网信办、区法院、区检察院、区公安局、区司法局、区应急局、区信访办等部门为成员单位。对标市级数字法治系统架构，增设平安建设跑道。建立领导调度、工作例会、业务学习等工作机制。将专题组有关工作拆解细分为41项具体任务，采取“日报送、日调度、周通报”的方式，跟进工作动态，确保运转闭环。区法院推进全流程无纸化网上办案，对5个立案大厅增设全流程设备，对14个审判庭进行全流程法庭改造，实现线上立案、线上阅卷、电子存档等多项功能。区检察院用好检察业务应用系统2.0版本，推广21个大数据法律监督模型。区公安局加强警用无人机飞手培养，弥补空域侦查空缺，并购置4G执法记录仪，实施执法全流程记录。区司法局推广重庆市行政执法信息和监督网络平台、全国行政复议工作平台等16个系统应用，推动法治政府创建。专题组各成员单位共梳理核心业务43项，一级业务156项，二级业务621项，拆解业务事项3621项，谋划多跨场景62项。先后谋划“涉铁风险联处”“雨润成长”“寿乡车检”等“一件事”应用场景，编制“三张清单”2个、“原一图两清单”5个、“新一图两清单”5个。

【矛盾纠纷多元化解】 2023年，长寿区部署开展社会矛盾纠纷“大排查大起底大化解”专项行动，成立全区社会矛盾纠纷化解处置攻坚战指挥部，实施源头预防、前端化解、抓早抓小，建立社会矛盾纠纷全量库、一本账，把矛盾纠纷化解在基层、化解在萌芽状态。全区累计排查矛盾纠纷41199件，化解40562件，化解率98.45%，其中基层化解37564件，基层化解率91.18%。矛盾纠纷多元化解模式获全国性肯定。

【法治营商环境优化】 2023年，长寿区成立民营经济司法保护工作领导小组，由区委常委、政法委书记为责任区领导，区法院、区检察院、区公安局、区司法局等部门为成员单位。专门出台关于服务保障民营经济、持续优化法治化营商环境的规范性文件，推动全区政法单位形成保护民营经济健康发展的合力，打击破坏市场经济秩序、侵犯企业合法权益的犯罪行为。区公安局会同区检察院、市场监管局联合制定《长寿区加强知识产权保护行政司法协作配合工作办法（试行）》，推进行刑衔接深度融合。9月，区公安局破获熙迪斯卫浴涉嫌销售假冒注册商标案件。区法院设立“经开区巡回审判站”，区检察院在经开区管委会、高新区服务中心设立知识产权保护工作联络站，为园区企业提供控告申诉、信息查询、法律咨询等综合司法服务，帮助企业排忧解难。

【执法司法督查】 2023年，长寿区出台重大事项请示报告、决策和执行、监督和责任等系列体制机制，推广应用智能化办案信息系统，建成汇集侦查、办案和监督一体化的智能办案平台，优化完善智慧法院、检察院、智能社区矫正监管等平台，政法各单位内部数据库逐步开放整合。案件评查由内部自评向政法各单位交叉评查、三方机构评查等方式转变。落实司法终身责任制，制定完善法官检察官的权责清单。加强重点岗位和关键环节的监督，深化受立案制度改革，强化侦查权、检察权优化运行，完善庭审实质化和刑事执法司法衔接，将监督结果与政法干警的考核结果挂钩、与绩效奖金挂钩、与纪检监察挂钩，推动执法司法体系健全完善。

【政法队伍建设】 2023年，长寿区制发《2023年全区政法干警教育培训工作要点》，在全区政法队伍开展全员政治轮训，组织2期市外高校和1期区内政治轮训示范班，组织政法委书记和政法各单位党组（党委）书记为全区政法干警上党课。梳理排查政法机关权力风险台账106条，以基层一线“科室队庭所”为最小颗粒，分单元筛选培育23个清廉政法细胞示范标杆。常态化开展执法司法顽瘴痼疾排查整治，深化“六大顽瘴痼疾”和其他执法司法突出问题整治，组织开展干警自查事项填报，填报率100%。支持政法干警秉公执法司法，保障政法干警履职安全，对不实举报及时澄清。开展政法系统先进典型选树活动，推选出10名先进典型代表。全年全区政法系统共有325人次获区级及以上表彰奖励。（何　苗）

法治政府建设

【概况】 2023年，长寿区区委常委会、区政府常务会专题研究法治建设工作18次，全区655名领导干部参加年度述法，实现述法全覆盖。214名新提任区管领导干部参加法治理论考试。围绕党政主要负责人履行推进法治建设第一责任人职责等31项重点督察内容，对25个区级部门和12个街镇开展实地督察。创建成为第二批全市法治政府建设示范区，通过中央法治政府建设督察整改情况检查。

（苑　媛）

【法治宣传】　2023年，长寿区邀请西南政法大学教授王学辉、温泽彬为全区领导干部开展习近平法治思想专题宣讲。利用宣传栏、户外LED屏、墙体地标等各类载体，开展习近平法治思想宣传，刊发普法宣传公益广告8万余条（次），覆盖群众10万余人次。区司法局联合50余家普法责任单位“法治大讲堂”公益普法栏目录制，每天中午12点通过全区2600个“村村通”广播播出，实现全区法治宣传全覆盖。精选城区4条公交线作为“法治专线”公交车，通过语音到站播报进行法治宣传，全年覆盖城镇居民40余万人次。（王鑫钰）

【联动监督】　2023年，长寿区构建“纪巡审”联动“惩防治”一体的监督检查机制，对社会信用体系建立、法治化营商环境打造等实施联动监督。全年承接落实“川渝通办”311项、“跨区县通办”362项、西南五省“跨省通办”148项，线下设立“跨省跨区通办”窗口34个。与四川简阳、广安等毗邻地区签订“川渝通办”政务服务合作协议，“川渝通办”事项线下办理7900余件。231名企业服务专员“零距离”服务776家“四上”企业，解决企业问题200余个。

【行政执法监督】　2023年，长寿区印发《重庆市长寿区全面推行行政执法机关柔性执法包容审慎监管的实施意见》，在全区范围推行柔性执法和包容审慎监管。区公安局交巡警支队推广落实“首违警告”机制；区市场监管局设立学校食堂食品安全智慧管理阳光APP、“96333”全市电梯应急处置平台；区农业农村委与四川省邻水县、重庆市江北区、渝北区、南岸区等区县签订十年禁渔联合执法协议，开展交界水域联合执法。出台《重庆市长寿区行政执法机关协同协作工作办法》《重庆市长寿区行政执法和刑事司法衔接工作办法》，健全线索和案件移送、执法联动、协调会商、“行刑衔接”等协作机制。印发《重庆市长寿区行政执法投诉举报办理制度》等文件，加强行政执法“内外”监督。开展行政处罚案卷评查和执法专项检查，累计评查案卷292卷，检查行政执法指标54项。

【行政复议应诉】　2023年，重庆市长寿区司法局（简称区司法局）推进行政复议规范化建设，完成复议体制改革，践行复议便民和“一站式”服务要求，在全区设立行政复议便民联系点19个。通过门户网站和行政复议接待场所公开行政复议受案范围和审理流程等10余项办事指南，建立行政复议被申请人数据库，开通“掌上复议”功能，为群众申请和参与行政复议提供便利。办理区政府为被告的行政应诉案件27件，督促部门办理司法建议5件。建立行政应诉工作定期通报机制，全区一审行政诉讼案件负责人出庭应诉率100%，全区行政应诉案件胜诉率93.9%。总结近3年行政复议应诉案件反映出的37个具体问题，组织开展“以案促改”专项行动，抽查案卷48份，发现具体问题108处，针对违法行为久纠不改的单位提出意见建议，推动相关问题整改到位。出台《行政复议听证规则》，全年通过实地调查复议案件26件、专家咨询7件、公开听证审理5件。

【合法性审查】　2023年，长寿区严格落实重大行政决策程序，印发全区重大行政决策事项目录，依照法定程序开展合法性审查。推进公众参与重大行政决策机制建设，长寿区城市户外广告设置详细规划（2023—2027年）、长寿区“三线一单”生态环境分区管控更新调整等多项重大行政决策事项均通过网上公示方式公开征求意见。全年审查重大行政决策5件，提出意见建议20余条。制定实施《长寿区行政规范性文件争议协调处理办法》《长寿区行政规范性文件专家论证实施细则》《长寿区行政规范性文件实施后评估办法》《长寿区行政规范性文件建议审查处理办法》，落实“应审必审”相关要求，审查区政府行政规范性文件30余件，提出意见建议230余条。向市政府报备行政规范性文件9件。开展区政府行政规范性文件清理工作，废止行政规范性文件16件。

【行政争议化解】　2023年，长寿区成立以“松柏工作室”为名片的行政复议专门调解平台，全年通过调解、和解和其他方式实质化解纠纷57件，化解率91.9%。制定《关于建立联动机制推进行政争议实质性化解工作方案》，完善行政手段与司法手段合理衔接和优势互补机制，促进行政争议源头预防和实质化解。

【镇街综合行政执法改革】　2023年10月31日，长寿区在菩提街道启动镇街综合行政执法改革试点，推动执法体制、执法机制、执法方式、执法理念变革性重塑。梳理镇街综合行政执法事项150项，实现“一张清单”明职责；探索“综合执法+专业执法”新路径，推动区级执法力量下沉，与镇街综合行政执法大队统筹运行，实行“区属镇用共管”，实现“一支队伍”管执法；强化“以区带镇”的执法模式，集中开展执法培训4次、参训260余人次，下沉指导和开展联合巡查30余次，督促现场整改40余家次，出具责令整改通知书26份，对2件普通程序案件实行“一案三审”，实现“一套机制”提质量；运行“执法+监督”数字应用，办理行政处罚案件21件，其中简易程序案件18件、普通程序案件3件，罚款金额0.68万元，开展“综合查一次”组团式执法2次，实现“一个应用”优实效。

（苑 媛）

公 安

【概况】 2023年，重庆市长寿区公安局（简称区公安局）坚持“稳进增效、除险清患、改革求变、惠民有感”导向，推动防风险、保安全、护稳定、促发展各项工作开展，全市公安机关绩效考核为优秀，群众安全感满意度98.86%，公安队伍满意度和执法公信力分别获得98.05分、97.91分。1名民警获评2023年度“长寿好人”，11个集体、57名职工受到上级部门表彰。完成34件人大建议、37件政协提案办理，满意度100%。

【打击违法犯罪】 2023年，区公安局坚持“打早打小打苗头”，严打涉黑涉恶十类犯罪，移送起诉121人，捣毁辖区涉赌窝点5个，抓获相关犯罪嫌疑人50余人。八类暴力案件破案率94.12%。开展入户宣传23万户，处置预警指令20.38万条。以“昆仑2023”专项行动为牵引，侦办“食药环”领域刑事案件41件，移送起诉60人。破获横跨22个省、直辖市的系列特大虚开增值税专用发票案，摧毁犯罪团伙15个，抓获犯罪嫌疑人58人，涉及金额390亿余元，挽回国家税款损失4000万余元，得到市委主要领导批示表扬。侦办“长寿区上瑞中西医结合医院欺诈骗保案”，抓获犯罪嫌疑人39人，冻结资金800余万元。破获“7·26”特大制售假冒品牌烟酒案，捣毁生产、存储、销售窝点26个，涉案金额2600万元，该案被列入全市主题教育成果。

【刑事犯罪侦查】 2023年，区公安局坚持“命案必破”，抓获潜逃28年命案逃犯夏某斌、潜逃26年命案逃犯罗某川，协助福州市公安局抓获潜逃27年逃犯曾某才。持续保持命案现案破案率100%。推进全民反诈，移送起诉诈骗犯罪嫌疑人211人，为群众追赃挽损900余万元，侦破“左某斌被诈骗案”“张某兰被诈骗案”等公安部挂牌督办电信网络诈骗案件。盗窃现案破案率56.51%，盗抢追赃挽损870.3万元，返还率81.77%。侦破“4·7”特大盗窃案，为企业挽回经济损失900万元。

【经济犯罪侦查】 2023年，区公安局经侦支队受理各类经济案件28件，立案26件，不予立案2件，破案9件，移送起诉27人。

【禁毒工作】 2023年，区公安局加强新型毒品及替代物质专项治理，缴获各类毒品2.26千克、液体冰毒5.6千克。深化禁毒“拔钉追逃”专项工作，主侦破获公安部目标案件1件，联合内蒙古自治区、山东省、云南省警方破获公安部目标案件3件。

【监所管理】 2023年，长寿区拘戒所实现安全“零事故”目标和队伍“零违纪”。看守所开展安全大检查24次，对入所半年以上在押人员进行体检2次。全年通过教育感化获取犯罪线索27条，破获刑事案件23件。

【安全保卫】 2023年，区公安局累计调动警力1.2万余人次，完成2023年全国和市区“两会”、区党代会、杭州第十九届亚运会、第三十一届世界大学生夏季运动会、2023年长寿湖半程马拉松、2023年长寿湖全国铁人三项冠军杯系列赛总决赛以及五一节、国庆节等重大活动和重要节日期间安保任务。

【警务督察】 2023年，区公安局出动督察警力721人次，检查科所队151个次，检查重点部位、重点区域415个次，查纠并督促整改问题隐患72个次，组织突击集中督检5轮次，

2023年6月20日，区公安局民警在重庆医药学校开展禁毒及反诈宣传

（区公安局 供图）

督检单位25个次、民警206人次，编发《督察通知》40份；围绕内部安全防范、值班备勤、公务用车、枪支管理等重点环节，巡查约2.15万次，查纠问题279个；受办理各类举报投诉586条，处理相关责任人员9人次，督促查处侵害民警执法权益案件24件，为受侵害的28名民辅警维权，发放慰问金6.58万元。

【危爆物品管控】 2023年，区公安局开展民爆物品护送1237次，安全保障爆破作业炸药1900余吨、雷管22万发，销毁各类非法烟花爆竹3880件。开展打击整治枪爆违法犯罪专项行动，共收缴炮弹2枚、枪支4支、子弹20发。

【110接处警】 2023年，区公安局共接110有效报警101893起，比上年104097起下降2.1%；共接刑事警情1534起，比上年1942起下降21%（其中，盗窃类警情661起，比上年978起下降32.4%；诈骗类警情651起，比上年662起下降1.6%）；治安类警情4575起，比上年4862起下降5.9%；交通类警情20397起，比上年18504起增长10.2%；群众求助19975起，比上年16243起增长23%。

【公安科技信息化建设】 2023年，区公安局以深化"情指行"一体化实战平台2.0版及运行机制建设为抓手，提升整体智治水平。实施"一标三实"百日攻坚大会战，入户调查54.5万余户。自主研发的"微勘通"被公安部评为优秀科技创新项目，并代表重庆公安参加"国际警用装备展"；研发"汽车抓捕器"项目，获全市公安基层技术革新大赛优秀奖；创建的"厨房式制毒大数据分析模型"以复赛第一名成绩进入全市决赛；组织参加全市网安大数据建模大比武，获第二名；联合北碚公安督察支队创建"矛盾纠纷排查化解预警模型"，获市公安局2023年数字督察建模决赛优胜奖。全年建成数字化智能安防小区124个，覆盖居民15万人。整合社会公共资源数据3530万条，清理问题数据2万余条，大数据赋能破案占比近90%。

【治安管理】 2023年，区公安局结合全区治安形势，以春季攻势、夏季行动为引领，开展大规模集中清查10次，强化社会面巡逻防控，提高街面见警率、管事率、震慑度。性侵未成年人犯罪问题、3个社区入户盗窃犯罪高发问题等挂牌重点整治摘牌。排查整改消防安全隐患182处，未发生小火亡人消防责任事故。深化"护校安园"专项行动，指导开展校园安全演练50余次。完成元宵节大型烟花表演、长寿湖国际铁人三项赛、明月山生态旅游文化节等重大活动安保任务，实现安全生产事故"零发生"。

【出入境及往来港澳台通行管理】 2023年，区公安局审核发放出入境及往来港澳台通行证件10369件次。其中护照4445件次，内地居民往来港澳通行证5823件次，大陆居民往来台湾通行证79件次，前往港澳通行证11件次，台湾居民来往大陆通行证9件次，中华人民共和国出入境通行证2件次。受理外国人签证申请73件次，其中外国人居留许可58件次，停留证件12件次，普通签证3件次。

【网络安全管理】 2023年，长寿区落实网络安全技术措施非经营性上网场所844家，注销网站ICP备案70个，发布预警通报16份、下达责令限期整改通知书39份、安全隐患告知书21份，处置安全风险预警40起，对全区350余个网站进行漏洞扫描，发现网站漏洞106个，查处未履行网络安全管理义务企业41家。下达LED大屏网络安全隐患告知书12份，开展行政处罚4家。

【户政管理】 2023年，长寿区办理户籍业务5725件，办理身份证5.46万人次，新增、注销居住人员43.13万人次，新增、注销出租房屋1248户次。

【道路交通安全管理】 2023年，区公安局推进道路交通事故预防"减量控大"专项行动，交通违法查处比上年增长61.63%，道路交通事故数、死亡人数、财产损失分别比上年下降16.44%、11.36%、35.77%。

2023年1月9日，区公安局自主研发的"微勘通"在全市公安机关"改革强警·创新惠民"改革创新大赛决赛中获铜奖　（区公安局　供图）

【机动车及驾驶人管理】 2023年，长寿区新增机动车3997辆，比上年增长1.63%；新增驾驶人10246人，增长3.91%；办理各类车驾管业务12.87万件次，下降6.33%。至年末，全区有驾驶人27.25万人，机动车保有量24.91万辆（含新能源汽车8779辆），其中汽车17.35万辆，摩托车7.3万辆，其他机动车2599辆。

【公安执法规范化建设】 2023年，区公安局完善内部执法监督体系，巡查接报警信息5230起，巡查率6.56%，纠正违规受立案650件。加强执法主体建设，邀请检察官为全局办案民警举办“法治大讲堂”，深化“以审判为中心”的刑事诉讼制度改革。强化执法质量日常监督，每月对审核案件计分通报并纳入绩效考评，倒逼办案单位规范执法，依托信息化系统支撑，紧盯执法办案关键节点。发挥执法办案管理中心实战效能，全年进入办案中心接受讯（询）问的嫌疑人（证人）1589人次，比上年增长114%。完成远程询问系统搭建，推进“案管室”项目建设，办案质效提升，执法质量保持全市优秀“方阵”。

【公安基层基础工作】 2023年，区公安局制定实施新一轮加强派出所工作三年行动计划，两次专题召开派出所基层基础工作会议，完成桃源派出所建设并投入使用，推进邻封派出所、八颗派出所新办公用房建设。践行“枫桥经验”，凤山派出所被评为一级派出所并获“枫桥式派出所”称号。刑事技术室获评“全国示范刑事科学技术室”，电子数据勘查取证分析实验室通过公安部二级实验室验收，刑事技术检验水平达到全国一流。

【警务为民服务】 2023年，区公安局深化“放管服”改革，“一网通办、一窗通办、跨省通办”落地见效，派出所综合服务窗口90%业务实现现场办结，全年办理治安、户政、交管类业务10.39万件次，行政审批和公共服务事项33.45万件次，群众满意率100%。上门为望江变压器、环松科技等15家企业办理急需出国人员证件、在长外籍人员工作类居留许可、绿卡99件次。促成博腾制药科技有限公司烟碱首次空运出口韩国。完善矛盾纠纷多元化解机制，全年排查矛盾纠纷1.31万件，其中化解1.19万件，化解率90.84%。化解陈尸信访事项2件，完成区信访联席办交办3批次“信访积案”和区委政法委交办共18件信访事项化解任务，化解率100%。

（高丽岚）

检 察

【概况】 2023年，重庆市长寿区人民检察院（简称区检察院）持续落实《中共中央关于加强新时代检察机关法律监督工作的意见》，围绕检察工作部署和全区工作大局，践行为大局服务、为人民司法、为法治担当，依法履行检察职责。全年办理审查逮捕案件283件395人，审查起诉案件767件1111人；办理各类刑事执行检察案件196件、民事行政监督案件77件、公益诉讼案件63件。

【刑事检察】 2023年，区检察院批准逮捕307人，提起公诉882人。常态化开展扫黑除恶斗争，起诉涉黑恶势力案件2件7人。惩治贪污贿赂犯罪，起诉5件7人。维护市场经济秩序，起诉电信网络诈骗犯罪37人；起诉非法吸收公众存款犯罪3人，涉案金额480余万元；起诉破坏市场经济秩序犯罪32人。打击洗钱违法犯罪，起诉3件3人。优化法治化营商环境，开展“安商护企”专项行动，依法惩治各类侵害市场主体合法权益的刑事犯罪64件68人。护航长江经济带绿色发展，办理破坏环境资源保护类案件32件45人，刑事附带民事公益诉讼案件1件2人。深化刑事诉讼监督，对证据不足或不构成犯罪的，不批捕47人、不起诉19人。发出侦查活动监督通知书260件，监督侦查机关撤案50件。追捕1名贩卖毒品漏犯李某，被法院判处无期徒刑。加强“两法”衔接工作，向行政机关发出检察意见3件。1件案件获首届全国优秀刑事检察文书提名奖。

【刑事执行检察】 2023年，区检察院依法办理各类刑事执行检察监督案件196件。依法监督看守所、社区矫正机构正确履职，对发现的监管问题提出纠正意见，均已得到整改。开展各类刑事执行检察监督，立案侦查司法工作人员职务犯罪案件1件1人，协助上级检察院办理3件7人。

【民事行政检察】 2023年，区检察院开展“百企千家·惠民有感”专项活动，依法办理各类民事行政检察案件77件。办理民事生效裁判结果监督案件5件，向区法院发出再审检察建议1件，协助上级检察院办理行政生效裁判结果监督案件5件。对民事行政审判程序违法行为和执行活动监督案件发出检察建议38件，均获采纳；办理民事支持起诉案件27件，均获胜诉；办理行、刑反向衔接案件2件，均获采纳。办理的苏某某虚假诉讼系列案件被市检察院评为刑、民协同履职案件典型案例。

【公益诉讼检察】 2023年，区检察院依法能动履行公益诉讼检察职能，凝聚“行政+检察”法治力量，共办理公益诉讼案件63件。发出诉前检察建议9件，均获采纳；行政诉前磋商37件；刑事附带民事公益诉讼案件、支持起诉案件等17件。开展“公益诉讼助力乡村振兴”“医疗领域侵害公益”等专项监督活动，将办案职能向社会治理领域延伸。开展“护农优商·促城乡融合发展”公益诉讼专项监督活动，立案13件。

【未成年人检察】 2023年，区检察院参与“莎姐守未”专项行动，从严惩治性侵、严重暴力等侵害未成年人犯罪，批准逮捕14人、起诉29人，监督立案1件，追诉漏犯2人。对涉罪未成年人宽容不纵容，批准逮捕涉罪未成年人10人、起诉31人。探索罪错未成年人临界预防工作，通过委托司法社工开展观护帮教、责令家长加强管教等方式，对16名未达刑事责任年龄的未成年人开展临界预防。落实“法治副校长全覆盖”制度，为1.6万余名师生进行法治教育和普法宣传，1名干警被评为全市优秀法治副校长。

【控告申诉检察】 2023年，区检察院落实“群众信访件件有回复”和检察公开听证制度，受理各类信访案件265件，办结答复100%。推进重复信访积案实质性化解三年“清仓”行动，通过领导包案、公开听证等方式办结市检察院交办的重复信访积案3件。开展公开听证117次，检察官主动上门听证6次。

【检务服务】 2023年，区检察院贯彻落实成渝地区双城经济圈建设重大部署，实现“四大检察”川渝协作全覆盖。围绕与四川省邻水县检察院签订的《检察协作框架协议》，整合两地检察资源，深化在“四大检察”、知识产权保护、危化品道路运输安全等领域协作配合。联合渝北区、垫江县和四川省邻水县四地法院、检察院共同签署《生态环境保护司法协作框架协议》，共建“川渝司法协作明月山生态修复示范带”。联合邻水县多部门共同开展跨省市增殖放流活动，向大洪湖投放鱼苗5万余尾。推进长江生态检察官制度走深走实，立案环资类公益诉讼案件23件，办理生态环境损害赔偿支持磋商案件7件，共追偿生态环境修复费用11万余元。办理最高人民检察院挂牌督办的长江船舶污染治理专案，该案例在首个“8·15”全国生态日被央视《今日说法》等多家媒体作为正面典型案例宣传报道。开展河湖安全保护专项执法行动，督促拆除违规养殖设施8300平方米。

【知识产权保护】 2023年，区检察院持续开展“保知识产权、护知名品牌”专项行动，办理假冒“川维牌”乳胶漆等侵犯园区企业知识产权权益案件。在长风化学等4家企业设立知识产权综合保护联系点，开展“订单式”法治服务20余次，走访川维等科创企业30余次。

【社会治理服务】 2023年，区检察院针对办案中发现的社会治理问题，主动向有关单位发出社会治理检察建议10件。与区住房城乡建委、区城市管理局等部门联动履职，开展巡察整改，促进窨井盖等城市基础设施综合治理。创新检警协作机制，结合办案，联合公安机关向相关主管部门制发行业风险提示函，共同促进社会综合治理。落实“谁执法谁普法”责任，开展各类法治宣传43场次，发放资料8600余册，401批1.2万余人次在预防犯罪法治教育基地接受廉政警示教育。1部微动漫普法视频获全国检察机关“三微”作品展播活动优秀作品奖。

【接受社会监督】 2023年，区检察院自觉接受人大监督、政协民主监督和社会各界监督，认真落实《“检察+街镇”联系工作制度》，对代表、委员在“两会”上提出的65条意见建议进行全面梳理、逐条落实，班子成员逐一走访回复。深化代表建议、政协提案与公益诉讼检察建议衔接转化工作机制，与区人大常委会办公室、区政协办公室分别签署《双向衔接转化工作机制实施方案》，办理代表委员反映强烈、高度关注的公益诉讼案件8件。

【检务公开】 2023年，区检察院从社会各界选任24名检察听证员，11名民主党派人士担任“益心为公”志愿者，邀请147名代表、委员、人民监督员和检察听证员参与、监督相关办案工作。开展各类主题检察开放日活动、代表委员联络活动52场次。

【检察改革创新】 2023年，区检察院深化拓展轻罪治理路径，促进“治罪”与“治理”有机结合，探索构建“4+1”工作法，做好不起诉案件“后半篇文章”，对拟不起诉案件犯罪嫌疑人要求接受一次法律法规学习、一场法治教育、一次具结悔过和一次训诫，并在一定时间内到社区或到机关或到校园或到企业或到银行参加社会公益服务。引导拟不起诉犯罪嫌疑人自愿参加社会公益服务，该做法被评为全市检察机关优秀检察改革实践案例，1件案件被评为全市检察机关贯彻宽严相济刑事政策典型案例。

【检察队伍建设】 2023年，区检察院开展案例分析、问题复盘18件次，形成7项调研成果。开展问题检视整改，制定完善5项制度。加强全员业务教育培训，强化“赛马比拼”，完善全员全面考核评价体系和考评指标。坚持正确选人用人导向，加强青年检察人员培养管理，落实资深检察官职业导师制度。全年37个集体和个人获区级以上表彰奖励。深化“全周期管理”一体推进“三不腐”，被确定为全市清廉检察院建设试点示范单位。完善督察督办机制，推动填报“三个规定”等重大事项141件。完善廉政风险排查制度，选取身边典型案例编发《以案为鉴》12期，开展检察系统违法违纪案件“以案四说”“以案四改”。（刘子琦）

法 院

【概况】 2023年，重庆市长寿区人民法院（简称区法院）由14个部门组成，其中人民法庭3个。有员额法官63人，占38.89%；法官助理63人，占38.89%。全年受理各类案件19547件，其中审（执）结案件18387件，案件审（执）结率94.07%，法官人均结案287件。

【立案登记】 2023年，区法院推行“一件事一次办”便民诉讼服务体系，院机关诉讼服务大厅、执行大厅、3个人民法庭实现“一窗通办”“一站通办”，让当事人最多跑一次、一次全办好。诉讼服务质效保持全市法院第一名。全年通过网上立案11986件，占比65.39%；网上缴费11602件，占比79.82%。全年发放司法救助金9万元、执行专项救助金15.1万元。

【刑事审判】 2023年，区法院受理各类刑事案件646件945人，审结632件927人，审结率97.83%。审结危险驾驶、走私毒品、盗窃、诈骗等危害公共安全、妨害社会管理秩序及侵害群众财产案件462件615人。审结杨某宏等25人“迪拜”系列跨境网络诈骗案，为群众挽回经济损失172万元，首要分子杨某宏被判处有期徒刑14年9个月，并处罚金1000万元。审结职务犯罪案件10件10人，邀请200余名机关干部旁听庭审。

【民商事审判】 2023年，区法院受理各类民事案件7990件，审结7585件，审结率94.93%。审结教育、医疗、消费等民生案件522件。审结家事案件1249件，调撤率71.42%。受理各类商事案件3936件，审结3736件，审结率94.92%。区法院负责的营商环境“执行合同”指标考核位列全市第一名，经验做法入选《重庆市优化营商环境案例集（2023）》。

【行政审判】 2023年，区法院受理各类行政案件442件，审结426件，审结率96.38%，行政案件调撤率59%，高于全市平均水平。推进司法与行政良性互动，连续4年发布行政审判白皮书，提出司法建议，行政机关负责人出庭应诉率保持100%，邀请行政机关工作人员旁听庭审，推动法治政府建设。相关工作被区政府主要领导批示肯定6次。行政审判工作在全市法院作经验交流发言。1场庭审入选第六届全国法院“百场优秀庭审”，1场庭审成为全市党政事业干部、企业管理人员法治网络考试唯一旁听案例。

【案件执行】 2023年，区法院受理各类执行案件6532件，执结6007件，执结率91.96%，执行到位资金6.66亿元。被限制高消费2737人次，被纳入失信被执行人652人次，拘留28人，促使492名被执行人主动到法院履行义务。

【诉源治理】 2023年，区法院依托驻院（庭）综合调解室，挂牌“寿乡情理调解室”“行政争议实质化解工作室”“执行纠纷和解工作室”，打造具有长寿辨识度的“三室融合”系统集成纠纷化解平台。全年共引导进入诉前联调9804件，调解成功7613件，调解成功率77.65%。调解工作室被司法部评为全国模范人民调解委员会、被市高级人民法院评为2023年度优秀

2023年5月，区法院设立“寿乡情理调解室”。图为法官在调解纠纷

（曾 丽 摄）

驻院（庭）调解组织。联合市第一中级人民法院、区人力社保局、区总工会设立“劳动争议诉源治理示范工作站”，审结追索劳动报酬、劳动合同纠纷案件468件，为务工人员追回工资1110万元，劳动争议案件比上年下降46.9%。

【诉讼服务体系建设】 2023年，区法院落实民事诉讼程序繁简分流，案件平均办理天数比上年缩短9.19天，简易程序、小额诉讼程序适用率97.15%。反映审判效率的审限内结案率、延长审限率、平均结案时间均超过市高级人民法院考核满意值。落实独任法官、合议庭办案责任制，完善审判权责清单。优化院庭长办案常态化机制，压实办案和监管双重职责，院庭长办结案件占比41.41%。常态化开展案件评查、发布典型案例，统一裁判尺度。反映审判质量的生效案件改判发回重审率、一审裁判改判发回重审率均超过市高级人民法院考核满意值。推进司法体制综合配套改革，健全司法人员依法履职保障制度，完善审判绩效考核办法，以制度优势和管理创新推动案件效果整体提升。深化智慧法院建设应用，推进全流程网上办案试点，以数字正义推动实现更高水平的公平正义。

【人民法庭建设】 2023年，长寿区葛兰、晏家、长寿湖3个人民法庭立足“民生法庭”“园区法庭”“景区法庭”功能定位，依托“车载便民法庭”常态化开展巡回审判、普法宣传，实现大量矛盾纠纷化解在萌芽、解决在基层。全年共受理各类案件3467件，审结3239件，审结率93.42%。创新性运行“一街镇一法官”和“一庭两所”矛盾纠纷联调机制，向辖区有关镇街发放类案分析报告、典型案例集，为乡村振兴、地方发展贡献司法力量。长寿湖人民法庭被共青团中央等命名为“一星级全国青年文明号”，被最高人民法院确定为全国重点学习宣传八家单位之一。调解工作在全市法院坚持和发展新时代“枫桥经验”会议上作经验交流。

【智慧法院建设】 2023年，区法院推进全流程网上办案试点，推进“全域数智法院”与数字重庆深度融合，创新法庭布局拓展“云上审判”新空间，畅通“云上共享法庭”的移动端互联渠道，支持当事人通过手机、平板等便携设备联通“云上共享法庭”，为远程开庭提供多元化路径。“车载便民法庭”利用5G移动物联、人工智能技术，把智慧法院一站式诉讼服务“装上车”。实现全流程网上办案案件类型全覆盖，改造数字化法庭14个。推进以“同步录音录像为主体、智能音字转换为辅助、传统书记员记录为补充”的庭审记录模式。

2023年11月1日，区法院院长、区检察院检察长同庭履职，审理案件

（王思亲　摄）

【审判监督】 2023年，区法院主动接受检察机关法律监督，邀请检察长列席审委会，法检“两长”同庭履职办案，共同维护司法公正。通过微信、微博、报刊等媒介发布原创宣传稿件530余篇，举办法庭开放日、新闻发布会等活动，让社会各界了解、参与和监督法院工作。

【法院接受监督】 2023年，区法院完善代表联络新机制。向区人大常委会及主任会议专题报告诉源治理、赡养纠纷案件审理等工作情况，落实审议意见并按时回复。配合区人大开展人民法庭工作等专项调研，配合区人大在院机关和3个人民法庭分别设立“人大代表法院联络点”，邀请全国、市、区三级人大代表到法院视察、旁听庭审等325人次。获区人大常委会主任批示肯定3次。向区政协通报行政审判等工作情况，听取意见建议，配合区政协在院机关和3个人民法庭分别设立“政协委员法院联络点”，拓宽委员监督法院工作渠道。邀请市、区两级政协委员参加调解、见证执行等活动262人次。获区政协主席批示肯定3次。（区法院）

司法行政

【概况】 重庆市长寿区司法局（简称区司法局）管理6个律师事务所、9个基层法律服务所、1个公证处、1个司法鉴定所。全区专兼职律师55名，公职律师64名，法律援助律师1名，公司律师1名，基层法律服务工作者43名，公证员4名，司法鉴定人员15人。2023年，在牵头申报的“强化依法系统治理　筑牢长江上游生态屏障”获第一批全市法治政府建设示范项目命名的基础上，创建成为全市法治政府建设示范区。长寿区重大疑难复杂矛盾纠纷人民调解委员会驻法院调解工作室被司法部评为“全国模范人民调解委员会”，区司法局被市人力社保局、市司法局授予“重庆市依法行政工作先进集体”称号，菩提司法所获评重庆市首批“枫桥式”司法所。区司法局在2023年度区县（自治县）司法局行政工作评价结果中获优秀等次，位列第四名，连续4年获优秀等次。

【普法宣传】　2023年，长寿区培养“法律明白人”1200余名，建设“法律之家”62个，培育农村学法用法示范户613户。对全区3个全国“民主法治示范村（社区）”、59个市级“民主法治示范村（社区）”进行复核，全部保留称号。利用“长寿普法”微信公众号推送信息512篇，点击量累计5万余人次。组织16名新提任市管领导干部和214名新提任区管领导干部参加新提任法治理论考试，149名市管及区管领导干部完成法治理论考试抽考，1.5万名机关、企事业单位干部职工参加年度法治理论考试，参考率和合格率均超过99.2%，首次实现全区所有干部职工在线旁听庭审。全区中小学法治副校长配备率100%，举办全区法治副校长培训1期。开展“莎姐进校园”“关爱明天普法先行”“小公民法律课堂”“青年普法志愿者法治文化基层行”等系列法治教育实践活动300余场次。

【公共法律服务】　2023年，区司法局推动“渝快办”APP、“12348重庆法网”、“重庆村居法律顾问服务平台”（微信小程序）、“行本・公证链”、“掌上复议”在线平台申办行政许可、公证、法律援助、人民调解、行政复议等事项。压缩行政许可审批时限超过80%。制定《长寿区村（居）法律顾问工作实施方案（试行）》，遴选30名律师、基层法律服务工作者到全区270个村（居）担任法律顾问，推动村居法律顾问开展线上线下服务。全区19个街镇共有注册用户27379人，录入服务档案6506件，服务时长1817小时，代拟文书62份，审核文件31件，开展法治宣讲57次，参与矛盾纠纷调解11次，解答咨询6400余件次。开展“服务实体经济、律企携手同行”专项行动，会同区经信委、区通信发展办召开座谈会，明确责任分工，建立三方协同机制。摸排本地产业发展和企业经营面临的法治领域痛点难点问题，分析梳理5家重点企业的法律服务需求，组织律师和服务企业形成“一对一”的法律服务模式。

2023年10月，长寿区重大疑难复杂矛盾纠纷人民调解委员会驻法院调解工作室被司法部评为全国模范人民调解委员会　　（区司法局　供图）

【人民调解】　2023年，长寿区各级调解组织共调处矛盾纠纷13845件，调处成功率98.7%，涉及当事人16252人，协议涉及金额39052.56万元，参与化解疑难复杂案件351件，协议履行率95.64%。村（社区）人民调解委员会全年排查化解邻里类矛盾纠纷1688件，化解率100%。在221个基层派出所、区行政复议机构、区劳动人事争议仲裁院、区法院和3个基层法庭设立“五调”对接组织28个，在医疗纠纷、环境保护、市政管理、婚姻家庭、物业、旅游、消费、交通事故、征地拆迁、知识产权、电力领域、金融领域、拘留所等15个领域建立行业性、专业性人民调解委员会，搭建专业调处服务平台。打造具备法律援助、区总工会人民调解、劳动争议仲裁、法院司法确认等多种功能模块的长寿区“五位一体”劳动争议纠纷一站式化解处置平台。全年全区“五调组织”及行业性、专业性调委会调解纠纷6691件。成立长寿区首个“复调对接”调解优先的行政调解工作室——“松柏工作室”，促进行政争议诉源治理，推进行政争议多元化处置、实质性化解。工作室通过调解，化解行政争议30余起，其中化解一起长达16年的涉征收补偿行政争议纠纷，获市司法局肯定。

【社区矫正】 2023年，长寿区累计接收社区矫正对象401人，累计解除矫正308人，地监衔接成功率98.72%，重点安置帮教对象落实必接必送措施和重点帮教对象帮教率均达到100%。区司法局召集各专项组、相关单位召开碰头研判会议9次，开展信息交换1860人次。累计排查化解风险隐患17人次，入库管理4人，向相关街镇发出交办通知9份。完善刑满释放失联人员核查管理机制，全年累计查找226人次，查实46人。在全市率先将村（居）协助开展社区矫正工作经费纳入区司法局专项业务经费予以保障，获市司法局肯定，并在全市社区矫正执法规范化培训班上作交流发言。

【律师工作】 2023年，长寿区有律师事务所6家，其中合伙所4家，个人所2家。有专兼职律师（含实习）60名。年内，全区律师担任128家单位、企业法律顾问，代理各类案件1636件。其中，经济、民事、行政案件1068件，刑事案件86件，非诉讼法律事务32件，仲裁案件55件，代理法律援助案件395件。

【公证工作】 2023年，长寿区推行140项公证事项“最多跑一次”改革，两大类近20项涉企公证服务收费标准下调25%，228个公证事项坚持“清单之外无证明”。全年办结各类公证4253件，比上年增长30%。其中，国内民事经济公证3962件（涉港澳台公证51件），涉外公证291件。接待、解答当事人法律咨询5000余人次，为当事人起草、修改各类法律文书2000余份，为企业提供公证法律服务500余件，公证书发往30多个国家和地区。

【法律援助】 2023年，长寿区律师、基层法律服务工作者参与援助中心大厅值班250天、劳动争议法律援助工作站值班250天、区检察院值班122天、驻看守所63天、区法院值班53天，为犯罪嫌疑人、被告人提供法律咨询、见证签署认罪认罚具结书等法律帮助895件。全年受理法律援助案件584件，办结583件，为受援人避免损失或取得利益1359.62万元，收到锦旗8面。

2023年6月29日，重庆市风城监狱承办全市监狱系统消防综合救援应急演练暨消防技能大比武活动 （重庆市风城监狱 供图）

【司法鉴定】 2023年，长寿区有司法鉴定机构1家，司法鉴定人员15人。年内，开展司法鉴定“双随机、一公开”检查和每月常规执法检查，抽查司法鉴定案卷。全年办理司法鉴定业务52件。 （王鑫钰）

【监狱管理】 2023年，位于长寿区的重庆市风城监狱出台监管安全制度7项，开展监管安全专项督查12次，整治监管区安全隐患300余处，与长寿区反恐办、渡舟派出所修订完善《反恐怖袭击预案》，组织开展“三警联动”突发事件演练1次。开展火灾防控“除险清患”专项行动，监狱连续3次通过国家安全生产标准化二级周期性复评验收，承办全市监狱系统消防综合应急演练暨消防队技能大比武活动，获个人一等奖、二等奖及集体二等奖。落实《关于加强减刑、假释案件实质化审理的意见》要求，严把案件质量审核关，建立案件“从严、量化、政策”三个清单，未发生案件错办情况。增强阳光执法透明度，首次引入社会监督员监督案件办理。建立重点案件“双评查、四监督”机制、案件半年“回头看”复查机制、监区案件互查互评对接机制。监狱刑务办案中心投入运行，罪犯“减假暂案件”实现一站式、合成化、全流程办理。开展罪犯“正心”教育，罪犯思想政治教育参与面100%。落实罪犯出监教育、重点帮教必接必送工作，全年出监罪犯评估率100%。罪犯心理健康教育普及率、心理危机干预率100%。开展“赠书助改造”图书进监狱、“亮眼暖心”等活动，将63名罪犯未成年子女纳入“阳关与花儿”法律援助基金。开展罪犯入监技术培训、安全教育培训，罪犯国家职业技能鉴定考核获证率98%。推进“监狱长开放日”活动，开展罪犯普法主题教育2次、普法宣传1次、“法治大讲堂”1次。连续18年实现无罪犯脱逃、无重大狱内案件、无重大疫情及群体性食物中毒等“四无”目标，获重庆市监狱管理局“平安监狱”称号。（周多琦）

仲 裁

【概况】 2023年，长寿区劳动人事争议仲裁院建立仲裁人员队伍培养机制，组织参加重庆市线上、线下仲裁员培训班2期，培养新进仲裁员4人，新进重点培养仲裁员人均办案100余件。参与市级调解员培训1期，培养新进专兼职调解员5人，人均调解案件57件。参与长寿区劳务经纪人培训1期，培养劳务经纪人7人，联系对接企业35家，实地走访企业100余家次。举办“劳动法律小讲堂”37次。全年新受理农民工工资争议案件269件、劳动人事争议仲裁申请1393件。

【劳动争议化解机制】 2023年，区劳动人事争议仲裁院新设农民工工资争议速裁庭，建立并运行农民工工资争议案件“四快”（快立、快调、快审、快结）处置机制，优化办案程序，健全速裁机制，实行当天审查立案、组庭，3个工作日内实现答辩、举证、开庭，案件自受理仲裁申请之日起30日内结案，较普通劳动争议案件用时减少30%以上。全年受理农民工工资争议案件269件，其中案前调解201件，仲裁审结68件，调解率92.57%，审限内结案率100%。区劳动人事争议仲裁院与区法院共同完善裁审衔接工作机制和联席会议制度，全年召开联席会议和工作会议5次，确定在裁审交流反馈、案件协同办理、裁审信息共享等9个方面的互通措施，讨论研究劳动争议案件法律适用疑难问题6个，确定人民调解劳动争议案件司法确认机制，全年累计司法确认案件167件。会同重庆市一中法院、区法院、区总工会、长寿经开区经济运行局签署合作备忘录，明确设立示范工作站、群体性劳动争议甄别、联合会商、联合普法、专题培训等合作内容。

【劳动争议案件办理】 2023年，区劳动人事争议仲裁院收到劳动人事争议仲裁申请1393件，其中出具不予受理153件，实现案前调解538件（维护当事人合法权益1028万余元），立案受理702件。立案案件中，审结796件（含2022年旧存案件94件），其中调撤案件471件，裁决案件325件，结案率100%，综合调撤率77.43%，维护当事人合法权益2621万余元。

【仲裁宣传】 2023年，区劳动人事争议仲裁院开展线上直播1场，“以案释法”开展《中华人民共和国劳动合同法》《女职工劳动保护规定》等法律法规宣传，受众5000余人次。实地走访小康股份、望变电气等重点企业20余家，解疑答惑劳动法规政策100余次，收集整理意见建议10余条。组建青年仲裁员志愿服务队并建立35家企业点对点联系名册，根据企业经营状况、用工特点、服务需求等，向企业提供普法讲座、送法入企、观摩庭审、用工体检、以案释法等上门服务，推动企业健全内部劳动争议预防协商调解机制。（区人力社保局）

军　事

重庆市长寿区人武部

【概况】　2023年，重庆市长寿区人民武装部（简称区人武部）坚持以习近平强军思想为指导，落实党管武装原则，推进兵员征集、军事训练、民兵整组、国防教育等各项工作开展。年度军事考核被重庆警备区评为优秀等次。

【思想政治建设】　2023年，区人武部把学习贯彻习近平新时代中国特色社会主义思想、学懂弄通做实习近平强军思想作为首要政治任务，统筹组织、一体推进第二批主题教育和“学习强军思想、建功强军事业”教育实践活动，建立“日学周结月评”学习机制，创新开展“人人上讲台”微宣讲、组织“学习贯彻二十大　踔厉奋进谋打赢”系列主题党日活动，树牢听令景从的政治自觉。抓实正风肃纪，常态开展党风党纪教育，落实组织生活制度。开展军地交叉地带“五查五纠”清理整治，推进“五位联动”问题整改，开展“严禁违规喝酒、严防酒驾醉驾”“五治八查树形象”百日专题教育。加强思想政治建设，建成一支“政治坚定、主业突出、队伍过硬、作风优良”的人武干部队伍。

【军事训练】　2023年，区人武部组织首长机关训练、专武干部培训和基干民兵基地化轮训。全要素参加军地联合实兵演练，气象水文侦察一排、二排完成涪陵黄旗港码头气象水文站实兵操练任务；多批次展开实兵实装拉动点验和实案实战演训，提升民兵遂行任务能力；深化学生军训整治，完成全区13所学校（含2所高校）1.3万余名新生军训。

【民兵整组】　2023年，区人武部对辖区人员、企业、装备、行业系统、新兴领域、社会组织等多类潜力资源摸底排查，优化调整民兵编组结构布局，完成民兵编建任务，其中专业对口率高于80%，退役军人、党员、新质力量比例均超过规定指标。

【兵员征集】　2023年，区人武部聚焦征集重点，按照“优先大学毕业生、稳住大学在校生、激励高中毕业生”的征集方针，多形式全领域开展征兵宣传工作，严把体检关、政审关、教育关、廉洁关，完成年度征集新兵任务，其中大学毕业生占69.17%。年度征兵量化考评被市征兵办确定为优秀。　（区人武部）

【国防教育】　2023年，长寿区推进全民国防教育。杨克明故居陈列馆申报成为第二批重庆市国防教育基地。组织开展“踔厉奋发强国防　勇毅前行向复兴”系列主题活动，开展国防

2023年9月27日，长寿区开展"踔厉奋发强国防·勇毅前行向复兴"国防教育演讲比赛　（区人武部　供图）

教育线上知识竞答赛，参与答题16万余人次；举办"躬耕教坛　强国有我"演讲比赛。通过举行群众签名、发放宣传资料、展出国防教育图片、杨克明故事"四进"（进校园、进农村、进机关、进社区）等形式，开展"行走的思政课"全民国防教育集中宣传活动，悬挂宣传横幅100余幅，发放宣传资料1万余份，覆盖群众约17万人次。依托长寿区革命烈士陵园、革命遗址和国防教育基地，开展集中学习宣传国防教育知识300余场、相关主题院坝会600余场。

（区委宣传部）

【军民共建】　2023年，长寿区组织党员干部走访慰问全区驻军部队官兵、老战士、烈士遗属、最美退役军人等，累计走访慰问5800余人次。在全市率先开展现役军人家庭"大走访、大慰问"活动，为全区军属送去新春大礼包。为各镇（街）划拨专项经费，推进基层武装部规范化建设。开展"面对面谈心、心贴心解难"活动，为基层办实事20余件。落实拥军优抚政策，落实军人子女入学，符合安置政策的退役士兵全部安置到事业单位。

【拥政爱民】　2023年，区人武部参与"两地一城"（具有全球影响力的新材料高地、世界级运动康养旅游目的地、中国长寿生命科学城）建设，开展"双争"（军地联合开展争创民兵工作先进单位、争当民兵工作优秀个人）活动，全年出动民兵遂行乡村振兴、抢险救灾、应急备勤等任务。

（区人武部）

武警长寿中队

【概况】　中国人民武装警察部队长寿中队（简称武警长寿中队）官兵以顽强的战斗作风、过硬的军事技能出色完成各项任务，先后10余次被武警总队、支队表彰为先进中队。中队党支部先后8次被武警重庆总队表彰为基层先进党支部，团支部先后13次被重庆市团委、长寿中队团委和支队团委表彰为先进团支部。2023年，规范开展军事训练，完成武装巡逻、武装押解等任务。

【思想政治建设】　2023年，武警长寿中队加强思想政治建设，维护班子和官兵团结，经常交流思想，掌握官兵思想动态。工作互相支持，形成工作合力。生活相互关照，营造和谐氛围。开办警营小报，畅通民主渠道，收集官兵"金点子"。在入党立功、警士转改、"双争"评比（争创"四铁"先进单位、争当"四有"优秀个人活动）和技术学兵推荐等工作方面，坚持公平公正，全员满意，气氛融洽。

【军事训练】　2023年，武警长寿中队严格按纲施训，细化本级训练计划，明确年度教学分工，对阶段性训练工作进行讲评，评选训练突出的班级和个人，个人进步与军事训练挂钩。每周利用议训实际，讲评训练安全工作，定期开展安全常识教育，讲解防训练伤常识，增强官兵安全意识。

【安全保卫】　2023年，武警长寿中队规范执行执勤制度，定期分析执勤形势，完善奖惩机制，调动官兵参与执勤的积极性。针对武装巡逻、武装押解等任务，展开专勤专训，提高官兵应急能力。全年完成武装巡逻3次，出动武警16人次；完成武装押解55次。　（武警长寿中队）

武警执勤十三中队

【概况】　2023年，武警执勤十三中队把举旗铸魂作为教育官兵的最高要求，树立"时时刻刻讲政治"信念，学习贯彻三级党委扩大会议精神，用党的创新理论和"山城卫士精神"建队育人。全年接收预备党员3人，党员转正1人，吸收入党积极分子8人，吸收入团积极分子9人。加强军事训练，提升业务能力。推荐考学提干5人，12名警士选晋，7名官兵获表彰奖励。

【思想政治建设】 2023年，武警执勤十三中队发挥党支部战斗堡垒和党员先锋模范作用，按照“建强一个好班子、打下一个好基础、立下一个好规矩、树立一个好形象、培养一支好队伍、纯正一个好风气”目标，以“三互小组”（互帮、互学、互教）和“双四一”（四个知道，一个跟上：上级对下级做到知道在哪里、干什么、想什么、需要什么，思想工作和管理工作及时跟上。四个报告，一个依靠：下级对上级做到主动报告自己在哪里、干什么、想什么、需要什么，遇到困难和问题依靠组织解决。）为切入点，开展“密切内部关系”、新兵“第二适应期”活动，常态开展谈心交心活动，组织“恳谈会”和“给支部的一封信”等活动收集矛盾困难，掌握官兵思想底数，让官兵遇有情况有人发现、遇有困难有人跟上、遇有困扰有人疏导，凝聚了兵心士气，官兵工作热情高涨。

【军事训练】 2023年，武警执勤十三中队坚持“实战实训、按纲施训、从严治训”，营造“做执勤能手、当训练标兵”和“比学赶帮超”氛围。按照年度训练计划，开展每周一次军事小会操、每月一次小竞赛、每季度参加大队竞赛，掌握官兵训练水平。落实军事训练成绩一票否决制，完善训练奖惩机制，将军事训练成绩与入党考学、评功评奖挂钩，培塑训练典型，树立训练有为、训练有位观念。采取以老带新的方式，全年培养9名支队级“四会”教练员，推荐技术学兵16人，考入武警工程大学1人，考入特种警察学院1人。

【安全保卫】 2023年，武警执勤十三中队每月定期召开专题会议进行安全风险评估、排查安全隐患，适时邀请目标单位和驻地相关业务部门开展联合隐患排查。全年完成重庆市风城监狱外围武装警戒、监管羁押对象临时押解、各类大小型监管羁押对象转监入监以及重要时段社会面维稳武装巡逻等任务，确保目标单位和驻地安全。 （杜洲宇）

国防动员

【国防动员体制改革】 2023年，长寿区完成国防动员体制改革，设立区国防动员委员会联合办公室和区国防动员办公室，明确区国动委29个成员单位。区住房城乡建委不再挂“区人民防空办公室”牌子。暂时保留“人民防空办公室”牌子，挂在区国动办。新的国防动员体系架构和工作机制搭建完毕，工作运行正常。

（孔令伟）

【国防动员建设】 2023年，长寿区推进国防动员体制改革落地，召开全区党管武装工作会、议军会、第一书记现场办公会、国防动员委员会第一次会议，研究解决并强力推动民兵建设、国防动员军事准备等各项工作。利用辖区优质资源，补充完善7类重点潜力，推进国防动员新型指挥链路和运行机制对接落地，提升支援保战水平。 （区人武部）

【人防指挥设施】 2023年，长寿区完成云台镇人防指挥系统升级改造，建成人防短波通信系统，新设立中转站1个，配备通信终端，实现对讲信号全区全域覆盖，保障应急通信能力。建成国防动员综合管理系统，人防设施审批业务流程实现数字化转型。完成国防动员潜力数据调查工作，实现全区国动能力数字化管理。

【人防工程建设】 2023年，长寿区完成《长寿区人民防空建设发展“十四五”规划》和《人防疏散基地建设融入乡村振兴战略》编制工作。推进骑鞍基础设施改造公共人防等一批有社会效益、经济效益、战备效益的公共人防工程项目，全年累计完成投资金额约800万元。严格防空地下室结建审批工作，易地建设费共计核费金

6月15日，长寿区在菩提山下举行人民防空综合演练

（区融媒体中心　供图）

额273万元。强化人防工程日常监管，全年开展安全检查18次，送达人防工程现场整改函1份，专项督促北部新区公共人防工程（一期）整改。

【人防应急保障】 2023年，长寿区按照训练大纲要求，制定训练计划，坚持通联训练，完成指挥信息保障分组月训、全网周训，完成5次通信指挥跨区训练，在市人民防空办组织通信指挥年终考核中取得优异成绩。6月15日，举行人防综合演练，参演队伍27支，长寿区率先运用无人机、大数据、电子爆破和自建短波通信系统等现代化手段，首次演练人防专业队伍的跨区支援与协同指挥。率先借助成渝双城经济圈工作平台主动与四川省国动系统开展通信演练。8月中旬，区人武部和区国动办组织开展国防动员潜力调查工作，走访企业机关事业单位，收集汇总潜力数据，摸清全区国防动员潜力底数。9月，参加联合动员支前演练。全年举行通信拉练和指挥通信训练23次，提升战训能力。

【人防宣传教育】 2023年，长寿区加强人防宣传教育，提前向市民公告防空警报试鸣日及注意事项，完成“6·5”防空警报鸣放。开展人防宣传教育“五进”活动，会同区教委为全区初一新生购买人防知识读本、开设人防知识课程，实现初级中学人防宣传教育全覆盖。向机关赠阅人防杂志及知识手册；指导重要经济目标开展人防知识技能宣传活动；在社区循环播放人防知识科普片、宣传片，赠阅人防科普宣传资料；在桃花新城重百广场进行现场宣传，设立宣传展板，现场解答人防法律和常识，分发资料；利用LED显示屏循环播放人防宣传视频，在电视广播电台、《长寿日报》及网络平台发布宣传信息，增强宣传实效。（孔令伟）

退役军人事务

【概况】 2023年，长寿区推进退役军人事务工作，完成转业军官及随调配偶、安排工作退役士兵安置任务。组织退役士兵参加“退役第一课”适应性培训，举办电工培训2期、现场招聘会4场。发放“解三难”（生活难、医疗难、住房难）资金200余万元，帮扶1434人次。开展“清明祭英烈”“烈士纪念日”等纪念活动，参与4万余人次。组织军休干部开展荣誉疗养活动。打造“寿湖”红色教育基地（龙溪河梯级电站烈士纪念碑）。举办2023年度长寿区“最美退役军人”发布仪式。组织“长寿老兵”志愿宣讲团集中开展红色宣讲活动。盐井村“集结号”退役军人志愿服务队被评为2022年度重庆市学雷锋志愿服务最佳志愿服务组织；退役军人殷其龙获评“全国最美退役军人”。10月15日，长寿区被中共重庆市委、重庆市人民政府、重庆市警备区命名为重庆市第八届双拥模范城。

【思想政治建设】 2023年，区退役军人事务局加强退役军人思想政治建设，强化示范引领，激发退役军人担当本色。推进退役军人学习贯彻习近平新时代中国特色社会主义思想常态化，聚焦培育塑造信念坚定、爱国奉献、奋发有为、诚信守法的新时代退役军人。成立退役军人志愿服务队和志愿宣讲团。2月，盐井村“集结号”退役军人志愿服务队被评为2022年度重庆市学雷锋志愿服务最佳志愿服务组织，“长寿老兵”志愿宣讲团副团长王亚明被评为2022年度重庆市学雷锋志愿服务最美志愿者；《听——盐井村响起集结号》文章在“情暖老兵——为退役军人排忧解难”征文活动中获个人组一等奖。6月，“长寿老兵”志愿宣讲团入选“传承红色基因·赓续红色血脉”退役军人关爱青少年志愿服务项目队伍，宣讲团分别到区税务局、晶山小学、区委党校、武警十三中队、区民兵应急连、长寿经开区各企业等单位集中开展红色宣讲58场次，受众3000余人次。12月26日，举办2023年度长寿区“最美退役军人”发布仪式，为全区评选出的10名（含1个集体）“最美退役军人”颁奖。

【移交安置】 2023年，长寿区完成转业军官及随调配偶、安排工作退役士兵安置任务。转业军官根据本人意愿安置到公务员岗位，其随调配偶根据对口安置原则安置到教育系统。10余名安排工作退役士兵采取服役表现量化评分方式全部安置到事业单位。为安排工作退役士兵缴纳养老保险和医疗保险，发放等待安置期间生活补助。完成自主就业退役士兵接收报到工作。开展退役报到一件事一次办业务，发放一次性经济补助金。做好企业军转干部、自主择业军转干部和无军籍职工日常服务管理工作。

【就业创业】 2023年，长寿区组织退役士兵参加“退役第一课”适应性培训，举办电工培训2期，50余名自主就业退役士兵参加培训。推荐全区10余名退役军人参加重庆市退役军人事务局举办的2023年促进退役军人投身乡村振兴系列专题研修班培训。鼓励退役军人参加学历提升教育。印制退役军人就业创业政策宣传册，分发到镇街、村社区退役军人服务站。拓宽就业渠道，加大再就业帮扶专岗开发力度，再就业帮扶专岗27人，区林业局招聘专职消防员10人。利用线上线下发布招聘信息，举办现场招聘会4场，其中退役军人专场招聘会2场，221家企业提供岗位16540个。

【优待抚恤】 2023年，长寿区通过审核享受定期抚恤补助对象132人，其中60周岁以上农村籍退役人员110人，60周岁以上老年烈士子女1人，参战退役军人4人，带病回乡退伍军人4人，因公牺牲军人遗属1人、病故军人遗属2人，残疾军人9人，伤残人民警察1人，并发放优待证。通过"一卡通"系统发放各类抚恤补助；发放1~6级残疾军人医疗保障经费180万余元。利用区退役军人关爱基金走访慰问、帮扶61人，发放金额（实物）31万余元。全年发放"解三难"资金200余万元。对全区符合条件的重点优抚对象分5批次开展为期一周的短期疗养，组织50余名烈属开展专项疗养。

4月15日，长寿区爱民拥军广场　（区退役军人事务局　供图）

【退役军人权益维护】 2023年，长寿区持续深化三级法律服务体系建设工作，为退役军人提供法律咨询服务32人次。组织开展为退役军人排忧解难活动，2月，区退役军人事务局组织选送的《听——盐井村响起集结号》文章在退役军人事务部"情暖老兵——为退役军人排忧解难"征文活动中获个人组一等奖。为享受定期抚恤补助对象按时发放抚恤补助。

【褒扬纪念】 2023年，长寿区开展"清明祭英烈""烈士纪念日"等纪念活动，组织全区党政机关干部、驻长寿部队官兵、青少年学生及居民群众4万余人开展爱国主义教育和理想信念教育。挖掘红色资源，结合长寿湖水电文化，建设龙溪河梯级电站烈士纪念碑及纪念广场维修改造项目，争取建设经费35万元；争取长寿区革命烈士陵园改扩建，升级基础配套设施建设，启动创建市级爱国教育基地。

【拥军优属】 2023年，长寿区开展双拥共建活动，"八一"、春节等重要节点，区领导带队走访慰问优抚对象和现役军人80余次，累计发放慰问金（含慰问品）40余万元。对符合条件的优抚对象开展普遍慰问，发放慰问金（含慰问品）300余万元。开展现役军人"大走访大慰问大宣传"活动，帮助现役军人家庭解决困难问题18个。发放随军未就业家属生活补助，接收军人子女入学12人，为200余名官兵家庭送立功喜报。落实军地互办实事"双清单"，解决驻长部队重要建设项目。完成爱民拥军广场建设，开展欢送新兵迎老兵等活动。

【军休服务管理】 2023年，长寿区按照"随退随交、即交即接"的原则，完成年度接收军休干部（从军队退休的干部）安置任务。5月，与四川省峨眉山市军休所签订《深化军休服务管理合作，助力成渝地区双城经济圈建设框架协议》。以"追寻红色印记　感悟使命担当""健康疗养暖军休　老兵奋进新征程"为主题，组织军休干部开展荣誉疗养活动。

【长寿区光荣院建设项目开工】 10月，长寿区光荣院建设项目动工修建。年末，项目完成土石方工程建设。长寿区光荣院建设项目业主为重庆长寿开发投资（集团）有限公司，建设资金2400万元；主要建设为地上5层（建筑面积8294.78平方米），地下车库2层（建筑面积2025.22平方米），建筑规划高度38.2米。（陈　琳）

长寿柚

综　述

长寿柚原名长寿沙田柚，重庆市长寿区特产，地理标志农产品，赢得“源于沙田、优于沙田”的美誉，获得“中华名果”称号。是长寿区最具影响力和美誉度的大宗特色果品。2023年12月，入选《中华品牌年鉴2023》。至年末，长寿柚种植面积3625公顷，产量4.8万吨。

长寿柚品质特点。长寿柚12月左右成熟，橙黄色艳，形似葫芦，脆嫩化渣、醇甜如蜜，食之汁多味浓，沁人心脾。富含糖、矿物质、有机酸和多种维生素。富含的维生素C（抗坏血酸）高于梨、苹果5~20倍，特具润肺、止咳、平喘的功效，经常食用可延年益寿。长寿柚耐贮性强，经保鲜处理后，在常温下可贮存半年以上，有“天然罐头”之美称。

长寿柚引进。长寿柚原产于广西容县沙田乡。清光绪年间，长寿县合兴乡人孔合清出任广西苍梧巡按史期间，从广西引入果实种子200余粒到长寿县合兴乡，播种后得苗10余株。数年结果后，有4株树所产的果实品味优美，随即将4株优良树上的大枝用筒压法加以繁育。因其味美、耐贮，引起县邑绅士瞩目，成为长寿县名贵土特产。孔合清、孔庆翼父子在引种和试种成功之后，李其章对长寿沙田柚栽培技术有重大突破，在当时有“种橙之法，最为精详”的评价。从引种开始，到中华人民共和国成立，是长寿沙田柚发展的奠基时期。这一阶段，长寿沙田柚完成了栽培技术成熟和果品品质提升两大任务，实现了从广西沙田柚到长寿沙田柚的转变。中华人民共和国成立后，经过多年的引种变异、科学管理、改进提高，长寿柚品种分为薄皮、冬瓜圈、古老钱、菊花星、癞疙疤、沙橙六大品系，其中以古老钱为代表的品种变成现在的长寿柚。　（区农业农村委）

长寿柚种植

【产地环境】　长寿区地处重庆市腹心，襟长江而临主城，介于北纬29°43′~30°12′、东经106°49′~107°27′之间，属中亚热带湿润季风气候，四季分明，气候温和，冬暖春早，初夏多雨，常年平均气温17.68℃、降水量1162.7毫米、无霜期360天，绝大多数年份极端高温38℃，极端低温0℃，平均相对湿度80%，气候适宜柑橘类果树的生长，是长江三峡柑橘带的重要组成部分，柑橘种植历史可追溯到春秋战国时期，是全国唯一的既无冻害，又无检疫性病害的柑橘集中产区。长寿柚是长寿区最具代表性的柑橘产品之一。

【生产规模及地域分布】 2023年，长寿柚种植面积3625公顷，产量4.8万吨，产值4.17亿元，是重庆市种植规模最大的柚类品种之一。主产区分布在邻封、但渡、长寿湖、葛兰、云台、龙河、石堰、新市等10个镇街，成为长寿独特的名优农产品和群众增收致富的支柱产业。

【人才培养】 2023年，长寿区建立“合作社+家庭农场”一体化开发机制，培育长寿柚相关农民合作社46个，培育长寿柚家庭农场35家，吸收7000家柚农入社共同发展，累计培训柚农8000余人次。引进运输物流企业17家，构建便捷、快速、价优的物流体系。建设出境果园3个，推动长寿柚出口。通过柚业全产业链，带动辐射5万人以上。

【品种培育】 2023年，长寿区与西南大学柑橘研究所深度合作，依托其科研优势引进金沙柚、东试早柚、桂柚1号等品种进行区试，筛选出适合长寿区的优质柚品种。推进品种改良，解决长寿柚皮厚、籽多、瓣小、需授粉等问题。建立长寿柚品种选优提纯机制，对产量低、风味不佳、商品性差的柚树，利用选优单株枝条进行高接换种改造；对衰弱柚树实行淘汰新植，从源头上减少劣质柚。

【技术提升】 2023年，长寿区围绕化肥农药双减实施长寿柚果园绿色防控技术。运用树干刷白、悬挂诱虫色板、果实套袋等物理、生物防控技术，降低化学农药使用量，打造生态效益突出的特色长寿柚产品。在长寿柚核心产区推行病虫害绿色防控、疏果套袋、科学修剪、生态覆盖等标准化生产技术，按照绿色食品的生产标准进行生产，解决长寿柚果皮不光滑、品质差异大等问题，提升长寿柚的商品性。 （区农业农村委）

【长寿柚产业数字化建设】 2023年，长寿区通过数字化技术与乡村产业的融合，构建长寿柚产业数字化管理体系，推动平台上层各应用互联互通，实现主体全上线、地图全覆盖、数据全贯通、业务全闭环、服务全集成，赋能长寿柚产业高质量发展，成为数字化赋能乡村振兴特色样板。整合资源，将分散、异构的应用和信息资源进行聚合，通过统一的访问入口，实现各种农业应用系统无缝接入。建设长寿柚产业数字管理平台，实现服务在线化、便捷化、一体化。用互联网、物联网串联整个长寿柚产业链，以终端市场需求和数据指导产业决策。打造长寿柚产业数字化示范点，形成可展示、可体验、可复制、可推广的长寿柚产业数字化发展模式。加强标准体系建设和品牌运营推广，推广使用区块链溯源系统、统一加工、包装、标识标准等，保障产品品质，提升品牌价值。形成长寿柚产业大脑体系构架，产业发展一张图，精准测绘到全区6666.67公顷、1万户柚农，掌握柚园分布、位置、面积、所属主体等信息，实现柚园地块信息实时核实，让产业信息一屏掌控。生产监管一本账，将全区40家农资主体纳入系统，动态监管，购买数据实时传送。接入气象局、大数据局数据，监测柚园气象环境。利用物联网设备监测病虫害情况，提前预警。供需撮合一件事，为老年柚农推送微信信息、短信等，让消费者与柚农无缝对接。实现为农服务一键达，手机端应用包括“云间柚园”“我要交易”“交易取号”“我要贷款”“庄稼医院”“农资查询”“我要领标”“包装申请”“我要补贴”等19项农事服务。

（冯军军）

长寿柚品牌建设

【概况】 “长寿柚”于2019年由“长寿沙田柚”商标更名而成，并被纳入全国“名特优新”农产品名录。2023年，整体纳入长寿区“自然长寿”区域公用品牌授权，实施长寿柚品质提升示范项目。

【长寿柚技术规范】 2008年，由重庆市农业科学院果树研究所、重庆市经济作物技术推广站起草发布《长寿沙田柚》（DB50/T 266—2007)和《长寿沙田柚生产技术规程》（DB50/T 267—2007)等技术标准。2012年，由长寿区沙田柚园区种植管理委员会起草发布《无公害食品长寿沙田柚生产技术规程》（Q/CSTY2—2012）。

【长寿柚荣誉认证】 1978年，全国柑橘科学大会将长寿沙田柚列为世界先进柑橘品种。1986年，日内瓦第一届国际植物新品种展览会将长寿柚作为中国参展35个品种中8个最感兴趣的品种之一。1986年、1989年，在农牧渔业部举办的第一、二届全国优质水果评选中，长寿柚列同类果品第一名，获金杯奖。1998年被评为重庆市十大名柚。2001年被评为中国国际农业博览会名牌产品。2006年获“中华名果”称号。2018年获中国·重庆首届柚博会“十大名柚”奖。2019年被评为三峡柑橘“十大名品”。2020年长寿柚获评全国名特优新农产品。2023年12月，入选《中华品牌年鉴2023》。 （区农业农村委）

【长寿柚商标注册】 “长寿柚”的前身是“长寿沙田柚”。“长寿沙田柚”是在长寿特定自然、地理条件下培育出来的地方特产，自清光绪十三年（1887年）由广西容县引进，栽培历史130余年，素有“源于沙田、胜于沙田”的美誉。其果橙黄色艳，形似葫芦，气味芳香，汁多味浓，醇甜如蜜，脆嫩化渣，富含糖类、矿物质、有机酸和多种维生素等物质。单果重750克～1000克（上级果），皮薄汁多，营养丰富，极耐贮藏等独特品质，是传统的馈赠礼品和出口产品，但有名无牌。2002年，长寿区决定将“长寿沙田柚”申报为“中国地理标志商标”，2006年申报国家商标局。2007年，国家商标局因“沙田柚是广西原产地”而不予注册。2008年10月15日，中国农业科学院柑桔研究所品种资源与育种研究室主任钟广炎出具“沙田柚系我国广西容县原产的优良无酸柚品种，在全国各地被广泛引种栽培，优良选系甚多，如重庆长寿沙田柚等，沙田柚之名也因此在全国通用。”国家商标局收到钟广炎“关于沙田柚品种名称的说明”后，于2009年3月21日予以注册。2019年，“长寿沙田柚”更名为“长寿柚”。2023年，“长寿柚”商标使用量60万枚。（余志鹏）

【长寿柚品牌培育】 2023年，长寿区实施“长寿柚提质增效关键技术集成与产业化”项目，完成长寿柚提纯选优与优良品种引进、筛选与示范推广等7个子项目，制定并推广《长寿柚适龄不结果树及低产园改造技术规程》等4个生产技术规程，开展果农和农业企业生产技术培训，示范开展“五统一”标准化生产，推动形成规模化种植、标准化生产、集约化经营模式。（区农业农村委）

【长寿柚品牌保护】 重庆市长寿区沙田柚行业协会重组为“重庆市长寿区商贸流通协会”，吸收长寿柚种植大户、长寿柚专业合作社及农民个人入会，指导会员规范使用“长寿柚”地理标志商标。2023年，协会有企业会员20个、专业合作社会员26个、个体会员500余个，农村经纪人200人。对“长寿柚”商标使用实行分级委托授权模式，商标标识管理和印制由协会全权负责，与相关街镇农业服务部门签订使用合同，委托农机服务站或农业发展中心向柚农发放商标标识，柚农与街镇农业服务部门签订商标使用合同后方可使用“长寿柚”商标，推进长寿柚品牌保护。（余志鹏）

长寿柚营销

【概况】 2023年，长寿区采取“线上+线下”相结合的销售模式，拓展网络直播、现场推介、会展活动等多种销售渠道。共有新型长寿柚经营主体221个，全年新培育长寿柚生产经营主体3个，申报产业项目3个，新认证长寿柚出口基地2个、出境水果包装厂1家。通过市场推广和宣传，销售范围覆盖国内四川省、北京市等31个省市和香港地区，并推介至泰国、马来西亚、新加坡等国家。

【产地销售】 长寿柚进入采摘期后，“线下采摘”是主要销售模式。长寿区依托长寿柚品质提升示范项目，建立健全物流运输体系，实地举办长寿柚乡村文化旅游节等活动，设置长寿柚批发门市40个，在重庆市观音桥、沙坪坝等大型商圈设置销售点。2023年，长寿柚线下交易量占销售总量的50%以上。

【电商销售】 2023年，长寿区开展“西部志愿者”直播带货，吸引6000余人观看，获赞2.6万次。鼓励果农自主在淘宝、京东商城、天猫商城等网站开设网店8家，其中淘宝6家，京东商城2家。做实电商直播带货，建成电商直播基地，引进知名主播，培养本土主播，电商直播销售40余万

2023年12月18日，邻封镇的果农在采摘长寿柚（区融媒体中心 供图）

2023年11月20日，邻封村5组柚农包明书的柚子在长寿柚擂台赛中获“柚王”称号　（邻封镇　供图）

个。全年通过快递方式运输28万件长寿柚。

【长寿柚出口基地】　到2023年，长寿区建成长寿柚出口基地3个。长寿柚出口基地实施精细化、绿色化管理，打造精品果园；引进优良品种，推广科学种植技术，提高长寿柚的品质和产量；开展科技创新，与国内科研院所合作，引进先进的种植管理技术，推进长寿柚产业发展。12月19日，首批长寿柚销往香港100余箱。

【长寿柚初加工包装厂】　2023年9月，简一生态农业（重庆）有限责任公司建设长寿柚初加工包装厂，占地500平方米。该公司秉持“绿色、环保、可持续发展”的理念，按照国家相关法规和标准进行厂区内部设计布局，细分生产区、加工区、包装区等多个功能区域，实现智能称重、洗果选果、智能包装等功能。制定相应规章制度，规范初加工操作规程和质量标准，定期维护检修生产线各类设备。年内，累计包装长寿柚40万个，销售额440万元。

【长寿柚擂台赛】　2023年，长寿区邻封镇举行长寿柚擂台赛。长寿柚擂台赛吸引173户果农参加初赛，前20名柚农在决赛中登台打擂。经西南大学柑桔研究所和区农业农村委组织专家，根据柚子的平均单果重、果形、色泽、果面、果皮、厚度、口感、可溶性固形物含量7项指标进行评比，上坪村2组柚农周朝均获擂台赛金奖，上坪村2组张秀华等3位柚农获银奖，上硐村1组汤玉兰等5位柚农获铜奖。根据色泽、果形和重量3项指标评比，邻封村5组柚农包明书的柚子以2.66千克的重量获“柚王”称号。11月20日，长寿柚擂台赛颁奖仪式在柚香广场举行。

【长寿柚销往香港发车仪式】　2023年12月19日，长寿区邻封镇举行长寿柚销往香港发车仪式，首批100余箱长寿柚销往香港，标志着长寿柚首次进入香港市场。

【长寿柚进入“第八届全球外交官中国文化之夜”晚宴】　2023年3月20日，长寿柚进入“第八届全球外交官中国文化之夜”晚宴。晚宴现场，各国外交官和嘉宾品尝长寿柚。晚宴期间，主办方特意安排一场长寿柚品鉴活动，邀请专业人士为嘉宾详细介绍长寿柚种植、口感和营养价值，进一步提高长寿柚在国际市场的知名度。

（邻封镇）

长寿柚产品延伸

【概况】　2023年，长寿区以长寿柚为农业主导产业，以柚美文化为基础，探索柚业兴农、柚情筑梦的乡村振兴、农旅融合之路，将长寿柚产业打造为“望得见山、看得见水，记得住乡愁”特色农文旅融合发展产业，推进长寿柚产品延伸。

【柚子菜】　长寿柚发展历史悠久，

2023年12月，长寿柚产品延伸的全柚宴　（邻封镇　供图）

凭借其独特的口感和丰富的营养价值，备受消费者喜爱。长寿柚独特的香气和味道，成为烹饪创新佳品。到2023年，创新推出柚香美人饺、柚子排骨汤、柚林貂蝉、柚子酥肉、柚子烧白、柚子饼、长寿柚烤鸡等柚子菜。

【邻封柚文化】 百年长寿柚产业，催生出“五柚五美”的邻封文化，倡导村民敢为人先、互助共赢，形成“柚田有邻各美其美，柚香无封美美与共”的局面。“五柚五美”为农民立心，为乡村铸魂，为产业助力。“五柚”：柚业兴农、柚海增绿、柚香润德、柚风致和、柚情筑梦。“五美”：产业富美、环境优美、文化盛美、社会醇美、生活甜美。

【十里柚香·百里花海建设】 “十里柚乡·百里花海乡村生态观光园”位于邻封镇邻封村、汪塔村境内，核心区面积约9平方千米。先后种植百日草、波斯菊、油菜花等兼具经济与观赏价值的花卉景观，将长寿柚果园景观与花卉景观有机结合，为游客提供自然的生态美景。2016年3月，观光园核心区连片种植油菜花86.67公顷，吸引游客约11.5万人次。2017年，连片种植油菜花100公顷，举办“重庆·长寿邻封油菜花旅游节”。分季节种植油菜花、马鞭草、硫华菊等多种花卉，打造四季花海。到2023年，“十里柚乡·百里花海”乡村生态观光园内建成油菜花体验中心1个、观景平台3个、公厕1个、移动厕所15个、停车场4个、烧烤露营基地1个，将田园、果园、花园融为一体。

（邻封镇）

【长寿瓷柚艺术品】 长寿籍画家邹德伟自2018年开始，以长寿柚基本形体为造型，借“柚”与“佑”同音、“柚子”与“游子”谐音，以及圆圆的柚子形态为基本元素进行设计，并使用景德镇陶瓷工艺烧制，形成多种以“祈求团圆、天佑平安、健康长寿、吉祥如意、福禄寿喜”等为美好寓意的长寿陶瓷柚文创艺术品。至2023年末，共生产长寿瓷柚艺术品1.2万件，总产值720万元，产品销往全国各地及海外市场。

（区志研室）

2023年4月7—9日，长寿瓷柚艺术品参加第十一届重庆国际文化产业博览会

（杨冰雪　摄）

长寿柚博物馆

【长寿柚博物馆设计】 长寿柚博物馆以邻封镇特产长寿柚为主题、以长寿柚外形特点为博物馆整体设计灵感、以展现长寿柚魅力为核心进行设计，馆内设立主题展示室、3D立体影像室、民俗文化遗物展示、世界柚子园、柚子DIY体验场等功能区，介绍长寿柚历史、文化、产业、劳动现场、种类、栽培、管理、深加工等方面知识，融入参与性和互动感，让游客直观感受长寿柚的文化内涵、历史底蕴以及经济价值，传承保护优秀传统文化，提升长寿影响力。

【长寿柚博物馆规模】 长寿柚博物馆建筑面积1835.06平方米，其中博物馆展馆建筑面积1591.1平方米，设备用房建筑面积243.96平方米（其中地上建筑面积39.96平方米，地下建筑面积204平方米）；景观广场硬质铺装面积约2300平方米，景观广场绿化面积约3000平方米。配套建设室外停车场及综合管网等基础设施。

【长寿柚博物馆建设】 长寿柚博物馆于2020年4月1日开工建设，2021年4月底完工，2021年9月2日通过竣工验收，2023年启动展陈设计工作。该项目位于邻封镇邻封村，是广西壮族自治区对口援建，项目总投资1791.42万元。

（周雯杰）

经济管理

宏观经济调控

【概况】 2023年，长寿区实施稳经济保增长促发展系列政策措施，着力扩大内需、优化结构、提振信心，实现地区生产总值956.73亿元，比上年增长7.1%。完成年度重点民生实事21件，完成率100%。融入成渝地区双城经济圈建设，推动区域协调发展。实施“3113”项目攻坚行动计划，推进“两地一城”建设。

【年度计划编制与执行】 2023年，长寿区编制印发《关于重庆市长寿区2022年国民经济和社会发展计划执行情况及2023年计划草案的报告》，2023年计划GDP增长6%以上，社会消费品零售总额增速8%，进出口总额100亿元；实际完成GDP增长7.1%，社会消费品零售总额增速8%，进出口总额100亿元。全年计划安排重大建设项目220个，年度计划投资332亿元，带动全年固定资产投资完成350亿元，力争完成400亿元，其中工业投资完成180亿元；全年79个特别重大项目完成投资136亿元；年度重大建设项目新开工68个、完工36个，完成投资274亿元；固定资产投资完成346亿元，其中工业投资完成182.9亿元。

【重大战略落实】 2023年，长寿区编制《重庆市长寿区推动成渝地区双城经济圈建设实施方案（2023—2027年）》，打表推进“十项行动”“四张清单”，12个川渝共建年度重大项目完成投资32亿元。牵头保障明月山党政联席会第五次会议、合广长协同发展示范区第三次党政联席会召开，推动明月山西部陆海新通道铁海联运班列在长寿区首发，推动签订《协同推进合广长高速公路建设备忘录》《港口联动发展战略合作协议》。推进长江经济带生态环境警示片披露问题整改工作，涉及长寿区的6个问题全部完成整改并销号，完成中央办公厅长江经济带发展专题回访调研。推进“一区两群”协调发展。抓实对口协同垫江县年度7类21项重点工作，加强交通协同、产业协同，向垫江县推荐招商引资优质项目20个。为垫江县提供优质岗位3700余个，消费帮扶超2000万元。

【现代产业体系构建】 2023年，长寿区推进战略性新兴产业发展，实现战略性新兴产业产值270亿元，长寿区先进结构产业集群进入全市2023年战略性新兴产业集群名单。15个战略性新兴产业、数字经济领域等高技术领域项目被纳入市级考核项目，完成投资约36亿元。出台《长寿区贯彻落实重庆市进一步支持市场主体发展推动经济企稳恢复提振政策措施任务分工方案》《长寿区贯彻落实重庆市恢复和扩大消费的若干措施任务分工方案》，分别通过36条、19条细化措施从供需两端发力助力民营经济壮大，全年新增减税降费5.7亿元。推进能源领域项目建设，推动黄草峡储气库、中航油西南战略储运基地完工。推动整区光伏试点进程，开工屋顶分布式光伏项目13个。

【经济运行监测】 2023年，长寿区坚持以周保旬、以旬保月，强化经济报表、民生报表调度及主要经济指标分析，强措施、补短板。1至4季度全区生产总值增速分别位列全市第一、第三、第四、第六位。全年全区地区生产总值956.73亿元，增长7.1%，增速比全市高1个百分点。

【固定资产投资】 2023年，长寿区完成固定资产投资346亿元，比上年增长11.5%。其中，基础设施投资增长16%，工业投资增长15.2%，高技术产业投资增长137.9%。

【重点项目建设管理】 2023年，长寿区实施“3113”项目攻坚行动计划，42个市级重大项目完成投资121.5亿元，投资计划完成率101%。开展“平急两用”项目梳理，构建“一方案一规划一图一清单”的体系化推进机制，梳理完成5轮“两用清单”，涉及80余个项目。

【重点领域改革】 2023年，长寿区完成“十四五”规划中期评估编制。优化调整指导思想、发展定位及发展指标，迭代升级重大项目436个，计划总投资超过4500亿元，明确“十四五”规划后半段工作重点和抓手路径。深化营商环境改革。创新土地承诺制，企业投资项目实现“两证同办”，开展常态化企业“三服务”工作，231名企业服务专员深入776家重点企业，工作成效入选全市服务企业十佳优秀案例。推进数字社会建设。按照“三个核心绩效”要求，指导梳理核心业务89个、一级业务254个、二级业务766个、业务事项1843个。抓好“双碳”工作。完善节能减排工作顶层设计及政策制定，全年单位GDP能耗下降3.7%。淘汰落后产能、实施节能改造项目8个，新增能耗空间55.23万吨标煤。碳排放权交易金额1.6亿元。完成国防动员体制改革，印发《长寿区人民防空建设发展“十四五”规划》，举行全市首场专业队伍演练。

【重大民生事项落实】 2023年，长寿区21件重点民生实事全面完成。助推乡村振兴，形成2023年度适用以工代赈的重点工程项目清单和农业农村基础设施建设领域推广以工代赈项目清单，推广以工代赈项目7个，总投资4350万元，发放劳务报酬1312万元。加强粮食安全管理，完成年度市、区两级3万余吨储备粮轮换任务。

【营商环境优化】 2023年，长寿区建设高标准市场体系，形成“1+22”协同推进新机制，推进高标准市场体系引领经营主体“纾困”“倍增”“壮骨”行动。制定优化营商环境激发市场活力重点任务清单分工方案，出台优化营商环境改革27条举措。培育“长伴品牌”，推动全区层面搭建与现代产业体系相适应的“1+6+N”全生命周期、全行业领域服务企业工作体系，全区231名专员匹配776家“四上”企业，1名服务企业专员获“十佳服务企业专员”称号。打造“清廉市场”，以清廉执法破解招标投标难题，推进信用体系建设，“政务承诺+信用履约”案例获评全国2023年度信用承诺优秀案例并向全国推介，获批全国第四批社会信用体系建设示范区。 （殷巧玉）

自然资源管理

【土地资源管理】 2023年，长寿区开展永久基本农田核实补划，多补划永久基本农田535.4公顷。实施垦造耕地专项行动，恢复耕地405.13公顷。实施低效园林地开发垦造耕地试点项目4个，垦造耕地112公顷。新增水土流失综合治理面积32.46公顷。至年末，全区土地面积14.21万公顷，其中耕地面积4.39万公顷。

【矿产资源管理】 2023年，长寿区建立矿业权出让项目库，出让矿业权1宗。严格矿产资源监管，累计巡查矿山45处，杜绝无证采矿、越界开采等行为。 （陈　曦）

【林业资源管理】 2023年，长寿区各级林长巡林2.8万人次，分组包片开展专项督查检查20次，拔除松材线虫病疫点4个。巩固经果林880公顷，发展苗圃200公顷。至年末，全区林地面积4.53万公顷，天然林保有量1.12万公顷，森林蓄积量254.4万立方米。 （区林业局）

【测绘管理】 2023年，长寿区通过综合测绘服务系统完成171个工程建设项目测绘事项委托，实现“一次委托、成功共享”目标。强化测绘资质单位管理，完成6件次测绘单位资质申请、信息变更等初审工作，开展测绘地理信息行业安全生产检查4次，保密检查1次，问题地图巡查1次。

【地理信息社会服务】 2023年，长寿区建立覆盖全区的三等水准网络，构建起基于2000国家大地坐标系和1985国家高程基准的现代测绘标准体系，实现城镇规划区约510平方千米1∶500地形图、全区1421平方千米1∶2000地形图全覆盖，累计入库地下管线长度2135平方千米，夯实城乡规划建设管理、自然资源调查、地理信息调查基础。累计提供各类地理信息成果13.2万平方千米。通过规划定位APP向全区各单位提供电子地图、影像地图、各类专题数据等地理信息服务，累计开通200余人次。（陈　曦）

【自然资源执法】　2023年，长寿区实施“凝心聚力加强耕地保护源头治理专项行动”，耕地保护督察整改全面完成，问题图斑清零。开展土地巡查调查386次，立案查处土地违法案件16件，送达责改文书37份，处罚决定书16份。打击涉林违法行为，全年查处林政案件94件，作出行政处罚71件。（区规划资源局　区林业局）

国有资产监督管理

【概况】　2023年，长寿区有国有企业95家，干部员工4844人。全区国企资产比上年增加221.08亿元，增长13.11%。负债比上年增加198.03亿元，增长20.31%；所有者权益总额734.75亿元，比上年增加23.05亿元，增长3.24%；营业总收入72.67亿元，比上年减少23.18亿元，下降24.18%；资产负债率比上年提高2.7个百分点。

【国企改革】　2023年，区国资委完成长寿发展集团和长寿开投集团战略性重组和子企业专业化整合，形成长寿开投集团“1+5+N”、长寿发展集团“1+8+N”现代化企业运行组织架构。推进长寿乡建集团“1+1+N”组织架构，形成以农业产业发展、农村开发建设、农文旅融合发展为核心的三大业务体系，打造现代农业领军企业和乡村振兴示范企业。制定印发《区管国有企业对标世界一流企业价值创造行动方案》《区管国有企业“合规体系建设强化年”专项行动方案》，召开专题会议20次，开展指导培训11次、合规培训64次，制度清理、分类分级931项，制度立改废释431项，签订承诺书583份。制定印发《长寿区国有企业改革提效增能行动方案（2023—2025年）》，涉及10个方面、34项改革措施，推进全区国有资本向主业集中、向优势企业集中、向重要行业和关键领域集中，重塑国有企业功能、优势、体制机制。

【国企监管】　2023年，区国资委修订出台《重庆市长寿区区管国有企业管理暂行办法》等6项国资国企管理制度，编印《国资国企制度汇编》；制定印发《关于严格区属国有企业融资过程管理的通知》《重庆市长寿区区管国有企业投资监督管理暂行办法》等制度，把控融资风险，审查近30亿元对外投资，完成融资备案194个。配合区委组织部完成区管国企领导班子配备工作，审查国有企业人事任命47人次。开展区管国企违规经营事项清查，全年区管国企经济处罚人员25人次，罚款金额1.77万元。监管企业依法化解信访纠纷56件，其中民工工资纠纷19件，涉及873人次、金额1385.22万元。对国企债务风险预警防范化解工作实行超前谋划，制定融资平台债务风险化解板块4个子方案，成立化债专班、落实主体责任、细化工作措施，明确融资目标任务。完善国资信息平台，提升数据监管水平，全年录入关联企业40余家，纠正股权错误企业20余家，更名企业4家，完善基本数据企业100余家。

【行政事业单位资产管理】　2023年，长寿区被纳入年度行政事业单位资产报表的独立编制机构394个，其中行政机构77个，事业机构317个。资产总计账面数116.42亿元，比上年减少28.46亿元（主要为公路中心公共基础设施减少），下降19.64%；负债总计账面数34.17亿元，比上年减少13.29亿元（主要为2023年国资委负债减少），下降28%；净资产总计账面数82.25亿元，比上年减少15.17亿元，下降15.57%。从单位性质看，行政单位国有资产22.51亿元，占19.34%；事业单位国有资产93.91亿元，占80.66%。从资产构成看，流动资产35.5亿元，占30.5%；固定资产29.36亿元，占25.22%；在建工程资产5.87亿元，占5.04%；无形资产3.14亿元，占2.7%；长期投资0.05亿元，占0.05%；公共基础设施42.27亿元，占36.3%；政府储备物资0.25亿元，占0.02%；其他资产0.2亿元，占0.17%。年内，将资产使用安全完整性、资产处置规范性、资产年报编报及时性作为资产管理的绩效考核指标，与区级预算安排挂钩，推进建立行政事业性国有资产管理绩效评价机制。制定《重庆市长寿区财政局关于开展2023年度行政事业单位国有资产盘活的工作方案》，通过内部挖潜、调剂利用（无偿划转）、对外出租等方式盘活闲置资产。全年调剂利用（无偿划转）房屋资产44001.94平方米；对外出租房屋资产17840.68平方米；对外出租土地9084平方米。

【国有资本经营】　2023年，长寿区开展国有资产调查摸底，区管国有企业有长寿发展集团、长寿开投集团、长寿乡建集团三大集团及下属14家重点子企业，资产总额1861.74亿元，负债总额1113.16亿元，资产负债率59.79%。修订完善《重庆市长寿区区管国有企业管理暂行办法》等6项制度，印发《区管国有企业盘活存量资产专项行动方案（2023—2025年）》，推进存量资产盘活。全年利用出租、出售、应收账款催回等方式盘活存量资产约14万平方米，回收资金9580万元。

【国有资产整合】 2023年，长寿区完成长寿发展集团和长寿开投集团战略性重组和子企业专业化整合。按照《重庆长寿投资发展集团有限公司深化改革创新发展总体方案》，整合长寿经开区集团公司、长寿旅发集团与飞华环保等企业，成立新的长寿发展集团，形成“1+8+N”组织架构；按照《重庆长寿开发投资（集团）有限公司深化改革转型发展方案》将盈地集团整体并入长寿开投集团，形成“1+5+N”组织架构。

（雷衍产　詹　婷）

财　政

【概况】 2023年，长寿区一般公共预算收入51.11亿元，一般公共预算支出90.47亿元。本级收入加上上年结转、地方政府债务收入、上级补助收入等，全年实现预算收支平衡。

【财政收入】 2023年，长寿区一般公共预算收入51.11亿元，为预算的101.2%，比上年增长1.3%，加上上级补助收入、动用预算稳定调节基金、调入资金、地方政府债务收入、上年结转收入等61.76亿元后，总收入112.88亿元。全区政府性基金预算收入29.98亿元，为预算的69.7%，比上年下降19.3%，加上上级补助收入、地方政府债务收入、上年结转收入等38.83亿元后，总收入68.8亿元。全区国有资本经营预算收入4.89亿元，为预算的117%，比上年下降69.6%，加上上年结转收入798万元，总收入4.97亿元。

【财政支出】 2023年，长寿区一般公共预算支出90.47亿元，比上年下降0.8%，加上上解上级支出、地方政府债务还本支出、安排预算稳定调节基金、结转下年支出等22.41亿元后，总支出112.88亿元。全区政府性基金预算支出53.33亿元，比上年下降8.2%，加上上解上级支出、地方政府债务还本支出、结转下年支出和调出资金等15.48亿元后，总支出68.8亿元。全区国有资本经营预算支出1651万元，比上年下降67.7%，加上调出资金和结转下年支出4.8亿元后，总支出4.97亿元。区级财政安排预备费1.5亿元，实际动用1.33亿元，主要用于疫情防控结算、防火物资采购、缆车站安全技术改造等应急事项支出。全年长寿区对12个镇转移支付4.43亿元。其中，一般性转移支付3.51亿元，主要用于镇保工资、保运转、保基本民生；专项转移支付0.92亿元，主要用于保障村干部养老及医疗保险缴费补贴、离任村干部生活补助、一事一议村级公共服务项目、美丽乡村建设试点项目等。

【财政政策落实】 2023年，长寿区延续和优化部分税费政策，新增减税降费5.7亿元、留抵退税5.8亿元，支持市场主体纾困发展。统筹2.1亿元，兑付引导企业转型升级、商务发展、建筑业产业扶持、“房交会”、“夜市经济”补贴等各项财政扶持政策资金。提高财政金融联动服务质效，以数字化赋能产融发展，打造产融服务平台，帮助企业获得贷款2.9亿元。出台中小微企业融资风险补偿资金管理办法，设立融资风险补偿资金池，帮助411家企业获得贷款20亿元。帮助45家企业使用转贷应急周转资金5亿元。推进企业上市工作，新增1家企业辅导备案、2家企业完成股改，新增13家市级上市培育库企业。

【财政保障民生】 2023年，长寿区小学、初中生均公用经费标准分别提高20元、40元，基本公共卫生服务经费人均财政补助标准提高5元，城乡居民基本医疗保险人均财政补助标准提高30元。全区教育、文化体育与传媒、社会保障和就业、卫生健康、节能环保、城乡社会事务、农林水事务、交通运输和住房保障九大类民生保障支出56.1亿元，占一般公共预算支出的62%。

【政府采购管理】 2023年，长寿区实行政府采购意向公开。全年政府采购金额3.89亿元，其中中小微企业合同规模2.15亿元，占55.15%。从5月1日起，取消政府采购投标保证金，降低企业制度性交易成本。查处政府采购领域违法行为，全年受理政府采购投诉8件，下达行政处罚5次，处以罚款1万元。

【政府债务管理】 2023年，长寿区优化财政支出结构，压减支出，全年压减支出3110万元。至年末，政府债务余额195.92亿元，其中一般债务余额59.63亿元，专项债务余额136.29亿元。

【财政监督】 2023年，长寿区“零结转”收回部门年底未实现支出的区级预算8787万元，补充预算稳定调节基金。统筹盘活结余资金和连续2年未用完的结转资金1.4亿元，用于全区“三保”等重点领域。强化综合绩效评价激励约束，首次将2022年度监督检查和财政管理综合绩效评价结果与预算安排挂钩。发挥绩效运行监控效能，收回进度慢、绩效差的9个项目资金4026万元。邀请区人大代表、区政协委员、区预算审查监督专家库成员参与预算公开评审，审减预算3145万元。

【会计事务服务】 2023年，长寿区审核发放会计专业技术中级资格证书49人、会计专业技术初级资格证书175人。组织开展会计人员信息采集、信息变更、补录继续教育、其他继续教育申请审核及报名605人次。组织17名干部参加乡镇财政干部师资业务能力提升培训班，加强乡镇财政干部队伍建设。下达基层财政干部财会培训补助资金14万元，加强乡镇财政干部和农村财会人员培训。 （陈 航）

税 务

【概况】 国家税务总局重庆市长寿区税务局（简称区税务局）主要担负全区19个街镇、5万户纳税人和全区缴费人税费征收管理工作。2023年，全区组织税收收入52.6亿元，比上年增长5.7%。全区税收收入呈现3个特点：全区增值税成为带动税收增长主要动力；企业所得税和个人所得税呈下降趋势；资源税、房产税等8个地方税种有所增长。

【税收收入】 2023年，长寿区组织税收收入52.6亿元，比上年增长5.7%。其中，税务口径实现区级收入26.3亿元，比上年下降1.7%；财政口径实现区级收入25.6亿元，比上年增长5.7%。全年全区增值税26.73亿元，比上年增加9.42亿元，增长54.4%；企业所得税8.22亿元，比上年减少6.85亿元，下降45.5%；个人所得税3.38亿元，比上年减少5578万元，下降14.2%。资源税、房产税等8个地方税种共计12.25亿元，比上年增加7770万元，增长6.8%。

【税收经济和税收政策效应分析】 2023年，长寿区第一产业实现税收845万元，比上年增收283万元，增长50.2%。第二产业实现税收35.82亿元，比上年减收2.34亿元，下降6.1%；第二产业税收占整体税收68.1%，比上年下降8.6个百分点。其中，制造业实现税收27.58亿元，比上年减收4.75亿元，下降14.7%；建筑业实现税收5.99亿元，比上年增长44.5%。第三产业实现税收16.7亿元，比上年增收5.14亿元，增长44.4%。其中，交通运输、仓储和邮政业实现税收9010万元，增长132.1%，主要是北新渝长高速有大额留抵退税；水利、环境和公共设施管理业实现税收1.62亿元，比上年增收1.4亿元，增长645.9%，主要是经开区土地房屋征收事务中心缴纳耕地占用税9270万元、生态旅游业稽查补税较上年增收4010万元；房地产业受市场行情低迷影响，实现税收3.12亿元，比上年减收4164万元，下降11.8%。

【社会保险费和非税收入征缴】 2023年，长寿区社保费收入38.76亿元，比上年减收4.03亿元，下降9.4%，下降原因是同期灵活就业人员集中补缴欠费垫高基数。非税收入31.91亿元，比上年减收5.44亿元，下降14.6%，下降原因是国有土地使用权出让收入同比减收6.16亿元。其他收入2.25亿元，比上年增收2992万元，增长15.3%，增长原因是职业年金增收3013万元。

【依法治税】 2023年，长寿区完成税收风险任务640户，查补税款1220万元。强化数电票一体式风险防控，处理红黄蓝预警提醒492户次，追缴入库欠税1185万元。推进“查管互动”，查补入库税款1.04亿元。按时发布非正常户认定信息、欠税信息等2635条，提升执法透明度。

【减税降费】 2023年，区税务局优化税收营商环境，新增减税降费及退税缓税13.23亿元，新增减税降费7.35亿元。其中，增值税留抵退税5.86亿元，惠及36户纳税人；小规模

2023年7月25日，区税务局开展税收营商环境体验师“走流程 听建议”活动。图为聘请的新一届税收营商环境体验师合影 （区税务局 供图）

纳税人3%减按1%减税4997万元，惠及2890户纳税人；新能源汽车税收减免1903万元，惠及1145人次车辆购买者；小型微利企业所得税减免优惠3682万元，惠及小型微利企业1476户。

【税费征收管理】 2023年，区税务局制定《长寿区税务局进一步深化税收征管改革2023年度任务分工》，推进48项改革任务。出台《提升税费征管质效行动计划（2023—2025）》，分阶段、分步骤实施“完善基础数据、优化岗责配置、调整征管范围、精准防范风险、‘揭榜挂帅’、深化税费共治”六大类、26项具体措施，靶向纠治税收征管突出问题，推动税费工作开展。

【纳税服务】 2023年，区税务局建立“点对点”直联机制，局领导带头走访32户企业，8名区人大代表、区政协委员和7个税源管理所主要负责人走访86户企业，发放“点对点”直联服务卡，问计问需，纾困解难。创新推出35类事项“即问即办”，实现优质服务“同办协同”，入驻区政务中心一楼开设社保缴费窗口，实现“一厅联办”，解决纳税人缴费人往返跑问题。前移基层征管事项65项，设立团队办理5类事项，上移事项科室办理20项，节约1/3的办税时间。扩大业务“容缺办”范围，在国家税务总局8项容缺办的基础上，推出“增值税申报”等15项容缺办事项，扩大办税缴费便利度。

【税务服务经济社会发展】 2023年，区税务局主动融入“合广长协同发展示范区”“明月山绿色发展示范带”建设，完善跨区域税务部门协作机制，实现63项涉税事项跨区域通办。聚焦“两地一城”和“3113”项目攻坚行动计划，围绕重大项目、产业转型发展、稳房地产市场等重点事项，组建3个分析团队、18个分析小组，形成税收经济分析报告20余篇，为政府决策提供参考。培育服务市场主体，前移招商引资税务参与节点，服务新兴增量税源成长，至年末，全区共有涉税市场主体49521户，比上年末增长7.64%。 （袁洪昊）

金融监管

【概况】 中国人民银行长寿分行（简称人行长寿分行）于2010年7月由原分管长寿、渝北两区的片区支行升格为管辖长寿区和垫江县2个行政区的地市级中心支行。2023年8月18日，撤销中国人民银行长寿中心支行，设立中国人民银行长寿分行。挂“国家外汇管理局长寿分局”“中华人民共和国国家金库长寿区中心支库”牌子并履行相应法定职责。

【货币政策传导】 2023年，人行长寿分行发挥总量和结构性货币政策工具作用，12月末，全区本外币贷款余额595.93亿元，比上年增长13.13%，高于全市平均增速3.35个百分点。运用再贷款工具，推动长寿中银富登村镇银行首次使用支农支小再贷款投放430万元，支农支小再贷款累计发放21.25亿元。联合长寿区科技局等5个部门开展金融支持科技创新政策宣讲，为辖区16户高新技术企业提供首次贷款2.82亿元。指导银行机构对长寿区基础设施建设、保障性住房建设等存量资产进行权益质押融资授信14.29亿元。以“首贷续贷中心+金融服务港湾+普惠金融到村基地”为抓手，开展融资宣传和对接会136次，累计发放贷款79.27亿元，惠及市场主体1.05万户。

【外汇管理】 2023年，人行长寿分行服务涉外经济发展和西部陆海新通道建设，跨境融资试点、跨境金融服务平台新增2个融资类试点场景全部落地，助企累计融资3.13亿美元，提供便利化贸易结算15.4亿美元，外汇衍生品签约金额和套保率居全市区县前列。新增“跨境人民币首办户”企业9家，服务“首办户”企业跨境人民币结算量1.29亿元，“经常项目加直接投资”跨境人民币结算量比上年增长82.02%，位列全市第二，跨境人民币结算量占本外币之比位列全市第三。

【国库管理】 2023年，人行长寿分行主动提醒兑付到期国债，兑付率100%。优化减税退费流程，办理增值税留抵退税5.96亿元，推动政策红利直达化工、医药、新材料等重点行业。新增3类数字人民币便民场景，保障辖区现金供应。全辖新增“云闪付”用户57.37万户，用户渗透率42.72%。在全市率先实现跨区域助力小微企业贷款发放2笔，实现供应链应收账款融资超30亿元。

【金融消费者权益保护】 2023年，人行长寿分行推动调解室入驻法院和金融调解进乡村工作，持续畅通金融消费者诉求表达、利益协调、权益保障渠道，调解金融纠纷4起，处理金融消费者投诉5起，办结率、满意率100%。

【金融风险防范化解】 2023年，人行长寿分行指导长寿中银富登村镇银行平均压降不良贷款率1个百分点，推动实现央行评级提升。配合房地产风险化解，推动长寿区3个“保交楼”提前完成交房销号，超额完成全市进度要求。加强对辖区地方政府融资平台发债的后续管理和风险监测，确保辖区未发生公开市场债券违约事件。打击金融违法犯罪活动，推动长寿区洗钱罪判决4例，宣判全市首例虚拟货币洗钱案，建成全市首批反洗钱教育基地。强化“警银协作”推进涉赌涉诈“资金链”治理，辖区对公账户零涉案，个人涉案账户数长期处于低位水平。（黄　雪）

【地方金融监管】　2023年，长寿区加强央地金融监管部门、行业主管部门、乡镇街道政府联动，对辖区内小贷公司、典当行、融资担保公司等地方金融机构开展日常风险监测和研判，引导地方金融机构为区内中小微企业服务。持续开展股权投资类企业风险排查，对辖区内3家小贷公司、1家典当行开展现场检查，对聚商小贷公司开展清理整顿。年内，辖区地方金融机构未发生重大违规违法案件，未发生严重影响行业形象事件。

（赵东松）

审　计

【概况】　2023年，重庆市长寿区审计局（简称区审计局）完成审计项目22个，查出问题金额38.58亿元，其中违规问题金额1125万元，管理不规范金额38.47亿元；促进增收节支1.8亿元，挽回（避免）经济损失2842万元，核减投资额385万元；移送问题线索35件。区审计局在全市审计机关工作成效动态晾晒中首次进入第一梯队；1个经济责任审计项目获评市审计局综合优秀项目一等奖；成为全区清廉机关建设标杆单位。

【重大政策跟踪审计】　2023年，区审计局聚焦双城经济圈建设“一号工程”，开展成渝地区双城经济圈建设政策措施落实专项审计调查，揭示年度重大项目清单项目未达时序进度、老旧小区燃气管网改造建设进度滞后、项目业主建设管理缺位、施工合同内容与其他项目交叉重复等问题。聚焦推动党中央战略部署落地，组织开展西部陆海新通道建设专项审计，揭示考核评价机制和部门联席会议制度未建立、项目建设进度滞后、运量增速未达标、班列始发补助资金未及时结算、临港产业发展扶持资金逾期未拨付等问题。聚焦推动科技创新，组织开展引进科技创新资源行动计划落实专项审计，揭示部分项目进度与财政扶持资源不相匹配、未完成协议约定要求兑付财政扶持资金、在协议中违规将奖补扶持资金与税收挂钩等问题。

【财政和预算执行审计】　2023年，区审计局围绕积极财政政策加力提效，重点关注预算管理精细化、财政资源统筹、政府债务管控、基层“三保”以及“过紧日子”要求落实等情况。区级预算执行审计主要发现非税收入征缴不合规，违规返还房地产企业城市建设配套费及土地出让价款和招商引资企业税收，预算编制不完整、不准确、不细化，未将重点绩效评价结果与次年年初预算挂钩，政府采购预算执行率低，以拨作支、虚列支出，专项资金管理不规范，未及时清理收回部门结余资金，财政借出资金超过一年未收回，决算编报不准确等问题。部门预算执行审计采取“数据全覆盖+重点现场核实”的审计模式，对区发展改革委、区农业农村委等12个单位开展现场审计，发现基本支出挤占项目支出、年末突击转账规避预算“零结转”、往来账款未及时清理、违规在学校食堂账中核算单位基本支出、资产闲置等问题。撰写公交爱心卡补贴发放存在管理漏洞、高标准农田建设管理亟待加强等审计专报4篇。

【经济责任审计】　2023年，区审计局对区教委、石堰镇等9个单位13名领导干部开展经济责任审计，同步开展区林业局原主要领导自然资源资产离任审计，发现政策执行不到位、目标任务未完成、重大经济事项决策不规范、内控制度不健全、抗疫物资和应急物资管理不规范、公益林及营造林保护管理不到位等问题；移送涉嫌玩忽职守造成财政资金重大损失、利用职务之便收取管理对象好处费、套取财政专项资金等问题线索。撰写镇街小微政府投资项目建设管理亟待规范、村级财务管理不到位亟待整治、国有企业经营管理面临的问题及建议等审计专报。召开区经济责任审计工作联席会议1次，在计划共商、过程互助、成果共享、整改共促等方面进行探索，形成全流程协同监督机制，规范经济责任审计工作。

【区级重大建设项目审计】　2023年，区审计局围绕全区“两地一城”建设、“3113”项目攻坚行动计划、“西部数谷”建设等重点工作，开展区级重大建设项目（政府类）实施情况审计调查1个、建设管理情况审计3个、建设项目决算审计2个，重点关注公共投资政策执行、项目建设管理、资金筹集使用等情况。发现建设目标未完成、违反基本建设程序、招投标管理不规范、未按图施工、合同执行不到位、多计工程价款、工程存在严重质量缺陷、结决算办理不及时、水厂维修费用作假和虚假验收等问题。撰写民生项目质量管理亟待加强、盈地集团工程项目建设管理需进一步加强等审计专报。移送涉嫌贪污和谋取私利等问题线索，推动项目建设管理水平提质增效。审计中，首次探索运用RTK无人机航拍及3D建模技术，精准锁定疑点，提高投资审计工作质效。

【民生审计】 2023年，区审计局对乡村振兴、义务教育、困难群众救助补助、三峡后续等相关政策落实和资金进行审计，重点关注民生政策执行的系统性、民生资金分配使用的合规性、民生项目的效益性。发现村干部利用职务之便在违法建筑集中整治中谋取私利、套取公共服务和社会管理项目资金、虚报冒领农业支持保护补贴、村级集体经济发展不均衡、老旧小区改造项目质量管理存在漏洞、全区中小学大班额问题突出、三峡后续项目结余资金长期闲置等问题。推动查处2022年移送的民营医院虚增治疗项目骗取医保基金等问题线索，1家民营医院25名犯罪嫌疑人全部落网、3人被采取强制措施。

【内部审计监督指导】 2023年，区审计局印发《关于进一步加强内部审计工作的意见》《关于结合经济责任审计项目开展内部审计工作监督的实施细则》等制度3项，健全局领导班子成员、各科室与全区一级预算单位的对口联系机制，实施网格化管理，通过“审计项目+内审指导”模式，促进内部审计指导监督常态化、长效化。指导编制全区年度内部审计计划135个，开展以审代训7人、内部审计统计调查2次，结合经济责任审计项目对9个单位内部审计工作进行监督检查，推进全区内部审计工作规范。开展社会审计机构相关报告核查工作，与区住房城乡建委建立社会审计机构核查处理常态化联动机制；全年向行业主管部门移送问题线索5件，3家工程造价咨询机构、3名一级造价师受到警告处理，并被处罚款4.1万元。

【审计信息化建设】 2023年，区审计局加强信息网络安全建设，对数据分析室装修升级，加装电磁屏蔽机柜等防火防盗设施，开展网络安全应急演练，落实信息网络安全责任，确保数据的安全性和保密性。完善数字审计制度，全年出台《长寿区审计局电子数据管理办法》等9项制度，推进数字化建设。探索数字审计实践，发挥数字审计优势，利用无人机航拍建模、3S地理信息技术和python网络爬虫等数字化审计技术手段，精准筛查审计疑点，提高审计工作效率。总结提炼审计项目中运用的数字化审计方法，形成数据审计案例6篇，其中《无人机测绘技术在道路工程投资审计中的运用》等3篇案例获得市电子数据处创新技术加分。

【审计整改】 2023年，长寿区出台《关于进一步加强审计整改工作的实施意见》，形成责任明确、目标一致、齐抓共管的审计整改工作体系。强化“审计问题清单”管控，推动区委区政府专题研究审计整改10余次，强化主审跟踪督促，对3个整改不力的单位实施年度考核倒扣分。推动出台或修订区级管理制度11项、部门管理制度50项。1个审计整改案例被市审计局纳入市级审计整改示范案例。

（肖淋伊）

统　计

【概况】 重庆市长寿区统计局（简称区统计局）负责组织实施和管理协调全区统计工作，贯彻执行统计法律、法规、规章和方针政策，查处统计违法行为。依照统计法律法规开展统计工作，完成国家统计调查任务，根据全区国民经济和社会发展需要，组织开展统计调查。依法对部门统计数据进行审核、评估。组织实施全区人口、经济、农业等有关普查、各项专项调查，搜集、整理和提供有关统计数据。2023年，区统计局开展第五次全国经济普查。查处统计违法行为4起。设立住户调查点30个、劳动力调查样本点32个，开展工业生产者价格调查样本企业60家。

【第五次全国经济普查】 2023年，长寿区成立以常务副区长为组长、25个区级部门为成员的第五次全国经济普查工作领导小组，19个街镇成立第五次全国经济普查领导小组及办公室。全区落实普查工作经费1000万元。精选“两员”（普查员和普查指导员）780余人，平均年龄37岁，其中大专以上学历680人。分5批次对“两员”开展集中培训，围绕单位清查细则规则、入户询问技巧等内容进行教学，开展实战演练。通过“人人长寿”开展普查工作线上宣传20余次，印发《第五次全国经济普查单位清查告知书》10万余份，利用LED屏、灯杆广告、公交站台、户外广告牌、门禁道闸等宣传经济普查内容。利用行业主管部门掌握的行政记录，比对单位名单，开展“地毯式”清查。在各级经济普查办公室成立数据质量审核工作组，分析、审核、评估普查数据，提升清查数据质量。组建专业小组，与行业主管部门联动，层层审核编码，确保行业准确。全区清查出单位17143家。其中，法人单位15501家，比第四次全国经济普查（12349家）增长25.52%。清查出个体经营户89215户，比第四次全国经济普查（49991户）增长78.46%。

【统计业务】 2023年，区统计局组织实施全区国民经济核算制度和全区投入产出调查；核算全区生产总值；搜集、整理和提供国民经济核算有关资料。组织实施全区一、二、三产业有关统计调查；搜集、整理和提供有关国民经济、社会发展、科技进步、能源资源、环境和服务业等统计数据。建立有关统计数据质量审核、评估和监控制度并组织实施；整理、核定、管理、提供、发布全区性基本统计资料；发布全区国民经济和社会发展情况统计信息；组织实施对街镇社会经济发展状况考核评价工作。协调和管理全区统计信息自动化工程和统计数据网络建设。

【统计服务】 2023年，区统计局领导分片包干对接相应部门和街镇，共走访街镇、部门200余次。建立重点检查企业清单，定期到基层、企业指导工作，重点检查统计表册的规范性、准确性和完整性，共计走访调查对象300余次。全年经济民生类统计分析被市统计局、国家统计局重庆调查总队采用21篇次。针对“两地一城”建设、“3113”项目攻坚行动计划等全区重大工作，密切监控相关指标运行情况，有针对性提出对策建议，分专业按月撰写经济运行情况分析，其中5篇分析获区主要领导批示。全年编制统计公报、统计季报、统计年鉴、普查数据等重要数据资料7项，印制纸质刊物定期送区主要领导和相关行业部门。优化更新区政府网站统计栏目，向社会公众发布权威数据，全年发布数据资料和数据解读12项，回应社会公众数据查询请求14次。利用“12·8”统计法颁布纪念日等重大活动，开展统计法进社区、进企业活动，发放宣传资料600余份，现场解答问题120余个。

【统计法治监督】 2023年，区统计局推进依法治统、依法统计，落实统计法、统计法实施条例精神，开展统计法律法规进党校活动，建立领导干部违规干预统计工作记录和统计违法举报制度。完善覆盖全区的统计执法监督体系，开展统计造假屡禁难绝问题专项治理行动，开展源头数据和专项数据核查3384家次，发现问题584个，纠正问题407个，移交线索2条。开展统计执法“双随机”抽查，对42家企业开展统计执法检查，查处4起统计违法行为，向区纪检监察机关移送问题线索1条。

【统计信息化建设与管理】 2023年，区统计局依托统计联网直报系统开展相关专业统计调查，实现从企业、住户和基层统计调查人员直接向国家统计局数据中心报送统计数据的数据采集模式。 （区统计局）

【住户调查】 2023年，区统计局贯彻落实《2023年上半年重庆住户收支调查问题梳理清单》《关于做好前三季度住户收支调查报表工作的通知》《关于进一步做好住户收支调查工作的通知》等文件要求，按照国家统计局调查方案开展住户收支与生活状况调查。组织调查员集中培训5次，召开座谈会面对面培训42次，学习重庆调查总队住户调查管理制度，开展平台使用管理、微信小程序、E调查等知识培训。加强日常分省级和分区县级样本管理，遵循换户流程，控制换户总量，更换样本11户，其中分省级4户，分区县7户，总占比3.6%（分省级4.4%，分区县3.3%）。抓好日常记账管理，开展30个调查点全覆盖入户走访，核实台账，查漏补缺，确保住户调查准确、流程规范。住户调查结果为：全年全区居民人均可支配收入39696元，比上年增长5%。 （宁建文）

【农业农村统计调查】 2023年，区统计局成立主要畜禽监测样本轮换工作小组，对抽中的样本村全部进行逐一核实。举办农业农村统计工作业务培训5次；抓好部门数据管理，对部门数据收集渠道进行检查指导，保证数据来源真实准确；规范统计制度，指导各街镇执行以村起报制度。调查结果显示，全年实现农林牧渔业增加值66.6亿元，比上年增长4.5%。实现农业总产值101.2亿元，比上年增长3%。 （朱玉珍）

【工业生产者价格调查】 2023年，长寿区召开工业生产者价格调查年报会议，传达重庆市工业生产者价格调查统计工作会议精神，对一套表系统平台的操作程序进行培训。对企业每月上报的工价数据进行网上初审、程序复审、表间联审，确保企业填报数据来源有据；对价格变动幅度较大的企业进行沟通查询，做到即报即审，杜绝源头数据差错，确保基础调查数据真实性、完整性和有效性。全年走访企业13家，对需要调整基期价格的企业，摸清原因，汇总形成工价当月价格变动说明表、PPI质量调整清单，上报至国家统计局重庆调查总队。对2023年工业生产者价格调查的基础工作开展自查，发现问题及时整改。全区有工业生产者价格调查“一套表”样本企业60家，比上年增加4家。 （汪诗举）

【劳动力调查】 2023年，区统计局修订《长寿区劳动力调查规程》《长寿区劳动力调查数据审核办法》《长寿区劳动力调查调查员管理办法》《长寿区劳动力调查账号及移动终端设备管理办法》《长寿区劳动力调查工作考核办法》《长寿区劳动力调查补助考核办法（暂行）》等规章制度。与区就业中心开展座谈会4次，就劳动力调查开展、宣传工作等达成共识；召开劳动力调查业务培训会3次。抽中的劳动力调查点涉及9个镇街、32个样本点，配备9名指导员、32名调查员。区统计局为每个调查点

务价格监管、研学旅行等专项整治工作。年内，全区重要民生商品和服务价格稳定。（邹若思）

2023年长寿区重要民生商品市场价格监测情况表

表13

类别	商品名称			规格等级	计量单位	2022年均价	2023年均价	涨幅（%）
一、居民主要食品零售价格监测品种	粮食	籼米		当地主销（散装）	元/500克	2.24	2.27	1.3
		粳米		东北大米（散装）	元/500克	2.57	2.42	-5.9
		面粉		当地主销（散装）	元/500克	2.25	2.28	1.3
	食用油	菜籽油		一级桶装（红蜻蜓）	元/5升	91.41	91.69	0.3
		花生油		一级桶装（鲁花）	元/5升	169.61	169.04	-0.3
		大豆油		一级桶装（金龙鱼）	元/5升	69.57	69.90	0.5
		食用调和油		一级桶装（金龙鱼）	元/5升	75.73	79.80	5.4
	肉禽蛋	猪肉	去骨后腿肉	散装	元/500克	12.12	9.24	-23.8
			后腿精瘦肉	散装	元/500克	16.51	12.59	-23.7
			三线肉	散装	元/500克	16.66	13.91	-16.5
			纤排骨	散装	元/500克	23.79	20.91	-12.1
		牛肉	腱子肉	散装	元/500克	54.23	55.80	2.9
			牛腩	散装	元/500克	50.75	51.80	2.1
		鸡肉		白条鸡、开膛、上等	元/500克	17.18	16.39	-4.6
		鸡蛋零售		新鲜完整、鸡场蛋	元/500克	6.01	5.38	-10.4
	水产品	花鲢		鲜活	元/500克	14.22	12.30	-13.5
		草鱼		鲜活	元/500克	10.61	8.78	-17.3
		鲫鱼		鲜活	元/500克	9.97	9.34	-6.3
	蔬菜	白萝卜		新鲜	元/500克	1.13	0.91	-19.7
		胡萝卜		新鲜	元/500克	3.80	2.71	-28.6
		土豆		新鲜	元/500克	1.99	1.95	-2.0
		莲藕		新鲜	元/500克	4.91	3.16	-35.6
		黄秧白		新鲜	元/500克	1.64	1.20	-26.9
		瓢儿白		新鲜	元/500克	3.17	2.90	-8.6
		莲白		新鲜	元/500克	1.80	0.88	-51.3
		油麦菜		新鲜	元/500克	2.85	2.58	-9.4
		芹菜		新鲜	元/500克	4.14	2.66	-35.6
		西兰花		新鲜	元/500克	5.44	5.08	-6.6
		青椒		新鲜	元/500克	5.12	3.48	-32.1
		黄瓜		新鲜	元/500克	3.97	3.32	-16.4
		西红柿		新鲜	元/500克	4.35	3.44	-20.9
		茄子		新鲜	元/500克	4.82	3.60	-25.3
		四季豆		新鲜	元/500克	6.07	5.86	-3.5
		冬瓜		新鲜	元/500克	1.78	1.37	-23.3

续表13

类别	商品名称		规格等级	计量单位	2022年均价	2023年均价	涨幅（%）
		老南瓜	新鲜	元/500克	1.73	1.23	−29.0
		大葱	新鲜	元/500克	8.98	5.53	−38.4
	水果	苹果	红富士一级	元/500克	7.14	7.11	−0.5
	水果	香蕉	国产一级	元/500克	4.49	4.31	−3.9
	水果	梨	一级（8月至10月）	元/500克	5.69	5.83	2.5
二、畜禽产品及饲料价格监测品种		仔猪销售	10–30公斤左右，洋三元	元/500克	17.19	14.72	−14.4
二、畜禽产品及饲料价格监测品种		生猪出栏	年出栏200头以上养殖户、当地主销品种、中等	元/500克	9.57	7.68	−19.8
二、畜禽产品及饲料价格监测品种	饲料	养殖场玉米购进	国产、二等	元/500克	1.55	1.55	−0.3
二、畜禽产品及饲料价格监测品种	饲料	养殖场豆粕购进	混等	元/500克	2.38	2.23	−6.2
二、畜禽产品及饲料价格监测品种	饲料	养殖场麦麸购进	国产、二等	元/500克	1.35	1.31	−3.1
二、畜禽产品及饲料价格监测品种		白条肉批发	热鲜	元/500克	12.00	9.52	−20.7
二、畜禽产品及饲料价格监测品种		鸡蛋出场	年存笼2000只以上养殖户、鸡场蛋、新鲜完整	元/500克	5.02	4.96	−1.2
三、农业生产资料零售价格监测品种	化肥	尿素	含氮46%，国产	元/500克	2.00	2.00	0.0
三、农业生产资料零售价格监测品种	化肥	碳酸氢铵	含氮17%，国产	元/500克	1.50	1.50	0.0
三、农业生产资料零售价格监测品种	化肥	过磷酸钙	含磷12%，国产	元/500克	0.97	1.00	3.1
三、农业生产资料零售价格监测品种	化肥	三元复合肥	氯基，含氮磷钾各15%，国产	元/500克	2.38	2.00	−16.0
三、农业生产资料零售价格监测品种	化肥	三元复合肥	硫基，含氮磷钾各15%，国产	元/500克	2.88	2.50	−13.2

市场监督管理

【概况】 2023年，重庆市长寿区市场监督管理局（简称区市场监管局）围绕中心服务大局，履行辖区市场监管、食品安全监管、网络交易监管、商品合同监管、广告监管等职责，开展特种设备安全专项整治、产品质量安全专项整治等，获得市、区评先表彰奖励9次，成果类交流发言7次。

【市场主体登记】 2023年，长寿区有各类市场主体82426户，比上年增长8.47%。其中，个体工商户63549户，企业（含农民专业合作社）18877户。市场主体密度为119户/千人，比上年增长7.21%，高于重庆市平均密度（114户/千人）和增幅（6.52%）。全年全区新增各类市场主体12832户，增长46.37%，新增率16.89%，比上年提高5.09个百分点。全年全区净增各类市场主体6439户，增长281%，净增率8.47%，比上年提高6.2个百分点。

【市场主体监管】 2023年，长寿区实施“双随机、一公开”监管，制定联合抽查计划20个，涉及区级部门17个，检查企业100户。企业年报率88.09%，比上年提高0.57个百分点。住所使用承诺制核查，完成815户住所使用承诺制核查，对36户高风险预警经营主体开展主动核查。加强异常名录管理，将1355户内资企业列入经营异常名录，对66户未在规定时限内报送年度报告的企业进行行政处罚。建立市场主体强制退出机制，对连续2年未年报的企业进行现场核查，对重庆市长寿区佳宇榆树果树种植场等216户失联的市场主体进行吊销处罚。处理冒用登记，全年受理冒用登记14件，撤销冒用登记10件，中止调查2件，自行注销2件。

【反不正当竞争与反垄断】 2023年，区市场监管局推进公平竞争审查制度落实，区级各部门共计审查政策措施（含一事一议）355件，完成线上增量审查62件，存量清理169件，审查政

2023年7月24日，区市场监管局联合财政、税务等相关部门开展长寿区第二届“个体工商户服务月”宣传活动 （邹若思 摄）

策措施15件，提出整改建议7条。推进商业秘密保护，中国石化集团重庆川维化工有限公司、重庆望变电气（集团）股份有限公司、重庆康乐制药有限公司3家单位被评为2022年重庆市商业秘密保护示范单位。重庆博腾制药科技股份有限公司、重庆恩捷新材料科技有限公司、中化学华陆新材料有限公司、重庆瑞信电子材料有限公司、重庆中润新材料股份有限公司、重庆钢铁股份有限公司6家企业申报重庆市商业秘密示范单位。

【网络交易监管】 2023年，区市场监管局推进网络市场主体监管，网上检查网站、网店、公众号、抖音账号、小程序等1149个次，实地检查市场主体31户次。查办违法案件26件，罚没款6.74万元，办理移送线索4件。开展互联网危险化学品专项治理，约谈平台1个，下发责令整改通知书12份，处置违法线索22条，发送告知函1份。

【商品合同监管】 2023年，区市场监管局强化重点领域合同格式条款监管，备案格式合同24份，下发责令整改通知书4份。查处合同违法案件1件，罚没款500元。指导督促重庆柏树房地产开发有限公司、重庆市泰庭置业有限公司等6户企业修改不公平格式条款30余条。

【广告监管】 2023年，区市场监管局开展互联网广告领域专项治理，开展普法活动6次，查处互联网广告违法案件7件，罚没款4450元。对传统媒体广告进行日常监管，开展广告业务培训1次，健全完善广告业务承接登记台账、广告内容审核、业务规范流程，全年查办广告违法案件16件，处置违法线索21条。

【市场监管法治建设】 2023年，区市场监管局完善内部法治建设相关制度，修订《行政处罚案件审核工作规则》。办理30件向市政府申请行政复议案件的答复，办理一审行政诉讼案件2件（负责人出庭率100%）、二审行政诉讼案件2件。

【产品质量安全监管】 2023年，区市场监管局落实工业产品质量安全“两个责任”，指导辖区获证企业、3C认证企业及部分重要产品销售单位建立质量安全总监和质量安全员制度，落实“日周月”排查管控要求。指导川维、重钢等大型企业设立质量安全副总监，分类设置质量安全员。开展工业产品许可证证后监管，对辖区正常生产的18家危险化学品生产企业、2家危险化学品包装物生产企业（其中1家已停产）、2家建筑用钢筋生产企业、2家化肥生产企业（其中1家暂停生产获证产品）、2家水泥生产企业进行全覆盖监督检查，建立监管风险点清单目录。启动产品质量安全专项整治，开展“春耕护农”农资产品、“助老护苗”儿童老人用品、摩托车电动自行车产品、成品油非法经营、电线电缆、汽车及重要零部件、消防产品等23类产品质量专项整治行动。强化液化石油气全链条产品质量监管，责令4家经营主体下架“三无”灶具。抽检二甲醚、燃气具相关产品11批次，其中不合格5批次，均已立案查处。

【特种设备安全监管】 2023年，区市场监管局落实特种设备“两个规定”，开展线上线下培训5次，立案查处违规行为3起，督促指导25家特种设备生产企业、973家特种设备使用单位完成“三员”配置，实现两个100%。开展大型商业综合体特种设备安全、小型锅炉、高压气瓶安全和气瓶质量安全追溯体系运行情况、油气长输管道和燃气公用管道安全、重点工程起重机械、化工企业特种设备事故隐患排查、市场监管领域城镇燃气油气安全、电梯安全等专项整治，立案26件，结案（含往年立案）30件，罚没款114.5万元。

【计量标准化监管】 2023年，区市场监管局开展“计量服务中小企业行”活动。对接川维、映天辉、重钢等企业，组织专家现场审查考核内部强制检定授权事项，累计发放计量专项授权证书（企业内部强检）5张。推进计量标准化建设，鼓励有能力的企业参与制修订标准，区政府对符合条件的企业兑付奖励80万元。寿星公馆老年公寓通过市级服务标准化试点项目验收，区中医院医养中心标准化试点示范项目获批准立项。开展计量器具专项监督检查，累计检查市场主体916家次，责令整改50余家次。抽查3家企业6个标准，其中3个标准在检查中未发现问题，3个标准责令相关企业整改。对全区12家检验检测机构开展监督检查，发现3家检测机构违法行为并立案调查。

【食品安全监管】 2023年，区市场监管局落实食品安全“两个责任”，“食安督”APP纳入包保各类食品生产经营主体9279户，录入包保干部1273人，覆盖率90%，季度督导完成率100%，季度问题整改率95%，《承诺书》上传率100%，完成各类食品抽检3775批次。对全区食品、食品添加剂、食品相关产品生产企业及食品生产加工小作坊进行风险分级，分级率100%。全年共检查食品生产主体1016家次，出动检查人员2064人次，约谈企业7家次。完成11个农村食品示范点规范化建设，三科农商城市场基本信息和检查信息同重庆市市场监管局系统完成对接。规范餐饮服务经营秩序，餐饮服务食品安全风险等级评定4009家，风险等级评定率100%。学校“互联网+明厨亮灶+AI识别”158家，除村点校外实施率100%。为区“两会”、高职分类考试、高中考、龙舟赛、钓鱼比赛、铁人三项赛等重大活动提供食品安全保障20余次。

【药品化妆品和医疗器械市场监管】 2023年，区市场监管局打击药品、医疗器械、化妆品领域违法违规行为，严查产品进货渠道，严把产品质量关，杜绝质量不合格的产品流入市场。全年责令整改120余家次，办结“两品一械”投诉37件，为消费者挽回经济损失3.33万元。全年报告药品不良反应653例、化妆品不良反应113例、医疗器械不良事件344例，报告药物滥用220份。抽检中药饮片、涉疫药品、医疗器械及美白祛痘类化妆品等248批次，发现不合格1批次，立案查处1件。

【消费者权益保护】 2023年，区市场监管局围绕“提振消费信心”，通过惠民惠企政策宣传、消费维权知识讲解、专项行动开展等活动，保护消费者权益。完善消费纠纷多元预防调处化解长效机制，形成人民法院组织指导、消委会参与配合调解的消费纠纷协作模式，支持消费者集体诉讼案件1件，线下受（处）理消费者投诉420件，其中重大、典型案件8件，并获得川渝消委组织2022年度消费维权优秀案例评选三等奖。

【市场监管综合执法】 2023年，区市场监管局共查办案件460件，罚没金额510.99万元。其中，食品类案件237件；药械类案件77件；产品质量案件39件；特种设备案件26件；计量案件21件；知识产权案件20件，认证认可案件4件，广告类案件21件，价格类案件8件；其他类型案件7件。向公安机关移送食品案件5件，移送其他机关案件1件。开展医疗美容经营行为乱象专项整治，检查经营主体90余个次，对1家医疗美容机构进行行政约谈，责令改正，督促整改并提交整改报告。发现违法行为并立案查处4件，其中1件案件入选整治医疗美容行业乱象重庆公布10件典型案例之一。

【无传销村社区创建】 2023年，区市场监管局联合区打传办、公安、民政等部门，发挥辖区各市场监管所及派出所网格化优势，通过走进社区开展讲座、非公党支部党课、召开会议等形式将无传销村社区创建工作部署落地，形成“党政领导、部门联动、密切协作、综合治理”的工作格局，做到“有举报必调查，有问题必查

2023年3月15日，区市场监管局在金科美邻汇广场开展“3·15”国际消费者权益日宣传咨询服务活动　　（区市场监管局　供图）

处”，将无传销社区（村）创建工作落到实处。召开专门会议，明确目标要求，详细部署打击传销工作。区市场监管局联合区级部门开展联合宣传2次，结合“3·15”“质量月”“个人工商户服务月”等大型活动，发放打击传销相关宣传资料3000余份，悬挂横幅20幅。全区各市场监管所采取打击传销走进学校、走进社区、走进集市、走进农贸市场、走进房屋出租屋“五走进”方式开展打击传销宣传，揭露传销活动的欺骗性和违法犯罪的本质，阐释传销活动的特征、违法性、危害性，避免群众上当受骗。联合社区开展打击传销专题讲座，以“打造无传销社区　共建和谐家园”为主题，以身边事教育身边人，增强群众辨识传销的能力，做到自觉抵制、远离传销。年内，全区221个村、49个社区无传销现象。（邹若思）

知识产权

【概况】 2023年，区市场监管局以服务区域经济社会发展、优化区域营商环境、增强区域核心竞争力为根本，围绕创建国家知识产权试点城市，统筹推进知识产权培育、运用、保护和管理工作，促进知识产权与区域经济社会发展深度融合。在重庆市知识产权保护和应用贡献奖评选中，获重庆市知识产权保护工作先进集体称号。

【知识产权培育】 2023年，长寿区申请商标1566件，注册商标947件，累计注册商标14680件；新增授权专利951件，其中授权发明专利227件，累计有效发明专利1625件。全区有中国驰名商标4件，地理标志3件，平均万人发明专利拥有量23.64件。

【知识产权运用】 2023年，长寿区推荐企业参加首届重庆市知识产权专利奖评选，重庆博腾制药股份有限公司的制备1-氯-3-（N-取代）-叔丁氧钾酰胺基-3-取代-2-丙酮的方法专利获得重庆专利银奖；重庆望变电气（集团）股份有限公司的硅钢冷涂后锥度张力收卷工艺专利获得重庆专利优秀奖。

【知识产权保护】 2023年，区市场监管局开展“铁拳”、“蓝天”、农村假冒伪劣食品、杭州亚运会和亚残运会、“川渝制造”知识产权保护专项行动、地标专项检查、“剑网2023”等系列专项行动，整治恶意商标注册申请、违反禁止性规定使用商标、冒充注册商标、侵犯版权等违法行为。落实成渝双城经济圈建设战略部署，围绕“深化川渝知识产权合作、助力区域高质量发展”宗旨，建立川渝八区县市场监督管理局知识产权保护联席会议制度和联络员制度，长寿区检察院与四川省邻水县检察院签订知识产权检察协作协议，建立跨省知识产权保护机制。全年立案查处知识产权案件31件，其中区市场监管局立案查处20件，区文化旅游委立案查处3件，区公安局立案查处7件，区林业局立案查处1件。

【知识产权管理】 2023年，长寿区制定《长寿区关于贯彻落实重庆市知识产权强市建设纲要的实施意见》《长寿区关于贯彻落实重庆市知识产权保护和运用“十四五”规划（2021—2025年）的实施意见》。区市场监管局会同区科技局、区发展改革委、区财政局等部门完成2022年度《重庆市长寿区创新驱动发展战略专项扶持办法》中涉及知识产权奖励的企业上报资料初审工作，兑现奖励扶持资金48万元，其中优势企业44万元，知识产权贯标4万元。根据《重庆市长寿区商标品牌发展奖励办法》，完成2022年度全区商标品牌奖励兑现92万元，其中国家标准参与制定单位80万元，涉外商标12万元。指导重庆（长寿）知识产权运营服务平台开展知识产权全生命周期服务管理。（王　红）

【知识产权示范优势企业】 2023年，重庆长风化学工业有限公司、重庆康普化学工业股份有限公司、重庆瑞霆塑胶有限公司3家企业被认定为国家知识产权示范企业；重庆市佳禾家具制造有限公司、重庆双羽家俱有限公司、重庆钢铁股份有限公司3家企业被认定为国家知识产权优势企业；重庆中润新材料股份有限公司、重庆亿煊新材料科技有限公司、重庆洋迪机电有限公司、中化学华陆新材料有限公司、重庆优久酒业有限公司5家企业被认定为重庆市知识产权优势企业。至年末，长寿区累计有国家级知识产权示范企业6家、国家级知识产权优势企业18家、市级知识产权优势企业69家、市级知识产权试点企业66家。（邹若思）

开放与合作

招商引资

【概况】 2023年，长寿区签约招商项目115个，正式合同额708.7亿元，其中市外招商项目66个，正式合同额655.6亿元。签约20亿元以上招商项目9个。其中20亿元—50亿元项目7个，50亿元—100亿元项目1个，100亿元以上项目1个。市外项目资金到位额194.4亿元，比上年增长19.78%，市外项目新开工44个。

【重大项目招商】 2023年，长寿区坚持招大引强、招新引优、存量企业增效并重。引进百亿级项目1个，引进十亿级制造业项目17个。新引进瑞泊莱总部技术中心及原料药生产线项目等战略性新兴产业项目28个，引资额265.3亿元，占工业引资总额的43.8%。抓存量企业增效，巴斯夫和双象等19家存量企业追加投资81亿元。以“3113”项目攻坚行动计划重大项目为抓手，落实抓项目促投资专项行动，231名服务专员靠前服务，推动长春旭阳投资20亿元的新能源汽车零部件产业园项目等44个市外项目新开工，其中10亿元以上制造业项目开工9个，领新新能源0.5吉瓦时电池生产线等18个项目当年开工、当年投产，恩捷锂电池隔膜等36个重点项目投产，新增产能450亿元。

2023年6月29日，长寿区举行6月份重点招商项目集中签约仪式，签约项目9个，总投资159.5亿元 （徐 强 摄）

【产业招商】 2023年，长寿区聚焦天然气化工新材料、硅基新材料、新能源新材料等主导产业，围绕川维、巴斯夫、华陆、恩捷等龙头链主企业，签约双欣PVA光学膜、领新凝胶固态电池、中船特种材料等新材料项目22个，正式合同额297亿元。签约浙江中国小商品城集团共建重庆义乌数智产业园，探索打造重庆外贸全球供应链数字化服务平台。

【协同招商】 2023年，长寿区优化区内协同招商，成立服务“两地一城”专项招商工作组，构建产业大脑、绘制产业图谱、梳理目标企业，开展协同招商。出台《重庆市长寿区进一步强化招商投资促进工作的若干政策措施》，提供招商引资制度保障。强化市区协同招商，长寿区获批全市首批市区（县）协同招商示范基地，《重庆市招商投资促进局　重庆市长寿区人民政府协同招商工作方案》印发实施，争取招商资源倾斜。深化区域协同招商，长寿区、垫江县协作引进项目，累计实现资金到位额1.85亿元。

【展会招商】 2023年，长寿区利用各类展会、论坛延伸招商触角。西洽会签约招商项目2个，正式合同额43亿元；智博会签约招商项目1个，正式合同额10亿元。（区招商投资局）

【利用外资及港澳台资】 2023年，长寿区调研走访116家外资企业及外资分支机构，组织参加“投资中国年”等招商引资活动，拓展贸易伙伴关系。年内，实际使用外资及港澳台资1096万美元，比上年增长5%，总量排名全市第十二位。其中，长寿经开区引进锂离子电池正极材料项目，吸引港澳台资600万美元，比上年增长32%。（周　宁）

对外贸易

【概况】 2023年，长寿区坚持“引进来”与“走出去”并举，以大开放引领大发展，区域经济的开放度不断提升。全区有外贸进出口经营权的企业150多家，有外贸业绩体现的企业80家，现存外资企业71家，离岸服务外包企业35家。全年实现外贸进出口额101.1亿元，实际使用外资（FDI）1096万美元，实现离岸服务外包执行额1.5亿美元。

【货物贸易】 2023年，长寿区实现外贸进出口额101.1亿元，居全市第九位。其中，以重庆钢铁为代表的钢铁行业进出口额44.4亿元，占全区进出口额的43.92%；以重庆博腾制药为代表的生物医药行业进出口额18.35亿元，占全区进出口额的18.15%。

【服务贸易】 2023年，长寿区开展服务贸易创新发展试点终期评估工作，完成全区金融、数字贸易、物流、科学技术、文化旅游、教育、医疗、法律等领域8项试点任务。培育壮大服务外包市场主体，夯实医药中间体研发服务，拓展数字经济、国际物流、文化旅游、跨境电商等领域，巴斯夫聚氨酯（重庆）有限公司等6家企业被确定为重庆市服务贸易统计监测直报重点企业。加强企业监测与服务，实时监测离岸服务外包龙头企业博腾制药，重点跟进重庆望变电气（集团）股份有限公司等新发展服务外包型企业，开展业务指导，推动服务外包产业高质量发展。全年新增服务外包企业3家，累计35家。实现离岸服务外包执行额1.5亿美元，位列全市第六位，超额完成全年目标任务。

【经贸促进】 2023年，长寿区发展外贸新业态，以义乌数智产业园项目为契机，发展跨境电商；对接重庆市大足区市场采购贸易试点区，培育壮大市场采购贸易主体。提升平台能级，优化贸易环境。申报保税物流中心（B型），提升钢铁、化工品物流集散、存储、分拨、转运等功能，推动物流、贸易等领域合作。推进中国（重庆）自贸试验区长寿联动创新区建设，复制推广自由贸易试验区改革创新成果，激发市场主体活力和发展内生动力，建设更高水平开放合作平台。实施“百团千企”国际市场开拓计划，组团参加第六届中国国际进口博览会和第五届西洽会，先后获1750万美元展位成交金额和5亿元投资额。16家企业走出国门投资兴业，博腾制药全年在斯洛伐克直接投资额3637万美元，重庆万斯金属特种成形有限公司在墨西哥、泰国完成境外建厂考察前期工作。

【外贸主体培育】 2023年，长寿区依托长寿经济技术开发区打造国家外贸转型升级西药基地，拟定《长寿区国家外贸转型升级示范基地（西药）建设规划（2023—2030）》。西药基地出口额占全区出口总额的42%，比上年提高2个百分点。培育千城物资、双象超纤、安盛钾业、合汇制药等一批新的外贸主体，进出口额突破3亿元大关。以长寿柚、鲜鸡蛋出口为引领的农副产品逐渐打开国际市场，全年出口额1000万元。

【服务外贸企业】 2023年，长寿区对20家年进出口额1000万元以上的外贸企业建立动态监测台账，实时更新俄乌冲突、双反调查（反倾销反补贴调查）等贸易风险预警。对年进出口额1亿元以上的重点外贸企业进行“一对一”专人服务。指导企业申报出口信保、贷款贴息、国际市场开拓等外经贸专项资金，全年组织27家外经贸企业申报，获得外经贸专项资金2286万元。实施“百团千企”国际市场开拓计划，组织博腾制药、凯林制药、福安制药等西药基地企业参加西班牙、美国、印度等全球医药展。组织外贸企业参加5个团组，获意向性订单金额3500万元、投资额5亿元。

（周 宁）

融入成渝地区双城经济圈建设

【概况】 2023年，长寿区按照市委关于把成渝地区双城经济圈建设作为“一号工程”和全市工作总抓手总牵引的决策部署，坚持全区域融入、全方位推进，推动《成渝地区双城经济圈建设规划纲要》《重庆市推动成渝地区双城经济圈建设行动方案（2023—2027年）》等落地落实，构建“融主城、联双城”发展新格局，与周边地区协同发展。

【产业协同发展】 2023年，长寿经开区与沿滩高新技术产业园共建第二批川渝合作共建示范园区，联合绵阳、自贡、广安等深化产业园区共建，参与先进制造业和高端创新分工，联动揭牌创新平台4个，集中签约合作项目10个。携手红树林文旅打造大洪湖零碳康养旅游度假地，联合阿里巴巴共建数字乡村生态实验室，与中国科学院合作打造数字农田伏羲系统、智能农机创新平台，长寿湖景区入选国家级旅游线路及首批市级文明景区，菩提古镇获评国家级夜间文旅消费集聚区。明月山七区县发布5条精品主题旅游线路，23家景区实施门票减免。共育数字健康产业。制造业数字化转型赋能中心建成投用，同城双活获批全市政务云同城灾备中心，经开区智慧园区被纳入全市数字经济项目库。推进“人人长寿”全民全生命周期健康管理，引进数字健康企业18家，打造国际一流的癌症防治中心和西部康复医疗高地。建成投用西南地区最大供氢中心，中航油西南战略储运基地建成投用，黄草峡储气库、四三五处置换油库提速建设。

【基础设施互联互通】 2023年，两江新区至长寿区快速通道8个作业面同时施工，渝宜高铁长寿至涪陵段启动项目初步设计。合广长三地联合启动合广长高速前期工作。广涪柳铁路、城宣大邻高速、合川至北碚至长寿高速、重庆东向物流大通道等被纳入规划。明月山绿色发展示范带西部陆海新通道铁海联运班列在长寿区首发，与浙江海港集团共建川江物流枢纽，开行中欧班列（成渝）长寿多式联运集结中心班列，争取重庆港扩大开放长寿港区，争取保税物流中心（B型）。构建江海联运和西部陆海新通道枢纽节点，西部陆海新通道长寿班列稳定开行，推进渝巴物流化工新材料分拨中心等27个项目建设，获评重庆市“一带一路”进出口商品集散中心暨内陆国际物流分拨中心示范基地，“疆煤入长”铁水联运实现首发，合广长三地港口企业推进联动发展。

【生态共保共治】 2023年，长寿区协同推进长江生态廊道建设，实施“两岸青山·千里林带”建设2.2万亩，桃花溪被纳入全国15条幸福河流创建，“三线一单”分区管控获评全国先进，新增国家级绿色工厂5个，建成投运西南地区规模最大、工艺最先进的工业固废处置中心。长寿广安联合申报大洪湖流域水生态保护修复项目，被纳入中央专项资金项目储备库。同广安、达州、乐山等地协同推进河流污染、大气污染、土壤污染联防联治。携手邻水县等推进森林资源共保和森林防火，共推大洪湖跨界水生态修复，共同开展流域工业污染、畜禽养殖、环境风险隐患联防联治，协同推进明月山生态修复。

【公共服务共建共享】 2023年，长

2023年6月6日，西南地区规模最大、工艺最先进的工业固废处置中心——中国石化西南危废处置中心正式揭牌 （区融媒体中心 供图）

寿区落实“川渝通办”事项311项、西南五省政务服务“跨省通办”148项、“跨区县通办”362项，线下办理6400余件。启动国际儿童友好城市创建，联合清华大学启动幸福学校建设。合广长三地联合开展医疗检验检查项目结果互认。成立川渝“阳光校园·快乐家园”心育共同体，协同举办创业创新大赛等。11名双城经济圈专家团成员“走进长寿”开展助企惠民服务。长寿区、广安市18所中小学开展结对共建，长寿区、邻水县建立110警情接转处置合作，联合处置警情30余起。承办国际棋联女子世界锦标赛对抗赛、川渝博物馆主会场活动暨区博物馆开馆仪式、川渝桥牌赛等重大活动30余场次。（殷巧玉）

【“川渝通办”服务】 2023年1月3日，重庆市长寿区政务服务管理办公室与四川省彭州市行政审批局签订“川渝通办”政务服务合作协议。7月27日，重庆市长寿区政务服务管理办公室与重庆市渝北区、北碚区、大渡口区、合川区政务服务管理办公室和重庆市两江新区政务中心以及四川省广安市政务服务管理局签订《渝广毗邻地区签订政务服务“跨省通办”合作协议》。推动成渝地区双城经济圈建设走深走实，全年“川渝通办”事项线下办理7900余件。（余冬梅）

【成渝地区双城经济圈专家团“走进长寿”】 2023年5月4—6日，成渝地区双城经济圈专家团“走进长寿”活动举行。该专家团由中国工程院院士、市科协主席潘复生领衔。活动由重庆市人力资源和社会保障局、四川省人力资源和社会保障厅、长寿区委、区政府共同牵头实施。川渝两地专家服务部门根据长寿区提出的智力需求，通过“定点特邀、按需匹配”的方式，匹配工业智造、现代服务、规划建设、文化旅游、医疗卫生领域高层次专家，包括中国工程院院士1人、四川专家2人、北京专家1人、湖北专家1人、重庆专家6人。活动期间，11位专家聚焦长寿区加快建设“两地一城”，推进国际化绿色化智能化人文化中国长寿城建设的发展定位，深入17家单位，开展各类技术指导49次、学术讲座7场、座谈交流13次，提出意见建议上百条，直接培训指导274人，惠及基层群众2500余人。其间，专家团全员受聘为助力长寿高质量发展特聘专家，区委书记、长寿经开区党工委书记刘小强为专家颁发聘书。

【长寿区12个项目入围《共建成渝地区双城经济圈2023年重大项目清单》】 2023年，长寿区12个项目入围《共建成渝地区双城经济圈2023年重大项目清单》。其中，由市级部门牵头建设项目3个（两江新区至长寿道路建设、长江干线朝天门至涪陵段航道整治工程、重庆至宜昌高速铁路），由长寿区牵头建设项目9个（黄草峡储气库建设工程、中国航油西南战略储运基地、新能源材料及循环经济项目、长寿高性能锂离子电池微孔隔膜项目、五华山康养休闲旅游度假区、长寿湖文化产业园、龙溪河生态修复综合整治、长寿区明月山片区废弃矿山生态修复项目、重庆港口岸扩大开放长寿港区项目）。全年完成投资32亿元。（殷巧玉）

长寿经济技术开发区

【概况】 长寿经济技术开发区（简称长寿经开区）是2010年经国务院批准设立的国家级经济技术开发区，管理服务面积102平方千米，累计开发面积45平方千米，入驻企业659家，汇聚巴斯夫、BP、达尔凯等世界500强企业27家，LG化学、威立雅等跨国公司64家，博腾科技、小康股份等上市公司63家。形成天然气化工新材料、钢铁先进材料两大主导产业，以及硅基新材料、新能源材料、绿色医药、装备制造四大特色产业。先后获得国家化工新材料高新技术产业化基地、国家知识产权示范园区、国家外贸转型升级基地、国家产业转型升级示范园区、国家绿色园区、国家知识产权强国建设试点、中国智慧化工园区试点、生产服务型国家物流枢纽等称号。2023年，商务部国家级经开区综合发展水平考核列第三十六位，居西部地区第三、重庆市第一。

【新材料高地建设】 2023年，长寿经开区围绕“打造世界一流园区，建设具有全球影响力的新材料高地”战略目标，实施“3113”项目攻坚行动计划。全年“四上企业”营业收入1640亿元；规上工业产值1349.5亿元，比上年增长10.5%；固定资产投资196亿元，比上年增长17.9%；实际使用外资1082万美元，比上年增长10.5%；进出口额100亿元；全口径就业人口7万余人，企业工资性支出总额56.4亿元；税收34.6亿元。

【项目引进】 2023年，长寿经开区引入宝武清能、宝武环科、常州钢劲等企业，形成以宝武重钢为龙头的“一基五元”生态圈。渝化新材投资170亿元天然气化工新材料一体化、内蒙古双欣投资45.5亿元PVA光学膜等龙头项目落户。吸引宁波宏协、星链电动车等20余家新能源汽车零部件企业落户。华陆科技一步法硅酸酯项目解决关键原料外购问题，着手布局硅基气凝胶上下游产业。国际复合

F13线投产，扩大市场占有率，夯实硅基新材料产业龙头地位。弈柯莱布局建设50吨瑞鲍迪苷D/瑞鲍迪苷M项目，成为国内最早通过合成生物学方法批量生产甜菊糖苷的企业，产品HMOs正式获批，是国内唯一获批企业。

2023年2月15日，长寿经开区保供企业重庆焜田燃气公司总经理在用户会上作出供气保障承诺　　（长寿经开区　供图）

【项目建设】　2023年，长寿经开区推进成渝地区双城经济圈重大项目、重大平台建设，其中3个重大项目年度投资23.8亿元，3个重大平台完成阶段性建设目标。“3113”项目攻坚行动计划特别重大项目21个，阶段性完工项目4个，推进项目13个，优化调整项目4个。重大建设项目82个，完成投资180.2亿元，完成年度任务。国复高性能玻纤、恩捷锂电隔膜、望变成套装备及磁性材料4个特别重大项目完成目标任务；重钢产量破千万吨，产品首次出口国际市场，不锈钢复合板轧制成功；华陆科技超临界纳米级硅基气凝胶产品打开欧美市场；小康动力单月产能增长超10倍；巴斯夫MDI优化提升项目提前开工，恺迪苏斐康®蛋白质项目投产；川维化工PVA光学膜突破“卡脖子”技术，双象光学PMMA/MMA、神龙腾达等一批重大项目抢工期、抓进度，提前建成投产。领新新能源第一条产线实现当年签约、当年开工、当年投产。

2023年12月20日，国内首个天然气副产氢纯化供氢加氢一体化项目在长寿经开区投运　　（区融媒体中心　供图）

【要素保障】　2023年，长寿经开区多方协调，为企业提供要素保障，引进三峰靖江港务、曹妃甸祥嘉康实业等10余家企业，合作共建综合物流枢纽。与重庆渝川燃气签订合作协议，构建区域综合能源多能互补机制，降低用气成本，保障重点企业供气。强化天然气电力迎峰度冬度夏调度，保障巴斯夫、望变电气、重钢股份、国际复合等重点企业满负荷生产。全年供电90亿千瓦时、水1亿吨、天然气25.4亿立方米、煤846万吨、蒸汽1056万吨，获批土地73.33公顷，交付新能源片区及企业用地266.67公顷。

【企业服务】　2023年，长寿经开区完成21家企业升规，新增专精特新企业25家、国家专精特新“小巨人”企业2家，建成市级数字化车间11个、市级智能工厂1家。深化行政审批和行政执法体制机制改革，9个区级部门派驻代表27人靠前服务，提升审批效率，形成监管合力。建立“3113”重大项目工作专班，提供项目规划、立项、审批、建设全流程服务。落实惠企政策，为企业减税降费超10亿元，其中留抵退税5.6亿元，出口退税4亿元。打造全方位融资服务体系，帮助企业获得各类融资160余亿元。出台《经开区人力资源专项补贴办法》，

2023年1月17日，长寿经开区召开政银企座谈会，协调经开区企业金融服务工作 （长寿经开区 供图）

解决企业用工6000余人。开展上市培育，将42家企业纳入拟上市资源库，2家企业进入市级上市辅导。支持国有投融资平台开展对外投资，长寿发展集团完成对国际复合IPO战略配售出资，参与欣欣向荣、斯泰克、康普化学等企业上市或转板投资。

【安全生产】 2023年，长寿经开区围绕聚氨酯产业链打造安全链，创新建立经开区产业链安全协同管理体系，整体推动MDI产业链上下游企业安全管理能力提升。建立以企业技术骨干为主的应急专家库，发挥专业支撑作用，帮助企业提高安全管理水平。升级智慧园区平台，有毒有害预警体系、消防安全监测体系等稳定运行。信息化平台全部完成上云部署，安全等级保护达到“三级等保技术标准”。建立健全经开区危化品运输封闭管理制度，采用数字化智能化技术，实现危化品车辆登记预约申报和电子围栏闭环管理。全年无较大以上安全环保事故。

【环境保护】 2023年，长寿经开区入选重庆市首批近零碳园区建设试点，入选全国第二批清洁生产审核创新试点，为重庆市唯一；举办2023（第十届）中国责任关怀促进大会，为西部首次；编制完成《经开区碳达峰碳中和行动方案》并通过专家审查；协同区生态环境局在首届碳博会参展。开展绿色工厂建设，巴斯夫、小康动力获批国家级绿色工厂，博腾制药、永航钢铁、大禹防水、卡贝乐获批市级绿色工厂。打造绿色案例示范，规划环评入选生态环境部温室气体排放环境影响评价典型案例。

【长寿经开区获批成渝地区双城经济圈合作示范园】 2023年3月，“长寿经开区—沿滩高新区”千亿级天然气化工新材料产业合作示范园区获四川省经信厅、重庆市经信委联合批准，成为第二批成渝地区双城经济圈产业合作示范园。长寿经开区、沿滩高新区共同成立天然气化工新材料产业集群共建领导小组，建立常态化互访、干部挂职锻炼和联合招商等合作机制，双方多次在园区建设、安全管理、人才流动等方面互访交流。年内，两地共同举办BDO与锂电材料NMP、PVDF产业论坛，邀请BDO产业链上下相关企业约250家参会。共同召开2场项目招商推介会，对接招商引资重点企业10余家。全年两地合作规上企业63家，合作规上企业产值439.66亿元，比上年增长15%。

2023年7月12日，长寿经开区生态环境局组织园区30余家碳排放企业开展2023年全国低碳日宣传活动 （长寿经开区 供图）

【长寿经开区国际合作产业园开工】 2023年，长寿经开区国际合作产业园创新基地项目开工。该项目位于长寿经开区八颗片区，总用地4.43公顷，总建筑面积14.85万平方米，其中地上建筑面积10.28万平方米，地下建筑4.57万平方米。项目总概算批复金额89243万元，其中亚洲银行贷款4772.2万欧元。

【企业选介】 巴斯夫聚氨酯（重庆）有限公司 该公司成立于2011年5月，是巴斯夫公司（全球最大的化学公司之一，主要从事化学品、塑料、农用产品、专用材料及精细化工等领域的研究和生产）投资的外商独资企业，在长寿建设年产40万吨MDI（二苯基甲烷二异氰酸酯）项目，总投资约80亿元。包括40万吨/年硝基苯生产装置、30万吨/年苯胺生产装置、40万吨/年CMDI生产装置、40万吨/年MDI精制生产装置、2万吨/年MDI预聚物生产装置等。2015年9月试运行和产出第一批MDI合格产品。2023年，公司产值60.3亿元，比上年下降2.2%；税收4.8亿元，比上年下降19%。

华陆工程科技有限责任公司 该公司于2020年9月由中国化学工程集团华陆工程科技有限责任公司控股成立，在长寿投资建设30万立方米/年硅基纳米气凝胶复合材料一体化项目。该项目计划总投资50亿元，占地62.53公顷，年产30万立方米气凝胶，并配套硅酸酯、气凝胶制品、碳硅材料、高纯硅溶胶等上下游高端硅基材料及衍生品，形成多产品协同发展百亿产业布局。项目一期5万立方米/年硅基气凝胶复合材料项目于2022年3月建成投产。2023年，公司产值1.9亿元，比上年增长165.1%。

亚士集团及亚士创能西南综合智能制造基地项目 该项目总占地面积34.8公顷，总投资20亿元。项目分两期建设，其中一期占地28.53公顷，投资约12亿元，二期预留6.27公顷。一期建成年产60万吨功能型建筑涂料、800万平方米保温装饰一体板、15万立方米改性保温板、20万吨砂浆腻子、6000万平方米SBS防水卷材、2000万平方米高分子防水卷材、5万吨水性沥青防水涂料、8万吨JS防水涂料、10万吨聚氨酯防水涂料、5000吨水性色浆、2万吨溶剂型涂料、4000万只包装罐等产品。2023年，公司产值11.3亿元，比上年增长122%。

（长寿经开区）

重庆长寿开发投资（集团）有限公司 该公司成立于2002年9月，是区管重点国有企业，原名重庆长寿基础设施开发有限公司，2007年5月更名为长寿开投集团，注册资本金10亿元人民币，主体信用等级为AA+。2013—2022年，与北城公司、乐至公司、商贸物流公司、盈地集团整合，下辖子企业盈新数字公司、重庆盈地集团、开投建设公司、城市运营公司、开投水务公司，主要开展数字资源、产业发展、开发建设、城乡公共服务及资产管理四大核心业务。2023年，实施长寿区数字底座及场景开发项目，推进5G智能网联、长寿柚产业大脑等项目。接待和外出考察企业200家次，储备项目75个，签约项目35个，合同引资额169.5亿元。为入驻商贸物流企业申报2022年度商贸产业发展资金2200万元。双创孵化园入驻企业累计突破200家，全年商贸物流额380亿元、税收1.2亿元。承担建设项目108个，其中“3113”项目攻坚行动计划重大项目41个，总投资1100亿元，完成年度投资38.11亿元。全年资产运营收益13978万元，其中房屋资产运营收入13700万元，停车泊位营业收入1122万元，实现利润278万元。为77所学校和7个机关企事业单位供货，全年销售额8635万元，利润259万元；全年总供水量1218.13万立方米，售水量872.04万立方米，供水收入2700万元。实施股权投资项目16个，投资金额9.64亿元。有偿取得区国资委持有保安公司15%股权，配合完成宏昌担保公司31.5%股权转让事宜。至年末，集团公司资产总额890亿元，比上年增长7.76%。 （张文铃）

重庆长寿投资发展集团有限公司 该公司成立于2011年，是经区政府批准组建的国有全资公司，区国资委控股，长寿经开区管委会参股。2021年，公司改革重组为长寿投资发展集团，注册资本50亿元，主体信用等级AA+。2023年3月，集团公司获批深化改革创新发展总体方案，下辖长寿经开集团、长寿合融公司、飞华环保公司、长寿产融中心（宏昌担保公司）、长寿保安集团、渝巴物流公司等31家全资及控股子公司，其中区管一级企业6家。集团公司以市场化转型、现代化管理、规范化运作为主攻方向，强化资本运作，加快重组步伐，扩张战略版图，做大实体产业，逐步构建形成金融服务平台、开发建设平台、产业发展平台三大平台和智慧城市新建设、文旅体养新融合、临港经济新业态、先进制造新材料、产业资本新金融、产业升级新运作六大业务体系。长寿经开集团获评区级重大项目攻坚及招商工作先进集体，渝巴物流公司获评重庆市第一批“一带一路”进出口商品集散中心暨内陆国际物流分拨中心示范基地，飞华环保公司获评重庆知识产权优势企业，景区公司入选重庆市企业创新奖、长寿湖景区入选重庆市智慧旅游示范景区。2023年，集团公司完成固定资产投资52.09亿元，完成筹融资211.26亿元，盘活存量资产15843.77万元。全年营业收入50.62亿元，资本运营收入1.9亿元；利润总额3.82亿元。至年末，资产规模871.82亿元，比上年增长6.99%；负债总额505.02亿元，资产负债率57.93%。

（长寿发展集团）

长寿高新区新市组团（傅治智2023年6月25日摄）

长寿高新技术产业开发区

【概况】 重庆长寿高新技术产业开发区（简称长寿高新区）是重庆市人民政府于2018年批准设立的市级高新区，控制规划面积17.15平方千米。长寿高新区以建设中国长寿生命科学城、中国西部数谷为引领，秉承“要素集聚、产业集群、产城融合、创新驱动”发展理念，推进产业集群化、链条式发展，构建实体经济、科技创新、现代金融、人力资源协同发展的创新生态产业体系。作为中国长寿生命科学城产学研核心平台，长寿高新区重点发展以生物创新药、现代中药、保健食品、食品及农产品加工等产业为代表的健康产业，以数据应用及服务、数据中心、智能家居及消费电子等产业为代表的数字产业和以数字治疗、医药电商等产业为代表的数字健康服务产业。2023年，长寿高新区实现总产值248亿元，规上工业总产值213亿元（其中数字健康产业产值92.4亿元），完成固定资产投资41亿元，完成重大项目投资32.37亿元，新增投产企业15家。至年末，园区入驻企业298家，建成投产企业192家，拥有规上工业企业84家，拥有高新技术企业74家，科技型企业172家。园区相继获重庆市健康科技产业基地、重庆市物联网产业园、重庆市知识产权试点园区、十佳优质营商服务园区、重庆市智能家居特色产业基地、中国建材园区20强等称号；被2023品牌影响力发展论坛评为“2023十佳优质营商服务园区”。

长寿高新区数字健康产业园区（傅治智2023年6月25日摄）

【聚商选资】 2023年，长寿高新区细化产业图谱和产业链条，锚定3个重点领域74个细分产业方向，强化数字健康主导产业招引，全年外出招商考察180余家次，接待企业考察230余家次，储备招商项目120个，签约上汽集团云计算中心及西南地区研发运营总部、奇方迪泰中药MAH持有及研发平台、中科未来城酒店等项目24个，全年合同引资151.9亿元。

【项目建设】 2023年，长寿高新区聚焦“3113”项目攻坚，全面实施开工一批、建设一批、投产一批“三个一批”项目滚动机制，围绕中国长寿生命科学城产学研核心支撑平台和中国西部数谷建设，全年实施重大建设项目32个，总投资164亿元，其中政府类8个，市场类24个，完成投资32.37亿元，坤煌（长寿）食品产业园、中药片剂、胶囊剂、颗粒剂生产项目和上汽集团云计算中心及西南地区研发运营总部等一批数字健康产业项目完工90%。

【数字科技变革】 2023年，长寿高新区实施科技创新和数字化变革战略，以数字重庆建设和中国西部数谷打造为契机，新培育专精特新“小巨人”企业10家、科技型企业20家、高新技术企业23家，新授权发明专利28件，完成鑫奇、重庆药研院等一批制造业企业智能制造能力成熟度评估。以数字重庆建设“1361”整体框架为遵循，按照中国西部数谷“11538”总体布局，推进数字健康产业大脑和重庆长寿制造业数字化转型赋能中心建设，数字健康产业大脑完成电脑端、大屏端、移动端3端系统建设，完善企业、园区、部门数据归集，重庆长寿制造业数字化转型赋能中心完成实体装修及部分展陈内容设计制作，联合市经信委智能处优化调整展陈内容，入驻火石数智、阿里巴巴等基础数商、能力数商58家。

【企业服务】 2023年，长寿高新区组织专题政策宣传贯彻会14场，园区结对帮扶人员和服务专员走访企业298家，反馈政策、资金、人才等各类问题67个，其中协调解决61个，推进解决6个。争取各项专项资金，帮助药研院等在建项目申报中央资金3800余万元，帮助清友园、合之润等申报一、二、三产业融合技改资金115万元，帮助穗花、双羽等企业获得贷款贴息200多万元，搭建政银企交流渠道，协调中信银行、重庆银行、农业银行、工商银行、建设银行等为企业解决资金困难。

【数字物流】 2023年，长寿高新区与交通运输部中国交通通信信息中心合作，以其旗下专业物流科技平台重庆交信物联科技有限公司为依托，投资1.5亿元大力实施数字物流示范工程项目，运用物联网、大数据、人工智能、区块链、云计算、5G通信、北斗定位等高科技技术手段，打造数字化新型物流平台和数字化交通新型基础设施，最大可缩短物流通行时间15%，有效降低货运成本最高10%，完成消费型数字物流分拨中心中转仓建设。以重庆交信物联科技有限公司为主体，投资10亿元开展数字化换电项目，利用自动驾驶、智能调度、数据分析、安全监测等技术手段，对货运车辆进行数字化和新能源改造，降低运输成本、提升运输效率，建立以长寿为集货起点的物流省际干线，规划西南地区站点布设，同时引进重庆物数、重庆宏医等11家物流企业入驻，合同引资16亿元。

【人才引育】 2023年，长寿高新区以“十万英才聚长寿”育才计划为统领，联动区委组织部、区人力社保局、区科技局等相关单位，推动重庆药研院、上汽帆一尚行、交信物联、火石创造等数字健康科研团队落地入驻，落实人才奖补政策。至年末，共引进高层次人才51名，其中外籍3名，1名中国科学院“百人计划”专家，省级领军人才4名，市“英才计划”1人，首届长寿英才9名（创新领军人才2名，创业领军人才3名，经营管理领军人才1名，创新创业示范团队2个，青年拔尖人才1名），硕士以上学历32名（其中博士16名，博士后1名），涵盖生物医药、信息通信、自动化控制、工业设计等领域。长寿高新区与中国科学院、重庆大学、迪比智能研究院等多所高校及科研院所签订战略合作协议，推进数字健康产业链、人才链深度融合，在市经信委的指导下联合重庆工信学院打造重庆第一批由产业园区牵头的产教联合体，联合体投用后每年为园区输出数字健康专业人才不少于200人。

【企业选介】 中科微针（北京）科技有限公司　该公司是中国科学院相关科技成果转化基地，2019年落户长寿，拥有微针给药技术全产业链自主知识产权，申请国内专利52件、国际专利13件，已授权国内专利33件，其中发明专利20件。公司主要经营化妆品、医疗器械、消毒剂生产和销售，技术开发、咨询、服务转让，技术进出口等；拥有科斯媄、中科思媄两大品牌祛斑、祛皱、祛痘、祛眼袋、祛黑眼圈等系列产品35个。2023年，公司产值1.05亿元，比上年增长78%；纳税1256万元。

重庆交信物联科技有限公司　该公司2023年落户长寿，是具有交通大数据优势的专业运输物流科技平台企业，主营充换电网络、数字物流和交通数据业务，开展基于北斗3的重卡充换电站、数字仓储、交通基础设施物联网为基础要素的交通新基建建设，构建“电池银行+换电站+换电车辆+换电网络”的3+1交通运输行业新能源生态和区域换电网络建设运营解决方案；构建“数字仓储+终端网点+物流机器人+物流物联网+新能源货车”组成的数字物流体系，为中小制造企业提供供应链物流服务。当年公司产值0.2亿元。

重庆中木智能家具有限公司　该公司2016年落户长寿，是集研发、设计、生产、服务为一体的专业化民营企业，拥有员工近300人。2023年，公司产值5.74亿元，比上年增长9.3%；纳税129万元。（长寿高新区）

民营经济

综　述

2023年，长寿区新增市场主体12832户，其中个体工商户新增10622户，企业新增2210户（民营企业新增1988户）。市场主体总数82426户，其中个体工商户总数63549户，企业总数18877户（民营企业总数17280户）。全区民营经济增加值514.1亿元，占全区生产总值的53.7%，比上年增长6.1%。其中，第一产业增加值66亿元，比上年增长4.5%；第二产业增加值281亿元，比上年增长5.4%；第三产业增加值167亿，比上年增长8%。

（冉小冬）

市场主体培育

【概况】 2023年，长寿区规上工业总产值1577.9亿元，比上年增长6.2%；工业增加值增长8.6%；全区市场主体纳税百强企业中，民营企业纳税总额占比近60%。新增市场主体1.28万户，总数8.24万户，增长16.9%，105家企业升规达限，经济证券化工作获市政府通报激励。新培育高新技术企业54家、科技型企业289家、专精特新中小企业38家、专精特新“小巨人”企业2家。发放知识价值信用贷款1.2亿元，技术合同交易额9.4亿元。实施科研项目“揭榜挂帅”攻关机制，重庆凯林制药有限公司获全市科技进步奖。入选全市首批先进材料产教联合体，举办2023重庆国际人才交流大会——新材料产业国际人才合作专场活动。实施“十万英才聚长寿”育才计划，引进院士1人、市区级人才计划专家180人。实现外贸进出口100亿元、离岸服务外包1.5亿美元，实际使用外资1200万美元。实施智能化改造项目56个，建成智能工厂1家、数字化车间11个、5G全连接工厂1家，重庆小康动力有限公司获重庆数字化车间和智能工厂评比考核第一名，重庆博腾制药科技股份有限公司获评全国智能制造示范工厂。推动民营企业上市，新增重庆鼎盛印务股份有限公司进入市级拟上市培育库。

【民营企业培优】 2023年10月17日，市工商联、市科技局、市经济信息委联合举办“2023重庆民营企业100强发布会”，长寿区内的重庆博腾制药科技股份有限公司、重庆华硕建设有限公司、重庆渝发建设有限公司、重庆穗花食为天粮油有限公司、重庆永航钢铁集团有限公司、重庆望变电气（集团）股份有限公司、福安药业（集团）股份有限公司、重庆奕翔化工有限公司8家民营企业入围“2023重庆民营企业100强榜单”。重庆博腾制药科技股份有限公司、重庆永航钢铁集团有限公司、重庆望变电气（集团）股份有限公司、福安药业（集团）股份有限公司、重庆奕翔化工有限公司、重庆环松科技工业有限公司、重庆市映天辉氯碱化工有限公司、重庆中润新材料科技股份有限公司8家民营企业入围“2023重庆制造业民营企业100强榜单”。

【民营企业创新】 2023年，长寿区组织40余名民营企业家以“渝广毗邻地区商会联盟”为纽带，加强互动交流，转变创新发展路子，拓展市场空间。组织120余名民营企业家拜访江苏省重庆商会、长寿乌鲁木齐商会及与在粤发展长寿籍民营经济人士代表展开“长商一家亲·渝粤千里荟”主题交流，借鉴先进创新创业经验。组织50余名企业家，参加《企业数字化转型》讲座及“数字变革·渝浙对接——渝浙两地政企代表数字化变革交流研讨会”等活动。全年累计400余人次民营企业家参与对外考察学习和交流活动。引导企业加大研发投入，提升科技创新能力，全区4家企业入围“2023重庆民营企业科技创新指数100强”榜单，数量位居全市第八名。全市民营企业科技100强已上市企业共18家，长寿区占2家。重庆市映天辉氯碱化工有限公司、重庆科顺新材料科技有限公司2家企业首次上榜；重庆博腾制药科技股份有限公司进入民营企业科技100强利润总额前三名、研发人员总数前五名、高层次人才前三名。

【市场主体信用体系建设】 2023年，长寿区组织专家到30余家民营企业开展健康把脉问诊。开展社会信用体系建设宣传活动，组织发动机关全体干部职工利用微信群、QQ群等宣传诚信典型案例、权威政策解读及诚信文化理念等，引导民营企业把诚信文化融入生产经营过程。开展“诚信建设树典型”活动，举办“长寿民企更长寿——探寻民营企业全生命周期健康密码”主题活动。指导民营企业开展信用修复，协同区税务局、区司法局、区应急局对涉案企业开展合规整改评审，促进已经营42年的民营企业长寿区鑫宇化工建材厂完成涉案企业合规整改。

【法治民企建设】 2023年，长寿区推出“中小民营企业权益保护和维权途径”广播节目，促进民营企业增强权益保护意识。推进涉案企业合规改革工作，累计2家企业完成合规整改并免于被刑事起诉。区经济信息委、区农业农村委等6个职能部门联合印发《关于推进清廉民营企业建设的工作方案》，选树重庆望变电气（集团）股份有限公司、重庆小康动力有限公司、亚士创能新材料（重庆）有限公司3家民营企业开展清廉民企示范创建工作。累计发出清廉民营企业建设倡议书2000余份；签订《构建亲清政商关系承诺书》100余份；发放《清廉民企这样建》《清廉守正》书籍400余册；制作张贴清廉民营企业建设宣传海报1000余张。指导企业做好内控、外控制度迭代升级，紧盯企业管理薄弱点、问题易发风险点，增加流程、岗位和职责的监督阀门，节约内控成本300余万元。 （冉小冬）

2023年8月28日，长寿区在长寿经开区科创园举办化工行业沙龙活动助力民营企业数字化转型 （区融媒体中心　供图）

民营企业服务保障

【概况】 2023年，长寿区探索建立民营企业全生命周期服务体系，全年召开民营企业座谈会6场，解决民营企业突出痛点难点堵点问题60余个。新增减税降费5.7亿元、留抵退税5.8亿元，帮助中小微企业融资150亿元，45家企业获批应急转贷资金5亿元。新增民营企业1988户，比上年增长20.85%，占企业新增量的96.03%。总量17280户。

【稳企惠企政策措施】 2023年，区工商联提供政策直达、事项协调等“保姆式”服务，发放《推动民营经济高质量发展政策汇编》500余册，提供协调服务30余次。在社保、纳税等领域宣传“精准推送、免申即享”，实现留抵退税5.8亿余元，失业保险稳岗返还金2400余万元。联合相关部门开展民营企业创新发展服务月系列活动、“大数据管税模式下企业税务风险管理”培训等，惠及民营企业500余家次。

【民营企业“法治体检”】 2023年，区工商联深入民营企业宣传公司法、合伙企业法、个人独资企业法等法律法规。定期举办民营企业法治教育专题培训，推动各基层商会与律师事务所强化信息沟通、人员融通、业务联通，共同做好民营企业法律服务工作，全年为会员企业开展维权服务20余次。工商联与政法部门、有关执法机关沟通，建立健全政企沟通协商制度，畅通企业诉求反映渠道，引导民营企业通过正当合理渠道反映维权诉求，制定出台服务保障民营经济高质量发展12条措施，开展“安商护企”专项行动，依法惩治各类侵害市场主体合法权益的刑事犯罪64件68人，营商环境“执行合同”指标考核位列全市第一名。

【民营企业融资服务】 2023年，区工商联组织民营企业与金融机构对接，促成136家民营市场主体获得信用贷款4.8亿元。工商银行、农业银行、重庆银行等累计为民营企业提供融资73.4亿余元。

【民营经济纠纷调解】 2023年，区工商联设立“常青树（常倾诉）”平台，促进民营企业家常扫码表达诉求、常电话反映问题，拓展民营企业诉求反映渠道。多方式宣传法律援助、人民调解、劳动保障监察、劳动人事争议仲裁等法律法规，推动企业依法用工，增强劳动者依法维权意识。年内，配合区司法局，通过区法院完成司法确认4件，区劳动人事争议仲裁院共立案受理案件2180余件，维权金额6589万余元。

【民营经济营商环境打造】 2023年一季度，区工商联面向100家民营企业，对全区营商环境满意度开展问卷调查，设要素环境、政务环境、市场环境、法治环境、营商环境5类指标，细分9个子项了解民营企业对相关问题的客观意见，形成1期高质量营商环境调研成果，转呈区政府决策参考。组织民营企业配合完成市对区万家企业满意度调查。协同有关涉企执法部门，聚焦涉企检查事项多、频次高、随意检查等问题，选定重点区域、代表性行业的民营企业推进优化涉企执法监管新路径试点。通过实行企业承诺、推行“挂牌”“星级”数据库管理和集约监管等措施，优化民营经济营商环境。

2023年9月8日，区法院为民营企业提供法律保障服务

（区融媒体中心　供图）

【民营企业家培育】 2023年6月19日，重庆市召开推动民营经济高质量发展大会，对优秀民营企业家和优秀民营企业进行表彰。全市共表彰重庆市优秀民营企业家89名、重庆市优秀民营企业95家。长寿区内的重庆华硕建设有限公司董事长袁昌勇、重庆欣欣向荣精细化工有限公司董事长唐凌、重庆市泓禧科技股份有限公司董事长谭震3名民营企业家获评“重庆市优秀民营企业家”；重庆博腾制药科技股份有限公司、重庆望变电气（集团）股份有限公司、重庆奕翔化工有限公司3家民营企业获“重庆市优秀民营企业”称号。 （冉小冬）

中小民营企业

【概况】 2023年，长寿区新培育创新型中小企业39家、专精特新和“小巨人”企业40家、科技型企业289家、高新技术企业54家、“四上”企业105家、上云上平台企业24家，推动“个转企”101家。

【专精特新中小企业】 2023年，长寿区培育重庆锦亿繁科技发展有限公司、立邦涂料（重庆）化工有限公司等专精特新中小企业38家。累计培育专精特新中小企业100家。

【专精特新“小巨人”企业】 2023年，长寿区新增重庆聚狮新材料科技有限公司、贝利科技（重庆）有限公司2家国家级专精特新“小巨人”企业，累计培育国家级专精特新“小巨人”企业10家。 （代鑫龙）

民营企业选介

【重庆奕翔化工有限公司】 该公司系江苏双象集团全资子公司，2017年11月23日成立，位于重庆市长寿区化北二路9号，注册资本5亿元。公司年产45万吨甲基丙烯酸甲酯（MMA）、7万吨甲基丙烯酸（MAA）、8万吨甲基丙烯酸特种酯（PMMA）。项目总投资45亿元。一期产能22.5万吨甲基丙烯酸甲酯（MMA）项目于2019年11月建成投产，产能位居全国第一，2020年该项目被列为重庆市产业链“链主”产业政策规划重点项目。先后获高新技术企业、瞪羚企业、重庆市智能工厂、数字化车间和专精特新企业等称号。2023年，完成工业总产值36亿元，比上年增长28%；实现利润1.6亿元，比上年增长7%；缴纳税金3530万元。

【重庆聚狮新材料科技有限公司】 该公司是由嘉兴化医新材料股权投资合伙企业（有限合伙）、重庆市映天辉氯碱化工有限公司、重庆聚润化工有限公司、重庆捷康化工有限公司共同出资成立的一家集研发、生产、销售于一体的高新技术企业，注册资本13750万元。该公司通过与国内研究院及高等院校合作，开发出拥有自主知识产权的聚苯硫醚新工艺，建立起国内首套万吨级PPS生产装置，生产的高性能PPS产品品质在国内处于领先水平，并能根据需要提供不同的PPS纯树脂或粒料，产品主要技术性能指标达到国外同类产品标准，部分指标超过国外同类产品标准，位居国内第二、全球第七。与日本东丽、DIC、韩国SK、LAOUEN、杰事杰等建立长期战略合作关系。2023年，生产聚苯硫醚4229吨，销售3156吨，完成销售收入14589万元，缴纳税金24.5万元。

【重庆科顺新材料科技有限公司】 该公司成立于2011年，是一家集建筑防水材料研发、制造、销售、技术服务和防水工程施工于一体的重点高新技术企业、专精特新中小企业。产品涵盖防水卷材、防水涂料两大类100多个品种，通过质量管理、环境管理、职业安全健康管理三体系认证、ISO50001能源管理体系认证等。2022年度重庆科顺主导产品“CKS科顺”高抗拉耐候改性沥青节能防水卷材在工程建材细分市场国内市场占有率20.25%，排名全国第二位。公司产品及解决方案被广泛应用于市政工程、交通轨道工程、住宅商业地产及特种工程等领域，参建诸多国家与城市标志性建筑，曾为奥运会、亚运会、核电、百强地产、“一带一路”建设等项目提供服务。2023年，完成营业收入6.15亿元，比上年下降7.19%；实现净利润3890.27万元，比上年增长92.80%；缴纳税金1830.59万元，比上年增长93.96%。

【重庆合汇制药有限公司】 该公司成立于2018年7月11日，是河北合佳医药科技集团股份有限公司的全资子公司，是集医药原料药及制剂、聚氨酯助剂、聚酯多元醇及组合料等产品研发、生产、销售、技术服务于一体的科技型企业。通过ISO 14001环境管理、ISO 9001质量管理、ISO 45001职业安全健康管理三体系认证。公司生产的聚氨酯催化剂销往美国、新加坡、印度尼西亚、土耳其、巴西、德国等国家。2023年，完成营业收入2.62亿元，比上年增长48.55%；实现净利润3212.95万元，比上年增长93.31%；缴纳税金1290.19万元，比上年增长239.29%。 （代鑫龙）

农　业

综　述

2023年，长寿区财政投入农林水支出6.35亿元，主要用于保障财政衔接资金投入，支持开展农业生产社会化服务、一、二、三产业融合发展、农业全产业链及农产品加工贴息；支持松材线虫防治、国土绿化提升行动两岸青山·千里林带建设、森林防火基础设施建设；推进丘陵山区高标准农田改造提升示范等。其中，财政资金用于病虫害控制430万元，农产品质量安全33万元，防灾救灾19.99万元，支付稳定农民收入补贴498万元，农业生产发展投入6702.82万元，投入31.27万元支持农产品加工与促销，发展农村社会事业投入3.83万元，投入50.93万元实施农业资源保护修复与利用，农田建设投入3520.27万元，投入918.32万元实施农业保险保费补贴等。年内，重庆市长寿区农业农村委员会（简称区农业农村委）以全区“两地一城”建设和实施“3113”项目攻坚行动计划为依托，推动世界级运动康养旅游目的地建设和乡村全面振兴，建成全市唯一集国家农业产业化示范基地、国家农业科技创新与集成示范基地、国家农业科技园区于一体的现代农业示范基地。全年实现农林牧渔业增加值66.6亿元，比上年增长4.5%；实现农业总产值101.2亿元，比上年增长3%；禽蛋产量7.1万吨，水产品产量4.8万吨，均居全市第一。

（陈　航　杨　霞）

种植业

【概况】　2023年，长寿区推动现代高效粮油和特色产业发展，推广农业科技，保障农业安全。粮食产量比上年增长1.9%；油菜播种面积扩大353.33公顷；蔬菜播种面积增长2.36%，产量增长3.96%；茶叶种植面积62公顷，产量44.55吨；水果种植面积增长3.7%，产量增长8.56%；中药材种植面积385.73公顷，产量487吨。防控稻水象甲、红火蚁、大实蝇病虫害；全区种植业农药减量2.1吨。

【粮食生产】　2023年，长寿区推动“非粮化”问题图斑处置工作，完成2023年度非粮化核查整治1666.67公顷。全区粮食作物播种面积6.05万公顷，比上年下降1.34%；粮食总产量33.05万吨，比上年增长1.9%。其中，水稻种植面积2.18万公顷，总产量17.13万吨；豆类播种面积1.09万公顷，产量1.9万吨；薯类播种面积1.41万公顷，产量5.1万吨。

【油料生产】　2023年，长寿区油菜种植面积6653.33公顷，比上年增长12.5%；油菜产量1.42万吨，比上年

增长14.74%。（陈燕霞）

【蔬菜生产】 2023年，长寿区制定下发《重庆市长寿区2023年财政衔接推进乡村振兴补助资金种植业项目指导意见》，实施蔬菜项目7个，涉及产业补助资金192万元。改造提升精品蔬菜基地4.44公顷，增收400万元以上。对全区19个街镇分别开展蔬菜生产技术服务80余次，指导蔬菜业主增（扩）种秋冬蔬菜666.67公顷。全区蔬菜播种面积15273.33公顷，比上年增长2.36%；蔬菜产量40.57万吨，比上年增长3.96%。全年调入蔬菜7.1万吨，调出蔬菜近10万吨（含区外、市外）。蔬菜人均占有量近400千克。

【水果生产】 2023年，长寿区实施乡村振兴补助资金种植业项目22个，涉及产业补助资金664万元。改造提升柑橘基地200公顷，特色水果基地66.67公顷，增加村集体经济收入50万元，巩固贫困人口600多人收入稳定，增收1000万元以上。制定《重庆市长寿区2023年市级资金柑橘老果园改造项目申报指南》，涉及补助资金200万元，进行品种高换和苗木补植200公顷。与中国农科院柑橘研究所达成长效合作机制，签订《长寿区柑桔产业技术研发与服务合同》，在龙河镇、双龙镇柑橘果园开展生草栽培试验示范；与中柑所专家一起开展老果园改造示范约6.67公顷、红肉脐橙低产园改造示范约13.33公顷。组织业主参加重庆市第六届“三峡杯”优质晚熟柑橘评选活动，重庆市长寿区柑橘行业协会选送品种“W·默科特”、重庆市长寿区张容农业发展有限公司选送品种“春见”分别获欧美系杂柑类、日系杂柑类“金奖”，重庆市长寿区冰清水果种植场、重庆市长寿区柑橘行业协会选送品种“塔罗科血橙”获血橙类“银奖”。全年全区水果种植面积15366.67公顷，比上年增长3.7%；水果产量21.88万吨，比上年增长8.56%。其中，柑橘面积12526.67公顷，产量16.97万吨，分别增长3.55%、9.64%；伏淡季水果种植面积2366.67公顷，产量4.02万吨，分别增长4.71%、5.48%。全区柑橘主栽品种为长寿柚、塔罗科血橙和W.默科特杂柑，主要分布在双龙、龙河、葛兰、石堰、邻封、长寿湖、云集、洪湖、但渡等镇。主要推广测土测叶配方施肥技术、生态栽培技术、水肥药一体化技术、大实蝇绿色防控技术，全区推广测土测叶配方精准施肥333.33公顷，生态栽培技术133.33公顷，水肥药一体化基地333.33公顷，大实蝇绿色防控6666.67公顷。

【花椒生产】 2023年，长寿区花椒种植主要分布在石堰、但渡、龙河、云台、凤城等镇街，种植面积共计774.78公顷，比上年增加50.87公顷；花椒产量1665.9吨，受高温干旱影响，比上年下降4.15%；产值1599万元，比上年下降9.56%。（李 洁）

【种子管理】 2023年，长寿区对作物品种进行试验示范，推广优良品种，实施良种、良法、良机配套，加强种质资源收集管理，对16个水稻品种、13个油菜品种、6个玉米品种进行试验示范，推广油菜新品种1个、米粉专用稻品种2个、旱稻品种1个；加强品种市场监督管理，规范市场秩序以及对种子生产企业的管理和监督，区农业综合行政执法支队开展种子质量监督抽查10个样品（水稻样品5个、玉米样品5个），合格率100%。

【植物检疫】 2023年，长寿区开具柑橘、桃、李等苗木果树、萝卜、芥菜等农作物检疫合格证明83份，涉及品种127个，种植面积39.2公顷。全区柑橘大实蝇蛆果率0.15%，超额完成年度考核目标（蛆果率1%以下）；完成3次红火蚁全面防控，防控面积412.8公顷次，施用红火蚁专用饵剂2887千克、粉剂0.8千克，扑杀活蚁巢2269个，防控区域红火蚁发生程度降至一级。在八颗街道、新市街道、云台镇、葛兰镇、海棠镇开展稻水象甲统防统治工作，覆盖水稻种植面积2433.33公顷，防控效果、群众满意度均达90%以上。

【农作物病虫预报与防治】 2023年，长寿区设置植物疫病及农作物病虫害等监测点130个，水稻、玉米、小麦病虫危害损失率分别为3.98%、4.07%、3.76%。全区主要农作物绿色防控覆盖率52.29%，三大粮食作物病虫害统防统治覆盖率45.26%。

【农业植保技术管理】 2023年，长寿区印发《长寿区柑橘实蝇监测技术方案等六个农作物病虫害监测普查及防控技术方案》《长寿区2023年化肥农药减量增效工作方案》《长寿区2023年植保工作要点暨“虫口夺粮”保丰收行动方案》《关于长寿区2023年稻水象甲防控工作的通知》《长寿区豇豆农药残留突出问题攻坚治理方案》等，推广以抗病作物、生态调控、绿色防控、统防统治、生物防治、理化诱控等为主的减量化集成技术。

（区农业农村委）

林 业

【概况】 2023年，长寿区林地面积4.53万公顷。其中，森林面积3.91万公顷（乔木林地3.27万公顷，竹林地0.64万公顷），灌木林地5739.68公顷，其他林地499.22公顷。林木蓄积量254.4万立方米。全区有草地资源

399.94公顷，湿地面积563.37公顷。有长寿湖风景名胜区和楠木院森林公园2个自然保护地，总面积1.92万公顷，自然保护地占比13.5%。

【造林绿化】 2023年，重庆市长寿区林业局坚持山水林田湖草系统治理，完成“两岸青山·千里林带”营造林任务，建成万亩产业林，千亩珍稀、大径材林，长江南岸十里景观林。启动国家储备林建设，编制《长寿区国家储备林建设实施方案》。开展城乡绿化美化，绿化乡村道路500余千米，创建市级绿色示范村2个，开展古树名木复壮保护3株。《重庆市长寿区国家森林城市建设总体规划》已报国家级预审。

【国有林场】 2023年，长寿区国有林场下设三合管护站、云集管护站、义和管护站、江南管护站、黄草山管护站5个管护站。管理林地面积2400公顷。落实森林防火措施，全年开展巡山护林2500余次，完成“两岸青山·千里林带”建设任务。依法开展采伐审批，办理采伐证137张，采伐蓄积325.05立方米。实施松材线虫病防治，设置松墨天牛诱捕器39套。对马尾松松毛虫、蜀柏毒蛾、竹螟以及竹毛虫等全覆盖监测。

【林业生态安全】 2023年，区林业局制作防火短视频，点击量30多万人次。建成常备森林消防队伍体系，建立2997个“十户联防”联防体，涉及28898户、近4万人。每天开展明察暗访，督促森林防火各项措施落地落实。建成39.8千米防火道路、45座消防水箱。林火智能监控系统建成投用，覆盖重点林区95%以上，实现森林火灾“零发生”。开展省际、区县间联防联控，互动交流25次，区内街镇监督互查80余次，拔除松材线虫病疫点4个，实现无疫情5个。完成自然保护地整合优化方案及《长寿湖市级风景名胜区总体规划（2023—2035年）》编制工作。

2023年3月12日，长寿区1000余名林业志愿者参加“两岸青山·千里林带”植树活动 （区融媒体中心 供图）

【林业行政审批】 2023年，区林业局依法审批使用林地124件、面积118.78公顷，办理林木采伐许可证873份、采伐蓄积5077.17立方米。

【林业产业发展】 2023年，长寿区林业产值78.6亿元。其中，第一产业产值11.2亿元，第二产业产值56.9亿元，第三产业产值10.5亿元。第一产业以特色经济林、花卉苗木和林下产业为重点，巩固经果林880公顷，发展苗圃200公顷，林蔬、林药、林禽等林下产业2666.67公顷。推广“公司+基地+林农”等利益联结模式，带动林农增收200余万元。挖掘森林“碳库”价值，建设碳汇林173.33公顷，实施CCER（国家核证自愿减排量）林业碳汇项目，推动碳汇资源盘活升值。第二产业以培育壮大龙头企业，发展套装门业、智能家居等特色产业。全区家居企业30余家，带动就业近2万人。以果蔬汁饮料、竹笋加工为主的森林食品加工业良性发展，销往国内各大城市，出口日本、韩国及东南亚国家。第三产业以生态康养、森林旅游为发力点，以AAAA级旅游景区长寿湖旅游度假区、菩提山为主的森林旅游景点，创收1.3亿元。围绕楠木院森林公园和西山竹海发展森林人家，开展森林乡村旅游，带动当地林农实现人均年收入0.3万元以上，五华山森林旅游康养基地被评为市级首批森林旅游康养基地。

【“两岸青山·千里林带”建设】 2023年，长寿区实施“两岸青山·千里林带”建设，完成1440公顷营造林任务，其中疏林地及未成林地营造林733.33公顷，森林抚育686.67公顷，建成区、园区及码头绿化20公顷，涉及凤城街道、晏家街道、江南街道、

但渡镇、长寿经开区及区国有林场。2022年度1293.33公顷营造林任务通过市级核查验收。（区林业局）

畜牧业

【概况】　2023年，重庆市长寿区畜牧兽医事务中心（简称区畜牧兽医事务中心）围绕生猪稳产保供、蛋鸡提档升级、重大动物疫病防控、畜产品质量安全、畜禽粪污资源化利用等开展工作，全区未发生区域性重大动物疫情和重大畜产品质量安全事故，饲料工业统计监测工作受到农业农村部畜牧兽医局书面表扬。全区畜牧业总产值31.5亿元。生猪出栏60.8万头，比上年增长3.7%；蛋鸡存笼630万只，比上年增长10.44%；家禽出栏1142万只，比上年增长6.1%；肉类产量6.79万吨，比上年增长5.8%；禽蛋产量7.09万吨，位列全市第一，比上年增长8.8%；饲料产量16.5万吨；牛羊兔蜂发展稳定。

【生猪养殖】　2023年，区畜牧兽医事务中心推进生猪良繁体系建设，祖代+父母代+商品代生猪产业体系建成。按照《长寿区生猪产能调控实施方案》，对14个国家级、市级生猪产能调控基地实时监测，完成92个生猪规模场保有量任务和动态调整工作。指导新建标准化猪场2个，全区保有种猪场5个，存栏能繁母猪3.5万头，生猪年末存栏36.9万头，出栏生猪60.8万头，猪肉自给率100%。指导街镇推广实施能繁母猪保险、育肥猪保险、生猪收益保险。全年承保能繁母猪24114头、育肥猪186389头，生猪收益保险承保生猪86452头；承保养殖场（户）4696家次，保险赔付4457.05万元，比上年增长160.18%。组织市农担公司、农业银行等金融机构召开金融政策宣传会2次，放贷3122万元，仅市农担公司在保养殖场（户）145家，在保金额1.05亿元，帮助6家企业获得贴息补助17.5万元。

【蛋鸡养殖】　2023年，长寿区蛋鸡存笼630万只，比上年增长10.44%。存笼万只以上的在养规模蛋鸡场50个，规模化率95%。组织3万只以上蛋鸡规模养殖场进行自动化生产设施提档升级，投入资金1200万元，涉及规模百万只。引进北农大科技股份有限公司投资建设50万套蛋种鸡产业基地。建成长寿区粪污集中处理中心，并通过联调联试。协调重庆标杆农牧科技有限公司开展项目用地、方案设计等前期手续办理，推进5万吨蛋品深加工处理项目建设。重庆市长寿区标杆养鸡股份合作社申报成为国家级畜禽养殖标准化示范场。依托标杆的“鲜喔喔”“绿花”重庆名牌农产品品牌商标，全年长寿品牌鸡蛋销量1.4万吨，比上年增长10%，“重庆产”鲜鸡蛋出口到中国香港、澳门地区及所罗门群岛等，首次实现自营出口，出口量1000余吨。

2023年8月18日，北农大科技股份有限公司与重庆市长寿区人民政府在长寿区政府机关服务中心签订战略合作协议　（张申欣　摄）

【动物疫病防控】　2023年，区畜牧兽医事务中心推进动物疫病综合防控工作，畜禽强制免疫密度、应免畜禽常年免疫密度、规模场畜禽养殖档案建档率、畜禽免疫标识佩戴率、散养户畜禽《动物免疫证明》持证率均达100%。强化动物疫病监测，全年完成血清学监测2.5万余份、病原学监测0.5万余份，高致病性禽流感、口蹄疫、小反刍兽疫、布病、高致病性猪蓝耳病、猪瘟、新城疫等病种免疫抗体合格率均达到农业农村部规定标准。开展非洲猪瘟专项监测预警，组织非洲猪瘟防控专题培训2期，指导屠宰场非洲猪瘟检测技术10余次，开展生猪养殖场非洲猪瘟防控50余场次，发放《长寿区散养户非洲猪瘟防控技术要点》1.35万份。实施牛羊“两病”、狂犬病、布鲁氏菌病等主要人畜共患病监测防控，开展牛羊布病、结核病的净化工作，全年检测样品6300余份。设立36个定点流行病学调查点，全年完成流调工作4次，开展动物疫病综合分析研判4次，为街镇提供防控指导意见。选派2名技术骨干参加全市流行病学调查案例交流评比活动，获得二等奖。

2023年4月23日，涪陵海关工作人员在长寿区葛兰镇标杆养鸡股份合作社对自营出口鸡蛋产品品质进行检测　　（左宏杰　摄）

【饲料兽药监管】　2023年，区畜牧兽医事务中心对全区6家饲料企业开展“瘦肉精”检测和监督监测，对养殖环节抽检样品75个，检测结果均为阴性。指导畜禽规模养殖场兽药打假二维码识别和兽药规范使用48场次，开展兽药经营环节GSP检查，27家兽药经营企业进出兽药扫码上传登记率100%。

【畜产品质量监管】　2023年，区畜牧兽医事务中心开展畜产品质量安全风险监测和监督监测，对全区农贸市场、屠宰场和规模养殖场等环节的畜产品随机抽样104个，进行兽药残留、禁限用兽药、违禁物质等指标监测，监测结果全部合格。开展生鲜乳质量检查6次，协助第三方参与农业农村部生鲜乳质量安全监测计划和监督抽查2次。推行食用农产品承诺达标合格证制度，全年纳入实施食用农产品合格证生产者主体名录150家，推行覆盖率100%，累计开具食用农产品合格证7120张、带证上市畜产品57800吨。　（区畜牧兽医事务中心）

【畜禽屠宰】　2023年，长寿区启用智慧动监、慧执法检查和慧执法案件办理3个系统，对9个畜禽屠宰场所开展执法检查93人次。开展为期3个月的屠宰行业“强监管保安全”专项行动，检查屠宰场所28次，未发现私屠乱宰行为。全年屠宰检疫生猪13.13万头，屠宰检疫家禽14.02万只。办理屠宰环节一般程序案件13件，行政处罚3.08万元。委托第三方无害化处理机构重庆春达化工油脂有限公司、重庆市正羽环保科技有限公司无害化处理生猪189头，生猪产品56856千克；兑付重庆兴发新实业公司和长寿区食品有限责任公司2家屠宰企业无害化处理补助17.05万元。

（黄中平）

【畜禽养殖污染治理】　2023年，区畜牧兽医事务中心推进畜禽养殖污染防治工作，关闭审计反馈问题禁养区内畜禽养殖场3家，开展季度畜禽养殖污染防治专项检查工作，对全区264家畜禽规模养殖场进行分片式检查，共检查养殖场（户）760余场次，发现问题34个，整改34个。推行有机肥、种养循环、异位发酵床、污水深度处理等粪污处理和资源化利用模式，全区畜禽粪污资源化利用率超过90%，规模畜禽养殖场和大型规模畜禽养殖场环保设施设备配套率100%。

（区畜牧兽医事务中心）

渔　业

【概况】　2023年，长寿区水产养殖面积1.08万公顷。其中，池塘养殖面积2133公顷，水库养殖面积8507公顷，稻田综合种养面积194公顷。全区水产品总产量48496吨，比上年

2023年12月，重庆市大洪湖水产有限公司被评为国家大宗淡水鱼产业技术体系核心示范点　　（区农业农村委　供图）

47020吨增加1476吨，增长3.14%。生产草鱼、鲢鱼、鳙鱼、福瑞鲤、异育银鲫、江泓鲫、鳊鱼、鲂鱼、鲈鱼、大鳞鲃等水花4.69亿尾，培育各类规格鱼种1.2亿尾，4930余吨。全区渔业经济总产值比上年增长3.5%。年内，重庆市大洪湖水产有限公司被评为“国家大宗淡水鱼产业技术体系核心示范点”。

【水产品养殖】 2023年，长寿区实施生态健康养殖模式推广、养殖尾水治理模式推广、水产养殖用药减量、配合饲料替代幼杂鱼、水产种业质量提升五大行动，建立稻鱼综合种养类型示范区5个。实施水产种业振兴行动，对大洪湖、长寿湖2个有机鱼生产基地及长江、龙溪河等天然水域增殖放流鱼种实施水产苗种产地检疫，防止劣质及带病苗种进入养殖区和天然水域。强化区内2个市级水产良种场及1家四大家鱼繁殖场基础设施建设和改造，提高蓄水保水能力和繁育能力。

【稻田综合种养】 2023年，长寿区开展稻田综合种养模式推广，结合高标准农田改造，在海棠镇庄严村、小河村、古林村推广稻虾、稻蟹、稻鱼等稻田综合种养模式66公顷。全区累计推广稻田综合种养面积194公顷。全年安排渔业发展资金130余万元，建立稻田综合种养示范片4个，面积100余公顷，主要分布在洪湖普兴村、石堰普子村、云台八字村及海棠龙凤村。通过稻田综合种养，全区增加水产品250～400吨，助农增收500万元～1000万元。

【渔业病害监测】 2023年，长寿区开展8个监测点、107.87公顷养殖池塘鱼病测报工作，完成鱼病预测预报信息8期。开展水产品耐药普查，实施水产苗种产地检疫31批次、2242.15万尾。

【池塘养殖尾水治理】 2023年，长寿区开展尾水治理技术培训220人次，开展尾水治理项目运行监督检查及治理效果检测，水质检测点420个840个样品，整合各类财政资金1066万元，在但渡、洪湖、双龙、石堰、长寿湖、云集等街镇，结合池塘改造开展池塘鱼菜共生立体种养、三池两坝、人工湿地等尾水治理设施建设和尾水治理示范，治理养殖场34家、治理面积148公顷。全区累计完成规模养殖场治理111家，面积526公顷，治理养殖场数占全区规模养殖场199家（2公顷以上）的55.77%，治理面积占规模养殖场（2公顷以上）面积892公顷的60.07%。

（区农业农村委）

农业科技

【概况】 2023年，长寿区组织160余人参加市级、区级农技人员培训，全区累计培训农民1.25万余人次；培育高素质农民413人，认定农村致富带头人50人；推动农业绿色发展，实施高标准农田建设，创建粮油新品种新技术试验示范4666.67公顷，带动水稻绿色高产高效示范片1.33万公顷，示范片亩产较当地非示范片增产12%～15%，亩均节本增效280～350元。打造海棠镇高标准农田“稻渔共生”示范基地；云台镇农业社会化基地粮食烘干中心投用，日烘干量180吨。

【农业技术培训】 2023年，长寿区采取异地研修、集中办班和现场实训等方式，分层分类分批开展培训，遴选20余人参加市级农技人员能力提升示范调训，146人参加区级培训。开展农业实用技术培训，组织示范主体及农民观摩学习，累计开班110余个、培训农民1.25万余人次。按照“需求导向、产业主线、分层实施、全程培育”原则，开展高素质农民培训，全年培育高素质农民413人，开设农民素质素养提升培训班25个，培训500人；认定农村致富带头人50人。与市农科院、西南大学、中柑所等科研院所开展技术培训合作，邀请中国农科院柑橘研究所专家针对柑橘栽培关键技术节点开展培训4次，现场进行技术交流。

【农业绿色发展】 2023年，长寿区实施1333.33公顷丘陵山区改造提升示范项目，组建春耕全过程技术服务小组，推广“稻渔共生”“水旱轮作”“粮药轮作”“间作套种”等“一田多收”生产模式，探索高标准建后管护体系。在龙河镇、双龙镇柑橘果园开展生草栽培试验示范，配合市农科院针对爱媛柑橘开展生态栽培和增糖试验示范，配合中柑所引进大果脆蜜金柑、龙回早熟柚等4个柑橘（柚）新品种进行试种，并针对长寿现有沃柑和红美人结果过多导致果小树衰等问题提出解决方案。在水库养殖区持续增投鲢鱼、鳙鱼、草鱼、鲫鱼、鲤鱼等鱼种，实施大水面智能化管理。开展农业外来入侵物种防控宣传培训，实施稻水象甲统防统治和草地贪夜蛾监测防控，通过统防统治和绿色防控，全区农药减量比普通农户自防少施农药约10吨，稻水象甲危害率控制在2%以下，柑橘大实蝇蛆果率控制在0.5%以下，在全年高温高湿、两迁害虫和稻苞虫呈点多面广偏重情况下，实现提升粮食单产、保障柑橘总产的预期目标。

【绿色农产品】 2023年，长寿区有6个产品获绿色食品新认证，16个绿色食品到期进行续展认证，15个有机农产品进行再认证，6个产品获评2022年度“重庆名牌农产品”称号，“长寿鲭鱼”入选全市2023年农业品牌目录；长寿柚、长寿血橙入选第四批全国名特优新农产品目录，绿花杂粮蛋、有机白鲢等10余个产品获市级公用品牌“巴味渝珍”授权。长寿血豆腐制作工艺、长寿薄脆制作工艺、长寿湖鱼面制作工艺纳入重庆市非物质文化遗产目录，培育怀达血豆腐、君豪、天赐寿岛等“重庆老字号”品牌5个。重庆平伟朝阳农业发展有限公司和重庆清迈农业有限公司获2023年“重庆最美绿色食品企业”称号，2家企业的绿色食品认证产品纽荷尔脐橙、W默科特柑橘和中旨大米获2023年“重庆最佳绿色食品产品”称号。

（区农业农村委）

农业机械化

【概况】 2023年，长寿区推广耕整机、拖拉机、收割机等农机具1869台。引导新型社会化服务，组织开展农业服务累计面积32333.33公顷；推广适宜山地丘陵地区的农业机械97台套，财政补助资金224.09万元；开展农机报废更新工作，通过企业报名、资格审核，确定2家回收企业。全年报废1台手扶式插秧机，财政补助资金450元。

【农机购置补贴】 2023年，长寿区推广和引进农机新机具、新技术，推进农业全程机械化。全区推广耕整机、拖拉机、收割机等农机具1869台，兑付农机购置补贴资金162.87万元。

【农机推广应用】 2023年，长寿区完成机耕面积71630公顷，机播面积21920公顷，机收面积29960公顷，开展农作物（水稻、柑橘等）飞防植保作业面积1万公顷，开展青贮玉米机收作业面积400公顷。农业服务组织开展春季机耕作业服务面积9500公顷，水稻机播作业服务面积2000公顷，机防作业服务面积3666.67公顷；油菜机收作业服务面积1680公顷，秋耕作业服务面积7153.33公顷，秋播作业服务面积666.67公顷，累计农业社会化服务面积3.23万公顷。开展水稻大钵体毯状苗机械化育插秧技术、玉米大豆高粱农机实用技术、柑橘农机实用技术等培训，全年累计培训农机管理人员、种植户、新型经营服务组织人员800人次。组织30名农机手参加高素质农民技能（农机驾驶操作）提升示范培训，均考试合格获驾驶证。与有培训资质的区县机构联系，开展拖拉机手培训并领证4人。

【农机安全监管】 2023年，长寿区累计登记注册农田作业拖拉机64台，联合收割机9台，拖拉机驾驶员192人，较大规模农机作业单位23家。完成拖拉机驾驶证和行驶证换证4人，新增培训驾驶证持证人员31人。纳入全市农机安全监理平台的245台外省籍和666台本籍渝01变型拖拉机全部清零销号；开展拖拉机和联合收割机年检13辆。开展农机安全检查农田作业机械86天次，检查农田作业机械143台次、拖拉机24台次。协助交巡警上道路检查拖拉机4天次，督查街镇98个次，通过短信平台曝光典型违法案例3起，发放安全预警短信2万余条。通过开展农村地区重点打造坡（山坡）、坎（高坎）、崖（岩壁）安全文化墙宣传活动，设置宣传文化墙200余块，印制宣传挂图1000余张。

【农田宜机化改造】 截至2023年末，长寿区在渡舟街道、洪湖镇、邻封镇、云台镇等街镇开展农田宜机化改造项目，累计实施宜机化项目整治土地面积1200公顷，财政补助金额770万元。

（区农业农村委）

农业行政执法

【概况】 2023年，长寿区农业综合行政执法支队开展“春雷行动”“零点行动”“红牌行动”等专项行动；完成《重庆市农业行政执法现场处置规范（终审稿）》《重庆市渔业船舶水上安全突发事件应急预案（终审稿）》编制工作。参加市级案卷评查获优秀案卷1件，参加区级案卷评查获优秀案卷5件；入选重庆市川渝协作畜牧兽医行政执法十大典型案例1件；入选重庆市畜牧兽医行政执法十大典型案例1件；入选农业农村部农产品质量安全行政执法典型案例1件。长寿区农业综合行政执法支队获评2023年度全市畜牧兽医、十年禁渔、农产品质量安全行政执法工作“表现突出单位”；郑永红获农业农村部、公安部、中国海警局2023年渔业执法系列专项行动工作突出“先进个人”称号。

【农业质量抽检】 2023年，长寿区开展农资产品质量监督抽查28个样品。其中，开展种子质量监督抽查10个样品（水稻样品5个、玉米样品5个），检查合格率100%；开展农药肥料监督抽查18个样品（12个肥料样品、6个农药样品），1个肥料样品不合格，合格率94.4%。抽检21个兽药样品、20个饲料样品，合格率均为100%。

【农业违法案件查处】 2023年，长寿区农业综合行政执法支队办结案件127件。其中，一般程序案件75件，简易程序案件52件。处罚没款50.13

2023年10月26日，区农业综合行政执法支队在龙河镇保合村开展农村学法用法示范户骨干培训 （施辉洪 摄）

万元。移送公安2件，免予处罚案件2件。

【农业法治宣传】 2023年，长寿区开展普法宣传，培育农村学法用法示范户357户，行政执法人员包区包片与2022年度认定的256户农村学法用法示范户“结对子”，培训农村学法用法示范户骨干50人次，申报市级第二批农村法治宣传教育基地，联合区公安局、区检察院、区市场监管局、长航公安、相关镇街开展普法宣传，全年召开现场咨询会进行现场答疑10余场次，发放宣传资料5000余份、张贴宣传海报300余份。

【农产品质量安全监管】 2023年，长寿区农业综合行政执法支队完成农产品抽样区级任务117个。其中，蔬菜抽样98个（豇豆10个），水果抽样19个。水产品抽样55个。完成市级任务农产品抽样样品174个。其中，蔬菜样品45个（豇豆3个），水果样品11个，鸡蛋样品20个，禽产品40个（猪肉20个，猪肝10个，尿液10个），水产品样品58个。对检测不合格产品立案查处。

（区农业农村委）

【林业执法】 2023年，区林业局查处林政案件94件，作出行政处罚71件。联合邻水、涪陵等毗邻区县开展联合执法8次，打击跨区域涉林违法行为。推进生态环境损害赔偿，办理非法猎捕野生动物生态环境损害赔偿案件5件，收缴生态环境损害赔偿资金1.69万元。全市林业行政处罚案卷评查中，长寿区3本案卷均被评为优秀，整体质量全市第一。（区林业局）

【畜禽卫生监督执法】 2023年，长寿区对畜禽规模养殖场、饲料兽药投入品、动物诊疗场所等动物防疫领域执法检查194次，出动执法人员492人次，办理普通程序案件35件，处罚没款16.18万元。开展产地检疫生猪15624批次40.4万头，家禽2788批次1776.97万羽，屠宰检疫生猪13.13万头。开展病死畜禽无害化处理，养殖环节申报补助涉及15个街镇189个生猪养殖场（户）；申报数量31568头，补助金额204.89万元。委托第三方无害化处理机构（重庆春达化工油脂有限公司、重庆市正羽环保科技有限公司）无害化处理养殖及屠宰环节生猪4171头，家禽25965只，无害化处理费和运输费兑付43.02万元。晏家、双龙、八颗、云集、葛兰5个无害化处理集中收储点补贴电费4.38万元。

【渔政执法监管】 2023年，长寿区对涉渔街镇、长寿湖浩湖公司、大洪湖水产公司、长江长寿段检查督查渔船（渔业公务船）安全99次，检查渔船（渔业公务船）128艘。全年未发生渔船安全事故和死亡事故，通过2023年度“全国平安渔业示范区”复核。年内，全区联合查处渔业案件106件117人，其中长航公安长寿派出所10件14人、区公安局13件20人、区市场监管局行政案件2件2人、区农业农村委行政案件81件81人；收缴电捕鱼工具10套（其中公安9套）、网具64副（其中公安30副）、钓具1300套、可视锚2套、责令整改8起8人。渔业生态损害赔偿5起，投放鱼苗6814尾、赔偿金额2.36万元；救护天然水域娃娃鱼1尾。协助西南大学实施长江渔业种源保护工程项目；完成增殖放流55.46万尾（含涉渔工程生态补偿2起）。

（区农业农村委）

农业产业化经营

【订单农业】 2023年，区供销社按照“企业+供销组织+村集体经济组织+农户”的订单农业模式获取需求订单，在海棠镇、云台镇等19个镇街发展水稻、大豆和玉米订单农业333.33公顷，总产量4800吨，带动约8000农民参与产业发展，1000余农户增收约800万元。 （周遵华）

【共享农业】 2023年，长寿慢城保合村依托“橘乡福地·长寿慢城”功能定位，立足柑橘资源优势，以“村集体+企业+认养人”模式，推出订单式果树认养，征集乡村合伙人500余户，助推村集体增收10余万元。引导村民回村发展民宿、小食店等旅游实体，全村有民宿经营主体27家，户均年收入3万元。 （陈正卫）

【中介组织带动】　2023年，区供销社系统企业行业协会围绕主责主业开展带动活动。区农民合作经济组织联合会在农资保供方面，以祺云农资、汇智农业等农资服务骨干企业带动基层社及社会160余个农资网点备耕保生产，春耕时节销售化肥、农膜等各类农资2万余吨；烟花爆竹行业协会在烟花爆竹生产和销售方面解决就业岗位588个，销售烟花爆竹共计15.8万件，销售金额3299万元；再生资源回收利用协会带动103个回收点，回收农膜382.23吨，回收肥料包装物122.04吨，涉及回收营业额800多万元，带动500余农户增收400余万元。

（周遵华）

现代农业园区

【概况】　重庆长寿现代农业园区覆盖7个街镇、47个村，分为现代种植园区、长寿柚种植园区、现代畜牧园区3个功能片区，是长寿区创新传统农业发展模式，推进农业现代化、发展特色效益农业的综合平台。至2023年末，园区建成各类产业基地13733.33公顷，主要发展晚熟柑橘、长寿柚、生猪、设施蔬菜和花卉苗木等产业，投产率93%。园区先后被评为全国首批国家农业产业化示范基地、国家农业科技创新与集成示范基地、国家农业科技园区。

【园区建设】　2023年，长寿现代农业园区完成固定资产投资3800万元。至年末，园区入驻企业72家（含国家级龙头企业2家、市级龙头企业16家），农村专业合作社70家（含国家级专业合作社1家），家庭农场150个。累计合同引资216.19亿元，累计完成投资76.48亿元，建成标准化晚熟柑橘基地、长寿柚种植基地、蛋鸡养殖基地和种养循环农业基地，获得绿色食品认证15个。重庆市长寿区标杆养鸡股份合作社获批全市首个鸡蛋类出口食品生产企业备案证明；长寿沙田柚列入《中华人民共和国与欧洲联盟地理标志保护与合作协定》地理标志名录，获得销售国外的行政许可。园区常年务工人员1.6万人。

【园区发展成果】　2023年，长寿区现代农业园区产出柑橘11万吨，长寿柚甲级果6000万个，蔬菜2.6万吨，出栏生猪30.5万头，牛奶900吨，鸡蛋4.9万吨，肉鸡620万只，饲料15万吨，有机肥8.8万吨。全年实现产值38.8亿元。

【项目储备】　2023年，长寿区现代农业园区发展服务中心配合规划储备产业园子项目11个，包括攀华集团长寿食品“灯塔工厂”项目、现代设施农业项目、长寿区区域性社会化服务基地建设项目、中国科学院山地丘陵智能农业机械试验基地项目、长寿区食品及农产品加工产业园项目等。配合完成橘乡悦动村农旅融合项目、“自然长寿·美味产品”提质工程——晚熟柑橘、“自然长寿·美味产品”提质工程——高效粮油、“自然长寿·美味产品”提质工程——长寿柚、清迈良园等重大项目年度建设任务。

【服务工作】　2023年，长寿区现代农业园区发展服务中心配合柑橘行业协会完成与广东中讯集团讯美公司采集活动，共采集草铵膦11吨，为协会会员单位节省资金7.15万元；邀请西南大学植物营养与农业创新研究中心专家团队开展数字农业科技成果转化推广培训；配合柑橘行业协会及属地镇村开展“我在慢城有果树”认养活动；举办2023年长寿橘开园节，带动2.06万公顷长寿橘对外促销。开展企业服务工作，走访园区企业150余次，召开企业座谈会10余次，政策宣传10余次，不定期对农业园区企业进行巡查，对企业经营、安全、环保、融资、用地、土地流转、生产经营、矛盾协调等进行跟踪服务。协调解决一牛公司拖欠石堰镇石坝、普子两村土地流转金问题。

【云裳樱花康旅项目建设】　2023年，长寿区现代农业园区发展服务中心推进云裳樱花康旅项目建设工作，重点打造以樱花观光园和高山冷泉水稻、稻田养蟹、胭脂红薯示范区为主的石坎坡改梯、新建泥结石道路、防火步道、樱花种植、水稻科学种植管护等一期工程建设内容，注册“长寿冷泉米”商标，配套相应产能的稻米加工设备。

（张玉兰）

水　利

综　述

2023年，长寿区共有流域面积20平方千米以上河流18条，除长江外，主要有龙溪河、御临河、大洪河、桃花溪等。有水库105座。其中，大型水库2座，即狮子滩水库、大洪河水库；中型水库2座，即范家桥水库、龙门桥水库；小型水库101座，其中小（一）型水库20座，小（二）型水库81座。登记在册的山坪塘3341口，农村集中式供水工程22处，中小型水电站24座，提灌泵站830处，机电井16306眼，堤防162千米，年供水能力3.86亿立方米。年内，区水利局完成《水利基础设施空间布局规划》编制，规划水利基础设施62处，其中水库9座、供水水厂8座、引水工程1处、提水工程3处、堤防工程24处、水文设施1处、其他工程16处，用地预留面积5.02平方千米。规划水利基础设施衔接长寿区国土空间分区规划，其中落实空间保障29处，空间保障面积3.34平方千米。全年开工建设水利项目110个，批复总投资49亿元，完成建设投资12.5亿元，比上年增长93%；水利固定资产投资完成9.61亿元，比上年增长58.7%。在全市率先实现首笔水权交易，全年完成水权交易3起。开展水利项目融资，全年争取水利建设资金46亿元。其中，通过小石门长江水源工程项目向工商银行争取贷款13亿元；通过包装龙溪河（长寿段）环境综合整治与生态修复项目向亚洲基础设施投资银行贷款0.8亿美元；采取“社会投资人+EPC”模式，推动沙溪片区五级风险防范体系建设工程等项目吸引社会资本投入3亿元；争取增发国债资金1.68亿元，申请专项债券4.59亿元、一般债券0.2亿元。开展河道“清四乱”工作，集中清理整治并销号水利部、长江委暗访督查、市水利局下发的河道“四乱”问题10处。完成但渡河、龙河、锅锣溪河道管理划界工作；完成长江长寿段、万顺河长寿段河道管理电子界划定，完成全区51段堤防共79.71千米的电子界划定。推进城乡供水一体化建设，按照“城乡一体、统筹规划、国有控股、集约经营”的思路，出台《长寿区城乡供水一体化实施方案》，在全区范围内形成“1+5+N”的城乡供水一体化新格局，初步建成“一核两翼四区”水网体系。“1”为主力水厂明桃水厂；“5”为片区水厂，分别是大洪湖片区水厂、新市水厂、三条沟水厂、苏家坪水厂、江南水厂。6座水厂（1座主力水厂和5座片区水厂）对全区平坝、浅丘地区供水全覆盖。规范化建设和改造“N”座集中式小型供水站覆盖其余高山、偏远地区。三条沟水厂、江南水厂升级扩容完成。土岚垭供水站等7座集中式供水站完成超滤膜改

2023年12月13日，小石门长江水源工程（小石门取水泵站）

（邓雪峰　摄）

造。聚力“一核”，投资20.42亿元建设小石门长江水源工程作为长寿供水网络核心，满足城区城郊近50万人的用水需求。伸展“两翼”，建立以明月山12座中小型水库串联成西翼供水轴、以长寿湖输水配合黄草山水库形成东翼供水轴。拓宽“四区”，建立以长寿湖为主水源，覆盖长寿湖、龙河、双龙、邻封4个镇惠及20万人的长寿湖供水片区；以长江和龙桥水库为主水源，覆盖江南街道惠及5万多人的江南供水片区；以三条沟水库、范家桥水库为主水源，覆盖云台、石堰、海棠3个镇惠及16万人的三条沟供水片区；以大洪湖为主水源，覆盖洪湖、万顺2个镇惠及8万人并为川渝高竹新区供水的大洪湖供水片区。

（区水利局）

水资源管理

【概况】　2023年，长寿区有“一江两湖三河十三溪”。流域面积1000平方千米以上河流有长江、龙溪河、御临河、大洪河，多年平均过境径流量3518亿立方米。多年平均降水量1179毫米，多年平均径流深492毫米，多年平均水资源总量6.96亿立方米。全区办理取水许可证231个。其中，长江委发证2个，市水利局发证5个，重庆市长寿区水利局（简称区水利局）发证224个。全年取水许可总量2.87亿立方米（水库重复取水和河道内的发电取水除外）。

【河长制推行】　2023年，长寿区各级河长累计巡河28321次，巡河完成率105.31%。其中区级河长巡河77次、镇级河长巡河2034次、村级河长巡河26210次。累计上报解决问题105个。强化监督考核，将河长制工作完成情况与街镇河长制工作经费挂钩，根据考核情况分配工作经费，全年落实街镇河长制工作经费419万元。推进“一河一策”，分解年度任务146个，定期调度任务进展情况。开展河流“三排”“三乱”“三率”问题督查暗访专项行动，发现解决问题44个。开展“河长+检察长”联合巡河1次，与广安市邻水县召开河长制联席会议2次，和垫江县开展龙溪河联合巡河1次，发现整改问题6个，与涪陵区、渝北区、巴南区、垫江县以及四川省广安市、邻水县携手建立水污染联防联控机制，签订跨界河流联防联控协议，建立信息互通互享、联合监测、联合检查、重大水污染事故协商处置等制度。

【节水型社会建设】　2023年，长寿区开展节水宣传进小区、进校园、进企业、进农村活动10场。全区创建节水型企业3家、节水型小区2个，累计创建节水型机关150家、节水型企业17家、节水型小区30个。4月14日，举行2022年度节水型企业、节水型居民小区授牌仪式，区水利局联合区经信委、区城管局为重庆恩力吉投资有限责任公司等6家企业授予“2022年度节水型企业”称号；区水利局联合区住建委为金科·集美文苑等9家居民小区授予“2022年度节水型居民小区”称号。

【水资源监控】　2023年，长寿区用水总量2.75亿立方米，低于用水总量控制指标（3.14亿立方米）。区水利局全年新办取水许可14个，延续取水许可6个，取水许可事项变更34个，注销取水许可证21个。全年取水许可总量2.87亿立方米（水库重复取水和河道内的发电取水除外）。实行取水计划管理，建立完善取水户台账，年初下达下一年度取水计划。全年按计量征收水资源费约700万元。开展非法取水集中整治行动，印发《取水许可监督管理制度（试行）》，建立区、街道（镇）、村三级监管长效机制，常态化开展非法取水监督检查工作，全年开展取水单位监督检查33次。

【水利执法】　2023年，区水利局下达《责令停止水事违法行为通知书》3份，办结水事违法案件3件（1件为简易程序，1件系全区首次办理的“轻违不罚”水事违法案件，1件处罚款

2.2万元，并协助追缴水资源费6506.11元），修复河道70米，拆除拦河坝体1座。联合检察院、农委、环保及属地街镇召开磋商会3次，推动叶家沟水库违规网栏养殖、大洪湖水库违规网箱养殖、龙溪河流域拦河养鱼3起涉水问题解决，拆除养殖网箱8000余平方米、拦河围堰7座，恢复水面8.67公顷。开展河湖安全专项执法行动，累计摸排收集全区河湖安全保护专项执法问题线索42条，其中10条完成整改并销号，其余线索待核实。

【桃花溪入选全国幸福河湖建设试点项目】 2023年4月，桃花溪入选2023年全国幸福河湖建设试点。项目包含建设任务16个、总投资2.92亿元，其中中央资金6683万元、地方配套项目资金2.25亿元，重点打造桃花溪水系连通工程节水示范段、葛兰镇邵家桥文物保护段、支流纳溪河幸福房子段、城区站前大道段、锦绣路段、冉师桥段和桃东大桥段7个节点。通过河道岸坡综合整治、流域污水管网完善、污水处理厂改造、监测点网布局和文化传承保护等工作，带动桃花溪两岸城市更新、棚户区改造，实现水环境、水资源、水生态、水安全、水文化“五水共治”。

（区水利局）

农田灌溉

【概况】 2023年，长寿区农田灌溉毛用水量6687.5万立方米。其中，中型灌区灌溉毛用水量852.16万立方米，小型灌区灌溉毛用水量5835.34万立方米。全区农田灌溉水综合有效利用系数0.51。

【农业水价改革】 2023年，长寿区完成农业水价综合改革面积933.33公顷。建成取水监测计量体系，实现大中型灌区渠首取水口计量全覆盖，取水计量率100%。委托第三方机构完成三条沟灌区、东山灌区2个中型灌区上图工作；委托重庆中泰工程咨询有限公司完成小型灌区基本情况调查及上图工作。

【水库除险加固】 2023年，长寿区投入资金5218万元，开展26座小型病险水库除险加固工作。至年末，26座水库除险加固工程主体完工，恢复正常蓄水、防洪和灌溉功能，保护下游人口2600余人，恢复灌溉面积1800公顷。

【农田水利设施隐患排查】 2023年，长寿区通过农田水利设施现场安全检查、重点隐患随机抽查，管护责任人定期巡查等方式，开展农田水利设施隐患排查工作。至年末，全区农田水利设施无重大安全隐患。

【灌区水利设施改造】 2023年，长寿区争取国债资金3090万元，实施东山中型灌区续建配套与现代化改造项目，对灌区内6座小型水库渠系进行整治改造，对大岩泵站片区的水利设施进行改造升级。（区水利局）

水土保持

【概况】 2023年，长寿区国土总面积1421平方千米，水土流失面积350.32平方千米，占国土总面积的24.65%，水土保持率75.35%。其中轻度侵蚀277.14平方千米，占流失面积的79.11%；中度侵蚀56.33平方千米，占流失面积的16.08%；强烈侵蚀14.54平方千米，占流失面积的4.15%；极强烈侵蚀2.31平方千米，占流失面积的0.66%。云台镇、石堰镇、邻封镇、江南街道、洪湖镇、凤城街道和但渡镇7个镇街的水土流失率大于40%，其中云台镇和石堰镇中度以上水土流失面积占水土流失面积的比例大于60%。

【水土保持方案审批】 2023年，长寿区水利局共审批水土保持方案117个。落实人为水土流失防治责任范围面积8.16平方千米，征收水土保持补偿费688.19万元。完成水土保持设施验收及报备92个。通过电话、巡查、下发通知书、现场检查等方式开展监督检查150余次。

【水土保持问题整改】 2023年，长寿区涉及疑似水土保持违法违规建设图斑94个，其中部级图斑20个，市级图斑74个。经核查，有22个图斑为生产建设项目违法违规建设图斑，其中部级图斑3个，市级图斑19个，全部完成整改销号。（区水利局）

三峡后续及移民后扶工作

【概况】 长寿区是三峡移民区县之一，1988年开始移民试点，1993年正式实施有计划移民，到2008年6月，全区完成四期移民淹没线下搬迁安置任务。三峡移民涉及5个街镇及半座城市，淹没陆域8.7平方千米，“前三峡”搬迁安置总人口21058人，迁建半淹城市和集镇各1个，搬迁调整工矿企业21户。开展水库移民后期扶持工作，2006年7月1日起，对全国大中型水库农村移民实行统一的水库移民后期扶持政策，按照每人每年600元的标准，连续扶持20年。2023年，全区三峡后续工作以移民安稳致富为主线，以库区经济社会发展、生态环境建设与保护、地质灾害防治为重点，抓好项目策划、编报、实施；围绕推进水库移民后期扶持政策，开展移民人口动态管理、移民直补资金发放、年度项目实施计划分解等工作。

【三峡后续项目建设】 2023年，市水利局下达长寿区三峡后续专项资金2.98亿元，实施项目21个，其中新建11个、续建10个。全年建设凤城菩提但渡片区、江南片区、晏家片区、新市片区及小石门长江水源工程，保障60万城乡居民的生产、生活用水。实施晏家街道曹家堡片区居住环境提升工程、但渡镇但渡村人居环境提升工程。实施石堰镇桃花溪河岸生态修复及环境综合整治项目和滨江长寿谷综合整治工程，改善长江一级支流桃花溪水质。落实2023年长寿区高切坡监测预警、175米蓄退水影响安全监测项目资金，开展移民安置区22个高切坡及库区监测预警工作。

【移民后期扶持项目建设】 2023年，长寿区完成2022年度下达的2个水库移民后期扶持市级示范项目。其中，万顺镇水库移民美丽家园项目投入后扶资金1800万元，业主统筹资金286.18万元，在万顺镇东风村大坝子、东惠团、石碾盆、仇家大湾、仇家小湾、大屋基6个组进行房屋风貌改造70栋，配套实施院坝整治、文化设施、环境美化、水体改造等；龙河镇产业转型升级项目投入后扶资金1800万元，在重庆东部国际农产品交易中心（三科农商城）购置门面18间（面积共2185.86平方米），项目形成的资产权属归17个移民村分别所有，产权占比按各村移民人数确定，其中11间门面租赁给永辉彩食鲜配送公司，租期8年，租金收益共208万元。至年末，2022年度的25个后扶项目（含直补类）竣工决算20个、验收合格未决算3个、完工未验收1个、在建1个。累计完成投资9330.98万元（含直补资金）。

2023年8月28日，万顺镇东风村美丽家园建设项目　　（区水利局　供图）

【三峡移民资产管理】 2023年，区水利局管理三峡移民资产7处，分别为长寿区创业街7号附13号（原移民局老办公楼底楼门面29平方米）、长寿区长寿港三峡移民开发区874.89平方米土地（今清静庵综合农贸市场）、长寿区长寿港三峡移民开发区1815.5平方米土地（今清静庵移民小区）、长寿区黄桷湾开发区7591.51平方米土地（今长安深蓝4S店及维修厂）、长寿区移民培训中心、长寿区移民就业基地、阳光丽景小区10间安置房。年末，7处房屋及土地完成产权登记。除长寿区创业街7号附13号门面及清静庵移民小区部分房屋未出租外，其余房屋及土地均已出租，全年移民资产租金收入87.67万元。

【三峡后续项目专项审计】 2023年9—11月，重庆市审计局派出审计组对长寿区三峡后续工作实施情况进行专项审计调查，发现问题10个，全部落实整改。　（区水利局）

工　业

综　述

2023年，长寿区引进工业项目90个，合同引资605.5亿元。全区新增规模以上工业企业19户，其中小升规工业企业7家，新升规工业企业12家。累计有规模以上企业303户。其中，经开区207户，高新区83户，园区外13户。15家企业申报的18个项目共获市级补助资金3511万元，获中小微企业发展专项资金290万元。18家企业入选市级创新型中小企业，累计86家；39家企业入选市级专精特新中小企业，累计100家；新认定贝利科技、聚师新材料为国家级专精特新"小巨人"企业，累计10家；长风化学申报的制造业单项冠军企业项目通过初审。优化营商环境，用实信贷政策工具，全区制造业中长期贷款余额48.4亿元，比上年增长32.5%；对接企业资金需求，累计完成商业价值信用贷款6笔，实际放款428.4万元；完成转贷应急周转资金47笔，41家企业共使用转贷资金4.81亿元。104家企业累计获担保资金3.42亿元。提供能源要素保障，全区规上工业综合能耗1068万吨标煤，比上年增长0.9%。其中，煤炭用量831万吨，比上年增长6%；天然气用量23.8亿立方米，比上年下降4.8%；热力用量2428.5万百万千焦，比上年下降4.2%；电力用量97.3亿度，比上年增长10.2%。建成3个分布式光伏项目，容量1.09万千瓦；建成1个储能项目，容量0.5万千瓦；与国投甘肃售电有限公司签署战略合作协议，完成绿电交易2400万千瓦时。全区实现规上工业总产值1577.9亿元，比上年增长6.2%；规上工业增加值比上年增长8.6%。其中，经开区产值1349.5亿元，比上年增长10.5%；高新区产值213亿元，比上年下降14.3%。全区规上工业企业实现营业收入1401.2亿元，比上年下降1.4%。实现利润18.2亿元，比上年下降72.7%；缴纳税金26.7亿元，比上年增长4.3%。

（张　睿）

工业转型升级

【概况】 2023年，长寿区推进工业转型升级，出台《关于推进数据资产化的实施意见（试行）》，在全市率先建成投用制造业数字化转型赋能中心，在全国率先完成首单数据资产入表。年末，5G基站累计1876个，4G基站累计4146个。实施工业智能化改造和工业技术改造，推进工业绿色化发展。

【政策支撑】 长寿区第十四次党代会决定将长寿工业重新定位为建设具有全球影响力的新材料高地。出台

《制造业高质量发展“十四五”规划》，提出到2025年底，以5G、人工智能、区块链、VR/AR/MR等为代表的新一代信息技术制造业融合发展，数字产业产值实现180亿元。至2023年末，先后出台《长寿区支持科技创新财政金融措施36条》《长寿区创新驱动发展战略专项扶持办法》《长寿区产业发展专项资金管理办法》《做好企业“上云”服务工作》等文件，设立1亿元区级创新驱动发展战略专项资金池，对大数据智能化、上云上平台等方面进行支持。

【工业数字化发展】 2023年，长寿区开展智能化改造项目56个，累计165个；新认定智能工厂1家，累计7家；新增企业数字化车间11个，累计62个；新增5G全连接工厂1家，累计2家。出台《关于推进数据资产化的实施意见（试行）》，在全市率先建成投用制造业数字化转型赋能中心，在全国率先完成首单数据资产入表。年末，5G基站累计1876个，4G基站累计4146个。

【工业技术改造】 2023年，长寿区完成工业技改投资39.1亿元，比上年增长62.16%，技改投资增速位居全市第五位，技改占比21.38%。下达重点用能企业“十四五”节能70.2万吨标准煤的目标任务。重庆钢铁股份公司实施多项节能技术改造，包括焦炉上升管余热回收利用、轧钢厂热卷产线大功率电机变频节能改造等。小康动力投资4亿元建成总装智能工厂，采用兼容机器人技术与发动机检测技术和柔性制造技术，实现配送、涂胶等工艺数据实时采集率100%，故障判断准确率100%，换型时间降低67%，效率提高50%。实现从原材料采购到成品钢出库的全生产工艺流程一体化智慧管控，打造从生产现场分析、质量追溯、能耗管理到生产全方位协同的多个数字化应用场景。

【工业绿色化发展】 2023年，长寿区新增市级绿色工厂4家，国家级绿色工厂5家，绿色供应链企业1家；首次实现区内产品列入成渝两地节能低碳先进产品第一名；推动创建区级节水型企业3家，累计17家。5月25日，第十届中国责任关怀促进大会在长寿区举行，由中国石油和化学工业联合会（CPCIF）、国际化学品制造商协会（AICM）主办，中国石油和化学工业联合会责任关怀工作委员会、长寿经济技术开发区、重庆化医控股（集团）公司承办；以“启航新征程　推动新发展　树立新形象　履行新使命”为主题，开展1场主旨大会、6场分论坛，解读相关政策、法律法规、行业标准，研讨HSE、绿色低碳可持续发展等方面热点难点问题。　（周伟庆）

工业技术创新

【概况】 2023年，重庆市长寿区经济信息委（简称区经信委）以构建企业为主体、市场为导向、产学研用深度融合的技术创新体系为目标，引导企业通过争取各类创新惠企政策支持，提升工业技术创新能力。按照区委、区政府有关人才工作要求，结合“企业服务专员”制度，对重点工业企业开展专项服务，通过下沉走访企业、拜访企业经营管理人才、收集企业人才诉求、及时联系办理反馈等举措，做好工业企业人才工作。培育重庆康普化学工业公司研究中心等工业研发机构，指导申报工业技术创新项目，组织企业经营管理人才培训，推进全区工业技术创新。

【工业研发机构培育】 2023年，长寿区新认定中润新材料等市级中小企业技术研发中心3个；新认定飞华环保等市级企业技术中心5个；新认定重庆钢铁市级工信化重点实验室1个；新认定康普化学、科顺新材料市级技术创新示范企业2家。

【工业技术创新项目申报】 2023年，长寿区对标申报指南，开展工业技术创新项目申报工作，推动产业高端化、智能化、绿色化发展。全年累计

2023年6月14日，重庆康普化学工业股份有限公司研发团队在进行研发探讨
（区融媒体中心　供图）

推荐59个项目申报市级重点专项资金，帮助锂离子电池微孔隔膜生产数字化车间B、重庆钢铁经营管控智慧平台建设项目（一期）等28个项目获得市级补助资金3801万元。

【工业技能培训】 2023年，长寿区组织企业参加赋能“强基”专题培训暨资本赋能对接会、中小企业经营管理领军人才培训等培训6次，涉及企业管理人才100余人次。派遣贝利科技（重庆）有限公司总经理姜振邦作为长寿区企业家代表到四川省广安市参加“2023年渝广毗邻地区党建先锋区协同共建联席会议”，交流学习经验。

【工业企业人才工作】 2023年，长寿区经济信息委推荐重庆市泓禧科技股份有限公司董事长谭震、重庆欣欣向荣精细化工有限公司董事长唐凌成为重庆市优秀企业家；会同区委组织部开展首届长寿英才评选申报推荐工作，推荐25位工业领域企业家参与评选，其中王妍雲等10人获评“经营管理领军人才”；会同区委组织部开展企业人才“鲲鹏计划”推荐、评选工作，华陆新材料等35家企业的高级管理人才、企业家入选。 （夏先明）

钢铁冶金工业

【概况】 长寿区钢铁冶金集群主要集聚于长寿经开区，形成以重庆钢铁为龙头，永航钢铁、柳鑫模具材料等重点企业齐聚的产业形态，重点发展以满足西部地区市场需求的板材、管线材、结构用钢和特种钢等产品。2023年，长寿区钢铁冶金企业有7家，钢铁冶金工业产值563.6亿元，比上年增长17.4%；利润-17.1亿元；税金5.4亿元，比上年增长285.7%。

（左凤琼）

【重庆钢铁股份有限公司】 成立于1997年8月11日，前身为1890年12月23日清朝湖广总督张之洞创办的汉阳铁厂，1938年西迁至重庆市大渡口区，1997年10月17日、2007年2月28日分别在香港联合交易所、上海证券交易所挂牌上市。2007年1月，重庆钢铁搬迁至重庆市长寿区江南镇（今江南街道）。2020年12月2日，中国宝武钢铁集团有限公司成为重庆钢铁实际控制人。重庆钢铁主要生产和销售热轧薄板、中厚板、螺纹钢、线材、钢坯、钢铁副产品及焦炭煤化工制品，产品主要应用于机械、建筑、工程、汽车、摩托车、造船、海洋石油、气瓶、锅炉、输油及输气管道等行业。2023年，重庆钢铁推进绿色低碳转型，全年自发电量39.55亿千瓦时，自发电率84.89%，成为西南地区首个完成超低排放清洁运输公示的钢铁企业，创建全国冶金绿化先进单位，获“绿色发展标杆企业”称号。推动科技创新，国家级创新平台增加至3个，创建“钢净化与夹杂物控制实验室”省级研发平台1个，参与国家重点研发计划1项，通过“高新技术企业”认证及国家级企业技术中心复评，获重庆市技术发明奖三等奖1项，参与制定国家标准4项，申请专利517件，其中发明专利439件，创造效益1.47亿元。改善各项技术经济指标，2号高炉2次获中国宝武2000立方米级高炉“高产冠军炉”，4号高炉7次获中国宝武2000立方米级以下高炉“低碳冠军炉”；炼钢工序获“效率提升冠军厂”称号。二炼钢加工成本比上年下降22%；厚板产线每小时产量比上年提高13吨，加工成本比上年下降22%；热轧产线热送热装率81.77%，中国宝武排名第一；原料卸载首次突破日卸9万吨大关，全年完成大宗原料卸载2640万吨，比上年增长15%。重庆钢铁全年产铁651.6万吨，比上年减少71.4万吨；产钢711.55万吨，比上年减少75.8万吨；生产商品坯材1022.22万吨，比上年增加187.98万吨。实现营业收入393.18亿元，比上年增长27.56亿元；实现利润-17.44亿元，亏损比上年增加5.42亿元；缴纳税金1.72亿元，比上年增加0.24亿元。 （余连权）

2023年，重庆钢铁股份有限公司生产的螺纹钢筋 （甘 泉 摄）

【重庆永航钢铁集团有限公司】 成立于2003年，位于长寿区晏家街道河泉路11号，注册资本金3.6亿元，员工1088人，拥有炼钢生产线1条、轧钢生产线2条，专门生产、销售钢筋混凝土用热轧钢筋系列产品。公司于2006年取得全国工业产品生产许可证；通过GB/T19001质量管理体系认证、GB/T24001环境管理体系认证、GB/T45001职业健康安全管理体系认证；2010年、2016年2次被评为“重庆名牌产品”；2008年、2011年，“永航”商标2次被评为“重庆市著名商标”；2014年，“永航”商标被国家工商行政管理总局认定为“中国驰名商标”。重庆永航钢铁集团有限公司是长寿区的重点工业企业、长寿工业十强企业、重庆民营100强企业、重庆市专精特新企业、重庆市绿色制造体系示范单位、国家高新技术企业，生产的主要产品有钢筋混凝土用热轧钢筋HRB400、HRB400E、HRB500、HRB500E10毫米～32毫米，热轧光圆钢筋HPB300（直条）10毫米～18毫米，产品各项性能指标优于国家标准对应指标10%～20%。炼钢工艺采用电弧炉短流程炼钢，轧钢工艺采用连铸连轧工艺。2023年，公司完成产值49.75亿元，比上年增长11%；上缴税收436万元，比上年增长8%。

【重庆柳鑫模具材料有限公司】 创建于2008年，位于长寿经济技术开发区。注册资本金1000万元，经营范围为加工销售工模具、合金钢、特殊钢、金属材料及制品。公司总资产21715万元，租用厂房及其他建筑物面积7.34万平方米。有员工179人。2023年，公司完成产值44.63亿元，比上年增长6%；上缴税收134万元，比上年增长1%。 （区经济信息委）

新材料新能源工业

【概况】 2023年，长寿区新增新材料新能源企业10家，累计114家。全年完成产值391.8亿元，比上年增长9.9%。全年产值前5位的企业分别是巴斯夫聚氨酯（重庆）有限公司、国网重庆市电力公司长寿供电分公司、重庆奕翔化工有限公司、国际复合材料长寿分公司、重庆恩捷新材料科技有限公司。 （庞娅丹）

【国网重庆市电力公司长寿供电分公司】 成立于1985年，是国网重庆市电力公司下属全资子公司，有员工1024人。设11个部室、9个业务实施机构、3家产业单位、10个供电所。直供区为长寿区，供区涵盖长寿区19个镇（街道）、供电客户49.49万户；趸供区为涪陵区。2023年10月，国网长寿供电公司正式承担渝东南区域中心管理职责，管理范围涵盖长寿区、涪陵区、垫江县、丰都县、武隆区、石柱县、彭水县、黔江区、酉阳县、秀山县10个区县。国网长寿供电公司所辖渝东南电网，西接重庆主城，东联万州区、湖北省，南邻綦江区，是国家“西电东送”的重要通道，形成以长寿、五马、张家坝3座500千伏变电站为电源点，220千伏闭环运行的网络结构。长寿区内有公有变电站31座，其中500千伏变电站1座、220千伏变电站4座、110千伏变电站17座、35千伏变电站9座；输电线路120回，其中220千伏20回、110千伏58回、35千伏42回；配电线路217条、开闭所76座、配电房552座、环网柜371台、配变4275台。2023年，国网长寿供电公司所属徐家坪运维站获第二十一届“全国青年文明号”，杏林路劳动者港湾获全国总工会“最美工会户外劳动者服务站点”，红岩（长寿）共产党员服务队获重庆好人特别奖先进集体，自动化及数字化班获重庆市三八红旗集体。全年服务投运高压客户93户，服务报装容量26.79万千瓦；落实专项资金完成洪湖镇56户小产权房一户一表改造；配合完成首笔西藏绿电入渝交易。全年缴纳税款1.07亿元。 （姚长宏）

【国家电投集团重庆狮子滩发电有限公司】 国家电投集团重庆狮子滩发电有限公司前身为始建于20世纪40年代的狮子滩水力发电总厂，是中国“一五”计划国家重点工程项目之一，也是国内自行设计、自行开发、自行建设的第一座梯级水力发电厂。2023年，完成主设备检修16台次，技改项目14项。创新融合“水电+”“文化+”绿色协同发展，推进光、储和用户侧综合智慧能源项目，新增项目投产11.4兆瓦，获长寿但渡农（林）光互补光伏发电项目建设指标100兆瓦；推广净排水节能回收项目，建成投运肖家河示范项目；建成重庆市工业文化旅游示范基地、重庆市少先队校外实践教育基地、重庆市能源系统产业工人思想引领教育示范基地。公司全年实现营业收入17207万元，缴纳税费2254余万元。 （王扬扬）

【重庆凯源石油天然气有限责任公司长寿分公司】 隶属于重庆凯源石油天然气有限责任公司的二级管理单位，下设机构5个和客户服务中心、生产调控中心、生产保障中心3个中心。客户服务中心下设桃花、晏家、长寿湖3个营业点；有桃花门站和晏家门站2个站点。主要负责长寿桃花新城、晏家街道、渡舟街道、新市街道、葛兰镇、长寿湖镇等部分地区天然气输配、销售、燃气工程设计、安装、验收和运行维护管理。市场区域面积约588平方千米，供气面积100平方千米。2023年，公司实施云宾·美丽湖（二期）供气工程、长寿时代国际居民供气工程、长寿泽京璟樾府一期及二期民用安装工程、长寿渡舟长生桥社区庭院管网改造工程等管线建设项目11个。制定《凯源长寿公司重大事故隐患专项排查整治实施方案》，建立隐患清单。编制《凯源长寿分公司燃气安全隐患排查整改“回头看”工作实施方案》，开展燃气安全隐患排查整改“回头看”。编制《凯源长寿公司燃气经营安全重大隐患排查方案》，对照《城镇燃气经营安全重大隐患判定标准》开展燃气经营安全重大隐患排查工作，保障用气安全。全年公司销售天然气约2.28亿立方米，其中居民销售3031.64万立方米，转供销售1.89亿立方米，商业集体销售867.1万立方米，工业销售18.53万立方米。管理天然气用户164159户，其中居民用户161857户，转供用户10户，集体用户355户，商业用户1927户，工业用户10户。

（区经济信息委）

【西南地区最大氢燃料电池供氢项目投产】 2023年12月20日，中国石化集团重庆川维化工有限公司与重庆石油共同建设的西南地区首个车用氢气供氢中心——3000标准立方米/小时氢燃料电池供氢加氢项目在长寿区正式投运。（朱晓丽 郑洵洵）

化学医药工业

【概况】 2023年，长寿区新增化学医药工业企业3家，累计36家。其中，新增化工企业1家，累计22家；新增医药工业企业2家，累计14家。化学医药工业完成总产值248.5亿元，其中化工企业总产值187.2亿元，医药工业企业总产值61.3亿元。全年产值前5位的企业分别是中国石化集团重庆川维化工有限公司、重庆博腾制药科技股份有限公司、重庆卡贝乐化工有限责任公司、扬子江乙酰化工有限公司、重庆市映天辉氯碱化工有限公司。（庞娅丹）

2023年12月20日，西南地区最大氢燃料电池供氢项目在长寿区投用

（区融媒体中心 供图）

【中国石化集团重庆川维化工有限公司】 位于长寿经济技术开发区，占地面积280余万平方米。前身为中国石化集团四川维尼纶厂，是20世纪70年代初引进的四大化纤项目之一，主要装置从英、法、德、日等国家引进，1974年破土动工，1979年建成投产，1983年竣工验收，同年整体进入中国石化，2017年11月完成公司制改革。是中国石化唯一的天然气化工企业，也是重庆市制造业材料（化工）领军企业及高端聚烯烃产业链长企业。截至2023年底，公司有在岗合同制员工2561人，主导和参与起草国际标准2项、国家标准32项、行业标准17项。天然气年加工能力15.5亿立方米（含合资企业），主要产能包括甲醇（MeOH）77万吨/年、醋酸乙烯（VAc）50万吨/年、精醋酸甲酯（MeOAc）21万吨/年、合成氨20万吨/年、聚乙烯醇（PVA）16万吨/年、醋酸乙烯-乙烯共聚乳液（VAE）12万吨/年、维纶纤维1.5万吨/年。有在营合资企业4家，分别是扬子江乙酰化工有限公司、重庆川维林德气体有限责任公司、重庆华利维盛油田化学科技有限公司、重庆信维环保有限公司。5月17日，公司建成投运醋酸乙烯—乙烯共聚乳液装车站；5月23日，3000标准立方米/小时氢燃料电池供氢项目建成投产，所产氢气纯度99.999%，日供氢能力6.4吨；6月6日，与重庆财信环境资源股份有限公司、重庆长寿经济技术开发区开发投资集团有限公司三方合资建设的中国石化西南危险废物处置中心正式揭牌。醋酸乙烯-乙烯共聚乳液市场占有率居国内第一，其产品连续20年获得中国环境标志产品认证。公司全年实现营业收入71.56亿元，比上年下降22.18%；利润总额-9.68亿元，比上年下降182.41%；利税总额-8.78亿元，比上年下降156.62%。

（朱晓丽 郑洵洵）

2023年中国石化集团重庆川维化工有限公司主要生产经营指标一览表

表14

生产经营指标名称	数量	完成年计划（%）	比上年增长（%）
甲醇（吨）	692347.37	88.89	-6.64
醋酸乙烯（吨）	461047.91	88.10	-6.69
聚乙烯醇（吨）	158978.13	103.91	3.03
醋酸甲酯（吨）	195113.06	156.09	72.54
VAE（吨）	123087.42	98.47	13.86
液氨（吨）	178338.66	105.78	17.43
维纶纤维（吨）	9950.70	99.51	12.71
营业收入（万元）	715636.65	79.84	-22.18
利润总额（万元）	-96789.81	70.95	-182.41
利税总额（万元）	-87832.44	71.52	-156.62

【扬子江乙酰化工有限公司】 成立于1995年，注册资本104751万元，由英国英力士乙酰投资有限公司、中国石化集团重庆川维化工有限公司和重庆市能源投资集团有限公司合资组建，3家股东股权比例分别为51%、44%和5%。公司位于长寿经济技术开发区，经营范围为购置并营运合营公司的醋酸装置、一氧化碳装置、醋酸酯装置及其他醋酸衍生物装置和场外设施，销售（含出口）上述装置设施生产或外购的产品（醋酸）和副产品，是主要以天然气为原料的化工企业，年产醋酸50万吨、醋酸酯10万吨、氢气6.2亿立方米。2023年，公司实现税前利润285万元。（陈　瑜）

【重庆长风化学工业有限公司】 前身是设立于1966年的“三线”建设军工配套企业——重庆长风化工厂（国防军工230工程），2021年7月整体环保搬迁到长寿经济技术开发区，注册资本金8.68亿元，是重庆化医控股（集团）公司控股、重庆渝化新材料有限责任公司全资子公司，为全球最大的光气法合成二苯甲酮和四丁基脲的生产商，国内中定剂唯一生产商，西南地区唯一的苯胺硝基苯生产商，国家级专精特新“小巨人”企业、高新技术企业、知识产权示范企业，重庆市专精特新企业、技术创新示范企业、绿色工厂、健康企业。2023年，完成10余个新产品技术研究及4个新产品的工程化转化，实现新产品销售收入4177万元，利润250万元。获批重庆市水杨腈及光气衍生物数字化车间。创建“蜂巢式”数字化党建，完成MES系统、光气合成数字孪生系统上线运行，人员定位系统以及智能化管控平台模块功能建设持续完善。利用5G、边缘计算、工业互联网、人工智能、物联网等新一代信息技术，推进5G全连接工厂建设。“光气特种衍生物及芳胺类化学品5G全连接工厂”项目作为长寿区2023年唯一入选重庆市10个5G全连接工厂项目，“5G+无人智能巡检”入选国家级智能制造“安全风险实时监测与应急处置”优秀场景。全年实现营业收入36958万元，连续7年盈利。（长风化学）

【中国化学工程第七建设有限公司重庆分公司】 位于长寿区，是中国化学工程第七建设有限公司分支机构，有职工390余人。具备市政工程、环保工程、机电安装工程、化工石油天然气工程、医药工程、房屋建筑工程、公路工程等设计、施工与工程管理服务，以及钢结构工程、管道工程、防腐与保温工程、消防工程、园林绿化等专业工程施工与管理服务资质，以及上述各类工程技术咨询、技术服务、设备材料等采购资质。2023年，实现营业收入2.44亿元，比上年下降61%；利润总额-0.62亿元，比上年下降313%；完成税收797.62万元。（付新轶）

【重庆市药研院制药有限公司】 成立于1986年，注册资本2800万元，是集药品研发、生产、销售为一体的高新技术制药企业，先后通过国家科技型企业、重庆市高成长性“瞪羚企业”、重庆市知识产权优势企业及专精特新中小企业认定。公司2023年落户长寿区，自主研发平台“雷公藤属药物研发创新中心”通过区级研发创新中心及重庆市中小企业技术研发中心认定。公司拥有火把花根片、参仙片、喉舒宁片等产品，其中自主研制产品——火把花根片（重庆市高新技术产品及重大新产品）系国内独家品种，具有祛风除湿、舒筋活络、清热解毒功效，主要用于类风湿性关节炎、红斑狼疮等自身免疫性疾病治疗。公司依托“雷公藤属研发创新中心”，围绕核心产品“火把花根片”，与山东大学、重庆医科大学、重庆理工大学、重庆中医药学院、中国中医科学院、中国食品药品检定研究院等科研院所展开深度合作。至年末，公司拥有授权发明专利7项、实用新型专利11项、外观设计专利2项、软著1项。公司拥有现代化生产车间，涵盖片剂、胶囊剂、颗粒剂等多种口服固体制剂生产线。　（区经济信息委）

装备制造工业

【概况】　2023年，长寿区有装备制造规上工业企业61家，比上年增加4家，增长6.6%。全区装备制造业完成产值160.3亿元，比上年增长19%。产值靠前的企业有重庆小康动力有限公司、正新橡胶（重庆）有限公司、重庆博俊工业科技有限公司、重庆环松科技工业有限公司等。　（张　睿）

【重庆长航川江船业有限公司】　始建于1970年，占地面积22万平方米，岸线1500米，位于长寿经济技术开发区，是招商局集团下属四级国有独资企业。拥有室内仓储面积1万平方米、散货堆场3.6万平方米、件杂货堆场6000平方米以及20/40吨移动式双浮吊等作业设备，取得正式港口经营许可证；利用4500吨梳式升降机作业平台开展大件吊装转运特色业务，最大可承载长120米、重4500吨大件货物，曾先后完成70米长件、650吨重大件以及白鹤滩水电站建设设备吊装转运等项目。参与“七五”国家重点科研项目“三峡库区流动污染源预测及防治对策研究”等系列重大项目以及《船舶机舱舱底水、生活污水采样办法》等行业标准起草、修订。2023年，公司实现营业总收入1171万元，比上年下降19.84%；实现利润265万元，比上年增长364.91%；缴纳税金215万元，比上年增长66.66%。

（杨圣艳）

【重庆小康动力有限公司】　成立于2004年，系赛力斯集团股份有限公司的全资子公司，位于长寿区，总投资超过20亿元，占地面积64.33公顷，员工2000余人。主要从事动力总成研发、制造、销售及服务。年产动力总成能力75万台，市场保有量超过600万台。多项发动机产品被列入国家重点新产品，拥有自主知识产权的专利560余项、发明专利70余项。2023年，完成产值33.4亿元，比上年增长40.7%；实现利润-0.9亿元；缴纳税金0.6亿元，比上年增长41.1%。

【重庆环松科技工业有限公司】　是重庆环松工业（集团）有限公司下属控股子公司。主要生产大排量全地形车（ATV/UTV）、摩托车、通用汽油机和主要零配件，致力于打造面向全球高品质的运动休闲产品。位于长寿区晏家工业园区，占地面积66.66公顷；总投资4.1亿元，员工2300多人。公司有摩托车总装生产线3条、包装线2条、成车测试设备2台（套）、发动机装配生产线1条、涂装生产线6条，具备年生产摩托车30万辆、发动机30万台、全地形车5万辆的生产能力。产品主要为110CC～1000CC摩托车和全地形车，出口美国、加拿大、俄罗斯、韩国、欧盟等国家，获美国EPA、CARB证书和欧盟E-mark证书，排放达到美国和欧洲排放标准要求。生产1000排量的ATV/UTV全地形车是国内最大排量全地形车；新设计开发的1000排量的拖拉机获欧盟拖拉机新法规第一张证书，出口法国、瑞典。2023年，公司完成产值6亿元，比上年下降59.7%；实现利润-0.1亿元；缴纳税金0.2亿元，比上年下降47.5%。　（张　睿）

新信息技术工业

【概况】　2023年，长寿区建设宽带、泛在、融合、安全的信息网络基础设施，推动新一代移动通信、下一代互联网核心设备和智能终端研发及产业化，推进三网融合，促进物联网、云计算研发和示范应用。发展集成电路、新型显示、高端软件、高端服务器等核心基础产业。提升软件服务、网络增值服务等信息服务能力，加快重要基础设施智能化改造。发展数字虚拟等技术，促进文化创意产业发展。至年末，长寿区有新一代信息技术企业12家，比上年末新增1家。全年完成工业总产值26.2亿元，比上年下降29.28%；实现利润0.91亿元，比上年下降14.89%；缴纳税金0.23亿元，比上年增长90.65%。　（周伟庆）

【重庆望变电气（集团）股份有限公司】　1994年8月16日在长寿区注册成立，位于长寿经济技术开发区。下辖全资子公司重庆惠泽电器有限公司，控股黔南望江变压器有限公司，参股重庆能投长寿经开区售电有限公司。主要生产输配电及控制设备和取向硅钢两大类产品，形成“从取向硅钢到变压器再到箱式变电站、成套电气设备”的一体化产业链。输配电及控制设备主要包括110千伏及以下电力变压器、箱式变电站、成套电气设备，应用于轨道交通、风力发电、光伏发电、数据中心、节能环保等领域。硅钢类产品主要包括高磁感取向硅钢（HiB）和一般取向硅钢（CGO），年产量超10万吨，产量排名全国第四、全国民营企业第二。公司建成博士后科研工作站，掌握“双分裂整流变压器”“消弧接地成套装置”“硅钢片缝合装置”“硅钢冷轧用厚壁套筒”等多项核心专利技术，研制出多项新技术、新工艺、新产品。先后被评为国家级专精特新“小巨人”企业、重庆市中小企业专精特新企业、国家知识产权优势企业、重庆市技术创新示范企业、重庆市高新技术企业；获“重庆市中小企业隐形冠军”“重庆市认定企业技术中心”等称号。2023年，完成工业总产值48.1亿元，比上年增长63.78%；营业收入26.66亿元，比上年增长6.81%；实现利润2.92亿元，比上年下降19.15%；缴纳税金3.63亿元，比上年增长641.89%。

【重庆云晟数据科技有限公司】 成立于2017年12月12日，主要从事数据中心规划、投资建设、运营、维护及ICT业务；通过全资子公司重庆云晟数据科技有限公司投资建设重庆同城双活数据中心，设计PUE约1.30；为互联网公司等大型客户的西南或者西部节点提供服务。2023年，推进合作建设屋顶光伏发电设施。全年完成营业收入3759万元，缴纳税金143万元。

【友为技术有限公司】 成立于2016年，位于长寿工业园，主要研究及生产蜂窝数据类产品、智能家居产品、NB-Iot通信类产品、LoRa通信类产品、智能充电桩、新能源消费类产品、智能传感器等产品。2023年，完成工业总产值4.6亿元，比上年下降44.92%；实现营业收入4.56亿元，比上年下降42.22%；缴纳税金0.06亿元，比上年增长126.09%。

（区经济信息委）

消费品工业

【概况】 2023年，长寿区有消费品工业企业65家，比上年减少8家，下降11%。全区消费品企业完成产值171.2亿元，比上年下降7.4%。产值列前5位的企业依次为重庆穗花食为天粮油有限公司、重庆宇心门业有限公司、重庆市恒固席勒装饰工程有限公司、重庆中木智能家具有限公司、重庆尚越智能家居有限公司。

（张　睿）

【重庆双羽家俱有限公司】 创始于2007年，集设计、研发、生产、销售、服务为一体。2015年获“全国工商联门业专委会副会长单位”“中国木门行业十强企业”“中国木门十大品牌”“质量领先品牌”“消费者首选品牌”等称号。2016年，入驻天猫平台，拥有1000余家经销商、400余个展销中心，与1200余家装饰设计公司共建战略联盟，进驻居然之家、红星美凯龙、欧亚达等一线卖场。双羽家俱下含有双羽木门与圣玛诺整木定制两大品牌线与产品体系，其中圣玛诺整木定制家居针对高端（洋房、别墅）家装整木定制的全新品牌及项目。旗下圣玛诺品牌生产基地位于长寿区新富三路2号，厂房面积3万多平方米，年生产能力分别为10万套室内套装门、柜子20万平方米、护墙板20万平方米。2023年，完成产值2.3亿元，比上年增长187.3%；实现利润0.01亿元；缴纳税金0.08亿元，比上年增长221.8%。

【重庆宇心门业有限公司】 成立于2012年4月12日，注册资本5000万元，位于长寿区中国木业基地。主要生产套装门、装饰材料、家具、木质隔热防火门、防盗门、塑钢门窗、钢制门窗、铝合金门窗等；集产品设计、工艺研发、制造、配套服务为一体，年产量30万套。占地面积9.33公顷，拥有标准厂房59567平方米，引进成套数控技术、智能型生产线和计算机网络管理系统。2023年2月3日获“一种透光可调的门”发明专利。至12月，累计获发明专利6项、实用新型专利25项。2017年8月22日，通过GB/T19001-2016/ISO9001（2015质量体系认证）；2019年12月23日，通过GB/T24001-2016/SO14001（2015环境质量管理体系）和ISO 45001（2018职业健康安全管理体系）。先后获“高新技术企业”认证、“重庆市认定企业技术中心”、“中国绿色环保产品”“重庆木门实力品牌”等称号，通过“两化融合管理体系”评定；智能化生产车间木质套装门生产数字化车间被认定为重庆市数字化车间。2023年，完成产值6.7亿元，比上年下降5.2%；实现利润0.96亿元，比上年增长25.3%；缴纳税金0.2亿元，比上年下降95.9%。（区经济信息委）

建筑业

综　述

2023年，重庆市长寿区住房和城乡建设委员会（简称区住房城乡建委）落实住房和城乡建设部等部门《关于推动智能建造与建筑工业化协同发展的指导意见》、市政府办公厅《关于印发重庆市推进建筑产业现代化促进建筑业高质量发展若干政策措施的通知》精神，开展全区建筑业评先及表彰工作。对全区房屋建筑和市政基础设施工程实施智慧工地的建设、评价、应用及监督管理。全年房屋市政工程建设项目199个，其中11个项目申报一星级智慧工地。推进绿色建筑发展，全区共有62个项目按照节能和绿色建筑设计标准进行设计，全年新建绿色建筑47.2万平方米，新建建筑面积55.85万平方米，新建绿色建筑面积占新建建筑面积的84.51%。强化建筑工程质量管理，加强建筑施工安全监管，开展房屋市政工程消防安全检查，严格建筑市场行政执法，推进建筑业发展。全区总承包和专业承包建筑业企业总产值346.5亿元，比上年增长9.9%。实现建筑业增加值83.9亿元，比上年增长9.2%，占全区地区生产总值的8.8%。缴纳税金5.99亿元，比上年增长44.5%，占全区纳税总额的11.4%。　（陈　勇）

2023年6月5日，17家企业获全区建筑业先进表彰　（区融媒体中心　供图）

建筑施工

【概况】　2023年，区住房城乡建委以提升工程质量安全管理为核心，以

2023年1月6日，升级改造后的长寿区时代广场景观向市民开放

（区融媒体中心　供图）

健全管理机制为重点，抓好建筑施工安全监管和工程质量监督。5月厂房建设发生1起高坠事故死亡1人，7月隧道建设发生1起掉块物体打击事故死亡1人，全区房屋市政工程领域安全生产形势基本可控。

【建筑项目】　2023年，长寿区共有房屋市政工程建设项目199个。其中，续建项目96个，新报建项目103个。续建项目中，房屋工程73个，建筑面积215万平方米；市政项目13个，投资22.8亿元；其他工程10个，投资2.8亿元。新报建项目中，房屋工程66个，建筑面积75.7万平方米；市政项目22个，投资19.3亿元；其他工程15个，投资1.03亿元。

【建筑工程监理】　2023年，区住房城乡建委加强对监理行业的管理，对监理行业开展专项检查，督促监理单位落实监理“十不准”规定，巡查监理人员的资格情况、到岗履职情况、监理工程质量情况等。对总监理工程师计分35次，合计61分；专业监理工程师计分22次，合计43分；监理企业计分9次，合计18分。

【建筑工程质量监管】　2023年，区住房城乡建委开展购买服务委托第三方检测机构对在建项目全覆盖监督抽测。全年抽测钢筋原材78组，钢筋机械连接及焊接接头48组，水泥16组，砂石30组，粉煤灰4组，混凝土试件7组，混凝土回弹172组，钢筋保护层厚度154组，楼板厚度45组，桩基366组，管道内窥619.58米，高强螺栓5组，焊缝内部缺陷3组，防水卷材10组，防水涂料2组，室内空气质量3组；监督抽测质量报告351份，开展检测机构监督检查巡查3项次，发出质量整改通知3份，全部落实整改。

【建筑施工安全监管】　2023年，区住房城乡建委以全面整治重大事故隐患为主线，以“遏重大、防较大、减总量”为目标，聚焦房屋市政工程建设施工安全，将监督队伍分为3个组，对在建工地实施监督检查，全年开展建筑施工安全检查1382个次，发出隐患整改通知402份，局部停工通知32份，督促整改隐患1640条，现场执行简易执法程序231起，罚款15.44万元。3月，开展委外作业专项整治工作，重点整治施工现场中房屋改建、临时用电、动火作业、高处作业、有限空间作业、吊装作业、检维修作业等危险作业和关键工序的委外作业活动，对排查出的61个在建项目75个问题进行督办。5月、10月开展两轮起重设备专项检查，采取购买服务的形式聘请有资质的单位开展上机检查，共检查项目80个次，检查特种设备120台，全区有塔吊48台、施工升降机6台、桥式起重机4台、履带式起重机4台。

【建筑工程验收备案】　2023年，长寿区新备案建筑工程94项。其中，房建78项，面积164.6万平方米；市政16项，造价25.75万元。竣工验收合格率100%。消防验收项目42个，项目建筑面积69.73万平方米，其中专业工程5个；消防验收备案项目47个，项目建筑面积36.63万平方米；消防验收备案抽查项目22个，项目建筑面积26.73万平方米。

【建筑工程扬尘防治】　2023年，区住建委开展房屋市政工程施工污染防治提升工作，通过项目自查自纠和监督组全覆盖检查的方式，严格落实扬尘防控“十条措施”，加强建筑工地裸土覆盖或绿化，增设围挡或场内主要道路等部位的喷淋降尘，并鼓励全区各建筑企业创建扬尘控制示范工地。经市住房城乡建委质安总站抽查验收，“雲璟商住小区”等10个工地获评重庆市2023年度建筑施工扬尘控制示范工地。

【建筑安全文明工地创建】　2023年，长寿区对全区建筑业企业进行“严格落实企业主体责任”业务培训，各建

2023年12月14日，长寿区对全区建筑业企业进行“严格落实企业主体责任”业务培训　（区融媒体中心　供图）

筑施工企业主动开展市级建筑施工安全文明工地创建工作，指导各项目落实安全生产责任，完善工地安全管理制度，加强现场安全管理，优化施工环境，坚持文明施工，提高施工质量，营造文明施工氛围。年内，新建长寿区古镇初级中学项目、长寿国际化原料药及制剂产业基地项目（二期一阶段）创建成为重庆市建筑安全文明工地。

【建筑行业诚信体系建设】 2023年，区住房城乡建委建立社会信用体系建设工作机制、信用信息归集报送制度，明确信息归集报送内容、方式及时间等。在项目审批等行政管理中建立信用承诺、“黑名单”联合惩戒等制度，为城乡建设领域信用体系建设提供制度保障。依法归集公示信息，区住房城乡建委双公示信息归集总量357条，信息报送及时率97.48%、合规率99.72%、修正率99.12%，其中行政许可341条，行政处罚16条。强化事中事后监管，开展建设工程企业“双随机、一公开”检查工作，全年检查企业14家，其中建筑施工企业13家，工程监理企业1家。检查结果为10家建筑施工企业和1家工程监理企业合格，3家建筑施工企业不合格。开展工程造价咨询企业差异化监督检查，共检查黄色项目4个，均合格。对重点行业从业人员进行信用评价，贯彻落实《建设工程建设单位质量安全首要责任管理规定》及10余项配套措施、《建设单位信用管理办法》《监理信用管理办法（试行）》《质量检测信用管理办法（修订）》等系列文件，推行覆盖房屋市政工程参建七方责任主体及关键岗位人员的全领域信用体系。全年对施工单位项目经理进行计分25人次，共计104分；对监理企业计分9次，共计18分；对总监理工程师计分35次，共计61分；对专业监理工程师计分22次，共计43分；对检测机构计分3次，共计6分。

【预拌混凝土生产企业管理】 2023年，长寿区有预拌商品混凝土搅拌站5家，取得建站批复和生产能力认定的预拌商品砂浆搅拌站2家。全年预拌混凝土生产量89.48万立方米，干混砂浆生产量32.85万吨。年内，区住房城乡建委开展预拌混凝土（砂浆）生产企业季度检查4次，专项检查1次，与市质安总站联合检查1次，发出质量整改通知24份。对生产能力证书到期的4家混凝土生产企业和2家砂浆生产企业开展现场核查和生产能力认定并出具认定意见。至年末，为建工数砼、圣益、祥宏、华磊长砼、重庆正能实业5家企业办理生产能力认定延续，核发生产能力认定证书，另外1家正在对核查发现的问题进行整改。　（区住房城乡建委）

建筑市场监管

【概况】 2023年，区住房城乡建委推进建筑工程项目审批改革，强化勘察设计管理，开展房屋建筑和市政基础设施工程市场行为专项整治，加强民工工资管理，培养建筑业人才，推进全区建筑市场健康发展。

【建筑工程项目审批改革】 2023年6月，区住房城乡建委推进建筑工程项目审批改革。组建“帮代办”队伍，对社会投资项目提供“帮代办”服务，涉及事项包括工程规划许可、施工许可证、联合验收等事项，至12月底，开展“帮代办”服务40次，有31个项目取得施工许可证。优化城市基础设施配套费办理流程，精简申报材料，对不涉及减缴、免缴、缓缴的项目，即办即结。至年末，共办理22个项目的配套费征收，金额共计3498万元，其中3个房地产项目缓缴配套费2761万元。施工许可实行分段办理，不再要求建设单位提交纸质材料。年内，办理2个项目分段施工许可证。优化施工图备案程序，针对总建筑面积在1万平方米及以下的装修工程、房屋建筑工程（设计高切坡、深基坑、高填方的除外），落实承诺制办理施工许可政策。

【勘察设计管理】 2023年，区住房城乡建委执行市城乡建委《关于进一步优化房屋建筑和市政基础设施工程勘察设计管理工作的通知》精神，取消社会投资项目初步设计审批，压减政府投资项目初步设计审批时限。全年共办理初步设计审批28个，总投资39.75亿元。其中，房屋建筑6件，投资20.71亿元；市政项目22件，投资19.04亿元。完成施工图备案208件。出具《特殊建设工程消防设计审查意见书》55件，建筑面积96.9万平方米。开展工程勘察外业见证工作，全区系统统计项目共97个，抽查10个，抽查比例10.3%，符合市城乡建委要求。

【建筑市场行政执法】 2023年，区住房城乡建委根据市住建执法总队《关于开展全市房屋建筑和市政基础设施工程市场行为专项整治的通知》要求，开展建筑市场行为专项整治工作，采取巡查、抽查的方式，重点排查市政设施建设重点项目、城区房地产项目共计15个。全年共办理建筑市场行为违法案件7起，处罚违法企业6家，个人5人，处罚金额共16.6万余元。

【民工工资管理】 2023年，区住房城乡建委通过走访排查、实地调查等方式摸排项目89个，发现欠薪隐患项目8个，涉及约1780名农民工、2700余万元欠薪，按照“一项目一方案”工作要求，领导牵头包案、定期研判，确保欠薪隐患项目民工工资如期支付，全区房屋市政工程项目民工工资拖欠实现动态清零。

【建筑业人才培养】 2023年，长寿区举办住房城乡建设领域施工现场专业人员培训2期，培训95人；开展施工现场专业人员继续教育12期，1083人受益；协会与重庆建达培训学校合作培训建筑技术工人1期，培训26人；为企业换发建筑技术工人电子证书3人；开展建筑施工企业安管人员（A、B、C类）证书继续教育2期，352人受益。

【建设工程档案管理】 2023年，区住房城乡建委对全区75个工程项目城建档案进行专项验收，并出具75份档案验收意见书。对已接收的697卷档案进行编目、消毒和入库。全年接待查档人员226人次，调阅档案781卷次。

（区住房城乡建委）

建筑企业

【概况】 2023年，长寿区注册建筑企业364家。其中，施工总承包企业139家（特级1家、一级11家、二级19家、三级108家），专业承包企业151家，劳务企业74家。年内，重庆渝发海纳有限公司、重庆龙辉建设有限公司、重庆长峡建设有限公司3家企业取得施工总承包一级资质。

（陈　勇）

【重庆渝发建设有限公司】 重庆渝发建设有限公司始建于1985年，注册资本金3.15亿元。公司以房屋建筑施工为主，涉及市政、装饰装修、公路等多个专业施工领域。是一家具有建筑工程施工总承包特级、市政公用工程施工总承包、建筑装修装饰工程专业承包、地基基础工程专业承包、防水防腐保温工程专业承包等7个壹级资质和公路工程、建筑幕墙工程等5个贰级资质以及建筑行业（建筑、人防）甲级、风景园林专项乙级的设计、施工民营企业。2023年，有各类专业技术管理人员2000余人。其中，有中、高级职称者300余人，各类专业国家注册建造师、建筑师等140余人。至年底，累计获得省部级工法14项，企业级工法16项，主编、参编地标23项，国家标准1项，行业标准1项，发明专利4项，实用新型专利41项，国家级QC5项。先后获“全国守合同重信用企业”“重庆市AAA诚信建筑企业”“重庆企业100强”“重庆民营企业50强”“重庆市先进企业”“明星企业”“重庆市守合同、重信誉企业”“重庆市建筑业先进企业”“贡献突出民营企业”等称号。

【重庆华硕建设有限公司】 重庆华硕建设有限公司成立于2007年，注册资本金3.01亿元，年生产（施工）能力100亿元。投资1800余万元，建成“华硕云”系统，于2023年3月上线运行，在行业内率先实现数字化管理。2023年，有在编员工1000余名。其中，有中、高级职称者200余名，注册建造师150余名。全年竣工交付完成保交楼项目210万平方米，其中包括重庆两江新区、四川天府新区等，营业收入实现39亿元，继续列重庆市民营企业100强。新增机电工程施工总承包一级资质，获得发明专利7项，市级以上工法2项，参编地标6项、行标2项、国标2项。继高新技术企业、企业技术中心认证后，获市知识产权优势企业认证。年内，获重庆市三峡杯优质结构奖1个、三星级智慧工地1个，昆明市春城杯优质工程奖2个，全国安全生产标准化项目1个。

（区住房城乡建委）

商贸服务业

综　述

2023年，长寿区编制《重庆市长寿保税物流中心（B型）可行性研究报告》并上报市政府，企业实现就近通关，降低物流成本。培育重庆标杆自营出口鲜鸡蛋、联合海关搭建长寿柚出口示范基地，成为外贸两个新增长点；携手浙江中国小商品城集团共建重庆义乌数智产业园，探索共建重庆外贸全球供应链数字化服务平台。拟定《长寿区国家外贸转型升级示范基地（西药）建设规划（2023—2030）》，推动全区西药基地更高标准建设。推进商贸重点项目建设，爱琴海购物公园主体结构全面完成，总建筑面积约11万平方米，总投资5.5亿元。时代广场商圈商业步行街改造提升，通过公开招标方式，确定业界龙头戴德梁行、同炎数智科技等为合作单位，商圈面积提质扩容到0.5平方千米。发展电子商务，加强市场管理，促进商贸服务业健康发展。全区实现社会消费品零售总额338.6亿元，比上年增长9.2%，增速排名全市第九位；电商交易额完成182亿元，比上年增长10%；经西部陆海新通道铁海联运班列发货2741标准箱，货运值5.8亿元；新增入库企业39家；净增商贸市场主体4276家。

（刘俊村　谭紫昕）

商场和市场

【概况】　长寿区消费集聚区由时代广场商圈、长寿古镇商圈、协信广场商圈和爱琴海购物公园（在建）4个商圈组成。2023年，全区有全业态购物中心8个，大型连锁超市5个，社区便民超市200余家，市级夜间文化旅游消费集聚区“长寿古镇”1个。时代广场商圈全年零售额9.91亿元，日均客流量1.16万余人次，带动就业9000余人。

（陈守明）

【重百长寿商场】　重百长寿商场位于长寿新城桃花凯谊世纪广场，是重庆百货大楼股份有限公司于2000年10月独资创建的综合性百货商场，是重百向区县连锁发展的第一家分店。营业面积2.1万平方米，经营品种1万余个。该商场先后被评为山城百店无假货市级示范店、长寿区文明单位、保护消费者合法权益先进单位、价格计量信得过企业等。2023年，重百长寿商场有员工500余人，完成销售额1.84亿元，实现毛利2900余万元。

（区商务委）

【新世纪百货长寿商都】　重庆百货大楼股份有限公司新世纪百货长寿商都（简称新世纪百货长寿商都）是重庆百货大楼股份有限公司旗下的大型

综合商场，位于长寿区老城协信广场商圈，于2006年12月23日开业，经营面积1.24万平方米，4个经营楼面，主要经营黄金珠宝、童用家居、男女服饰、化妆品、小家电、男女鞋包等。该商都先后被评为山城百店无假货市级示范店、诚信承诺示范企业、A级纳税企业、价格计量信得过企业等。2023年，完成营业额9613万元，比上年增加390万元；实现利润186万元，比上年增加164万元；上缴利税247.5万元，比上年增加6万元；解决就业约400人。（王　涵）

【长寿协信广场】　长寿协信广场位于长寿区老城商业中心地段，占地面积8.07万平方米，营业面积11.14万平方米。分A、B、C 3个区，其中A、B区为商业建筑，C区为住宅区。A区商业建筑面积9.96万平方米，B区商业建筑面积2.46万平方米，C区住宅建筑面积5.1万平方米。A区定位以大型百货、大型超市为主，B区定位以餐饮、休闲为主。2023年，协信广场共有商铺686个，交易额超过5亿元。

【永辉超市协信店】　永辉超市协信店位于长寿协信广场向阳路2号天骄物业生活广场内，于2007年9月1日正式营业。营业面积6000平方米，经营单品2万余种，其中生鲜3000余种，生鲜农副产品销售额占总销售额的35%以上。2023年，永辉超市长寿协信店完成销售额1.19亿元，日均销售额32.7万元，日均客流量4800人次。

【金科美邻汇】　长寿金科美邻汇位于长寿桃花新城，辐射3千米内约46万常住人口。项目占地1.9万平方米，建筑面积8.1万平方米，由“山下拾堂”主题街区和大型购物中心两部分组成。是金科商业产品线租售模式落地的示范项目。山下拾堂商业街区面积约3万平方米，街区商铺531个，营业品牌门店160余家，业态涵盖餐饮、教培、娱乐、配套、零售等，其中以餐饮业态为主，引进连锁品牌塔斯汀中国汉堡、乡村基、霸王茶姬、益禾堂、焙里斯、沁园等。2023年，引进首入长寿烤肉品牌阿亲家烤肉及网红火锅品牌隐柿露营火锅，引入周陌画室、尚格武术搏击，打造长寿儿童教培聚集地。全年实现销售额1.2亿元，比上年增长50%。（区商务委）

【城区农贸市场】　2023年，长寿城区有农贸市场18个，其中菩提街道3个，凤城街道5个，渡舟街道2个，江南街道1个，晏家街道2个，新市街道2个，八颗街道3个；城区菜市场经营面积约7.5万平方米，有摊位4200个，实际租（售）出1881个，经营户1250余户。全年城区农贸市场交易额22.27亿元。

【乡镇农贸市场】　2023年，长寿区除海棠镇无农贸市场外，其余11个镇共有农贸市场20个，占地面积7.01万平方米，经营面积4.68万平方米，有固定摊位3793个。全年乡镇农贸市场交易额1.7亿元。（陈守明）

【专业市场】　2023年，长寿区有4个专业市场，分别是东部国际农产品交易中心、东部智慧物流中心、东部汽贸城、长寿区钢材市场。与新疆博州政府签订友好城市合作协议，将三科农商城作为新疆牛羊肉和进口火锅食材的集散中心。智慧物流中心正式开业，三通一达、电商等11家企业入驻。与阿里巴巴菜鸟集团签订《全面深化战略合作协议》，阿里巴巴菜鸟产地上行枢纽仓等项目正式签约落地。全年专业市场交易额121.7亿元。（谭紫昕）

【成品油市场】　2023年，长寿区有成品油零售经营站点42座，其中中石油16座，中石化8座，中油富渝2座，外资2座，民营13座，水上1座。

【再生资源市场】　2023年，长寿区注册登记的再生资源回收单位300余家，其中规模以上市级重点联系企业5家。回收类别涵盖废钢铁、废有色金属、废塑料、废轮胎、废纸、废弃

2023年11月22日，开在田间地头的长寿慢城农贸市场

（区融媒体中心　供图）

电器电子产品、报废机动车、废电池等。全年实现销售总额20.08亿元。

（吴永礼）

【时代中心“光合梦工厂”夜市街区打造】 重庆熠森文化传媒有限公司联合长寿时代中心打造长寿夜经济消费新场景“光合梦工厂”街区，街区拥有78个摊位、12个集装箱。2023年，开放51个摊位，日均营业收入7.65万元，解决就业100余人。10月—12月，连续3个月累计发放6.1万元夜市就业创业财政补助。“光合梦工厂”街区三期打造集装箱特色街区，举办音乐演出、艺术展览、各种主题活动和线下沙龙，打造长寿夜经济消费新名片。

（陈守明）

电子商务

【概况】 2023年，长寿区有电商产业园3个，网创街1个，双创孵化园1个，化工品交易平台1个，园区内有企业10家。全年新增电商类市场主体1782个，累计5048个。全区电商店铺8913家，其中实物店铺560家；电商从业人员2129人。全区完成网络零售额64665万元，比上年下降15.5%，其中农产品网络零售额3506.5万元，比上年增长22.3%。全区实现网络交易额182亿元，比上年增长10%。重庆川维科技有限公司通过阿里巴巴国际站跨境销售8单，销售额52万美元。

【电商人才培养】 2023年，长寿区有全媒体运营师、互联网营销师新职业（初、中级）培训资质的学校11所。全年培训涉及电子商务类人员约300人，培训内容为电商运营、采购选品、直播脚本等。推荐3人分别参加市商务委组织的“星未来”直播电商训练营、“重庆好货助燃计划”直播电商训练营培训。

【电商直播带货】 2023年，长寿区电商企业大部分在淘宝、抖音、快手等主流平台开展直播带货。重庆秀祥农业科技有限公司拥有百万粉丝抖音主播2名、合作主播4人，通过“短视频+直播”的方式销售长寿柚、长寿橘等农特产品，全年销售额46万元；“1023”网创基地5家企业开展直播带货，签约主播237人，基地全年销售额约1700万元；位于智慧物流园区的重庆彩之农电子商务发展有限公司自有主播10人，通过直播销售火锅底料等副食品，全年销售额约300万元；位于长寿古镇的重庆中臻云电子商务公司自有主播6人，通过直播销售健身器材，全年销售额约450万元。10月，组织长寿蛋、蜂蜜、农副产品等品牌企业参加“爱尚重庆·万物直播季资源对接大会”，帮助企业对接阿里、抖音、快手、小红书、视频号等主流电商平台以及三只羊、辛选、交个朋友、遥望等头部MCN机构和优秀达人主播，推动特色产品线上出圈。12月，组织简一生态农业公司参加“橙”邀天下·第二届明月山臻品博览会暨电商直播比赛活动，宣传长寿柚、长寿橘等农特产品。

（苟 婷）

2023年7月28日，长寿区时代中心“光合梦工厂”夜市投入试运行，当晚客流量超过2万人次

（区融媒体中心 供图）

物流业

【概况】 2023年，长寿区形成“三货站多专线”铁路物流网、“一环多横多纵”公路集疏运网、长寿港衔接通江达海水运物流网。水铁公管多式联运网络无缝覆盖长寿经开区晏家、江南组团，带动辐射长寿渡舟物流片区。全区实现货运总量1.42亿吨，其中铁路货运量1043.1万吨，港口货运量2779万吨，集装箱运输量45712箱；比上年增长10%。

【物流通道建设】 2023年，长寿区推进生产服务型国家物流枢纽建设，全年枢纽货物吞吐量380.5万吨，其中集装箱吞吐量0.4万标准箱；枢纽营业总收入2.9亿元，其中物流业务总收入1.6亿元；枢纽商品交易额4.11亿元，其中商品线上交易额1.06

亿元；仓库平均利用率超70%。与浙江海港集团共建川江物流枢纽战略引入宁波舟山港。长寿港与三峰靖江港启动战略合作互动。长寿经开区获批第一批重庆市“一带一路”进出口商品集散中心暨内陆国际物流分拨中心示范基地。推进西部陆海新通道建设。制定加快建设五年实施方案，拟定区级重点项目清单，涉及项目27个。首发明月山绿色发展示范带西部陆海新通道铁海联运班列、中欧班列（成渝）首趟长寿多式联运集结中心专列。融入“智慧长江”航运多跨场景应用，外贸企业国际贸易“单一窗口”使用全覆盖。与交通运输部下属企业交信物联携手推进“部市共建”，打造换电重卡网等“1+4”数字交通体系。建成投用全市首座换电重卡站，形成环主城20余个充换电网络规模，开通长寿至主城及周边18个区县的数字调度货运班线，为企业降低物流成本20%。

【物流设施提升】 2023年，通过能力500万吨的新恒阳码头多式联运示范项目开库运行，是长江上游规模最大的液体化工品物流综合服务平台。渝巴物流、中同运、化工码头合力搭建西南地区最大化工品铁公水多式联运运营平台。推进中航油西南战略储运基地、四三五战略储备油库等8个区域性保障生产服务项目建设。开辟渝巴物流至化工码头铁水联运“最后一公里”绿色通道，“疆煤入长”铁水联运实现首发。铁海联运多式联运“一单制”广泛应用。长寿港建成生产性泊位27个，5000吨级船舶可全年满载到港。渝怀铁路长寿站、王家坝两大火车站及川维、重钢、渝巴三大铁路专用线投入运营，打造“一环多横多纵”公路集疏运网，累计建成管廊超120千米，构建起立足长寿、服务重庆、辐射西南、面向国际的“通江达海”多式联运体系。

【物流企业培育】 2023年，长寿区引育商贸物流龙头企业，新培育4A级、3A级以上物流企业各1家、规上物流企业5家。（张　闯）

供销合作

【概况】 2023年，重庆市长寿区供销合作社联合社（简称区供销社）服务管理葛兰、云台、石堰、海棠、新市、云集、双龙、汇鸣、狮龙、长寿湖、邻封、但渡、龙河、朱家、城西、洪湖、万顺、菩提、凤城19个基层供销社，重庆市长寿区鑫智农资有限公司、重庆市长寿区农民合作社服务中心有限公司、重庆市长寿区人人向往农业发展有限公司、重庆长寿村村淘电子商务有限公司、重庆市长寿区物汇再生资源有限公司、重庆市长寿区恒源农资有限责任公司、重庆市烟花爆竹集团渝长有限公司、重庆市长寿区渝长棉麻土产有限公司、重庆市长寿区城郊农贸有限公司9个专业公司，重庆亿茂农业有限公司、重庆市顶尖食品有限公司、重庆恒昌再生资源回收有限公司、重庆市长寿区成栋食品有限公司4个成员社。全年实现销售总额53亿元；完成利润总额1447万元，比上年增长32%；资产总额完成6710万元，比上年增长7%；所有者权益完成4270万元，比上年增长21%。在全市区县供销社综合业绩考核中获二等奖。

【村级综合服务社建设】 2023年，区供销社与区农业农村委、各镇政府、区移动公司、区邮政公司合作，整合资源建设农村综合服务社240个。推进经营服务网点向村级延伸，与村集体经济组织、农户共建农村综合服务社，为农民提供生产资料、日用消费品、技术培训、电子商务、农产品购销、农村金融等生产生活综合服务，创建星级综合服务社42个。农村常住农户入社入会率98%。组建区农合会1个、街镇农合分会6个，组建专业合作社联合社4个、涉农协会9个、庄稼医院15家。程珊养蜂股份合作社入选国家农民合作社示范社。

【春耕农资稳价保供】 2023年，区供销社制定农资供应应急预案，在春播秋种时节做好农资储备、调运、供应工作。强化市场监测，准确掌握农资库存、价格变化等市场形势，每半月向市供销合作总社报送1次监测情况。实施化肥淡季储备贴息项目，以财政资金撬动社会资本，引导祺云农资和汇鸣、晏家、石堰等基层供销社储备各类化肥确保农资市场供应。引导全系统农资经营主体开展代储、代购、代销、配送上门等服务。开展“绿色农资”行动，参与化肥农药减量增效行动，推广测土配方施肥、生物有机肥使用。春耕期间，向云集镇尖峰、大同脱贫户赠送化肥近10吨；联合区市场监管局开展农资市场检查2次，杜绝假冒伪劣农资商品经由供销合作社渠道流入市场，确保供销社系统农资供应量足、质优、价稳，保障全区农业生产化肥需求。

【废弃农膜回收利用】 2023年，区供销社将市级下达的废弃农膜回收任务指标分解细化到各街镇，与公开招标确定的回收企业和经市供销合作总社备案确定的加工企业分别签订回收、加工协议，指导企业健全完善管理制度，坚持应收尽收原则，指导回收站点走乡串户、到田间地头上门回收。不定期检查回收、加工企业和回收网点，发出停产整改通知1期，督促整改到位。推广示范80余公顷可降解地膜，示范项目覆盖12个农业经营主体、6个街镇，涵盖蔬菜种植、水果除草等产业，减少农膜残留近10吨。全年回收农膜382.23吨、肥料包装物122.04吨，分别完成全年目标任务的104.4%、101.7%，农膜回收率90%，定点加工企业加工各区县交售的废弃农膜1647.3吨。

【农业全程社会化服务】 2023年，区供销社以“三社”融合为契机，构建覆盖全产业链的农业社会化服务体系，开展测土配方施肥、无人机飞防、果树修枝剪形、劳务服务、柑橘大实蝇防控等农业社会化服务。完成2023年中央财政支持供销系统农业生产社会化服务试点工作，预算资金151万元，绩效任务1333.33公顷。通过对水稻机收、晾晒（烘干）、秸秆综合利用3个环节服务并补贴，为村集体经济组织增加收入6万元以上。发挥全资子公司农民合作社服务中心有限公司组织优势，推动开展代账、代办、代管、贷款等业务，全年签约服务农业经营主体120家，为农提供财务、政务、业务、商务、事务、党务、金融等服务。

【基层供销社组织建设】 2023年，长寿区完成19个街镇基层供销社改造建设，实现街镇全覆盖，其中基层社示范社12个。重点培育新市供销社、晏家供销社、海棠供销社、汇鸣供销社、云台云海供销社等10余个骨干农产品流通经营主体。汇鸣供销社打造的“自然长寿馆”集中展示展销十大类、上百个品种的长寿特色农产品，成为慢城核心区的重要功能组成单元、展示长寿现代农业、特色产业发展成果的重要对外窗口。全年累计接待游客3000余人次。 （周遵华）

邮 政

【概况】 中国邮政集团有限公司重庆市长寿区分公司（简称长寿邮政）下设凤城、葛兰、狮子滩3个支局；支局辖49个邮政所（其中40个代理金融网点、9个纯邮政所）。2023年2月27日，撤销罗山营业所。12月5日，新增金山街邮政所。12月13日，狮子滩邮政支局更名为长寿湖邮政支局，云集邮政所更名为红光邮政所，华中邮政所更名为云集邮政所。长寿邮政全年实现业务收入1.8亿元，完成任务103.64%，比上年增长13.86%。

【邮政普遍服务】 2023年，长寿邮政优化普服网点布局，新增金山街邮政所。优化调整农村投递路线，162个建制村投递频次由周三班调整为周五班，周五班建制村占比由5.43%提升至78.73%。开展《“服务长寿 满意邮政”服务质量大提升专项活动》，实现3个“双提升”（网点形象、员工形象双提升，服务温度、客户黏度双提升，员工业务素质、综合能力双提升）。推进《“保安全 稳时限 优体验”寄递服务质量提升专项行动》，获得全市第二名。为居民提供普遍服务，信件收寄167075件、投递166895件；印刷品收寄6526件、投递92296件；普通包裹收寄7950件、投递4869件；办理汇款634笔、汇款金额58.75万元，兑付汇款231笔、兑付金额19.48万元；投递报刊7383.55万份。巡视专用邮政信箱邮件寄递成功率100%，机要通信无遗漏。

【邮政寄递业务】 2023年，长寿邮政落实“走访客户 对接项目”的新时代重邮行动，走访政企客户，服务政企市场。水果主产区以“自办+代收”的模式，扩大农产品寄递规模。全年寄递收入2097.16万元，列全市第七位；邮件进口量651.25万件，比上年增长29%。

【集邮与文化传媒业务】 2023年，长寿邮政承办第三届美食节、夏季汽车展和西藏特色会展活动。推广“百万职工游巴蜀”旅游年票6000张，列全市第二位。依托晶山小学校园邮局等开展“邮票里的家乡”等系列活动。全年完成收入1272万元，列全市第七位。纪特邮票销售5.18万枚，报刊发行678.25万份。

2023年3月16日，长寿邮政与晶山小学举行校园邮局授牌、揭牌仪式

（长寿邮政 供图）

2023年长寿区邮政业主要指标一览表

表15

指标名称	2022年	2023年	2023年比2022年增长（%）
邮政所（处）	49	49	0
邮路条数（条）	12	12	0
邮路总长度（千米）	994	994	0
农村投递线路总长度（千米）	563640.71	676550	20.03

【邮政代理金融业务】 2023年，长寿邮政推进代理金融向“财富金融”和“生态金融”转型发展，吸收存款78.6亿元。协助区政府推进政务服务就近办、一次办，与社邮合作为居民免费提供社保卡换卡、生存认证等服务。践行“离你最近 与你最亲”的服务理念，依托“二十四节气”和重要节日，助推金融知识进村、进社区，全年开展576场金融宣讲，触达客户超6000人次。

【邮政服务乡村振兴】 2023年，长寿邮政建成区级寄递物流配送中心1个、冷链仓1个、镇级周转仓7个、村邮站156个。发挥邮政三大核心优势，助力工业品下行、农产品出村进城，助农解决“三难”问题（销售难、物流难、融资难）。10月27日，长寿邮政与云集镇政府签订战略合作协议，依托邮乐网、抖音平台协同团区委在云集镇大同村开展“青耘重庆·百村行”助农直播活动，实现农产品交易额1514.14万元，下行商流交易额2252.24万元；打造长寿柚、沃柑、翠冠梨3条“双链工程”，收寄水果20.56万件；加强邮银协同，发挥乡村振兴工作室优势，助农发放融资E贷款1131万元。（余　华）

快递业

【概况】 重庆市邮政管理局五分局（简称渝邮管五分局）负责对渝北区、江北区、北碚区、合川区、长寿区邮政普遍服务和邮政市场（含快递业）实施监督检查。2023年，长寿区有快递法人企业4家、分支机构15个，快递企业从业人员1040人。全年快递业务量854.65万件，比上年增长9.43%；快递业务收入9276.99万元，比上年增长25.81%。

【快递末端网点备案】 2023年，渝邮管五分局开展末端网点备案，规范快递末端管理，提高快递末端服务质量。长寿区快递末端网点备案122家，其中乡镇末端网点37家。

【快递进村寄递业务】 2023年，渝邮管五分局在长寿区开展快递进村寄递业务。围绕血橙、枇杷、沙田柚等农特产品培育出村进城项目3个，全年农特产品寄递业务量累计完成69.6万件，寄递业务收入504.5万元，带动销售产值2460万元。

【快递共配中心】 2023年，长寿区出台《长寿区区镇村三级物流体系建设方案》，渝邮管五分局联合区交通局合作建设区级寄递物流配送中心，推动中通、圆通、申通、韵达、极兔等快递企业签约入驻长寿物流集团下属的智慧物流中心，推进全区三级寄递物流体系建设和交邮融合发展，提升农村寄递物流服务水平。

【寄递安全执法检查】 2023年，渝邮管五分局开展反恐禁毒、危险化学品、涉枪涉爆类物品违法寄递隐患整治。长寿区全年出动执法人员626人次，开展寄递安全执法检查313家次，下达责令改正通知书32份，约谈企业32家次，立案28件。（郭晨书）

会展业

【概况】 2023年，长寿区组织企业参加第五届中国西部国际投资贸易洽谈会、海口消博会、新疆亚欧博览会、垫江豆花节等会展活动20余场次。赴山东组织柑橘推介会，赴北京市组织自然长寿品牌推介会，推动特色农产品走出去。举办川渝农产品批发市场联盟产销对接大会，邀请山东省、吉林省、新疆维吾尔自治区、西藏自治区等省区市共同构建西部国际农副产品大通道。举办“吃遍长寿 寻找美食”长寿区第三届美食大赛，200余家美食商家参赛。举办西藏特色展销会，长寿参展企业11家。全年开展会展活动18场次，拉动消费3000余万元。

【第五届中国西部国际投资贸易洽谈会参展】 2023年5月18—21日，第五届中国西部国际投资贸易洽谈会（简称“西洽会”）在重庆国际博览中心举行。长寿区以“建设具有全球影响力新材料高地、推进世界级运动康养旅游目的地建设、中国长寿生命科学城”为主题打造展厅。展厅位于重庆区县馆N7馆A03展位，面积494

2023年5月18日，第五届中国西部国际投资贸易洽谈会上的长寿展厅

（区融媒体中心　供图）

平方米，参展产品93件，涉及新型材料、智能科技、康养家具、医疗器械、特色农产品、文旅等领域。在全球影响力新材料高地展区展出长寿经开区亚士创能、双象、华陆科技、中润化学、中石化川维、恺迪苏、壹石通等15家代表企业的展品。西洽会上，长寿区签约2个项目，总投资43亿元。其中，宝武欧冶链金公司签约18亿元金属材料项目，江苏双象集团签约25亿元甲基丙烯酸项目。

【“爱尚重庆·购在长寿”系列活动】　2023年，长寿区以“爱尚长寿”为主题，开展“爱尚重庆·购在长寿”系列活动15场。2月，金科美邻汇筹办“灯笼秘境集市游乐嘉年华暨惠民购物节”，90个参展商参与，吸引15万人次客流量，展会直接收入23万元，带动社会销售额327万元；3月，建玛特购长寿商场“诚信315，让利启航”活动带动400万元销售额；4月，凯谊世纪广场“超级食货节”主题消费活动，带动1200万元销售额；5月，苏宁电器开展以旧换新绿色智能家电补贴，换新补贴销售金额120万元；6月，举办夏季汽车展销会，销售车辆228台，销售额3198万元。

（刘俊村）

【川渝农产品批发市场联盟产销对接大会】　2023年7月10—12日，由四川省商务厅和重庆市商务委共同主办的川渝农产品批发市场联盟产销对接大会在长寿区举行。四川省、重庆市、吉林省、山东省、新疆维吾尔自治区、西藏自治区昌都市等地商务主管部门，相关涉农行业协会、农产品批发市场、生产基地、供应链骨干企业参加会议。川渝双方签订农产品批发市场联保联供、川渝市场互联互通、产品购销合作等合作协议10余宗。大会发布2022年度四川省、重庆市农产品批发市场行业发展报告和《深化川渝农产品批发市场协同发展共同宣言》。

【“吃遍长寿　寻找美食”长寿区第三届美食大赛举办】　2023年，长寿区举办“吃遍长寿　寻找美食”第三届美食大赛。大赛历时7个月，前期共有300多家餐饮商户参赛。通过线上投票、线下筛选，共有30家餐饮商户晋级美食技能比拼决赛。美食技能比拼设风味小吃组、火锅（汤）组、中餐组3个类别。经过美食专家现场品鉴，评选出十大宴请首选餐厅、十大最佳品控商家、十大大众最喜爱商家。

（谭紫昕）

家政服务业

【概况】　2023年，长寿区登记备案的家政服务企业60余家，从业人员2000余人，其中在商务部家政服务业系统注册5家。培育重庆美凤大姐家政服务有限公司、长寿区席琳职业培训学校、常青巾帼家政服务有限公司等8家本土知名家政服务企业，服务领域涵盖母婴护理、养老护理、物业保洁、家务料理四大板块，实行“公司直聘+劳务派遣”用工模式，为家政人才提供“技能培训+定向就业”直通服务。

【家政服务业运营】　2023年，长寿区家政服务业推广O2O商业模式，实现信息交流共享、技能传帮带、政策宣传贯彻等线上与线下衔接。重庆美凤大姐家政服务有限公司是全国首个家政从业人员线上妇联，吸纳200余名养老、育婴、保洁等家政从业妇女。公司借助互联网平台，依托专家力量，打造“家有宝贝”育儿品牌，利用丰富的婴幼儿照护经验，与区妇幼保健院儿童保健专家一起，每周五发布1期0~3岁婴幼儿照护指导视频，内容涵盖儿童保健、疾病预防、急救科普等，推动家政业务发展。

【家政培训】　2023年，长寿区家政服务企业组织开展家政培训，培训学员2200多人次。培训内容涉及婴幼儿日常照护、养老护理、健康照护、整理收纳等。

（区商务委）

批发零售业

【概况】　2023年，长寿区商贸企业入库39家，限额以上批发企业138家、零售企业101家。全年批发业销售额1012.7亿元，比上年增长9.4%。其中，“天字头”企业销售额329.9亿元，比上年增长13.4%；千信集团销售额301.3亿元，比上年增长8.2%。零售业销售额219.7亿元，比上年增长11.1%，高出全市1.9个百分点；粮油食品类限上企业销售额占社会消费品零售总额的29.5%，比上年增长19%。社会消费品零售额338.6亿元，比上年增长9.2%，高出全市0.6个百分点。

【批发业】　2023年，长寿区批发业实现销售额1012.7亿元，比上年增长9.4%。其中，金属材料类销售额占限上企业销售总额的32%；化工材料及制品类销售额占限上企业销售总额的35%。

【零售业】　2023年，长寿区鼓励汽车、家电等大宗商品销售企业开展以旧换新、汽车置换补贴等促消费活动，推进实体店“线上线下”双向发力，常态化开展电商直播带货活动，提升网络销售规模，激发市场消费活力。全年零售业商品销售额219.7亿元，比上年增长11.1%。　（程　哲）

【重庆索斯物资有限公司】　2019年5月注册成立，注册资本3000万元，位于长寿区晏家街道齐心大道20号。公司主要销售化工原料（乙二醇、精对苯二甲酸PTA）、锌锭、电解铜、铜杆、阴极铜、天然橡胶与合成橡胶的混合体等。2023年，实现销售额5.9亿元，增速20.04%。　（区商务委）

住宿餐饮业

【概况】　2023年，长寿区有限额以上餐饮企业7家，餐饮从业人员2750人。有酒店旅馆68家，其中限额以上住宿业企业5家。住宿业从业人员590人。全年住宿业营业额19.6亿元，餐饮业营业额37亿元。

【住宿业】　2023年，长寿区有酒店旅馆68家，其中五星级酒店1家，三星级酒店6家；总房间2895间；住宿业从业人员590人。100张床位以上的3家、591个房间，50张~99张床位的15家、954个房间，50张床位以下的50家、1350个房间。全区完成住宿业营业额19.6亿元，比上年增长15.9%。

【餐饮业】　2023年，长寿区规范餐饮企业行为，推进“光盘行动”，制止餐饮浪费行为。全区完成餐饮业营业额37亿元，比上年增长15.6%。

（程　哲）

商贸服务管理

【概况】　2023年，重庆市长寿区商务委员会（简称区商务委）坚持“安全第一、预防为主”“人民至上，生命至上”的理念，落实安全生产工作企业主体责任制，开展成品油、商场超市、大型商业综合体、餐饮住宿、专业市场、再生资源回收企业等重点行业领域重大事故隐患专项排查，全年发现问题281个，查处非法加油流动车2辆，移送案件1件，全区商务领域安全稳定。

【商贸安全监管】　2023年，区商务委成立安全工作领导小组，主要领导统揽全面，分管领导狠抓落实，明确分管领导安全生产职责清单和各科室的安全监管领域，构建起商务领域“横向到边、纵向到底”的安全责任体系。与各商贸企业签订《安全生产目标责任书》，明确消防应急、自然灾害防治等重点工作任务，倒逼企业安全生产主体责任落实。年内，主要领导专题研究安全工作4次，分管领导专题研究安全工作12次，召开企业安全工作形势分析会4次，举办企业专题培训会4次。制定《全区商务领域重大事故隐患专项排查整治行动方案》，全年开展安全执法检查144家次，下达整改指令17份，行政罚款3.25万元。

【成品油监督管理】　2023年，区商务委更新全区42家加油站和1座油库基本信息，签订安全生产责任书和依法经营承诺书。推进反恐工作，安装高清抓拍摄像头，严格散装成品油销售监管。开展“打非治违”，查获1起非法销售成品油行为，移送区应急局处理。42家加油站和1座油库日常安全检查全覆盖，约谈加油站4家，行政罚款4家。

【再生资源回收管理】　2023年，区商务委联合区公安局、区生态环境局、区城市管理局、区应急管理局、区市场监管局、区消防救援支队等单位制定《重庆市长寿区再生资源回收行业专项整治工作方案》，按照“属地管理、分工合作、协调联动、齐抓共管”的原则开展专项整治工作。全年开展专项联合检查2次，排查并整改隐患52条。全区162家再生资源回收单位运行规范。　（吴永礼）

粮油流通

【概况】 2023年，长寿区落实粮食安全党政同责相关要求，推进粮食安全责任落实，抓牢粮油储备、市场流通、应急供应能力建设，确保全区粮油市场稳定、供需保障良好、粮食储备安全、粮食质量可靠，守住粮食安全底线。

【粮油应急体系建设】 2023年，长寿区制定粮食应急预案，建立健全粮食应急联动机制，实现预案联动、信息联动、物资联动、队伍联动。完善粮食应急信息体系，将所有粮食应急企业纳入全国粮食应急保障信息系统，建立粮食应急基础数据库，对粮食应急企业进行实时动态管理。更新完善粮食应急储运、加工、配送等供应网络，把街镇纳入粮食应急保障体系。至年末，全区开展粮食应急演练2次，设置粮油应急供应网点34个、粮食应急加工企业1个、粮食应急配送中心1个、粮食应急保障中心1个。

【粮油加工设施建设】 2023年，长寿区推动“藏粮于地、藏粮于技”落实落地。巴渝粮仓社会化服务（长寿）中心建成投用，针对水稻、玉米、油菜、大豆、高粱等常规粮油作物进行烘干，单批次烘干能力216吨，满足666.67公顷以上的作物烘干需求。区储备粮公司日产150吨大米加工厂开工建设，建成后全区稻谷日加工能力达到1000吨。

【商品粮油购销】 2023年，长寿区督促企业按规定落实粮食销售出库检验制度，按照合同规定的品种、数量、质量组织国家政策性粮食出库，杜绝出现出库时掺杂使假、以次充好、调换标的物，以及拒不执行出库指令或者通过设置障碍、以各种借口阻挠出库、拖延出库进度情况，消除粮食购销风险隐患。印发《关于切实做好2023年秋粮收购工作的通知》，在粮食收购企业张贴12325全国粮食和物资储备监管热线海报，引导售粮群众对粮食企业的购销活动进行监督和举报。全区粮食购销坚持企业自检和委托市粮油质量检验站检验相结合的方式，执行“先检后收”规定，加强粮食收购、销售质量检测，杜绝不合格粮食流入口粮市场。全年未出现“打白条”、农民卖粮难等现象。

【粮食流通监管】 2023年，长寿区加强对区级成品粮油储备承储企业的监管，通过察看实物、清点货位、抽检粮食质量等方式，保证区级成品粮油供应充足，确保应急情况下随时调得动、供得上，未发现承储企业有亏库短量、不符合食品安全大米流入口粮市场等问题。全区区级成品粮储备900吨、区级成品油储备40吨全部落实到位。印发《长寿区2023年度粮食执法督查工作计划》《关于进一步加强粮食流通市场协同联动监管机制的通知》，加强粮食流通市场监管部门协调联动监管，全年开展综合执法检查及库存检查、秋粮收购检查、应急保供检查、重点部位、重点环节监督检查29次，未发现粮食流通违法违规行为。 （包　操）

烟草专卖

【概况】 2023年，重庆市长寿区烟草专卖局（中国烟草总公司重庆市公司长寿分公司）（简称烟草长寿区局）实行“统一领导、垂直管理、专卖专营”的管理体制，下设专卖稽查支队1个、专卖稽查大队3个、区域客户服务部3个，有卷烟零售客户3200余户。

【烟草营销】 2023年，烟草长寿区局（分公司）完成卷烟销量2.43万箱，比上年增长1.67%；销售额8.9亿元，比上年增长3.77%，单箱销售额3.67万元，比上年增长2.07%；综合可销天数22.05天，价格指数100.87，零售毛利率15.12%，卷烟销售专项考核在全市排第九位。实地走访零售客户335户，发放调查问卷1400份，收集意见建议678条，解决问题20个，零售客户满意度排名比上年提升9位。

【烟草专卖管理】 2023年，烟草长寿区局（分公司）查处涉烟违法案件127件，涉案卷烟5235.5条，案值122.49万元；办理向未成年人售烟案件2件，查获真烟“双10”“双5”案件各1件，查获“国二级”假烟网络案件1件，抓获犯罪嫌疑人14人，现场查获违法卷烟实物1100余条、案值逾37万元。依法依规对全市唯一的电子烟原料生产企业“博腾制药”进行监管，共开展检查12次，配合国家烟草专卖局和市烟草专卖局开展检查2次，调研1次。举办卷烟识别等业务培训7次、劳动技能竞赛4次，3名专卖人员通过专卖管理师技能鉴定，烟草长寿区局（分公司）参赛团队获第四届全市烟草系统专卖管理岗位技能竞赛团体优胜奖。 （烟草长寿区局）

交通运输

综　述

2023年，重庆市长寿区交通局（简称区交通局，2024年6月更名为重庆市长寿区交通运输委员会，简称区交通运输委）推进成渝地区双城经济圈、交通强市、数字重庆等重大战略部署实施，打造内畅外联、群众满意、安全规范的现代化综合交通体系。完成智能公交站牌试点，在130余个公交站点投入使用。与交信物联公司签订战略合作协议，推进换电重卡数字网等建设，交信物联公司已在长寿区晏家司机之家实现首站建设。与重庆物流集团有限公司、重庆汽车运输（集团）有限责任公司进行交流，推进渝长同城巴士路线开行。全年新增交通运输市场主体917家，新增升规入库企业5家。年内，全区完成货运量1.22亿吨，比上年增长7.5%。公路货运周转量80.38亿吨千米，比上年增长6%；水路货运周转量66.39亿吨千米，比上年增长7.45%；港口货物吞吐量2779万吨，比上年增长10.8%，排名全市第五位。

（区交通运输委）

公　路

【概况】　2023年，长寿区公路总里程3813.82千米。其中，高速公路107.97千米，国道195.36千米，省道152.2千米，农村公路3358.29千米。全区19个街镇221个行政村全部公路通达、通畅，村民小组公路通达率100%，公路通畅率100%。

2023年长寿区交通情况一览表

表16

公　路			
通车里程（千米）	总里程：3813.82		
	其中	高速公路	107.97
		一级公路	10.95
		二级公路	145.00
		三级公路	154.86
		四级公路	3395.04
		等外公路	0

续表16

公路密度	以国土面积计算（公里／百平方千米）		262
	以人口数量计算（千米／万人）		54
通达情况	通公路的乡镇19（个）占乡镇100（%） 通公路的村221（个）占村100（%）		
养护里程（千米）	总里程：3717.1		
	其　中	国、省道	347.5
		县　道	544.2
好路率（%）	国、省道		89.46
	县　道		65.44
绿化里程（千米）	国、省道		289.18
	县　道		503.01
客运站（个）	总数：5		
	其　中	一级站	1
		二级站	0
		三级站	0
		四级及以下站	4
营运汽车	客车　1347（辆）　18769（座）		
	货车　12541（辆）　167214（吨）		
公路运量	客　运	运量（万人）	761
		周转量（万人千米）	35626
	货　运	运量（万吨）	10814
		周转量（万吨千米）	803807
地方重点建设项目	总数（个）		
	新开工（个）	路　桥 站（点）	1
	续　建（个）	路　桥 站（点）	7
内河航运			
通航里程（千米）	总里程：108.4		
	其　中	二级航道	20.90
		五级航道	
		六级航道	75.00
		七级航道	12.50
港口（码头）	数量（个）：11		
	吞吐量	旅客吞吐量（万人）	/
		货物吞吐量（万吨）	2778.65
营运船舶	客船　30（艘）　752.00（座）		
	货船　45（艘）　28.49（万吨）		

续表16

水路运量	客　运	客运量（万人）	3.91
		周转量（万人千米）	70.41
	货　运	货运量（万吨）	325.85
		周转量（万吨千米）	663908.00
地方重点建设项目	总数（个）：2		
	新开工（个）	航电枢纽	
		港口码头	
		航道渠化（整治）	
	续　建（个）	航电枢纽	
		港口码头	2
		航道渠化（整治）	
	总投资（亿元）		2.07
	2023年完成（亿元）		1.66
文明单位			
国家级		新建　（个）	保持　（个）
部　级		新建　（个）	保持　（个）
市　级		新建　（个）	保持　2（个）
区（县）级		新建　（个）	保持　4（个）

【两江新区至长寿快速通道建设】 2023年，长寿区制定《2023年两江新区至长寿区快速通道“提速建设”作战图》，解决经开区隧道进口用地交叉、西南水泥腾出用地红线、经开驿站先行用地、龙门桥隧道渣土堆放等问题，推进项目建设。至年末，长寿段8个作业面同步施工，隧道工程累计掘进752.1米（其中晏家隧道410.2米，龙门桥隧道341.9米）；12号桥、13号桥、14号桥、17号桥4座桥梁工程完成桩基116根、承台28个、桥台10个、墩柱871米、盖梁7个；路基工程完成挖方13.25万立方米、填方20.7万立方米；边坡防护工程完成8000立方米。全线累计完成投资17.43亿元，超额完成年度目标。

（仇　巧　焦东平）

【公路建设与养护】 2023年，长寿区G351长寿湖至新市段改建工程完成下穿铁路段施工，S515乐温大桥及引道工程完工通车，S513垫江界至云集段改建工程完成起点段路面工程3.7千米，S513义和至川渝界段改建工程开展路基土石方施工，葛兰镇大坝村大坝场口至沙树咀段农村公路改造工程（大凉路）、洪湖镇芦池村至五龙村段农村公路改造工程（芦池至五龙）正在建设。完成8座国省道桥梁整治、88座桥梁维修、交调站建设5处。开展国、省道预防养护38.9千米、修复养护16.1千米，路面小修挖补1850平方米，施划路面标线2.2万延米，开展路面灌缝4.3万延米。累计开展应急抢险277次，累计投入人力1256人次、机械283台班，专项清理枯死断树约1.07万棵，清理塌方304立方米，修复边沟58米，维修更换护栏308米、标志牌73套，清理白色垃圾68立方米，清除路面油污2860平方米。组织石堰、海棠等7个镇街修复养护农村公路30千米。

【“四好农村路”建设】 2023年，长寿区投入资金3943万元，完成洪湖、龙河、石堰、双龙4个镇街16千米村道安防工程建设。推进菩提、江南、邻封等11个镇街45千米“四好农村路”建设。

【道路客运】 2023年，长寿区有客运企业11家，客运站5个，城市公交线路21条，农科线路50条，省际线路1条，县际线路26条。公交车291辆，班线营运客车275辆，巡游出租车362辆，网约出租车448辆。为211辆客运车安装车内视频监控设备。完成51辆巡游出租汽车经营权到期后重新投放。报废更新89辆新能源纯电动出租汽车，新增纯电网络预约出租汽车82辆。全年道路客运量761万人次，比上年增长6.9%。

【道路货运】 2023年，长寿区有货运企业501家，其中危险化学品运输企业31家，普通货运企业470家；货运个体户1702家。货运车辆11466辆。其中，危险化学品运输车辆1510辆，排全市第一；普通货运车辆9956辆，排全市第三。全年完成货运量1.08亿吨，比上年增长6.7%，超过全市平均水平；完成货运周转量80.38亿吨千米，比上年增长6%。全年清理年审逾期车辆799辆，注销营运柴油车281辆。

【道路运输管理】 2023年，长寿区对辖区道路运输企业开展安全检查，累计检查企业193家，发现问题474个，整改验收474个。开展打击“非法营运”及“网约车定线运输”专项整治百日行动，共出动执法人员585人次、执法车辆158车次，检查各类客运车辆2489车次，查处违法案件85件。开展为期3个月的规范出租车经营行为专项整治，以巡游出租车拒载、不按合理路线行驶、欺客甩客、强行拼客、违规议价、不使用计价器、不按计价器显示金额收费、车容车貌不整洁、驾驶员服务不文明等问题为整治重点，共查处违法违规案件107件，其中巡游出租车65件，网约出租车42件。强化道路货运行业执法监管，固定治超站检测车辆24.23万车次，移交超限运输车辆380车次，卸货946.8吨。7个非现场治超点检测货运车辆94.57万车次，查处车辆超限运输356件，抄送区交巡警支队遮挡号牌车辆1.61万车次。开展联合治超80余次。

【路政管理】 2023年，长寿区审批涉路许可2件、超限运输许可1件。开展大件运输现场核查99起。查处交通事故损坏公路路产及附属设施案件32件，赔偿金额10.05万元，赔偿率100%。

【首条城乡公交线路开行】 2023年2月6日，公交线路205路正式开行，是长寿区首条城乡公交线路。经营主体是重庆市汽车运输（集团）有限责任公司，由渝运集团六分公司投入运行车辆4辆。开行线路为长寿至东新村，运距9千米，共计停靠16个站。高峰时期发班间隔20分钟，平峰时期发班间隔30分钟。

【长寿乐温大桥通车】 2023年4月29日，长寿区S515乐温大桥完工通车。项目投资1.35亿元，2020年1月开工建设，大桥及引道工程起点位于学堂堡附近与S515垫江至贯岭段终点相连，终点位于贯岭与S515合兴至贯岭段相接，路线全长2.47千米，采用二级公路标准，沥青路面，设计速度40千米/小时。乐温大桥全长822米，桥面宽12米，双向两车道，引道路基宽8.5米，路面宽7米。 （区交通运输委）

【渝运集团六分公司】 2023年，重庆市汽车运输（集团）有限责任公司六分公司（简称渝运集团六分公司），设有长寿汽车北站、长寿汽车总站；有公营车队、商务车队、公交车队、出租（网约）车队、农客车队；有车辆309辆，经营线路70条。年内，调整经营结构，强化班线车运行管理，停驶垫江、长寿西站班线车辆，调减机场线运行班次，外调停驶车辆，调整长寿至龙洲湾运行线路及站点，制止亏损点扩大；发展旅游包车、商务包车、通勤车业务，拓展新业务市场；优化巡游出租考核模式，修订《巡游出租汽车管理办法》，将原有的经营协议转为生产任务考核，培育出租车效益增长点。加强安全管理，利用GPS动态监控手段，查处违法违章行为。发生各类有责道路交通事故31起，比上年减少15起，下降32.61%，其中全责事故26起，主责事故2起，同责事故3起，次责事故2起，无工伤死亡和火灾事故。全年收入总额6935.88万元，比上年增加95.52万元，增长1.39%；完成利润-889.05万元，比上年减亏624.2万元。

（李正秋）

铁　路

【概况】 2023年，经过长寿区境内的国铁线路有渝怀铁路及复线、渝利铁路和渝万城际铁路3条，有川维专用线、重钢专用线、渝巴物流专用线3条。通车里程共125千米。境内设有长寿北站、长寿站、王家坝站和长寿湖站4个客货站场。

【铁路安全管理】 2023年，区交通局联合晏家等10个街镇、重庆工电段等铁路单位对沿线轻硬漂浮物进行现场排查确认，共计排查41处隐患纳入整治清单。全区投入整治资金116.94万元，督促责任单位限时整改。加强日常巡查养护，全年发现并整改隐患40多处，由重庆工电段、涪陵工务段验收销号。

【渝万铁路启用公交化票制】 2023年6月，重庆市成渝高铁等4条线路启用公交化票制，长寿区涉及渝万铁路。旅客使用该票制可乘坐指定城际线路当日区间内C、D、G字头车次，使用二代身份证或e卡通乘车码在长寿北站、长寿湖站实现“无需购票，刷证或扫码即走”，提升通勤旅客出行体验。

2023年7月24日，两列动车在长寿城区交汇　　（区融媒体中心　供图）

【渝宜高铁长寿至涪陵段可行性研究报告编制完成】 渝宜高铁项目位于湖北省和重庆市境内，线路东起湖北省宜昌市，向西经长阳县、五峰县、鹤峰县、恩施市、利川市，重庆市石柱县、丰都县、涪陵区，终至重庆市长寿区。2023年8月，长寿区与长江沿岸铁路集团重庆有限公司、中铁二院共同开展渝宜高铁长寿境内弃土（渣）场选址工作。12月，国家发改委委托中国铁路设计集团召开项目可行性研究评估会；国铁集团组织召开项目初步设计预审查会。

【长寿区铁路枢纽总图规划研究】 2023年8月，区交通局委托中铁二院重庆勘察设计研究院有限责任公司开展长寿区铁路枢纽总图规划研究，年末，长寿区铁路枢纽总图规划完成初步成果。形成“两高铁五普铁”（“两高铁”即渝宜高铁、渝万城际；“五普铁”即渝怀铁路、渝利铁路、广长涪铁路、长垫梁铁路、铁路二环线）的总体线网格局；形成衔接2条高铁、5条普铁的地区性铁路枢纽，规划构建“一主三辅”（长寿北站为主，长寿湖站、长寿站、新市站为辅）的客运枢纽体系以及“一主三辅”（长寿站为主，王家坝站、晏家站、新市站为辅）的货运枢纽体系。

（区交通运输委）

【中欧班列（成渝）首趟长寿多式联运集结中心班列开行】 2023年12月6日，中欧班列（成渝）首趟长寿多式联运集结中心班列在渝巴物流铁路站开行。装载长寿区及周边地区机械配件、复合材料及日用品等50标箱货物的列车从长寿区出发，出口至“一带一路”沿线国家和地区。中欧班列作为“一带一路”经贸物流发展的主要载体，是国内外客户主要使用的物流方式之一，搭乘货物通过在长寿集结再接驳渝新欧班列的方式发运。

（区商务委）

水　路

【概况】 2023年，长寿区通航水域里程108.4千米，其中长江航道20.9千米，长江可利用港口岸线11.9千米，有冯家湾、胡家坪、黑背石、詹家沱、江南重钢、大石门、袁家沱7个作业区、27个生产泊位。内河航道87.5千米，渡口43道。水运企业13家、港口11个、泊位27个、客（渡）船舶25艘、旅游船舶30艘，货运船舶53艘，自用船1218艘。全年完成港口货物吞吐量2779万吨，比上年增长10.8%；水路运输货运量比上年增长8.6%；水路运输货运周转量66.39亿吨千米，比上年增长7.45%；集装箱运输量4.6万标准箱，比上年增长67%。川维、新港长龙、长明、化码4家规上企业营业收入比上年增长8.14%。

（区交通运输委）

【海事管理】 2023年，长江海事局长寿海事处开展王家滩联合管控，强化辖区朝涪段航道整治工程管理，该水域连续5年未发生险情事故。加强艇趸管理，落实《海事趸12022和12027维持使用期安全管理及风险防控措施清单》，制定《海事趸船应急撤离预案》；组织CCS（中国船级社）专家对2艘趸船进行检验；探索执法人员兼职轮机员，破解外聘船员缺乏难题。完成所属37艘船舶的盲断再复核，与辖区3家危险化学品码头签订《安全合作备忘录》。联合地方政府成立长江干线长寿段水上搜救中心，联合区环保、港航、消防等部门在新恒阳码头、化工码头开展防污应急联动演习2次。每季度联合开展船舶污染物接收转运处置联合检查，连续249个月未发生船舶污染事故。协调涉水部门共同参与水上交通安全治理，全年保障辖区安全运输货物3036.64万吨，其中散装危险货物164.33万吨，未发生一般以上等级事故。

（长寿海事处）

【港口物流枢纽建设】 2023年，长寿区委托渝勘院编制完成《长寿港区规划功能调整方案》并经市交通局初审。新恒阳投资约8.1亿元市级首批多式联运示范工程项目建成投用，累计完成吞吐量180万吨，节约物流成本3600万元。推进港口项目建设，中航油西南战略储运基地建设完成投资12.49亿元，四三五战略储备油库建设完成投资2.45亿元。

【港航企业招引】 2023年，长寿区发挥水运龙头企业示范带动作用，引进长航中外运、重轮集团、寨桦船务3家航运企业，新增运力3万吨。累计引进航运物流企业11家、船舶39艘，总运力近30万吨。

【港口码头智慧化建设】 2023年，长寿区督促7家重点货源港口企业完成源头治超数据分析综合管理系统安装接入，实现源头治超管理数字化、科技化、智能化转变，实现数字环保。推动“船E行”和重庆市船舶污染物协同治理信息平台在11家港口企业、辖区船舶污染物接收转运处置单位推广应用，通过电子联单加强船舶污染物接收、转运、处置全过程网上监管。全年接收船舶垃圾103.16吨，生活污水6930立方米，油污水16.28立方米；洗舱水接收量8196.9吨，处置率100%。梳理水路运输、航道、海事管理3个方面线上行政审批和公共服务业务事项69项，督促长寿湖景区公司完成水路客运网络实名制管理。

【水运安全监管】 2023年，长寿区定期召开水上交通安全联席会，开展安全风险研判，部署各关键时段水上交通安全重点工作。明确区水安办各成员单位关于乡镇自用船舶、“三无”船舶、渡口渡船及水上游乐项目等方面安全监管职责。委托中煤科工集团重庆研究院专家对新恒阳、川维物流、化工码头3家危险货物码头开展专项检查，指导重钢股份邀请行业专家对自身安全生产进行检查。36名危险化学品企业员工通过港口危险货物从业人员资格考核，新恒阳获重庆市首届暨2023年度港口危险货物从业人员技能竞赛一等奖。区交通局联合区公安局、区应急局、区文旅委、区农业农村委、长寿湖镇等7个部门和乡镇，开展长寿湖水上交通安全集中整治专项行动，检查渡口100道次、船舶300艘次，发现并整改安全隐患10起，查处违法案件15件。在辖区6个涉水乡镇排查出“三无”船舶59艘。开展水上交通安全生产重大隐患排查整治和重大风险防范化解专项行动。全年检查港口企业34家次、港口趸船37艘次、长寿湖及大洪湖船舶115艘次、运输船舶4艘次，发现并整改安全隐患15起。

【绿色航运建设】 2023年，区交通局联合区环保局、区城管局、区住建委、长寿海事处等部门，针对港口码头装卸趸船和堆场部位的防尘、防洒落设施，对辖区长江港口码头开展污染防控联合检查。全年检查港口企业3家次、航运企业14家次，发现并整改环保隐患6起。辖区9个经营性码头均完成船舶污染物接收设施建设并投入使用，棺材石码头和老黄沟码头均按标准设立污染物处置设施。推动长寿港11个港口码头19个泊位实现岸电设施全覆盖，指导各港口企业常态化使用岸电。全年使用岸电次数4003次，比上年增长36.57%；接电时间近4万小时，比上年增长52.43%；用电量12万千瓦时，比上年增长64.14%。

【航道整治】 2023年，长寿区完成长江长寿段忠水碛、王家滩、码头碛疏浚60万立方米，忠水碛炸礁12万立方米，王家滩筑坝5条、20万立方米，完成总工程量的95%。

【“疆煤入长”铁水联运首发仪式举行】 2023年2月15日，长航货运长明物流“疆煤入长”首航发运启动仪式在长明码头举行，“新长江26014”轮装载200余个集装箱驶向目的地——江苏江阴港，标志着长寿铁公水多式联运第一个项目落地。（区交通运输委）

【重庆化工码头有限公司】 重庆化工码头有限公司成立于2006年5月31日，是长寿三峡库区淹没复建货运码头。其前身是重庆港口局长寿中心港务站，1996年4月兼并长寿县第一搬装公司成立长寿港埠公司，2009年3月长寿港埠公司整体转移到重庆化工码头有限公司。2023年，重庆化工码头有限公司开展码头综合物流代理业务。全年完成装卸自然吨137.25万吨；完成吞吐量137.04万吨；完成内外贸集装箱4.6万标箱，其中内贸箱比上年增长74.31%，外贸箱比上年5月通关后大幅增长，实现经济收入1560万元，比上年同期增长74.89%。

（黄　井）

【国内首例大水深环境下潜坝抛投实施】 2023年12月13日，长江航道长寿区王家滩段清礁项目部利用2艘定位船上挖掘机和运料机向水下60米深抛投巨石筑坝，为国内首例大水深环境下潜坝抛投实施。根据王家滩滩段整治设计要求，需在水下抛筑5条潜坝，用以改善王家滩水域前沿回流和斜流，调整、改善其流速分布和水流流态。1—6月，该项目部完成3条潜坝施工任务。位于主航道的1、2号潜坝施工水深60米，大块石抛投难度大，项目部探索大块石抛投工艺流程，与武汉长江航道救助打捞局、重庆交通大学合作研发水下清礁可视化和水流要素预报与水下工程形成过程分析预警新技术2项，将新技术运用到施工中，完成精确抛石15万立方米、安装扭王字块2万架的施工任务。

（区交通运输委）

信息产业

信息基础设施建设

【概况】 2023年，长寿区信息通信业构建高速泛在、绿色低碳、智能敏捷、安全可控的信息通信网络，系统推进5G、工业互联网、算力等数字基础设施建设，发展壮大云计算、大数据、人工智能等数字产业，推进产业数字化进程，赋能行业数字化转型。累计建成5G基站1769个、4G基站4146个，实现政府、车站、商圈、工业园区、乡镇人口聚集区等重点区域5G、4G网络全覆盖。实施农村互联网信息基础设施建设，实现行政村通光纤网络100%。

【基站建设】 2023年，长寿区铁塔长寿分公司、电信长寿分公司、移动长寿分公司、联通长寿分公司新建5G基站213个，累计1769个。其中，电信与联通共建1014个，广电与移动共建862个。累计建设4G基站4146个，其中移动2350个，电信865个，联通931个。全年实现政府、车站、商圈、工业园区、乡镇人口聚集区等重点区域5G、4G网络全覆盖。

【“双千兆”网络建设】 2023年，长寿区实施千兆城市建设，推动全光网2.0建设。包括推进住宅小区、商务楼宇等重点场所的千兆网络升级改造，以及推进农村光纤改造，为农村地区提供互联网接入服务。光纤到户端口占比99.8%；固定宽带家庭普及率98.4%；平均接入速率每秒300兆比特流；移动宽带用户普及率97.5%，IPv6用户在互联网用户中的占比97.8%。

（周伟庆）

【数字基础设施建设】 2023年，区大数据发展局聚焦算力存储“一朵云”，摸清“云网”底数，完成迁移或关停私有云6个，关联云资源65条、网资源67条；建成重庆同城双活数据中心，投用机柜5522架，被纳入“东数西算”成渝枢纽节点城市数据中心布局。聚焦通信传输“一张网”，实现区、镇街、村社光纤全覆盖全联通，推进长寿工业互联网标识解析二级节点平台建设。启动“一网两线”建设，构建视频会议一体化、视频资源高速共享的网络底座。

【应用系统体系构建】 2023年，区大数据发展局完善六大应用系统体系构架。对标“六大系统”成立数字党建、数字政务、数字经济、数字社会、数字文化、数字法治六个专题组，组建数字经开区专题组，形成七个专题组统筹推进格局。出台《重庆市长寿区政府投资数字化项目管理暂行办法》，规范政府投资数字化项目建设管理。搭建实体化运行体系，各专题组分别组建工作专班，出台专班

2023年12月7日，长寿区纪委监委工作人员正在使用长寿区政治生态监督评价系统（区纪委监委　供图）

运行规则，配备常态化工作人员，完善各专题组体系构架，聚焦重点工作任务，优化形成43条跑道、107条子跑道。全区共谋划“一件事”（含市级部门赋权试点）25个，其中动火作业全过程监管一件事、残疾人入户访视一件事、“清廉重庆建设暨政治生态监督评价系统”子场景已纳入区县应用一本账，平急两用一件事已通过市大数据发展局查重。“北斗+城市公共交通安全”入选全市“2023城市运行和治理优秀融跨场景比赛”决赛。政治生态评价智慧系统已作为市纪委监委公权力大数据监督系统子场景之一。推动村社·智治平台、“两地一城”智治平台等特色应用上线试运行。承接市卫生健康委数字医学影像云服务试点。

【数字智慧通道建设】　2023年，区大数据发展局建设数字智慧通道，与交信物联携手推进“部市共建”，打造数字交通调度指挥中心、换电重卡数字网等“1+4”数字交通体系。与温州市共建数字经济友好城市，长寿经开区、长寿高新区分别与宁波经开区、温州高新区共建数字经济友好园区。承办“渝浙对接——数字变革暨浙商数字行重庆站”活动，选派20名干部到温州挂职锻炼。与义乌中国小商品城签订重庆数智产业园项目合作协议，共同打造线下展贸中心、线上跨境电商直播和培训中心、跨境结算中心、数据中心、基地仓、数字金融等项目；与阿里巴巴（中国）软件有限公司签署合作框架协议，共建中国西部数谷数字乡村项目，共同组建“数字乡村生态实验室”；与中科院合作打造数字农田伏羲系统、智能农机创新平台。

【“141”基层智治体系构建】　2023年，长寿区建成投用19个镇街基层治理指挥中心，各镇街明确基层治理指挥中心指挥长、常务副指挥长、副指挥长和成员，按“一中心四板块”架构运行和值班。按照扁平化管理要求，健全完善闭环流转、预警分析研判、多跨协同处置、应急联动指挥等工作机制，按照“一中心四板块”全覆盖完成班子成员分工优化调整、渝快政组织架构重建。实施党建统领网格治理专项行动，建立专职网格员后备人选库、网格卡、荣誉网格长、流动网格员等制度，划分网格1111个，配备“一长三员”3582名，打造网格驿站73个。“网格卡”和社区专职网格员人选库做法被编入区县优秀做法指南。菩提街道打造基层智治“1.0版本”并在数字重庆建设推进会作先进典型交流，带动全区各镇街加快构建“141”智治体系。

（蔺红宾）

大数据发展和运用

【概况】　2023年，重庆市长寿区大数据应用发展管理局（简称区大数据发展局）会同中国高科技产业化研究会、艾丰经济发展研究院等国家智库，拟草《关于推进数字重庆建设打造中国西部数谷的意见》。召开区委十四届六次全会，作为长寿区推进数字重庆建设大会，审议通过该意见，确立推进数字重庆建设打造中国西部数谷目标定位和“11538”总体布局（明确围绕数字重庆建设总体部署“一个总遵循”，打造中国西部数谷“一个总目标”，数字治理标杆区、数字产业集聚区、数字生活示范区、数据市场先行区、数字合作典范区“五区发展定位”，承接部署一体化智能化公共数据平台、建设成渝产业数字化能力中心、搭建数据流通交易平台“三个关键载体”，实施数字党建统领整体智治、产业智慧化跃升、“长寿”IP特色产业品牌、数据要素价值释放、数字民生普惠、以社会主义核心价值观为引领的数字文化、数字化绿色化协同转型发展、数字化能力筑基“八项重点工程”）。

【数据资源供给能力提升】　2023年，区大数据发展局聚焦数据资源“一组库”，归集本区域数据651类、1.67亿条。承接五大基础数据库、市级专题

2023年3月28日，区农业综合行政执法支队执法人员通过渔政视频AI预警处置系统进行巡查（区融媒体中心　供图）

公司、会计师事务所、律师事务所签订《共建重庆数据要素产业集聚区合作协议》，聚集沃克森（北京）国际资产评估、大华会计师事务所、北京金杜律所、上海瀚品律所等15家第三方专业化服务机构，在数据产品流通交易中提供数据合规确权、数据入表、资产评估等服务。联合中国电信、浪潮、数智政通、国星宇航等数字产品开发团队，与企业、部门进行供需对接，聚焦金融、气象、科技、农业等行业开发出数据产品110个。在数据资产入表启动活动上完成10个定制化数据产品签约交付，首批交易额131.6万元，实现全市首单数据资产入表。

库，回流市级数据87类。新搭建长寿经开区、长寿高新区、菩提街道等17个前置数据库，赋能“一件事”应用开发。完成数据治理235类78万条，为数据价值的释放提供数据支撑。参与数据直达基层，国家部委2563类数据，川渝政务数据三批共享责任清单可通过IRS系统查看、申请。

【智能化公共数据平台建设】　2023年，区大数据发展局建立数字资源“一本账”，完成应用系统、数据资源等五大功能模块编目，全量编目应用102个。依托“渝快办”，深化“一网通办”改革，“渝快办”长寿专区提供服务1万余人次，办理“一件事一次办”6899件。依托“渝快政”，着眼一体化协同办公，注册用户1万余人，日活率80%以上，跨部门工作群2800余个，日均交流信息3万余条，文件传输量140余万个。

【重庆数据要素产业集聚区建设】　2023年，长寿区构建包括场景体验、产品展示、培训实训、供需对接等功能于一体的场景化线下实体平台。实施智转数改项目165个，培育数字化车间62个、智能工厂7家，博腾制药入选达沃斯世界经济论坛“灯塔工厂”种子企业和全国智能制造示范工厂，小康动力获重庆数字化车间、智能工厂评比考核第一。聘请中科院、清华大学、重庆大学、中国信息协会等科研院校教授和中国电信、中国移动、吉利集团等大型企业集团专家，为制造业企业数字化转型提供诊断、咨询和各环节数字化转型解决方案。长寿区属国有独资企业重庆盈新数字科技有限责任公司与火石创造科技有限公司组建重庆数商科技有限公司，作为重庆数据要素产业集聚区的建设运营平台，具体负责数字化转型赋能中心和数据要素运营。长寿区与深圳数据交易所签订《深圳数据交易所重庆数据要素服务工作站合作协议》，基于隐私计算、区块链、低代码开发等核心技术，打造交易所、数据交易供需双方、数据商等“多方协同”的生态体系；与重庆数商科技、西部数据交易公司、北京铜牛科技公司等签订《数据资产服务运营合作协议》，共建数据资产服务运营中心，为企业提供数据资产服务的统一窗口；与北京、上海、重庆等地一流的资产评估

【城运中心建成投用】　2023年，长寿区围绕党建统领、经济发展、设施运行、生产生活服务、生态景观、社会治理、应急动员、文明创建城市运行和治理八大业务板块，编制区城运中心构架图、事件分拨流程图等。成立区城运中心专班，设置综合管理、业务处置、运行维护等岗位，建立指挥调度制度，健全风险会商、闭环管理等机制，优化任务事件流程。会同数字重庆公司部署长寿区数字化城市运行和治理中心软件系统，共享一体化智能化公共数据平台数字资源，在数字工作台部署智能分拨、智能研判预警等能力组件，实现智能分拨。建设区城运中心集成平台，集成应用系统159个，实现“一屏掌控”。区城运中心承接基层智治平台上报事件，实现上传、下派、分拨、反馈等事件流转闭环。累计处置事件2.9万余件，办结率99.02%。承接“八张问题清单”“全民反诈”（反电信诈骗的数字化应用程序）等7个市级典型应用，推进污染源精准防控、森林防火2个应用在两级治理中心实现事件流转。归集企业全生命周期体征监测、城市

2023年12月29日，重庆市长寿区制造业数字化转型赋能中心开业暨数据资产入表启动活动签约，100个标准化数据产品现场发布　　（李秋晨　摄）

运行治理支撑体系等基础数据110类。全量编目区公安局、区城市管理局、区交通局等单位的感知资源，接入视频1.5万个，实现感知资源共享频率和时效“双提升”。　　（蔺红宾）

信息安全

【概况】　2023年，长寿区按照《党委（党组）网络安全工作责任制实施办法》文件要求，将网络安全工作纳入区委巡查和区委意识形态专项监督检查范畴，开展专项监督检查2轮，检查单位24家，发现网络安全问题2个，整改2个。建立网络安全工作通报制度，每季度就各相关单位网络安全工作落实情况进行通报。　　（曾洪伟）

【网络安全等级保护】　2023年，区公安局按照职能职责，依法管理辖区重要信息系统，开展信息系统等级备案和网络安全监督执法，对重要信息系统和交互式网站开展实地检查。强化重要信息系统安全管理。对属地IDC以及124个重要信息系统开展实地执法检查和监测管理，对发现的各类安全隐患和网络安全漏洞进行通报整改。　　（高丽岚）

【关键信息基础设施网络安全保护】　2023年，区委网信办组建网络安全专家团队和网络安全技术队伍，开展关键信息基础设施网络安全检查3次，现场检查单位31家。开展重点党政机关网站全天候漏洞扫描和巡查，发现整改网络安全问题16个。对全区重点领域公共电子屏进行安全检查，消除网络安全隐患。　　（曾洪伟）

【网络安全监督】　2023年，区公安局对辖区内124个重要信息系统网络安全开展监测管理和实地检查，核验未备案网站1300余个，组织技术力量对全区已备案的360个网站、小程序、APP开展漏洞扫描，对存在高危漏洞的网站进行督促整改。对交互式网站进行常态化现场检查，确保网络平台安全。　　（高丽岚）

数字产业

【概况】　2023年，长寿区推进数字重庆建设，与中国高科技产业化研究会、北京艾丰研究院、赛迪研究院等合作，编制《推进数字重庆建设打造中国西部数谷总体方案》《中国西部数谷规划实施方案》。建成长寿制造业数字化转型赋能中心，启动西部数据交易中心（长寿专区）建设。实施智能化改造项目56个，新认定智能工厂1家、企业数字化车间11个、5G全连接工厂1家、市级企业技术中心5家、市级工信化重点实验室1个、市级技术创新示范企业2个。

【数字重庆建设推进】　2023年，长寿区实施数字底座及场景开发项目。该项目是长寿区推进数字重庆建设的基础工程之一，完成数字底座、“两地一城”智治平台、数字健康产业大脑系统建设，于11月通过初验，并集成上架到渝快政。推进5G智能网联、长寿柚产业大脑等项目。长寿区村社区智治平台项目完成初验；5G智能网联配套基础设施示范项目取得概算批复；长寿柚产业大脑开发初步完成；长寿区城市级数字停车项目完成可行性研究报告编制；长寿开投集团项目管理系统和资产管理系统完成初代开发。全年编辑《长寿区推进数字重庆建设通俗读本》，印制7000余册；印刷《数字重庆通用术语释义》6000余册；举办数字素养能力提升培训8期。

【数字经济制造业】　2023年，长寿区开展智能化改造项目56个，累计165个；新认定智能工厂1家，累计7家；新增企业数字化车间11个，累计62个；新增5G全连接工厂1家，累计2家。新认定市级企业技术中心5个，累计62个；新认定市级工信化重点实验室1个，累计4个；新认定市级技术创新示范企业2个。年内，长寿区以新材料、钢铁冶金、装备制造、综合化工等主导产业为重点，推进产线升级和技术改造，全区智能制造平均发展指数约为42，关键工序数控化率19%，数字化研发设计普及率100%，工业云平台应用率55%，重点行业80%的企业实现全生产流程信息化；全区120家企业完成上云上平台，完成长寿区工业互联网标识解析二级节点平台项目建设。

【数字经济服务业】 2023年，长寿区建成6个镇级电商服务站和66个村级电商服务点，形成覆盖全区的电商服务网络，实现沙田柚、血脐、柠檬和土蜂蜜等16种农特产品线上销售。长寿高新区聚集软件和信息技术服务企业，涵盖软件开发、系统集成、云计算、大数据、人工智能等领域。全区形成涵盖数字设计、数字艺术、数字娱乐等领域的数字创意产业链。鼓励和支持企业开展数字内容研发和生产，数字内容产业涵盖数字游戏、数字教育、数字出版等领域。

（周伟庆）

通信服务

【中国电信股份有限公司长寿分公司】 2023年，电信长寿分公司重点签约长寿区水利局“十四五”水文基础设施建设项目、长寿经开区应急管理中心机房上云项目等。新建室外站593个、室分站35个，5G室外站累计890个、800兆5G基站510个，实现长寿区电信4G/5G信号全覆盖，行政村100%通光纤网络。全年完成10GPON 4批次建设，累计投资210万元，扩容板卡70块、端口1020个，全区所有局站均满足10GPON准千兆接入能力（其中有20个机房满足全千兆接入能力）。协同联通公司建设5G室外站13个、室分站点35个，累计完成与联通共建共享5G基站室外站380个站点。配合市公司完成2个点位（付何、合兴）5G皮基站建设试点及长寿电信510个800兆5G基站建设工作。光纤到户端口占比99.89%；固定宽带家庭普及率43%（仅电信）；平均接入速率每秒150兆比特流；移动宽带用户普及率90%，IPv6用户在互联网用户中的占比92%。全年主营收入24358万元，比上年增长7.97%；宽带用户新增14257户，净增2622户；移动用户新增40329户，净增9892户；签约智慧社区，覆盖全量用户数27579户。

（黄　伟）

【中国移动通信集团重庆有限公司长寿分公司】 2023年，移动长寿分公司移动5G终端用户21.2万户，5G套餐用户22万户，累计用户41.4万户，168套餐用户增加4493户，移动宽带用户增加1.14万户。至年末，5G终端用户超18.6万户；完成5G基站建设226个，累计783个，实现政府、车站、商圈、工业园区、乡镇人口聚集区等重点区域5G网络全覆盖，平均下载速率约每秒805兆比特流，平均覆盖率98.89%。全年建设完成0.7万线，整体规模54万线，实现长寿区域内500米范围内光纤网络100%全覆盖；升级改造136套XGPON网络，实现54万线全量具备千兆网络开通能力，1000兆及以上高带宽客户达到3万户。全年分公司总收入2.83亿元。

（张　娟）

【中国联合网络通信有限公司长寿分公司】 2023年，联通长寿分公司新建4G基站176个，累计1357个，其中与电信长寿分公司共享664个。新建5G基站204个，累计1076个，均与电信长寿公司联建。行政村光纤网络通达率15.38%，光纤到户端口占比100%；固定宽带平均接入速率500兆，IPv6用户在互联网用户中的占比100%。至年末，分公司经营网格5个，自有厅3个，核心渠32家，业务代理网点100余个，移动互联网用户15.59万户，移网通信用户10.05万户，固话通信用户0.72万户，有线电视用户955户，千兆互联网络用户2.5万户。全年分公司收入约6500万元，比上年增长8%。

（余　梅）

金融业

综　述

2023年，中国人民银行长寿分行（简称人行长寿分行）在货币政策传导、金融改革创新、风险防控等方面主动作为，服务长寿区经济高质量发展。

积极实施稳健货币信贷政策。持续发挥总量和结构性货币政策工具作用，推动全区本外币贷款余额比上年增长13.13%，高于全市平均增速3.35个百分点。充分运用再贷款工具，推动辖区银行机构累计发放支农支小再贷款21.25亿元。推动金融机构支持科技创新，为高新技术企业提供首次贷款2.82亿元。指导银行机构对长寿区基础设施建设、保障性住房建设等存量资产进行权益质押融资授信14.29亿元。

优化金融服务生态环境。推动调解室入驻法院和金融调解进乡村工作，持续畅通金融消费者诉求表达、利益协调、权益保障渠道，推动金融纠纷成功调解，金融消费者投诉及时处理。新增数字人民币便民场景，保障辖区现金供应。优化减税退费流程，推动政策红利直达重点行业。在全市率先实施跨区域助力小微企业贷款发放，实现供应链应收账款融资超30亿元。

加快推进绿色金融改革。以金融支持绿色示范工程建设为突破口，推动金融机构累计为长寿经开区绿色园区和示范项目建设授信128亿元，落地贷款68亿元，助力长寿区2023年成功打造国家级绿色示范园区1个、绿色示范工厂6个，落地长寿区首笔高新技术和专精特新企业跨境绿色贷款500万元。推动印发长寿首批转型金融标准，落地重庆银行全市首笔碳挂钩转型贷款1000万元。（黄　雪）

银行业

【概况】　2023年，长寿区共有银行18家，其中政策性银行1家，国有商业银行5家，股份制商业银行5家，邮政储蓄银行1家，地方性商业银行4家，村镇银行2家。至年末，全区银行业金融机构本外币存款余额835.08亿元，比上年末增长11.39%，比全市平均增速高3.4个百分点。其中，人民币存款余额827.02亿元，增长11.23%；外汇存款余额1.14亿美元，增长9.4%。本外币住户存款余额666.34亿元，增长12.28%；本外币企业存款余额119.96亿元，增长17.15%；本外币财政性存款余额5.65亿元，增长151.20%。全区金融机构本外币贷款余额595.93亿元，比上年末增长13.13%，比全市平均增速高3.35个百分点。其中，人民币贷款余

2023年末长寿区金融机构存款贷款一览表

表17

金融机构存贷款余额	数量	比年初增长（%）
本外币存款余额（亿元）	835.08	11.4
#人民币存款	827.02	11.2
#住户存款	666.34	12.3
非金融企业存款	119.96	17.2
广义政府存款	48.19	-10.2
非银行业金融机构存款	0.45	546.7
本外币贷款余额（亿元）	595.93	13.1
#人民币贷款	595.93	13.1
#住户贷款	184.54	5.9
#短期贷款	48.16	6.5
中长期贷款	136.38	5.7
非金融企业及机关团体贷款	411.39	16.7

说明：#的含义为“其中”

额595.93亿元，增长13.13%；外汇贷款余额2.33万美元，下降11.27%。本外币中长期贷款余额439.6亿元，增长16.05%；本外币短期贷款余额129.60亿元，增长14.79%；本外币票据融资余额26.73亿元，下降23.79%。全年银行业利润5.82亿元，比上年下降18.10%。不良贷款余额3.8亿元，比上年增长62.27%；不良贷款率0.64%，比上年上升0.19个百分点。

（黄　雪）

【中国农业发展银行重庆市长寿区支行】 2023年，该支行支持长寿临港仓储物流园及配套基础设施项目（一期）、长寿区龙河片区美丽乡村示范带建设项目、长寿区拆旧复垦项目（一期）、长寿区星级旅游景区提档升级建设项目、长寿区长寿湖东岸环湖路景观带打造工程、长寿区明月山片区废弃矿山生态修复项目，共投放贷款5.68亿元。投放5000万元农业科技流动资金贷款，用于支持企业养殖长寿湖富硒生态鱼。向重庆璞珞实业有限公司投放粮油购销流动资金贷款1000万元。完成区国有企业两笔到期贷款展期，金额共计6380万元。全年累计投放各类贷款6.28亿元。至年末，支行各项存款余额7.63亿元，比年初增加2.85亿元，增长59.76%；各项贷款余额23.85亿元，比年初增加4.38亿元，增长22.49%。全年日均存款余额8.79亿元，比年初增加3.95亿元。不良贷款保持为零。　（余　茜）

2023年2月17日，农发行长寿支行支持的长寿湖东岸环湖路景观带打造工程施工现场　（区融媒体中心　供图）

【中国工商银行股份有限公司重庆长寿支行】 该支行于1984年成立，下设营业部、凤城支行、文苑支行、川维支行、黄桷湾支行、古镇支行、晏家支行、渝北洛碛支行8个营业网点。2023年，工行长寿支行建立农村普惠金融服务点13个，设立金融服务港湾1处、社保卡便民服务点6个、征信代理查询点1个。聚焦长寿“两地一城”建设和“3113”项目攻坚计划，为长寿区5000余户对公客户、50余万个人客户提供金融服务。全年各项贷款投放87亿元。与区工商联签署协议三年100亿元融资支持民营企业发展，当年投放民营企业贷款72.92亿元。联动工行澳门分行办理长寿区首笔高新技术和专精特新跨境绿色贷款；以“专项债+市场化融资”的方式实现小石门供水项目银团贷款13亿元组团落地。至年末，工行长寿支行本外币各项存款余额87亿元，比

2023年12月长寿区本外币存款余额统计表

表18　　　　单位：亿元

项目	余额	比11月增减		比年初增减	
		2023年	2022年	2023年	2022年
一、各项存款	835.08	13.77	10.77	85.37	58.36
（一）境内存款	834.94	13.92	10.86	85.37	58.50
1.住户存款	666.344	7.74	11.99	72.89	66.09
（1）活期存款	137.90	6.15	11.02	2.079	6.63
（2）定期及其他存款	528.44	1.59	0.97	70.81	59.46
2.非金融企业存款	119.96	10.63	5.14	17.56	0.02
（1）活期存款2	58.77	11.19	0.83	7.82	−23.02
（2）定期及其他存款2	61.184	−0.55	4.30	9.75	23.04
3.广义政府存款	48.19	−4.46	−6.16	−5.46	−7.61
（1）财政性存款	5.65	−1.15	−3.7	3.40	−6.75
（2）机关团体存款	42.53	−3.31	−2.45	−8.86	−0.86
4.非银行业金融机构存款	0.453	0.00	−0.09	0.38	−0.00
（二）境外存款	0.14	−0.14	−0.10	−0.00	−0.14
二、金融债券					
其中：境外发行					
三、卖出回购资产					
四、借款及非银行业金融机构拆入					
五、联行往来（净）					
六、应付及暂收款	19.58	0.58	0.33	3.40	3.20
七、各项准备	6.00	0.64	−0.17	1.62	0.68
八、所有者权益	6.77	−0.42	0.22	1.32	2.70
其中：实收资本	0.6				
九、其他	−6.39	1.19	3.22	−2.37	6.89
资金来源总计	861.05	15.75	14.38	89.33	71.84

2023年12月长寿区本外币贷款余额统计表

表19　　　　单位：亿元

项目	余额	比11月增减		比年初增减	
		2023年	2022年	2023年	2022年
一、各项贷款	595.93	16.03	6.54	69.14	40.67
（一）境内贷款	595.93	16.03	6.54	69.14	40.67
1.住户贷款	184.54	1.32	0.88	10.27	2.16
（1）短期贷款	48.16	0.74	0.55	2.93	3.95
消费贷款	12.41	−0.17	0.27	1.87	1.74

续表19

项目	余额	比11月增减		比年初增减	
		2023年	2022年	2023年	2022年
经营贷款	35.74	0.91	0.28	1.07	2.20
（2）中长期贷款2	136.38	0.57	0.34	7.33	−1.79
消费贷款2	111.24	−0.16	−0.57	1.14	−6.76
经营贷款1	25.14	0.73	0.90	6.19	4.97
2. 非金融企业及机关团体贷款	411.39	14.71	5.65	58.88	38.51
（1）短期贷款	81.44	0.96	3.68	13.76	10.97
（2）中长期贷款	303.21	11.00	0.41	53.45	17.78
（3）票据融资	26.73	2.75	1.56	−8.34	9.76
（4）融资租赁					
（5）各项垫款					
3. 非银行业金融机构贷款					
（二）境外贷款	0.00	−7.59	−7.23	−8.95	−8.52
二、债券投资					
其中：境外债券					
三、股权及其他投资					
四、买入返售资产					
五、存放非银行业金融机构款项					
六、联行往来（净）	259.53	−0.84	7.51	18.82	29.73
其中：境内存放二级准备金	1.18	0.56	−0.09	0.61	−0.14
七、金银占款					
八、中央银行外汇占款					
九、应收及预付款	2.47	0.02	0.30	1.04	1.53
十、投资性房地产					
十一、固定资产	3.11	0.56	0.04	0.33	−0.09
资金运用总计	861.05	15.75	14.38	89.33	71.84

年初增加14.4亿元。普惠贷款客户936户，净增198户，普惠贷款余额13.36亿元，比年初净增3.33亿元。

（程　柳）

【中国农业银行重庆长寿支行】 2023年，该支行有营业机构13个，其中乡镇机构5个，城区及街道营业机构8个；离行式自助银行4个。聚焦长寿区“两地一城”建设、“3113”项目攻坚行动计划，支持重点项目建设。全年完成项目审批9个、金额14.4亿元，投放项目3个、金额4.4亿元。支持制造业企业发展，有信贷合作的制造业企业244个，制造业贷款余额8.6亿元，其中中长期贷款余额3.71亿元，比年初增加9221万元。支持科创企业发展，战略性新兴产业信贷余额2.78亿元，比年初增加1.08亿元。至年末，本外币存贷款总规模163.3亿元，比年初增加13.3亿元，市场份额30.9%。人民币各项日均存款余额86.3亿元，比年初增加8.5亿元，市场份额32%，比年初提升0.24个百分点。其中，个人日均存款余额74.3亿元，比年初增加7.6亿元，比上年同期增加2.45亿元，增长10%。人民币各项贷款时点余额73.3亿元，市场份额30.3%，比年初提升0.19个百分点。实现营业收入2.9亿元，比上年增加2258万元，增长8.17%。实现中间业务收入4319万元，完成年计划126.78%。其中，对公净收入2154万元，完成年计划107.7%；零售净收入2165万元，完成年计划153.9%。实现拨备前利润2.18亿元，拨备后利润2.01亿元，净利润1.51亿元，净利润计划完成率111.10%。全年化解不良贷款2689万元，计划完成率154.36%；实现现金清收2118万元，计划完成率320%。

（农行长寿支行）

【中国银行股份有限公司重庆长寿支行】 该支行下设营业部、凤城支行、晏家支行、桃花新城支行、桃源支行5个经营性支行，有区医院1个离行式自助服务点。2023年，支行支持民营企业发展，为映天辉、贝利科技、康普化学、中润化学、鼎盛印务等实体企业投放贷款4.1亿元。牵头组建长寿区第一笔化债业务银团贷款（重庆长寿投资发展集团有限公司），化债金额61310万元。践行社会责任，开展消费帮扶，组织全行员工在“公益中行”购买农副产品，组织单位集中采购和员工购买贫困地区食品，共计7.1万余元，完成全年消费帮扶目标。至年末，总存款时点余额36.19亿元，比上年末增长2.48亿元；贷款时点余额16.24亿元，比上年减少1.87亿元；实现营业收入8366万元，拨备前利润5527万元，缴税438.98万元。

（余　琼）

【中国建设银行股份有限公司重庆长寿支行】 2023年，该支行下辖支行营业室、桃花新城支行、文苑支行、菩提支行、古镇支行、黄桷湾支行、经开区支行7个营业网点。全年一般性存款日均余额73.12亿元，比年初新增8.49亿元。一般性存款时点余额71.78亿元，比年初新增1.66亿元。各项贷款余额66.01亿元，比年初新增3.06亿元。不良贷款余额5113万元，不良率0.78%；逾期贷款额7079万元，逾期率1.08%。实现拨备前利润1.53亿元。对公贷款余额40.6亿元，比年初新增4.61亿元，其中对公非贴贷余额39.82亿元，比年初新增4.5亿元。新增贷款中，绿色信贷新增2亿元，完成率134%；战略性新兴产业贷款余额3.09亿元，新增2.29亿元；民营贷款余额新增2.3亿元，增速25.45%，贷款客户增加165户。全年审批项目金额24.93亿元，其中已投放15.06亿元，待投放9.87亿元。新开对公全量账户1339户，其中基本账户新开1038户，基本户占比78%。年末全量客户5289户，比年初新增798户。代发工资客户新增183户，新增代发金额3399万元；代付活跃客户累计273户，全年完成率105.4%，净增104户；对公数币钱包活跃客户新增1400户。全量资金新增5.67亿元，时点存款新增6.3亿元，日均存款年新增7.44亿元。个人全面关系客户新增242户，客户晋升8200户，VIP客户新增929户，VIP客户保有率79.9%，加权财富客户新增5415户。普惠贷款余额97931万元，新增25647万元；普惠客户1789户，新增403户。全年住房租赁贷款新增1.9亿元。对农村集体经济组织贷款授信5700万元。

（建行长寿支行）

【交通银行股份有限公司重庆长寿支行】 该支行于1995年3月7日成立，主要办理人民币存款、贷款、结算、票据贴现；办理外汇存款、外汇贷款、外币兑换业务。有2个营业网点、3个自助银行。2023年，支行时点储蓄存款新增3.92亿元，完成年计划114%，排名辖区银行第三；日均储蓄存款新增4.31亿元，完成年计划126%，排名辖区银行第四，占比提升0.25%，排名辖区银行第一；私人银行净增4户，完成年计划100%；沃德客户净增240户，完成年计划92%，排名辖区银行第二；代发客户净增1862户，完成年计划323%，排名辖区银行第一。非房消费贷款净增8185万元，完成年计划149%；制造业贷款增量1.29万元，制造业中长期贷款增量1.07亿元；涉农贷款增量-0.62亿元；绿色信贷增量9897万元；民营企业贷款增量8300万元；战略性新兴产业贷款增量1.69亿元。实现非息收入1292万元，计划完成率286%。至年末，支行各项存款余额26.56亿元，比年初增加1.13亿元，增长4.45%；各项贷款余额2.71亿元，比年初减少7887.53万元，下降2.79%。全年实现表内利润6626.56万元，比上年减少2249.24万元，下降25.34%。不良贷款率0.13%。

（交通银行重庆长寿支行）

【中国邮政储蓄银行重庆长寿区支行】 该支行于2007年12月28日挂牌成立，下设营业部、平湖路支行、渡舟镇支行、葛兰镇支行、向阳支行5个自营网点和40个邮政代理金融储蓄网点，主要办理各类个人贷款、小企业贷款、公司贷款、供应链融资、银团贷款、票据融资等贷款业务；理财、托管、贵金属等中间业务；绿卡（绿卡通）、信用卡以及IC卡等卡类业务；手机银行、微信银行、网上银行等电子渠道类业务；国际结售汇和国际贸易融资等新业务。至2023年年末，建成信用村130个、信用户8427户；支持个体工商户贷款2.48亿元，涉农贷款结余10.54亿元，普惠型涉农贷款1.34亿元，绿色信贷结余662.03万元，碳核算小企业3家。全支行储蓄存款（自营和代理）余额96.54亿元，公司存款余额1.46亿元；各项贷款余额34.52亿元，比年初新增2.45亿元。全年收入8853万元，比上年减少452万元，下降4.9%；实现拨备后利润3998万元，比上年增长1.07%；劳动生产率97.3万元，比上年减少5.1万元；成本收入比39.6%，比上年上升4.2个百分点；收

入利润率45.2%，比上年上升2.8个百分点。（吕欣漫）

【招商银行股份有限公司重庆长寿支行】 2023年，该支行主要办理公司银行业务、零售银行业务、国际业务、交易银行业务、投金业务、大财富管理业务、金融科技业务等。年末，各项存款余额22.82亿元，各项贷款余额12.58亿元。支行承担社会责任，自2015年起，持续与长寿区双龙镇连丰村13户贫困户结对子开展帮扶工作，实现全部脱贫；开展普惠金融工作，共建有8个（但渡村、兴同村、楠木院村、龙寨村、未名村、曾词村、双河村、升高村）“1+2+N”普惠金融基地（1个普惠金融基地，2个站点，多项行动计划），提高农村地区金融服务渗透率和覆盖率，实现“基础金融服务不出村，综合金融服务不出镇”的目标。被国家外汇管理局长寿分局2023年度银行外汇业务合规与审慎经营评估为A类金融机构，国家金融管理总局两江监督管理分局、区公安局2023年长寿区银行业金融机构第八轮安全评估为优秀单位，被招商银行重庆分行评为2023年度优秀服务团队、优秀运营管理团队。（陶世英）

【重庆银行长寿支行】 该支行于2003年3月成立。至2023年年末，各项存款累计时点余额95.63亿元，比年初增加12.72亿元；各项贷款时点余额53.21亿元，比年初增加8.2亿元；不良贷款率0.21%；累计纳税2626万元。连续多年被评为“一级支行”，年内获评总行“一级AA支行”，获长寿区“金融贡献奖”“纳税先进企业奖”等；被长寿区公安局评为长寿区第八轮安全评估优秀单位，在总行内控评价中被评为“内控一级行”，风险管理部和结算条线负责人被总行评为先进个人。年内，支行向园区、平台提供金融服务策略。累计向成渝地区双城经济圈项目投放贷款15.3亿元，助力西部陆海新通道建设527万元；累计化债6.5亿元，其中长发集团1.4亿元项目成为重庆市第一笔用项目贷款置换标准化债券的落地项目；长寿区首笔转型金融示范贷款在支行落地。全年普惠业务新增1.04亿元，新增客户181户，民营企业贷款新增2223万元，绿色贷款新增2169万元，涉农贷款新增3537万元。储蓄存款规模2次突破10亿元，在区域银行机构中新增排名第二，个人基础客户16万余户，捷e贷激活户数、零售客户分层维护等指标提升。在总行零售业务综合考核排名进入前十位。（江治东）

【重庆农村商业银行长寿支行】 2023年，该支行下设47个营业网点，其中城区网点20个，乡镇网点27个。另设便民服务点10个。年内，支行被国家金融监督管理总局两江监管分局和区公安局联合评为2023年长寿区银行业金融机构第八轮安全评估优秀单位。推动业务发展，年末各项存款余额208.04亿元，比年初增加15.45亿元，增长8.02%；各项贷款余额118.17亿元，比年初增加18.85亿元，增长18.97%。存、贷规模持续在长寿金融机构中排名第一。服务地方经济，构建“政银共建+整村授信+乡村振兴”支农新模式，助力乡村振兴。至年末，涉农贷款余额73.1亿元，比年初净增6.38亿元；农户类贷款余额0.52亿元，比年初增加0.21亿元。完成“整村授信”预授信62449户，合计9.69亿元，覆盖行政村218个，覆盖率99%。全年通过“信易贷·渝惠融”平台接单281次，涉及融资需求金额约4.79亿元。扶持科创企业，在支行有贷款余额的科创企业293户，贷款余额25.49亿元。全年缴纳税款0.46亿元，持续位居在长寿银行业金融机构第一。践行社会责任，支行全年拦截电信网络诈骗3次，拦截涉诈资金12万元，劝阻受害人15人，挽

2023年12月28日，重庆农商行长寿支行阳光时代分理处工作人员为客户介绍通过“渝快办”APP办理已故存款人小额存款提取“一件事一次办”业务
（重庆农商行长寿支行　供图）

回经济损失96万元。完成全国首笔已故存款人小额存款提取“一件事一次办”业务。（重庆农商行长寿支行）

【上海浦东发展银行股份有限公司重庆长寿支行】 该支行于2013年10月13日成立，在长寿辖区设有营业网点1个、自助机具5台、自助存取款机2台。2023年，支行获国家外汇管理局长寿分局银行外汇业务合规与审慎经营评估评级B+，被中国银保监会两江监管分局、区公安局评为长寿区银行业金融机构第八轮安全评估优秀单位。年内，支行主动对接现代制造业企业，围绕新材料、新能源电池等行业，服务本地上市公司、行业龙头和专精特新等客户，重点围绕“两地一城”建设、“3113”项目攻坚行动计划等进行金融服务。年末，存款总额13.5亿元，贷款总额20.06亿元。

（浦发银行长寿支行）

【全国首笔已故存款人小额存款线上提取业务办理】 2023年12月28日，重庆市长寿区市民尹先生在重庆农商行长寿支行阳光时代分理处办理已故存款人小额存款提取“一件事一次办”业务，收到重庆农商行发送入账成功短信，完成全国首笔已故存款人小额存款线上提取。年内，由国家金融监督管理总局重庆监管局牵头，会同人民银行重庆市分行、市公安局、市民政局等部门，指导试点银行重庆农村商业银行推出已故存款人小额存款提取“一件事一次办”服务，为符合条件的继承人提供便捷服务，实现“继承人线上申请+银行线上查询审核+证明材料线上核验+存款线上提取”全流程线上办理，市民在“渝快办”APP上传身份证照片和银行账号，拍照上传死亡证明和亲属关系证明即可在线办理。

（重庆农商行长寿支行）

保险业

【概况】 2023年，长寿区共有保险业金融机构21家，其中财险机构12家，寿险机构9家。全年全区保费收入19.35亿元，承保额度14783.72亿元，理赔案件8.68万件，赔付金额5.01亿元。其中，财险保费收入5.16亿元，承保额度14043.36亿元，理赔案件7.17万件，赔付金额3.42亿元；寿险保费收入14.19亿元，承保额度740.36亿元，理赔案件1.51万件，赔付金额1.59亿元。（黄　雪）

【中国人民财产保险股份有限公司重庆市长寿支公司】 2023年，该公司推进各项政策性农业保险，助力乡村振兴，全年承担“三农”风险保障98342万元，为种、养殖业主提供农业保险承保和理赔服务。开展险资直投，向农险客户推广“人保e贷”，36家养殖户通过“人保e贷”贷款768万元。拓展各类责任保险，全年承办环境污染责任险、食品安全责任险、安全生产责任险、医疗责任险、产品责任险、特种设备险等业务，保额约51.44亿元。开展金融保险服务，结合新市民面临创业、就业、住房、教育、医疗、养老等重点领域的金融需求，从保就业、保居住、保出行和保健康等方面宣传灵活就业人员“安业保”意外伤害保险、“新市民安业保”意外伤害保险、个体工商户综合保险、小微经营户安全保险、农民工工资履约保证保险、人人安康百万医疗保险、建工意外险、农业雇主责任险、家庭财产保险、学生幼儿意外伤害保险以及重庆市普惠型医保“渝快保”等产品。该公司全年承担风险保障金额2106.1亿元，处理各种自然灾害和意外事故赔案逾2万件，支付各类赔款逾1.26亿元，提供保险服务逾18万人次。（文　燕）

【中国人寿保险股份有限公司重庆市长寿区支公司】 2023年，该公司通过寿险APP掌上服务、空中客服、智慧柜员机等多渠道服务通道，客户保单保全服务e化率提升至99.34%。通过寿险APP尊老模式、开发老年人数字化专线绿色通道、提供“重庆方言”座席接续服、长者临柜优先办理等创新举措，为近8000人次老年客户提供暖心服务。搭建普惠保险产品供给平台，城市定制商业补充医疗保险“渝快保”覆盖5584人，老年人、妇女、儿童、失独家庭等特定风险群体覆盖人群超2.3万余人次。全年公司保费收入23063.64万元。为5500余人提供理赔服务，赔付金额2048.3万元，理赔智能化率85.90%，小额理赔时效0.16天。（张　娜）

【中国平安人寿保险股份有限公司重庆市长寿支公司】 该公司下辖长寿支公司第一营业部、垫江支公司以及垫江支公司澄溪营销服务部、垫江支公司坪山营销服务部。2023年，平安人寿长寿支公司完善管理制度，调整业务结构，提高风险管控能力和服务水平，打造“智能理赔”服务体系，优化客户理赔服务体验。至年末，全辖累计保费收入57438.90万元，比上年增长4.48%；累计赔付13178.54万元，比上年增长51.20%。践行社会责任，采购扶贫产品153份，价值2.81万元。利用“国际消费者权益日”“全国保险公众宣传日”“金融消费者权益保护教育宣传月”等时间节点，围绕防范非法集资、防范金融诈骗、防范代理退保风险等金融知识，组织人员进农村、进社区、进企业，开展宣传活动，增强人民群众风险防范意识。（周　颖）

【中国平安财产保险股份有限公司重庆市长寿支公司】　该公司成立于2003年6月，经营业务涵盖车险、企财险、工程险、货运险、责任险、家财险、意外及健康险、环境污染责任险、国内贸易信用保险、境外旅行意外伤害保险、个人账户资金损失险、非机动车综合险、诉讼保全责任保险、血橙价格指数保险、食品安全责任险等险种。2023年，公司保费收入13919万元，办理理赔9700余件，累计赔付6844万元。（冯　亚）

其他非银行金融机构

【概况】　2023年，长寿区有证券营业部2家、小贷公司3家、典当公司1家、融资担保公司1家。全年证券业新开客户1100户，比上年减少4.66%；新开客户资产总额7876万元，比上年下降44.62%。至年末，开户总数2.05万户，比上年增长1.82%；余额30824万元，增长18.63%；托管市值15.36亿元，下降12.74%；证券交易量189.73亿元，下降6.46%；营业收入1710.25万元，下降9.16%；实现利润1108.91万元，下降10.45%。融资担保公司担保额5.18亿元，比上年增长29.75%。（陈　航　赵东松）

【西南证券长寿营业部】　2023年，西南证券长寿营业部新开户数928户，比上年增长1%；新开客户资产总额5276万元，比上年下降56.9%。至年末，开户总数19632户，比上年增长1%；余额1.58亿元，比上年下降1%；托管市值14.48亿元，比上年下降14%；证券交易量179.57亿元，比上年下降9.4%；营业收入1734万元，比上年下降9.4%；利润1160万元，比上年下降9.3%。

【华西证券长寿营业部】　2023年，华西证券长寿营业部新开户数172户，比上年下降26.81%；新开客户资产总额2600万元，比上年增长31.31%。至年末，开户总数908户，比上年增长23.37%；余额1.5亿元，比上年增长50%；托管市值8765.44万元，比上年增长15.24%；证券交易量10.16亿元，比上年增长119.66%；营业收入减少23.75万元，比上年下降24.05%；利润-51.09万元，比上年增长25.96%。

【重庆富邦典当有限公司】　2023年，重庆富邦典当有限公司办理典当业务12笔，典当总额806.29万元。至年末，公司典当存量27笔,典当余额1953.23万元，资产总额2265.69万元，负债总额3.14万元。

【重庆宏昌融资担保有限公司】　重庆宏昌融资担保有限公司为区级政策性融资担保公司（简称宏昌担保公司），于2004年11月17日注册成立，注册资本2.07亿元。2023年，新增邮储、招行、中行、交行、建行5家合作银行，新增授信21，900万元。至年末，合作银行14家，授信规模约12亿元，在保项目余额10.27亿元共508户（其中，融资担保余额5.8亿元199户，支持小微及“三农”企业5.6亿元197户）；累计支持“3113”项目融资担保29笔、金额1.36亿元；累计支持专精特新34笔、金额1.48亿元。宏昌担保公司逐年优化融资担保项目收费标准，降低合作客户的担保费率，平均担保费率降至1.19%。与市级再担保公司合作，2021年再担备案97笔，涉及金额2.6亿元；2022年再担备案147笔，涉及金额3.99亿元，比上年增长53.26%；2023年再担备案184笔，涉及金额5.18亿元，比上年增长29.75%。（区财政局）

旅游业

综 述

2023年，长寿区旅游业以“世界级运动康养旅游目的地”建设为统领，发展“旅游+”模式，推进重点旅游项目建设、文旅消费、品牌创建各项工作。委托杭州中联筑境建筑设计有限公司完成《世界级运动康养旅游目的地全域旅游规划》编制工作，邀请重庆大学建筑城规学院教授邢忠、重庆工商大学工商管理学院教授王宁为指导专家；以“旅游服务体系”“旅游道路交通规划”“旅游服务系统工程”“旅游资源保护规划”为重点内容，打造江城文化旅游、寿湖文化旅游、长江国家文化公园体验带、明月山—大洪湖文化旅游带、长寿湖—龙溪河—黄草山山水旅游带。推进长寿湖文化产业园、菩提山—菩提古镇整体提升等重点旅游项目建设，完成长寿湖旅游度假区综合提升工程子项目水上欢乐世界（漂浮泳池）建设、长寿湖山庄装修改造并投入使用。全区有国家AAAA级景区3个。长寿湖旅游度假区被评为2023中国体育旅游十佳精品景区，长寿湖体育旅游示范基地和长寿湖体育旅游精品线路分别入选川渝体育旅游示范基地榜单和川渝体育旅游精品线路，万顺镇东风村入选重庆市第四批乡村旅

2023年12月8日，重庆长寿湖旅游度假区被国家体育总局体育文化发展中心评为2023中国体育旅游十佳精品景区　　（区文化旅游委　供图）

游重点村。签订明月山绿色发展示范带文化旅游合作共建协议，长寿区与梁平区、垫江县、邻水县、达川区、大竹县、开江县联合推出明月山绿色发展示范带精品旅游线路5条。举办2023重庆市长寿区“5·19中国旅游日”主题活动、2023重庆夏季旅游启动仪式暨长寿湖水上嘉年华活动、长寿湖郁金香踏青季、长寿湖度假生活季、菩提古镇巴渝文化节、第十届重庆火锅啤酒节、欢庆国庆等文旅主题节庆活动，推进文旅消费。全年接待游客1381万人次，比上年增长22.7%；旅游接待收入103亿元，比上年增长9.8%。（杨　浩）

景区景点

【菩提古镇】 长寿菩提古镇景区位于长寿城区桃西路，是国家AAAA级旅游景区，2012年4月28日开街，2017年入选“全国优质旅游项目”。古镇以中国西部传统建筑艺术为载体，集中展示巴渝人文文化及华夏寿文化。文化旅游核心区占地面积53.33公顷，总建筑面积37万平方米，总投资43亿元。旅游配套设施齐全，集吃、住、行、游、购、娱为一体。主要景点有大牌坊、百寿大道、千寿广场、万寿公园等。2023年，菩提古镇景区接待游客465万人次，综合收入9.19亿元。

大牌坊是长寿菩提古镇的标志性建筑，牌坊高16.8米、宽26米，3间、4柱、5牌楼，中间为大门，左右两边各1个侧门。牌坊上部居中的枋眼刻着“菩提古镇”鎏金大字，牌坊上彩绘用料精工，色彩考究，既素雅古朴又华丽大方。基座砖雕设计技艺非凡，左右分别刻有“三星赐福”和“童子拜寿”场景，与大门左侧的寿星和麻姑雕像相得益彰，融入福寿文化元素。

百寿大道位于大牌坊—城门楼—菩提桥游线上，长约2千米。大道沿线镌刻99个寿字图案，圆形、八角形、六角形各33个，其中98个小型寿字图案直径1.99米，分别由风格各异的寿图、寿字、寿语构成。每个寿字图案之间相距19米，谐音为“要久”，隐含祈求长寿之意。99个寿字加上每个游客心中都有1个寿字（对健康长寿的期待），合为100个寿字，因而称为“百寿大道”。

千寿广场是古镇附近居民及游客平时聚会和节庆期间举行大型活动的场所，千寿图案最具特色，由1000个寿字组成，位于千寿广场中心位置，直径29米，由999个形态不同的书法“寿”字，镶嵌成巨大的寿字组合图案。999个寿字加上每人心中的1个寿字，就是1000个寿字，故称千寿。

万寿公园占地2.33公顷，是集中展示巴渝乡土文化的场所。公园分为市井文化区、巴渝村落文化区、游乐区、水体4个区域。进入大门的小街展现的是巴渝市井文化，狭长的街道上有做糖画、捏泥人、杂耍表演、卖重庆特产的各种商家小贩。还有1座三星道观，里面供奉着福星、禄星、寿星。右边是1座3D画馆，里面有30多组各式立体画。

【长寿湖】 长寿湖位于长寿区东部，是国家“一五”期间狮子滩水电站拦河大坝建成后形成的人工淡水湖，因地处长寿区境内得名。长寿湖坝长1014米，高51米，顶宽8米。长寿湖水域面积6500公顷，一般水深15米，最深处50米。有岛屿200多个，建有野生动物自然保护区，栖息着鸟类42种、水禽28种。主要景点有百寿园、东海寺、情人坡、浪漫花田、浪漫鹊桥、浴滨岛、寿岛、高峰岛等。2005年底，重庆卫视对长寿湖景区进行航拍，发现由8个湖汊围合而成的众多半岛（长1288米、宽704米，占地31.67公顷）形成1个天然的“寿”字。2023年，长寿湖旅游景区入选国家级长江主题旅游线路——“长江安澜见证之旅”，获评中国体育旅游精品线路、中国体育旅游示范基地、2023年中国体育旅游十佳精品景区，创建重庆市智慧旅游示范景区（度假区）；通过AAAA级景区评定性复核。全年接待游客399万人次，综合收入7.36亿元。

2023年1月30日，市民游览长寿菩提古镇　（区融媒体中心　供图）

【菩提山】 山顶中凹，似一盂仰置。山上筑寨，寨中有庙。寨上井水永不枯竭，其味甘美。明代正德丁卯（1507年）春二月，县进士戴锦认为“东则日出而光临曰晶（县东有晶山）西则日入而光射之曰晶。晶、晶二字实天造使然，若山名菩提，无其意义，应更名为晶山。”从此，菩提山又名晶山。戴锦游罢赋诗一首，诗云：“天畔浮光结一山，山巅佳气动江关。云牙漱雨寒仍碧，石发梳青老未斑。策马拂烟寻胜迹，觅龙分水涤尘颜。高名自应垂千古，岂在空门两字间。”明僧大智铸铁柱1根，长16余米，高插峰顶，燃灯于上，夜间灯光四射，远近可见。“菩提山上灯一盏”的诗句，迄今当地人老少皆知。其灯柱早废，灯杆堡地名犹存。2023年，菩提山景点接待游客253万人次，旅游收入4.61亿元。

【长寿湖旅游度假区获评中国体育旅游十佳精品景区】 2023年12月8日，重庆长寿湖旅游度假区被评为2023中国体育旅游十佳精品景区，是重庆市唯一入选全国体育旅游十佳的景区（度假区）。长寿湖旅游度假区是国家AAAA级景区，集旅游观光、休闲度假、会务会展功能于一体，提供水上游船观光、陆地亲湖观光、水上游乐三大特色产品组群服务。有露营、无轨小火车、豪华画舫、快艇、喷射飞艇、摩托艇等各种特色体验项目。年内，承办长寿湖全国铁人三项赛、长寿湖半程马拉松赛等。

（杨　浩）

旅游业态

【概况】 2023年，长寿区推出红色旅游、民俗旅游、生态休闲游、工业旅游等旅游业态。推出各业态旅游线路，长寿湖旅游区入选“长江安澜见证之旅”。长江安澜见证之旅线路以长江沿线主要水利枢纽和世界灌溉工程遗产为载体，以“文化场景化、场景主题化、主题线路化”为思路，串点成线，连线成廊，展示长江国际黄金旅游带整体形象。

【红色旅游】 2023年，长寿区推出长寿湖景区（周恩来题词碑亭）—长寿湖大坝—杨克明故居红色旅游专线。杨克明是长寿走出的红色高级将领，早年在长寿、丰都、涪陵一带从事革命活动，后随红军参加反“围剿”、二万五千里长征，在甘肃省高台县战斗中牺牲。杨克明故居陈列馆于2022年整修完毕对外开放，获重庆市国防教育基地称号。

【民俗旅游】 2023年，长寿区推出以菩提古镇游、登高踩寿祈福游为主的民俗旅游。长寿菩提古镇以西部古建筑文化为平台，展示千年巴渝文化和福寿文化。聚集餐饮、酒吧、剧本杀等业态。设立长寿古镇图书馆提升古镇文化品位，设置小剧场开演《衙门听风录》。举办巴渝文化节、啤酒火锅节等文化活动。长寿区博物馆与菩提古镇连成一片，菩提古镇文化街区有文化类商户600余户，建筑面积30万平方米。其中夜间文化类商户540户，建筑面积28万平方米。菩提山建有菩提寺、菩提圣灯、禅院等游览场所，游客步行登山或乘坐观光车登顶。沿途设有便捷商品售卖点，自助扫码购买。菩提寺在重要时间节点开展祈福活动。菩提古镇和菩提山全年接待游客718万人次，综合收入13.35亿元。

【生态休闲游】 2023年，长寿区推出春季赏花游、夏日避暑游、秋冬生态游、亲子研学游、长江主题游等生态休闲游，并推出精品旅游线路。推出长寿湖水上游乐，为游客提供画舫游湖、水上飞人、水上摩托艇、水上冲关等体验项目。6月14日，举办2023长寿湖首届水上集体婚礼，报名招募新人18对，参与现场观礼200人；6月16—17日，举办2023长寿湖踏浪音乐节，参与人数4000人；举办2023长寿湖水上冲关大赛暨泼水大战5期（7月22日、7月29日、8月5日、8月12日、8月19日），累计报名参与人数200人，现场观赛及参与活动人数3000人。

2023年“五一”假期，长寿湖露营基地接待游客　（区融媒体中心　供图）

春季赏花游：长寿区长寿湖旅游度假区—邻水县五华山旅游区—大竹县渔人部落旅游景区—大竹县玉带河太极岛旅游景区—垫江县恺之峰旅游区—垫江县牡丹樱花世界—梁平区双桂湖国家湿地公园—达川区乌梅山景区。

秋冬生态游：长寿区长寿湖旅游度假区—垫江县明月天香旅游度假区—梁平区双桂田园景区—梁平区滑石古寨—开江县飞云温泉—达川区乌梅山景区—大竹县五峰山旅游景区—邻水县天意谷景区。

亲子研学游：长寿区杨克明故居—长寿慢城—垫江县仙草园中医文化旅游区—梁平柚海—开江县金山景区—达川区帝源生态农场—大竹县东汉醪糟旅游景区—邻水县五华山旅游区。

长江主题游：以长江沿线主要水利枢纽和世界灌溉工程遗产为载体，串点成线，连线成廊，让游客体会治水智慧，见证长江安澜、百姓安居、生态优良的画卷。线路组成：四川（都江堰、东风堰、眉山通济堰等）—重庆（重庆白鹤梁水下博物馆、长寿湖旅游区、龙水湖风景区等）—湖北（三峡水利枢纽、葛洲坝水利枢纽、丹江口水库等）—湖南（东江湖旅游区、紫鹊界梯田等）—江西（泰和槎滩陂、抚州千金陂、潦河灌区、上堡梯田等）—安徽（芍陂、渔梁坝、佛子岭水库等）—江苏（江都水利枢纽、兴化垛田灌排工程体系、里运河—高邮灌区等）—浙江（中国水利博物馆、丽水通济堰、诸暨桔槔井灌工程、宁波它山堰、龙游姜席堰、金华白沙溪三十六堰、松阳松古灌区等）—上海（松江生态水利风景区等）。

【工业旅游】 2023年6月，重庆钢铁股份有限公司(简称重庆钢铁)启动国家AAA级旅游景区项目建设。重庆钢铁成立于1997年8月，是香港联交所和上海证交所上市企业。前身为1890年清朝湖广总督张之洞创办的汉阳铁厂，是亚洲最早的钢铁联合企业，被誉为“华夏钢源”和“中华民族钢铁工业的摇篮”。为践行中国宝武“双碳”目标，建设绿色城市钢厂，重庆钢铁创建重庆市第一家工业旅游景区。重庆钢铁工业旅游景区位于重庆钢铁厂区内，由荣誉林、原料码头、十里滨江长廊、历史陈列馆、1780毫米生产线等景点组成。（杨　浩）

旅游项目建设

【概况】 2023年，长寿区围绕“建设世界级运动康养旅游目的地”目标，推进实施长寿湖文化产业园、菩提山—菩提古镇整体提升、大洪湖零碳康养旅游度假地、星辰岭谯定书院等重点旅游开发项目。

【长寿湖文化产业园项目】 2023年，长寿区推进实施长寿湖文化产业园项目，酒店子项目以华侨城等知名项目为研究对象，结合亲子度假需求，设置主题房型，包含国王与王后、王子与公主等主题套房，设置各类主题套房60套。结合户型增设功能性设施，配套宴会厅、泳池、会议室等设施11间，完成整体装修90%，机电整体完成约95%。完成主体基础施工，完成主体桩178根和外线电缆敷设，启动多功能会议中心、停车楼施工。罗山半岛研学基地项目完成土地转用13.2公顷，主岛道路整体完成80%。

【菩提山—菩提古镇整体提升项目】 2023年，长寿区实施菩提山—菩提古镇整体提升项目：在菩提山上围绕菩提寺打造圣庙圣灯文化区和养生养心文化区等，主要建设梵呗音乐馆、达摩农场、养心谷、数生石等项目；建设古镇与菩提山连接工程；在菩提山下以菩提山佛教文化和自然资源为依托，打造养生文化体验区；在长寿古镇建设配套基础接待设施，打造特色旅游体验区。年末，菩提圣灯、菩提桥修缮完成并对外开放，菩提古镇完成智慧停车系统改造升级。（杨　浩）

旅游营销

【概况】 2023年，长寿区参与“519中国旅游日长寿分会场活动”“2023重庆夏季旅游启动仪式”等活动；重庆卫视开播《周末找耍事》对长寿湖郁金香进行报道宣传；利用广告媒体传播长寿旅游IP，对长寿旅游宣传片、旅游宣传画册、折页进行更新；在江北机场动工修建长寿文旅会客厅；“长寿文旅”新媒体账号抖音号、视频号发布视频92条，长寿文旅抖音号有粉丝4.1万人，点赞量50余万人次。对旅行社组客人数予以奖励，兑付营销奖20万余元。区文化旅游委组织参加2023中国东盟博览会旅游展、中国国际旅游交易会、第十届四川国际旅游交易博览会，展示长寿文旅资源，宣传长寿非遗文化、长寿柚、血豆腐、薄脆、鱼面等旅游特色商品、旅游线路等。

【旅游商品开发】 2023年，长寿区围绕“文化+商贸、旅游+商贸”融合发展思路，依托市级文化产业园区、基地及各类文创工作室，开发系列文创旅游产品50余件套，其中刺绣—仙鹤系列绣品入选重庆外事礼品名录。

【长寿文旅参加2023中国—东盟博览会旅游展】 2023年10月13日，

2023中国—东盟博览会旅游展在广西壮族自治区桂林市开幕。区文化旅游委组织长寿旅游文化、旅游商品企业代表参展，展示长寿文旅资源。

【长寿文旅参展中国国际旅游交易会】 2023年11月17—19日，2023中国国际旅游交易会在云南省昆明市滇池国际会展中心举办。重庆文旅代表团聚焦三峡游、8D魔幻都市游、武陵山区域游3个主题展示重庆旅游品牌形象。长寿区等12家单位组团参展。

【长寿文旅参展第十届四川国际旅游交易博览会】 2023年11月8—12日，第十届四川国际旅游交易博览会暨第六届乐山大佛文化旅游节在四川省乐山市举办。长寿区文化旅游委携长寿湖景区公司、长寿慢城文旅公司参展，现场集中展示长寿文旅资源，发放文旅宣传资料500余份。

（杨　浩）

旅游节庆活动

【概况】 2023年，长寿区举办“5·19中国旅游日”主题活动、2023重庆夏季旅游启动仪式暨长寿湖水上嘉年华活动、2023年长寿湖美食文化节、寿湖郁金香踏青季、菩提古镇巴渝文化节等节庆活动，累计参与活动人数75.12万人次。

【“5·19中国旅游日”主题活动】 2023年5月19日，由区文化旅游委主办的2023年重庆市长寿区“5·19中国旅游日”主题活动启动仪式在菩提古镇古戏台举办。活动采用线上、线下相结合的方式进行。线上活动有3个，组织本地导游、讲解员、旅游自媒体等在旅游景区现场开展网络直播活动、向市民发送“5·19中国旅游日”宣传推广短信、通过云上文旅馆、长寿文旅微信公众号推出精品旅游线路。线下活动6个，分别为主题活动启动仪式、5·19中国旅游日当日长寿湖景区免门票、4场文艺演出、特色旅游商品展示展销、区图书馆开展免费赠书、开展扫码有奖活动。累计参与活动人数约5万人次。

【2023重庆夏季旅游启动仪式暨长寿湖水上嘉年华活动】 2023年6月14日，2023重庆夏季旅游启动仪式暨长寿湖水上嘉年华活动在长寿湖景区举办。长寿湖水上嘉年华作为长寿区夏季旅游重点推介项目，聚焦“运动康养”特色，为游客打造全新出行体验。该活动之一的水上欢乐世界是集娱乐、休闲、健身养生为一体的水上乐园，长161米、宽110米，总建设面积约8000平方米。有水上冲关、喷射艇、快艇、摩托艇、水上牵引、水上飞人、自驾艇、电动船等30多种户外水上运动项目，是适合全民参与的时尚水上运动嘉年华。邀请有关各区县文旅委、团建公司、旅行社等企业代表约200人参加活动。

【2023年长寿湖美食文化节】 2023年9月29日晚，2023长寿湖美食文化节开幕仪式在长寿湖畔长寿湖广场举行，至10月1日结束。美食文化节期间举行文艺演出、烟火表演、千人“寿湖鱼宴”、民俗文化活动。活动参与人数6万余人次，实现收入9万余元。

【寿湖郁金香踏青季】 2023年2—3月，长寿湖景区举办郁金香踏青季，50余个品种、数十万株郁金香陆续进入盛花期，在活动期间组织抖音拍摄大赛，拍摄与“2023年长寿湖郁金香踏青季”相关内容的短视频，最终选16名参赛者领取奖品。旅游人数15.3万人次，旅游收入450.82万元。

【菩提古镇巴渝文化节】 2023年4月29日至5月3日，长寿区菩提古镇组织开展2023年巴渝文化节系列活动，包括“古镇好声音”歌唱比赛，巨型麻将体验，歌曲、舞蹈、小品、杂技等文艺演出。活动期间，菩提古镇景区接待游客48.8万人次，旅游综合收入约3840万元。

（杨　浩　白梓豪）

旅游监督管理与服务

【概况】 2023年，长寿区对各涉旅单位累计开展各类检查30余次。针对旅行社、星级饭店、A级景区实行差异化管理。

【星级旅游酒店饭店】 *重庆长寿碧桂园凤凰酒店* 2010年9月28日开业，位于长寿区菩提街道桃花新城文苑大道7号桃花溪畔，由碧桂园集团打造，楼高6层，客房总数333间，配套有西斯廷拱廊、中餐厅、西餐厅、桑拿、KTV、夜总会等康乐设施。2023年，接待客人约15万人，与上年持平；营业收入4200万元，比上年增加100万元。

重庆金凤山大酒店 1999年8月开业，2008年重新装修，位于长寿路191号，占地近1公顷，建筑面积1.3万多平方米，主楼高8层，客房98套，床位169张，配备中餐厅、豪华包房、会议室、会见厅及多功能厅、桑拿浴室等。2023年，接待客人3.6万人，比上年增长20%；营业收入1621万元，比上年增长20.16%。

长寿湖度假酒店 位于长寿湖度假区的湖中心浴滨岛，在长寿湖广场

南区码头配备专属酒店摆渡船上岛。酒店四面环水，岛上绿树成荫，香樟林面积占比80%。酒店客房56间，配备会议室等，提供休闲度假、商务会议、各类聚会、拓展培训等服务。2023年，接待游客6534人，比上年下降18.24%；营业收入315万元，比上年下降13.46%。

【旅行社】 重庆寿岛国际旅行社　长寿区唯一一家国有旅行社，经营国内旅游业务、入境旅游业务、旅游招徕、旅游客运、餐饮服务、保险兼业代理、票务代理、代订酒店服务，销售农副土特产品、工艺美术品（象牙及其制品除外）等。2023年，接待游客2676人，比上年增长183%；营业收入698.46万元，比上年增长515.03%。

长寿古镇旅行社　由长寿菩提古镇景区运营的本土旅行社，从事餐饮服务、营业性演出、国内旅游和入境旅游招徕、组织、接待业务，游泳、水上娱乐、文艺演出等活动。2023年，接待游客1500人次，比上年增长25%；营业收入300万元，比上年增长25%。

长寿大欣旅行社　长寿本土以经营自驾游为主要业务的大型旅行社，设立2个网点。经营国内旅游业务、入境旅游业务、旅游招徕、旅游客运、餐饮服务、保险兼业代理、票务代理、代订酒店服务，销售农副土特产品、工艺美术品（象牙及其制品除外）等。2023年，接待游客2398人，比上年增长4.75倍；营业收入115.6万元，比上年增长182%。（杨　浩）

【重庆市长寿生态旅业开发集团有限公司】 成立于2003年5月，是长寿区旅游开发和运营的公益类区管重点国有企业，注册资本金12亿元，主要负责长寿湖、菩提山、滨江长寿谷等区域的开发建设和旅游产业运营。集团具有独立法人资格，旗下拥有6家全资子公司和5家合资公司，涉及景区旅游经营与管理、渔业养殖、酒店管理、旅行社、茶业等产业。至2023年末，集团资产总规模167.34亿元，负债总额98.68亿元，资产负债率59.84%；营业收入7.07亿元，利润总额0.65亿元，筹融资40.23亿元，固定资产投资8.1亿元。

（长寿旅发集团）

【旅游服务】 2023年，长寿区借旅游景区、度假区复核的时机推动景区提档升级，对景区标识标牌进行更新，智慧管理系统进行升级。推动重庆钢铁股份有限公司创建“重庆钢铁工业旅游区”A级景区评定工作。

【旅游从业人员培训】 2023年，长寿区举办长寿区导游讲解员培训，委托市文化旅游委培训中心邀请重庆市知名导游、红岩联线优秀讲解员授课，共组织景区、酒店员工50余人参与培训。以比赛促质量提升，举办长寿区首届导游讲解员大赛。组织长寿星级饭店厨师、客房服务、餐厅服务等从业人员参加全国星级饭店服务技能大赛（重庆站）比赛。

【旅游行业监管】 2023年，长寿区要求旅行社必须与游客在全国旅游服务监管平台签订电子合同，使用标准合同文本保障游客合法权益。建立奖惩制度。利用营销奖励办法对经营效益好、社会评价高的企业予以奖励，对于违反国家法律法规的经营行为严肃处理。2023年，共发放旅游营销奖励20余万元。实施行政处罚2起（长寿古镇未设置安全生产管理机构或者配备专职安全生产管理人员、重庆宝中旅行社有限公司长寿桃花门市部网点未在显著位置悬挂备案登记证明），共处罚金5200元。

【旅游安全管理】 2023年，区文化旅游委联合交通、公安等部门对辖区内3家旅行社开展租用车辆安全检查，现场查验车辆信息是否准确、手续是否齐全、车况是否符合要求。并对游客规范使用安全带、杜绝驾驶员疲劳驾驶等车辆安全问题做现场提醒。区文化旅游委不定期召集旅安办相关单位，对星级饭店、A级景区开展安全检查。采取现场询问、实地查看和翻阅资料等方式，对燃气、消防、供电、特种设备等方面进行安全检查。全年召开安全工作会议6次，进行专项检查15次。（杨　浩）

房地产业

房地产开发

【概况】 2023年，长寿区落实重庆市推动楼市平稳健康发展的一系列房地产政策，从减轻老百姓购房压力、打通老百姓换房堵点、满足高品质住房需求、缓解房企经营压力等方面引导住房合理消费，推进保交楼工作，防范化解房地产市场风险，维护购房人合法权益，提振房地产市场信心，维护社会稳定大局。 （周德忠）

【土地市场】 2023年，长寿区办理农用地转用和土地征收项目15宗146.66公顷，供应国有建设用地59宗468.5公顷，保障两江新区至长寿快速通道、长寿经开区江南片区综合开发一期工程等项目用地。办理宅基地农用地转用3批次3.92公顷、农房登记4389件。推进工业项目标准地出让改革，出让工业项目标准地14宗68.4公顷，占比58.33%。处置批而未供土地362.78公顷、超期未开发土地3宗。新增储备土地4宗3.93公顷，累计存量储备土地91宗258.53公顷。

（陈　曦）

【房地产开发企业】 2023年，长寿区注册具有房地产开发二级资质企业23家。其中，重庆市长寿区泰庭置业有限公司、重庆泽京新鹏置业发展有限公司、重庆实创趋势房地产开发有限公司、重庆润荣实业有限公司、重庆柏树房地产开发有限公司、重庆市碧桂园房地产开发有限公司6家房地产开发企业有在建房地产开发项目。

【房地产开发项目】 2023年，长寿中心城区在建开发项目有爱琴海、泽京·铂宸、雲璟、香堤澜湾、实地·常春藤、碧桂园·璟溪府、凤城华府·公园里7个。长寿湖片区开发项目有恒大·湖山半岛、长商·悦湖荟（停工）、长湖瑞苑（停工）、香江·湖屿城（二期停工并撤场）、云宾·美丽湖（停工多年）5个。中心城区烂尾楼项目1个（中钢·桃花源）。

【市级保交楼风险库项目交付销号】 2023年，长寿区被纳入市级保交楼风险库项目3个，截至11月30日，交付进度达100%，提前保质保量完成保交楼工作任务。其中，恒大系“恒大·湖山半岛”项目完成2071套住宅整体交楼，率先在市级“保交楼”风险库销号；类恒大系“实地·常春藤”项目一期一批次已售795套住宅完成整体交楼；金科系“金科·集美文苑”项目四期已售180套住宅完成整体交楼，同步在住建部系统及市级“保交楼”风险库销号。

（周德忠）

房地产市场

【概况】　2023年，长寿区商品住房市场供销失衡，以消化存量为主。二手房整体抢市明显，对新房形成一定的供应替代。全年举办房地产交易展示会2次，对在规定时间完成商品房交易（包括二手房）的，给予购房补贴政策，促进商品房交易。

【商品房交易】　2023年，长寿区泽京·铂宸、雲璟、实地·常春藤项目新增商品房市场供应13.21万平方米，比上年增长55.84%。其中住宅8.99万平方米，比上年增长37.48%。商品房网签35.51万平方米，比上年增长21.91%；合同价款17.76亿元，比上年增长25.85%。其中住宅网签销售1439套、14.81万平方米，比上年下降20.41%；90-120平方米区间占比61.97%，120-150平方米区间占比18.87%。商品住房成交均价稳中有升，住宅建筑面积成交均价5213.94元/平方米，比上年增长2.86%。

【二手房市场】　2023年，长寿区二手房交易登记73.44万平方米，比上年增长46.93%。其中住宅登记7717套、68.61万平方米（同期商品住宅交易面积的4.63倍），比上年增长47.72%；60-90平方米区间占比41.45%，90-120平方米区间占比34.03%，120-150平方米区间占比9.34%。

【房产交易会】　2023年，长寿区举办2次房地产交易展示会。4月22—24日，长寿区第十三届房地产展示交易会在长寿区中轴线景观广场举办，房交会以“中国长寿城　魅力宜居地”为主题，由区政府主办，区住房城乡建委承办。有11家开发企业共22个商品房项目参与现场展示交易，4家中介机构提供二手房咨询，5家银行以及住房公积金中心提供相关购房金融咨询。个人购买参展开发企业新建商品房并在《重庆市商品房销售网上签约系统》签约成功的，以及个人购买存量商品房（二手房）交易过户的，新建商品房《重庆市商品房买卖合同》生成时间或存量商品房（二手房）过户登记时间为2023年4月22日—6月30日期间，均可享受购房补贴。个人购买新建商品住房、商业用房、办公用房、仓储用房的，按缴纳契税总额的100%给予补贴；个人购买车位的（未办理不动产登记的除外），按缴纳契税总额的100%给予补贴；个人购买存量商品住房、车位的，按缴纳契税总额的100%给予补贴。本届展会兑付购房补贴约1615万元。房交会成交面积25.63万平方米。其中，个人购买参展企业新建商品房5.08万平方米，同比增长57.51%，合同价款2.85亿元，同比增长43.62%（其中住宅384套、4.13万平方米，合同价款2.28亿元，建筑面积均价5507元/平方米）；个人购买二手住宅2257套、20.55万平方米，同比增长100.48%。10月1日—2024年2月28日，长寿区第十四届线上房地产展示交易会举办，展会以“线上看+线下购”联动方式，实现线上观展、线上预约、线下购房。共有泰庭置业、泽京新鹏置业等18家开发企业、20个开发项目参展。区政府继续实行购房补贴政策，个人购买新建商品住房、商业用房、办公用房、仓储用房的，按缴纳契税总额的50%给予补贴；个人购买车位的（未办理不动产登记的除外），按缴纳契税总额的100%给予补贴；个人购买二手住房（不含商业用房、办公用房、仓储用房等），按缴纳契税总额的50%给予补贴。房交会成交面积32.34万平方米。其中，个人购买参展企业新建商品房1270套、8.47万平方米，合同价款5.13亿元（其中住宅466套、4.69万平方米、2.59亿元）；个人购买二手住宅2695套、23.87万平方米。　（周德忠）

房地产管理

【概况】　2023年，长寿区对自建房开展专项整治，消除经营性自建房安全隐患652起。推进房屋征收管理和人员安置，推动重大项目建设。推行不动产登记改革，发放电子版不动产权证明7.7万件。　（区住房城乡建委）

【房屋征收管理】　2023年，重庆市长寿区征收事务中心（简称区征收事务中心）累计实施征收补偿项目20余个（新启动实施征收补偿项目11个），涉及征地面积约600公顷，拆除房屋约30万平方米，拆迁农房约1580户，安置人员约5500人。新材料及循环经济项目交地实施建设，该项目涉及征收晏家街道2个村16个组（石门村12个组、沙溪村4个组），约230公顷土地，签订房屋协议约430户，安置人员约1900人。完成长寿钢材交易市场C区（江南）工程项目征迁，该项目涉及江南街道大元村、扇沱村集体土地约31公顷，拆迁农房约90户，安置人员约370人。晏家沙溪南侧项目完成住房安置协议签订约240户，涉及征收晏家街道沙溪村、石门村的农村集体土地合计约110公顷，房屋约250户，土地分户签字确认涉及7个组约300户。兴港大道国有土地上房屋征收项目完成签约320套，涉及住宅约320套、建筑面积约1.5万平方米，涉及企业5家、非住宅10套、建筑面积约5100平方米。长寿湖文化产业园（长寿湖旅游路）项目完成

95户协议签订工作，涉及渡舟街道、邻封镇、长寿湖镇等土地面积合计约60公顷，房屋约100户。

（区征收事务中心）

【自建房屋安全整治】 2023年，长寿区开展自建房安全专项整治工作，全区投入排查力量1100余人、专业技术力量86人，排查房屋203831栋，排查出自建房166894栋、经营性自建屋4562栋，经营性自建房隐患房屋655栋。投入财政资金360万余元，完成经营性自建房隐患房屋整治销号652栋，销号率99.5%。34栋存在垮塌风险房屋常态化实施封存管控。

（周德忠）

【不动产登记管理】 2023年，长寿区深化“一件事一次办”不动产登记改革，推行不动产登记“双预告+带押过户”“不动产登记水电气一件事”，常态化开展“交地即交证”服务。全年共受理国有土地上不动产登记业务43670件，办结不动产登记43614件。办理农村不动产登记业务4389件。减免登记费213万元。推广不动产电子版不动产权属证书（证明），发放电子证明7.7万件。

（陈 曦）

【房地产市场监管】 2023年，长寿区加强商品房销售管理，在商品房销售现场设立公示栏和信息查询处，公示相关信息。督促企业一次性公开房源，按预售方案承诺时间开盘销售。加强商品房预售资金入账管理，督促购房首付款存入预售资金监管账户，对预售资金入账情况开展集中检查，检查房地产开发企业4家，商品房601套，入账率96.02%。加强房地产市场监测分析，调查可售住房存量及在建商品房规模，对问题楼盘做好“保交楼”工作。年内，“恒大湖山半岛”“实地常春藤”“金科集美文苑”3个保交楼项目交付进度100%，完成3046套房屋交付销号。

（区住房城乡建委）

物业管理

【概况】 2023年，长寿区有备案登记物业服务企业90家，设有物业服务行业党委1个、基层党组织18个。服务的住宅小区166个、1582万平方米，涵盖住宅、商业、办公、学校、医院、企业和道路及市政设施等物业类型，从业人员约5700人，年产值约2.3亿元。其中，商品房小区139个，1312万平方米；定销房小区14个，235万平方米；安置房小区10个、公租房和廉租房小区3个，35万平方米。

【物业市场监管】 2023年，长寿区建立物业行业信用监管体系，完善物业服务信息公示制度。根据合同履行、投诉处理、日常检查和属地街镇意见，采集信用信息，对物业服务企业和物业项目负责人进行信用监管，实施物业服务企业信用等级标识，强化等级标识在前期物业管理招投标、业主大会选聘物业服务企业、政府采购等方面的应用。督促物业服务企业在物业管理区域显著位置设立物业服务信息监督栏，公开物业项目负责人基本情况、物业服务内容和标准、收费标准、收费项目和标准、投诉电话、电梯和消防等设施设备维保单位和联系方式、公共收益收支情况及其他特约服务收费内容等。

【物业品质提升】 2023年8月，长寿区印发《重庆市长寿区物业管理品质提升工作方案（试行）》，从强化对物业服务企业监督管理，加强对街镇、社区、自治组织、物业服务企业指导培训，构建共建共治共享格局三个方面制定工作目标、工作任务和实现路径。10月，组织物业管理行业相关培训420人次。12月，完成金科阳光小镇、蔚蓝水岸、龙凤花园、园丁苑、凤亭苑5个小区物业管理品质提升试点，成为自治组织实施物业管理融入党建统领下基层治理的模范示例。

【物业维修资金管理】 2023年，长寿区物业专项维修资金归集户4788户，归集金额2736.46万元；维修项目170个，使用维修资金1130.89万元；分配全区物业专项维修资金增值收益约1亿元。2006年以来，累计归集物业专项维修资金余额13.74亿元，累计使用维修资金6822.18万元。

（焦东平）

【重庆长寿东方物业有限责任公司】 该公司成立于1999年8月，注册资本金46186万元，属国有独资企业，主要负责全区公租房的运营和管理，为公租房承租人提供租住服务。2014年，公司被评为和谐劳动关系A级企业。2023年，物业管理总建筑面积60余万平方米，绿化面积2.8万平方米，服务总户数10946户，在全区物业管理品质提升“大评比”活动中获“物业管理优质企业”称号。公司全年收入4986万元。其中，物业管理费684万元，收费率97.7%；通过法院诉讼欠67户，共计欠费45.46万元；通过邮寄催费通知单及法院调解收取21.62万元。公租房入住9429户，入住率95%；全年收取公租房租金4186万元，收费率96.8%。全年零星收入118.2万元。其中，临时停车收入103万元，充电桩收入10.4万元，公租房有偿维修服务、场地租赁等收入4.8万元。

（高 莉）

城市建设

综　述

长寿区第十四次党代会提出建设国际化绿色化智能化人文化“中国长寿城”的宏伟蓝图。2023年，区住房城乡建委、区城市管理局等部门贯彻落实区党代会精神，推进海绵城市建设，减少城市开发建设对原有自然水文和生态环境造成的破坏，实现雨水“自然积存、自然渗透、自然净化”，污水“人为收集、人为处理、人为排放、再生利用”及水体“自然净化、自然修复、自然循环”的城市发展方式，努力完成修复城市水生态、涵养城市水资源、改善城市水环境、保障城市水安全、复兴城市水文化的目标。

海绵城市建设。区住房城乡建委牵头编制完成《长寿经济技术开发区海绵城市详细规划》（28/29/30/32/33/37/43/44/45雨水管理分区）、《长寿区海绵城市详细规划（1~12/31/34~36/38~42雨水管理分区）》、《重庆市长寿区海绵城市详细规划（17/19/20/21/27雨水管理分区）》。2023年10月30日，《长寿经开区管辖范围内建设用地海绵城市详细规划修编》通过专家及部门评审。该规划结合长寿经开区“山水+工业”的城市特点，对经开区海绵城市规划实施动态评估和优化，结合经开区水环境事故防范体系建设状况，再次统筹完善地块海绵、区域公共海绵指标，细化地块海绵相关措施。将海绵城市理念落实到城市规划建设管理全过程，在设计阶段，将海绵城市建设要求落实到方案设计、初步设计和施工图设计中，将年径流总量控制率和污染物去除率指标落实到“两证一书”；在施工阶段，将海绵城市建设相关内容纳入工程质量监管范围；在竣工阶段，委托专业机构开展海绵城市建设效果专项评估，保障海绵城市建设质量。

智慧城市管理。长寿区建立和完善数字化城市管理信息系统，推进数字城管智慧化升级，数字城管指挥大厅接入公安视频，实现城市管理全天候、全自动、全方位监控。数字城管系统全年受理12319城管服务热线及其他部门转办案件724件，接办市民投诉案件量同比增长69.16%；处置城管监督员上报、市民反馈、视频抓拍采集立案66852件，按期结案率96.14%，其中事件结案率98.31%，部件结案率98.41%，案卷质量合格率超过98%。智慧市政设施、智慧市容环卫、智慧园林绿化项目完成系统部署测试、主体框架搭建，行业应用系统基础功能基本实现。完成窨井盖智能化改造200余处，实时监测窨井盖运行状态；投入使用位于水木年华小区附近智能公厕1座，对剩余蹲位数量、公厕气体、环境等相关情

2023年12月，长寿区城市综合管理服务平台建成投用，实现智慧城市管理

（区融媒体中心　供图）

况进行动态监测；打造智慧公园，完成安装公园进出口摄像头3个，完成选址安装土壤、空气、水质等前端感知设备。启动停车收费系统二期开发，年内进入试用阶段。通过“长寿数字城管”微信公众号为城市公众提供城市管理、投诉建议综合服务。长寿区城市管理综合执法智慧系统建成投入运行，全年系统内办理城市管理执法案件1120件。

“3113”重点工作。区住房城乡建委结合海绵城市建设，实施“3113”项目攻坚行动计划。以优化营商环境、服务招商引资为目标，统筹经济发展与海绵建设，将海绵城市建设理念融入中国长寿城的开发建设管理工作中。全年办理海绵城市方案设计审查90个，总规模2.28平方千米。完成海绵城市建设自评估报告27个。年内，达到海绵城市建设要求排水分区11个，面积28.39平方千米，达标面积比例37.41%。　（余永萍）

城市规划

【概况】　2023年，长寿区优化城区空间布局，完善城市功能配套。形成“一主两辅”的城市空间格局，构建完善的街道—社区生活圈。完成长江国家文化公园（长寿段）产城景融合专项规划，完成晏家街道城市品质提升策划、渡舟老街城市更新，开展长寿区国际儿童友好城市空间战略规划。开展幸福长寿科学馆及周边地块城市设计，编制新能源材料及精细磷化工循环经济项目、盘子石码头等6个片区控制性详细规划，完成城区控制性详细规划修改25个。邀请各区县首席规划师31人次，为全区55项规划设计提供专业指导意见。

【城镇开发边界划定】　2023年，长寿区聚焦规划引领高质量发展，健全完善国土空间规划体系。划定城镇开发边界119.21平方千米，完善“两级三类”国土空间规划体系，谋划推动地理信息更新、详细规划与城市设计、专项规划等四大方面30项具体工作项目。

【建设规划】　2023年，长寿区梳理全区历史文化资源，研究提炼历史文化元素，将其融入景区景点、城市街区、公共建筑、公共活动空间的设计与建设中。推行工业项目以告知承诺方式申办规划许可，采用土地保障承诺书用于项目前期审批环节。发挥长寿经开区首席代表作用，以“服务专员大走访”“我陪群众走流程”为切入点，为企业提供全流程一站式服务。核发建设用地规划许可面积437.7公顷，建设工程规划许可总建筑面积238.3万平方米，竣工规划核实建筑面积150.1万平方米。

【历史文化保护】　2023年，长寿区聚焦“美丽重庆”建设，统筹推动历史文化保护。在全区范围内开展历史文化资源本底调查和资料收集，形成长寿区市级历史文化名城申报方案。推进历史文化资源保护，洪湖镇坪滩河大桥获批成为重庆市第七批历史建筑，但渡镇楠木院村民居等2处市级历史建筑的建筑测绘建档入库。加强历史文化宣传，举办长寿区历史文化保护传承书·画·影青少年大赛活动，共评选出绘画、书法、短视频以及摄影类获奖作品262件，优秀单位13家，引导全区青少年坚定文化自信，保护传承长寿历史文化。

【长寿区规划展示厅】　2023年，长寿区设有长寿区规划展示厅，位于长寿区菩提街道桃源西路10号，面积260平方米。在长寿区博物馆设有城市规划厅，面积170平方米。展示有长寿区国土空间分区规划及各类专项规划和重点规划、60年代长寿区早期规划及历史地图、城市规划沙盘、长寿老码头等地历史风貌，设有国土空间规划综合查询系统。全年接待观众2万余人次。　（陈　曦）

中国长寿生命科学城建设

【概况】　2023年，长寿区共召集指挥长会议16次，专题研究项目或问题

135个，开展现场办公和实地调研100余次，赴北京、浙江、广东、山东、西藏等多地招商、学习30余次。推进80个年度项目建设，全年完成投资约68亿元，引进火石数智等18家数字健康企业，引进基石数商、能力数商、生态数商58家。起步实施《中国长寿生命科学城全域空间战略规划》。

【中国长寿生命科学城全域空间战略规划实施】 2023年，长寿区启动实施《中国长寿生命科学城全域空间战略规划》，推进全域人文、产业、环境、人口、交通、空间六大领域重构和“两地一城”建设工作。

人文重构 围绕市民精神文明生活的提升，涵育“长于文、寿于和”，崇德向善，人人利他、人人成长、人人长寿的新时代长寿人文精神，入选市级精神文明城乡融合发展试点区。

产业重构 引进新材料产业链项目62个；打造中国西部数谷，启动上汽云计算中心建设，云晟数据中心被纳入“东数西算”布局，“数据+”新型智慧城市项目获评中国智慧化工园区试点，签约数字健康产业项目13个，引进基石数商、能力数商、生态数商58家；推动农文旅城融合，包装文化旅游产业项目101个。

环境重构 遵守“三区三线”划定的生态保护和城镇开发格局，吸纳《长寿区国土空间生态修复专项规划》技术指标，兼顾城区生态敏感区域绿色空间构建，新建口袋公园2个，新增绿地66万平方米。

人口重构 聚焦钢铁冶金、化工新材料、装备制造、生命科学、数字经济等重点产业人才需求，举办重庆国际人才交流大会·新材料产业国际人才合作专场活动；组织企事业单位参加“新重庆引才计划”“渝跃行动”“百万英才兴重庆”等市级重大引才活动；到清华大学、四川大学、中国农业大学等高校举办人才招引推介活动；新建国家级和市级高级技能人才培训基地各1个。全年引进各类人才1960人，其中“鸿雁计划”人才26人、博士研究生10人、硕士研究生193人。

交通重构 构建“三横四纵”交通主要通廊，建成“铁、公、水、管”联运的货运体系。全年完成公路运输货运量1.08亿吨，水路运输货运量325.85万吨，铁路运输货运量1043.07万吨。至年底，城市道路总里程373千米，打通城市断头路3条，建成城市绿道样板段1.6千米，推进四好农村路建设50千米。

空间重构 《中国长寿生命科学城全域空间战略规划》在总体空间结构、片区功能定位及重点项目库等方面指导《重庆市长寿区国土空间分区规划》编制，通过法定规划体系予以落地。强化长寿北站TOD都市中心及阳鹤山片区城市设计，纳入控制性详细规划予以执行；通过实用性村庄规划将明月山数字农业发展心、长寿慢城发展心、大洪湖低碳旅游心等重要功能核心予以保障。

【中国长寿生命科学城重点项目建设】 2023年，长寿区完成“两地一城”关键指标36项，完成投资约136亿元。分别是新材料专精特新、“小巨人”、隐形冠军数42个，高质量公共文化设施数量2个，高品质旅游住宿设施1个，每千人医疗机构床位数8.13张，国际品牌健康服务企业数1个，人均体育设施面积3.42平方米。

（仇　巧）

城市更新

【概况】 2023年，长寿区常住人口城镇化率71.9%，城镇常住人口48.99万人，城市建成区面积67.14平方千米。城市集中式饮用水源地水质达标率100%，城市生活污水集中处理率99%，生活垃圾无害化处理率100%。年内，新增城市绿地面积16公顷，城市绿地率35.9%，人均公园绿地面积9平方米。城市更新提升基础设施建设累计完成投资48亿元。

【城市形象提升】 2023年，区住房城乡建委协同多部门排查窨井盖隐患并整改1574处；依托“长寿智管”APP，分派定时排查安全隐患，共计排查窨井盖安全隐患1285处，整改1050处，整治率81.71%。建成小微停车场75个，新增停车泊位1936个；对部分小微停车场进行智慧化改造，布控20余套智能道闸系统、160个监控摄像头；新设充电桩390套。

【老旧小区改造】 2023年，区住房城乡建委对17个片区共22个老旧小区进行改造，涉及房屋326栋、居民1.31万户、面积146.6万平方米。3月8—10日，接受财政部重庆监管局对老旧小区绩效评价，获得94.5分，超过全市平均分。4—6月，接受区审计局对老旧小区专项审计，在规定时间内完成整改。

【城市道路建设】 2023年，区住房城乡建委推进城市道路建设，完工葛兰工业组团五期道路、经开区邻江路和经开区钢铺路3条城市道路，新增城市道路5.3千米，城市道路总里程373千米，形成“三横三纵五联络”的城市路网体系。编制完成《长寿区城市交通拥堵改善方案》，实施城区畅通工程，打通尚城北路和横一路东段2条断头路。

【城市配套设施建设】 2023年，长寿区完善教育、医疗等城市配套设施。至年末，城区9所学校（幼儿园）

与四川省广安市相关学校（幼儿园）签订教育协同发展协议，14所学校加入“双城古道教育协同发展联盟”各特色项目子联盟。10所学校分别与四川省彭州市10所学校签订区域教育结对协议。桃花溪中学、桃花溪幼儿园、古镇二小和阳鹤小学建成投用，古镇中学新建项目土石方平场完工，土建工程完成90%。优化医疗服务布局，设有区人民医院、区中医院、区三院、区妇幼计生中心、区疾控中心、区公共卫生服务中心，以及凤城、渡舟、江南、八颗、新市5个街道社区卫生服务中心。建成区域胸痛、卒中、创伤中心、危重孕产妇和危重新生儿救治五大中心。

（仇　巧　焦东平）

供　水

【概况】　2023年，长寿区城市供水企业有重庆渝长燃气自来水有限责任公司、重庆市长寿区水利开发建设投资有限公司、重庆长寿中法水务有限公司3家，供水厂站有庙山坡供水厂、八颗供水厂、江南供水厂、新市供水厂、中法供水厂5座。日供水生产设计能力26.8万立方米，全年城市最高日供水量24.41万立方米。

【供水项目建设】　2023年，区城市管理局实施菩提街道东新村及老年大学管道改造工程、菩提街道火车北站管道改造安装工程、江南街道龙桥水库至华磊搅拌站供水管道安装工程、桃花片区新旧管网连通切换工程、新市街道畜牧园区原创猪场围墙外PE200供水管道更换工程、菩提街道纵次二线DN630管道迁改补偿工程、圣天湖西岸至朵力6号自来水管线整改工程、晏家街道公租房二期管网改造、中央公园小区4、5组团供水管网更换、凤城街道团堡村至长风供水安装工程、长寿经开区中法水务秦禾、千信供水管网工程、长寿经开区壹石通片区供水管网安装工程等一批老旧供水管网改造项目，共计完成城市供水管网更新9.58千米，提高城市供水能力。

【供水保障服务】　2023年，长寿区自来水生产与供应由重庆渝长燃气自来水有限责任公司（简称渝长公司）负责，根据重庆燃气集团与长寿区政府就渝长公司有偿退出长寿区供水市场和业务签订的《合作协议》要求，渝长公司推进自来水业务剥离工作（2024年全面退出自来水市场）。渝长公司拥有自来水水厂1座，设计处理能力为10万吨/日，自来水加压站3个，输水管网427千米。年内，完成DMA自来水漏损控制系统流量计安装，实现对水量数据实时分析。全年供水总量3221万吨，比上年下降2.1%；管理服务客户21.19万户。

（王　鹏）

供　电

【概况】　长寿电网以1座500千伏变电站为枢纽、4座220千伏变电站为主网架、17座110千伏变电站及9座35千伏变电站为单辐射结构供电，主变容量576.15万千伏安，公用电厂装机25.2万千瓦。35千伏及以上专用客户变电站36座，全区二级重要客户17家，一级重要客户10家。区域内主要以化工、冶炼等工业负荷为主，至2023年12月，长寿电网最大负荷104.9万千瓦。

【电网建设】　2023年，国网重庆市电力公司长寿供电分公司服务长寿区投资1.69亿元，其中配套建设区内重点项目投资0.44亿元；服务客户用电项目76项，投运中润化学三厂、华陆科技外线等客户电源工程；服务投运高压客户93户、服务报装容量26.79万千瓦；推动长寿经开区110千伏双链网架结构完善，规划实施农网联络工程21个，完成花庄—朱家坝220千伏线路等10个工程前期工作。办理线路廊道国土用地批复等37项前期手续，保证工程合规开工，黔江正阳牵220千伏外部供电工程获架空线路特殊遮蔽方案批复，是机场净空标准升级以后西南地区首例，保障渝湘高铁配套工程开工。

【电力服务】　2023年，长寿区推进政企网格共建，实现电力网格与政府网格全量对接，联合打造村网共建点10个，古林村便民服务点入选国家电网公司示范。制定11类供电服务矩阵，设立网格服务月度专项奖，全年11类问题意见工单同比压降16.94%，百万户意见工单持续保持市电力公司低位。区政府印发一件事一次办创新试点实施方案、居民充电桩属地报装指引等文件。将27处自管小区、城中村纳入保供电同质化服务，落实专项资金完成洪湖镇56户小产权房“一户一表”改造。自主研发水电气讯联合线上报装程序，试点“更名+增值税变更”“分布式新装+低压居民增容”服务。

【用电管理】　2023年，国网重庆市电力公司长寿供电分公司落实迎峰度夏需求响应方案，签约需求响应企业334户、12.4万千瓦。组织3家水泥（钢铁）企业执行错峰生产，8家工业企业参与月削峰移峰，最大削减负荷8.05万千瓦，日均压降负荷3万千瓦。推动政府印发居民节约用电、集中轮休、外出避暑等政策文件15件，引导2.6万户居民选择分时电价，吸引超

5000人外出避暑，居民平均降低基础负荷2.02万千瓦，节电率10.65%。推动洪湖镇、双龙镇2处小产权房和长寿实验中学家属楼一户一表改造，解决234户居民供电安全隐患。完成洪湖、葛兰、双龙、云集、邻封安全用电示范镇（街）建设工作，累计建成安全用电示范镇（街）19个，覆盖率100%。开展计量箱数字化建档工作，完成计量箱建档17.5万只。

【销售电价】 2023年6月1日第三监管周期输配改革后，长寿区工商业用户到户电价由“上网电价+输配电价+上网环节线损费用+系统运行费用+政府性基金”5部分构成。输配电价由政府核定、公开透明，工商业用户到户电价主要随上网电价变化而波动。年内，长寿区工商业用户到户电价0.74元/千瓦时，比重庆平均水平低0.02元/千瓦时，比上年高0.02元/千瓦时。（姚长宏）

供　气

【概况】 2023年，长寿区共有7家城镇燃气经营企业，分别为重庆凯源石油天然气有限责任公司长寿分公司、重庆渝长燃气自来水有限责任公司、重庆市渝川燃气有限责任公司长寿分公司、重庆茂源天然气有限公司、重庆焜田燃气有限责任公司、重庆市长寿区科铭燃气有限公司、重庆锐翔天然气有限公司。全区天然气用户约33.8万户，天然气用量27.13亿立方米，比上年下降0.57%。其中，CNG用量3996.07万立方米，比上年下降9.95%；民用、商业、集体用量7992.91万立方米，比上年增长5.19%；工业用量25.93亿立方米，比上年下降0.58%。LNG用量3559.43吨，增长2.84%；LPG用量783万立方米，增长135.99%（此两项不计入天然气合计用量）。

【燃气管线建设】 2023年，区经济信息委实施城市燃气管道老化更新和燃气改造（凤城）2个燃气项目建设。9月全面开工，至年末，开挖沟槽1.32万米，铺设燃气管道约1.13万米。投资8500万元，对凤城街道、菩提街道、新市街道、渡舟街道、八颗街道等共计14个社区的老旧小区燃气立管及安全设施进行更新改造，对部分老旧小区户内实施安全改造，加装燃气自闭阀，改造灶具用不锈钢波纹软管，惠及居民约4.3万户。投资8500万元，对凤城街道辖区凤岭路社区、骑鞍社区等10个社区内的老旧小区居民楼的管道和老化设施进行更新改造，在燃气管道重要节点安装智能化感知设备，改造范围涉及居民楼977栋，惠及居民约3.06万户。

【燃气安全管理】 2023年，长寿区开展高层建筑用电用气安全“除险清患”、“安全生产月”、燃气安全隐患排查整改“回头看”、重大事故隐患排查整治、城镇燃气油气安全排查整治等专项行动，对各类燃气安全隐患进行整改。通过推广燃气安全知识宣传、推行执法检查隐患整改、推进从业人员培训等，加强燃气安全管理。线上利用微信群、公众号或“人人长寿”等渠道，线下开展“燃气安全进商户”“燃气安全进社区”等活动，宣传普及安全知识。

【天然气价格】 2023年，长寿区居民天然气一、二、三阶梯最高销售价格分别按照每立方米2.039元、2.379元、2.719元执行；执行居民类用气价格的学校、养老福利机构、部队食堂等用气最高销售价格按照每立方米2.209元执行。1—3月工业用气销售价格为每立方米3.082元，商业、集体为每立方米3.242元；4—12月工业用气销售价格为每立方米2.558元，商业、集体为每立方米2.718元。（吴　娜）

【重庆渝长燃气自来水有限责任公司】 重庆渝长燃气自来水有限责任公司（简称渝长公司）成立于2003年4月，为重庆燃气集团股份有限公司下属全资子公司，旗下含控股企业1家（重庆市葛兰供水有限公司）。专业从事燃气经营，自来水生产与供应，提供燃气燃烧器具、燃气保险、安防产品销售等综合服务；城市供气供水及设计安装等多项服务；服务范围覆盖长寿主城区及晏家、渡舟、江南等地区，拥有天然气配气站1座以及新六中站、倒水桥站、渡舟站、晏家首站、江南循环经济区站5个气源下载点，输气管网557.87千米。2023年，渝长公司销气总量1.39亿立方米，比上年增长21.18%；管理服务客户11.98万户。（余黎鸥）

城市公共交通

【概况】 2023年，长寿区有城市公共汽车276辆，均为新能源公共汽车；有巡游出租汽车362辆，其中257辆为新能源汽车；有网络预约出租车公司17家，取得“道路运输证”并处于营运状态网络预约出租车448辆。

【交通车辆管理】 2023年，区交通局对辖区道路运输企业开展安全指导，累计检查企业270家，发现问题733个，整改验收728个。按月对车辆动态监管情况进行考核通报，全年共发布通报8次，通报“两客一危”企业121家（次）、重型货车企业382家（次）。下达交通事故警示通报7

次。对辖区道路运输企业负责人和安全生产管理人员进行安全考核，全年组织考核6场，参考人数185人。

【城市公共汽车运营】 2023年，区交通局推进城乡运输一体化，开展同城化先行区交通融城研究论证，制定《长寿区城乡运输一体化规划方案》。开行城区至东新村首条农客公交，方便沿线3万余市民出行。制定行政服务中心搬迁后4条公交线路开行方案，方便群众办事。

【巡游出租汽车】 2023年，区交通局完成51辆巡游出租汽车经营权到期后重新投放工作，报废更新89辆新能源纯电动出租汽车，全区新能源纯电动出租汽车共有258辆，占总出租车的71.27%。全年新增纯电动网络预约出租汽车82辆，共有纯电动网约车280辆，占总网约车数量的62.78%。组建重庆市“雷锋的士”志愿服务总队长寿支队，共有巡游出租车20辆、驾驶员40名加入。 （区交通局）

【重庆市长寿区凤城公共交通有限公司】 该公司成立于2006年11月15日，原由重庆汽车运输（集团）有限责任公司、重庆亿思达实业公司共同出资组建，其中重庆汽车运输（集团）有限责任公司占股51%，重庆亿思达实业公司占股49%。企业注册资本1000万元，从2021年起拥有公交车辆222辆，共计投入运行公交线路16条，分布在北部新区、长寿城区以及晏家、八颗、新市等工业园区，市场占有率90%。2023年，投入公交运行车辆222辆，共计行驶里程1584万千米，比上年增长3.8%；客运量2976万人次，比上年增长3.9%；应发班次974527班，实发班次971540班，实发率99.7%。（凤城公交公司）

市容环境管理

【概况】 2023年，区城市管理局以打造干净靓丽、整洁有序的城市环境为目标，以“3113”项目攻坚行动计划和民生实事项目为抓手，围绕城市品质提升，加强城市环境卫生管理，完善市政基础设施建设，规范市容秩序，提升城市管理水平。

【城市照明设施建设】 2023年，区城市管理局维护路灯2076盏，清洗灯杆1015盏，排查整治照明设施安全隐患511处，维护路灯控制变压器68台。推进城区部分路灯灯杆涂装工程，整治新改建无灯区、暗盲区路灯6处，新改建路灯49盏，路灯亮灯率99%以上，设施完好率97%以上。

【城市环境卫生管理】 2023年，长寿区城市管理局采取“自管+市场化作业”和“机械化+人工”交替运行的作业模式进行清扫保洁，冲洗路面约4.6万车次，清理牛皮癣约8.5万张，清洗入城社会车辆约3.5万辆，清理水域漂浮物垃圾3109.79吨，清理岸边和消落带垃圾1811.67吨，接收船舶垃圾量113.07吨。完善厨余垃圾收运体系，以生活垃圾分类示范小区为基础逐步规范家庭厨余垃圾和其他厨余垃圾收运，完成转运处置生活垃圾15.84万吨、餐厨垃圾2.93万吨、家庭厨余垃圾和其他厨余垃圾4149.27吨。推进“劳动者港湾”建设，共建成“劳动者港湾”21个，为户外劳动者提供临时休息场所。落实“门前三包、五长制”，建成桃源西一路、桃源南一路、菩提大道3条示范道路，安装203张“门前三包”公示牌。

【城市公厕建设】 2023年，长寿区推进“公厕革命”提质增量，实施智慧化、模块化、多元化公厕建设。全年新建公厕2座，改建公厕5座。公厕消杀2.6万座次。对直管公厕及社会公厕定期开展安全隐患检查。12月，区城市管理局对城区127座公厕（区管公厕78座，临街商家对外开放内部卫生间49座）进行现场拍照及电子标注并录入高德地图和百度地图数据库。

【生活垃圾分类】 2023年5月22日，在时代广场举行城市生活垃圾分类宣传周启动仪式，通过舞蹈“垃圾分类歌”、诵读“垃圾分类　时尚新风”等节目倡导垃圾分类意义、宣传垃圾分类知识。建设2个党群服务中心，以党建为统领，示范先行，探索生活垃圾分类推广模式。在全区范围内开展“敲门行动”入户宣传垃圾分类的目的，推进楼层撤桶工作，垃圾分类入户宣传率100%；完成分类投放点升级改造858个，建成生活垃圾分类示范小区30个。常态化推进餐厨垃圾专项整治，全年委托长寿区益畅有限公司收运城乡生活垃圾（含船舶废弃物）约145271.44吨、餐厨垃圾约26114.77吨，其他垃圾转运至涪陵焚烧发电厂进行资源化焚烧发电处理，餐厨垃圾运至涪陵餐厨厂资源化处理，家庭厨余垃圾和其他厨余垃圾转运至洛碛厨余垃圾厂资源化处理。

（王　鹏）

【排水与污水处理】 2023年，长寿区完成新建城市污水管网4.73千米，新改建乡镇污水管网8.6千米，实施城区雨污分流改造4.29千米，老旧病害管网改造6.2千米。长寿污水处理厂三期扩建正式通水运行，新增污水处理能力4万立方米/日，出水稳定达到一级A标准。完成桃花溪污染整治

实施雨污分流改造后的桃花溪　　（袁志龙　2023年9月6日摄）

工作，新建临时抽排2处，改造混错接点位7个，保持桃花溪全年综合稳定三类水质。全年处置城镇污水处理厂污泥共3.18万吨，无害化处置率100%。完成102处排水应急抢险，更换雨污水窨井盖704个，修复水篦子470个。（仇　巧　何　刚）

【城市园林绿化管理】　2023年，长寿区实施城市景观提升工程，完成街头绿地提质、城市绿道建设等工程项目12个，改造提升坡坎崖、交通转盘绿化4.4万平方米，新建菩提社区公园、八颗街道口袋公园、渡舟街道口袋公园，补植灌木及地被植物10万平方米、乔木4000余棵，全年新增绿地70万平方米。启动实施国家生态园林城市创建行动，开展遥感调查、绿规编制等前期工作，完成长寿现状绿线划定，现状总面积146.05万平方米，编制完成第一批永久保护绿地名录，北城大道（南段）入选重庆市园林式市街。完成长寿城区绿地生物多样性及外来入侵物种普查工作，共普查1040公顷城区绿地，掌握27种外来入侵物种现状。打响抗旱保绿攻坚战，创新“水围脖”滴灌法，抗旱期间每天累计出动200余人，洒水车10辆，覆盖管护面积320万平方米，行道树2.7万株。开展树木整形修剪，修剪行道树3000余株，在重要时节、重要路段设置鲜花约120万盆。

【市政基础设施维护】　2023年，区城市管理局累计改造城市道路19.4万平方米，整治窨井盖隐患1500余处，试点推广北斗定位智能公交电子站牌。实施小微停车场建设，新建小微停车场91个，新增停车泊位3673个，安装视频监控160个、智能收费道闸系统20余套。在公共停车场新设充电桩390套。引进500辆共享电动助力车入驻长寿，提升群众出行便利度。

【城市管理执法】　2023年，区城市管理局联合区公安局、区民政局、区市场监管局等部门开展“清洁运输整治、停车秩序规范、占道经营整治、校园周边环境整治、大气污染防治、餐厨垃圾监管、户外广告治理、毁绿占绿处置、违法建设治理”等专项执法行动，综合整治市容环境40余次，累计查处各类违法案件900余件，解决城市管理重难点问题1200余个，完成存量违建治理961件、面积84175.2万平方米。全年办理行政许可事项172件，其他行政权力事项1106件；清理取缔占道游摊26163处，规范占道骑门摊3185处，立案查处违法占道经营案件153件。联合办理违法停放机动车案件37805件，罚款378.05万元。

【“长垫邻”城市管理执法合作】2023年10月18日，“长垫邻”城市管理执法合作联合会议在长寿区召开，重庆市长寿区、四川省邻水县、重庆市垫江县3地城管执法干部到晏家入城洗车点、时代广场等地，调研入城洗车联合执法、城市扬尘管理、市容秩序管控、城管执法人员队列训练等工作。长寿区城市管理局、邻水县综合行政执法局、垫江县城市管理局签订《“长邻垫”城市管理执法合作协议》，明确三地通过互派执法人员交流学习、开展执法工作专题研讨、建立重大案件会商机制、加强跨区域联合执法、推进执法标准统一等合作形式。（王　鹏）

乡村振兴

综　述

2023年，长寿区以全区“两地一城”建设和实施“3113”项目攻坚行动计划为依托，“一体两面”推动世界级运动康养旅游目的地建设和乡村全面振兴。围绕脱贫人口、监测对象增收和产业提质增效，巩固脱贫攻坚成果。支持农村饮水安全巩固提升、水库除险加固、桃花溪幸福河湖建设等。全区产业发展更加强劲，乡村人才不断涌现，乡村文化持续繁荣，和美乡村建设稳步推进，乡村治理水平显著提高。入选全市乡村振兴先行示范区和城乡融合发展先行示范区、全市首批“县乡村公共服务一体化”改革试点区县，有效衔接考核连续4年获得“一好一优”佳绩，“一田多收”生产模式作为标杆在全市推广，云台镇八字村片区入选市级乡村振兴示范村建设名单，葛兰镇盐井村入选第三批全国乡村治理示范村名单，“三峡杯”优质晚熟柑橘评选获金牌2枚、银牌2枚，长寿柚进入第八届全球外交官中国文化之夜。

（区农业农村委）

巩固拓展
脱贫攻坚成果

【概况】 2023年，长寿区投入财政衔接资金5451万元，涉及项目83个。其中，中央财政衔接资金2221万元，市级衔接资金1956万元，区级配套资金1274万元。中央财政衔接资金用于产业项目占比63.1%。落实巩固拓展脱贫攻坚成果工作专班机制和“区级领导+帮扶集团+属地镇街+帮扶责任人”包片包村包户工作责任制，完成45名驻镇驻村工作队员集中轮换和全覆盖培训。落实社会保险补贴、交通补贴等政策引导全区6806名脱贫劳动力外出就业，分类开展农村劳动力职业技能培训2556人、就业创业技能培训118人。鼓励致富带头人通过土地流转、务工就业、保底分红等形式吸纳1000余名脱贫人口就近就业。累计创建帮扶车间10个，开发就业岗位143个，发放带动就业示范奖补19.25万元。对有劳动能力、有就业意愿的超龄脱贫人口创新开发农村服务型岗位，安排财政衔接资金1000万元安置1679名超龄脱贫群众就业。实施以工代赈，全年申报适用以工代赈的区级重点工程项目10个，总投资4.03亿元，提供就业岗位1764个，培训务工人员1600人，发放劳务报酬1714万元。对种植业、水产业、畜牧业等产业投入衔接资金1900万元，激发脱贫户内生发展动力。

【返贫风险防范】 2023年，长寿区落实村（社区）干部常态化网格化排查机制，对照监测标准，结合群众反映、部门比对预警等线索，及时靶向入户排查，落实针对性帮扶措施，确保监测对象“应纳尽纳”“应帮尽帮”。出台2023年巩固脱贫产业到户奖补项目实施方案，将到户奖补资金限额从0.3万元提高到0.4万元，累计申报脱贫产业到户奖补3075户718万元，脱贫户覆盖率46.3%。发放“渝快助农贷”23笔575万元、脱贫人口小额信贷3848户次6596.6万元，脱贫人口获贷率71.5%。落实防止规模性返贫具体措施、脱贫人口稳岗就业措施、促进低收入脱贫人口稳定增收措施，建立健全“村集体+脱贫户”“企业+脱贫户”“合作社+脱贫户”等利益联结机制，缩小脱贫人口人均纯收入与农村居民人均可支配收入差距，全年全区脱贫人口人均纯收入20051.6元、比上年增长15.75%，监测对象人均纯收入16022.7元、比上年增长16.6%。开展“大走访大排查大整改”行动，对脱贫群众、监测对象、低保户、分散供养人员、大病户等进行全覆盖走访排查，完成21.6万户一般农户走访，全年累计识别监测对象13户33人，新增家庭成员28人，减少家庭成员276人，销户61户。至年末，全区有脱贫人口5384户13830人，监测对象200户453人，其中消除风险98户224人、未消除风险102户229人。

【“两不愁三保障”巩固】 2023年，长寿区完善“两不愁三保障”动态清零联席会议制度，按照“镇街牵头排查，区乡村振兴局牵头比对，部门指导整改”的工作体系，每月分析排查问题、共享比对数据、更新整改台账，推动发现问题及时整改到位，脱贫人口和农村低收入群体等重点对象住房安全保障率、基本医保参保率、安全饮水率均为100%，适龄儿童失学辍学实现动态清零，发放城乡低保、临时救助、特困供养资金1.55亿元，累计发放残疾人补贴436万元。

【消费帮扶】 2023年，长寿区实施消费帮扶，累计购销农产品1.27亿元。其中鲁渝协作销往山东800万元，垫江县对口协同购销2060万元，预算单位预留份额采购551.15万元，组织动员社会力量购销9262万元。

（区农业农村委）

农村改革

【概况】 2023年，区农业农村委围绕改革目标和要求，明确改革举措、任务和重点，坚持整体推进与重点突破，农村各项改革稳步推进。

【农村宅基地制度改革】 2023年，长寿区推进农村宅基地制度改革，全年收到宅基地申请2342宗，审批2150宗，审批面积22.07公顷，实施新增建设用地、以集中建设形式实现农民户有所居项目1个。建立农村宅基地建房村级协管员制度，督促村级协管员强化平时巡逻、监督，形成常态化违法违规现象报告机制，杜绝违规、违法占用宅基地建农房行为。探索推进农村宅基地基础信息调查工作，在云台镇、龙河镇对35000宗宅基地开展基础信息调查试点工作。

【农村集体产权制度改革】 长寿区有221个村、4个涉农社区，2019年开始实施农村集体产权制度改革试点工作，逐步完善村集体经济组织的资金、资产和资源监管。2023年，全区村级集体经济组织设立或参与设立的强村公司共158家，其中公司44家，合作社114家，主要集中在邻封镇、江南街道、长寿湖镇、云台镇和云集镇。公司主要承接村级公共服务项目、村级一事一议项目以及镇级有关项目的建筑劳务等。至年末，全区农村集体总资产为245881.52万元。其中，经营性资产51124.55万元，非经营性资产194756.97万元。全区另有待界定资产555.14万元。农村集体负债为7144.88万元。其中，流动负债3220.22万元，长期负债3924.66万元。农村集体所有者权益合计238736.64万元。全区集体土地总面积9.85万公顷。其中，农用地总面积9.03万公顷，建设用地0.58万公顷，未利用土地0.24万公顷。

（区农业农村委）

农村经济管理

【概况】 2023年，区农业农村委指导镇街、村社加强农村经济管理，建立农村土地承包经营纠纷解决机制，全年调处土地纠纷256件。推进农村集体经济发展，全区村集体经济组织收入共9455.42万元。加强农村合作经济组织建设，全区认证家庭农场977家。

【农村土地承包及流转】 2023年，长寿区农村家庭承包耕地总面积5.98万公顷，比上年增长8.73%，包括出租、入股等形式的土地经营权流转总面积2.65万公顷，比上年增长0.25%。其中，土地出租面积1.78万公顷，承包地流转率44.32%，涉及12.54万农户。

（陈　颖）

【农村土地承包经营纠纷解决】 2023年，长寿区成立农村土地承包仲裁委员会，19个街镇均将农村土地承包经营纠纷纳入乡镇调解委员会受理范围，共设立215个村级调解小组，明确农村土地纠纷由村支部书记、村民委员会主任、综治专干负责组织调解。全区村级调解小组人员共672人，分区分片明确责任，实行村组土地承包经营纠纷调解负责制。年内，全区受理各类土地纠纷共273件，调处256件。其中，受理土地承包纠纷仲裁案件2件，裁决2件。

【农村集体经济发展】 2023年，长寿区221个村集体经济组织收入共9455.42万元（菩提街道松柏村，晏家街道三观村，凤城街道三洞村、过滩村4个村因无土地或无农村人口等原因未参加农村集体产权制度改革，未成立集体经济组织），村集体平均经营性收入42.78万元，其中经营性收入在5万元以下的村全面清零，经营性收入10万元以上的村151个，经营性收入50万元以上的村45个，经营性收入100万元以上的村15个。

【农村产权交易】 2023年，长寿区完成全区农村产权流转服务有限公司登记注册工作，帮助农民盘活农村闲置资源，实现资产增值和资源优化配置。农村产权流转服务有限公司全年办理41宗农村产权交易鉴证书，交易总额约2726万元，流转土地面积约630公顷。

【农村合作经济组织建设】 2023年，长寿区共认证家庭农场977家，从事主导产业的家庭农场共483家，其中市级示范家庭农场13家，区级示范家庭农场252家。全区共注册农民专业合作社734家。其中，有国家级农民专业合作社示范社2家、市级示范社23家、区级示范社19家。

（区农业农村委）

乡村产业

【概况】 2023年，长寿区乡村产业主要有种植业、养殖业、渔业、农产品加工业等。农产品规上企业有60家，获市级农产品加工业百强领军企业、百强成长性企业5家。全年农业总产值约101.2亿元，比上年增长4.6%；农业增加值约66.6亿元，比上年增长4.5%。

2023年12月6日，重庆标杆农牧科技有限公司养鸡股份合作社工作人员正在操作设备分装鸡蛋 （区融媒体中心 供图）

【现代农民培训】 2023年，长寿区围绕实施“一田多收”高标准农田建设示范工程、“一主两辅”优势特色产业链打造、“一创双业”农民增收致富促进示范工程开展高素质农民培育工作，全年完成高素质农民培育413人。其中，培育经营管理型及农村致富带头人206人，培育专业生产型人才105人、技能服务型人才102人；开设农民素质素养提升培训班25个，培训500人；认定农村致富带头人50人。

【食品及农产品生产加工】 2023年，长寿区依托长寿高新区和经开区，建成农产品加工业园区3平方千米，形成膳食补充剂、粮油、休闲食品、火锅食材等加工产业链。年内，全区有食品及农产品加工市场主体310家，其中食品生产企业72家，食品加工小作坊238家。新增食品及农产品加工规上企业1家，累计达到30家，其中入园企业24家，园区外6家；获评市级食品及农产品加工业“双百企业”5家，其中重庆穗花食为天粮油有限公司入选2023重庆民营企业100强；新增市级农产品加工业示范企业2家，累计17家；3家食品及农产品加工类企业认定为市级农业产业化龙头企业，培育农产品加工类区级农业产业化龙头企业4家。全年食品及农产品加工规上企业实现产值94亿元。

（区农业农村委）

【乡村休闲游】 2023年，长寿区农旅融合基本形成集配套服务型、生态观光型、农事体验型、农业科普教育型、乡村娱乐于一体的业态集群。至年末，全区农旅融合主体（含农家乐）166个，比上年减少20.57%；接待游客523万人次，比上年增长0.57%；综合收入21.96亿元，比上年增长10.30%。累计获评中国美丽休闲乡村4个，市级示范休闲农业和乡村旅游示范镇、村、点57个，获评重庆十大最美乡村1个，获评重庆十大特色乡村2个。

（崔文婷）

2023年5月1日，中国美丽休闲乡村——长寿区邻封镇邻封村美景

（区融媒体中心　供图）

【民宿】　2023年，区文化旅游委开展民宿调研，全区有云集镇弥臻雅舍、长寿湖镇小全民宿、菩提街道荷璟民宿、亚美栖悦、椿生民宿5家，无等级旅游民宿。农村民宿主要以农家乐为主，城镇民宿主要以商业集中区的城市公寓和小酒店为主，全区民宿尚未形成气候。（余小红）

【文创产品】　2023年，区文化旅游委依托市级文化产业园区、基地及各类文创工作室和民间艺人，开发“长于文、寿于和”茶具、“菩提达摩”“长寿百态之寿星老玩童”金丝楠阴沉木雕、仙鹤系列刺品（绣屏、车挂、摆件）、抛沙画\版画、竹编、艺术陶瓷等系列文创产品100余件套，其中“仙鹤系列绣品”入选2023重庆市第四届“重庆好礼”旅游商品（文创产品）大赛暨外事礼品征集活动外事礼品名录。（孙　祥）

2023年11月19日，长寿慢城举行亲子活动　（区融媒体中心　供图）

【重庆市长寿区农产品商贸流通协会】　成立于2012年3月，是经长寿区民政局注册的长寿农产品种养殖企业、农产品批发企业、农产品加工企业、流通企业、农资企业、农业企业、专业大户、专业合作社、微型企业、行业协会和行业经纪人自愿成立的法人社会组织。2023年，协会有会员1000余人，分布全区14个镇、4个街道办事处，20余个相关企业、10余个专业合作社、10余个微型企业、5个行业协会，有200余名农村经纪人；累计注册长寿中国地理标志商标3个（长寿沙田柚、长寿夏橙、长寿血豆腐）、国际马德里商标2件（长寿血豆腐、长寿沙田柚）、重庆老字号1个（长寿沙田柚）。11月20日，长寿区农产品商贸流通协会与重庆地标产品推广站开展“长寿沙田柚”地标产品全市、全国推广活动。至年末，该协会组织农村经纪人通过电商平台和传统方式累计销售长寿沙田柚1000万个、长寿夏橙2000吨、长寿血豆腐3000万个、长寿柠檬15000吨、长寿血脐1万吨、长寿水产品5000吨、长寿薄脆1000吨。农民增收3.9亿余元。（余志鹏）

乡村建设

【概况】　2023年，长寿区持续推动完善乡村建设行动方案，建立乡村建设项目库和年度任务清单。以村庄规划为引领，实施农村道路畅通工程、强化农村防汛抗旱和供水保障、加快农村清洁能源体系构建、推进农产品仓储保险冷链物流设施建设、实施数字乡村建设发展工程、加强村级综合服务设施建设、推进农房质量安全提升、实施农村人居环境整治提升五年行动、加强农村基层组织建设、推进农村精神文明建设，以“县乡村公共

服务一体化”试点为载体，提升农村公共服务水平，推进美丽宜人、业兴人和的社会主义新乡村建设。

【村庄规划】　2023年，长寿区统筹谋划全区乡村建设格局，根据不同类型村发展需求，优化完善实用性村庄规划，保护农业生产空间和乡村生态空间，守住耕地红线。严禁随意撤并村庄搞大社区、违背农民意愿大拆大建。强化村庄规划指导和入库管理，构建村镇管理规划“一张图”。建立政府组织领导、村民发挥主体作用、专业人员开展技术指导的村庄规划机制。年内，完成菩提街道东新村、菩提街道红花村、葛兰镇塘坝村、葛兰镇中华村、双龙镇龙滩村、双龙镇群力村、邻封镇邻封村、长寿湖镇红花村8个村庄的规划修改工作。全年选派20名规划师、工程师、建筑师、艺术家，指导各个村庄完善公共服务设施、创办乡村振兴产业、开展村级党群服务中心建设，推动全区乡村建设。

【乡村重点项目建设】　2023年，区农业农村委牵头“3113”项目攻坚行动计划重大项目14个，年度计划总投资7.9亿元，完成年度投资7.01亿元。其中，特别重大项目5个，有年度投资任务的项目为明月山—黄草山人文农旅体验区、长寿国际慢城、长寿区发展壮大集体经济组织工程、国家级现代农业园区创建工程4个，全年计划投资4.57亿元，完成投资3.57亿元；一般重大建设项目9个，分别为“自然长寿·美味产品”提质工程——长寿鸡蛋项目、长寿区丘陵山区高标准农田改造提升示范工程试点项目、高标准农田建设项目、农村人居环境整治、五华山蓝莓康养度假区、国家高端有机鱼健康养殖示范基地、“自然长寿·美味产品”提质工程——晚熟柑橘、长寿区区域性农业社会化服务基地、清迈良园农文旅融合项目，年度计划投资3.33亿元，完成年度投资3.44亿元。

【乡村配套基础设施建设】　2023年，长寿区建设高标准农田5700公顷、整治水田1820公顷、整治旱地1101公顷。配套新建沟渠11257米、管道63011米、水池17口、提灌站16个、道路78963米。

【农村人居环境整治】　2023年，长寿区把农村厕所革命、农村生活垃圾治理、农村生活污水治理、村容村貌提升作为年度4项重点工作，开展村庄清洁行动、五清理一活动、千村宜居创建活动、农村人居环境成片整治活动4大活动，推进全区农村人居环境整治提升。全年完成农村卫生户厕改造1076户，全区卫生厕所普及率91.02%；完成农村生活垃圾分类行政村136个，投资100万元采购垃圾箱体16个、四分类垃圾桶1360套，配套更新农村垃圾收运设施，“户集、村收、镇归、区运输处理”模式覆盖100%的自然村组；完成农村黑臭水体整治19条，农村生活污水处理率68.8%。全区安装农村公共照明路灯（庭院灯）520盏；创建评比美丽庭院300个，行政村道路通畅率100%；实施农村“四旁”（水旁、路旁、村旁、宅旁）植树13.33公顷；农村自来水普及率92%；全年回收废弃农膜382.23吨，肥料包装物122.04吨，农膜回收率90.01%，推广示范可降解地膜80余公顷，覆盖6个街镇、12个农业经营主体。邻封镇邻封村、龙河镇保合村、云集镇大同村创建成为2023年度全市宜居宜业和美乡村示范村。

（区农业农村委）

【农村危房改造】　2023年，长寿区推进农村危旧房改造工作。至年末，全区共排查农村房屋146476户，其中用作经营自建房2823户、非自建房1133户、未用作经营自建房142520户，信息均录入农村房屋安全隐患排查整治信息平台。全年全区动态监测农村低收入群体26531户，实施农村危房改造119户，实现农村低收入群体住房问题动态清零。

（区住房城乡建委）

【农村饮水安全保障】　2023年，长寿区投资3.9亿元，实施苏家坪、三条沟、高新区3个片区的饮水安全提升项目，减少管网漏损率，推进农村“一户一表”改造，补齐农村供水工程基础设施短板。开展农村饮水安全“大走访大排查大整改”，抽查19个街镇、38个村及8处规模化水厂，排查、督促整改问题7处。印发《2023年重要河流和农村供水水质监督计划》，对全区62处农村供水工程进行水质监测，联合抽检农村饮水安全工程18处，整改问题6处。至年末，全区有农村集中式供水工程63处，城市水厂管网延伸工程3处（江南水厂、新市水厂、八颗水厂）。农村供水服务人口46万人，集中供水率95%，自来水普及率92%。　（区水利局）

【重庆长寿乡村建设集团有限公司】　该公司属区管重点商业二类国有独资企业，注册资本金6.14亿元，历经3次更名而成。2016年8月，成立重庆市长寿区农胜实业有限公司，由重庆市长寿区农村投资有限公司代管；2018年7月，区政府批准将农胜公司更名为重庆长寿乡村旅游发展有限公司，作为长寿区实施乡村振兴战略的商业类国有独资企业，由城乡统筹公司代管；2021年3月22日，经区政府批准，在重庆长寿乡村旅游发展有限公司基础上组建重庆长寿乡村建设集团有限公司。主要从事城镇及农村基础设施建设、乡村旅游开发、美丽乡村（含农民新村）建设、农村商贸物流设施建设、生态环保建设、交通基础设施建设、木材及花卉种植销售、农产品种植及销售等业务。2023年，公司招商引入北农大科技股份有限公司，合作打造长寿区50万套蛋种鸡产业基地；公司与中科院合作的重庆市丘陵地貌“伏羲农场”智慧农业建设项目开工建设；在云台镇建成全区首个粮食烘干中心，单批次烘干能力180吨，辐射云台、海棠等地区；运营管理的长寿国际慢城项目全年累计客流量20万人次。成立重庆市长寿区农村产权流转服务有限公司，作为全区农村资源资产入市交易平台，全年累计挂牌流转交易意向信息33笔，办理交易鉴证41宗（涉及云台等10个街镇），土地流转面积630.53公顷，交易总额2726万元。（周雯杰）

乡村治理

【概况】 2023年，长寿区坚持以“治理有效”为乡村治理切入点，健全乡村治理“微治理”模式，推行乡村治理院落制，探索形成“板凳讲堂”“湾长制”等乡村治理特色经验。重庆市乡村振兴局以专刊形式2次刊发长寿区乡村治理经验，相关成果经验被纳入重庆整体入选第五批国家乡村治理典型案例。

【农村基层组织建设】 2023年，长寿区实施党组织标准化规范化建设，聚焦基本组织、基本队伍、基本活动、基本制度、基本保障，实施党群服务中心改造提升三年行动计划，规范设置“党群服务中心”标识，提升村党支部标准化规范化建设水平。将组织功能弱化、基层治理复杂、矛盾纠纷突出、廉政建设隐患、集体经济风险的村纳入分类管理，整顿转化15个软弱涣散村党组织，“一村一细则”形成管理措施。开发长寿村社赛马智治平台，通过搭建村（社区）智治管理场景、构建村（社区）智能评估体系、重点村分类管理指标体系等功能模块，以数字应用赋能实现基层治理工作全域提升。

【平安乡村建设】 2023年，长寿区围绕农业农村领域，持续落实普法责任，多元化解社会矛盾纠纷，建设平安乡村。区农业农村委联合区公安局、区检察院、区市场监管局、长航公安等部门常态化开展普法宣传活动，全年召开现场咨询会10余场次，出动宣传车300车次，增强群众法治意识。落实“谁执法谁普法”责任制，培育农村学法用法示范户357户，培训农村学法用法示范户骨干50人次，培训农药经营人员118人次。坚持来访必接，来信必登，解答群众疑惑，开展疏导工作，从源头减少矛盾，全年受理各类信件63件次，接待来信来访110多人次，办理率100%。

【乡风文明建设】 2023年，长寿区围绕农村高价彩礼、人情攀比、厚葬薄养、铺张浪费等陈规陋习，结合乡村治理积分制工作，全覆盖修订完善村规民约270个。推行议事机制，建立村民议事会221个、红白理事会225个、道德评议会225个，共同发力专项治理群众在婚丧嫁娶中的人情、宴席、彩礼等支出负担，推进乡风文明建设。创新农村移风易俗的方法路径，探索发掘信息化利用在乡村治理中的潜力，开发村民全程参与、全员参与的“长乡伴”数字乡村治理平台，形成一批党组织领导下的乡村治理“微传感器、微宣传站”。推广积分制中文明积分、道德超市、红黑榜等做法，发挥最美家庭示范带动作用，对农民群众的文明行为给予精神、物质奖励。在19个街镇的农村公共空间使用宣传标语、横幅、宣传画，推动移风易俗观念深入人心。

【乡村治理示范创建】 2023年，长寿区创建国家乡村治理示范村1个（葛兰镇盐井村），市级乡村治理示范镇1个（邻封镇），市级乡村治理示范村3个（葛兰镇盐井村、新市街道新同村、云集镇青丰村）。创建市级宜居宜业和美乡村3个（邻封镇邻封村、龙河镇保合村、云集镇大同村）。

【乡村治理模式创新】 2023年，长寿区立足新阶段新任务新变化，聚焦“阵地建设”“干群互动”“头雁培育”等重点，创新乡村治理模式，推进乡村治理院落制管理、信息化支撑和精细化服务，提升乡村治理效能。聚焦院落“干群互动”，推动治理力量汇集，形成“群众点单—院落摆摊接单—反馈送单”的群众诉求闭环处理工作机制。通过“湾长制”“干部夜访”，干群“见面率”得到提升，拓宽社情民意收集和反馈渠道。葛兰镇盐井村被农业农村部评为第三批全国乡村治理示范村。聚焦院落“头雁培育”，创新实施以院落制为平台，以积分制为抓手、以数智化为目标的院落治理模式，发挥示范效应，以点带面，助力乡村治理。邻封镇创建成为“全国村级议事协商创新实验试点单位”和“重庆市清廉村居建设试点单位”。（区农业农村委）

生态环境

环境质量

【概况】 2023年，长寿城区环境空气质量优良天数309天，优良率84.66%，二氧化硫、二氧化氮、PM_{10}、臭氧、一氧化碳评价达标。全区降水pH年均值6.3（无量纲），酸雨频率0。地表水总体水质良好，Ⅱ~Ⅲ类水质断面比例94.4%，城区和乡镇集中式饮用水源地水质达标率均为100%。区域环境噪声昼间平均等效声级52.6分贝、夜间平均等效声级46.4分贝，道路交通噪声昼间平均等效声级65.8分贝、夜间平均等效声级52.9分贝，声环境功能区达标率100%。

【水环境质量】 2023年，长寿区共设地表水生态环境例行监测断面18个（其中长江干流1个，次级河流10个，湖库7个）、上游入境监测断面4个、水功能区监测断面17个（其中水质目标为Ⅱ类的水功能区4个，水质目标为Ⅲ类的水功能区13个）、乡镇集中式饮用水源地26个。全区18个例行监测断面中，长江干流长寿段水质达到Ⅱ类，桃花溪三条沟、碧桂园、李家湾、朱家湾4个监测断面水质均为Ⅲ类，龙溪河烟坡、磨刀溪、运输桥3个监测断面水质均为Ⅲ类，御临河黄印监测断面、大洪河力陡滩、打渔溪库建桥监测断面水质为Ⅲ类，7个大中型湖库监测断面中长寿湖入湖口水质为Ⅳ类，其余6个监测断面水质均符合Ⅲ类水域功能要求。4个入境监测断面中，幺滩监测断面水质为Ⅱ类，黎家乡崔家岩村和六剑滩监测断面水质为Ⅲ类，打渔溪张家湾监测断面受上游垫江县来水影响，水质为Ⅳ类，其主要污染指标为氨氮。全区长江、万顺河、沙溪河、晏家河、桃花溪、干滩河、龙溪河、但渡河、高洞河、打渔溪、张巴河11条河流设有4个Ⅱ类水功能区、13个Ⅲ类水功能区，全年水功能区水质达标率100%。城区集中式饮用水源地（龙溪河烟坡）水质为Ⅲ类，水质合格率100%。全区26个乡镇集中式饮用水源地水质合格率100%。

【空气环境质量】 2023年，长寿城区设环境空气质量自动监测点2个（桃花西路站和林庄站），监测污染物有二氧化硫、二氧化氮、PM_{10}、$PM_{2.5}$、臭氧和一氧化碳6项指标。城区全年环境空气质量达标天数309天，其中优128天，良181天；超标天数56天，其中轻度污染40天，中度污染8天，重度污染7天，严重污染1天；优良率84.66%，超标率15.34%。超标天数中首要污染物为$PM_{2.5}$和臭氧。全年二氧化硫、二氧化氮、PM_{10}、臭氧和一氧化碳5项污染物年评价结果均达标，$PM_{2.5}$污染物浓度未达标。全区设有1个酸雨监测点位，监测降水44次。pH值范围为5.77~7.09（无量纲），降水pH年均值6.30（无量纲），酸雨频率0。与上年相比，降水pH年均值上升0.25（无量纲），降水质量基本稳定。

【声环境质量】 2023年，长寿城市区域环境噪声昼间平均等效声级为52.6分贝，夜间平均等效声级为46.4分贝，符合城市2类声环境功能区要求，达标率100%。与上年相比，昼间平均等效声级上升0.4分贝，夜间平均等效声级下降0.6分贝，噪声源仍以生活噪声为主。城市道路交通噪声昼间平均等效声级65.8分贝，夜间平均等效声级52.9分贝，符合城市4a类声环境功能区要求。与上年相比，昼间平均等效声级持平，夜间平均等效声级上升0.6分贝。5个2类声环境功能区昼间、夜间平均等效声级达标率均为100%；2个3类声环境功能区昼间、夜间平均等效声级达标率均为100%。

【土壤环境质量】 2023年，长寿区土壤环境质量总体稳定，重点建设用地安全利用率保持100%，受污染耕地安全利用率超过92%，达到国家和市级下达的管控目标要求。

【辐射环境质量】 2023年，长寿区有放射源使用单位9家，在用放射源99枚，射线装置应用单位60家，在用射线装置130台。61家工、科、医类，雷达导航类及广播电视类单位共有电磁设备140台；有110千伏以上变电站84座，110千伏以上输电线路总长度1071.73千米，线路总回数111回；全区建成基站2818个。全年完成22家辐射工作单位许可证核发，其中新办证10个，延续5个，变更5个（含延续同时变更），重新办证4个；审批辐射类建设项目6个，验收项目6个。年内，全区辐射环境质量良好。

（区生态环境局）

资源保护

【概况】 2023年，长寿区实行用水总量和强度双控，全年用水总量低于用水总量控制指标。加强土地资源保护，恢复耕地405.13公顷。推进矿产资源保护，建成绿色矿山1座，矿山生态修复42.55公顷。加强森林资源和野生动物保护，开展森林专项督查检查20次，救助野生保护动物20只。

（区生态环境局）

【水资源保护】 2023年，长寿区实行用水总量和强度双控。年初，结合全区用水总量控制指标和取水单位取水计划申请实际情况下达年度取水计划，实施取水计划管理，建立取水户台账。全年用水总量2.75亿立方米，低于用水总量控制指标（3.14亿立方米）。全年征收水资源费约700万元。

（区水利局）

【土地资源保护】 2023年，长寿区聚焦耕地保护党政同责“首考”，守牢耕地保护红线，区委常委会、区政府常务会调度耕地保护工作12次，区耕地保护建设专班调度耕地保护工作20余次，现场调度指导200余次，落实各方耕地保护责任。完成“非粮化”日常整治1026.67公顷、应急处置693.33公顷。开展永久基本农田核实补划，多补划永久基本农田535.4公顷。实施垦造耕地专项行动，恢复耕地405.13公顷，完成率110%。探索“低效园林地开发”垦造耕地模式，实施试点项目4个，垦造耕地112公顷。

【矿产资源保护】 2023年，长寿区提高矿产资源保障能力，建立矿业权出让项目库，出让矿业权1宗，建成绿色矿山1座，采矿权和探矿权勘查开采信息公示率100%。推进安全生产专项整治行动，严格矿产资源监管执法和打非治违，累计巡查矿山45处，杜绝无证采矿、越界开采等行为。完成明月山矿山生态修复42.55公顷，完成率106%。 （陈 曦）

【森林资源保护】 2023年，长寿区建立37名区级林长包片联系19个镇街，下沉督导，出现森林火情就地转为指挥长机制，构筑2200余名“一长

2023年5月5日，志愿者清理大洪湖沿岸垃圾 （区融媒体中心 供图）

三员”责任体系，巡护责任网格化到组到湾、到山头地块。召开林长专题会议4次，各级林长巡林2.8万人次。分组包片开展专项督查检查20次，发现、整改问题18个。开展智慧林长平台培训，组织网格护林员培训48次，培训4000余人次。建立与四川省邻水县等周边5个区县林长制协作机制，联合巡林20次，解决问题10个。

【野生动物保护】 2023年，长寿区开展野生动植物保护、森林防火等科普宣传活动20场次，发放宣传单（册）16万份。加强候鸟栖息地保护，划定长江龙溪河支流长寿湖段候鸟迁徙通道1条。开展陆生野生动物疫源疫病主动监测和救护管理工作，救助野生保护动物20只。主动预防、控制野猪等野生动物危害，种群调控野猪81头，设置警示牌200余块。

（区林业局）

污染防治

【概况】 2023年，长寿区以美丽重庆建设为统揽，以改善生态环境质量为核心，推进生态环境治理理念、思路、机制、方法变革重塑，精准治污、科学治污、依法治污，迭代升级生态环境治理体系，打好长江经济带污染治理和生态保护攻坚战，以高水平保护推动高质量发展。

【水污染防治】 2023年，长寿区推进水资源、水环境、水生态治理，争取中央及社会资金1.15亿元，对桃花溪、高洞河、张巴河、焦家河、长寿湖等河湖进行治理修复。投资1300万元完成全区27个集中式饮用水源地规范化建设及污染整治工作，城区和乡镇集中式饮用水源地水质达标率连续2年保持“100%”。在全市率先建成水环境管理信息系统平台，对全区水环境进行全时段、全方位自动监测和视频监控。完成174个长江入河排污口排查、监测、溯源、整治、销号工作。完成龙溪河、御临河、大洪河流域114个入河排污口排查、溯源、监测工作。建成总拦截能力154万立方米的水污染风险防控体系，工业园区污水集中收集率、达标率均为100%。

【大气污染防治】 2023年，长寿区制定《长寿区2023年空气质量提升攻坚行动方案》，成立大气巡查督导组，建立“日交办、周调度、月通报”制度，及时交办发现的大气污染问题，并纳入党建统领“生态环保督察问题清单”，形成全流程闭环管理。建立大气污染联防联控机制，与川渝大气传输通道城市“五区两市”开展2轮次大气帮扶工作。建成重点区域高空瞭望、立体降温抑尘、黑烟车抓拍等大气环境精准监控系统，通过利用高空瞭望、网格化在线监控等科技手段严控露天焚烧，发现并制止露天焚烧4700余起，启动空气污染应对14次、重污染天气预警4次，开展人工增雨作业41次，发射火箭弹112枚。聚焦VOCs和NOx协同治理，完成12家重点企业废气深度治理，完成活性炭治理设施专项整治、治理设施“三率”提升和餐饮油烟专项治理三大攻坚行动，累计减少氮氧化物排放9700余吨、挥发性有机物排放1500余吨。

【土壤污染防治】 2023年，长寿区加强土壤重点企业环境监管，督促39家土壤重点监管单位落实有毒有害物质排放报告制度，定期开展厂区重点区域土壤及地下水自行监测和信息公开。组织开展重点区域耕地周边涉镉重金属污染源排查工作，完成石堰镇大塘村、龙河镇合兴村等8个行政村429.82公顷受污染耕地排查，未发现涉镉重金属污染源。优化龙瑞化工、长寿水泥厂、众森鑫化工、长化公司4块暂不开发利用受污染地块的风险管控措施，划定管控区域，设置管控警示牌，组织街镇开展巡查，定期对地块周边土壤开展监测。全年累计完成21.77公顷土壤污染状况调查，调查结果均未超标，全区重点建设用地安全利用率保持100%。

【声污染防治】 2023年，长寿区完成声环境功能区划分调整及评估工作，建成投用晏家、菩提2个声环境质量自动监测子站。完成32个市级宁静小区创建和11个市级宁静小区复查

治理后的长寿桃花溪　　（区住房城乡建委　2023年4月20日摄）

工作。依法对全区噪声影响建设项目进行环境影响评价，全年声环境影响评价审批比例100%。实施工业噪声排污许可和重点排污单位管理，将全区122家企业噪声纳入排污许可管理。开展建筑智慧工地建设，降低施工噪声；对在建建筑工地、考点周边烧烤摊等开展联合执法检查。组织开展高中考期间环境噪声管理专项行动，累计出动执法人员767人次，检查单位227家次，指导纠正不规范环境行为57次，立案查处烧烤大排档违法案件12件，约谈问题企业11家。

【辐射污染防治】 2023年，长寿区落实“双随机、一公开”监管工作职责，出动执法人员150余人次对辖区内的核技术利用单位和辐射风险点源开展全覆盖检查。加强部门联动，与区公安局开展联合执法，对放射源使用单位开展核与辐射安全隐患排查整治专项行动。建立纠纷调处机制，及时处理辐射纠纷及投诉，全年现场调处辐射纠纷1件。推进辐射安全与防护、核安全文化宣传贯彻，联合铁塔公司开展辐射基础知识宣传活动。

【固体危险废物污染防治】 2023年，长寿区对全区32家重点企业固体危险废物管理情况开展评估，排查和整治各类固体危险废物管理问题144个。建成投运国家区域性特殊危险废物集中处置中心、峰圣石化10万吨/年废矿物油综合利用、渝湘港6.6万吨/年含油金属屑综合利用、双象超纤3万吨/年危险废物焚烧、西南水泥6万吨/年水泥窑协同处置等重点项目，全区危险废物综合处置利用能力突破60万吨/年，工业固体废物填埋库容384万立方米，固体废物综合处置能力位列全市第一。全年收集处理城镇生活垃圾19.19万吨、污水处理厂污泥3.13万吨，处置危险废物27.12万吨、医疗废物608.46吨，依法转移率和规范处置率均为100%。利用大宗工业固体废物691.47万吨，综合利用率99%。依托中国环科院、市环科院等专业团队在全市率先打造“无废化工园区”评价标准和建设实施方案，全年打造4个“无废”示范项目，其中“废硫酸循环利用项目”入选重庆市2023年“无废城市”建设典型案例。深化川渝两地危险废物跨省转移“白名单”制度，全年办理危险废物跨省转移审批65批次，办结危险废物跨省转移电子联单565份，办结转移量1.66万吨。（牟建川）

环境监管

【概况】 2023年，区生态环境局优化执法方式、提升执法效能，建立现代化生态环境监测体系，精准执法、科学执法、依法执法，形成管理、执法、服务三位一体模式。全年审查规划环评5个、建设项目环评文件119个，排查环境风险企业912家次，查处环境违法行为29起。

【生态环境监测】 2023年，区生态环境局完成582个点位水、声、土壤环境例监测和165家重点监管企业污染源监测，抽测排污单位115家，抽测车辆3000余辆、非道路移动机械50余台，开展环境应急监测4次，开展明月山、黄草山、凤山公园生态质量地面监测，全年累计获取有效手工监测数据2.57万个，出具监测报告690份。免费为20余家重点企业开展VOCs深度治理设施验收监测，对长寿经开区93个监测点位开展环境现状评价。联合第三方环保管家开展现场指导及自行监测技术帮扶120余家次。区生态环境监测站33人持证上岗全覆盖，累计个人持证数量2373项次，认证项目166项，认证方法256个，居全市区县生态环境监测站第一。建成投用大气、地表水、噪声环境自动监测站和实验室LIMS系统，配齐无人机、无人船等现代化监测装备，环境自动监测能力提高。

【生态环境行政审批】 2023年，区生态环境局审查规划环评5个（含市生态环境局审查规划环评4个）、建设项目环评文件119个（其中环境影响报告书项目29个，环境影响报告表项目90个），涉及投资131.13亿元。深化“放管服”改革，采取告知承诺制审批项目56个，企业自主验收项目85个，辐射许可证23个（其中辐射许可新申请8个，重新申请3个，延续6个，变更5个，注销1个），环评和“三同时”执行率100%。开展第三方环保服务机构弄虚作假问题专项治理行动，通报处理1家，立案查处3家，处罚金额17万元。

【生态环境督察问题整改】 截至2023年末，长寿区生态环境领域接受上级专项督察检查反馈问题74个，已整改销号68个，整改待销号3个，正在整改3个。其中，两轮中央生态环保督察反馈问题37个，已整改销号35个；五年（2018—2023年）长江经济带生态环境警示片反馈问题6个，全部整改销号；历年（2020—2023年）市级专项督察反馈问题31个，已整改销号27个。

【生态环境投入】 2023年，长寿区生态环境投入4.8亿元，比上年增长0.75%。其中，污染防治投入4.13亿元，比上年增长4.6%，主要用于大气、水、土壤、固体废物污染防治以及建筑环境综合整治、噪声环境影响管控、核与辐射安全监管和排查；生态修复投入0.35亿元，比上年下降

42.5%，主要用于山水林田湖草沙系统保护治理、生物多样性保护、城市以及矿山生态等修复；环保能力建设投入0.13亿元，比上年增长2.7%，主要用于生态环境宣传教育、监管、执法、培训等；节能降碳投入0.18亿元，比上年增长149.8%，主要用于构建低碳清洁能源，工业和农业低碳发展等。

【生态治理修复】 2023年，长寿区完成葛兰镇背后湾、新市街道江家石塔、八颗街道院子湾—李家湾、高堡塘、沟带路5条黑臭水体修复，涉及水体总面积1.52公顷，完成底泥清淤15341立方米，修建截污管网1060米，修建水系联通沟渠560余米，修建生态滤池/湿地0.42公顷，修建生态护坡2296米，宾格笼4300米。实施桃花溪和龙溪河流域环境综合整治、明月山废弃矿山和“两岸青山·千里林带”等生态修复项目，森林质量提升面积3207公顷，新增水土流失综合治理面积32.46公顷，生态红线保护面积1.71万公顷，重要江河湖泊水质达标率100%，森林覆盖率50%，天然林保有量1.12万公顷，森林蓄积量254.4万立方米，湿地保有量563.37公顷，历史遗留和关闭矿山生态修复面积174.8公顷。

【生态环境行政执法】 2023年，区生态环境局开展10余项专项行动，排查环境风险企业912家次，涉及环境风险点源470余个，开展突发环境事件风险评估报告及应急预案修编112家，举行区级演练1次、跨部门级演练2次、企业级演练90余次。其中，联合应急、交通、海事等10余个部门在长江干流开展区级突发环境事件应急演练，系全市首次，获市级肯定。全年查处环境违法行为29起，罚款金额158.88万元，获评市级典型案例2件，召开行刑衔接会议3次，判决历年涉嫌环境犯罪移送案件4件，2家公司、10余人被判污染环境罪。开展普法集中培训6次。约谈企业9次共35家，同意延期、分期缴款企业4家，涉及金额48.3万元。（牟建川）

节能减排

【概况】 2023年，长寿区出台《长寿区推进碳达峰碳中和工作方案》《长寿区完整准确全面贯彻新发展理念做好碳达峰碳中和工作的实施意见的重点任务分工方案》等文件，推进碳达峰碳中和工作。全区工业能耗1096.85万吨标准煤，单位工业增加值能耗比上年下降7%，单位GDP能耗比上年下降3.7%。（张　博）

【产业绿色发展】 2023年，长寿区推动绿色工厂建设，新增国家级绿色工厂及绿色产品设计示范企业6家，累计9家。其中新增国家级绿色工厂5家［重庆科顺新材料科技有限公司、重庆望变电气（集团）股份有限公司、重庆云天化天聚新材料有限公司、重庆长风化学工业有限公司、重庆中润新材料股份有限公司］，累计8家。绿色低碳先进适用技术申报获突破，首次实现区内产品列入成渝两地节能低碳先进产品第一名。开展企业节能降耗，组织企业实施节能技术改造项目8个，节能10万吨标准煤；组织专业节能机构指导、帮助企业实施节能改造13家次，节能合作方案逐步实施；推动创建区级节水型企业3家，累计17家。（张　博　庞娅丹）

【节能降碳管理】 2023年，长寿区强化能耗强度降低约束性指标管理，增强能源消费总量管理弹性，推动能耗双控逐步转向碳排放双控。落实节能审查制度，推进“三线一单”减污降碳协同管控，出台《市场准入负面清单》，遏制“两高一低”项目盲目发展，完成“两高一低”项目清理排查71个，限期整改“两高一低”项目25个。全年获批节能审查意见22个。制定《长寿区“十四五”节能减排综合工作实施方案》《长寿区碳达峰实施方案》《长寿区碳达峰行动计划（2022—2025年）》等文件，推进全区节能降碳管理工作。

【循环经济发展】 2023年，长寿区推进钢铁、化工等重点行业清洁生产和绿色低碳改造，实施园区污染第三方治理，推动园区的矿渣、尾渣等工业废弃物变废为宝，加快清洁能源、分布式能源开发布局，落地全市首笔钢铁行业碳减排贷款，投用年降碳133万吨二氧化碳回收装置。加强低碳零碳负碳技术研发运用，加强工业副产氢利用技术研发，培育氢气制备与储运等技术产品。壮大循环经济，推进金属循环产业园、二氧化碳干重整等项目建设。（张　博）

【公共机构节能】 2023年，长寿区以“节能宣传周”“世界水日”等为契机，利用线上媒介以及发放宣传册（画）、倡议书等活动开展节水、节能、节电、反食品浪费宣传。推进节能项目建设，区档案馆绿色数据中心机房改造完成并实现PUE值（数据中心总功耗与设备功耗的比值）降到1.5以下；完成迎峰度夏节约用电、垃圾分类、合同能源审计、光伏项目建设等重点工作任务。全年完成安装充电桩87个，完成101家公共机构节水型单位创建、57家节约型机关创建。（王　颖）

【生产企业节能管理】 2023年，长寿区指导企业实施节能技术改造项目

25个，完成投资31495万元，技改后新增节能71674万吨标准煤。组织专业节能机构到企业指导、帮助实施节能改造13家次。组织全区290家企业开展节能宣传周和全国低碳日活动，张贴节能宣传画650余幅，安装LED屏宣传330多个，悬挂宣传横幅230多幅，微信公众号发布节能宣传1650多条，接受宣传人数1.5万多人次。企业举行节能培训、节能宣传近300场次。全年规模以上工业企业能耗强度下降7%，完成年度目标任务的197%。（庞娅丹）

【建筑节能管理】 2023年，长寿区有62个项目按照节能和绿色建筑设计标准进行设计。全年办理能效测评建筑93栋，建筑面积47.2万平方米，其中新建绿色建筑占新建建筑的比例为84.51%。（余永萍）

【污染物减排】 2023年，区生态环境局争取中央大气专项资金7222万元，支持博腾、福安等12家企业完成废气深度治理，完成佳禾、豪迈等5家家具企业VOCs源头替代，川维化工、扬子乙酰实施罐区废气收集治理，重钢3台烧结、6台焦炉超低排放改造等重点工程减排项目。完成桃花溪西岸截污干管建设，完善阳鹤山片区污水收集。全年完成氮氧化物重点工程减排量4120.9吨，挥发性有机物重点工程减排量517.1吨，化学需氧量重点工程减排量486.92吨，氨氮重点工程累计减排量37.55吨，提前超额完成“十四五”主要污染物总量减排氮氧化物、挥发性有机化合物（VOCs）大气两项减排任务。（牟建川）

【“无废化工园区”试点】 2023年，长寿经开区推进“无废化工园区”创建工作。实施环境污染第三方治理，引进企业投资17亿元，建成禾润中天二期、信维环保、双象等9个固体废物处置利用项目。一般工业固废综合利用处置率从90%提高到99.2%，危险废物综合利用处置率保持在100%。推广清洁技术应用，重庆钢铁建成富余煤气高效利用发电项目，年发电量近40亿千瓦时，自发电率87%，年节约标煤11.83万吨，减少二氧化碳排放量55.9万吨。卡贝乐化工开展二氧化碳捕集回收利用，回收转化炉烟气中50%的二氧化碳用作原料，年减少二氧化碳排放量28.7万吨，多产甲醇19万吨，增加产值4.5亿元。创建无废工厂。川维化工投资1.3亿元，建设废硫酸再生循环利用装置、甲醇废水精馏处理系统，固体废物综合利用率99.16%。重庆钢铁投资4.3亿元，建成高炉矿渣综合利用（一期）项目、滚筒法钢渣处理项目，固体废物综合利用率100%。长寿经开区20家企业启动无废工厂创建工作。（长寿经开区）

【西藏绿电入渝首单交易】 2023年12月5日，国网长寿供电公司推动的首单西藏绿电交易通过北京电力交易中心、国调中心校核，校核通过电量65万千瓦时。交易电源来自华能西藏新能源（江达）有限公司（光伏发电），电源端价格0.36元/千瓦时，通过川藏、川渝输电联络线送重庆后销售给长寿区重庆洋迪机电有限公司、重庆豪淋机械制造有限公司等工业企业，用户侧落地价0.53元/千瓦时，实现西藏绿电入渝首单交易。（姚长宏）

【长寿经开区入选重庆市首批近零碳园区试点】 2023年4月，长寿经开区入选重庆市近零碳园区试点。经开区围绕《长寿经济技术开发区近零碳园区试点建设工作方案（2023—2025年）》，推进近零碳园区建设。建立碳排放管理体系，被纳入全国、重庆碳市场37家企业累计碳排放交易927万余吨二氧化碳，交易金额2.05亿元。在全市率先试点碳排纳入环评审查，深化“三线一单”减污降碳协同管控力度，严格执行规划环评环境准入负面清单。依托智慧园区平台，收录281家企业基础信息，实现信息共建共享。深化能源结构转型，重庆钢铁富余煤气高效利用发电项目3台80兆瓦超高温临界机组成功并网，减少二氧化碳排放55.9万吨/年；望变电气完成装机容量9.4兆瓦、国际复合完成装机容量1.4兆瓦屋顶光伏项目建设；川维化工建成3000标准立方米每小时氢燃料电池供氢项目，年减少二氧化碳排放50万吨；恩力吉建成西南地区最大充电宝，每天可提供2万千瓦时错峰电量。实施支柱产业强链工程，累计培育和引进产业链上重点企业230余家，打通聚酯型聚氨酯产业链各环节，加快可降解材料PBAT、改性/功能膜、PTEG（功能性聚酯薄膜）等相关产品开发生产，形成特种纤维及复合材料产业集群；已认定市级“绿色工厂”16家，其中国家级“绿色工厂”9家；推进零碳物流园区建设，经开区危险化学品停车场纯电重卡服务站于11月正式开业。（牟建川）

科学技术

科技管理

【科技经费投入】 2023年，长寿区市级引导资金322万元统筹用于“双倍增”行动计划、科技研发攻关、“一区一平台”建设、创新平台建设、孵化载体培育等科技创新领域。聚焦全区重点产业的重大技术需求和重点产业发展方向，围绕新材料、钢铁冶金、装备制造、综合化工、数字及健康等重点领域布局一批科技计划项目，支持经费230万元，鼓励支持企业开展前沿性、引领性技术研究。全年全区共投入科技经费552万元。

【科技人才培育】 2023年，长寿区制定《2023年度长寿区市级引导区县科技发展专项资金实施方案》《长寿英才计划“包干制”项目实施方案》等科技人才政策。利用武汉工程大学重庆研究院在职研究生硕士学位班、博士点在长寿办学优势，提升企业员工学历水平，全年招收化工制药、新材料同等学历硕士研究生31名。重庆化工职业学校创新“园校融合、工学交替”人才培养模式，利用长寿经开区园区优势，加强高校与园区内天然气化工新材料企业合作，采用工学交替模式，将专业人才培养分为识岗育人、对岗育人、顶岗育人、在岗发展四个阶段。重庆工信职业学院开展成渝双城经济圈轨道交通产教协同发展

2023年11月16日，长寿区科技创新和人才工作大会在长寿区科技文化中心大礼堂召开

（区融媒体中心　供图）

联盟筹建暨校企合作行动，与北京大学重庆大数据研究院、完美世界教育科技（北京）有限公司、重庆市轨道交通（集团）有限公司、重庆中车长客轨道车辆有限公司等16家科研机构、企业签订校企合作框架协议，培育科技人才。

【科技项目申报】 2023年，长寿区围绕新材料、钢铁冶金等重点领域申报“H15R新能源（增程）动力总成研发”“超高耐热陶瓷涂布隔离膜的开发与研究”等区级科技项目56个。围绕科技创新领域重点领域申报“厚板产线产品开发及技术推广应用研究”“锂萃取剂的绿色制造新技术研究”“低氯级聚苯硫醚及合成技术研究”等市级科技项目12个。

【知识价值信用贷款发放】 2023年，长寿区召开知识产权融资银企座谈会，促进银企对接合作，推进知识价值信用贷款发放，全年54家科技型企业获得知识价值信用贷款共1.24亿元；质押专利24件，质押金额1036.87万元。至年末，累计获得知识价值信用贷款企业357家，累计贷款7.6亿元，引导叠加商业贷款4.7亿元，放款总量位居重庆市第八位。

（区科技局）

创新主体培植

【概况】 2023年，长寿区制定《重庆市长寿区高新技术企业和科技型企业“双倍增”行动计划实施方案（2023—2027年）》，聚焦高新技术企业、科技型企业等创新主体培育，成立科技创新工作专班，建立科技局、园区、街镇等部门协同联动工作机制，全年新增科技型企业289家，新培育高新技术企业53家。

【科研机构创建】 2023年，长寿区获批市级技术创新中心1家、企业技术中心5家、工业和信息化重点实验室1家、工业设计中心1家、博士后科研工作站2家、海智工作站1家、产教联合体1个、众创空间2家，累计培育市级及以上科技创新平台96个。新认定区级新型研发机构2家、企业研发创新中心11家，累计培育区级研发创新平台64个。开展区级研发创新平台认定，完善区、市、国家级平台梯级培育机制，新培育中化学华陆新材料有限公司、重庆奕翔化工有限公司、欧中电子材料（重庆）有限公司等11家区级企业研发创新中心；首次开展区级新型研发机构认定工作，培育迪比（重庆）智能科技研究院有限公司和长江（重庆）低碳产业技术研究院2家单位成为区级新型研发机构，并进入市级新型研发机构培育库。至年末，全区区级以上科技创新平台160个，其中市级及以上96个。

【科技型企业培植】 2023年，长寿区组建科技型企业服务团，采取“送服务”“一对一辅导”“一企一策”等方式，指导科技型企业入库备案。构建科技企业全生命周期培育体系，形成科技型企业“微成长、小升高、高变强”的梯次培育机制，推动科技型企业发展壮大。全年培育科技型企业289家，科技型企业累计入库1049家，比上年增长38.03%。

【高新技术企业培植】 2023年，长寿区以提升企业创新力和竞争力为根本，建立高新技术企业后备培育库，开展“一对一”培育辅导，挖掘企业培育潜力，制定企业创新发展路径。全年新培育高新技术企业53家，累计217家，比上年增长21.23%。

2023年长寿区新培育高新技术企业名单

重庆卡贝乐化工有限责任公司
重庆飞华环保科技有限责任公司
重庆业康金属表面热处理有限责任公司
重庆地美康建筑科技有限公司
重庆鑫吉泰药用喷雾泵有限公司
中化学华陆新材料有限公司
重庆渝安智能悬架有限公司
重庆豪淋机械制造有限公司
重庆韶光环保科技有限公司
重庆恩捷新材料科技有限公司
重庆沃特智成新材料科技有限公司
重庆钢铁股份有限公司
弈柯莱生物科技（重庆）有限公司
重庆晟昌金属制品有限公司
重庆奕翔化工有限公司
重庆市长寿区瑞福龙汽车零部件有限公司
重庆市尚言吉玻璃有限公司
重庆长疆科技有限公司
重庆恩瑞实业有限公司
重庆麦克渝生制药有限公司
碧富（重庆）科技有限公司
重庆市佐能化工有限公司
重庆双象电子材料有限公司
重庆复融科技有限公司
重庆亿煊新材料科技有限公司
重庆立晖涂料有限公司
重庆祥宏新材料科技有限公司
重庆大宗光电有限公司
重庆巧琢工贸发展有限公司
重庆新博智机电有限公司
重庆合源信门业有限公司
重庆天炼环保设备有限公司
重庆联诺家居用品有限公司
重庆东庭智能家居有限公司
重庆大唛物联网科技有限公司
重庆市药研院制药有限公司
重庆富美包装印务有限公司

重庆强达力科技发展有限公司
重庆融极浩瀚生物技术有限公司
重庆佐恩家具有限公司
重庆合得拢食品有限公司
重庆洪成食品有限公司
重庆欧帆门业有限公司
重庆红三城食品科技有限公司
重庆龙悦食品有限公司
重庆市东森润建材有限责任公司
重庆倍加净环保设备有限公司
重庆顺泰管业（集团）有限公司
重庆市金利药包材料有限公司
重庆豪顺生态农业发展有限公司
重庆文和建设集团有限公司
诺百世供应链管理（重庆）有限公司
重庆永博机电泵业有限责任公司

【重庆药物合成工艺技术创新中心成立】 2023年，重庆博腾制药科技股份有限公司和西南大学联合成立重庆药物合成工艺技术创新中心。该中心占地约10000平方米，专职研发人员160人，其中博士19人，硕士51人，面向抗艾滋病、肝炎、糖尿病、肿瘤、抗病毒等重大疾病治疗领域，联合开展药物合成关键核心技术攻关，协同推动科技成果转移转化与产业化。

【重庆市先进材料产教联合体（长寿区）筹建】 2023年，长寿区筹建重庆市先进材料产教联合体。先进材料产教联合体由重庆市工业学校等4家中职学校、重庆化工职业学院等7家高职院校、重庆大学等6家普通本科学校、重庆市经济和信息化委员会、重庆市教育委员会2家政府部门、中国石化集团重庆川维化工有限公司等77家企业和宝武特冶重钢钢研院等12家科研机构共同组成，依托国家级长寿经济技术开发区，以化工新材料为基础，聚合产业，以企业为牵引、学校为主体，服务化工产业经济高质量发展。（区科技局）

科学研究

【概况】 2023年，长寿区支持企业开展科研活动，帮助指导企业承接国家级、市级重点项目，全年立项区级科技计划项目56个，撬动企业研发投入6075万元，聚狮新材的“高性能挤出级聚苯硫醚合成关键技术研发及应用”项目在2023年市级技术创新与应用发展先进材料专项中立项。

【技术创新与应用发展类项目研究】 2023年，长寿区围绕技术创新与应用发展开展研究，主要有“工程防水用新型双组分聚氨酯防水涂料的研究”“具有良好冲击韧性桥梁结构钢Q370qD产品开发及应用”“羰基类抗类风湿性关节炎药物的研发”“向日葵花盘多糖结构及其活性研究”“酒石酸布托啡诺新技术研发”等项目20个。

【决策咨询与制度创新类项目研究】 2023年，长寿区围绕决策咨询与制度创新开展研究，主要有“率先实现同城化发展先行区的政策支持研究”“农村人居环境多元共治对策研究”“新时期农民合作社高质量发展的路径与应用示范”等项目4个。

【社会事业与民生保障科技创新类项目研究】 2023年，长寿区围绕社会事业与民生保障科技创新开展研究，主要有“基于种养循环模式下生态示范技术研究”“农田稻鱼草共生微系统技术研究与示范”“穴位埋线联合黄芪薏荷茶治疗气虚湿阻型产后肥胖的临床研究”“临近脂肪组织瓣转移整形技术在基层医院早期乳腺癌术中应用的可行性研究”等项目32个。

2023年长寿区科技计划项目立项一览表

表20

项目名称	项目承担单位	项目类别
工程防水用新型双组分聚氨酯防水涂料的研究	重庆科顺新材料科技有限公司	技术创新与应用发展专项
具有良好冲击韧性桥梁结构钢Q370qD产品开发及应用	重庆钢铁股份有限公司	技术创新与应用发展专项
羰基类抗类风湿性关节炎药物的研发	重庆（长寿）绿色化工与新材料产业技术研究院	技术创新与应用发展专项
向日葵花盘多糖结构及其活性研究	重庆化工职业学院	技术创新与应用发展专项
乙基香兰素1，2-丙二醇缩醛关键技术研究	重庆欣欣向荣精细化工有限公司	技术创新与应用发展专项
H15R新能源（增程）动力总成研发	重庆小康动力有限公司	技术创新与应用发展专项
酒石酸布托啡诺新技术研发	福安药业集团重庆博圣制药有限公司	技术创新与应用发展专项

续表20

项目名称	项目承担单位	项目类别
快速脱氮除磷装置的技术研究及应用	重庆融极浩瀚生物技术有限公司	技术创新与应用发展专项
一种以隔离氢气的防水材料制成的防水卷材研发	重庆大禹防水科技发展有限公司	技术创新与应用发展专项
用于替代航空超高强度钢防腐的环保电镀技术研究及应用	重庆信人科技发展有限公司	技术创新与应用发展专项
超高耐热陶瓷涂布隔离膜的开发与研究	重庆恩捷新材料科技有限公司	技术创新与应用发展专项
高性能碳化硅气凝胶复合材料的制备研究	武汉工程大学重庆研究院	技术创新与应用发展专项
NMP生产装置及工艺的完善研发	重庆中润新材料股份有限公司	技术创新与应用发展专项
高分子废弃物原位催化热解技术研究	长江（重庆）低碳产业技术研究院	技术创新与应用发展专项
硅基气凝胶深冷复合材料开发	中化学华陆新材料有限公司	技术创新与应用发展专项
ARV-471关键中间体K366-F合成技术开发	重庆博腾制药科技股份有限公司	技术创新与应用发展专项
10kV环保气体环网柜技术研究及产品研制	重庆望变电气（集团）股份有限公司	技术创新与应用发展专项
既有预应力混凝土斜拉桥状态识别与安全评估	重庆市长寿区交通局	技术创新与应用发展专项
基于视频AI技术的城市管理移动巡查技术开发及应用	重庆市长寿区城市管理服务中心	技术创新与应用发展专项
长寿区民生数据分析运用信息系统开发	重庆市长寿区审计局	技术创新与应用发展专项
率先实现同城化发展先行区的政策支持研究	中国共产党重庆市长寿区委员会党校	决策咨询与制度创新专项
新时期农民合作社高质量发展的路径与应用示范	重庆市长寿区农业技术科研服务中心	决策咨询与制度创新专项
农村人居环境多元共治对策研究	中国国民党革命委员会重庆市长寿区委员会	决策咨询与制度创新专项
运用物联网技术提升城市环境监管质量的建议	九三学社重庆市长寿区委员会	决策咨询与制度创新专项
基于3113大数据研究EGFR突变肺癌的防治	重庆化工职业学院	社会事业与民生保障科技创新专项
长寿湖水温分层对富营养化物质迁移转化及浮游植物的影响研究	重庆市长寿区生态环境监测站	社会事业与民生保障科技创新专项
长寿晚熟柑橘霜冻灾害预报技术研究	重庆市长寿区气象局	社会事业与民生保障科技创新专项
长寿区伴侣动物主要人畜共患病分析评估	重庆市长寿区动物疫病预防控制中心	社会事业与民生保障科技创新专项
基于种养循环模式下生态示范技术研究	重庆市长寿区农产品质量安全中心	社会事业与民生保障科技创新专项
农田稻鱼草共生微系统技术研究与示范	重庆市长寿区农业发展服务中心	社会事业与民生保障科技创新专项
沙田柚新品种“桂柚一号”的引进与试种	重庆市长寿区农业技术科研服务中心	社会事业与民生保障科技创新专项
长寿区推动数字经济与实体经济有效融合的路径研究	中国共产党重庆市长寿区委党校	社会事业与民生保障科技创新专项

续表20

项目名称	项目承担单位	项目类别
机载激光雷达在植被复杂区域地形图测绘中的应用研究	重庆市长寿勘测规划院	社会事业与民生保障科技创新专项
重庆市长寿区类风湿关节炎和强直性脊柱炎两病筛查和规范化诊疗	重庆市长寿区人民医院	社会事业与民生保障科技创新专项
长寿区肺癌患者就医行为调查及影响因素研究		社会事业与民生保障科技创新专项
标准化案例教学联合情景模拟教学模式在护士规范化培训教学中的应用研究		社会事业与民生保障科技创新专项
DRG 支付模式下医院感染患者费用分析及成本管控策略探讨		社会事业与民生保障科技创新专项
基于MALDI-TOF质谱的地中海贫血研究		社会事业与民生保障科技创新专项
高温循环预冲干预对维持性血液透析患者不良反应发生率的影响研究		社会事业与民生保障科技创新专项
凝血、纤溶功能指标及NETs检测在脓毒症疾病中的临床价值		社会事业与民生保障科技创新专项
长寿区护士危化品灾害紧急医学救援能力标准化课程研究		社会事业与民生保障科技创新专项
长寿区新冠肺炎疫情前、疫情中和常态化防控期间老年人下呼吸道感染病原菌耐药性分布及变化		社会事业与民生保障科技创新专项
穴位埋线联合黄芪薏荷茶治疗气虚湿阻型产后肥胖的临床研究		社会事业与民生保障科技创新专项
针刀联合新Bobath技术治疗中风后上肢肌张力增高的临床疗效观察	重庆市长寿区中医院	社会事业与民生保障科技创新专项
基于“反应点针灸”理论针刺治疗中风后吞咽障碍的临床疗效研究		社会事业与民生保障科技创新专项
耳穴贴压治疗男性非器质性性功能障碍效果研究		社会事业与民生保障科技创新专项
银花蝉草汤治疗靶向药物相关性皮疹的临床研究		社会事业与民生保障科技创新专项
中药脐灸治疗脾虚夹滞型儿童功能性腹痛临床观察		社会事业与民生保障科技创新专项
临近脂肪组织瓣转移整形技术在基层医院早期乳腺癌术中应用的可行性研究	重庆市长寿区妇幼保健院	社会事业与民生保障科技创新专项
长寿区高危孕产妇的管理措施与效果评价		社会事业与民生保障科技创新专项
长寿区8-10岁健康儿童肺功能实测值占预计值百分比研究		社会事业与民生保障科技创新专项
非典型抗精神病药物治疗青少年非自杀性自伤共病抑郁障碍的临床研究	重庆市长寿区精神卫生中心	社会事业与民生保障科技创新专项

续表20

项目名称	项目承担单位	项目类别
重复经颅磁刺激（rTMS）联合抗精神病药物治疗改善精神分裂症阴性症状和认知功能研究	重庆市长寿区精神卫生中心	社会事业与民生保障科技创新专项
重庆市长寿区居民心理健康现状调查及影响因素分析		社会事业与民生保障科技创新专项
长寿区职业人群骨量丢失相关危险因素干预与效果评价研究	重庆市长寿区疾病预防控制中心	社会事业与民生保障科技创新专项
长寿区家具制造业作业人群噪声致听力损伤职业健康风险评估		社会事业与民生保障科技创新专项

【“揭榜挂帅”项目】 2023年，长寿区探索重大科研项目“揭榜挂帅”攻关机制，经前期摸排、政策宣讲、企业走访和申报辅导，共征集到技术需求4项。经论证评审，中化学华陆新材料有限公司提出的“硅碳负极规模化生产技术突破”和重庆聚狮新材料科技有限公司提出的“聚苯硫醚生产过程中废水处理技术突破”2个项目进入2023年度“揭榜挂帅”科研项目榜单。（区科技局）

科技成果及转化

【概况】 2023年，长寿区认定登记科技成果55项，从成果类型看，55项均为专利；从登记主体看，55项专利成果主体均为企业。全国技术合同认定登记678项，技术合同成交额9.82亿元，比上年增长219.87%。

【获市级科技成果奖】 2023年，重庆市2022年科技进步奖和技术发明奖名单出炉，重庆凯林制药有限公司参与实施的“培美曲塞二钠的研发及产业化”项目获2022年重庆市科技进步奖三等奖，重庆钢铁股份有限公司的“精轧换辊效率提升控制技术及应用”获2022年重庆市技术发明奖三等奖。

【科技成果转化应用项目】 2023年，长寿区构建“众创空间+孵化器+加速器”全链条孵化体系，建成绿安（小青蛙）众创空间、重庆化工职业学院启航众创空间等6个市级众创空间。搭建成果转移转化平台，推动武汉工程大学科技成果在长寿转化应用。武汉工程大学重庆研究院利用碳化硅陶瓷膜技术与中石化川维研究院、重庆荣之维新材料科技有限公司开展乙炔碳黑水、甲醇PVA处理中试试验，碳化硅陶瓷膜技术转化效益164万元；与重庆飞华环保科技有限责任公司开展UPSS级超高纯电子化学品技术转化，达成10000吨/年芯片级高纯酸项目合作协议，技术成果转化合同额1500万元。

【地瑞那韦关键中间体专利技术应用】 1—氯—3—（N—取代）—叔丁氧甲酰胺基—3—取代—2—丙酮的制备是重庆博腾制药科技股份有限公司研发的成果，先后申请2个发明专利，其中1个专利在2023年获得重庆首届专利奖银奖。本技术解决反应中因产生金属阳离子增加的“三废”治理问题，并解决生产成本较高及反应产生的工业污染的技术难题。通过控制原料和氯化氢气体的摩尔用量比，实现以氯化氢气体作氯代试剂制备1-氯-3-（N-取代）-叔丁氧甲酰胺基-3-取代-2-丙酮的上反应。年内，该专利由重庆博腾制药科技股份有限公司自主实施，生产的地瑞那韦原料药出口至100个国家或地区，销售额过1亿元。

【污水处理站净水排放节能回收利用技术】 该技术是国家电投集团重庆狮子滩发电有限公司与西安理工大学共同研究成果，将水力发电与污水处理厂净排水相结合。打破传统常规小水电开发方式，开发出低水头、小流量、大变幅水能利用技术和新型水轮机及控制系统，将变频技术运用于水力发电，取消传统水力发电的调速与励磁系统，优化发电机组结构，缩小设备尺寸，形成节能系统模块化集成化。该技术创新2023年运用于肖家河污水处理厂工程实证，节能效果明显。该技术已取得5件发明专利受理、2项实用新型专利授权、1项软件著作权受理。

【高性能碳化硅陶瓷膜制备技术与应用】 该技术是武汉工程大学重庆研究院研究成果，具备耐强酸强碱，超强亲水性，耐高温，抗热震，耐磨损等优势。其技术和产品性能达到国际先进水平，获得授权专利23项，其中国外专利3项；获得湖北省科技进步一等奖、湖北省专利奖金奖。2023年，形成“硅基功能性膜材料、超高纯电子化学品开发、生态环保技术服务”等具有产业带动能力的创新成果。（区科技局）

科技服务

【科技政策兑现】 2023年，长寿区实施创新驱动发展战略，建立政府引导、企业为主、社会支撑的多元化科技投入体系。组织开展2022年度创新驱动发展战略专项资金申报工作；落实惠企财税政策，推动企业研发经费加计扣除、高新技术企业所得税等惠企政策应享尽享，组织开展辖区内企业2022年度研发费用加计扣除鉴定工作，333个项目鉴定通过，全年通过研发费用税前加计扣除政策享受税收优惠上亿元。

【科技特派员】 2023年，长寿区选派市级科技特派员27人、区级科技特派员52人，覆盖长寿区19个街镇。全年开展科技培训952次、技术服务2658人次，培训农民18963人次，解决技术难题93项。组织拍摄的科技特派团微视频——“筑梦乡村·大美未来”被科技部评为2023年度“大美科技特派团”优秀作品。

【“十万英才聚长寿”育才计划】 2023年，长寿区组织开展首届长寿英才评选活动，评选出创新领域领军人才14人、创新创业示范团队10个、创新领域青年拔尖人才10人。实施长寿英才计划“包干制”项目，按照“自主选题、自主立项、自主过程管理、自主结题”原则，对31名长寿英才计划入选者下达科研项目31个，给予研究经费支持382万元。（柴彦林）

2023年长寿区长寿英才·创新领域领军人才一览表

表21

序号	姓　名	所在单位
1	车军伟	重庆华硕建设有限公司
2	李有刚	重庆中科力泰高分子材料有限公司
3	李廷真	重庆化工职业学院
4	杨　骁	重庆云天化天聚新材料有限公司
5	何家军	武汉工程大学重庆研究院
6	宋　见	重庆鲲量科技有限公司
7	张　明	重庆长风化学工业有限公司
8	张　磊	重庆凯林制药有限公司
9	周旭东	福安药业（集团）股份有限公司
10	赵博琰	重庆赛真达智能科技有限公司
11	贺敦军	宝武重工有限公司重庆分公司
12	徐志刚	重庆康普化学工业股份有限公司
13	郭子维	福安药业（集团）股份有限公司
14	庹保华	中化学华陆新材料有限公司

2023年长寿区长寿英才·创新创业示范团队一览表

表22

序号	团队名称	团队负责人	所在单位
1	博腾数智创新团队	龙伟刚	重庆博腾制药科技股份有限公司
2	中润新材团队	龙烈强	重庆中润新材料股份有限公司
3	重庆望变电气铁芯数智化引擎先锋队	杨　林	重庆望变电气（集团）股份有限公司
4	先进工业胶黏剂研发团队	张　珂	重庆中科力泰高分子材料有限公司
5	利洁士鼻炎冲洗阻隔疗法创新研发团队	陈　伟	利洁士医疗器械（重庆）有限公司
6	川维聚乙烯醇新材料创新团队	胡腊梅	中国石化集团重庆川维化工有限公司

续表22

序号	团队名称	团队负责人	所在单位
7	赢客小智团队	冒廷剑	重庆智荟数创科技有限公司
8	碳化硅陶瓷膜团队	徐　慢	武汉工程大学重庆研究院
9	中化学硅基新材料研发中心	职佳涛	中化学华陆新材料有限公司
10	玻纤复合材料创新创业团队	庹　波	重庆亿煊新材料科技有限公司

2023年长寿区长寿英才·创新领域青年拔尖人才一览表

表23

序号	姓　名	所在单位
1	丁　东	福安药业集团重庆博圣制药有限公司
2	刘孟子	长寿经开区开发投资集团有限公司
3	刘海春	重庆中科力泰高分子材料有限公司
4	李　梅	重庆云天化天聚新材料有限公司
5	肖长发	中国石化集团重庆川维化工有限公司
6	张宏亮	重庆钢铁股份有限公司
7	范刚强	重庆望变电气（集团）股份有限公司
8	高孝麟	重庆驭能电化工设备有限责任公司
9	唐　飞	重庆斯泰克瑞登梅尔材料技术有限公司
10	熊　风	中化学华陆新材料有限公司

科技普及与宣传

【概况】　2023年，长寿区开展科技活动100余场，建成市级科普基地3家，邀请院士专家进校园举办专题讲座，开展数字体验活动，向城乡居民集中普及气象科学知识。

【科技普及】　2023年，长寿区举办科技活动周、科普讲解大赛等科技活动100余场，参与群众近10万人次，发布科技宣传报道50余篇。围绕“热爱科学•崇尚科学”主题，开展院士专家校园行、数字体验进基地活动等特色科普活动，发动区内科普基地开展科技活动32场次，科普对象覆盖学生、科技工作者等各类人群。

【科普基地】　2023年，长寿区建成检察简史展览馆、长寿区青少年活动中心、重庆水电工业市级科普基地3家，累计评选长寿区眼健康科普基地、长寿区清迈良园科普基地、陶艺科普基地等8家区级科普基地。至年末，全区累计有各级科普基地11家，涵盖农业、历史、医药等领域。

【院士专家校园行活动】　2023年，长寿区邀请重庆市院士专家科普讲师团专家罗光、汤永隆等9人到长寿中学、长寿第一中学、长寿桃源小学等9所中小学校，为3000多名学生举办“情绪压力管理”“科学在身边　创新伴成长”“新高考背景下的创新与实践”等专题讲座，运用生动的实践案例、丰富的经验做法，通过现场互动、提问答复等方式，帮助大家发现身边的科学，激发热爱科学的兴趣，引导学生树立科学思想、科学态度，逐步形成科学的世界观和方法论。

【科普基地进校园活动】　2023年5月29日，长寿区科技活动周科普基地进校园活动在黄桷湾小学举行。区科技局联合长寿爱尔眼科医院、清迈良园等科普基地，为黄桷湾小学100余名学生普及科学知识。通过互动问答、让学生亲手触摸样品等方式，让大家了解黑土、红土、灰漠土等不同土壤的属性特征；开展“守护大视野　放眼看世界”5P全民护眼运动会，通过设置文字找茬、眼力精准跳高等趣味小游戏，让学生在趣味运动中了解更多护眼小知识。

【数字体验活动】　2023年，长寿区利用重庆化工职业学院的3D打印创新基地、化工新材料虚拟仿真实训基地、中药智慧教室、智能制造双基地等资源优势，在科技活动周期间，面向教职工、学生、工人等群体，通过信息技术培训、数字教育大讲堂等方式，展示高精度3D打印技术并讲解制作原理，通过VR眼镜开展全真模拟操作，体验数字服务魅力，推动全民共建共享数字化发展成果。有200余名在校教师、3000余名在校学生、800余名技术工人参与数字素养与技能培训。

【气象科普进基层活动】 2023年，长寿区面向基层开展气象科普活动，面向城乡居民集中普及气象科学知识，发放《雷电防护知识读本》、气象灾害防护指引折页、《重庆市气象灾害防御条例》等10余种宣传资料近1000册（份），现场接受群众咨询100余人次；组织力量到田间地头了解农情状况，查看农作物长势，向农户发放《夏收夏种气象服务专报》《2023年长寿气象历书》等气象科普宣传资料。（区科技局）

知识产权保护与服务

【专利商标地理标志商标申请及授权】 2023年，长寿区新增授权专利951件（其中授权发明专利227件），累计有效发明专利1625件，万人发明专利拥有量23.64件；新申请商标1566件，新注册商标947件，有效注册商标14680件。至年末，全区有中国驰名商标4件（长寿CHANGSHOU及图、天信及图、永航YONG HANG及图、惠泽及图），有地理标志商标3件（长寿沙田柚、长寿血豆腐、长寿夏橙）。

【知识产权公共服务体系建设】 2023年，长寿区有长寿经济技术开发区创新服务中心知识产权公共服务网点、重庆市新材料产业专利导航中心2个知识产权公共服务机构。年内，持续优化公共服务机构工作管理制度，完善工作流程和方式；对企业开展专利导航咨询分析和使用数据库等服务。推进公共服务网点提档升级，长寿经济技术开发区创新服务中心知识产权公共服务网点被认定为国家知识产权公共服务网点。知识产权运营平台建成投用，分为信息大厅、交易大厅、资源大厅、服务大厅4个主板块及科技人才服务1个子平台。线下基地已入驻重庆恒成智道信息科技有限公司、重庆市中诚伟业工程咨询有限公司，引进长寿区中小企业公共服务窗口平台、长寿区大学生就业创业公共服务平台、重庆市新材料专利导航中心等平台入驻。

【跨区域知识产权合作】 2023年，长寿区贯彻落实成渝双城经济圈建设战略部署，围绕“深化川渝知识产权合作、助力区域高质量发展”宗旨，建立四川省邻水县等川渝八区县市场监管局知识产权保护联席会议制度和联络员制度；区检察院与四川省邻水县检察院签订知识产权检察协作协议，建立跨省知识产权保护机制。

【知识产权系列宣传活动】 2023年，长寿区通过LED等宣传播放各类知识产权保护宣传海报1600余次，利用“3·15”活动日、知识产权宣传周、科技开放日活动、宪法宣传日等活动，向市民累计发放专利法、商标法等宣传资料3500余册。在辖区中小学开展版权保护进校园、进课堂以及版权知识系列专题讲座活动，制作发放“黄丝玛玛说版权”宣传资料500余份，发放版权宣传折页1500余份，利用院线电影院播放版权宣传教育片2000余次。（区市场监管局）

气象测报

【概况】 2023年，重庆市长寿区气象局（简称区气象局）按照“跳出小气象、做实大气象”工作思路和长寿区委、区政府目标要求，推动《气象高质量发展纲要（2022—2035年）》落实见效。6月8日，区政府与市气象局签署《重庆市长寿区人民政府 重庆市气象局加快推进新时代长寿气象高质量发展合作备忘录》，推进长寿区气象高质量发展。长寿区获评“中国气候宜居城市”。区气象局获全市气象部门综合目标考核、人才工作优秀单位，全市无烟机关示范单位，

2023年6月8日，区政府与市气象局签署《重庆市长寿区人民政府 重庆市气象局加快推进新时代长寿气象高质量发展合作备忘录》 （区气象局 供图）

2023年7月12日，区气象局开展人工影响天气作业培训　（区气象局　供图）

长寿区武装工作先进单位，连续6年获全区“安全生产优秀单位”。1人获重庆市巾帼建功标兵和全市气象部门“两江英才”称号；1人获全市重大气象服务优秀个人；获个人记功3人、个人嘉奖1人。

【气象预警和应急联动体系建设】 2023年，区气象局优化预警信息发布流程和制度，基于御天·智能预警信息发布系统，开发“长寿区智能预警信息发布子系统”，创新建设智能预警响应反馈、智能效益评估场景，实现“预报—预警—响应—反馈—评估”全周期闭环管理，该工作受到国家预警中心调研肯定，并被纳入长寿“885”改革报表，在国省市县联动主题教育接力联学读书班上分享预警建设先进经验，获评2023年全市气象部门管理创新工作暨气象高质量发展创新实践特别优秀案例。

【气象综合监测和预警信息发布】 长寿国家基本气象站覆盖温度、湿度、风向、风速、气压、雨量、能见度、浅层地温（0~20厘米）、深层地温（40~320厘米）、草温、日照、辐射、蒸发等观测项目。2023年，通过智能预警信息发布系统发布暴雨、雷电、大风、冰雹、大雾、道路结冰、高温等预警信号，全年发布《重要气象信息专报》《强对流天气临近预警》等预警信息166期，区气象局与区林业局联合发布《森林火险气象等级预报》《森林草原火险预警信号》96期，与区规划自然资源局联合发布《地质灾害气象风险预警》15期，与水利局联合发布《中小河流涨水风险提醒》8期。

【气象服务】 2023年，区气象局发布《每日气象要讯》《短期气候趋势预测》《旬天气预报》《雨情通报》《长寿旅游景点天气预报》等气象服务信息892期。发布长寿湖马拉松赛、全国太极拳公开赛、铁人三项赛等重大活动赛事专题气象服务信息24期。与区农业农村委共同打造高标准农田智慧气象服务示范基地，建设高标准农田小气候观测站，研发长寿区高标准农田精细化数字气象服务系统，发布《春耕春播专题气象服务》《农业气象灾害预警》等农业预警服务信息23期。

【气象装备运行保障】 2023年，区气象局开展自动站巡检368次，维修自动站128站次，对长寿国家基本气象站的天气现象视频智能观测仪业务运行进行整改，对地温进行升级改造，开展应急观测演练5次、网络安

2023年5月23日，区政府组织召开长寿区2023年防雷安全监管工作联席会议

（区气象局　供图）

全自查5次。对全区综合观测和网络设备进行防雷安全检查，所有设备和仪器防雷装置均符合要求。各类气象数据传输、观测系统仪器装备运行业务可用性、自动站数据质量达到市气象局考核要求。

【气象设施建设】 2023年，区气象局新建三峡危岩气象观测站3个、高标准农田气象观测站1个，新购置便携式移动气象站2套，新增观测业务专用UPS 1套。至年末，全区有国家基本气象站、区域自动气象站、土壤水分站、农田小气候站、交通站、航道站、危岩站各类气象观测站70个。

【人工影响天气】 2023年，区气象局强化人员、装备、弹药和作业管理，完成双龙、葛兰、石堰固定作业点智能安防升级和作业点安全等级评定工作。围绕防灾减灾、生态环境、乡村振兴、重大活动保障等服务需求，开展抗旱增雨、防雹减灾、蓝天行动等人工影响天气作业36次，发射火箭弹100枚。

【防雷安全监管】 2023年，长寿区召开全区防雷安全监管工作联席会议，区气象局组织召开防雷检测机构约谈会。全年开展防雷安全检查和升放气球安全巡查123次，发现安全隐患129处并闭环管理，联合多部门开展“易燃易爆场所”“人员密集场所”专项检查行动5次，完成防雷检测行为抽查12次。执行行政处罚“清零”任务，行政执法案例被纳入中国气象局典型执法案例汇编。办理雷电防护装置设计审核和竣工验收56件。推进安全管理信息化，安全平台实现147个重点监管对象使用全覆盖。对重钢、川维、长风等重点企业开展安全督导、雷灾调查鉴定6次，对消防站、国有林场和行政中心开展防雷公益服务3次。

【气象防灾减灾科普宣传】 2023年，区气象局利用“3·23”世界气象日、“5·12”全国防灾减灾日、科技活动周等重要节点，深入各街镇、社区、企业、学校、农村等开展气象科普宣传活动10次。对新修订的《气象行政处罚办法》《重庆市气象灾害防御条例》《重庆市防御雷电灾害管理办法》等法律法规开展宣贯5次。在“人人长寿”发布新闻报道、短视频等16篇（次），被市委、市政府政务信息内刊采用1篇。利用预警平台发送主题宣传短信2451条。 （黎　明）

地震监测

【概况】 2023年，长寿区地震地质灾害应急协调中心组织开展辖区内的震情监视、资料收集、震情分析预报、震情速报和灾情速报等工作，承担防震减灾和地质灾害领域的应急管理综合协调工作。

【地震活动】 长寿区位于基底断裂带上，地震通常发生于裂缝带上面或者附近。2023年2月7日12时23分33秒长寿区发生一次地震活动，震中北纬29.82°、东经106.94°，震源深度12千米。该地震活动极微小，属于1级地震。

【地震监测预报】 2023年，长寿区共有地震监测台站11个，其中GPS观测站1个，基准站1个，基本站1个，一般站8个。地震监测台站数据由市地震局获取并由市地震局对监测数据进行技术分析后确定是否发出预警信息。全年无预警信息发布。

【防震减灾科普宣传】 2023年，长寿区利用“5·12”全国防灾减灾日和“7·28”唐山大地震纪念日进行地震科普宣传，发放宣传资料5000余份。邀请市地震局专家开展全区地震应急逃生能力培训，长寿区中小学分管校长和安稳办主任100余人参加培训。向全区中小学及幼儿园发放防震减灾科普书籍3000余册。 （张　宁）

2023年3月23日，区气象局开展第六十三个“世界气象日”开放活动。图为桃源小学的50余名师生在区气象局观测场听取气象知识介绍

（区气象局　供图）

教　育

综　述

2023年，长寿区有各级各类学校200所（不含农村成人文化技术学校），在校学生99940人，比上年增加1330人；专任教师8022人，比上年增加64人；教职工9413人，比上年减少37人。学校（不含高校）占地面积257.9万平方米，比上年增加10万平方米，增长2.88%；校舍建筑面积137.51万平方米，比上年增加7.77万平方米，增长4.29%。印发《重庆市长寿区教育委员会关于进一步规范教育收费管理的通知》《重庆市长寿区教育委员会关于2023年加强教育收费治理工作的通知》，把规范教育收费工作作为中小学教育督导评估的重要内容。各学校（单位）按照规定项目和标准进行收费，落实收费公示制度，据实与学生对各项教育收费项目进行清算，接受学生、家长和社会监督。全区教育经费总收入23亿元，比上年减少1.24亿元，下降5.12%；总支出22.98亿元，比上年减少1.16亿元，下降4.81%。保障教育经费投入，落实单位绩效工资总量追加单列机制资金近1100万元，保底增核3000万元；争取1.4亿元保障古镇中学建设；投入366万元改造11所公办园、870万元改造8所高中设备、2170万元排除学校安全隐患。改善办学条件，长寿区晶山幼儿园、树人幼儿园、菩提一号幼儿园于9月建成投用，新增学位810个；完成改善办学条件、消除安全隐患代建项目共14个，学校实施项目34个，全部按时验收并投用。落实“双减”工作，深化课程改革和课堂教学改革，创新育人方式，注重因材施教。“双减”后，79.49%的学生睡眠时间增加，87.11%的学生运动时间增加。12月，长寿区获评2023年重庆市“双减”优秀区县案例，4个优秀学校案例（二等奖2个，三等奖2个）。服务学生，为全区64204名中小学生开展体质健康检查，组织开展高二学生结核病筛查，实施全区儿童口腔疾病综合干预项目，组织开展全区初二年级在校女学生HPV疫苗接种，接种率70%以上，区教育服务中心被评为重庆市2023年校园健康教育实践案例与传播征集评选优秀组织单位。为全区28398名（秋期14977人，春期13721人）义务教育阶段寄宿生发放公用经费补助211万元，为全区3000多名贫困学生发放14万余元免费作业本，为82734名学生购买校方责任险。（区教委）

教育管理

【概况】　2023年，重庆市长寿区教育委员会（简称区教委）在教育系统选派70人组建“党的二十大精神进校

2023年长寿区各类教育机构基本情况统计表

表24

类别	学校数（所）	毕业生数（人）	招生数（人）	在校生数（人）	教职工数（人）	
					总数	其中专任教师
总计	198	22619	21222	83056	8477	7256
中等职业教育	3	1348	1573	4735	314	260
普通高中	9	4528	5442	15006	1213	1145
普通初中	19	6219	5324	15873	1977	1887
普通小学	47	4763	5595	32611	2911	2815
特殊教育	1	10	12	188	37	36
学前教育	119	5751	3276	14643	2025	1113

说明：数据包含民办教育，不含高校

2023年长寿区办学条件一览表

表25

类别	占地面积（万平方米）	校舍面积（万平方米）		运动场地面积（万平方米）	教学仪器设备值（亿元）	图书（万册）	教学用计算机（台）
		总量	其中教学行政用房				
总计	257.9	135.51	78.07	94.39	2.51	211.55	18001
中职教育	18.37	9.67	4.82	4.41	0.34	14.31	1415
普通高中	74.65	39.16	22.82	28.21	0.32	24.72	3169
普通初中	37.02	18.95	7.21	11.75	0.17	23.32	1680
普通小学	99.00	46.53	26.19	38.49	0.95	75.96	7416
特殊教育	0.88	0.61	0.41	0.1	0.03	0.22	57
学前教育	27.98	20.59	16.62	11.43	0.28	17.73	932

说明：数据包含民办教育、不含高校

2023年长寿区教育经费与办学水平情况一览表

表26

类别	单位	数量	类别	单位	数量
教育经费总收入	万元	230002.00	普通高中生均预算内公用经费	元	2778.94
其中：国家财政性教育经费	万元	210857.00	中等职业学校生均预算内公用经费	元	6218.63
社会捐、集资办学经费	万元	666.00	每万人口在园幼儿数	人	212.20
事业收入	万元	13504.00	每万人口在校小学生数	人	473.80
教育经费总支出	万元	229751.00	每万人口在校初中生数	人	231.80
其中：事业性经费支出	万元	149131.00	每万人口在校高中阶段学生数	人	216.00
基本建设投资项目支出	万元	5000.00	学前三年毛入园率	%	95.23
财政预算内教育经费支出占财政支出的比例	%	17.52	小学适龄人口入学率	%	100.00

续表26

类别	单位	数量	类别	单位	数量
政府教育财政拨款的增长与财政经常性收入的增长比例	%	-5.02%	初中适龄人口入学率	%	100.00
小学生均预算内教育事业费	元	17323.40	高中阶段教育入学率	%	97.80
初中生均预算内教育事业费	元	22957.59	小学毕业生升入初中比例	%	100.00
普通高中生均预算内教育事业费	元	19434.40	初中毕业生升入高中阶段教育比例	%	97.80
中等职业学校生均预算内教育事业费	元	23189.40	教育人口占总人口的比例	%	12.04
小学生均预算内公用经费	元	2191.46	人均受教育年限	年	13.30
初中生均预算内公用经费	元	3957.71			

园”宣讲队，选拔3名“榜样面对面”宣讲员，累计开展专题宣讲87场次，受众师生5万余人次。组织全区教育系统各级党组织开展“学习新思想 奋进新征程 建设新重庆”微宣讲活动96场次。区教委会同区委统战部协办全市“溯百年统战史 讲同心好故事”第四片区赛，桃源小学老师姜耕耘的“渝事好商量 协商聚民心”获片区特等奖、全市二等奖。制发教育系统意识形态和网络意识形态工作责任制实施细则。推行中小学校党组织领导的校长负责制，指导55所中小学校制定党务校务议事规则和职责清单。开展领导人员回访考察工作和书记（校长）年度考核和绩效考核工作，对63名党组织书记抓基层党建工作进行述职评议考核。发展党员23名，交纳党费147万余元，慰问困难党员63人次共3.15万元，慰问困难职工74人共10.9万元。调整领导人员34名，其中校级3名，做好处级28名领导人员个人有关事项报告；完成试用期满领导人员转正考核71名。组织63个党组织完成换届工作。印发《长寿区清廉学校建设试点示范工作方案》，创建“清廉学校”试点示范市级1所、区级10所，黄桷湾小学“创新‘455’工作机制 扎实推进清廉学校建设”案例被评为重庆市清廉学校建设优秀实践案例。举办全市“青春倡廉 廉心育人”中小学教师主题演讲比赛，联合举办教育系统廉洁文化书画摄影比赛，组织干部教师签订《廉洁从教承诺书》。完成科级职务职级晋升4人，招录遴选2人。开展巡察整改工作，整改问题14个。开展作风领域突出问题整治，受理上级转办违纪信访案件10件，处理违规违纪人员18人次。

【教育系统作风整治】 2023年8月，区教委印发《长寿区教育系统作风突出问题专项治理工作方案》。8—12月，在全区各学校中开展作风突出问题专项治理，分为动员部署、自查自纠、全面检查、总结评估、巩固提高5个阶段，针对教育系统作风突出问题进行全面排查，建立问题线索台账。全区教育系统88个公办单位、57个民办单位参加专项治理，查摆问题239个，教师个人查摆问题2224个，全部整改落实到位。

【校园安全管理】 2023年，区教委召开党工委会、委务会、风险研判会、工作部署会等安稳工作专题会议32次，制发《2023年安全稳定与自然灾害防治工作要点》《2023年安全生产监督检查计划》《2023年安全稳定工作目标考核办法》《预防学生溺水工作实施方案》《预防学生非正常死亡专项行动工作方案》《预防校园性侵害工作机制》等文件。实行“日周月”隐患排查整治机制，全年排查整治隐患447处。7月，联合消防、经信等单位开展燃气隐患专项整治行动，整治消防隐患7处、燃气隐患4处；11月，开展危险玩具专项排查行动，收缴萝卜刀162把、蝴蝶刀15把、管制刀具26把；12月，联系消防专业人员排查整治消防隐患60处。开展校园及周边环境综合整治，3月、6月、10月3次牵头组织公安、城管、市场监管、住建等单位对城区8所校园及周边油摊小贩、占道经营、乱停乱放等违法违规现象进行整顿，排查整治井盖破损等安全隐患7处，查处无证经营点4处，清理占道经营点5处，整治乱停乱放车辆7辆。2次联合应急、公安、交通部门对全区22辆校车运营情况开展检查，整治校车隐患16处。落实专项经费50万元，对晏家实验小学、明金希望小学等8所学校校园视频监控进行升级改造。配合街镇政府对学生上放学路段和学生易集中活动的周边水域开展排查，整治水域水患171处，完善标识标牌996个，在528处水域增添救援设施。开展干部接访和下访工作，全年受理群众来信来访、网上投诉303件次、处理市政府公开电子信箱31件；处理互联网+督查169件，处理领导留言板10件。各学校利用会议、宣传栏、广播、黑板报、知识长廊等形式，对学生进行预防溺水、交通安全、消防安全、食品卫生与传染病预防、反诈、防性侵、防欺凌、防邪等方面安全宣传教育，举办各类安全专题教育300余场、主题班会1800余节次，制发宣传手册8万余份，制作安全宣传橱窗300余块，组织开展逃生应急疏散等演练1000余场次，利用钉钉、微信、QQ和短信等平台向家长发送各类安全提示信息20万余条，利用暑期开展教师实地家访活动7.14万人次，联合消防救援支队开展消防绘画、消防作文、我心中的火焰蓝故事讲述、消防示范课比赛等活动，参与师生2.5万余人次。

【教育科研】 2023年，区教委组织教研员围绕学校课堂建设、校本教研、“双减”落实及课后延时服务等方面，对全区中小学及幼儿园集体视导43次，指导学校开展校本教研活动1200余次，组织全区性线上、线下教研活动、专题讲座164次，形成教育教学调研报告75篇。组织34名区内骨干及名师到薄弱学校送课34节次，开展专题讲座15场、校本教研122次。开展“优课堂、促双减”教学月活动，指导学校教师优质课获市级一等奖9人次、二等奖19人次、三等奖2人次；在市级微课比赛、基本功比赛、技能大赛、创新大赛中获奖68人次，其中市级一等奖8人次，二等奖12人次；开展学科论文和教学案例评比，论文案例获市级奖项270篇，教研员发表论文80余篇。打造基础教育精品课程，1节获评部级特殊教育精品课，2节获评部级基础教育精品课；21节获评市级基础教育精品课，其中小学组8节，初中组6节，高中组7节；3节获评市级法治教育精品课一等奖。1个课程创新基地被评为市级课程创新基地，5门选修课程被评为重庆市普通高中精品选修课程，3个学生社团被评为重庆市普通高中优秀学生社团。组织申报重庆市教育科学规划课题20项，立项4项；组织申报区级教育科学规划课题77项，立项55项。完成4项市规划课题开题论证，99项区级课题开题论证；完成2021年度立项的53项区级规划课题中期检查、5项市规划课题的中期检查、13项市教育学会课题中期检查；组织2项市级规划课题结题、34项区级课题结题。

【课后服务】 2023年，长寿区义务教育阶段学校实现“5+2”模式全覆盖，落实《教育部办公厅等四部门关于进一步规范义务教育课后服务有关工作的通知》精神，调整完善相关政策措施，实施课后服务质量管理，动态评价课后服务水平，保证课后服务时间，丰富课后服务内容形式。义务教育阶段在校学生48493人，参加课后服务学生48093人，学生参与率99.18%。建立课后服务保障机制，投入300余万元，保障“五类儿童”（残疾儿童、农村低保户儿童、建档立卡脱贫户儿童、农村分散特困供养户儿童、边缘易致贫户儿童）参加课后服务。

【贫困学生资助】 2023年，长寿区印发《重庆市长寿区家庭经济困难学生认定办法（修订）》，落实财政资金3054.7万元，惠及家庭经济困难学生12.4万人次。全区各学前、高中、中职学校落实事业收入3%～5%用于校内资助，共计资金203.45万元，惠及学生6998人次。接受渝联商贸助学金10万元，惠及家庭经济困难的大学新生10人。开展大学生滋惠计划，发放资金13.5万元，惠及218人。办理发放大学生生源地信用助学贷款3407.08万元，惠及3016人；回收贷款1699.75万元，涉及1945人。投入79.48万元，对“非寄宿建档立卡脱贫家庭子女”实施免费午餐补助，惠及1274人次。

【教育装备与信息化建设】 *数字重庆建设* 2023年，长寿区落实国家教育数字化战略行动数字重庆建设相关要求，以云平台为基础，赋能教育改革发展。形成长寿区教育委员会核心业务构架图2.0，梳理核心业务4项、一级业务16项、二级业务108项。认领市教委业务事项420余项。推动关键数据集中存储，谋划入学“一件事”和学生资助管理“一件事”。建成集教育教学、教育管理和教育服务于一体，统一入口、统一认证，支持多终端访问的长寿区智慧教育云平台。全年平台归集教师信息6690余条、学生信息11.7万条、联考成绩数据35.7万条、各年级学科资源72.2万套，区、校本资源8.4万套。

智慧教育体系 2023年，长寿实验中学、桃花小学、重庆医药学校被命名为第五批智慧校园建设示范学校，全区累计建成13所市级智慧校园示范校。加强中小学智慧教育平台应用培训，组织参加专题培训100余人次。加快迭代升级长寿区智慧教育云平台，持续优化和完善平台功能，扩充视频数字资源150余条，衔接国家智慧教育平台，形成国家、市、区县、学校四级贯通和联动的智慧教育平台体系。

教育网络设施 2023年，按照《重庆市长寿区中小学“十四五”教育信息技术与装备事业发展规划》，加快推动IPv6规模部署，推进教育城域网标准化改造和校园局域网升级，投入103万余元改造海棠镇中学、石堰中心校、葛兰中学等9所中小学校园网，支持校园有线、无线、网联网“三网”融合发展，实现万兆到校、千兆到桌面，主体区域无线全覆盖。投入32万元升级中心机房硬件设备，

增配上网行为管理器和华为核心交换机万兆板卡。投入85万余元租赁教育城域网内网链路和互联网专用光纤。

教育装备配置与管理　2023年，长寿区投入126万余元为葛兰中学配置一体机8台、仪器柜20个，为长寿中学升级会议室耳屏、音响系统、配置计算机室开源硬件1批，为实验三小、江南九年制学校改造操场音响系统，为黄桷湾小学增补学生计算机51台，为桃源小学建设录播室1间，为新市中学配置仪器柜22个、体育器材1批，为云台中学配置仪器柜10个等。投入708万余元改造54所中小学1066间教室灯光；投入232万余元为学校采购直饮水设备339台；投入58万余元为32所农村学校建设幸福加油站（心理个体辅导室19间、团体辅导室17间、功能室7间）；投入52万余元为全区教育系统学校、单位购买统信操作系统和金山WPS办公软件，实现操作系统和办公软件正版化、国产化全覆盖。开展2023年全国教育数字化发展状况、“三个课堂”应用情况和中小学智慧平台应用情况等调研。开展教育装备应用及管理常规化过程督导，调研指导全区中小学50余所，形成调研报告2篇。指导学校做好义务教育优质均衡发展区创建工作，监测学校生均教学仪器设备值、每百名学生网络多媒体教室数、音乐美术教室面积达标情况。推进各学校执行教育部中小学教学仪器、音体美、图书等新标准配备进度。利用重庆市中小学数字图书馆资源，加强电子图书配给与应用。实施网络安全防护，对照等保2.0和教育部、市教委相关要求，加强教育城域网、智慧教育云平台规范管理和运维，完善基础设施及信息系统（网站）保护措施，投入11万元开展等保测评，加强网络安全漏洞监测、预警和应急处置。

【民办学校管理】　2023年，区教委开展2023年全区民办学校年度检查工作。支持民办普惠幼儿园发展，2018—2023年累计审批11所民办幼儿园举办为普惠性幼儿园；引导和鼓励城区符合条件的民办非普惠性幼儿园申办为普惠性幼儿园，并开展评估工作。开展全区幼儿园园长专题培训。围绕师德师风建设、安全工作、保教管理、规范办园等制定督导清单，组织30名责任督学每月对责任区幼儿园进行挂牌督导，建立问题收集制度。

【民办培训机构监管】　2023年，区教委审批非学科类培训机构5家。由银联牵头，联合工商银行、建设银行等多家银行，推行校外培训机构入驻全国监管平台，建立“互联网+”资金监管系统，对全区77家校外培训机构实施预收费账户托管、最低余额监管，实行先培训后付费、一课一消等制度，累计监管资金1556万元。加大教育行政执法力度，开展专项治理14次，出动执法检查人员600多人次，日常巡查市场主体和个人320余家（人）次，张贴发放告诫书35份，开具行政处罚书4份，处罚培训机构4家，罚款5211元。排查培训教材320册，开展“强化培训监管　守护快乐假期”为主题的“监管护苗”专项行动、中小学生校外培训“安全守护”专项行动，开展巡查4次、“明察+暗访”30余次，出动执法人员400余人次，排查从业人员450余人，处理退费纠纷5起，清退培训费用1.7万元。执法经验被教育部《“双减”改革每日快报》采用；教育部3次调研重庆“双减”暨校外培训机构治理工作，长寿区均作典型经验发言；在重庆市“双减”改革经验总结复制推广现场会上作交流发言。（区教委）

师资队伍

【概况】　2023年，长寿区设立八颗九年制学校、晟霖学校、菩提街道树人路幼儿园、菩提街道菩提幼儿园4个机构，更名示范幼儿园寿城分园、凤城街道凤西苑幼儿园2个机构，撤并八颗街道中学、付何中学、八颗街道中心小学校、葛兰镇中心小学校沙河桥教学点、葛兰镇中心小学校文庙教学点、海棠镇中心小学校清泉教学点、云集镇中心小学校石塔教学点、长寿区凤城第一小学校河街教学点、龙河镇中心小学校乐温教学点9个机构。至年末，全区有学校200所（不含直属事业单位），其中学前教育119所，普通小学47所，普通初中19所（含九年制学校6所），普通高中9所（含十二年制学校1所），特殊教育学校1所，中职教育学校3所，高校2所。重新核定各教育事业单位人员编制后，全区教育事业单位总编制7146名。其中，中小学教职工编制6731名，含小学2863名、初中2044名、高中1249名、幼教（非独立法人）536名、成教39名；自定编制415名，含特教40名、幼教（独立法人）174名、其他201名。

【教师招聘】　2023年，长寿区组织教师公开（考核）招聘7次，通过公开招考、考核引进、选调考试等方式招录教师230名。其中，公开招录城区中小学教师126名（包括教育部公费师范生32名），为农村中小学定点招录教师21名，考核引进硕士及以上研究生32名、特色艺体教师27名，选调城区学校教师24名。

【职称评聘】　2023年，长寿区239名教师通过一级教学水平考评，123

名教师通过副高级教学水平考评，1名教师通过正高级教学水平考评。396名教师通过竞聘，被聘用到相应专业技术等级岗位（含被聘用到二级及以下、一级、副高级、正高级专业技术等级岗位者分别为98名、221名、76名、1名）。338名教师通过评审，取得相应专业技术职务任职资格（含二级及以下171名、一级124名、副高级42名、正高级1名）。

【师德师风建设】 2023年，区教委印发《长寿区师德失范行为通报警示制度》《关于开展2023年师德师风建设系列活动的通知》，建立师德负面清单，对师德失范行为“一票否决”。实施“思想铸魂”“固本强基”“清朗净化”“教育提升”“警钟长鸣”“典型赋能”六大行动，强化师德师风建设。在“躬耕教坛、强国有我”庆祝第39个教师节大会上，区委、区政府通报表彰2023年度教育优秀个人139名；在长寿区教育系统师德师风整顿提升工作动员部署大会上，区委教育工委、区教委通报表扬2023年度教育优秀个人169名。全年给予党纪处分15人次、政务处分1人次、政纪处分16人次、组织处理52人次。

【名师工作室】 2023年，长寿区新增市级名校长工作室1个、特级教师工作室1个；新增市级名校长1名、教书育人楷模1名、市级骨干教师25名、区级教书育人楷模10名、区级骨干教师96名。至年末，全区有市级特级教师、名校（园）长、名教师工作室5个，区级名师骨干教师工作室150个、主持人和学员共1466名。

【教师业务培训】 2023年，长寿区印发《长寿区“十四五”中小学教师全员培训规划》《2023年全区中小学教师教育专题培训班次计划》。全年通过线上、线下等方式，组织实施培训项目84个，培训各级各类干部教师5.38万余人次，在职干部教师培训年人均8.15次、84.9学时；投入培训经费1320万元，在职干部教师培训年人均1998.2元。举办2023年新入职教师培训，205名新入职教师参训。举办川渝教育协同发展广安垫江长寿3地小学语文优秀人才能力提升培训，四川省广安市、重庆市垫江县、长寿区75名小学语文优秀教师参训。开展美育教师岗位大练兵，开展微课比赛、音乐美术教师基本功大比拼活动，评选一等奖7个、二等奖14个。全年美育教师在国家级、省级刊物上发表论文23篇；开展专项课题研究8个。

【卓越教师培养】 2023年，长寿区利用国培、市培和国家教育行政学院、市内外高校及教科研基地等平台，开展卓越教师培养。至年末，全区教育系统市级以上优秀人才175名，其中国家级3名，市级172名。

【教师交流轮岗】 2023年，长寿区交流轮岗干部教师748人，其中变动组织人事关系222人（含城区交流到农村4人、农村交流到城区46人、城区之间交流143人、农村之间交流29人），不变动组织人事关系526人（含支教20人、学习61人、区域内交流轮岗245人、区级以上优秀人才送教献课等柔性交流200人），占符合交流轮岗条件干部教师总数的65.90%，占专任教师总数的11.59%。交流优质师资169人，占交流干部教师总数的22.59%。

【中小学教师资格考试】 2023年1月7—8日，长寿区在长寿一中举行2022年下半年中小学教师资格考试面试，设置考场12个，376人报考。3月11日，在长寿一中举行2023年上半年中小学教师资格考试笔试，设置考场14个，525人报考计945科次。5月13日，在长寿一中举行2023年上半年中小学教师资格考试面试，设置考场13个，249人报考。9月16日，举行2023年下半年中小学教师资格考试笔试，设置长寿一中、长寿实验中学2个考点，设置考场计67个（长寿一中31个，长寿实验中学36个），2367人报考计4777科次。12月9日，在长寿一中举行2023年下半年中小学教师资格考试面试，设置考场14个，232人报考。 （区教委）

招生考试

【概况】 2023年，长寿区实施普通高校招生考试、成人高校招生考试、高等教育自学考试、中小学教师资格考试、普通高中学业水平考试等国家教育考试。全年普通高校招生考试报考5879人，参考5837人，参考率99.29%；录取5603人，录取率95.99%。成人高校招生考试报考2101人，高等教育自学考试报考1499人次3472科次。中小学教师资格考试笔试报考2892人次5722科次，面试报考481人。普通高中学业水平合格性考试报考14457人次53366科次。

【义务教育招生】 2023年，长寿区规范义务教育招生行为，制发《重庆市长寿区教育委员会关于做好2023年普通中小学招生考试工作的通知》《长寿区2023年城区义务教育阶段学校划片招生方案的通知》等文件。全区小学毕业升入初中5659人，比例100%。

【初中升学考试】 2023年，长寿区教委制发《关于做好2023年中考考务管理工作的通知》，签订《2023高中招生考试安全责任书》，制定《2023年初中毕业生学业暨高中招生考试重大突发事件应急处置预案》。5月中旬完成重点中学指标到校考试及招生录取工作，6月中下旬完成联招考试及高中招生录取工作。全区参加重点中学指标到校考试5203人，录取2780人；参加联招考试3388人，全区普通高中联招、普招和自主招生录取2650人，公费幼师录取1人。

【高中学业水平考试】 2023年2月18—20日，长寿区举行2022年下半年普通高中学业水平合格性考试，设置长寿中学、长寿川维中学、长寿一中、长寿实验中学、长寿二中5个考点，设置考场158个（长寿中学42个，长寿川维中学26个，长寿一中40个，长寿实验中学30个，长寿二中20个），4781人报考共23015科次，实际参考22975科次，参考率99.83%。6月17—19日，举行2023年上半年普通高中学业水平合格性考试，设置长寿中学、长寿川维中学、长寿一中、长寿实验中学、长寿二中5个考点，设置考场170个（长寿中学42个，长寿川维中学28个，长寿一中45个，长寿实验中学33个，长寿二中22个），9463人报考共33495科次，实际参考33438科次，参考率99.83%。

【普通高考】 2023年2月，长寿区举行高考选择性科目抽样测试，设置长寿中学、长寿二中2个考点，设置考场61个（长寿中学42个，长寿二中19个），1767人报考。3月，举行2023年普通高校招生高职分类考试，设置长寿二中、长寿川维中学、长寿实验中学3个考点，设置考场91个（长寿二中18个，长寿川维中学41个，长寿实验中学32个），2666人报考共7182科次，实际参考2520人，参考率94.52%。6月7—9日，2023年普通高校招生统一考试，设置长寿中学、长寿川维中学、长寿实验中学3个考点，设置考场113个（长寿中学46个，长寿川维中学36个，长寿实验中学31个），3377人报考，实际参考3335人，参考率98.76%。6月10日，在长寿中学举行2023年普通高校招生外语口试，设置考场20个，2658人参加口试。2023年普通高校招生考试，长寿区共5879人报考（其中历史类1774人，物理类2794人，中职直升类858人，高职对口类445人，体育单招类1人，消防单招类2人，高职专项类5人）。实际参考5837人，参考率99.29%；录取5603人（其中本科录取2097人，专科录取3506人），高考录取率95.99%。

【成人高考】 2023年10月21—22日，长寿区举行2023年成人高校招生考试，设置长寿一中、长寿二中2个考点，设置考场67个（长寿一中设文科考场7个、理科考场17个、专升本考场21个，长寿二中设专升本考场22个），2101人报考，其中146人通过免试。

【全国高等教育自学考试】 2023年4月15—16日，长寿区在长寿一中举行2023年上半年高等教育自学考试，设置考场20个，780人报考共1803科次。10月28—29日，在长寿实验中学举行2023年下半年高等教育自学考试，设置考场18个，719人报考共1669科次。（区教委）

基础教育

【概况】 2023年，长寿区有幼儿园119所，在园幼儿16053人。小学47所（包括民办小学1所），初中19所（包括民办初中1所），高完中8所，十二年一贯制学校1所（民办学校）。学生63591人。其中，小学学生32694人，初中学生15996人，高中应届学生14901人。每万人口在校义务教育阶段学生705.65人。义务教育实行划片招生、免费免试就近入学，义务教育阶段入学率100%。

（区教委）

【婴幼儿托育照护】 2023年，长寿区有可提供3岁以下婴幼儿照护服务机构44家，其中开设托班的幼儿园33家。共有托位2130个（其中年内新增800个），每千人口3岁以下婴幼儿托位数3.2个。全年举办托育服务开放日活动5场次，全区7个街道、12个镇共组织活动76场，宣传科学托育服务理念。（陈 锐 杜华莉）

【学前教育】 2023年，长寿区投入1亿余元，建成投用示范园幼教集团晶山分园、树人幼教集团菩提分园及树人路分园，新增公办学前教育学位810个。全年投入资金366万元，支持11所城乡公办园提档升级改造，增添更新设施设备，改善办园环境，1所幼儿园获评重庆市最美幼儿园。至年末，全区有示范级幼儿园1所，一级幼儿园69所，二级幼儿园28所，三级幼儿园21所。幼儿园共119所。其中，公办幼儿园82所，占68.91%；民办幼儿园37所，占31.09%。在园幼儿16053人。其中，公办园在园幼儿占62.6%；民办园占37.4%。学前三年毛入园率95.23%。共有普惠性幼儿园112所，在园幼儿13265人，普惠率90.59%。有专任幼儿教师1113人，专任教师持证率100%。

【义务教育】 2023，长寿区实现课后服务义务教育学校全覆盖，学生参与率96%，教师参与率95.3%。全区

2023年9月，位于长寿区桃源一支路的长寿区晶山幼儿园正式开学招生，教育学位360个　（张　镜　摄）

适龄儿童全部接受九年义务教育，小学毕业升入初中比例100%，初中升入高中（含中职）比例97.8%。开展“优课堂、促双减”教学月活动。通过实施“强规范树品牌”行动计划、“课堂教育模式”创建项目、特色学校建设项目、城乡学校捆绑发展、乡镇学区化办学、综合素质评价改革等方式，补齐农村教育短板，提升乡村学校教育质量。

【普通高中教育】　2023年，长寿区有普通高中学校9所，专任教师2278名，在校学生14901名。实施普通高中发展促进计划，长寿中学开发校本选修课程，构建选课上课模式，1个课程创新基地被评为市级课程创新基地，5门选修课程被评为重庆市普通高中精品选修课程，3个学生社团被评为重庆市普通高中优秀学生社团。开展以地理学科主导，历史、化学、生物等多学科融合的环境观测、自然地理实验、自然地理考察、人文地理调查、模型教学具制作五大板块综合实践活动。

2023年9月，树人路幼儿园正式开学招生，教育学位180个　（曾　慧　摄）

【学校思政教育】　2023年，区教委健全全区思政课教师“同备一堂课”和“手拉手”工作机制，组建的大中小学思政课一体化共同体入选市级试点，重点推进“德育品牌项目创建工程”，评选市级思政精品课26节、区级示范课80节，创建市级德育品牌学校5所、区级德育品牌学校10所。各学校通过营造校园文化，健全德育网络，创新德育活动。构建学校特色德育课程体系，研发思政课校本课程10余个。开展杨克明故事“进校园”活动20余场次。开展“少年向上·新发展向未来”“书香重庆·阅读之星”“中华文物我来讲”“小公民校园法治漫画大赛”“笔墨中国汉字书写大赛”“中华魂（毛泽东伟大精神品格）主题演讲”“光明少年说·成长有梦”“唱响主旋律，永远跟党走，奋进新征程”等系列主题活动350余场，结合社会主义核心价值观教育开展主题班队课4500余节、文明劝导等教育实践活动100余场次。

【校园法治教育】　2023年，区教委制定《2023年长寿区教育系统法治工作要点》和普法责任清单。建设“法治教育资源”库，落实中小学每月2节法治教育课。开展“莎姐进校园”“小公民法律课堂”“美好生活·民法典相伴”“家庭教育促进法”主题宣传等普法活动。法治副校长定期加强学生安全法治教育，邀请教授吕林宣讲《未成年人的教育系统保护》。开展学生“学宪法　讲宪法”、“12·4”国家宪法日、“宪法宣传周”等集中宣传活动。全区各学校集中开展法治宣传教育1265场次（含开展民法典宣传120场次、法治副校长授课44场次、观看法治视频课398场次、开展其他法律法规宣传80场次、开展其他法治特色活动623场次），观看法治视频课师生13.39万余人次。遴选6名教师参加市级法治骨干教师培训，2人获评市级优秀法治副校长（法治辅导员），教育系统全员法治理论考试合格率100%。推进阳光执法，开展行政检查350家，行政约谈32家次，下发责令改正通知书18份，行政处罚8家次。利用政务网、信用重庆和“互联网+监管”等平台，公示教育行政执法信息8次，处罚通报1次。

【心理健康教育】 2023年，区教委依托全区中小学心理测评系统，完成全区36298名中小学学生心理测评工作。2月，长寿区中小学心理健康教育指导中心为49名专兼职心理健康教师工作小组成员颁发聘书，邀请西南政法大学教授罗亚莉以《青少年心理危机识别及干预》为题进行授课。5月，成渝地区双城经济圈“阳光校园·快乐家园”心育共同体成立，联合西南大学签约“校地合作·协同育人”心理育人项目。探索推进家校共育，组织25名家庭教育讲师开展家庭教育知识讲座60次，累计培训家长800余人次；开展家庭教育种子师资培训2期，培训心理健康教师、德育教师等在内的心育教师180余名；组织全区70名专兼职心理健康教师赴西南大学心理学部参加5天心理健康专题培训；2名心理教师入选区科学教育专家团，定向向街道、社区普及专业知识；与陆军军医大学、西南大学等高校联合，高校专家指导提升全区心理健康教育专业水平。区检察院特邀区心理教研员担任检察官助理，合作开展未成年受害者和犯罪者心理帮扶；区总工会、区妇联创建“家庭教育讲师团”服务品牌，开展家庭教育工作指导。长寿中学心理成长中心获“优秀咨询中心”称号。

【学校体育艺术教育】 2023年，长寿区实施歌声、哨声、读书声进校园行动。举办2023年重庆市校园足球初中女子乙组比赛、全市青少年田径锦标赛等市级赛事。在全区学校开展田径、足球、篮球、乒乓球等10个项目竞赛。创建全国特色足球学校3所、全国象棋特色学校1所。向市级优秀运动队输送专业运动员9名，向全国重点高校输送运动员24名。参加国家级比赛获5枚金牌、6枚银牌、3枚铜牌；参加市级比赛获68枚金牌、71枚银牌、120枚铜牌。新增国家级健将1人、一级运动员13人、二级运动员47人。组织参加第三十八届重庆市青少年科技创新大赛，14件作品获奖，其中一等奖3件，二等奖3件，三等奖8件。获重庆市未成年人儿童圆梦“甜甜虎”春节行动一等奖2个。全区学校美育课程开课率、学校美育实践活动覆盖率100%。小学以音乐、美术为主体的美育课每周一至四年级不少于4课时，五六年级不少于3节。初中以音乐、美术为主体的美育课每周不少于3课时。艺术课程以音乐、美术、书法为主，部分学校开设形体课、舞蹈课。按照国家课程计划和课程标准，课程达标数、教材配备达标数均为100%。设立艺术教育、艺术节活动专项经费，开设葫芦丝、陶笛、口风琴、巴乌、书法、绘画、陶艺等校本课程，开辟绘画、书法、剪纸、舞蹈、器乐演奏等艺术“第二课堂”，建立学生艺术团体329个，长寿实验二小轻黏土创作社团为重庆市艺术特色社团。2022—2023学年度全区小学毕业艺术测评参与人数5657人，参与率100%；音乐合格率91%；美术合格率93%；书法合格率92%；全区艺术素质测评优秀占38.56%，良好占42.26%。举办长寿区2023年中小学学生艺术活动月系列活动，分别举办区级校园集体舞比赛、班级合唱比赛、校级合唱比赛、学生器乐比赛等，艺术活动月中小学生校级活动参与率100%。区教委选拔优秀节目参加市级比赛，长寿中学获高中组班级合唱一等奖，桃源小学获小学组合唱一等奖、戏曲二等奖。7月，晶山小学学生管弦乐团获教育部中外人文交流使者二等奖。开展“我劳动我快乐”主题活动，选拔一批“快乐劳动小能手”；累计创建中小学社会实践教育基地9个（其中市级2个），开辟校园农场60余个，指导学生开展蔬菜花木种植、管理等劳动活动。开展艺术科普、劳动实践、拓展训练等主题活动20余项，包括创客、足球、厨艺等50余类。

【幸福学校试点校建设】 2023年9月20日，长寿区举行幸福学校项目建设启动仪式，启动长寿区幸福学校项目建设，首批目标建成21所，新建快乐驿站45个。为幸福使者颁发证书，长寿中学等21所幸福学校校长集体宣誓。中国教育发展战略学会心理教育专委会常务副理事长陈虹作专题讲座。幸福学校项目由区教委、区总工会和北京幸福公益基金会共同推进，以积极心理学为核心，在教师、学生和家长中宣传普及积极心理学，将积极心理学融入教育教学生活中，培养幸福教师、建设幸福学校、哺育幸福孩子、办好幸福教育。年内，长寿区邀请北京幸福公益基金会、中国教育发展战略学会、北京大学、北京师范大学等相关专家学者到长寿区开展线下教师专题讲座2次，开展幸福学校线上教师课4次，开展线上家长课2次。在长寿中学桃花溪校区开设主题为《让积极的亲子关系助力孩子成长》的专家幸福讲座2场，长寿区21

所幸福项目学校的老师和家长共800余人聆听。

【长寿中学与成都七中合作办学】 2023年10月12日，成都七中、长寿中学“远程双师·协同育人”授牌仪式在长寿中学会议室举行。两校签订《远程直播教学协议》，让长寿学子参与成都七中优质课堂，实现异地同堂、双师教学。

【学校选介】　长寿中学　始建于1904年，1982年被四川省人民政府批准为重点中学，1997年重庆直辖后被确认为重庆市首批重点中学。学校有文苑、桃花溪两个校区，总占地面积27.13公顷，实行分区运行、一体管理。2023年末，学校有教学班156个，学生8000余人；教职工605人，其中高级教师118人（正高级教师5人），区级及以上优秀人才191人。先后培养“亚洲飞人”李涛，国家队跳远名将、世界青年锦标赛跳远冠军彭凤梅等体育健将。学校先后获“全国先进体育传统项目学校”“全国青少年校园篮球特色学校”“重庆市文明单位”“重庆市教育系统先进集体”

2023年10月12日，四川成都七中与重庆长寿中学远程双师协同育人授牌仪式在长寿中学会议室举行　（操　勇　摄）

“重庆市文明校园”“重庆市中小学德育示范单位”“重庆市中小学心理健康教育特色学校”“重庆市教育科研实验基地学校”“重庆市智慧校园建设示范学校”“重庆市普通高中新课程新教材实施示范校”“重庆市普通高中校本教研示范学校”“重庆市普通高中物理课程创新基地”“重庆市普通高中校本教研基地”“重庆市交通安全教育先锋学校”“重庆市平安学校”“全国健康学校建设单位”等称号；学校党委被评为“重庆市先进基层党组织”“重庆市教育系统先进党组织”；学校团委被评为“全国五四红旗团委”。年内，实施“三声”校园创建计划，增设学科文化墙，打造体艺开放教室；开发“强基”“3D打印”等特色校本课程，组建游泳、足球等特色运动队，举办德育系列活动、文化科创活动等方式。

重庆市长寿区第一实验小学　建于1904年，是重庆市首批示范小学。2023年末，学校有凤岭、古镇、菩提3个校区，总占地面积10.93公顷；174个教学班，在籍学生8803人（含幼儿134人）；在职在编教师476人，其中高级教师37人，全国优秀教师1人，市级优秀教师、名师、骨干教师13人，区级以上优秀人才102人。学校先后获“全国红旗大队”“全国示范家长学校”“全国百所德育实验名校”等20余项国家级称号，“重庆市示范小学”（首批）“重庆市家长学校示范校”“重庆市德育示范校”（首批）等50余项市级称号，连续12年获“全国新教育优秀实验学校”称号。学校阅览室藏书约10万册，有创客教室、比特教室、科技馆、恒温游泳馆、电子书法室、舞蹈排练厅、科学实验室、音乐室、云机房、录播

2023年9月20日，区政府为21所幸福学校授旗　（操　勇　摄）

室、美术室，以及小厨房、生态养殖园、七彩果园、七彩农场、武术馆、七彩剧场、陶艺馆等特色课程场馆。

长寿区示范幼儿园　位于凤城镇字库巷内，创建于1953年，前身为城一校幼儿园，1988年合并原机关托儿所独立建制正式改为现名。幼儿园占地面积0.37公顷，建筑面积5076平方米，是重庆直辖后首批示范园、一级园，全国“三八”红旗集体，重庆市文明单位、重庆市幼儿教育先进集体、重庆市平安校园，长寿区师德师风先进集体，长寿区教委直属公办幼儿园。2022年9月，成立长寿区示范幼儿园教育集团。2023年，集团办学规模36个教学班，在读23个教学班，在园幼儿1000余人，教职工150余人。

（区教委）

2023年长寿区普通小学（校点）一览表

表27

序号	学校名称	学校性质			地　址
		类别	办别	城乡	
1	重庆市长寿区邻封镇焦家小学校	小学教学点	公办	村庄	邻封镇焦家场正街66号
2	重庆市长寿区第三实验小学校	小学	公办	主城区	凤城街道园丁路22号
3	重庆市长寿区云台镇青云小学校	小学教学点	公办	村庄	云台镇青云村6组
4	重庆市长寿区洪湖镇称沱小学校	小学	公办	村庄	洪湖镇称沱街1号
5	重庆市长寿区葛兰镇中心小学校	小学	公办	镇中心区	葛兰镇白鹤街36号
6	重庆市长寿区葛兰镇天台小学校	小学教学点	公办	村庄	葛兰镇天台村18号
7	重庆市长寿区新市街道中心小学校	小学	公办	主城区	新市街道河石井路4号
8	重庆市长寿区葛兰镇白云小学校	小学教学点	公办	村庄	葛兰镇白云村1组
9	重庆市长寿洪湖文化艺术学校	小学	民办	镇中心区	洪湖镇凤凰北街73号
10	重庆市长寿区石堰镇中心小学校	小学	公办	镇中心区	石堰镇石堰正街551号
11	重庆市长寿区石堰镇兴隆小学校	小学	公办	村庄	石堰镇兴隆场106号
12	重庆市长寿区云集镇玛瑙小学校	小学教学点	公办	村庄	云集镇玛瑙村2组1号
13	重庆市长寿区云台镇鲤鱼小学校	小学教学点	公办	村庄	云台镇鲤鱼村2组
14	重庆市长寿区龙河镇实验小学校	小学	公办	镇中心区	龙河镇合兴路62号
15	重庆市长寿区凤城第三小学校	小学	公办	主城区	凤城街道关口正街48号
16	重庆市长寿区邻封镇中心小学校	小学	公办	镇中心区	邻封镇邻南路18号
17	重庆市长寿区云集镇飞龙小学校	小学教学点	公办	村庄	云集镇飞龙村1组1号
18	重庆市长寿区黄桷湾小学校	小学	公办	主城区	凤城街道建新南1号
19	重庆市长寿区渡舟街道中心小学校	小学	公办	主城区	渡舟街道正街432号
20	重庆市长寿区葛兰镇中心校二分部	小学	公办	村庄	葛兰镇葛兰村（天后宫）4组118号附1
21	重庆市长寿区万顺镇中心小学校	小学	公办	镇中心区	万顺镇正街70号
22	重庆市长寿区云台镇中心小学校	小学	公办	镇中心区	云台镇云义街30号
23	重庆市长寿区阳鹤小学校	小学	公办	主城区	菩提街道碧园路22号
24	重庆市长寿区海棠镇明金希望小学校	小学	公办	村庄	海棠镇石土街204号
25	重庆市长寿区川维小学校	小学	公办	主城区	晏家街道查家湾31号
26	重庆市长寿区凤城第一小学校	小学	公办	主城区	凤城街道新星路4号
27	重庆市长寿区云集镇中心小学校	小学	公办	镇中心区	云集镇温泉街3号

续表27

序号	学校名称	学校性质			地 址
		类别	办别	城乡	
28	重庆市长寿区桃源小学校	小学	公办	主城区	菩提街道桃源北一路8号
29	重庆市长寿区八颗街道八颗小学校	小学	公办	主城区	八颗街道莲花街104号
30	重庆市长寿区菩提小学校	小学	公办	主城区	菩提街道励学路8号
31	重庆市长寿区双龙镇中心小学校	小学	公办	镇中心区	双龙镇龙凤街52号
32	重庆市长寿区晏家实验小学校	小学	公办	主城区	晏家街道育才路19号
33	重庆市长寿区第二实验小学校	小学	公办	主城区	凤城街道三峡路22号
34	重庆市长寿区八颗街道中心小学校	小学	公办	城乡接合区	八颗街道付何街范何路191号
35	重庆市长寿区葛兰镇大坝小学校	小学教学点	公办	村庄	葛兰镇大坝正街4号
36	重庆市长寿区龙河镇中心小学校	小学	公办	村庄	龙河镇龙河场后街23号
37	重庆市长寿区葛兰镇黄氏祠小学校	小学	公办	村庄	葛兰镇罗岩村2组100号
38	重庆市长寿区长寿湖镇红光小学校	小学	公办	村庄	长寿湖镇云集街76号
39	重庆市长寿区桃花小学校	小学	公办	主城区	洪湖镇凤凰南街75号
40	重庆市长寿区晏家街道双园小学校	小学	公办	主城区	晏家街道晏中路10号
41	重庆市长寿区洪湖镇中心小学校	小学	公办	镇中心区	洪湖镇凤凰南街75号
42	重庆市长寿区古镇小学校	小学	公办	主城区	菩提街道树人路2号
43	重庆市长寿区海棠镇中心小学校	小学	公办	镇中心区	海棠镇正街7号
44	重庆市长寿区洪湖镇三合小学校	小学教学点	公办	村庄	洪湖镇三合正街40号
45	重庆市长寿区石堰镇义和小学校	小学教学点	公办	村庄	石堰镇义和村1组156号
46	重庆市长寿区第一实验小学校	小学	公办	主城区	凤城街道凤岭路16号
47	重庆市长寿区晶山小学校	小学	公办	主城区	菩提街道碧园路700号

2023年长寿区普通中学一览表

表28

序号	学校名称（全称）	学校性质			地 址
		类别	办别	城乡	
1	重庆市长寿区葛兰镇初级中学校	初级中学	公办	农村	葛兰镇东街144号
2	重庆市长寿区新市街道初级中学校	初级中学	公办	城市	新市街道何石井路9号
3	重庆市长寿区龙河镇初级中学校	初级中学	公办	县镇	龙河镇合兴街正街7号
4	重庆市长寿区石堰镇初级中学校	初级中学	公办	县镇	石堰镇石堰正街150号
5	重庆市长寿区云台中学校	初级中学	公办	县镇	云台镇云高路27号
6	重庆市长寿区海棠镇初级中学校	初级中学	公办	县镇	海棠镇正街7号
7	重庆市长寿大洪河中学校	初级中学	公办	县镇	洪湖镇大洪河正街78号
8	重庆市长寿区万顺镇初级中学校	初级中学	公办	县镇	万顺镇万顺街112号
9	重庆市长寿区八颗街道初级中学校	初级中学	公办	城市	八颗镇正街9号
10	重庆市长寿区晏家街道中学校	初级中学	公办	城市	晏家街道晏中路10号

续表28

序号	学校名称（全称）	学校性质			地　址
		类别	办别	城乡	
11	重庆市长寿区长寿湖中学校	初级中学	公办	农村	长寿湖镇乐汇街34号
12	重庆市长寿区云集镇初级中学校	初级中学	公办	农村	云集镇华中场华新街111号
13	重庆市长寿区付何初级中学校	初级中学	公办	城市	八颗街道范何路1号
14	重庆市长寿区江南九年制学校	九年一贯制学校	公办	城市	江南街道江南二路126号
15	重庆市长寿区但渡九年制学校	九年一贯制学校	公办	县镇	但渡镇下硐街222号
16	重庆市长寿区长寿湖九年制学校	九年一贯制学校	公办	县镇	长寿湖镇狮云路28号
17	重庆市长寿区石回九年制学校	九年一贯制学校	公办	农村	长寿湖镇石回村正街2号
18	重庆市长寿区黄葛九年制学校	九年一贯制学校	公办	农村	云台镇黄葛南街79号
19	重庆市长寿区飞龙九年制学校	九年一贯制学校	公办	农村	云集镇雷祖街1号

特殊教育

【概况】　2023年，长寿区形成以普通学校随班就读为主体、特殊教育资源教室为辅助、以长寿区特殊教育学校（点）为骨干、以送教上门为补充的融合教育格局。全区随班就读特殊学生335人，就读区特殊教育学校（含双龙镇中心小学校附设特教班）学生190人，送教上门学生58人。投入10.4万元为送教上门的130位教师提供每人800元的交通补助。至年末，全区有特殊教育学校1所，双龙中心校设有特教班2个。特教学校有教学班11个，其中培智班9个，听障生班1个，学前班1个；有教职工36人，其中高级教师5人，研究生3人，本科生24人。

【特殊教育学校德育建设】　2023年，长寿区特殊教育学校坚持以爱国主义教育为主线，以行为规范养成教育为基础，以班集体建设为重点的德育工作思路，注重过程管理，强化落实评价，形成学校行政、班主任、科任教师、学生共同参与、齐抓共管的德育建设格局。坚持每周一组织升旗仪式，每月1次主题班队课。组织开展“八好习惯和十爱十讲”主题教育活动、“同心共筑中国梦·携手奋进新时代”主题诗词朗诵和《中国少年先锋队队歌》歌曲演唱比赛、学习雷锋教育、“爱粮节粮”宣传教育、“做情绪的小主人”心理健康教育。开展学生综合实践活动、宪法周晨读和残障孩子赴重庆钢铁股份有限公司参观研学活动。将“感恩教育”系列活动——“感党恩、跟党走”作为学校德育品牌活动。重庆市“少年向上·我和我的家乡”主题教育读书活动中，长寿区特殊教育学校学生征文获市级奖一等奖1个、三等奖1个，区级一等奖1个、二等奖2个、三等奖3个；绘画作品获区级二等奖2个、三等奖1个；小记者采访活动获区级二等奖1个。

【特殊教育基础设施建设】　2023年，长寿区投资36万元，在新市中学、江南九年制学校、云台中心校修建特殊教育资源室；投资32万元，为特教学校和双龙中心校特教班增加设施设备，改善办学条件。　（区教委）

职业教育

【概况】　2023年，长寿区有职业教育机构5所，教职工1250人，在校学生21619人。其中，中职学校3所（重庆市医药学校、重庆市行知职业技术学校、长寿区教师发展中心成人中专），高等院校2所（重庆化工职业学院、重庆工信职业学院）。4月26日，长寿区引进重庆城乡发展职业学院到长寿办学。11月23—25日，由重庆化工职业学院宋春雨、廖明佳、杨铀、廖蕤寒4名教师组成的教学团队作品《智能输送与离心泵操作》在2023年全国职业院校技能大赛教学能力比赛中获一等奖。

【职业教育品牌专业建设】　2023年，长寿区内中职学校对接区域发展战略和产业转型升级需求，产教融合，制定地区专业发展规划，配置资源并优化专业结构。年内，重庆市医药学校新申办中医康复专业，与重庆市化工职业学院进行“3+2”联合办学。立项护理、康复技术、药剂专业3个优质专业建设项目，其中护理、康复技术优质专业通过市教委中期验收。推进教师“1+X”证书制度试点。重庆市行知职业技术学校围绕6个大类设置4个专业群，包括机电与新能源技术、大数据、食品技术、旅游。新增西餐烹饪、数字媒体新兴专业，调整旅游和食品传统专业。与合作企业、院校推进产学研合作。2023年实施“3+2”中—高职分段衔接贯通培养185人。推进“1+X”证书制度，毕业生取得职业技能等级证书率100%。

【职业教育基础设施建设】 2023年，长寿区中职学校产权校园占地面积9.57万平方米，校园总面积17.98万平方米，生均校园面积46.4平方米；校舍建筑总面积10.65万平方米，生均校舍建筑面积27.5平方米。有职业教育专任教师214人，生师比18：1；教学、实习仪器设备值4015万元，生均仪器设备值10369.3元；生均图书42.1册。

【校企合作】 2023年，长寿区中职学校坚持“医教协同、产教融合”办学理念，开展校企合作，创新人才培养机制，推进办学和人才培养模式改革；构建校企合作体系，强调专业与产业、课程与岗位、实习与生产的对接，共同建设课程体系、评价管理、实训基地和双师队伍。推进企业文化与校园文化相融合，师傅与教师相融合，实习与就业相融合。全年组建产教联合体1个，产教融合项目获市改革优秀典型案例。重庆市医药学校以康复技术专业为中心，与29家医院开展校企合作，建立校企合作实训基地。重庆市行知职业技术学校与企业（单位）签订相关协议，建立校企合作工作指导委员会，规范校企合作管理；与王一汉餐饮文化有限公司共建重庆火锅研究院，与碧桂园凤悦酒店共建行知凤悦酒店管理学院，并开展现代学徒制试点。2所学校均形成校企联合培养、一体化育人的长效机制，并为企业提供顶岗实习岗位和教师企业实践岗位。 （区教委）

【重庆化工职业学院】 该学院由重庆市人民政府举办，重庆市教育委员会主管、重庆市教育委员会和重庆市经济和信息化委员会共建的公办全日制普通高等学校，由重庆化工职工大学、重庆市化医技师学院合并改制设立，始建于1964年。学院先后被命名为“重庆市高水平高职学校立项培育单位”“国家级高技能人才培训示范基地”“全国石化行业职业教育与培训示范性实训基地”“重庆市新时代依法治校示范校”。学院秉承“厚德、博学、笃行、乐业”的校训，弘扬“锲而不舍、砥砺奋进”的学校精神，践行“育人为本、质量立校、特色发展、服务社会”的办学理念，为社会培养近10万名技术技能人才。2023年，学院设有江北、长寿两个校区，江北校区地处国家4A级都市旅游区观音桥商圈，长寿校区位于国家AAAA级旅游景区菩提山文化公园。学校占地40万平方米，绿化面积14万平方米，建筑面积22.5万平方米。有教师589人，在校学生13328人，专业实验室190间。依托2个国家级、4个市级骨干专业，建成以应用化工技术、药品生产技术2个市级“双高”专业群为核心的9个专业集群，39个专业。年内，获批重庆市第一批现场工程师项目1项，重庆市职业教育典型生产实践项目1项，应用化工技术教师团队认定为第四批重庆市高校黄大年式教师团队。与中石化川维化工、重庆化医集团、万华化学、长风化学工业等单位的校企合作，与重庆市万和药房连锁有限公司、浙江天宇药业股份有限公司、重庆博骏工业科技有限公司等127家企业签订学徒制班校企合作协议，与立万精密传动件有限公司、浙江新赛科药业有限公司等多家企业共建校外实习实训基地133个。师生全年参加各类技能大赛45项，获国家级奖项10余项。其中，教师参加全国教学能力技能大赛获一等奖，学生参加全国化工生产技术获一等奖。 （杨雯铃）

2023年4月26日，区政府与市供销合作总社在区机关事务中心会议室举行重庆城乡发展职业学院建设项目签约仪式 （操 勇 摄）

【重庆工信职业学院】　该学院位于重庆市长寿区，是经重庆市人民政府批准、教育部备案的综合类工科全日制公办普通高等院校。2021年5月，由重庆职工会计专科学校改制设立，同年7月，经重庆市人民政府批复同意，重庆市工业学校、重庆铁路运输高级技工学校优质教育资源并入重庆工信职业学院。2022年3月，经重庆市委机构编制委员会批准，将重庆市工业学校、重庆铁路运输高级技工学校划入重庆工信职业学院管理。学院秉承“立德树人、培根铸魂、知行合一、日新月异”的办学理念，“工于匠心　信于立德”的校训，立足重庆，面向西南，服务全国，以立德树人为根本、以服务发展为宗旨、以能力培养为目标、以服务成渝地区双城经济圈主导产业和新兴产业发展为核心，坚持德技并修、工学结合的育人机制，培养适应产业需求的高素质技术技能人才。学院设有渝中、沙坪坝、长寿3个校区，占地55.53公顷，绿化面积12万平方米，建筑面积27.3万平方米。2023年，有教职员工528人，在校学生7851人，专业实验室120间。开设动车组检修技术、药品生物技术、智能控制技术等20个专业，按照“产业链”“岗位群”“技术域”，围绕“33618”现代制造业集群体系，构建以“铁道运营管理、药品生物技术、供应链运营、软件技术、智能制造技术”为核心专业的5个专业群，与交通运输、生物医药、现代服务和电子信息产业的岗位群对接，专业特色优势突出。学生获得全国职业院校技能大赛一等奖1个、二等奖1个、三等奖1个，其他各级各类大赛获奖100余项。承办重庆市第四届“巴渝工匠杯”化工行业大赛，并获一等奖。学校是数智化管理现代产业学院建设单位、“重庆市智能制造市域产教联合体”牵头学校、“重庆软件人才超级工厂”牵头单位、重庆市工业设计产业联盟秘书长单位、重庆市社会培训评价组织机构、市技能人才综合服务定点服务机构、市乡村振兴技能提升培训学校、长寿区残疾人职业技能培训基地、长寿区退役士兵职业技能培训机构、市专业技术人才参加高技能人才职业贯通评价机构和市补贴性职业培训机构，被评为2023年度高校继续教育优秀校外教学点。

（黄玉兰）

【重庆市医药学校】　前身为重庆市长寿卫生职工中专学校，建于1958年，2008年与重庆市长寿职业教育中心合并，2014年更为现名。位于长寿区渡舟街道渡中路55号，是长寿区教育委员会主管的公办市级重点中职学校，是重庆市中职“双优”学校立项建设单位，获“重庆市中等职业教育改革发展示范学校”“重庆市高水平专业学校”“重庆市文明单位”“重庆市平安校园”“重庆校园文化建设百强学校”“重庆市智慧校园建设示范学校”称号。2023年，学校占地面积9.57万平方米，建筑面积5.83万平方米，固定资产9099万元，教学设备总值2645万元，图书约12.1万册；有教学楼、学生宿舍楼、实训楼、综合楼、办公楼、学生食堂等。全日制在校生2789人。有教职工231人，其中专任教师132人（高级职称22人，双师型教师78人）；开设有护理、助产、药剂、医学检验技术和康复技术5个专业，有三・二分段高职专科、三年制普通中专两类办学层次，其中护理专业为市级高水平骨干专业，康复技术、助产专业为市级中职紧缺型骨干专业，康复技术专业、药剂专业为市级现代学徒制试点专业。全年开展1000～2000人次的职业短期培训，项目主要有以“生命健康”为主线的母婴护理、育婴师、保育员、保健按摩、老年护理、乡村医生和家政服务等。年内，学校组织学生参加2023年重庆市职业院校技能大赛（中职组）医药卫生类的护理技能、公共管理与服务类的老年照护、生物与化工类的工业分析检验赛项比赛，其中护理技能赛项2名参赛学生和老年照护赛项1名学生均获二等奖；组织开展学校第一届青年教师基本功比赛，全校59名教师参赛；组织开展学校第一届中国传统文化知识竞赛，76名学生进入决赛；组织教师及学生参加2023“一带一路”暨金砖国家技能发展与技术创新大赛之首届婴幼儿照护职业技能赛项区域选拔赛，获三等奖3个（教师获奖2个，学生获奖1个）。

（重庆市医药学校）

成人教育

【概况】　长寿区成人教育主要有广播电视大学学历教育和社区教育。重庆广播电视大学长寿分校占地面积1.67公顷，有多媒体教室12间、教室32间、计算机教室2间、会议室4间、学术报告厅1个，可容纳2000人上课。有专兼职教师70余人，其中研究生学历以上教师占36%，副高以上专业技术职称教师占20%，中青年教师占60%以上。2023年，学校结合自身办学需求，新进重点院校本科生1名，新增外聘教师3名。学校全年完成科研立项11项，发表论文23篇，获奖征文6篇，5项非学历教育研究课题结项，其中包含4项普通项目、1项重点项目。长寿电大组织开放教育学生参加各类竞赛获奖46人次，其中在第九届双创大赛中获奖3项。全区有社区教育学校19所、社区教育学习中心253个，社区教育专兼职管理人员338名。组建由97名专家学者（含7名非物质文化传承人）组成的社区教育师资专家库、674名社区教育专兼职教师组成的师资队伍，招募志愿者25500名，实现全区社区教育三级办学网络全覆盖。

【成人学历教育】 2023年，长寿电大开设成人专升本、专科、中专共23个专业，累计招生863人。共计安排有96个教学行政班，由13名开放教育班主任负责学生管理工作。至年末，长寿电大有成人学历提升在籍学生2124人，其中开放教育专科1357人，开放教育本科767人，网络教育196人，电视中专82人。全年学校毕业人数831人，其中开放教育723人，网络教育96人，中专毕业生12人，应届毕业生率96%。全年本科毕业生236人，办理学位3人，学位获取率1.27%。

【非学历教育】 2023年，长寿区社区教育学院开设社区教育公益课程288门，开发特色课程4门，建设“云台清迈良园乡村振兴”特色游学项目1个，打造“百门课程进社区”等终身学习品牌项目10个。年内，长寿电大围绕地区发展实际及地域文化特色，开发“食尚长寿”“康养长寿”“运动长寿”“党的理论创新进社区”四大品牌课程。长寿社区教育学院组织社区老年教育管理干部培训2期、社区教育师资培训班2期，委托成都开放大学开展社区教育管理干部培训1期。承办和组织各类社会培训班150余期，其中志愿者培训56期，累计培训社区志愿者2300余人次；社会公益培训20期，累计参训1100人次。太极拳社会指导员培训2期，培训133人次；开展家庭康养护理培训27场，累计培训500余人次；开展家庭教育培训19场，累计培训1300余人次。开展乡村旅游、新型职业农民培训、农村电商培训、长寿沙田柚栽培等社会技能培训30余期，累计培训1800人次。

（区教委）

民办教育

【概况】 2023年，长寿区有民办幼儿园37所、民办小学1所（重庆市长寿洪湖文化艺术学校，秋期6个班）、民办初中1所（重庆市行知职业技术学校，秋期15个班）、民办十二年一贯制学校1所（重庆市远恒佳学校）、民办中等职业学校1所，校外培训机构77家。

【民办学校】 2023年，区教委开展2023年全区民办学校年度检查工作，引导和鼓励城区符合条件的民办非普惠性幼儿园申办为普惠性幼儿园，开展全区幼儿园园长专题培训，围绕师德师风建设、安全工作、保教管理、规范办园等制定督导清单，组织30名责任督学每月对责任区幼儿园进行挂牌督导，建立问题收集制度，促进幼儿园办园行为规范、保育教育水平提升。

【校外培训机构】 2023年，区教委审批非学科类培训机构5家，全区累计有校外培训机构77家。年内，推行校外培训机构入驻全国监管平台，建立“互联网+”资金监管系统，对全区77家校外培训机构实施预收费账户托管、最低余额监管，实行先培训后付费、“一课一消”等制度，防范“退费难”“卷钱跑”等问题发生。强化教育行政执法，开展专项治理14次，处罚培训机构4家，罚款5211元。

【重庆市行知职业技术学校】 该校创办于1998年，是经重庆市教委批准设立的民办全日制中等职业学校，是国家级重点中等职业学校、联合国教科文组织创新实验学校、重庆市中等职业学校战略发展创新试验学校。学校位于重庆市长寿区，占地9.34公顷，建筑面积4.8万平方米，建有室内体育馆，实训仪器设备总值1370万元，曾获全国职业教育先进集体、全国毕业生就业工作先进集体、全国德育教育基地等称号。学校以践行人民教育家陶行知生活教育理论为办学指导思想，以办人民满意的职业教育、办百年名校为发展愿景，以培养会做人、会交际、会生活、会学习、会爱美的德艺双馨的中高级技能人才为办学宗旨，坚持“千教万教教人求真，千学万学学做真人”的校训，“和谐有序，爱满校园”的校风，“敬业博学 勤奋 善导”的教风；“阅读 善思 勤学 苦练”的学风，确立以食品生物、旅游酒店管理专业为特色，培养现代服务业转型升级所需的高素质技能人才的专业发展定位，开设高星级酒店管理、食品工艺、西点工艺与营养、休闲体育、平面设计及印刷等11个专业。2023年，学校有教职工113人，其中专任教师82人。专任教师中，具有硕士及以上学位9人，具有中高级职称9人，双师型教师25人，市、区级名师和骨干教师25人，区级专家人才库2人，技能大师工作室大师1人。在校生1083人。毕业生167人，取得职业技能等级证书率100%。毕业生升入高等教育学校135人，直接就业32人。

【重庆市远恒佳学校】 由长寿区引进深圳市远恒佳教育集团，投资8亿元建成幼儿园、小学、初中、高中十五年一贯制学校，位于长寿湖镇龙湖大道25号。2023年，学校占地面积5.87公顷，总建筑面积3.33万平方米，主要包括高中教学楼（面积7038平方米）、小学初中教学楼（面积8382平方米）、生活公寓楼（面积

12352平方米，配有浴室并提供24小时热水和中央空调）；附设行健体育馆（面积3246平方米，配备网球场、壁球室、健身房）、400米环形塑胶运动场（面积19130平方米）、50米泳道的恒温游泳馆（面积2100平方米）。教育教学设施有普通教室、录播教室、学术报告厅、各类功能室。每间教室配有65寸多媒体触控式一体机、白板、讲桌和书柜；科创教育中心设有水电安装、汽车原理、木工等生活技能学习操作间、智慧实验室和创客梦工厂等研究性学习平台，建有物理、化学、生物、科学等学科实验室和仿真地理教室、计算机教室、心理实验室；有音乐、舞蹈、美术等专业教室和艺术展厅。配有纸质图书8000册，电子图书接入“重庆图书馆的数字图书资源”，生均85册，教师工具用书、教学参考书195种。校园走廊、图书馆、食堂配备近1000个阅读座位。小学、初中、高中共27个班，在校学生955人。教职员工140人（专任教师77人、职员63人）。专任教师中，研究生学历7人，本科学历70人；高级教师18人，一级教师17人，二级教师19人；党员15人。

（区教委）

教育督导

【义务教育保障】 2023年，区教委根据区乡村振兴局、区民政局、区残联等部门提供的动态基础数据，扎实开展动态比对销号，特别关注边缘户和监测户子女就学状况核查清零工作。配合街镇开展“大走访、大排查、大整改”工作，针对排查出的疑似辍学学生建立“一生一表”档案，启动“一人一策”，多措并举开展劝返复学工作。持续做好劝返复学管理工作，各校建立复学学生常规管理制度，加强五类儿童教学管理和关爱工作，建立学习困难学生指导制度，确保学生“留得住、学得好”。对因重病、重残等原因不能到校学习的58名适龄少年儿童，由学校安排教师定期到学生家中开展教学辅导，并保障送教上门质量和次数。全区6—15周岁原建档立卡脱贫户儿童962人、农村特困分散供养儿童26人、农村低保户儿童940人、残疾儿童574人、边缘易致贫户儿童11人无一人辍学。

【中小学校、幼儿园督学聘任】 2023年2月，长寿区调整充实区政府教育督导委员会组成人员23名；聘任督政类督学27名、学科类督学16名、专职督学4名、责任督学26名。完成7个督学责任区办公场所建设和责任督学配备，印制督学工作手册、督学证及责任督学公示牌，全区公办中小学和幼儿园全覆盖挂牌督导。5月，组织新一届政府督学培训、义务教育优质均衡发展和学前教育普及普惠督导评估专项培训。

【幼儿园办园质量督导评估】 2023年5月，长寿区组织责任督学对全区所有公民办幼儿园开展办园行为督导评估，其中实地核查32所。评估结果上报教育部，幼儿园合格率100%。

【国家义务教育质量监测】 2023年，长寿区印发《关于进一步加强全区基础教育质量监测评价工作的实施意见》。5月，报送《长寿区2021年国家义务教育质量监测结果反馈问题整改方案》。6月，对全区义务教育阶段公办、民办学校开展义务教育质量评价工作。1月、7月组织实施全区小学4~6年级、初中1、2年级、高中1、2年级共81898名学生参加质量监测。小学综合学科实行抽样监测，高中实行AB卷分层监测。4月开展中小学艺术学科抽样测评。根据《长寿区中小学教育质量评价方案》，对全区普通中小学进行教育质量评价考核，评出成效显著集体53个，其中一等奖17个，二等奖22个，三等奖13个，优秀教学指导单位1个；表现突出个人337人。

【学校教育工作满意度调查】 2023年5月，长寿区组织责任督学对全区中小学、幼儿园开展“基本公共服务满意度调查”“公共服务社情民意调查”“改革满意度调查”，综合满意度95.3%。

【专项督导】 2023年2月、9月，长寿区组织责任督学开展春季、秋季开学工作专项督导检查。8月开展中小学幼儿园暑假期间校园安全专项督导。10月开展全区义务教育阶段学校大班额情况专项督导。10月印发《长寿区关于开展中小学幼儿园校园安全专项督导的紧急通知》，组织责任督学对未成年人防欺凌防性侵工作开展专项督导，并提交部署及落实情况报告。11月督导责任片区组织开展“让整洁成为习惯”专项督导。12月开展“双减”、甲流感等传染性疾病和疫情防控专项督导。（区教委）

文 化

综 述

2023年，长寿区实施“文化遗产保护传承行动”，举办国际博物馆日川渝主会场活动、重庆市非遗购物节、长寿非遗贺新春、长寿非遗民俗文化系列活动，长寿非遗项目进入“自然长寿”品牌北京推介活动。市级文物文峰塔修缮工程竣工，落实林庄学堂旧址、桓侯宫市级文物修缮中央、市级资金432万元。“乐温县城遗址”考古发掘项目被纳入“考古中国”重大项目库。联合相关区县申报蜀道（荔枝道重庆段）为中国世界文化遗产预备名单项目。与市曲艺团合作共建国家级非遗传习社，建成长寿非遗工坊3家，入选市级非遗工坊1家，长寿区入选“重庆市非遗美食传承体验基地”。实施“公共文化服务提升行动”，提档升级云集、石堰、凤城等街镇文化阵地，新建新型公共文化空间11个、区、镇（街道）、村（社区）三级公共文化设施网格体系基本建成。区图书馆连续4次获评“一级图书馆”，晏家街道、石堰镇申报为市级公共文化服务示范乡镇，非遗文化馆、乡情文化驿站入选全国优秀公共文化空间案例。引入三方机制专项督查基层公共文化服务免费开放效能，免费为全区中小学生办理图书借阅卡4.6万张，图书借阅60万余册次、51万余人次，送文化惠民演出1080场、全民阅读活动200多场、美术展览20场、艺术公益培训3000人次。开展“品牌文化活动行动”，举办明月山绿色发展示范带文化节、全市社区文化节、渝藏文化交流长寿行系列活动、橘香清明田园诗会、世界读书日全民阅读活动等大型文化活动20场次。

（毛　钰）

公共文化

【公共文化设施建设】 2023年，长寿区每万人占有公共文化设施面积904平方米。有博物馆1个、文化馆1个、图书馆1个、美术馆1个、街镇文化服务中心19个、村（社区）综合文化服务中心270个，全区三级公共文化阵地实现全覆盖。各街镇文化服务中心均设置图书室、文化活动室、电子阅览室等5个功能室，统一配置电脑、音响、投影、乐器、室外健身器材等电子、文体娱乐设备。在2023年长三角及全国部分城市最美公共文化空间大赛中，禾得园文化大院获“百家公共文化空间奖”，保和书院获“优秀公共文化空间案例奖”。

【长寿区图书馆全民阅读活动推广】 长寿区图书馆位于菩提街道文

苑大道6号，内设少儿阅览室、成人报刊阅览室、残障阅览室、移民图书室、成人图书借阅室、精品图书室、电子阅览室等服务功能区以及书法美术体验区、地方文献阅览区、优秀传统文化展示区、少儿亲子阅读区等特色功能区，馆藏文献80万余册，实行免费开放，“免证阅览、凭证外借”。2023年，区图书馆拥有办证读者6万余人，接待读者43万余人次，文献借阅50万余册次。举办全民阅读推广活动200余场次，受众69万余人次，“学校—学生—家庭—社会”推进全民阅读被市委宣传部评为重庆市优秀全民阅读推广活动。全区组队参加全国和市级阅读活动赛事获奖21人次。其中，区图书馆参加“书香重庆 阅读之星”有声阅读大赛、“书香重庆 红岩少年”少儿阅读大赛、“成渝地·巴蜀情”——领读者“方言诵经典”诵读大赛、西南地区少年儿童绘本创作征集活动分别获组织奖。“阅读悦美·悦享长寿”全民阅读活动启动仪式暨“4·23”世界读书日活动、“贯彻二十大 相约漫慢城”橘香清明田园诗会分别被CCTV-4中文国际频道、CCTV-13央视新闻频道宣传报道。

【长寿区文化馆免费开放】 长寿区文化馆前身为重庆市长寿县民众教育馆，始建于1932年。1949年10月后更名为长寿县文化馆；2002年“撤县设区”后更名为长寿区文化馆。建筑总面积7432平方米，其中向阳路非遗文化馆面积2518平方米。桃花新馆4914平方米，馆内设有合唱排练厅、舞蹈排练厅、民乐管乐活动室、美术书法活动室、摄影活动室、综合培训厅、文化展厅等；馆内常设演出、视听、展览、培训、游艺、阅览、数字文化体验等免费服务项目9项。2010年被文化部评为一级文化馆，2012年被评为重庆市免费开放工作先进集体。2023年，长寿区文化馆获中宣部表彰1次、市文化和旅游委表彰7次、中国文化馆协会表彰1次，获奖作品39件。年内，区文化馆实体馆服务群众30余万人次，数字馆服务群众595.87万人次。免费开放时间每周约73.5小时。全年“免费开放”共培训学员4700余人次。到基层（含街镇综合文化服务中心及村社区等）开展培训、讲座、辅导、调研等工作，业务指导人均时长26天。针对未成年人、老年人、残障人士、农民工、留守妇女儿童开展培训、非遗体验、讲座、演出、宣讲等7项服务。承办全国重大群文活动1次、全市性展演活动市级决赛2次，承办全市性公共文化服务类培训1次、乡村村晚1次、巡展3次；主办或承办展演、赛事、展览、展示活动14次，对应全市性展演活动举办本地区选拔活动6次。参加国家级群众文化活动和展演活动2次、市级17次。主办、承办或协办理论研讨活动5次。新增社会化分馆3个，加挂新建新时代文明实践文化服务中心牌子，类别涵盖语言、阅读、音乐、舞蹈、美术等6个门类。区文化馆全年开展“辉叔讲故事”周末故事会、“一诗倾城”周末诵读会、“音乐沙龙”周末音乐会、“曲艺杂谈”周末群英会等“一周一会一特色”品牌活动20余场，服务群众4万人次。《重庆市长寿区“一周一会一特色”文艺活动品牌案例》在第五届全国文化馆理论体系构建学术研讨会征文中获优秀案例。“一周一会一特色”文艺活动被评为2022年重庆市“终身学习活动品牌”。区文化馆党支部书记、馆长赵广辉，创立“一周一会一特色”品牌活动，组建“辉叔故事团”文化志愿小分队，发展团员300余名，创作故事30余个，带头常年送文化下乡，到田间地头为百姓讲故事。8月，获评2022年全国文化科技卫生“三下乡”活动服务标兵。

【长寿美术馆免费开放】 长寿美术馆位于长寿菩提古镇D区68幢，于2021年10月12日开馆，建筑面积近3000平方米。有展厅6个，展线长300米，另有学术报告厅、多功能厅、绘画室、图书室、修复室、艺术品出售、茶饮休闲、艺术沙龙等区域。内设办公室、展览部、公共教育部等部门，履行美术馆展览陈列、收藏保护、学术研究、艺术教育、艺术交流和社会服务等功能，主要承担美术作品和文献展览、陈列、征集、收藏，利用美术和美术馆资源开展学术研究、教育推广、对外交流和公共文化服务。2023年，免费向公众开放各类展览20余场，举办公共教育活动近50场次。

【公共文化空间布局】 2023年，长寿区打造公共文化超市，构建体育中心龙头超市1个、城区特色超市8个、街镇及村社区超市N个的“1+8+N”服务网络。“超市”内设置文化讲坛交流区、图书借阅区、少儿阅读体验区、文创产品展示区、农耕文化展示区、文化娱乐休闲区6个功能区，免费提供空调、Wi-Fi、饮用水等。至年末，全区共建成投用公共文化服务超市20个，总投资300余万元。

【公共文化服务示范街镇创建】 2023年1月，市文化旅游委、市财政局联合印发《关于开展重庆市公共文化服务示范乡镇（街道）创建工作的通知》；5月，长寿区结合公共文化服务体系建设实际申报晏家街道、石堰镇参与评定。通过远程视频答辩、评审专家打分和集中评议，长寿区晏家街道获评全市第一批公共文化服务示范乡镇（街道）。

【长寿区图书馆获评一级图书馆】 2023年12月28日，文化和旅游部发布《关于公布第七次全国县级以上公共图书馆评估定级上等级馆名单的通知》，经自评、评估、公示等环节，长寿区图书馆被评为一级图书馆。这是区图书馆连续4次获评一级图书馆。

【“国际博物馆日”川渝主会场活动暨长寿区博物馆开馆仪式】 2023年5月17日，2023年“国际博物馆日”川渝主会场活动暨重庆市长寿区博物馆开馆仪式在长寿区博物馆举行，包括启动仪式、川渝博物馆联盟年会、“金玉良缘”川渝馆藏精品玉器及金银器展、第三届“巴山蜀水”川渝博物馆文创展、川渝博物馆文创IP交流活动、公益鉴定服务6项主题活动。由重庆市文化和旅游发展委员会（市文物局）、四川省文化和旅游厅、四川省文物局和中共重庆市长寿区委员会、重庆市长寿区人民政府联合举办。5月17—22日，《人民日报》、中央广播电视总台、人民网、新华网、《重庆日报》、华龙网、上游新闻等30余家中央和市级媒体报道“国际博物馆日”川渝主会场活动暨长寿区博物馆开馆仪式，总浏览量1.3亿人次。该馆位于长寿区桃兴三路5号，是以长寿地方特色历史文化为主要展陈内容的综合性公立博物馆。总建筑面积约1.67万平方米，由1个临展厅、4个常设展厅、文创展示区、科普社教区、行政管理区域及文物库房组成。博物馆4个常设展览由“1个基本陈列、3个专题陈列”构成，“1个基本陈列”为长寿历史文化展厅，重点展示长寿地区从远古时期到近现代解放新生的历史。“3个专题陈列”分别为长寿工业水电文化展厅、中华长寿文化展厅和长寿城市规划展厅。长寿工业水电文化展厅从抗战内迁、水电华章、三线建设、工业重镇4个方面展示长寿区工业、水电事业发展历史和取得成就。中华长寿文化展厅借助长寿独有的地区之名，以中华“长寿”文化源流、民俗生活中的“长寿”、长寿地区之“寿”内容为线索，结合历史上各时期与“长寿”相关的实物，展示世代人民追求“健康长寿”而创造出的文化。长寿城市规划展厅利用数字沙盘、视频媒体、互动流屏等方式，展示长寿区城市总体规划成果，介绍长寿区红色文化、不可移动文物及历史文化名城资源等。至年末，长寿区博物馆共接待游客约21万人次，单日游客接待量最高超5000人次。 （毛　钰）

2023年5月17日，长寿区博物馆新馆正式对外开放　（区博物馆　供图）

群众文化

【概况】 2023年，长寿区加强公共文化服务体系建设，构建便利的文化服务圈，为群众提供文化产品。全年免费为全区中小学生办理图书借阅卡4.6万张，举办橘香清明田园诗会、世界读书日全民阅读活动、全市社区文化节和渝藏文化交流长寿行系列活动等大型文化活动30余次。挖掘寿文化、红色文化、非遗文化和水电文化资源，开展首届长江摄影大展、邓刚红色主题雕塑作品展、“情系明月山”等系列文艺采风、大型展览50余次，创作优秀作品500余件，近100件作品获市级及以上荣誉。

【文化惠民工程】 2023年，区图书馆完成书刊采购9000余种，图书1.56万册。每周开放时间逾75小时，实行免证阅览，凭证外借；全年文献流通与阅览69万余册次59万余人次。建成投用区图书馆三楼公共阅读阵地，打造书法美术体验区、地方文献阅览区、优秀传统文化展示区、少儿亲子阅读区4个服务功能区。区文化馆免费开放培训，开设美术、曲艺等15项课程，累计服务4700余人次。提供线上音视频资源3200小时（含购买资源）；录制精品慕课24节；线上场馆预约240余次，免费开放报名超4000人次。全年开展送文化下乡40余次，艺术讲座、公益巡展、辅导培训、体验活动、阅读推广等系列活动进军营、进社区、进学校、进机关200余次。

【群众文化活动】 2023年，长寿区组织开展2023年长类心连心·文化艺术交流节、2023年“文化和自然遗产

2023年9月9日，长寿区在文化惠民工程中为凤城华府小区群众免费放映露天电影
（区融媒体中心　供图）

日”重庆主场活动——非遗购物节·第八届重庆非物质文化遗产暨老字号博览会、“绿色明月山　双城新时代”第三届明月山生态旅游文化节、“迎中秋·庆国庆民族团结一家亲”2023年渝藏文化交流长寿行系列活动等大型文化活动。承办“和谐社区·幸福生活”第七届重庆市社区艺术节颁奖晚会、“书香重庆　红岩少年”阅读大赛少儿讲故事比赛第二片区复赛等市级群众文化活动。举办“奋进新征程　建功新时代”——第二十届重庆市美术书法摄影作品联展摄影类优秀作品展、“成渝地·巴蜀情”——第五届“记忆中的年味”2022春节影像纪实摄影展、“时代·文化·传承——首届群文影像大展”、赤子初心——邓刚红色主题雕塑作品展等大型展览10余次，总服务群众180万人次。开展“我们的中国梦·文化进万家”2023年长寿区文旅系统志愿服务新春文艺演出等区内群众文化活动50项，线下总服务群众40万余人次。组织参加“成渝地　巴蜀情”领读者“方言诵经典”诵读大赛、2023“我最喜爱的童书”阅读推广活动、首届导游（讲解员）大赛；组织开展“4·23”世界读书日及服务宣传周系列活动，开展书香校园、书香军营、书香机关、书香社区、书香企业系列活动等阅读活动77场次。通过网站、微信公众号等媒体开展“百本好书送你读”、川渝地区“图书馆杯”全民英语口语大赛、“节气里的大美中国”等线上活动22场次。开展“神州展览”等线上、线下展览98场次。

【文化志愿服务】　2023年，长寿区在“重庆文旅志愿者”新增注册志愿者300余人，累计注册900人。以区文化馆、区图书馆新时代文明实践分中心为抓手，结合“一周一会一特色”、“阅读悦美·悦享长寿”、长寿区图书馆阅读夏令营等文化品牌活动，依托“辉叔故事团”文化志愿者团队，组织文化志愿活动13场。累计开展“一周一会一特色”活动30场，组织开展书香校园、书香军营、书香机关、书香社区、书香企业系列等活动多场；参加及组织开展2023年重庆市“少年儿童爱心接力服务”等阅读活动40场次，服务群众141万余人次。

【渝藏文化交流长寿行】　2023年9月29日，由重庆市文化和旅游发展委员会、长寿区人民政府、西藏自治区昌都市旅游发展局、昌都市类乌齐县人民政府共同主办的“迎中秋·庆国庆　民族团结一家亲”2023年渝藏文化交流长寿行系列活动在长寿菩提古镇启动，至10月2日结束。系列活动包括类乌齐县藏医专家现场义诊，集中展销西藏地区藏白酒、陶器、藏香、牦牛肉、藏药、手工制品及重庆市特色产品。

【第三届明月山生态旅游文化节文艺汇演】　2023年7月11日，“绿色明月山　双城新时代”第三届明月山生态旅游文化节文艺汇演（明月山绿色发展示范带规划范围为重庆市长寿区、梁平区、垫江县和四川省邻水县、达川区、大竹县、开江县内的明月山山脉及两侧毗邻平坝区域）在长寿区时代广场举行，由长寿区委、区政府主办。文艺汇演节目以自然淳朴、美轮美奂、欢快热烈为主基调，分为毓秀生态篇、璀璨民风篇和共筑未来篇3个篇章，由国家级表演艺术家、重庆市级艺术院团、长寿区、梁平区、垫江县、邻水县、达州区、大竹县、开江县7个区县演员组成。1000架无人机摆出“共融西部陆海新通道　共建巴蜀文化旅游走廊”“共建明月山绿色发展示范带”“常来长寿　共享长寿”等字样，摆出明月山造型，摆出长寿湖寿岛、梁平双桂堂、垫江牡丹花、邻水县八角楼、达川巴人历史文化馆、大竹县logo、开江莲花世界7个区县代表性景点或标识。
（毛　钰）

文化市场管理

【概况】 2023年，长寿区加强文化市场管理，开展“正道”“新风”集中行动、“扫黄打非·百日行动”和“绿书签行动”等；全年巡查文化市场经营单位260余家次；召开行业工作会4次，开展专项检查12次，办理“扫黄打非”类案件9件。下达责令整改通知书30份，收缴各类非法出版物、音像制品429册，办结行政案件30件，罚款3.63万元。受理文化旅游体育类行政许可设立、变更15项，备案登记6项。

【文化市场综合执法】 2023年，长寿区对含有禁止内容的出版物、歌曲等进行清查，完成网络、出版经营单位等巡查260余家次，查缴各类非法出版物、音像制品429册。开展“正道”“新风”集中行动，召开行业工作会4次，开展专项检查12次，办理“扫黄打非”类案件9件。调研全区密室逃脱、剧本杀、电竞酒店、研学游、沉浸式演出等新兴行业，查处涉新兴业态违法行为2起。排查网吧、KTV娱乐场所、旅行社、A级旅游景区等行业市场管理、安全生产隐患；开展文旅行业“安全生产月”系列活动；运行文旅市场监管执法平台，实施动态管理，排除安全隐患，查处违法经营行为。开展“清源”“净网”“护苗”等专项行动，查处非法有害出版物，以及利用网站传播有害信息等违法经营行为；开展“扫黄打非·百日行动”和“绿书签行动”，对校园周边文化环境进行综合整治；开展宗教活动场所非法出版物检查及安全检查。全年办结举报信访件13件，约谈文化综合市场经营单位26家次，下达责令整改通知书30份，收缴各类非法出版物、音像制品429册，办结行政案件30件，罚款3.63万元。

【文化部门行政审批】 2023年，长寿区受理文化旅游体育类行政许可设立、变更15项，备案登记6项。同比2019年许可事项申报材料平均减少30%，承诺时限较法定时限平均压缩70.04%。完成文化市场经营单位年检年报68家及5家剧本娱乐经营场所摸底排查备案工作。建立健全市场准入负面清单管理制度，实现市场准入负面清单许可准入事项与政务服务事项、行政权力清单、行政许可事项一一对应。（孙 祥）

【法治宣传】 2023年，长寿区面向全区群众、各地游客、学校师生等开展“4·26”知识产权日、“5·19”中国旅游日、“民法典宣传月”“12·4”国家宪法日、“扫黄打非”等宣传活动12次，向全区文化旅游体育企业发放有关未成年人保护法、旅游法、文化市场管理法律法规等宣传资料8000余份，发动A级旅游景区、星级酒店、娱乐场所、网吧等文旅体场所展示宣传标语400余条，通过公众号线上推送普法信息20余条。区文化馆、区美术馆、区图书馆等开展“一周一会一特色”文艺表演、新时代文明实践“六讲”志愿服务活动、《赤子初心——邓刚红色主题雕塑作品展》等多项展览、活动，以人民群众喜闻乐见的文艺形式开展普法宣传活动，利用各类媒体、平台、阵地和基地开展普法宣传。

【文化艺术经营活动监管】 2023年，长寿区加强文化艺术经营活动监管，营业性演出前对演出团队开展约谈17次，现场监管营业性演出20余场次，包括核验演员信息及演出节目内容，打击假唱、假演奏等违法违规行为。摸排辖区内农村演出市场经营单位，开展农村演出市场执法监管30余次，打击“无证”“无备案”“违建舞台”等违法演出行为。监管发现，文化市场存在个别歌舞娱乐场所、网吧允许未成年人进入及未成年人限入标志未在显著位置处悬挂，部分企业未如实记录安全生产培训情况，个别商家擅自从事出版物发行业务侵犯著作权等问题。对上述问题给予行政处罚或限期整改，对整改情况进行核查。

（袁 瑶）

文艺创作

【概况】 2023年，区文联发挥组织协调作用，引领12个文艺协会、1700余名会员开展文艺创作。全年开展集中活动30余次，指导协会开展自主活动150余次。获市级及以上表彰作品160余件。新增国家级会员5人。

【文艺精品创作】 2023年，长寿区秦启俊创作的《因明入正理论后疏》等2件书法作品、熊兴伦创作的《李璧墓志》等2件书法作品入选全国第三届书法临帖作品展；张颂东创作的摄影作品《铁塔上的舞者》、李炎创作的摄影作品《云上列车》入展第十六届中国西南六省区市摄影作品联展；罗小松创作的书法作品被南京博物院收藏；王朝创作的美术作品《激越千山》入选第十三届全国水彩·粉画作品展。

【文艺人才培养】 2023年，区文联组织文艺会员参加各类比赛和展览；建立创作基地，扶持主题文艺创作等；举办各类艺术培训和讲座。区文联秘书长获评重庆市最美志愿者称号。区文联“曲艺屋”金钱板推广创作基地建设获评全市2022年度基层文

2023年3月16日，区委宣传部、区文化旅游委、区文联主办的《送你一座不孤城》作品研讨会在长寿区菩提古镇举行（张　草　摄）

联十佳专项工作案例。区文联推选区书协3个项目入选重庆市文联主题文艺创作扶持项目，全年各门类共有160余件作品获得市级及以上表彰。

【文学创作】　2023年，长寿区文学艺术会员有650余名，其中国家级会员42名，市级会员70余名。全年编辑出版会员作品集《乡情是一片湖》《长寿诗词》《长寿区诗词学会会员风采》等，在《星星诗刊》《中华诗词》《中华辞赋》《人民日报》《澎湃》《重庆作家》《重庆诗词》《读者报》《神州文学》《火花》《中华散曲》《西部散文》等国家级、市级报刊上发表文学作品220余件。

【曲艺创作】　2023年，长寿区曲艺艺术会员有118名，其中中国曲协会员5名，重庆市曲协会员28名。区曲协全年创作小品《桂花相亲》《局长的秘密》，四川盘子《柚乡生活真精彩》，四川清音《幺嫂的农家乐》，车灯打唱《挂红灯谢党恩》，金钱板《懒汉脱贫》《两个儿争妈》《长寿就是我的家》《长寿婆》，荷叶《青年的自白》等精品节目，开展曲艺志愿服务活动40场、曲艺培训10场。区文联“曲艺屋”金钱板推广创作基地获评全市基层文联十佳特色品牌，曲艺作品相声《形像大使》获第八届重庆市曲艺大赛文学奖。

【书画创作】　2023年，长寿区书画艺术会员有341名。全区书画艺术会员年内创作出一批具有鲜明地方特色的书画作品。秦启俊、熊兴伦创作的4件书法作品入选全国第三届书法临帖作品展；罗小松创作的书法作品被南京博物院收藏；王朝创作的美术作品《激越千山》入选第十三届全国水彩·粉画作品展；“赤子初心”——邓刚红色主题雕塑作品展在重庆王琦美术博物馆开展；邓强抛沙画作品展在长寿区美术馆开展；“情系明月山”2023长寿、邻水、垫江美术书法联展继邻水县、垫江县展出后亮相长寿区。全年获得市级及以上荣誉的书画类作品90余件。

【影视创作】　2023年，长寿区影视艺术会员有230名，其中国家级会员15名，市级会员47名。全年拍摄微电影《红书箱》《恋山》和文献纪录片《水电摇篮》影视作品3部。微电影《红书箱》讲述20世纪从长寿走出去的红军高级将领杨克明的故事。7月6日，重庆市举行第七届“爱·重庆”微电影大赛颁奖典礼，《红书箱》获二等奖。

【工艺美术创作】　2023年，长寿区工艺美术艺术会员创作出一批工艺美术作品。邓刚创作的《民主生活会》《送光明》《送春联》《驻村干部》等系列雕塑作品，在重庆王琦美术博物馆举办新中国成立以来全市首个红色主题雕塑展。邓强创作的《红色传承》《边疆行》等抛沙画作品，在长寿区美术馆举办“十指轻拈　万象尽显”邓强抛沙画作品展、“妙指生花·共绘童心”抛沙画制作体验活动。

【“万里长江绘宏图”首届全国长江影像展】　2023年10月24日—12月8日，长寿区开展“万里长江绘宏图”首届全国长江摄影大展暨“亲近长江　向往长寿”平行摄影展览作品征集活动，共征集照片5万余张，从中精选作品500余张。摄影展由长寿区委、区政府主办，区委宣传部、区文化旅游委承办。摄影展照片分别以“水”“人”“城”“事”4个主题进行征集。其中，“水”主题展示长江流域生态治理成果和生态之美；“人”主题以肖像及人物故事讲述长江沿岸居民生活变迁、文化传承；“城”主题重点呈现沿江城市面貌焕然一新；“事”主题讲述青山绿水、长江经济带建设等一系列国家战略大事，以及市井中生活中的感人小事。

【文献纪录片《水电摇篮》开机】　2023年10月20日，重庆市首部水电题材文献纪录片《水电摇篮》在长寿区开机。12月底完成摄制。该片由区政协牵头策划，区水利局主办，国家电网重庆长寿供电公司、国家电投集

2023年10月30日，“亲近长江　向往长寿”平行摄影展览启动仪式在长寿区江南街道举行　　（邓琳钰　摄）

团重庆狮子滩发电有限公司、重庆市长寿区长寿湖镇人民政府协办。纪录片共分5集，再现抗日战争以来，以张光斗、黄育贤、吴震寰等为代表的爱国水利工程专家敢于创新、敢为人先的创业精神。影片采用3D交互式影像等技术，还原重庆最早的水电站、三峡工程的最早设计、新中国水电工业的样板工程狮子滩电站建设中的历史故事。

【区级优秀文艺创作奖】　2023年，区文联开展2021—2022年度长寿区优秀文艺作品奖励评选和奖励工作，共有472件区级优秀文艺作品获奖，139名会员获奖金42.69万元。长寿区优秀文艺作品奖励连续举行8年，奖励总额300万元。　（张　草）

文化遗产保护

【概况】　2023年，长寿区有市级历史文化街区1处、市级历史文化名镇1处、市级历史文化名村1处、市级历史建筑11处；市级非遗项目12项、区级非遗项目72项，市级非遗传承人8名、区级非遗传承人76名；市级文物保护单位8处、市级革命文物8处、区级文物保护单位31处。馆藏国有可移动文物887件（套），其中国家二级文物7件，三级文物95件。年内，印发《长寿区文物行业重大事故隐患专项排查整治2023行动实施方案》，排查发现重大安全隐患2项，全部完成整改。开展全区非物质文化遗产普查工作，公布第十批区级非遗项目及第九批非遗传承人。完成林庄学堂旧址修缮保护方案并报重庆市文物局，获批市级文物保护资金227万元。完成长寿桓侯宫修缮保护方案并报市文物局，获批国家级文物保护资金205万元。完成第四批重庆市级文物保护单位申报工作。启动“龙溪河梯级水利工程”申报第九批全国重点文物保护单位工作。开展文物考古发掘，开展非遗保护传承和文化遗产宣传工作。完成晏家聂氏宗祠项目整改、长寿文峰塔项目修缮、林庄学堂旧址抢险排危，推动长寿桓侯宫、滨江路武庙抢险排危加固工程、五华寨东寨门修复保护项目实施。推动秦家大塆碉楼保护规划工作，完成规划方案评审。推进区博物馆馆藏文物预防性保护项目和馆藏珍贵文物修复项目并完成中期评估验收，配合实施三峡出土文物修复项目。完成《长寿区文物保护单位保护规划》编制。

【文物保护利用】　2023年，长寿区以蜀道（荔枝道重庆段）文化遗产专项调查保护为主题，挖掘地域文化的历史内涵和时代价值，构建长寿区在长江文化和荔枝道的话语体系，提炼、推介长寿地域文化标识。挖掘古遗址、古民居、传统村落、古镇古街、特色文物及其背后蕴含的文化内涵，创建历史文化街区、文物景区和旅游线路，推动长寿文峰塔、长寿桓侯宫活化利用工作，打造成为长江沿线网红打卡地。加大长寿区博物馆、杨克明故居陈列馆等相关文创品研发，策划以长寿文化、水电文化、移民文化为主题的原创性展览，加强与蜀道（荔枝道重庆段）沿线区县文化交流合作。以长寿区博物馆建筑图案元素及馆藏民国仿成化素三彩百寿瓶为文化元素设计制作文创产品，包括手机支架笔、挂绳、工作证、文件夹、笔记本、帆布包、印章、咖啡杯、折扇、三折超轻伞、保温杯礼盒、鼠标垫、仿真丝小方巾、手提袋等文创产品14种。

【文物考古发掘】　2023年，长寿区开展团堡墓群考古发掘，发掘面积646平方米，发掘清理墓葬8座，墓葬时代宋明时期，均为石室墓，出土瓷、铜、铁等各类器物以及人骨标本共56件。启动蜀道（荔枝道重庆段）申报中国世界文化遗产预备名单项目，全市申报方案通过专家审核，上报国家文物局。“乐温县城遗址”考古发掘项目被纳入“考古中国”重大项目库，完成考古发掘初探工作。

【非遗保护传承】 2023年，长寿区与重庆市曲艺团合作共建国家级非遗传习社，助推长寿区“中国曲艺之乡”建设。建成长寿非遗工坊3家，入选市级非遗工坊1家。长寿区获评重庆市非遗美食传承体验基地。近3年区级非遗项目增加45项，传承人增加35人。组织举办长寿非遗贺新春、长寿非遗民俗文化系列活动、2023年文化和自然遗产日重庆主场活动——非遗购物节·第八届重庆非物质文化遗产暨老字号博览会。组织开展长寿非遗项目进入“自然长寿”品牌北京推介等10余项重大活动。

【文化遗产宣传】 2023年，长寿区博物馆举办第三届“巴山蜀水”川渝博物馆文创展、“金玉良缘”——川渝馆藏精品玉器及金银器展、中华长寿文化厅展，共接待游客13万余人次，接待参观团队100个，日均接待游客1000余人次。组织开展“寻找小小传承人”非遗研学活动、华裔青少年“中国寻根之旅”夏令营活动、国际棋联赛事团队参观博物馆活动、“缘从画起，跨越千年的对话”——“金玉良缘”特展青少年绘画活动。成立志愿者队伍，培训志愿者100余人，举办“人文长寿”系列文化公益讲堂活动2场。推进“数字重庆”建设，搭建数字化展示平台，完成“云上博物馆”产品大屏（中国广电重庆公司机顶盒）、小屏（微信小程序）客户端建设，数字化展示长寿历史文化。全年制作宣传片1部，扫描打造线上全景虚拟展厅4个，录制上传讲解视频4个和社教活动视频3个，对17件馆藏文物进行3D扫描建模，增设社教研学、文博资讯2个板块，发布社教研学活动和文博资讯60余条，将所有数字化展览内容整合上线至“云上博物馆”客户端，访问流量215.4万次，视频内容点播总量493.7万次，视频内容点播时长25.6万小时。

【红色文化保护利用】 2023年，杨克明故居陈列开展“红色讲解员”培训、红色文化进校园等活动，培训志愿者80余人，受众1万余人次。自2022年6月正式开馆至2023年12月，累计接待游客4万人次。（毛 钰）

【中国水电博物馆筹建】 2023年，长寿区开展中国水电博物馆筹建工作，对项目《概念性设计方案》进行修正和完善，邀请水电专家、博物馆专家对概念性设计方案进行评审。对中国水电文化和狮子滩水电文化进行挖掘，整理中国水电发展史、龙溪河水电发展史，编写《1958年周总理视察长寿考略》，厘清龙溪河水电对中国水电史的重要作用和意义。收集水电博物馆藏品，与国家博物馆联系，收集相关书籍104册、纪念章4枚、影音资料7份。到市、区档案馆查阅相关档案，收集影音资料36份。走访狮子滩早期建设者——原狮子滩工程局技术员、水电武警一总队机电总工程师（正师职）马成骥及夫人刘永秀（修建大坝时拖拉机手）、原狮子滩工程局八级焊工、全国劳模蒋兴德（狮子滩大坝闸门焊接主要负责人）遗属吴碧兰、原狮子滩工程局工人刘高德，接收捐赠老照片、老证件、老书籍等14件，拍摄7位狮子滩电站早期建设者的影像资料100余分钟。（林武亮）

【非遗购物节·第八届重庆非物质文化遗产暨老字号博览会】 2023年6月10—11日，2023年“文化和自然遗产日”重庆主场活动——非遗购物节·第八届重庆非物质文化遗产暨老字号博览会在长寿区时代广场举行，活动由重庆市文化和旅游发展委员会、重庆市商务委员会、长寿区人民政府主办，以“加强非遗系统性保护，促进可持续发展”为主题，采用“线下展演+线上直播”方式进行。开展“非遗游乐汇”巡游表演、非遗专场演出、非遗和老字号商品展示展销、“寻找小小传承人”非遗研学、“云游非遗·影像展”图片展播等系列活动，汇聚180个非遗和老字号项目参展，累计销售额1457484元，其中有4家展商销售额突破10万元。CCTV国际频道对活动进行专题报道，新华网、中国新闻社、央视网、人民网、《重庆日报》、华龙网、第1眼新闻等20余家媒体组成媒体矩阵多平台进行系统报道，全平台总曝光量近850万。（毛 钰）

媒体传播

【概况】 2023年，重庆市长寿区融媒体中心（简称区融媒体中心）推出主题报道20余个；完成约稿200余条次，累计在市级以上媒体用稿150余条，出版《长寿日报》147期；播出自办电视节目350余期、电台节目656期；利用“人人长寿”APP、“人人长寿”视频号等平台推出网络直播活动19场，“人人长寿”视频号、“长寿融媒”抖音号入选新华社《全国县融中心主题报道典型事例（2023年第一季度）》；参与《长河河长行》全媒体主题采访行动获重庆新闻奖一等奖。重庆新华传媒有限公司长寿新华书店（简称长寿新华书店）发行图书308.3万册，获评重庆市“十佳最美书店”。

【重大主题宣传】 2023年，区融媒体中心推出《学习贯彻习近平新时代中国特色社会主义思想主题教育》《把党的二十大精神全面落实在重庆大地上》《学思想　强党性　重实践建新功》《学习贯彻二十大　文明实践在行动》《迈出新步伐　见到新气象》《寿城好榜样》《推动民营经济高质量发展跑出“加速度”》《一件事一次办》《聚焦“3113”项目攻坚行动计划》《唱好“双城记”　共建“经济圈”》《一体推进“三不腐”》《共融西部陆海新通道　共建绿色发展示范带》等主题报道20余个。

【新闻宣传】　2023年，区融媒体中心完成《区县委书记一线访谈》、重庆卫视《一把手专访》、橘香清明田园诗会、国际博物馆日、大美中国、山城有道等央级、市级媒体约稿200余条次。全年累计在中央级媒体上稿21条，市级媒体上稿130余条，“学习强国”学习平台上稿186条，全市排名比上年上升6名。

【媒体融合发展】　2023年，区融媒体中心整合报纸、电视、APP等全媒体生产和采编工作，推进基础数据库建设，累计整理、编目、标注视频资料4800余条，归集整理“人人长寿”图片10162张、文稿290多篇，中心媒资系统存储素材总量2万多条；实现“人人长寿”客户端APP总下载装机量用户54万户，“人人长寿”微信公众号总用户27万户，“人人长寿”视频号、“长寿融媒”抖音号总用户突破1万户；“人人长寿”视频号、“长寿融媒”抖音号入选新华社《全国县融中心主题报道典型事例（2023年第一季度）》；中心参与的《长河河长行》全媒体主题采访行动获重庆新闻奖一等奖。通过英才计划招聘记者1人。1人取得副高级职称，7人取得中级职称，5人取得初级职称，开展“问使命、比担当、增强区域认同感；问激情、比奉献、增强职业认同感；问差距、比业绩、增强身份认同感”主题活动。

【报纸出版发行】　2023年，区融媒体中心执行“三审三校”“每日编前会”“每月编委会”制度，细化明确责任编辑、值班副主任和主任职责任务，压实责任，审核把关。全年出版《长寿日报》147期，发行274万份。

（汪月琴）

【图书发行】　2023年，长寿新华书店有城区门店1个，社区及农村网点5个，图书品种2万余种。年内，长寿新华书店发行各类党建读物3.3万册，码洋68.9万元。其中，发行《习近平著作选读》《习近平新时代中国特色社会主义思想专题摘编》《论党的自我革命》《习近平新时代中国特色社会主义思想学习纲要》等主题教育学习用书2.48万册。发行教材教辅305万册，码洋3378万元，连续45年实现“课前到书，人手一册”目标。开展惠民文化活动，实施线上线下融合，全年开展机关读书分享会、儿童节亲子读书分享会、“开学第一课”等线下互动活动32场次；利用暑假开展“小小图书管理员”职场体验活动；依托“童心·童趣·童世界”活动小组开展线下促销活动41场次；利用微信、抖音、公众号等阅读推广41次，“新华优享”直播5次，“快闪”布展2次；开展“学习强国”“绿书签”等优惠购书等活动，全年实行图书销售收入4263.6万元。长寿新华书店在“2023年度阅读空间新榜样”活动中获评“示范基层店”，“2023年‘书香重庆’全民阅读系列推荐活动”中获评“十佳最美书店”。

（长寿新华书店）

【广播电视】　2023年，区融媒体中心制作播出《长寿新闻》《新闻周报》《特别关注》等电视节目350余期；自办电台新闻类节目《长寿新闻》260期、《新闻周报》52期、《911听天下》《法治大讲堂》《人车路》《生活你我他》《故事人生》《书香告白》等节目344期。

【网络媒体】　2023年，区融媒体中心利用“人人长寿”APP、“人人长寿”视频号等平台推出3场“就在长寿　职等您来”网络直播招聘活动，主播走进企业现场介绍工作环境及岗位情况，吸引10万余人次在线观看；开展“垃圾分类人人做　做好分类为人人”等垃圾分类系列活动、“强化依法治水　携手共护母亲河”、“2023年长寿区最美应急人评选”、“长寿区党建引领网格治理LOGO征集”等活动15次；与区委组织部、区委宣传部、龙河镇政府等单位联合主办“贯彻二十大　相约漫慢城”橘香清明田园诗会并进行网络直播，全网浏览量超过120万人次。（汪月琴）

【广电网络基础设施建设】　2023年，中国广电重庆网络股份有限公司长寿区分公司（简称广电网络长寿区分公司）围绕存量用户开展固移融合用户迁转，赋能5G业务发展。全年新增民政局专线20条、公安专线27条、医保专线5条。签订“农家书屋”项目、天鹅堡酒店项目、香缇澜湾2期智能化建设项目、残联暖心智慧工程项目。分公司全年故障申告率≤0.5%，IP申告率≤0.5%，二级光缆（机房间）系统可用率100%，接入网（每100台有源设备）系统可用率≥99.8%。至年末，长寿4G挂站率90%，全市排名第一。定期对机房数通设备、直播射频及干线纤芯进行巡检测试，处理潜在安全播出隐患50余次。

（广电网络长寿区分公司）

文化产业

【概况】 2023年，长寿区有文化企业1280家、个体工商户4119家；全年全区文化及相关产业增加值15.1亿元，比上年增长5%。

【文化产业规模】 2023年，长寿区新增文化、旅游、体育市场主体276家，完成全年任务的153%；净增233家，完成全年任务的388%。

【文旅惠民消费】 2023年，长寿区围绕第八届重庆市文化旅游消费季活动主题，创新打造长寿消费品牌，推动文旅体消费提质扩容。策划开展重庆市长寿区第七届文化旅游体育惠民消费季活动、2023重庆市长寿区文化旅游网络惠民消费（夏季）活动，发放惠民补贴资金80余万元，带动文化旅游及相关产业消费近1000万元。

【长寿区第七届文化旅游体育惠民消费季活动】 2023年1月21日—3月31日，区文化旅游委开展重庆市长寿区第七届文化旅游体育惠民消费季活动。长寿湖景区、长寿湖欢乐世界、长寿慢城、长寿湖度假酒店、碧桂园凤凰酒店、寿岛旅行社、小百荷艺术培训、思诚跆拳道培训、森沐杰游泳健身、良曦跆拳道培训、极睿武术培训等文化（含艺术培训）、旅游、体育（含健身）企业参加活动。活动采用“满减优惠、扫码立减”的方式进行，消费者在指定商户扫码可享受每满100元减20元的优惠，单日单次单个商户消费最高减200元；同一消费者当日可在不同商户重复享受满减优惠。活动期间，发放惠民补贴资金80余万元，带动文化旅游体育及相关产业消费1000余万元。 （孙　祥）

社会科学

【概况】 2023年，重庆市长寿区社会科学界联合会（简称区社科联）学习贯彻习近平文化思想，推进社科管理、社科研究、社科普及等各项工作开展。对全区重大理论和实践问题进行研究，全年完成结题26项。举行各类科普比赛100余场。

【社科研究】 2023年，区社科联将深入实施成渝地区双城经济圈建设“一号工程”、加快建设“两地一城”等市委、区委重点中心工作纳入全区社科征集及立项研究范畴，加强对长寿特色文化的研究阐释，持续涵育“长于文、寿于和”，崇德向善，人人利他、人人成长、人人长寿的新时代长寿人文精神。会同区委网信办、区融媒体中心开设“全面推动党的二十大精神在重庆落地生根开花结果”等专题专栏，在《长寿日报》上转载、刊发理论阐释稿件300余篇。全年社科立项39项，结题26项，1篇论文获市社科联第七届学术年优秀论文优秀奖。

【社科普及】 2023年，区社科联会同区委宣传部、区委网信办、区文明城区建设管理中心、区博物馆等单位，开展党的创新理论和社科知识宣传普及活动，联合举行各级各类相关知识科普比赛100余场，联合举办地理与历史博览会、研学活动及陈列巡展活动20余次，联合开展基层社科暨理论宣讲6000余场，获评全市基层理论宣讲先进个人1名、优秀理论宣讲微视频1个。

【社科活动】 2023年，区社科联开展“5·18国际博物馆日”川渝主会场活动，开放首日长寿区博物馆接待观众近4000人。开展2023年“文化和自然遗产日”重庆主场活动——非遗购物节·第八届重庆非物质文化遗产暨老字号博览会，180个非遗和老字号项目参展，当日参与活动约5万人次。开展全民阅读暨“4·23世界读书日”活动，获《中国新闻》栏目刊发新闻《重庆：世界读书日共赴阅读之美　共建书香长寿》。优化提升杨克明故居陈列馆、狮子滩电站文化展厅、区检察院检史展览馆、江南孝道文化体验基地、区图书馆等社科基地普及示范功能。 （区社科联）

地方志工作

【概况】 2023年，重庆市长寿区地方志研究室（简称区志研室）指导志书编纂，实施重庆市名特志文化工程。启动旧志整理，推动旧志点校。编纂出版《长寿年鉴（2023）》，首次开通年鉴电子书。推进地方志资料数字化，完成地方志资料电子化120余册，提供地方志资料查询服务30余人次。筹建地方志专家（人才）库，汇集地方志专家（人才）10余人。年内，国家方志馆长江分馆项目落地长寿区。

【志书编纂】 2023年，区志研室指导《长寿湖镇志》《双龙镇志》入选重庆市名特志文化工程。推动部门整体联动，挖掘、整理、活化地方特色文化，推进第三轮志书编修资料收集整理工作。

【旧志整理与利用】 2023年，区志研室在前期对康熙五十三年、光绪元年、民国17年、民国33年版《长寿县志》完成点校及公开出版的基础上，补全《长寿县志（民国三十三年）》卷九人物列传（上）（中）（下）、忠烈、孝义、烈女等缺失部分，并重新启动点校工作。全年为区政协办、区委统战部、区农业农村委等部门以及地方志爱好者提供旧志利用服务30余人次。

【《长寿年鉴（2023）》出版】 2023年10月，由区志研室编纂的《长寿年鉴（2023）》出版。陈影、游江主编。全书110万字，设特载、专记、大事记、长寿概览、政治、经济、社会事业、镇（街道）、人物、附录、索引11个部分，卷首图以"时政要闻·蹿厉长寿"为主题刊载。该卷年鉴新增"专记""地情专文"类目及相关分目，新增"人大代表构成情况""政协委员构成情况""仲裁""自然资源保护"等16个分目，恢复设置"重庆银行股份有限公司长寿支行""交通银行股份有限公司重庆长寿支行""人物传略"分目。

【方志信息化建设】 2023年，长寿区推进方志信息化建设，全年完成24部、14022页地方文献数字化处理。其中，综合志书3部3217页，综合年鉴17部7984页，旧志4部2821页。

【国家方志馆长江分馆暨重庆方志馆项目落址长寿区】 2023年10月27日，中国地方志工作办公室《关于同意重庆市地方志办公室筹建国家方志馆长江分馆的批复》同意重庆市地方志办公室筹建长江分馆并启动相关工作，选址于长寿区徐家坪。项目用地面积约1万平方米。12月4日，区政府决定将长江分馆作为特别重大项目统一调度和启动实施，纳入全区"3113"项目攻坚行动计划，组建工作专班，聘请国内知名院士团队领衔设计，推进项目建设相关工作。 （区志研室）

档案工作

【概况】 2023年，重庆市长寿区档案馆（简称区档案馆）制定《2023年档案重点工作任务清单》，将任务分解落实到责任部门，定期评估档案工作推进情况。将档案工作纳入街镇、区级部门年度考核指标体系和全区"3113"项目攻坚行动计划考核内容。开展规范性文件立改废相关工作，清理作废公文11件。开展档案数字化，馆藏档案数字化20.15万卷、53.14万件，数字化率93.4%。

【档案接收征集】 2023年，区档案馆修订完善《重庆市长寿区档案馆收集档案范围细则》，全年接收进馆档案358卷、21163件，面向社会征集档案资料8册。启动非遗档案采集工作，开展红色档案摸底调查，梳理红色档案数量、门类、保管、开发利用等情况。

【档案安全管理】 2023年，区档案馆围绕节假日、汛期、高温等重要时间节点开展除险清患专项检查，组织全区各单位自查，累计抽查24家单位，共排查各类问题隐患15处。加强对档案外包服务监管，将档案外包服务企业纳入业务培训和监督检查范围，约谈在长寿区注册的2家档案外包服务企业负责人，全年档案外包服务纠纷和泄密安全事件零发生。协调专项资金10万元，将区档案馆原有闲置设备用房改建成档案库房，配齐安全防护设备，新增库房面积150平方米。

【档案查阅服务】 2023年，长寿区印发《长寿区档案开放工作实施方案（试行）》《重庆市长寿区档案馆馆藏档案开放审核暂行办法》，完成馆藏档案开放审核34656件，累计完成28个全宗243025件档案开放审核，向公众开放档案197520件。建立档案自助查阅、馆室共享、互联网查档、预约送档相结合的多元化档案查阅利用服务模式，实现档案信息查询利用"一网通办"，全年接待线上线下查档利用6054人次，复印档案资料25823页，点对点直送职工个人档案办理医保和社保服务518人次。

【档案业务指导】 2023年，长寿区探索数字在档案场景中的应用，建立OA政务协同平台与档案大数据综合平台数据链路，打通电子公文在线归档通道，指导9家试点单位1644件在线归档的电子档案完成移交进馆，成为全市首个具有全链条电子档案管理能力的区县。推行"政务网+查档"应用，在数字档案馆系统预留150个数据端口，指导部门、镇（街）共享档案数据。拓展民生档案"异地查档、跨馆服务"工作，共享婚姻档案9312卷、159693件，在市内实现就近、就地查档。指导双龙镇等3个街镇接收并安全保管土地确权档案。组织完成长寿区称沱至渝北界段改建工程等2个区级重点建设项目档案专项验收。

【档案宣传】 2023年，长寿区与四川省大竹县建立交流合作机制，两地档案馆签署助力成渝地区双城经济圈建设合作协议，开展互访调研3次。区档案馆与重庆钢铁档案馆联合开展"档案里的长寿记忆"主题调研活动。协同区教委举办全区教育系统档案管理人员培训班。设计制作档案文化购物袋，让档案宣传贴近群众日常生活。坚持报送档案工作信息，宣传长寿区档案工作成果和经验，被市档案局、市档案馆和国家级档案行业媒体采用推广25篇次。 （区档案馆）

卫生健康

综　述

2023年，长寿区有各类医疗机构485家，其中公立医院3家，公立专科医疗机构2家，镇卫生院和社区卫生服务中心19家，社会办医院20家，其他医疗机构441家。全区每千人口医疗机构编制床位8.13张，每千人口执业（助理）医师3.38人，每千人口执业护士5.54人。加大卫生财政投入，加快智慧医疗平台建设，加强医政药政管理，加强医疗行业作风建设，强化医疗卫生行政执法，推动医药卫生体制改革，推进基层卫生服务机构建设，加强疾病预防控制，提升医疗救治能力，促进全区卫生健康事业发展。

智慧医疗平台建设。2023年5月8日，长寿区作为重庆市数字医学影像云服务先行示范区，率先在全区范围实现医学影像检查结果互联互通互认，长寿区居民在区内的医学影像检查可在全市范围内查询互认，减少重复检查，降低居民就医费用。长寿区是全市第一个实现医学影像检查“云服务”的区县，也是第一个实现与重庆市医学影像云中心数据共通的区县。6月26日，中国肺癌防治联盟肺结节诊治分中心落户长寿区人民医院。

医疗区域协作。长寿区推动成渝地区医疗服务领域合作，促进两地三级甲等医疗机构检验检查结果互认；重庆市长寿区卫生健康委与四川省广安市卫生健康委共同建立二级医疗机构评审专家库；加强与垫江县域医疗服务协同发展，每年互派医务人员交流学习。与四川省邻水县卫生局签署卫生健康监督协议并开展联合执法检查3次。与四川省广安市、邻水县、

2023年6月26日，中国肺癌防治联盟肺结节诊治分中心落户重庆市长寿区人民医院

（区融媒体中心　供图）

华蓥市和重庆市垫江县、梁平区签订“广邻蓥、长垫梁”区域卫生健康监督联合普法执法合作协议并开展联合普法执法活动2次。

充实医疗卫生人员。长寿区加强医疗队伍建设，充实医疗卫生人员。至年末，全区共有在编医疗卫生人员2483人，非在编人员1444人。有正高级职称89人，副高级职称460人，中级职称1380人，初级职称1607人。临床医学类专业947人，中医类（中西医结合）类专业222人，护理类专业1662人，医技类专业414人。其中博士4人，硕士研究生265人，本科2444人，本科以下1214人。

卫生财政投入。长寿区全年财政投入卫生健康系统5.61亿元。其中，人员经费投入2.76亿元，公用经费投入3346万元，项目经费投入2.51亿元。

开展对口支援。根据重庆市卫生健康委员会柔性援藏工作协调会要求，区卫生健康委选派区人民医院2名妇产科、儿科医生对西藏自治区类乌齐县人民医院开展为期6个月的支援工作。

实施医疗受援帮扶。长寿区卫生健康委与垫江县卫生健康委联合出台《推进长寿区垫江县医疗协同发展实施方案》，明确两地医疗机构每年各选派不少于5名医务人员进行交流学习、长寿区帮助垫江县培训医务人员、加强两地区县级医院交流等任务。年内，垫江县鹤游中心卫生院、五洞中心卫生院、普顺镇卫生院、高峰镇卫生院、桂阳社区卫生服务中心分别派出1名医务人员到长寿区帮助工作，长寿区中医院、区人民医院分别派出2名医务人员、区精神卫生中心派出1名医务人员到垫江县帮助工作。长寿区帮助垫江县培训医务人员20名。（区卫生健康委）

医政药政

【概况】 2023年，长寿区加强医政药政管理，推进国家基本药物制度实施，推动全区39个专科质量控制中心开展质控活动，组织区内医疗机构开展优秀病例评选，提高医疗卫生服务质量和基础病案质量。

【国家基本药物制度实施】 2023年，长寿区贯彻落实国家基本药物目录使用要求，各级各类医疗机构开展用药目录动态调整，优先使用基本药物。强化三级、二级、基层医疗机构国家基本药物使用比例，督促指导医疗机构加强基本药物配备使用管理，将基本药物品种占比和采购金额占比纳入医疗机构年终考核内容。开展基层合理用药培训10余次，派遣临床、药学等专家对基层药学开展帮扶指导20余次，指导各基层医疗机构开展处方点评，提升全区药学服务和药事管理能力。（但昆华）

【药品集中采购】 2023年，长寿区常态开展药品和耗材集中采购，全区公立医疗机构参加国家级、省级药品集中采购4个批次，参加国家级、省级耗材集中采购7个批次，药品集中采购金额6093.69万元，耗材集中采购金额2006.76万元，价格平均降幅62%，最高降幅95%。（殷冰洁）

【医疗行业作风建设】 2023年，长寿区开展医药领域反腐败问题集中整治，建立由区政府分管副区长任组长，区卫生健康委牵头，区公安局、区审计局、区医保局、区市场监管局主要领导为成员的集中整治工作领导小组，负责集中整治工作具体指导。各医疗机构对照6个方面问题清单开展自查自纠，共查处问题130个，全部整改到位。将行风建设专项整治、清廉医院建设与医药领域腐败问题集中整治工作相结合，确定“10个清廉”建设目标。修订完善医疗质量管理、财务管理、后勤保障等规章制度64项。（但昆华）

【公共卫生应急管理】 2023年，长寿区制定《长寿区突发公共卫生事件专项应急预案》，加强卫生健康行政部门和4个区级医疗物资库房运营管理。根据《重庆市区县级卫生应急队伍标准化建设指导方案（试行）》要求，采取AB角形式调整配置紧急医学救援队员40名、突发急性传染病防控队员30名、中毒事件处置队员20名。根据《重庆市卫生健康委员会办公室关于加强背囊化卫生应急快速小分队建设的通知》要求，组建紧急医学救援、突发急性传染病防控、突发中毒事件处置、突发事件心理救援4支背囊化应急小分队，按照标准配齐装备。全年报告突发传染病公共卫生事件20起，其中新型冠状病毒感染疫情1起，诺如病毒感染性腹泻事件6起，流感疫情13起，均未分级。（罗晋任川）

【医疗卫生行政执法】 2023年，长寿区强化重点领域监督执法，开展公共场所卫生、学校卫生、饮用水卫生、传染病防治、医疗卫生等日常卫生监督执法工作。全区共有被监督单位2106个，监督覆盖率100%。全年办理行政处罚案件150件，行政罚款金额63.92万元，没收违法所得4.07万元。开展医疗机构依法执业专项监督检查、医疗美容突出问题专项整治等，全年监督检查医疗机构593家次，立案查处25家。（胡倩）

【血液管理】 2023年，长寿区共采集全血5908人次，比上年下降

5.62%；采血量9845U，比上年增长1.21%。开展血液检测5908人次，不合格率1.27%，比上年下降0.51%。血液检测不合格项目由高到低依次为核酸联检32人次、梅毒28人次、HBsAg10人次、ALT4人次、HIV-AgAb1人次。核酸鉴别试验乙肝DNA阳性12例，阳性率37.5%。长寿区医学检验质控中心常规开展新鲜血液标本比对，加强血液质量管理。优化血液管理信息化建设，开展血液安全风险监测预警和血液安全技术核查，促进临床合理用血质控。（但昆华）

医药卫生体制改革

【医疗资源布局】 2023年，长寿区推动医疗机构等级达标和学科建设，区精神卫生中心成为全市首家标准化三级精神卫生中心。新增市级重点专科1个，新建区级临床重点专科3个。推动长寿湖镇、葛兰镇和洪湖镇3家卫生院建设区域医疗卫生次中心。至年末，全区有各级各类医疗机构485家。其中，有区人民医院、区中医院、风城监狱医院3家公立医院，有区精神卫生中心、区妇幼保健院2家公立专科医疗机构，有镇卫生院和社区卫生服务中心19家，社会办医院20家，其他医疗机构441家（血液透析中心2家，门诊部、诊所、医务室、卫生站235家，村卫生室204家）。全区每千人口医疗机构编制床位8.13张，比上年增长2.52%；每千人口执业（助理）医师和执业护士分别为3.38人和5.54人。

【医共体建设】 2023年，区卫生健康委整合辖区内医疗资源，会同财政、医保、编办等部门推动“三医”联动。实施辖区内上下级医疗机构慢性病用药目录71个品规统一衔接；派驻“县聘乡用”及基层医疗卫生服务人员43名，实现优质医疗资源下沉；筹建“区级医疗技术协作资金池”“基层医疗机构发展资金池”2162万元。推进DRGs付费和单病种付费改革，推动医共体内人力资源、医疗业务、财务制度、绩效考核、资源配置、集中采购、信息化建设、医保支付8个方面统一管理，推进医共体建设。

【公立医院改革】 2023年，区卫生健康委开展二、三级公立医院绩效考核，按国家及市级部署开展公立医院高质量发展监测督导评价。推进区人民医院开展三级甲等医院复评，区中医院推动三级甲等中医院创建，推进胸痛、卒中、创伤、危重孕产妇救治、危重儿童和新生儿救治中心六大中心建设。推进改善就医服务提升患者就医体验主题活动，优化就医流程，落实预约诊疗、远程医疗、临床路径管理、检查检验结果互认等制度。推进基层医疗卫生机构标准化建设、规范化管理，开展“优质服务基层行”活动和“美丽医院”建设，提升医院服务环境。建设健康医疗大数据平台，发展“互联网+医疗健康”。在区人民医院、区中医院开展“零排队就医”“零陪护病房”“信用就医”人性化服务试点。区人民医院建成互联网医院。

【药学服务改革】 2023年，长寿区送培临床药师4名、临床药师骨干1名，全区二、三级医院药学人员达到卫技人员总数的5%。三级医院实现药学门诊开设率100%，门急诊处方前置审核全覆盖，推进用药安全合理科学。（于　飞）

基层医疗卫生

【基本公共卫生服务】 2023年，长寿区完成居民电子建档53.6万份，建档率77.44%，规范化电子建档43万份，居民规范化电子健康档案覆盖率62.12%。65岁及以上老年人城乡社区规范健康管理服务92971人，规范健康管理服务率63.42%。建立预防接种证38762人，建证率100%，预防接种完成卡介苗等8种疫苗64858针次，“八苗”报告接种率均超过95%。全区活产2470人，辖区内孕13周之前建册并进行第一次产前检查的产妇2361人，早孕建册率96.96%；产妇出院后28天内接受过产后访视的人数2379人，产后访视率96.32%。按照规范要求接受1次及以上访视的新生儿2417人，新生儿访视率97.85%；接受1次及以上随访的0~6岁儿童23027人，儿童健康管理率95.38%；接受1次及以上眼保健和视力检查的0~6岁儿童23016人，0~6岁儿童眼保健和视力检查覆盖率95.33%。接受中医药健康管理服务65岁及以上居民8.9万人，老年人中医药健康管理率60.8%。按照月龄接受中医药健康管理服务的0~36个月儿童3239人，0~36个月儿童中医药健康管理服务率88.40%。网络报告传染病19324例，传染病疫情报告率、及时率均达100%。报告突发公共卫生事件相关信息20个，突发公共卫生事件相关信息报告率100%；肺结核患者管理157例，肺结核患者管理率100%；卫生计生监督协管信息报告率100%。

【基层卫生服务机构建设】 2023年，长寿区有国家甲级基层医疗机构6家，占33.3%；有国家乙级基层医疗机构11家，占100%。统筹推进基层医疗机构建设，菩提街道社区卫生服务中心建成投用；云集镇卫生院业务用房旧房改造完成、新建业务楼完成工程招标；石堰镇卫生院迁建以及沙石分院项目完成规划选址、方案设计等工作；规划新市街道社区卫生服务中心、江南街道社区卫生服务中心扩建；启动葛兰、洪湖、长寿湖镇区域医疗次中心建设。

【基层卫生服务人才建设】 2023年，长寿区支持镇卫生院拿出9个编制进行大学生村医招录。建立编制动态调整机制，调整基层医疗机构编制48人。签订订单定向医学生培养协议1人，引进急需紧缺人才30余人，开展全科医生转岗培训20人，选派上级进修30余人。从公立医院选派“县聘乡用”人员38名到基层医疗卫生机构服务，下派人才服务基层群众2.16万余人次，带动基层医疗卫生机构总诊疗人次比上年增长24%。

【家庭医生签约服务】 2023年，长寿区引导医共体牵头医院医生、护士、慢病专家加入家庭医生队伍，提升家庭医生团队诊疗能力。全区210个家庭医生服务团队共签约25.3万人，签约率36.6%，其中建档立卡脱贫户签约13830人，在家建档立卡脱贫人口签约率100%。

（区卫生健康委）

疾病预防控制

【概况】 2023年，长寿区开展疫苗接种，推进慢性病综合防治，推进地方病、职业病、精神疾病防治，实施疾病监测，开展健康教育，提升全民健康素养和健康水平。全年居民期望寿命为79.78岁，其中男性期望寿命为77.40岁，女性期望寿命为82.54岁。

【传染病防治】 2023年，长寿区无甲类传染病报告，报告乙类传染病3774例，报告丙类传染病15112例。对报告的登革热、疟疾、新冠病毒新型变异株感染病例等重点传染病进行调查核实和规范处置。8月，开展全区乙类重点传染病专项调查，与上年同期相比，乙肝发病率下降62.65%，肺结核发病率下降14.82%，痢疾发病率下降59.93%，丙肝发病率下降24.17%。全区共报告突发传染病公共卫生事件20起，1起为新型冠状病毒感染疫情，6起为诺如病毒感染性腹泻事件，13起为流感疫情。

【疫苗接种】 2023年，长寿区共接种免疫规划疫苗82953人次，除A群流脑疫苗接种率为98%，其他种类的免疫规划疫苗接种率均超过99%。开展校园重点传染病疫苗查漏补种工作，共查验学生40563名。全年接种水痘疫苗36070剂次、腮腺炎疫苗35033剂次、手足口疫苗7250剂次，分别比上年增长294.60%、746.62%、21.69%。接种流感疫苗19354剂次，比上年增长19.62%。开展初二适龄女生HPV项目工作，接种HPV疫苗1939人，接种率78.82%，共接种2859剂次。

【慢性病综合防治】 2023年，长寿区心脑血管疾病、慢性呼吸系统疾病、糖尿病和恶性肿瘤4类主要慢性病占全人口死亡的79.36%，比上年下降1.47%；粗死亡率649.82/10万，比上年下降116.02/10万；标化死亡率367.37/10万，比上年下降27.91/10万。全年累计管理高血压病人59976人，任务完成率100%；规范管理高血压病人37296人，规范管理率62.18%；最近一次血压达标人数42217人，血压控制率70.39%。累计管理糖尿病病人20551人，任务完成率100%；规范管理糖尿病病人12768人，规范管理率62.13%；最近一次血糖达标人数14473人，血糖控制率70.39%。

【地方病防治】 2023年，长寿区开展碘缺乏病监测，共监测220份儿童家中食用盐、220份儿童尿样。其中，合格碘盐207份，不合格碘盐13份，碘含量中位数为24.1毫克/千克，碘盐覆盖率100%，合格碘盐食用率94.09%；尿碘中位数为286.3微克/升。开展儿童甲状腺筛查220人，甲状腺肿大6人，肿大率2.73%，符合碘缺乏病消除标准。监测孕妇尿液101份，尿碘中位数为186微克/升。监测孕妇家庭食用盐101份，碘盐101份，合格碘盐98份，碘含量中位数为21.8毫克/千克，碘盐覆盖率100%，合格碘盐食用率97%。开展克山病监测，全区共搜索区级医疗机构4个、乡（镇）级医疗机构11个、村级卫生室137个，搜索出心肌病病例621人。

【职业病防治】 2023年，长寿区开展职业病防治“十四五”中期评估，排名全市第九位。召开企业负责人与管理人员职业健康培训会5期，312家企业648人参训。开展职业卫生监督协管巡查，全年巡查企业289家，发现问题线索13条。开展重点领域监督执法，检查重点企业75家，立案查处19件，罚款6.35万元。检查职业健康体检机构4家、职业卫生技术服务机构1家。新增2个管家服务团队，新签订企业6家，开展管家服务活动11次。组织103家尘毒噪超标企业开展专项治理，治理岗位合格率95.97%。对金华兴门业等3家微型企业开展职业健康帮扶。川维化工、化研院新材料、英斯凯、华彩化工4家企业创建成为重庆市健康企业。

【精神疾病防治】　2023年，长寿区在册严重精神障碍患者4376人。患病报告率6.29‰，规范管理率98.24%，服药率96.85%，规律服药率85.01%。精神分裂症患者服药率96.87%，精神分裂症患者规律服药率86.27%，面访率98.97%，社区康复率86.38%。3月，长寿区精神卫生中心晋升为全市首家三级标准化精神卫生中心。

【疾病监测】　2023年，长寿区累计上报死亡个案5674例，报告粗死亡率818.80/10万。累计上报脑卒中病例4452例，报告发病率642.46/10万。累计上报心肌梗死病例561例，报告发病率80.96/10万。累计上报慢阻肺病例7138例，报告发病率1030.07/10万。累计上报肿瘤病例3089例，报告发病率445.77/10万。

（任　川　胡　倩）

妇幼保健

【概况】　2023年，长寿区开展产科医生能力培训，提升产科医生孕产妇救治能力，实现孕产妇“零死亡”。推进儿童健康管理，0~6岁儿童健康管理率95.38%。开展托育服务宣传，推进婴幼儿托育照护。

【孕产妇保健】　2023年，长寿区婚检率76.84%，孕优覆盖率超过90%。执行“五色管理制度”，对红色高危和紫色孕产妇实行专案管理，实施“区级—镇（街）—村级”三级联动追踪随访，连续5年保持孕产妇“零死亡”，孕产妇系统管理率94.62%。开展产科医生能力提升现场培训，开展2次危重孕产妇病例评审。开展“母婴安全技能大赛”，将“产后出血”处置纳入助产机构常规技能演练，提升全区产科医生孕产妇救治能力，保障母婴安全。

【儿童保健】　2023年，长寿区推进0~6岁儿童健康管理，规范辖区0~6岁儿童健康档案，开展0~6岁儿童眼保健和视力检查，将儿童眼保健档案纳入信息化管理。0~6岁儿童健康管理率95.38%，眼保健和视力检查覆盖率95.33%。全区婴儿死亡率2.02‰，5岁以下儿童死亡率3.64‰，新生儿死亡率1.21‰。组织开展全区新生儿复苏培训考核，参加培训医务人员考核合格率100%。区妇幼保健院创建成为首批AA级孤独症定点康复机构、重庆市AA级儿童保健标准化门诊。长寿区托育综合服务中心依托区妇幼保健院成立长寿区婴幼儿照护服务指导中心。

【“两癌”筛查】　2023年，长寿区开展“两癌”（乳腺癌和宫颈癌）筛查工作，完成宫颈癌筛查11057人、乳腺癌筛查11033人。

【母婴安康行动】　2023年，长寿区孕产妇零死亡；完成孕优检查3237例，婚检5391人，婚检率76.84%；免费新生儿疾病筛查2467人，筛查率99.88%；听力筛查2434例，筛查率98.54%；机构内活产2282人，剖宫产962人，剖宫产率42.16%，其中首次剖宫产420人，首次剖宫产率35.23%。

（陈　锐　杜华莉）

中医药事业

【概况】　2023年，长寿区建立以区政府常务副区长为召集人，分管副区长为副召集人，多部门主要负责人为成员的长寿区中医药工作联席会议制度，完善中医药服务体系，推进中医药服务能力建设。培育中医药人才，建立名医馆，推进全区中医药事业发展。

【中医药服务能力建设】　2023年，长寿区申报国家优势专科建设项目，区中医院肺病科和心病科申报成为重庆市中医重点专科建设项目；凤城、双龙、洪湖精品中医馆建设项目申报成功，江南中医馆通过市级精品中医

2023年10月19日，全国名中医刘华宝传承工作室在长寿区成立

（区融媒体中心　供图）

馆验收。建立村医中医药服务能力常态化培训机制，全区84.6%的村卫生室能提供4项6类中医药适宜技术。组建中医药宣传专家组，拍摄发布“了不起的中医”系列宣传视频。

【中医药人才培养】 2023年，长寿区举办重庆市名中医分会换届大会暨学术年会，与中医药行业协会名中医分会签订战略合作协议。区中医院与重庆市化工职业学院签订康复专业共建合作协议。开展第三届长寿区名中医评选工作，评选出长寿区名中医5名，累计评选出区级名中医22名，培养重庆市名中医2名、重庆市基层名中医2名。

【名中医传承人工作室】 2023年，长寿区引进国医大师廖品正、全国名中医刘华宝等中医药知名专家在长寿区建立传承工作室，重庆市名中医刘华宝、徐月、夏敏、叶秀英定期在长寿区坐诊。其中廖品正国医大师传承工作室申报成为重庆市卫生健康委发起的市外知名中医药专家在渝工作室建设项目。（简 敏）

爱国卫生

【概况】 2023年，长寿区组织爱国卫生方面专家组对创建市级卫生镇工作进行综合评审。结合第三十五个爱国卫生月活动，开展环境卫生集中治理。开展公共场所控烟管理和监督执法，推动无烟单位建设。推动健康细胞打造，全年创建健康机关47个、健康社区27个、健康村56个、健康学校43所、健康促进医院23家、健康企业11家、健康家庭64420户。

【爱国卫生宣传】 2023年，长寿区健康中国重庆行动长寿推进办、区爱卫办、区卫生健康委在长寿湖镇围绕“宜居靓家园 健康新生活”活动主题，联合开展第三十五个爱国卫生月暨长寿湖镇创建国家卫生镇集中宣传活动。区爱卫办作出“树立健康理念，持续强力推动爱国卫生运动”和“全民共同参与，积极高效共创美丽家园”的工作安排。区级相关部门和医疗机构在活动现场分别开展宣传资料发放、义诊咨询、健康科普、疾病防治知识宣传活动，倡导群众树立“每个人是自己健康第一责任人”的健康理念和“文明健康绿色环保”的生活方式理念。长寿湖镇组织群众代表、志愿者代表对镇主干道开展大清扫活动。区爱卫会成员单位、19个镇街、相关医疗机构、志愿者及群众代表共300余人参加活动。

【卫生城镇创建】 2023年，长寿区向市爱卫办申报创建市级卫生单位3个（区人民检察院、区卫健委、区人民医院）、市级卫生村3个（菩提街道阳鹤村、葛兰镇黄家坝村、万顺镇东风村）。至年末，长寿湖镇、邻封镇、双龙镇、万顺镇4个镇创建成为市级卫生镇；万顺镇万兴社区，龙河镇四坪村、河堰村，云台镇八字村、小岩村、拱桥村，菩提街道阳鹤村，葛兰镇黄家坝村，万顺镇东风村9个村（社区）创建成为市级卫生村。推动健康区建设工作，11月通过健康区建设市级技术评估。

【病媒生物预防控制】 2023年，长寿区结合第三十五个爱国卫生月活动，集中治理环境卫生，开展重点病媒生物防制活动，印发《2023年长寿区重大传染病防控病媒生物监测项目实施方案》等文件。根据蚊、蝇、蟑螂等病媒生物泛滥趋势，开展病媒生物常态化监测和病媒生物防制培训。组织各单位开展灭杀活动，通过清洁环境从源头上消除病媒生物孳生地。开展病媒生物季节性集中统一防灭活动，鼠蚊蝇蟑螂密度达到国家标准。

【控烟履约】 2023年，长寿区成立禁烟组织机构，开展“5·31世界无烟日”等宣传活动22场、烟草危害相关健康知识讲座20余场。推动落实公共场所控烟管理和监督执法，推进无烟党政机关、无烟医疗机构、无烟学校、无烟企业和无烟家庭建设。全年创建市级无烟机关示范单位9个（区检察院、区法院、区卫生健康委、区市场监管局、住房公积金管理中心长

2023年4月26日，长寿区第35个爱国卫生月暨长寿湖镇创建国家卫生镇启动仪式在长寿湖铁人广场举行 （区融媒体中心 供图）

寿区分中心、区政务服务办、区气象局、邻封镇、长寿湖镇）。

【健康促进工作】 2023年，长寿区开展“健康社区/村、医院、学校、机关、企业”建设活动。在洪湖镇、海棠镇、云集镇、江南街道、新市街道和渡舟街道6个监测点的12个村/社区开展居民健康素养监测工作。推动健康区建设工作，11月通过健康区建设市级技术评估。建立健康中国重庆行动长寿实践推进委员会议事协调机制，开展健康促进系列科普活动，组织参加健康中国重庆行动知行大赛，实施健康知识普及、合理膳食等15项专项行动，提升全民健康素养和健康水平，居民素养水平为31.85%。

【环境卫生整治】 2023年，长寿区印发《关于开展冬春季爱国卫生运动助力疫情防控的通知》《关于深入开展爱国卫生运动助力冬春季传染病防控工作的通知》等文件，动员各单位发挥爱国卫生运动的组织优势，以强化病媒生物防制为重点，提升环境卫生质量，从源头上截断传染病传播的病媒媒介，巩固环境卫生整治成果。通过开展“农村爱国卫生运动”专项行动，巩固改善城乡环境面貌，解决农村“脏乱差”易反弹问题。持续培养农民群众清洁卫生习惯，普及文明健康、绿色环保的生活方式。全年创建健康社区27个、健康村56个、健康家庭64420户。

【健康教育及科普】 2023年，长寿区举办健康教育工作培训会3次，培训300余人次，每季度开展1次督导检查。开展梦想课堂“五进”活动，将健康知识带进院坝、社区、学校、机关和企业，在晶山小学、云台镇黄桷九年制学校、江南街道龙山社区、渡舟街道办事处等开展梦想课堂“五进”活动120余次，受众3000余人次。利用《长寿日报》、“人人长寿”APP、微信公众号等媒体，开展健康科普知识宣传。举办“妈妈课堂”“慢病之家”“乡间板凳课堂”等健康科普活动。全年发放健康教育资料31.9万册，设置健康教育宣传专栏239块，更新1350次，举办健康教育讲座1366次、咨询活动207次。

（何昌洲　任　川）

卫生监督

【概况】 2023年，长寿区整合卫生健康领域行政执法职能，构建卫生监督执法体系。开展卫生监督检查，办理行政处罚案件150件。打击非法行医，立案查处2件。

【卫生监督执法体系建设】 2023年，长寿区推进卫生健康行政执法规范化建设，整合卫生健康领域行政执法职能，健全区卫生健康综合行政执法队伍。建立区卫生健康委主要领导负全责、分管领导负专责、卫生健康综合行政执法支队具体落实的监督执法责任制。完成卫生健康综合行政执法支队业务用房搬迁，实现行政执法机构明确、场所独立、装备完善、制度健全“四到位”。

【卫生监督检查】 2023年，长寿区开展公共场所卫生、学校卫生、饮用水卫生、传染病防治、医疗卫生等日常卫生监督执法工作。全年共有被监督单位2106个，监督覆盖率100%。行政处罚案件150件，行政罚款金额63.92万元，没收违法所得4.07万元。

【卫生监督量化管理】 2023年，长寿区推行卫生监督量化管理，开展辖区内公共场所卫生信用评价和奖励惩戒工作。全年综合评价确定信用优秀公共场所4家、信用较好公共场所769家、信用一般公共场所24家。根据卫生信用评价结果，在“双随机、一公开”监督检查、日常监督检查中实施差异化监管。

【非法行医打击】 2023年，长寿区打击非法行医，开展医疗机构依法执业、医疗美容突出问题专项整治。全年监督检查医疗机构593户次，立案查处25家，罚款4.35万元。接到投诉举报26件，其中非法行医立案查处2件，罚款39.6万元。（胡　倩）

医学教育科研

【医技人才培训】 2023年，长寿区组织区级以上的医疗服务能力学术会议8次，各医疗机构共开展学术活动239次。区级医疗机构接收实习、见习生648人，区人民医院规培基地住培38人、助理全科40人、全科转岗43人、护士规培120人。

【继续医学教育】 2023年，长寿区医疗机构共申报医学教育项目102个，完成项目98个，卫生专业技术人员参与4350人次，继续教育参与率91%。

【专业职称考试】 2023年，长寿区落实一线医务人员职称晋升优惠政策，开展卫生资格考试、护士资格考试、医师资格考试、卫生序列高级职称评审等工作，服务卫生人才1900余人次。全年卫生序列高级职称评审申报81人，通过54人，通过率66.67%。

【医学科研项目】 2023年，长寿区卫生健康系统申报科研项目有“急性期精神分裂症患者暴力行为与炎性因子的相关研究”“耳穴贴压治疗男性非器质性性功能障碍效果研究”“中药脐灸治疗脾虚夹滞型儿童功能性腹痛临床观察”等11项。其中，“急性期精神分裂症患者暴力行为与炎性因子的相关研究”“SSRI类药物联合喹硫平对伴睡眠障碍的抑郁障碍患者临床疗效相关研究”“凝血、纤溶功能指标及NETs检测在脓毒症疾病中的临床价值”等6项结题。

（林　露　罗　晋）

医疗卫生机构

【概况】　2023年，长寿区有区级医疗机构4家，分别为区人民医院、区中医院、区妇幼保健院、区精神卫生中心。

【长寿区人民医院】　长寿区人民医院建于1940年，是一所集医疗、教学、科研、预防、保健为一体的国家三级甲等综合性医院，是重庆医科大学附属长寿临床教学培训中心、重庆医科大学附属第一医院长寿医院、重庆大学附属肿瘤医院肿瘤规范化诊疗基地、国家级助理全科规范化培训基地、重庆市博士后科研工作站，设有长寿区司法鉴定所、长寿区老年康复研究所，代管长寿区中心血库。2023年，医院有北城、北观两个院区，总占地面积10.07公顷（规划用地18.27公顷），总建筑面积18.3万平方米，编制床位1490张，实际开放床位1266张，开设临床科室32个、医技（辅）科室9个。拥有长寿区医疗质量控制中心33个，建成长寿区胸痛、卒中、创伤、危重孕产妇救治、危重儿童救治、远程心电、远程影像七大临床中心诊疗体系，其中卒中中心创建成为国家级卒中综合防治中心。有重庆市特色专科2个（呼吸内科、泌尿外科）、重庆市临床重点专科4个（普外科、急诊医学科、医学检验科、重症医学科）、重庆市区域医学重点学科3个（普外科、呼吸与危重症医学科、医学检验科）。有国务院政府特殊津贴专家2人，国内外访问学者8人，高级职称252人，博士、硕士研究生191人，长寿工匠2人，高层次人才认定89人，重庆市区县医疗卫生学术技术带头人10人。在国家与省级医学会、医师协会、抗癌协会及其各专业委员会任职近100人。有1.5T MRI核磁共振成像系统2套、160层螺旋CT 1台、128层螺旋CT 1台、64层螺旋CT 2台、16层螺旋CT 1台、DR数字平板摄影仪5台、DSA大型血管造影机2台、生化免疫分析流水线系统、负压型救护车、高端彩超等先进设备约1.7万台件，以及同级医院中先进的PCR临床基因扩增检验实验室、百级手术间、介入手术间、负压手术间、重症监护室、神经外科重症监护室、新生儿重症监护室、心血管监护室、神经内科重症监护室、呼吸重症监护室、区域性消毒供应中心、血液透析中心、智慧化药房、气动物流传输系统等。

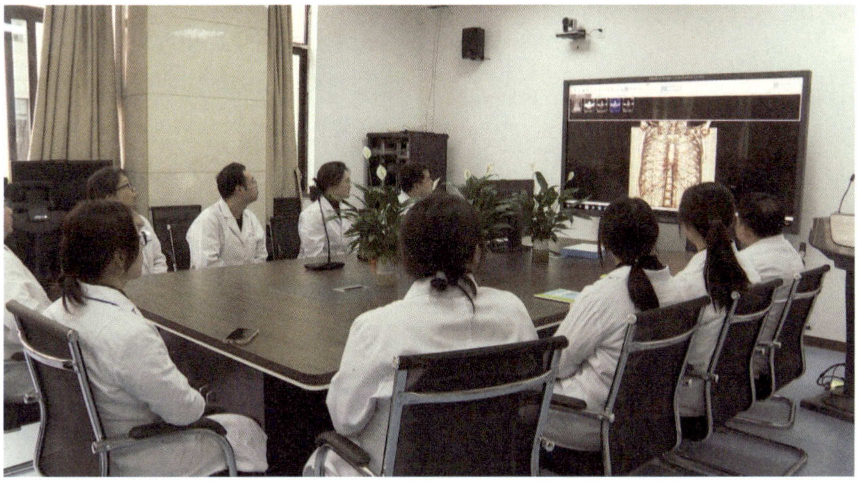

2023年12月，区人民医院远程影像诊断中心投用　（区融媒体中心　供图）

【长寿区中医院】　长寿区中医院建于1973年7月，是集急救、医疗、预防、保健、康复、医养、教学科研等为一体的国家三级综合性中医医院，是重庆市“防治卒中中心”、重庆大学附属肿瘤医院中医肿瘤规范化诊疗基地。常年开展中医医疗技术项目70项，有9个国家及省市级中医重点、特色专科，其中针灸科为国家中医药管理局“十二五”中医重点专科，中医妇科为国家中医药管理局农村中医特色专科，骨科为重庆市中医特色专科，脾胃病科为重庆市“十二五”中医重点专科，脑病科为重庆市“十三五”中医重点专科，肛肠科、肺病科、心血管科为重庆市中医重点专科建设项目。建立国医大师廖品正传承工作站、全国名中医刘华宝传承工作室、重庆市名中医叶秀英传承工作室、重庆市名中医徐月传承工作室，开设龚致平全国基层名老中医药专家传承工作室。2023年，医院本部一期占地面积1.69公顷，建筑面积19131平方米；二期占地面积1公顷，建筑面积45903平方米；三期占地1公顷，建筑面积3.5万平方米；医养中心占地2公顷，建筑面积4.5万平方米。西门分院建筑面积6672平方米，开放病床159张；菩提分院建筑面积6800平方米，12月投用。医院有3.0T超导磁共振、320排螺旋CT、数字减影造影X射线机（DSA）、数字化X射线机、彩色多普勒超声诊断仪等设备，有电子肠镜、胃镜、支气管镜、鼻窥镜、腹腔镜、椎间孔镜等多台高清内窥镜系统，建有标准化发热门诊及PCR实验室。有正高职称19人、副高职称64人、中级职称196人。其中博士研究生1人，硕士研究生56人，国务院特殊津贴获得者1人，全国五一劳动奖章获得者1人，重庆市名中医2人，重庆市区县医学头雁人才4人、重庆市优秀青年中医2人、重庆市医疗卫生学术技术带头人3人，长寿区名中医11人。开设临床科室30个，医技科室8个，病区21个。全年门急诊患者428984人次，出院患者31099人次，实施手术4918台次，三四级手术占比55.63%，出院患者中药饮片使用率52.85%。

2023年3月，长寿区妇幼保健院儿科获“全国巾帼文明岗”称号

（区融媒体中心　供图）

【长寿区妇幼保健院】　长寿区妇幼保健院建于1952年，是一所集保健、临床、科研、教学于一体的国家二级甲等妇幼健康服务机构。2015年6月机构整合后，成立孕产保健部、儿童保健部、妇女保健部、计划生育技术服务部，开设二级专科28个，有5个医技科室，编制床位153张。医院是长寿区危重孕产妇和危重新生儿救治中心、长寿区儿童医疗保健中心、长寿区乳腺医疗保健中心，是全国女性卵巢保护与抗衰促进工程内分泌特色门诊中心及更年期特色门诊中心、重庆市首批更年期保健特色门诊、首批AA级孤独症定点康复机构、市AA级儿童保健标准化门诊。2023年，医院有重庆市特色专科1个（孕产保健）、重庆市妇幼重点专科5个（产后保健、乳腺保健、更年期保健、儿童生长发育、中医儿科），有长寿区临床重点专科2个（乳腺外科、儿科）。有彩超、钼靶、飞利浦CT、DR、电阻抗乳腺检测仪（MEIK）、肺功能仪等医疗设备。有职工272人，其中高级职称22人。

【长寿区精神卫生中心】　长寿区精神卫生中心（区第三人民医院、区心理健康服务中心、区职业病防治中心、区危化应急医学救援中心、晏家街道社区卫生服务中心）建于1984年，集医疗、教学、科研、预防、康复和计划生育服务为一体，是重庆市首家标准化区县三级精神卫生中心。2023年，医院辖晏家院区、葛兰院区、长寿经开区急救站，总占地面积9公顷，建筑面积5.2万平方米。编制床位499张，开放床位1050张。有职工400余人，其中高级职称50余人。设有精神科、心理科（儿童少年心理科）、康复精神科、老年精神科、中西医结合精神科、娱疗康复科、内科、外科、妇产科、五官科、康复医学科（中医馆）、急诊科、职业病防治科、公共卫生科、药剂科、麻醉科、放射科、特检科、检验科、内窥镜室等临床医技科室21个。有CT、DR、C臂、数字胃肠机、胶囊内窥镜系统、宫腔观察吸引手术系统、彩超、超声骨密度仪、全自动生化分析仪、电子腹腔镜、电子胃肠镜、臭氧治疗机、无抽搐电休克治疗仪、团体生物反馈治疗仪、心理CT、失眠治疗仪、HRV身心反馈系统、EMS体外冲击波治疗仪等现代化医疗设备，能开展多导睡眠监测、经颅磁刺激治疗等多种专科特色诊疗技术。

【菩提街道社区卫生服务中心】　菩提街道社区卫生服务中心建筑面积6800平方米，编制床位99张，主要为辖区居民提供基本医疗、公共卫生、全生命周期健康管理、中医药等服务。有先进的彩超、多排螺旋CT、数字化医用X射线设备（DR）以及心电监护仪、心电图机、除颤仪等急诊急救设备和血常规、尿常规、生化分析仪等医学检验设备，是集预防、医疗、保健、康复、健康教育服务等功能于一体的基层卫生服务机构。

（区卫生健康委）

体　育

综　述

2023年，长寿区有体育场地设施3604个，体育场地设施总面积233.06万平方米，人均体育设施面积3.42平方米，城镇社区实现15分钟健身圈全覆盖，区、镇（街道）、村（社区）三级公共体育设施网络体系基本形成。推进学校体育发展，成立运动队108支，在训队员2600余名。开展社会体育指导员培训，培训合格249人；开展群众体育活动，组织参加重庆市全民健身运动会门球、桥牌、乒乓球等项目比赛，全区经常参加体育锻炼人口占比52%；开展竞技体育，相继举办2023长寿湖马拉松赛、2023重庆渝东第一届围棋双人联棋邀请选拔赛、长寿区第七届传统武术精英赛、重庆市第三届龙舟公开赛（长寿站）、第二届重庆长寿中匈皮划艇邀请赛、第二届川渝桥牌交流对抗赛、重庆市青少年跆拳道锦标赛、2023年“长寿湖杯”国际棋联女子世界锦标赛对抗赛、2023全国太极拳公开赛（南部赛区）等各类体育赛事活动50余场。组织参加各级体育比赛，长寿区运动员参加国际赛事获金牌1枚；参加国家级赛事获金牌5枚、银牌6枚、铜牌3枚；参加市级赛事获金牌42枚、银牌47枚、铜牌69枚。（刘人荣）

体育设施

【概况】 2023年，长寿区体育场地设施总面积233.06万平方米，人均体育面积3.42平方米。全区有田径场地103个、游泳场地52个、足球场地75个、篮球场地613个、排球场地16个、乒乓球场地1258个、羽毛球场地335个；有全民健身路径884条、健身步道377.87千米。（刘人荣）

【市区共建田径运动队】 2023年7月24日，长寿区人民政府与重庆市体育局签署合作协议，共建重庆市田径优秀运动队，为国家和重庆市培养输送优秀田径运动员、教练员和管理人员。年内，在全国范围招录优秀田径运动员20名，建立全市田径人才梯队。

【长寿区2所学校入选国家体育后备人才基地】 2023年11月2日，国家体育总局发布《关于命名“国家高水平体育后备人才基地（2021—2024）”的决定》，重庆市长寿区青少年业余体校和重庆市远恒佳学校入选。重庆市长寿区青少年业余体校设有田径、游泳、射击、射箭、篮球、足球、羽毛球、摔跤、柔道、跆拳道、拳击、武术套路、散打、体育舞蹈、乒乓球、艺术体操、象棋、围棋18个市运会项目，分布在16所体育特色项目学校，注册训练运动员1800

余人。曾被授予“最佳输送单位”“优秀重点体校”称号。长寿区有8名运动员代表重庆市参加全国第十四届运动会；1名长寿籍运动员代表中国参加在杭州举办的第十九届亚运会，并取得竞走混合团体35千米冠军。重庆市远恒佳学校由深圳市远恒佳教育集团投资创办，集幼儿园、小学、初中、高中于一体（15年一贯制学校）。

（李　凯）

【体育场馆服务】　2023年，长寿区体育中心田径场、足球场、公共体育馆、户外篮球、门球、气排球、羽毛球场、乒乓球场、网球场以及户外健身路径全年免费开放，每天开放时间不少于12小时；室内篮球馆、室外足球场、瑜伽馆等场馆实行低收费开放，开放时间不少于8小时。全年开展篮球、足球等体育赛事活动20场次，参与人数2万人次；开展大型群体性文体活动3场次，参与人数5000余人次；开展足球、太极拳等培训项目7个，培训人数5万余人次。体育馆全年服务市民20.11万人次，体育场和外围体育场地设施全年服务市民50.84万人次。体育场中心为17个社会体育组织提供活动场所，会员1600人。

【长寿区体育馆】　长寿区体育馆2008年4月竣工投入使用，投资总额1.1亿元，用地面积12公顷，是集体育比赛、全民健身、体育培训、文艺演出、大型展览（销）、游览观光于一体的多功能建筑群。体育馆有公共体育场1个，建筑面积1.1万平方米，设置四周看台22470座、标准塑胶田径场1个、11人制标准人造草坪足球场1个；公共体育馆1座，建筑面积1.02万平方米，设置看台3184座、篮球场1个；中心公园1个，设置公园环行健身步道1000米，绿化面积1.2万平方米。体育馆主体建筑设置新闻媒体房、体能训练房、接待室、会议室、反兴奋剂检测室、科研医务室、淋浴室等多功能用房，增设停车位300个，承接全国单项体育赛事和全市综合性体育赛事；附属健身场馆有1万平方米的全民健身广场1个、文旅健身馆1个、瑜伽馆1个、跆拳道馆1个、公共乒乓球馆1个、国民体质监测室1个、棋类馆1个、武术馆2个、室外篮球场3个、羽毛球场3个、门球场1个、气排球场1个、乒乓球场10个、网球场1个、5人制足球场1个、健身路径及休闲器材50余套。2023年，体育馆服务市民20.11万人次。

【长寿区文旅健身馆】　长寿区文旅健身馆建筑面积近3000平方米，为综合性开放式健身馆，健身馆共分为操课区、健身区、球类区三个区域，配备25项100余件健身器械。2023年，增添跑步机、动感单车、龙门架等27件健身器械，开展健身课程讲座500场次、科学健身讲座30场次、线上活动25场次，线上咨询300余次，参与人数近15万人。

【菩提山登山步道】　菩提山登山步道全长3500米，共1567级台阶，上刻有19999个不同的“寿”字，分为增寿、祈寿、悟寿、尊寿、高寿5个篇章。

（刘人荣）

学校体育

【概况】　2023年，长寿区在全区中小学成立25个项目的运动队108支，教练员125名，在训队员2600余名。全区中小学校运动场地、体育器材配备基本达标，定期检测学生体质；配备体育教师526人，其中专职体育教师439人，兼职体育教师87人。全年投入体育经费850.74万元。其中，场地支出294.93万元，添置体育设施设备252.18万元，开展体育活动、奖励等支出303.63万元。

【体教结合】　2023年，长寿区青少年体育以“体教融合”为抓手，探索“场地共建，经费共出，人才共用，资源共享，责任共担”的体教融合之路。全区中小学生参加体育比赛共获国家级金牌3枚、银牌6枚、铜牌2枚；获市级金牌46枚、银牌46枚、铜牌79枚。向重庆市输送优秀运动员9名，输送运动员人数位列全市第四名。

【学校体育项目普及】　2023年，长寿区有区级体育特色学校30所，区级特色体育项目学校18所，市级体育特色学校11所，国家级体育特色学校（足球）15所，市级心理健康特色学校1所，国家级国防教育特色学校1所，全国象棋特色学校1所，全国围棋特色学校1所。在全区中小学成立田径、游泳、射击、射箭、摔跤、柔道、跆拳道、散打、举重、羽毛球、网球、乒乓球、篮球、排球、足球、艺术体操、体育舞蹈、中国象棋、围棋等25个项目的运动队108支，教练员125名，在训队员2600余名。制定《2023年长寿区中小学生运动会总体活动方案》《2023年长寿区参加市中小学生体育竞赛计划》。举办区内中小学生足球、篮球、田径、羽毛球、乒乓球、象棋、围棋比赛。组队参加重庆市校园足球比赛、重庆市羽毛球锦标赛、重庆市中学生田径比赛等。

【长寿区2023年中小学生田径运动会】　2023年11月10—12日，长寿区中小学生田径运动会在长寿区体育中心举行，由重庆市长寿区教育委员

2023年5月11日，长寿区第一实验小学校入选“全国围棋特色学校”

(区融媒体中心　供图)

会、重庆市长寿区文化和旅游发展委员会主办，重庆市长寿中学校、重庆市长寿区青少年业余体校承办。53支代表队1000余名运动员参赛。比赛分小学组、初中组、高中组三个组别。小学组设60米、100米、200米、400米、800米、4×100米接力、跳远、跳高共8个竞赛项目；初中组设100米、200米、400米、800米、1500米、4×100米接力、4×400米接力、三级跳远、跳远、跳高、铅球（男5千克，女3千克）共11个竞赛项目；高中组设100米、200米、400米、800米、1500米、3000米（男）、4×100米接力、4×400米接力、三级跳远、跳远、跳高、铅球（男7.26千克，女4千克）共12个竞赛项目。区实验一小、桃源小学获直属小学组一等奖；凤城一小、葛兰中心校、渡舟中心校、云台中心校获镇街中心校组一等奖；海棠镇中学、长寿湖中学、新市街道中学获街镇中学组一等奖；江南九年制学校、黄葛九年制学校获九年制学校组一等奖；长寿中学、实验中学获高完中组一等奖；实验二小、晶山小学、实验三小获直属小学组二等奖；晏家实验小学、桃花小学、海棠中心校、石堰中心校、洪湖中心校获教管中心组二等奖；云台中学、晏家街道中学、龙河镇中学、石堰镇中学获街镇中学组二等奖；八颗九年制学校、长寿湖九年制学校获九年制学校组二等奖；川维中学、行知学校、葛兰中学获高完中组二等奖；长寿一中、长寿二中、大洪河中学等14所学校获体育道德风尚奖。

(李　凯)

2023年长寿区中小学生田径运动会破纪录情况一览表

表29

项目	成绩	姓名	学校	时间
初中组女子三级跳远	11.07米	岑雨萱	长寿中学	11月11日
初中组女子跳远	5.29米	岑雨萱	长寿中学	11月11日
高中男子1500米	4分17.5秒	江汶骏	长寿中学	11月11日
高中男子1500米	4分23.1秒	夏伟豪	实验中学	11月11日
初中男子800米	2分1秒	江金豪	长寿中学	11月11日
初中男子4*400米	3分39秒	江金豪、徐智杰、陈俊杉、李伟棋	长寿中学	11月12日
初中男子跳高	1.75米	徐智杰	长寿中学	11月11日
初中男子跳高	1.64米	阳震奥	海棠镇中学	11月11日
初中男子400	52.4秒	符中怀	实验中学	11月10日
高中男子200	22秒	黄渝淇	长寿中学	11月11日

群众体育

【概况】　2023年，长寿区开展全民健身运动，举办长寿区第三届运动会、2023年全国掼牌（掼蛋）公开赛重庆站暨姚记扑克大赛（重庆赛区）等体育赛事。培训社会体育指导员249人，开展体育惠民行动。年内，成立长寿区国际象棋协会、长寿区掼牌（掼蛋）运动协会；组织参加重庆市第十二届全民健身运动会门球、桥牌、乒乓球等11个项目比赛，获团体总分第四名。

2023年3月21日，长寿区市民在菩提山下参加瑜伽训练

（区融媒体中心　供图）

【全民健身活动】　2023年，长寿区组织开展长寿区第七届传统武术精英赛、长寿区“川东杯”足球联赛、长寿区第三届运动会（篮球、足球、游泳、跳绳、羽毛球、乒乓球、太极拳、广播体操、钓鱼、田径、象棋、围棋、瑜伽、桥牌14个比赛项目）。承办2023年长寿湖国际铁人三项赛、2023年全国掼牌（掼蛋）公开赛重庆站暨姚记扑克大赛（重庆赛区）、重庆市第十二届全民健身运动会健身气功比赛、重庆市篮球超级联赛等群众体育赛事。参赛代表队共63支，参赛人数3000余人。

【体育惠民行动】　2023年，长寿区以全民健身宣传月为契机，开展全民健身月送瑜伽下基层暨“好体育人在行动”志愿者服务活动、送武术下乡暨“好体育人在行动”志愿者服务活动15场次，参与群众5000余人。在8月8日全民健身日期间，开展全民健身大舞台展示活动、社区运动会、“好体育人在行动”志愿者服务活动、为期1周的体育场馆免费开放等系列主题活动。通过体育中心国民体质固定监测点为各街镇及相关部门等2000余名不同人群、不同年龄段的市民开展国民体质监测和健身指导服务，为参测人员开具“运动处方”，监测合格率94%；12月，在实验一小、实验中学、文苑社区、桃花社区、碧园社区5个点开展国家体育锻炼标准达标测试活动，共有7058名老年人、壮年人、青少年儿童参加测试。开展围棋进校园活动，围棋每周进实验一小、特殊教育学校，受众学生近3000人。

【社会体育指导员培训】　2023年5—8月，长寿区开展广播体操、综合器械、太极拳、健身气功、瑜伽等5个项目社会指导员培训，各街镇、机关企事业单位249人参训，均获社会体育指导员培训证书。

【中国·长寿湖第三届休闲垂钓大赛】　2023年6月3—4日，2023中国·长寿湖第三届休闲垂钓大赛在重

2023年6月3日，2023中国·长寿湖第三届休闲垂钓大赛在长寿湖镇东岸渔文化村举行

（区体育局　供图）

庆市长寿湖镇东岸渔文化村举行，114支队伍、300余名钓手参赛。罗红（最大单尾3.35千克，总重量62.7千克）、李健（最大单尾2.55千克，总重量10.5千克）、官宇（最大单尾2.35千克，总重量21.1千克）分别获台钓组、筏钓组、滑漂组冠军，傅连明、李兆雄、鲍斯民分别获台钓组、筏钓组、滑漂组亚军，赵彬、张六筠、郑伟分别获台钓组、筏钓组、滑漂组季军。比赛由休闲垂钓协会指导，重庆市长寿区人民政府主办，长寿区农业农村委员会、长寿生态旅业开发集团有限公司承办；是经休闲垂钓协会批准的国家级一类赛事，参赛获奖选手获得休闲垂钓协会赛事积分。比赛为个人赛，由台钓组、筏钓组、滑漂组3种钓法分组赛组成。100名运动员为1组，争夺小组前20名奖项和单尾最重奖。赛事总奖金15万元（税前）。

【长寿区第三届运动会】　2023年8—11月，长寿区第三届运动会在区体育中心及各个赛场进行，由中共长寿区委、长寿区政府主办，长寿区文化旅游委、长寿区直机关工委、长寿区教委、长寿区总工会承办。设置田径、篮球等11个竞赛项目以及太极拳等3个健身项目，全区4个组别近1万人参与。区教委联队、区卫生系统联队、区农业农村委联队获机关组前三名；渡舟街道、凤城街道、新市街道获街镇组前三名；实验一小、长寿一中、长寿中学获学校教职工组前三名；川维化工、长寿发展集团、重庆钢铁获重点企业及金融机构组前三名。

（李　凯）

竞技体育

【概况】　2023年，长寿区围绕建设体育强区目标，强化改革创新，建立长效机制，探索建立“场地共建，经费共出，人才共用，资源共享，责任共担”的体教结合之路。年内，长寿区组织参加市级赛事获金牌42枚、银牌47枚、铜牌69枚；国家级赛事获金牌5枚、银牌6枚、铜牌3枚；国际赛事获金牌1枚，实现亚运会金牌零突破。至年末，全区创建全市竞技体育后备人才重点单项训练基地7个、单项训练基地1个。

2023年长寿籍运动员参加国家级赛事获奖情况一览表

表30

时间	运动员	赛事名称	获奖情况
2月21日	祝　茜	2022全国青年柔道锦标赛U20组女子78千克级	铜牌
3月4日	贺相红	2023年全国竞走大奖赛（第1站）暨世锦赛及亚运会选拔赛	冠军（成绩2小时22分55秒）
	姚馨迪	2023年全国竞走大奖赛（第1站）暨世锦赛及亚运会选拔赛（女子青年组10千米）	第六名（成绩46分46秒）
	刘昆龙	2023年全国竞走大奖赛（第1站）暨世锦赛及亚运会选拔赛（青年组10千米）	第五名（成绩40分15秒）
4月6日	李语棋	2023年全国少年（U16）拳击锦标赛	铜牌
4月7日	泽瓦仁真	2023全国拳击锦标赛（第一批）	铜牌
4月22日	李世龙	2023年全国拳击锦标赛（第二批）	银牌
5月27日	罗名钰	2023年第九届中俄青少年运动会女子100米自由泳	银牌
7月3—4日	郭　娜	2023年全国竞走锦标赛（女子成年组35千米竞走）	金牌（成绩2小时53分23秒）
	陈　瑞	2023年全国竞走锦标赛（男子成人组20千米竞走）	第五名
	李　静	2023年全国竞走锦标赛（女子成人组2×10千米竞走）	第七名
	赵　雪	2023年全国竞走锦标赛（女子成人组2×10千米竞走）	第八名
8月16—21日	高筱雅	2023年全国少年儿童跳水锦标赛	一米板、三米板、五米台亚军，双人跳台第五名
8月20日	于京生	2023年“康比特杯”全国武术散打锦标赛赛区男子70千克级	冠军

2023年7月16日，举行2023年“长寿湖杯”国际棋联女子世界锦标赛对抗赛下半程第二盘比赛
（区融媒体中心　供图）

【国际棋联女子世界锦标赛对抗赛在长寿区举办】 2023年7月14—22日，2023年“长寿湖杯”国际棋联女子世界锦标赛对抗赛在重庆市长寿区机关服务中心举办。由世界国际象棋联合会、国家体育总局棋牌运动管理中心、中国国际象棋协会、重庆市体育局、重庆市长寿区人民政府共同主办。居文君卫冕棋后桂冠，重庆棋手雷挺婕获亚军。居文君成为继谢军和侯逸凡之后，第三位四夺棋后桂冠的中国女棋手。

【长寿籍运动员贺相红获亚运会冠军】 2023年3月4日，长寿籍运动员贺相红在2023年全国竞走大奖赛（第1站）暨世锦赛及亚运会选拔赛，以2小时22分55秒的成绩获冠军，取得布达佩斯田径世锦赛和杭州亚运会入场券。10月4日，杭州亚运会混合35千米竞走团体比赛中，贺相红获混合团体冠军。

【体育人才选拔培养】 2023年，长寿区各项目学校下午训练时间保持在90～120分钟。长寿区青少年业余体校建立区运动员注册管理办法，规范青少年运动员参赛资格，加强青少年运动员数据化跟踪和管理。在年度赛事活动中，选拔具有潜质、符合项目要求的学生招入各项目学校进行系统训练。创造公平参赛机会，畅通体育特长生升学通道。加强竞技体育和学校体育有效结合，培养青少年体育后备人才。全年向重庆市输送优秀运动员9名。

【2023重庆长寿湖半程马拉松】 2023年4月15日7时30分，长寿发展集团·2023重庆长寿湖半程马拉松在长寿湖广场开赛，3500名选手参赛；贵州选手洪跃以1小时9分10秒获半程马拉松男子冠军，重庆选手冯丹以1小时20分46秒获半程马拉松女子冠军。该届赛事经中国田径协会认证，由重庆市体育局指导，长寿区人民政府主办，长寿区文化旅游委（体育局）、长寿生态旅业开发集团有限公司承办。赛事以“爱5湖山”为主题，按A2级赛事标准筹办，设置半程马拉松、迷你马拉松项目，其中迷你马拉松分为个人和亲子跑2个项目，项目区外跑友占比65%。线路起点为长寿湖广场，途经沿湖路、长寿湖景区南北大门、龙乐街路口折返至终点长寿湖广场，全程21.1千米，竞赛时长约3小时。

【全国铁人三项冠军杯系列赛总决赛暨成渝双城铁人三项公开赛】 2023年10月28日，2023年重庆长寿湖全国铁人三项冠军杯系列赛总决赛暨U系列冠军杯总决赛在重庆市长寿区长寿湖铁人广场开赛，500余名选手参赛。段正宇以总成绩22分40秒获男子优秀组冠军，山东361°铁人三项队

2023年4月15日，长寿发展集团·2023重庆长寿湖半程马拉松现场
（区融媒体中心　供图）

2023年10月28日，2023年重庆长寿湖全国铁人三项冠军杯系列赛总决赛暨U系列冠军杯总决赛开幕式在长寿区长寿湖铁人广场举行　　（秦维捷　摄）

的张玺瑞、王铭宇分别以总成绩22分41秒、22分53秒获亚军、季军；辽宁铁人三项队的陆美伊以总成绩25分20秒获女子优秀组冠军，衡中河北铁人三项队的王斯玉和山东361°铁人三项队的俞欣颖分别以总成绩25分23秒、25分26秒获亚军和季军。该次比赛由中国铁人三项运动协会、重庆市体育局、四川省体育局、重庆市长寿区人民政府主办，重庆市长寿区文化和旅游发展委员会（体育局）、重庆市长寿生态旅业开发集团有限公司承办。比赛为期2天，分为全国铁人三项冠军杯系列赛总决赛、U系列冠军杯总决赛、成渝双城铁人三项公开赛及重庆体验组比赛4个板块，奖金总额31.58万元。冠军杯总决赛成年组比赛设置男子优秀组、女子优秀组和优秀组混合接力3个组别；冠军杯总决赛U系列组比赛设置男、女子U19、U17、U15、U13组，男、女子U13游跑两项组、青年组混合接力、少年组混合接力等12个参赛组别；成渝双城公开赛设置全程和半程分龄组共26个参赛组别；重庆体验组比赛设置男、女子2个组别。该次全国冠军杯总决赛首次采用短距离、多轮次的全新赛制，其中游泳300米，自行车6.6千米，跑步2千米。

【全国太极拳公开赛（南部赛区）暨中国（长寿）太极拳公开赛】 2023年10月10—14日，2023年全国太极拳公开赛（南部赛区）暨中国（长寿）太极拳公开赛在重庆长寿区体育中心举行，17个省市的1000余名选手参赛。贵州省黔南太极拳代表队、长寿区代表一队、长寿新时代太极队等15支队伍获集体太极拳术一等奖；河南省三门峡市义马市武术之乡、渝北区代表队、河南能源焦煤集团等9支队伍获集体太极器械一等奖；上海队、渝北区代表队、河南省三门峡市义马市武术之乡、长寿区代表一队、成都市温江区代表队、福清市老体协代表队、重庆市长寿区二队、湖南省太极拳运动协会三队获团体总分前八名。本次大赛由国家体育总局武术运动管理中心、中国武术协会、重庆市体育局、重庆市长寿区人民政府主办，重庆市武术运动管理中心、重庆市武术协会、长寿区文化旅游委承办，华体博联（北京）体育发展有限公司重庆分公司协办。

【重庆市青少年篮球锦标赛（高中组）在长寿区举行】 2023年2月1—7日，“奔跑吧·少年”“中国体育彩票”2023年重庆市青少年篮球锦标赛（高中组）分别在桃花体育中心、长寿中学举行，全市37所学校的45支

2023年2月1日，重庆市青少年篮球锦标赛（高中组）在长寿区开赛
（区融媒体中心　供图）

代表队参赛。重庆二外代表队、铜梁中学代表队、重庆实验代表队获前三名。该次比赛由重庆市体育局主办，重庆市篮球运动管理中心、长寿区文化旅游委、长寿区教委承办，重庆市篮球协会、长寿区青少年业余体校、长寿区全民健身中心、长寿中学协办，长寿区文化馆执行。男子组有31个队、女子组有14个队参赛，根据竞赛规程男子组分8个组、女子组分4个组比赛，采取分组预赛、交叉半决赛、决赛办法。

【重庆市青少年跆拳道锦标赛在长寿区举行】 2023年7月9—13日，受疫情影响延期举行的“奔跑吧·少年”2022年重庆市青少年跆拳道锦标赛在长寿区桃花体育中心室内篮球馆举行。万州区、黔江区、涪陵区十四中、市六十六中、大渡口区、江北区等33支代表队、610余名运动员参赛。比赛由重庆市体育局、重庆市教育委员会主办，长寿区文化旅游委、长寿区教委承办。根据参赛运动员年龄，比赛分为青少年甲、乙、丙3大竞赛组别，男、女运动员分项参赛。大渡口区、市六十六中、两江新区获团体甲组前三名；市六十六中、巴南区、长寿区获团体乙组前三名；市六十六中、璧山区、巴南区获团体丙组前三名。

【重庆市青少年田径锦标赛决赛在长寿区举行】 2023年10月19—22日，“奔跑吧·少年”2023年重庆市青少年田径锦标赛决赛分别在长寿区体育中心体育场、桃花体育中心田径场举行。比赛由重庆市体育局、重庆市教委主办，长寿区文化旅游委（体育局）、长寿区教委承办。比赛分青年组、少年甲组、少年乙组、少年丙组4个组别，运动员进行100米、200米、400米、800米、3000米、5000米、110米栏、400米栏、跳高、跳远、三级跳远、4×100米接力等10余个项目。全市39个代表队的1179名运动员及教练员参赛。该次比赛产生361枚奖牌，其中金牌124枚，银牌125枚，铜牌112枚。长寿区代表队获金牌15枚、银牌16枚、铜牌12枚，青年组团体总分以165分位列全市第一名，少年甲组团体总分以122分位居全市第四名，少年乙组团体总分以130分位居全市第五名，少年丙组团体总分以118分位居全市第五名。

（李　凯　揭　阳）

体育安全管理

【体育协会组织】 2023年，长寿区有体育总会、老年人体育、武术、羽毛球、长跑、健身舞、瑜伽、铁人三项、棋类、体育舞蹈、跆拳道、乒乓球、篮球、自行车、足球、信鸽、冬泳、国际象棋、掼蛋协会以及五环、微马俱乐部21个体育类社团组织。全年各体育协会组织筹集资金50余万元，举办各项活动30余次，参与人数超10万人次。区羽毛球协会承办2023年重庆市青少年羽毛球锦标赛、“全民健身日”系列活动、重庆市长寿区第三届运动会羽毛球比赛；区武术协会举办长寿区第七届传统武术精英赛、2023年武术教练员暨社会体育指导员培训班；区棋类协会承办“绿豆大曲·蟾宫折桂杯”全国名人名企城市围棋邀请赛；区乒乓球协会承办重庆市长寿区第三届运动会乒乓球比赛；区篮球协会承办重庆市长寿区第三届运动会篮球比赛，其他体育协会也开展相应赛事活动。（李　凯）

【反兴奋剂工作】 2023年，长寿区贯彻落实《中华人民共和国体育法》，推动反兴奋剂工作。7月，区文化旅游委、区教委组织开展反兴奋剂工作人员集中培训，学习《反兴奋剂管理办法》《反兴奋剂教育工作实施细则》，提升反兴奋剂工作人员业务能力。在2023年“长寿湖杯”国际棋联女子世界锦标赛对抗赛、2023年中国·重庆长寿湖成渝双城铁人三项公开赛等体育赛事期间，长寿区实施严格的教育准入，运动员教育准入合格率100%，兴奋剂问题零出现。

（揭　阳）

【体育行业监督检查】 2023年，长寿区完善安全生产隐患“日周月”排查和安全风险防控预防机制，要求各体育经营单位每天对场所开展安全巡查，完善突发事件应急处置预案，开展应急处置演练。对全区公共体育设施和游泳、动力三角翼2项高危险性体育运动项目经营场所开展安全检查，通报检查结果。制定年度执法检查工作方案，建立执法检查台账，对违规问题加大行政处罚力度，完善安全生产“黑名单”制度，对处罚信息及时公开。开展“暑期游泳池专项整治行动”“你点名、我监督”联合执法检查行动、“高危体育项目专项整治行动”。针对暑期重点时段，制定游泳池场所专项整治工作方案，联合各部门、属地街道对辖区游泳池场所进行大排查，召开全区高危体育项目（游泳池）安全生产工作会议2次，办结1件体育行业安全处罚案件。全年对全区体育行业包括全民健身中心、健身房、游泳池等场所开展检查300余次，办理行政处罚案件1件，下达责令整改通知书3份，罚款600元。

（孙　祥　周　雷）

社会生活

人口家庭

【概况】 2023年，长寿区户籍人口86.4万人，常住人口68.14万人。全年办理生育登记2865个，补办独生子女父母光荣证686个。 （杜华莉）

【婚姻家庭】 2023年，长寿区依法办理结婚登记3976件，离婚申请3479件，离婚登记2280件，补发结婚登记证1196件，补发离婚登记证258件。承办收养登记1件。推进婚姻登记“全市通办”和“跨省通办”试点，全年办理跨区婚姻登记231件、跨省婚姻登记40件。开展“以冒名顶替或者弄虚作假的方式办理婚姻登记问题”专项整治，全年撤销结婚登记2件。开展婚俗改革宣传活动10场，举办移风易俗宣讲13场，印发婚俗改革宣传单3万余份，受益群众4万余人次。推进婚俗改革市级试点，全年开展结婚颁证仪式412场次。组织实施“家和计划”和“婚姻家庭”2项社会工作项目，开展婚前辅导、婚姻家庭关系辅导和离婚疏导服务，提升当事人婚姻家庭责任感，推动家庭纠纷化解。构建“婚前宣教+婚后服务+现场调解+跟踪回访”模式，通过面对面解答、调解和维权热线服务调解各类婚姻家庭纠纷。全年接待婚姻家庭辅导300余对，其中离婚调和170对，暂缓办理离婚105对，调和成功率超过65%。 （区民政局）

【计划生育家庭奖励政策落实】 2023年，长寿区严把资格审核、公开公示、信息录入、资金发放等各个环节，推进落实计划生育扶助政策。全年奖扶新增7088人、退出886人；新增特扶182人、退出45人；农村四级残疾扶助新增30人、退出39人。3月特别扶助金发放对象2598人次，扶助金1453.776万元。9月发放特扶对象2658人次，扶助金1627.6万元，全年累计发放3081.376万元。全年累计发放奖扶对象27884人，发放奖扶金3416.84万元。

【“三孩”生育政策实施】 2023年，长寿区落实婚假、产假、护理假和育儿假的规定，开展三孩生育政策、新型婚育文化宣传活动。推行“出生一件事”联办，个人信息一次性登记、多部门共享，实现生育登记全程服务。年内，户籍人口出生上报3997人。其中，一孩2661人，二孩867人，三孩220人，多孩116人。常住人口出生上报2568人。其中，一孩1585人，二孩867人，三孩103人，多孩13人。 （杜华莉）

【实有人口管理】 2023年，区公安局按照重庆市公安局《进一步健全

2023年4月20日，区民政局、区殡管所、区勘测规划院一行到云集镇现场踏勘，开展农村公益性公墓选址　　（区民政局　供图）

“一标三实”（标准地址、实有房屋、实有人口、实有单位）基础信息采集应用长效工作机制建设工作方案》和《重庆市公安局关于实有人口实有房屋分级分类管理工作的意见》，将健全完善“一标三实”基础信息应用长效机制作为抓手，动态掌握辖区实有人口。年内，全区实有人口58.77万人，居住人员38.28万人，全年居住人员新增21.14万人、注销21.02万人，其中暂住人口18.69万人。全年办理居住证520个。　（张丽丽）

【殡葬管理服务】　2023年，长寿区开展殡葬法规政策宣传，在各场镇、村居开展以“推进惠民殡葬、构建和谐长寿、努力建设国际化绿色化智能化人文化中国长寿城”为主题的殡葬改革宣传活动，传播殡葬正能量，倡导文明办丧、简朴办丧。全年火化遗体3587具，销售公墓684个，开展治丧服务1439例。出台《重庆市长寿区殡葬设施专项规划（2022—2035年）》，启动云集镇、双龙镇农村公益性公墓建设。成立春节、清明节祭扫工作领导小组，制定祭扫安全应急预案，开展殡葬机构督导检查，落实专人负责祭扫监察，全区祭扫零事故。

（区民政局）

居民收入与消费

【概况】　2023年，长寿区居民人均可支配收入39696元，比上年增长5%。全区居民人均消费支出29311元，比上年增长5.3%。

【城镇居民收入】　2023年，长寿区城镇居民人均可支配收入46625元，比上年增长4.3%。其中，工资性收入28125元，比上年增长4.3%；经营净收入5032元，比上年增长4.8%；财产净收入4567元，比上年增长3.4%；转移净收入8901元，比上年增长4.4%。

【农村居民收入】　2023年，长寿区农村居民人均可支配收入22504元，比上年增长6.3%。其中，工资性收入6077元，比上年增长4.3%；经营净收入8969元，比上年增长7.6%；财产净收入809元，比上年增长7.5%；转移净收入6649元，比上年增长6.3%。

【城镇居民消费】　2023年，长寿区城镇居民人均消费支出34309元，比上年增长4.8%。其中，食品烟酒支出10618元，比上年增长4.2%；衣着支出3429元，比上年增长0.7%；居住支出4970元，比上年增长3.1%；生活用品及服务支出2180元，比上年增长4.3%；交通通信支出4607元，比

2023年长寿区全体居民人均可支配收入情况统计表

表31

指标名称	2023年（元）	2022年（元）	增幅（%）
总计	39696	37795	5.0
一、工资性收入	21791	20758	5.0
二、经营净收入	6163	5839	5.5
三、财产净收入	3488	3340	4.4
四、转移净收入	8254	7858	5.0

2023年长寿区城镇居民人均可支配收入情况统计表

表32

指标名称	2023年（元）	2022年（元）	增幅（%）
总计	46625	44703	4.3
一、工资性收入	28125	26962	4.3
二、经营净收入	5032	4802	4.8
三、财产净收入	4567	4416	3.4
四、转移净收入	8901	8524	4.4

2023年长寿区农村居民人均可支配收入情况统计表

表33

指标名称	2023年（元）	2022年（元）	增幅（%）
总计	22504	21170	6.3
一、工资性收入	6077	5828	4.3
二、经营净收入	8969	8335	7.6
三、财产净收入	809	753	7.5
四、转移净收入	6649	6254	6.3

上年增长5.5%；教育文化娱乐支出4130元，比上年增长9.7%；医疗保健支出3286元，比上年增长8.2%；其他用品和服务支出1089元，比上年增长3.8%。

【农村居民消费】 2023年，长寿区农村居民人均消费支出16914元，比上年增长5.5%。其中，食品烟酒支出5855元，比上年增长3.2%；衣着支出737元，比上年增长4.8%；居住支出4303元，比上年增长4.6%；生活用品及服务支出1039元，比上年增长9%；交通通信支出2183元，比上年增长9%；教育文化娱乐支出1208元，比上年增长9%；医疗保健支出1361元，比上年增长8.4%；其他用品和服务支出228元，比上年增长2.2%。

（区统计局）

【居民消费八大类商品和服务价格】 2023年，长寿区构成居民消费的八大类商品和服务价格全部上涨。食品烟酒、衣着、居住、生活用品及服务、交通通信、教育文化娱乐、医疗保健、其他用品和服务价格比上年分别上涨4.4%、1.7%、3.6%、5.5%、6.4%、10.2%、8.7%、4.3%。

（宁建文）

就业创业

【概况】 2023年，长寿区城镇新增就业20987人，完成市级年度目标任务的139%；城镇登记失业人员就业4049人，完成年度目标任务的109%；就业困难人员就业2867人，完成年度目标任务的110%；脱贫人口外出务工6806人，高于上年底人数；发放创业担保贷款6528.2万元，完成市级年度目标任务的100.4%；开展职业培训5850人次，完成市级年度目标任务的100.9%；失业保险参保104803人，完成目标任务的101.89%。城镇调查失业率低于5.5%控制目标，全市排位A档。重点群体帮扶就业率全市排位A档。

【招用工平台服务】 2023年，长寿区利用“长寿就业创业”微信公众号、小程序，搭建政府、企业和劳动者之间对接渠道，为3.4万人提供职业指导服务。组织开展“春风行动”“百日千万招聘专项行动”“金秋招聘月”等线上线下招聘会109场次，发布就业岗位4.66万个，为望变电气、恩捷材料等1300余家企业解决用工9750余人；依托长寿区零工市场，收集并发布企业、个体工商户临时用工需求，为寻求短工、临时工的用工主体和求职者提供求职用工登记、信息发布，全年长寿区零工市场登记并发布110余家企业、个体工商户用工需求，达成就业意向320余人。建成市级创业孵化基地1家、市级农民工返乡创业园2家、区级创业孵化基地2家、就业帮扶车间10个、人才服务站5个。

【职业技能培训】 2023年，长寿区构建政府引导、校企合作的技能人才培养载体，新建国家级和市级高技能人才培训基地各1个、市级技能大师工作室1个、市首批特级（首席）技师评聘试点企业1个。推行“岗位+

2023年2月8日，长寿区“2023年春风行动暨就业援助月”专场招聘会在菩提古镇千寿广场举行

（区融媒体中心 供图）

培训+就业”“用工企业+培训机构+人力资源服务机构”“紧缺工种目录+培训机构目录+培训补贴目录”3个“3+”组训模式。全年开展各类职业技能培训5852人次，发放职业培训补贴596.59万元、生活费补贴51.89万元。至年末，全区技能人才累计11.98万人，其中高技能人才4.2万人。

【就业创业服务】 2023年，长寿区落实失业保险阶段性降费6218万元，发放失业保险稳岗返还、单位社会保险补贴、公益性岗位社会保险补贴、公益性岗位补贴、一次性吸纳就业补贴、就业见习补贴等5011.17万元，惠及企业3000余家。鼓励创业创新带动就业，组织创业服务活动62场次，开展“长创常新·才聚长寿”创业创新大赛，挖掘培育创业创新项目100余个。发放创业担保贷款6528.2万元，带动就业791人。开展GYB、SYB等创业培训263人次。率先开展夜市经济创业补助工作，出台夜市经济创业补助政策，开发夜市经济创业补助线上申请平台，发放80笔夜市经济创业补贴4万元。开展重点群体帮扶就业，聚焦高校毕业生、脱贫人员、退捕渔民、失业人员等重点群体，健全就业援助制度，指导帮助6806名脱贫人员外出务工、有就业意愿的79名退捕渔民全部实现就业、回引农村劳动力返乡就业创业0.6万人。为就业困难人员、失业人员等重点群体发放各类补助1.07亿元，惠及4.3万余人。

【高校毕业生就业】 2023年，长寿区建立高校毕业生实名制台账，针对2023届离校未就业毕业生等失业青年开展实名服务，平均提供1次政策宣介、1次职业指导、3次岗位推介、1次技能培训或就业见习机会，对困难毕业生实施“一人一档”“一生一策”精准帮扶，对通过市场渠道难以就业的，运用公益性岗位予以安置。举行线上线下招聘活动，开展“百日千万招聘专项行动”暨高校毕业生专场招聘会8场，提供就业岗位2.2万余个。运用社会保险、职业培训、人力资源台账数据，为离校未就业高校毕业生开展“一对一”服务，帮助1634名应届离校未就业高校毕业生实现就业。备案就业见习基地101个，发布就业见习岗位2427个，帮助699名高校毕业生等青年参加就业见习，发放就业见习补贴306.65万元。

【农村劳务开发】 2023年，长寿区依托全区600余名劳务经纪人实时更新人力资源信息库信息55万余条，收集农民工就业意愿、技能水平、服务需求以及返岗返工等情况。全区农村劳动力转移就业28.43万人，其中区内就业12.38万人，区外市内就业13.89万人，主要分布在江北区、渝北区、九龙坡区等；市外就业2.16万人，主要分布在云南省、广东省、四川省等地。开展新市民培训800余人，着重培养其融入企业、社区能力和职场礼仪等内容。在重点工程项目和农业农村基础设施建设领域实施以工代赈项目17个，涉及城镇建设、生态环境、农业农村、水利、交通等相关领域，总投资约4.47亿元，吸纳群众务工就业约1790人，培训务工人员1750人，向群众发放劳务报酬总额2940万元。

【和谐劳动关系创建】 2023年，长寿区人力社保局开展薪酬调查、制造业人工成本调查，审核上报工资数据2.3万余条，涉及企业101家，助推全市工资指导价发布。贯彻落实最低工资标准，开展最低工资标准评估调查，集中宣传2次、召开专题会议2次、专人指导120余次。开展会议指导19次，实地指导企业260家，签订集体合同10份，涉及11641人。针对工时工资、休息休假等劳动权益保护重点，通过微信公众号、手机报、“人人长寿”APP、《长寿日报》等进行宣传，印发宣传手册3200余册，制发各类推文70篇，线上阅读量14万余次。全年组织召开创建和谐企业三方会议11次，区域各类劳动关系风险、重点事项得到研判，组织评定和谐企业20家，组织推荐AAA级和谐企业7家、金牌协调员4名，复核到期和谐企业13家。年末，全区有和谐企业76家，其中A级26家，AA级25家，AAA级25家；创建全国示范企业1家。

【劳动保障监察】 2023年，长寿区劳动保障监察大队以根治欠薪作为重点，强化日常监管和案件办理，开展各项专项检查，组织7轮欠薪隐患“地毯式”摸排，并对欠薪隐患进行全交办、全跟踪、全化解，在全市2022年保障农民工工资支付工作考核中获A级，根治欠薪做到“两清零”。导入“援助+调解+仲裁+监察+法院+信访”劳动纠纷一站式处置平台，实现纠纷一窗受理、一站处理，欠薪问题繁简分流、快慢分道。建成整体智治、高效协同、数据贯通、流程公开、结果共享的“渝悦·根治欠薪”数字应用，打造群众“好用”、监管“实用”、维权“管用”的治欠综合平台。构建“铁脚板”机制，从全区劳务经纪人中培育治欠协管员，赋予专属“渝薪码”，每月开展1次在建项目巡查，引导劳动者运用“渝薪码”反映欠薪问题。

【企业新型学徒制培训】 2023年，长寿区落实终身职业技能培训制度，在企业推行新型学徒制培训，通过企

2023年12月22日，长寿区劳动纠纷一站式处置平台在调解室开展调解工作
（区融媒体中心　供图）

校合作、工学交替、工训结合方式，立足“入岗能适应、在岗能提升、转岗能就业”，使企业技能岗位新入职员工接受岗前职业技能培训、在岗员工接受岗位技能提升培训、转岗员工接受转岗转业储备性技能培训。根据前期征集意见、主动公示、企校联合阐述理由等程序，确定由金维、名风家具、英斯凯、环松工业4家企业共同按照会议协商精神开展210人学徒制培训，拨付培训补贴53万元。年内，特丽洁公司培养有害生物防制员及石材护理工项目入选企业新型学徒制培训国际试点项目。

【职业技能自主评价】　2023年，长寿区通过自愿申报、资料审核、专家评估、现场查验、组织公示等程序，新增企业职业技能等级认定备案1家（重庆市特丽洁物业管理有限公司）。至年末，全区有3家企业可开展企业技能人才自主评价工作。全年评价员工1388人。其中，技师45人，高级工306人，中级工462人，初级工575人。

【特殊工时改革试点】　2023年，长寿区试点开展特殊工时审批管理服务优化改革，创设“标准化+清单审批”“信用+政务服务”“数字化+全链服务”“协商+共享发展”4个创新举措，实现六项全市之首（首个探索特殊工时审批标准化建设、首创特殊工时审查审批工作指引、首先实现特殊工时审批“即办即走”、首批试点运行电子劳动合同平台、首次开展特殊工时专项行业集体协商、首个建立“定制化”化工新材料行业特殊工时岗位清单）。年内，实现“一表申请、一次告知、一网协同、一日办结、一次核查”的“五个一”升级，企业零跑动、满意度100%，仲裁案件量比上年降低40%，和谐劳动关系企业比上年增长34%，行业清单覆盖岗位144个，匹配智能制造工程技术人员、工业机器人系统运维员等数字岗位7个，和谐信用激励、“观察期”等便企举措惠及企业181家、职工2.5万人，和谐劳动关系企业申报量比上年增长2倍。

【劳动争议纠纷一站式处置平台获通报表扬】　2023年12月12日，长寿区劳动争议纠纷一站式处置平台被人力资源和社会保障部办公厅、中华全国总工会办公厅、中华全国工商业联合会办公厅、中国企业联合会办公室联合评为“2023年度工作突出基层劳动人事争议调解组织”，获“重庆市工人先锋号”称号。长寿区围绕“一站服务、关口前移、多元共治”思路创新打造长寿区劳动争议纠纷一站式处置平台，创设集信访、法律援助、调解、劳动仲裁、劳动监察、司法确认等职能于一体，建立健全区域内劳动争议化解全流程有效衔接，鼓励、支持和引导当事人通过仲前调解等柔性方式化解劳动争议，实现一窗受理、一站化解、闭环处置。全年平台接访劳动者9000余人，受理案件1123件，结案1024件，提供法律援助118件，结案率91.18%，案前调解率71.97%，平均耗时压缩75%，仲裁立案数比上年下降41.21%，维护当事人合法权益2791万余元。　（区人力社保局）

社会保险

【概况】　2023年，长寿区企业职工、机关事业单位养老保险参保人数35.5万人，工伤保险参保人数14.6万人，城乡居民养老保险参保人数33.4万人。

【基本养老保险】　2023年，长寿区基本养老保险参保68.94万人，参保率保持在97%以上。其中，城镇企业职工基本养老保险参保19.36万人，征收基金18.87亿元，分别完成年度目标任务的100.97%、93.06%，退休13.48万人，全年发放养老保险待遇37.83亿元。城乡居民基本养老保险参保33.45万人（含待遇领取人员10.03万人），征收基金1.37亿元，完成年度征缴任务的89.93%，全年发放养老保险待遇2.28亿元。机关事业单位养老保险参保单位380个，在职参保人员1.63万人，征收养老保险费3.87亿元，征收职业年金1.97亿元，按时足额发放1.02万名退休人员养老待遇。　（区人力社保局）

【基本医疗保险】 2023年，长寿区基本医疗保险参保76.96万人，其中职工医保参保17.46万人，城乡居民参保59.5万人。医保基金总收入16.68亿元，其中居民医保收入5.68亿元，职工医保基金收入11亿元（含个人账户4.6亿元）；医保基金支出16.59亿元，其中职工医保基金支出8.66亿元（统筹支付2.81亿元、个账支付3.28亿元、大额支付1.09亿元），居民医保基金支出7.93亿元。

（区医保局）

【工伤保险】 2023年，长寿区工伤保险参保14.62万人（含建筑项目参保4万人），征收基金8281.68万元，分别完成年度目标任务的102.17%、102.62%。工伤认定受理1020件，作出认定878件；劳动能力鉴定受理970件，作出鉴定结论932件，通过率90.62%；领取工伤保险待遇1288人，工伤保险基金支出6490.13万元。

【失业保险】 2023年，长寿区失业保险参保10.48万人，征收失业保险费6218.47万元，发放失业保险金33037人次5677.11万元，代缴医疗保险费1672.35万元。（区人力社保局）

【生育保险】 2023年，长寿区生育保险参保人数10.75万人，生育保险发生人数0.11万人，支出基金2726.45万元（其中，医疗费报销288.71万元，生育津贴报销2437.74万元）。

（区医保局）

【社保经办服务】 2023年，长寿区基本养老保险净增扩面参保15437人、缴费12162人，完成年度目标任务的755.4%，在全市赛马比拼中连续四季度位列A档；困难群体（低保对象、特困人员、重度残疾人）参保率99.98%，完成年度目标任务；推进征地安置对象、退捕渔民、在职村干部、“单双解人员”等群体参保工作，兑现缴费补贴66万元。推进“乐享退休”，兑现居保基础养老金和城保基本养老金调整政策，分别调增15元、91.79元；实施城保退休档案预审，主动联合医保、公积金等部门启动企业职工“退休一件事一次办”，促进退休“秒办”；首批启动居保待遇“免申即享”，1505人实现“零资料、零跑动”享受养老待遇；动态建立8334人特殊群体养老服务台账，全部上门办理待遇领取资格认证，主动对接市区相关部门开展数据比对，实现19.7万人“无感认证”；为相关职能部门代发原民办教师、离任村干部、企业军转干部等特殊群体养老、医疗补助及生活补贴10.39万人次、2994.04万元。推动“工伤无忧”，在12家企业实施工伤预防项目试点，从源头减少工伤事故和职业病发生；与商业保险公司合作开展工伤认定辅助调查核实352件，与司法行政、公安、法院建立疑难案件研讨机制；3家工伤保险协议服务机构实现工伤医疗费用直接结算8人次15.08万元，工伤职工住院伙食补助费“免申快赔”6人次1544元；推进新就业形态就业人员职业伤害保障试点，全年收到职业伤害确认申请22人，确认16人。落实川渝人社合作协议，通过线下开设专窗、异地收件代办、专网互通联办、客户端自助等方式，实现28项业务川渝互办，全年办理业务1300余件；推进社保卡“一卡通”建设，倡导参保人申领电子社保卡，新增领待人员用卡率目标任务保持在95%以上；推广社保卡作为政务服务有效身份凭证，实现电子社保卡用于区图书馆图书借阅和新康·璞山小区进出，“新生儿出生一件事一次办”联办社保卡983张。改进社保服务，组织“五点半课堂”“社保夜校”和专题培训，开展大厅巡查、街镇工作调度；指定19名业务骨干点对点联系街镇，选派14名工作人员到基层，研究解决基层经办问题；构建社保经办服务体系，建成服务网点539个，27项业务“社银”“社邮”合作网点可办；开展社保“三进三送”和“社保服务进万家”活动，为行动不便人员提供“上门办”1万余人次，开展线下宣传75场，发放各类宣传资料10万余份，面对面服务企业213家，媒体线上宣传58次，收到群众感谢信2封、锦旗2面。

【社保基金监管】 2023年，长寿区开展警示教育4场，进园区、进街镇警示宣传15场，印制宣传海报、横幅等宣传资料7000余份。开展经办管理风险防控，把好参保“进口关”和基金支付“出口关”，健全内控管理机制，加强社保待遇代发机构和工伤保险服务机构协议管理，强化用人单位参加社保专项检查，重点核查临近50周岁女职工参保情况、疑点数据，梳理并整改检查、审计中发现问题，依法打击欺诈骗保行为。全年核查疑点数据5750条，稽核用人单位55家，查处违规参保领待223人、违约工伤保险协议服务机构6家，追回违规领取的养老、工伤保险基金152.29万元，收取协议服务机构违约金20.26万元。（区人力社保局）

【医疗保障制度改革】 2023年，长寿区推行药品和耗材集中采购，公立医疗机构共参加国家级、省级药品集采4个批次，参加国家级、省级耗材集中采购7个批次，合计药品集中采购金额6093.69万元，耗材集中采购金额2006.76万元。推进职工医保门诊共济保障改革，成立职工医保门诊共济制度改革工作专班，组织开展稳定风险评估，召开2次专题会研究部

2023年12月22日，区医疗保障局举办重庆市职工基本医疗保险门诊制度改革专题培训 （区医保局 供图）

署改革工作，开展集中政策培训4次、上门培训5次，覆盖区级相关部门、区属国企、街镇、各定点医药机构以及各重点单位和企业。走访各定点医院和门诊统筹零售药店，对各机构报销流程中遇到的问题予以现场督导。推进医保支付方式改革，推进区人民医院DRG实际付费，推行医保基金总额控费，实行按人头付费、按床日付费、单病种付费和项目付费多元复合式医保支付方式。推进异地就医结算改革，依托国家医保服务平台APP、重庆“渝快办”APP、重庆市医疗保障局微信公众号和线下窗口人工服务，提高异地就医备案登记效率；扩大跨省异地就医结算范围，将普通门诊和门诊慢特病纳入跨省异地直接结算。全年长寿区参保人跨省异地直接结算3.4万人次，医保基金支出5010万元，其中统筹支出4307万元，大病保险支出703万元。推进医疗服务价格项目改革，执行重庆新增医疗服务价格项目与新的医保支付标准，全区公立医院新增医疗服务价格项目69项，通过日常现场走访、定期抽查等方式，对医疗服务项目的执行价格进行监督管理，共抽查公立医院65家次。

【定点医疗机构管理】 2023年，长寿区新增定点医疗机构30家，累计417家（含诊所、村卫生室），其中三级定点医疗机构2家，二级定点医疗机构21家，一级定点医疗机构394家。年内，区医保局指导定点医疗机构系统升级，督促完成各类接口改造、医保基金监管子系统应用系统改造以及三代社保卡动态库升级，实现事前事中接口调用、进销存上传和全量数据上传；推进定点医疗机构完成医保电子处方流转。加强定点医疗机构动态管理，完成定点医疗机构重大信息变更32次；联合区卫健委、区市场监管局对申请纳入医保定点管理的医疗机构进行现场评估，全区纳入医保定点协议管理30家，解除医保定点协议管理医疗机构16家。建立医保码应用定期通报机制，督促定点医疗机构提升医保码使用率，全区定点医疗机构全年使用医保码结算65.76万人次，占医保结算总人次的16.75%；推动区人民医院、区中医院完成医保移动支付建设，2家医院通过移动支付完成医保结算5万余人次，占结算总人次的5.1%；指导区人民医院在全市率先实现医保码挂号、就诊、取药、取报告、结算等全流程应用。

【医保经办服务】 2023年，区医保局建立科级干部联系医疗机构制度，组成12个小组，走访医疗机构1374家次；建立医保进企制度，送政策、送服务；建立基金“笔笔清”快结快转机制，根治医院“钱账难对有效提升医保经办水平”问题。承接医保政务服务“颗粒化”试点工作任务，组织开展37项医保服务事项情形最小颗粒化梳理拆分。区医保大厅、3家医院、19个街镇全部配备自助服务终端，结合重庆医保微信公众号、“渝快办”服务平台、重庆市医疗保障网站、医保服务热线等多位一体的线上服务渠道。以创建“全市医疗保障服务示范点”为抓手，推进医疗保障服务能力建设，打造区人民医院医保服务站，龙河镇、长寿湖镇等示范点。

【医保基金监管】 2023年，区医保局建立春秋两季培训、医疗机构经办跟班培训、下基层分片对村卫生室培训机制，从源头抓好医保基金使用规范；建立案情通报制度，每季度通报违规案例，开展案例评讲；建立全量医疗数据监测预警机制，对大起大落、激增激减情况进行处置。开展合广长（合川区、广安市、长寿区）、明月山医保联盟（重庆市梁平区、长寿区、垫江县，四川省邻水县、达川区、大竹县、开江县）交叉检查，市医保局飞行检查；与区公安局、区卫生健康委、区市场监管局等部门建立情报互通、快速响应联合行动机制，全年开展联合行动236次，查处医药违规行为231起。全年共追回医保基金595.12万元，处违约罚金656.65万元。 （区医保局）

社会救助

【城乡最低生活保障】 2023年，长寿区城市低保共救济46588人次，共发放救助金3070万元；农村低保共救济133577人次，共发放救助金6301万元。根据重庆市民政局重庆市财政局《关于提高城乡低保等社会救助保障标准的通知》精神，从9月起，城市居民最低生活保障标准由每人每月717元提高到735元，农村居民最低生活保障标准由每人每月581元提高到600元。

【流浪乞讨救助】 2023年，长寿区健全救助管理体系，开展规范化、人性化救助服务，将4个福利彩票销售点打造为流浪乞讨人员临时救助网点。开展“6·19宣传日”活动、“寒冬送温暖”、“夏季送清凉”专项行动，履行兜底职责。全年共救助流浪乞讨人员119人次，其中站内救助99人次，街面巡查劝导救助20人次；疑似精神病患者、智障人员、残疾人员22人次；易走失人员回访600人次；寻亲成功5人，落户安置1人。

【特困人员供养】 2023年，长寿区提高特困人员救助供养标准，从9月起，特困人员基本生活标准从每人每月932元提高到每人每月955元，比上年增长2.47%。全年发放特困人员生活救助金5439万元，救济57047人次；发放特困人员照料护理救助金582万元，救助53641人次。

（区民政局）

【医疗救助】 2023年，长寿区资助医疗救助对象参保2.92万人，资助金额922.88万元；资助特困人员4733人，资助金额165.66万元；资助低保对象1.48万人，资助金额470.91万元；资助低保边缘户435人，资助金额11.58万元；资助未消除风险的监测对象（含边缘易致贫户、突发严重困难户、脱贫不稳定户）91人，资助金额2.26万元；资助在乡重点优抚对象（不含1~6级残疾军人）4085人，资助金额142.97万元；资助城乡孤儿216人，资助金额7.55万元；资助民政部门建档其他人员531人，资助金额14.03万元；资助城乡重度残疾（一、二级）人员4206人，资助金额107.9万元。全年享受医疗救助共16.98万人次，救助金额3868.36万元。其中，门诊救助14.16万余人次，资助金额991.14万元；住院救助2.82万余人次，资助金额2877.22万元。重特大疾病医疗救助4.91万人次，直接医疗救助16.98万人次，重特大疾病医疗救助人数占直接救助人数比例28.92%。

（区医保局）

【临时救助】 2023年，长寿区共临时救助3287人次，发放救助金1055.1万元。专项临时救助12人次，发放资金5.66万元。与重庆市救助基金会合作，救助重病对象8人次，发放救助金额16万元。救助低保家庭全日制大专以上在读学生12人次，发放救助金额6万元。

（区民政局）

【慈善救助】 2023年，重庆市长寿区慈善会（简称区慈善会）利用腾讯公益平台，接收爱心善款125.39万元，其中网络捐款121.5万元；依托重庆市慈善总会包装上线“寿乡慈情暖万家”“共建美好新家园”2个腾讯项目，并参与腾讯公益“乡村振兴·重庆专场”和“99公益日”活动，获得腾讯公益配捐14.39万元；开展社会慈善劝募，收集善款465.08万元。全年接收社会捐赠款物604.86万元，其中捐赠物资折合人民币1.28万元。开展“慈善情暖万家”系列活动，对困难群众76户、特困老人44人，发放慰问金和慰问品4.42万元；对因病、因灾、因学致困群众35人发放救助款15.7万元；围绕“一老一小”，投保5.16万元，为全区610名高龄老人、14名孤困儿童和125名困难群众统一购买“渝快保”；开展退役军人关爱活动，慰问困难退役军人家庭109户，共发放关爱基金31.58万元；开展定向捐款捐物活动，发放定向捐赠款物422.6万元；划拨乡村振兴专项款20.35万元，用于发展农业产业、基础设施建设和房屋修缮等。全年捐赠支出共计554.24万元，直接救助各类困难群众1800余人次。区慈善会获“重庆市慈善工作二等奖”“重庆市社会组织评估3A”等荣誉。

（区慈善会）

福利事业

【老龄福利】 2023年，长寿区90岁及以上老人共4254人，其中100岁及以上老人46人，96~99岁老人307人，90~95岁老人3901人。全年发放高龄营养补贴537.57万元、47068人次。发放慰问金60.86万元、507人次，其中百岁老人健康管理慰问金58.86万元、487人次，百岁老人生日慰问金2万元、20人。全区经济困难的高龄失能老年人共1458人，其中高龄老人1030人，失能老人428人。全年发放经济困难高龄失能养老服务补贴345.38万元，涉及17269人次。

【儿童福利】 2023年，区民政局印发《重庆市长寿区未成年人保护应急联动响应工作机制》，推动解决未成年人保护工作中的重点和难点问题。组建“莎姐守未”环境整治工作专

2023年5月30日，区民政局领导在洪湖镇慰问困境儿童　　（余　蓝　摄）

班，排查整治影响未成年人成长的行业领域突出问题，首次提出对长寿区异地居住困境儿童实行户籍地与居住地“双列管”制度。制定《关于进一步加强留守儿童精准排查工作的通知》，将留守儿童范围由农村拓展到城市或城镇。通过摸底排查，全区城市留守儿童198名，农村留守儿童1058名，区民政局对6名监护缺失儿童进行临时监护。对60名孤儿、192名事实无人抚养儿童，每人每月补助1405元，全年共发放补助金306余万元。为14名孤儿和20名事实无人抚养儿童累计发放助学金30余万元。

【残疾人福利】　2023年，长寿区累计发放残疾人两项补贴（护理补贴和生活困难补贴）1178.5万元，涉及14.5万人次。落实社会流散精神病患者救助，对家庭困难的患者实行托底送治救助，全年送治救助986人，为患者家庭减少支出1418.3万元。推进“福康工程”实施，开展“福康工程”手术康复患者排查、筛选，协助患者康复治疗。全年共申请假肢7具、护理床8张、助行器2件、拐杖22副、轮椅34座。

【福利彩票销售管理】　2023年，长寿区建成1个福彩幸运小店和1个即开票常年卖场。开展宣传营销活动12次，推动福彩新渠道销量提升。全年销售福利彩票8014万元，比上年增加970万元，增长13.77%。实施福彩·点亮乡村公益项目，向市福彩中心争取捐赠太阳能路灯100盏。

（区民政局）

【体育彩票】　2023年，长寿区体育彩票销售额1.27亿元，比上年增长42.08%，在全市销量排名第二十八位。全区体彩销售网点81个，年内新增20个。其中，专卖店45个，新增9个；兼营店36个，新增11个。全区体彩专卖店占体彩销售网点比重55.56%。　（孙　祥）

住房保障

【概况】　2023年，长寿区认定保障性租赁住房项目3个，主要集中在长寿经开区、中心城区，为新市民、青年人特别是长寿经开区的企业职工提供了住房保障。网络调查结果显示，新市民、青年人等群体对全区保障性租赁住房发展满意度84.16%。面向已租住保障性租赁住房的新市民、青年人等群体进行实地书面调查，调查结果显示该类群体满意度100%。保障性租赁住房发展获得市级激励500万元。10月10日，新浪财经以“重庆长寿让地方存量资产‘活’起来”为题对全区保障性租赁住房进行相关报道。

【保障性住房管理】　2023年，长寿区认定保障性租赁住房项目凤西苑、新市华府、恒居公寓3个，新增2164套、建筑面积18.05万平方米的保障性租赁住房。其中“长寿晏家九期、十期项目”“长寿健康驿站服务中心（一期）项目A区”在建，开工保障性租赁住房占已认定保障性租赁住房的比例达75%。“长寿区CCB建融家园——恒居公寓项目”投用，出租的保障性租赁住房共458套，占竣工保障性租赁住房的98.1%。　（朱　静）

【住房公积金管理】　2023年，长寿区新增住房公积金缴存额11.4亿元，累计缴存额110.8亿元，缴存余额34.1亿元。长寿区分中心加强住房公积金管理，累计实现增值收益4.4亿元，累计提供廉租住房补充资金3.0亿元。其中，年内实现增值收益4068.6万元，增值收益率1.2%；提供廉租住房补充资金3698.6万元，占当年增值收益的90.91%。

2023年长寿区住房公积金缴存情况统计表

表34

缴存群体	单位个数（个）		职工人数（人）			缴存金额（万元）						
						上年止累计		本年度实际		本年止累计		缴存余额
	当年新增数	本年止累计	当年新增人数	本年实缴人数	期末个人账户数	合　计	其中：结转利息额	合　计	其中：结转利息额	合　计	其中：结转利息额	
	1	2	3	4	5	6	7	8	9	10=6+8	11=7+9	12
在职缴存人员	105	944	5367	66988	78373	994447.18	32790.99	113990.14	4603.71	1108437.32	37394.70	340946.81
灵活缴存人员	–	–	3294	2606	4019	506.70	2.58	310.52	6.62	817.22	9.20	634.93

2023年长寿区住房公积金使用情况统计表

表35

项目	个人购建住房贷款									个人提取					
										住房消费类提取		非住房消费提取		合计	
	发放笔数（笔）	建筑面积（万平方米）	购建房总价款（万元）	发放额（万元）	回收额（万元）	贷款余额（万元）	逾期贷款额（万元）	逾期笔数（笔）	逾期率（‰）	金额（万元）	人次	金额（万元）	人次	金额（万元）	人次
	1	2	3	4	5	6=4–5	7	8	9	10	11	12	13	14=10+12	15=11+13
上年止累计	19055	207.39	744876.11	469241.50	213171.59	256069.91	61.63	12	0.241	554112.57	269203	127460.42	47876	681572.99	317079
本年数	894	9.28	47158.63	31404.90	34294.78	—	—	—	—	63404.36	52452	31542.08	4123	94946.44	56575
本年止累计	19949	216.67	792034.74	500646.40	247466.37	253180.03	33.46	10	0.132	617516.93	321655	159002.50	51999	776519.43	373654

说明：1.本表包含在职缴存人和灵活就业缴存人的使用情况；

2.本表中的贷款情况不含贴息贷款；

3.住房消费类提取包含：全款购房、偿还购房贷款本息、租房自住、老旧小区加装电梯等其他住房消费提取；

4.非住房消费类提取包含：退休、终止劳动关系、户口迁出或出境定居以及“死亡提取”“大病提取”“家庭困难提取”等其他非住房消费提取

2023年1月17日，区住房公积金志愿服务队在古镇社区宣传灵活就业人员试点政策（区住房公积金管理中心　供图）

【住房公积金贷款】　2023年，长寿区分中心发放首笔灵活就业人员住房公积金贷款20万元，帮助灵活就业群体解决家庭基本居住问题。全年向994户家庭发放住房公积金贷款3.5亿元（含贴息贷款101笔0.4亿元），分别比上年增长4.4%和12.3%；年末贷款余额25.3亿元，市场占比22%，个贷比率74.2%，个贷逾期率0.1‰。

（区住房公积金管理中心）

民族宗教事务

【概况】　2023年，长寿区开展民族团结进步宣传教育活动。与新疆驻渝工作组联系，维护民族领域安全稳定。开展宗教领域安全隐患防范化解工作，争取市级财政资金用于教堂排危修缮，消除宗教场所安全隐患，全区宗教领域安全稳定。

【民族事务】　2023年，长寿区组织开展第十三个民族团结进步宣传周活动。在少数民族学生较多的学校、少数民族群众较多的社区开展民族团结进步宣传。推进少数民族发展资金项目建设，将长寿湖镇石回片区农产品交易市场项目作为少数民族发展资金项目组织实施。民族宗教工作领导小组成员单位不定期开展民族领域风险研判，主动调处化解涉及少数民族群众的矛盾纠纷。依法完成2名少数民族群众的民族成份变更审批工作、11名少数民族应届考生“高校招生聚居少数民族成份变更情况申报表”审核工作。

【宗教事务】　2023年，长寿区组织开展宗教活动场所安全隐患排查工作，督促2个宗教活动场所更换老旧电线、3个宗教活动场所更换灭火器。争取市级财政资金20万元用于上东街教堂排危修缮，督促4个宗教活动场所自筹资金62万元用于场所排危修缮，消除宗教场所安全隐患。争取市级宗教活动场所维修补助资金40万元用于菩提寺排危修缮。稳妥处置长寿区天台寺与周边居民因用地费用问题引发的纠纷1起。召开全区宗教界人士季度学习会和宗教领域安全工作会，推动宗教活动安全、宗教活动场所规范管理、宗教界人士思想政治引领、崇俭戒奢教育活动等工作落实。

（张高举）

老龄事务

【社会养老服务体系建设】　2023年，长寿区有养老服务设施321个，其中养老机构38家（公办20家、社会办18家），街镇养老服务中心19个，社区养老服务站40个，村级互助养老点221个，区级智慧养老指导中心1个，中心带站率100%，构建起区级、街镇、社村三级养老服务体系。养老机构设置床位3147张，其中兜底保障性床位1120张，社会开放床位2027张，设置护理型床位2810张，占床位总数的89.29%。争取208万元中央资金用于长寿湖、晏家敬老院消防改造提升，安排64万元福彩公益金对长寿湖镇养老院等8家公办养老机构天然气入户安装等项目进行改造提升。

（区民政局）

【老龄健康服务】　2023年，长寿区开展全国示范性老年友好型社区创建工作，提升社区服务能力，满足老年人在居住环境、健康服务、养老服务、社会参与、精神文化生活等方面的需求。双龙镇双龙社区获“2023年全国示范性老年友好型社区”称号。开展老年人免费体检，为失能、半失能老年人提供免费上门健康巡诊服务，为74213名老人开展2次医养结合服务，为295名失能老人开展健康评估，为281名失能老年人开展健康服务。

【老年人就医环境优化】　2023年，长寿区推动老年医学科建设，督促全区6家二级及以上综合性医院设置老年病科，优化老年人就医环境。实施医养结合服务，全区有医养结合机构8家，其中养老机构开设护理院、内设医务室等3家，医疗卫生机构开展养老服务5家。全区养老机构与周边医疗卫生机构签订医养合作协议38对，实现全覆盖。（杜华莉）

【百岁老人】 2023年，长寿区新增百岁老人20名，死亡百岁老人21名。至年末，全区共有百岁老人46名，其中男性百岁老人11名，女性百岁老人35名。百岁老人中，105岁的有2名，分别为八颗街道莲花街社区李文光（男）和江南街道扇沱村李淑芳（女）；100岁和101岁的共计35名，占总数的76%。百岁老人分布在17个街镇，其中凤城街道百岁老人有9名，居全区首位；龙河镇和但渡镇无百岁老人。全年全区发放百岁老人高龄津贴38.96万元、健康管理金58.86万元、节日和生日慰问金6.4万元。

（刘思雨）

2023年末长寿区100岁及以上老人一览表

表36

序号	街镇	户籍地址	姓名	性别	出生年月	年龄
1	菩提街道	胜天社区	何贵全	男	1920年03月	103
2	菩提街道	文苑社区	刘光淑	女	1923年09月	100
3	凤城街道	凤岭路社区	蒋月华	女	1923年11月	100
4	凤城街道	向阳路社区	毛永碧	女	1923年10月	100
5	凤城街道	梅村社区	沈思恩	男	1922年04月	101
6	凤城街道	东街社区	赵代旭	女	1922年04月	101
7	凤城街道	骑鞍社区	王瑞章	男	1922年09月	101
8	凤城街道	骑鞍社区	潘传君	女	1922年11月	101
9	凤城街道	向阳路社区	章素华	女	1921年11月	102
10	凤城街道	骑鞍社区	张贵清	女	1923年07月	100
11	凤城街道	顺风亭社区	王贤仁	男	1921年12月	102
12	晏家街道	晏家社区	杨树怀	女	1923年11月	100
13	晏家街道	育才路社区	毕素云	女	1923年10月	100
14	晏家街道	查家湾社区	张淑文	女	1922年03月	101
15	晏家街道	中心路社区	张素芳	女	1922年06月	101
16	晏家街道	中心路社区	杨淑华	女	1919年11月	104
17	晏家街道	朱家岩社区	胡素清	女	1922年11月	101
18	江南街道	扇沱村	李淑芳	女	1918年01月	105
19	渡舟街道	渡舟村	潘炎章	男	1919年10月	104
20	渡舟街道	甘蔗村	余云和	男	1923年10月	100
21	渡舟街道	堰桥村	舒克明	女	1923年09月	100
22	渡舟街道	渡舟村	但淑清	女	1922年11月	101
23	新市街道	新合村	王淑清	女	1920年01月	103
24	八颗街道	莲花街社区	李文光	男	1918年11月	105
25	八颗街道	莲花街社区	张连芳	女	1922年01月	101
26	八颗街道	鹿坪村	孙元中	女	1923年03月	100
27	八颗街道	丰胜村	张光清	女	1921年12月	102
28	八颗街道	付何村	程淑芳	女	1922年01月	101

续表36

序号	街镇	户籍地址	姓名	性别	出生年月	年龄
29	长寿湖镇	红光村	王淑清	女	1923年07月	100
30	云台镇	小岩村	余书清	女	1922年05月	101
31	云台镇	拱桥村	陶光余	男	1923年08月	100
32	葛兰镇	金山村	湛树堂	男	1923年07月	100
33	邻封镇	青观村	邓义华	女	1923年03月	100
34	邻封镇	邻封村	魏大信	男	1923年08月	100
35	云集镇	尖峰村	包常清	女	1923年08月	100
36	双龙镇	龙滩村	韩素华	女	1922年08月	101
37	双龙镇	红岩村	王淑华	女	1923年07月	100
38	海棠镇	清泉村	张宗淑	女	1922年09月	101
39	海棠镇	清泉村	李淑华	女	1923年10月	100
40	石堰镇	兴庄村	刘彩英	女	1919年07月	104
41	石堰镇	干坝村	张治华	女	1922年02月	101
42	石堰镇	雨台村	陈淑德	女	1921年08月	102
43	洪湖镇	黑岩村	谢正福	男	1923年03月	100
44	洪湖镇	芦池村	李世珍	女	1923年08月	100
45	万顺镇	东风村	谢素芳	女	1922年09月	101
46	万顺镇	万花村	曹素华	女	1923年01月	100

【双龙社区获评全国示范性老年友好型社区】 双龙社区由原双龙村、活渔村、天堂村15组、16组、17组、光辉村8组于2004年5月合并而成，辖区面积2.67平方千米，常住居民6335户、11961人。社区60岁~64岁468人，占总人口的3.9%；65岁~79岁2144人，占总人口的17.9%；高龄老人1035人，独居老人8人，空巢老人2人。2023年，社区启动全国示范性老年友好型社区创建工作。开展环境卫生整治，成立志愿小组，不定时清理路边、河边白色垃圾，改善老年人居住环境；填补辖区内公路坑洼10余处，方便老年人出行；实施住房适老化改造，对符合相关政策的特困供养、低保、建档脱贫户、残疾老年人家庭实施危房改造，方便老年人生活；帮助老年人通过合作社、微信朋友圈销售农副产品，提高老人生活水平；成立老年协会和老年文体团队，开展春游、文艺晚会等娱乐活动；联合卫生院、卫生服务中心，定期为老年人提供生活方式和老年健康评估、体检和健康指导，为老人进行家庭医生签约，为患病老年人建立健康档案，每季度为慢性疾病老人进行健康检查；实施科技助老，为社区老年人开展智能产品使用培训。年内，双龙社区被国家卫生健康委员会、全国老龄工作委员会办公室命名为2023年全国示范性老年友好型社区。

（双龙镇）

【乐温医养中心建成投用】 2023年12月，长寿乐温医养中心建成投用。该中心位于长寿区杏林路1号，总建筑面积6183.23平方米，设置养老床位167张，实行公建民营模式运营。为构建基本公共养老服务保障体系，提升养老服务能力，长寿区于2022年投资700万元，利用区中医院利生楼7~9楼打造以“医养结合”为主题的综合性新型医养中心——乐温医养中心。提供托养护理、生活照料、健康管理、心理疏导、休闲娱乐、文化教育、人文关怀等全方位、全周期、全过程医养服务，并根据老年人健康状况、医养需求以及个人喜好，设有套房、单人间、双人间、三人间，设有舞蹈室、绘画室、书法室、琴室、学习室，提供分级分区服务，满足老年人多样化的养老需求。至年末，入住老年人48人。（陈　杰　余开华）

基层治理

【概况】 2023年，长寿区有村干部1136人、社区干部358人，平均年龄

41.8岁，大学、专科以上学历占全区村（社区）干部的56.2%，“一肩挑”比例95%。年内，获评全国综合减灾示范社区4个、全国民主法治示范村（社区）3个。

【基层群众自治】 2023年，重庆市长寿区民政局（简称区民政局）落实基层群众性自治组织法人备案制度，执行涉村（社区）事项“四清单一目录”（行政村工作事项清单、社区工作事项清单、工作负面事项清单、依法出具证明事项清单、工作机制挂牌指导目录），联合区委组织部更新并调整公布村（居）务公开目录，指导村（社区）在村（居）务公开栏和全国基层政权建设系统按时公开，全年村（居）务公开4次及以上的村（居）99%以上。村（社区）财务每个月公开，每季度召开一次村（居）民代表会议、每年召开一次村（居）民会议。建立城乡社区工作者固定补贴增长机制，为村干部购买责任险、职工医保，责任保险保费57.93万元。

【社区治理创新】 2023年，区民政局指导邻封镇邻封村开展全国村级议事协商创新实验工作，并纳入全市16个清廉村居建设试点之一，一体两面开展创建工作，形成“五五议事、和合共兴”村级议事协商品牌，通过全国村级议事协商创新实验工作，入选清廉建设标杆单位。新市街道新同村被纳入全市村级议事协商创新实验试点单位，菩提街道菩提社区、长寿湖镇狮子滩社区、龙河镇保合村、邻封镇汪塔村、双龙镇长寿寨村被确定为市和谐社区（村）示范创建培育单位。

【社会工作服务体系建设】 2023年，长寿区按照“有方案、有阵地、有人员、有经费、有制度、有服务、有成效、有品牌”的标准，建成1个区级社会工作指导中心、19个镇级社工站、270个村（社区）社工室的三级社会工作服务体系。全区社会工作从业人员4104人，专业社会工作人员604人，本土社会工作服务机构10家。

【社会组织管理】 2023年，长寿区有依法登记在册社会组织285家，其中社团136家，民办非企业单位149家。累计发展社区社会组织2524家。全区社会组织中有党组织34个。5月，市民政局领导带队到长寿区调研，对社区社会组织备案管理工作给予肯定。长寿区入选“社会组织成立一件事”试点区。

【区划地名管理】 2023年，长寿区建立地名联席会议制度，印发《长寿区地名管理工作重大事项报告制度（试行）》和《长寿区地名管理工作向党委政府报告的重大事项清单（试行）》，建立区级相关部门按行业管理地名的责任制度。印发《长寿区乡村地名建设实施方案》，指导在百度地图、高德地图开展兴趣点上图200余条，完成17条已命名道路在国家地名信息库、重庆市地名信息库、区政府官网的公开备案制度。完成20条、256.5千米镇街行政界线勘定工作，安装界桩19座，完成长寿区、涪陵区界线联检工作。（区民政局）

2023年5月11日，市民政局领导带领西南大学法学院相关人员到长寿区调研社区社会组织备案管理工作 （张成仔 摄）

精神文明建设

【概况】 2023年，长寿区加强未成年人思想道德建设，开展系列主题活动350余场。结合社会主义核心价值观教育开展主题班队课4500余节、文明劝导等教育实践活动100余场次，培育出一批先进典型。开展文明创建活动，渡舟街道三好社区、凤城街道三峡路社区、新市街道河石桥社区、云集镇青丰村、葛兰镇盐井村、龙河镇保合村6个新时代文明实践站获评2023年重庆市新时代文明实践示范站（点）。

【未成年人思想道德建设】 2023年，长寿区推进“德育品牌项目创建工程”，累计创建市级德育品牌学校5所，区级德育品牌学校10所。构建学校特色德育课程体系，研发思政课校本课程10余个。开展杨克明故事“进校园”活动20余场次，传承红色基因。开展“少年向上·新发展向未来”“书香重庆·阅读之星”“中华文物我来讲”“小公民校园法治漫画大赛”“笔墨中国汉字书写大赛”“中华魂（毛泽东伟大精神品格）主题演讲”“光明少年说·成长有梦”“唱响主旋律，永远跟党走，奋进新征程”等系列主题活动350余场，结合社会主义核心价值观教育开展主题班队课4500余节、文明劝导等教育实践活动100余场次。组织参加重庆市“甜甜虎”心理健康教育推选活动，1名教师获评优秀工作者，1个心理成长中心获评优秀咨询中心（辅导室），2个教学案例获评优秀教学案例。获重庆市未成年人儿童圆梦“甜甜虎”春节行动一等奖2个。开展“我劳动我快乐”主题活动，选拔一批“快乐劳动小能手”；累计创建中小学社会实践教育基地9个（其中2个市级），开辟校园农场60余个，指导学生开展蔬菜花木种植、管理等劳动活动。

【践行社会主义核心价值观】 2023年，长寿区开展社会主义核心价值观教育，建立新时代“长寿好人”评选机制，培育出一批先进典型。全年挖掘身边好人线索200余条，评选“长寿好人”30名。评定区级好少年30名、好老师好辅导员好校长35名、好家长5名，其中7人获市级奖项。凤城街道李洪志获评“中国好人”，区中医院杨俊荣获评“中国好医生”，区法院长寿湖法庭、区税务局第一税务所、国网长寿供电公司徐家坪运维站获评“全国一星级青年文明号”，曹礼远获评2023年第四季度“重庆好人”。

【文明创建活动】 2023年，长寿区举办纪念学雷锋60周年志愿服务暨“文明行为促进月”系列活动，组织12支区级志愿服务队参加。开展“最美家庭”创建，评选“绿色家庭”100户、“最美阳台”10户、“最美庭院”10户、“最美书香家庭”10户，7户家庭获评市级“绿色家庭”“最美阳台”“最美庭院”。抓好“莎姐守未”专项行动宣传引导工作，开展法律政策和典型案例宣传83场，发放宣传资料2000余份，组织家庭教育讲师团送家庭教育公益讲座进村（社区），广泛宣传未成年人保护法等法律法规，覆盖村（社区）100余个。

【志愿服务】 2023年，长寿区提档升级区级文明实践中心阵地建设，出台分中心、所（站）建设评估办法，组织开展文明实践分中心、所（站）建设年度评估，召开文明实践工作年度述职大会，落实以奖代补工作经费近200万元。以星级所站评定推动文明实践示范带建设，新增区级星级所3个、站7个，发放以奖代补建设经费65万元。开展关爱帮扶、垃圾分类、政策宣传、应急救助等新时代文明实践志愿服务27369场，开展“六讲”志愿服务活动537场，“美凤大姐”扶老助幼志愿服务项目获全市文明实践志愿服务项目大赛铜奖。罗云芳获评重庆市五星级志愿者，王厚娟、王亚明、罗小松获评重庆市学雷锋最美志愿者，葛兰镇盐井村“集结号”退役军人志愿服务队获评最佳志愿服务组织，云集镇青丰村新时代文明实践站获评最美志愿服务站（岗），重庆化工职业学院张永江获评重庆市“最美生态环保志愿者”。 （区委宣传部）

应急管理

综　述

2023年，长寿区建立健全应急管理工作体系，组建区综合应急救援队伍，建成投用区综合应急救援基地、区级物资储备库。实施应急行政审批，备案177家次。对危险化学品生产、储存建设项目安全条件审查13家次，危险化学品生产、储存建设项目安全设施设计审查15家次，危险化学品经营许可72家次，办理非药品类易制毒化学品生产备案7家次，经营备案70家次。办理烟花爆竹春节期间经营许可249个。完成2023年度“国考国巡”迎检工作，反馈问题隐患40条，整改完成31条。构建形成“1+5+N”预案体系（“1”指区总体预案，“5”指安全生产、自然灾害、社会安全、公共卫生、保障类5类专项预案，“N”指若干个行业专项预案、部门街镇预案、生产经营单位企业预案）。印发《关于进一步做好应急预案修编及演练有关工作的通知》，督促各部门、园区、街镇对超过修订年限、格式不规范、内容不全面、操作性不强等的应急预案进行修订，对审核发现未按要求编制或编制内容与实际不符的，要求修改后备案。加强镇街和村（社区）预案编制动态管理，指导镇街和村（社区）制定完善与本辖区发展现状相适应的应急预案。成立专项监督检查工作领导小组，下设2个督查检查小组，对部门、街镇、企业开展应急预案监督检查工作，督查检查部门、园区、街镇30余家次，专项检查企业40家，督促企业结合实际编制或修订应急预案11部。全年备案部门预案8部、企业预案67部，审核专项应急预案2部。指导企业开展应急演练7场次。结合安全生产月、防灾减灾日等活动，深入街镇、村（社区）开展应急知识讲座，重点培训应急预案编制、应急演练和应急物资装备维护保养等知识，提升街镇干部、村社工作人员、网格员应急准备能力。（张　宁）

防灾减灾

【概况】 2023年，长寿区总体气候状况偏差，气温偏高、高温干旱偏重，降水偏少、局地暴雨洪涝突出。全区先后遭受洪涝7次、风雹2次、雪灾1次等自然灾害，导致全区19个街镇2.71万人次不同程度受灾，其中房屋倒塌10间，严重损坏房屋54间，一般损坏房屋306间，农作物受灾面积1297.48公顷，直接经济损失1597.7万元。提前预警、撤离及时，未造成人员伤亡。全年未发生森林火灾。

（张　宁）

【水旱灾害防御】 2023年，长寿区有8处防洪重点区域薄弱环节风险点。

其中，市级风险点2个（洪湖镇称沱场洪水易发区和葛兰场镇洪水易发区）；区县级风险点6个，主要分布在御临河、龙溪河、桃花溪、沙溪河、打渔溪。有重点山洪灾害危险区50个，主要分布在晏家、八颗、葛兰、长寿湖、云台、海棠、邻封、洪湖、万顺等15个街镇。年内，成立抗旱应急领导小组5个，落实水旱安全防御责任。建立健全责任链条，签订度汛安全管理和山洪灾害防御责任书38份，落实106座水库（水电站）、8处防洪重点区域及薄弱环节风险点、134处山洪灾害危险区等防汛（防御）“三个责任人”。对全区5个水文站、9个水位站、28个雨量站自动化进行升级。编制完成桃花溪、打渔溪、晏家河超标洪水防御预案。完成50个重点山洪灾害危险区防御应急演练全覆盖。完成2022年中央救灾资金31处防汛抗旱工程建设。完成54座小型水库雨水情和62座大坝安全监测设施建设项目竣工验收。开展隐患深度排查，分6个检查组24人次，对19个街镇106座水库、50个重点山洪灾害危险区、8处防洪重点区域以及高切坡等开展重点抽查，排查隐患15处，全部落实整改。（区水利局）

【地质灾害防治】 2023年，长寿区印发实施《重庆市长寿区地质灾害防治方案（2023—2025）》，全天候智能监测209处地灾点。242名“四重”网格员加密开展巡查监测和预警信息报送，汛期发布预警信息17条，受众4200余人次，紧急避险撤离780户1520人，避险演练覆盖率100%，处置险情4起，无人员伤亡。强化“搬迁+整治”综合治理，完成“金土工程”避险搬迁229人。印发《长寿区小微地质灾害治理项目管理办法》，实施排危除险项目15个、小微整治项目5个，推进天井湾、走马岭及枇杷岩3个重点危岩治理。（陈　曦）

【气象灾害防御】 2023年，区政府出台《重庆市长寿区自然灾害预警发布及响应规范（试行）》。区气象局印发《重大气象灾害预警信息党政领导叫应制度》等，分级分类明确预警信息发布及响应等职责，推动全区建立“一轮过程、一会调度、一文部署”的重大天气过程气象灾害防范应对工作机制。发挥预警信息发布系统效能，更新信息接收人员2452人，发布预警、服务信息1598条，涉及1200万余人次，电话叫应385人次，启动应急响应4次，连续6年无因灾人员伤亡。强化会商联动和应用考核，组织参加部门联合会商19次，联合发布相关信息96期，将预警信息发布系统使用情况纳入安全生产目标考核，每月定期通报运行情况，推进气象灾害风险普查成果应用。

（黎　明　徐元照）

【森林防火】 2023年，长寿区建成常备森林消防队伍，建立“十户联防体”2997个，涉及28898户、4万余人。加大森林防火宣传力度，制作防火短视频，点击量30多万人次。完善森林防火基础设施建设，建成防火道路39.8千米、消防水箱45座；投入70万元配备森林灭火器材。林火智能监控系统建成投用，覆盖重点林区95%以上。全年无森林火灾发生。

（区林业局）

【防震减灾】 2023年，长寿区对辖区内的28处项目是否开展地震安全性评价、抗震设防烈度、地震应急预案和演练，以及地震安全知识培训等方面进行逐一检查，发现2家医院未按照市政府要求开展地震安全性评价，区应急局及时下发“责令限期整改通知书”。年内，2家医院均开展地震动参数复核。（张　宁）

安全生产监管

【概况】 2023年，长寿区安全生产风险源主要集中在危险化学品、工贸、建筑、交通、消防等重点领域，有危险化学品重大危险源124个、“四涉一有限一使用”（涉及粉尘爆炸、高温熔融金属、煤气或天然气、涉氨制冷，有限空间作业，燃爆毒危险化学品使用）重点工贸企业80家、在建工程项目137个、高层建筑996幢、运营车辆13113辆、消防安全重点单位574家、城镇燃气管道2961千米。全年发生安全生产事故15起，比上年下降6%；安全生产事故死亡18人（含生产经营性道路交通事故4起死亡4人），比上年上升5.9%。

【安全监管责任体系建设】 2023年，长寿区印发《关于进一步明确部分行业领域安全生产监管职责的通知》，明确街镇、园区和48个区级部门安全监管职责，划分25个职能交叉领域区域各单位的安全监管责任，构建“纵向到底、横向到边、齐抓共管”的安全监管体系。出台《长寿区安全生产与自然灾害防治工作考核积分管理办法》，定期对全区各单位安全履职情况开展考核积分、晾晒排名。长寿区安全生产委员会、长寿区减灾委员会开展“四不两直”明查暗访163次，对重大隐患、突出问题进行视频曝光，推动安全责任、隐患治理、监管执法、应急值守落地落实。实施安全生产举报奖励。全年全区接线举报558起，受理举报86起，立案17起，对被举报单位及个人行政处罚5万元，奖励举报人3.25万元。

【安全生产资金投入】 2023年，长寿区投入安全生产资金268.94万元，主要用于安全宣传教育、专项排查整治、危险化学品安全审查、危险化学品烟花爆竹“打非治违”等工作。

【安全生产监管执法】 2023年，长寿区开展重大事故隐患专项排查整治行动，共排查企业3092家，发现重大事故隐患182起，完成整改157起，整改率86.26%。

【危险化学品安全监管】 2023年，长寿区有中石化川维化工、扬子乙酰、巴斯夫重庆公司等危险化学品生产企业53家，经营储存企业7家，危险化学品运输企业23家，注册危险货物运输车辆1400余辆。年内，长寿区对54家危险化学品生产企业全覆盖检查和企业自查，共排查出17家企业装置设备运行隐患139起，年末全部完成隐患整改。36家重大危险源企业均建成运行双防控系统，实现风险分级管控以及隐患排查治理。

【工贸行业安全监管】 2023年，长寿区有重点工贸企业500余家，规上工贸企业180余家，重点分布在长寿经开区和长寿高新区2个园区。全年共检查工贸企业200余家次，排查隐患1000余起，推进工贸企业标准化建设，75家“四涉一有限一使用”（涉及粉尘爆炸、高温熔融金属、煤气、涉氨制冷，有限空间作业，危化品使用）企业创建达标，规上工贸企业标准化创建率89.2%。全年工贸领域未发生生产安全事故。

【安全隐患排查整治】 2023年，长寿区聚焦重点行业、重点领域、重点环节，实施重大事故隐患排查整治专项行动。危险化学品方面，建立“2226”工作机制（每2周安排一轮专项整治检查、每轮检查企业2家、每家企业深度检查2天、每次出动6名专家），开展装置设备带病运行、双重预防机制、高危细分领域安全风险等专项整治，对重大隐患等违法问题依法查处。全区危化企业安全生产事故亡人为零，火灾爆炸事故为零，涉险事件大幅度下降。建设施工方面，完成工地安全检查1226个次，督促整改隐患1514起，发出局部停工通知33份，现场执行简易执法程序218起，对527栋经营性自建房隐患房屋进行整治销号。道路交通方面，全年整治道路交通安全隐患338处，查处各类交通违法34万余起，交通事故起数、死亡人数分别比上年下降13.25%、8.7%。工贸行业方面，组织市级专家和区级专家对钢铁行业开展重大事故隐患专项检查，查处重大事故隐患7起、一般隐患94起，全部整改闭环。燃气安全方面，开展城镇燃气安全专项整治，重点聚焦第三方施工破坏行为，开展商民两用安检15万余户，完成燃气隐患整改2050起，完成2000年以前老旧燃气压力管道安全评估172.5千米。消防方面，开展2023年火灾防控“除险清患”专项行动，排查全区996栋高层建筑，整治隐患558起，投入2000万元恢复85栋高层建筑消防用水，完成18栋“三无”老旧高层建筑消防整改，拆改可燃雨棚、外墙防护网3000余户。全年全区发生火灾300起，比上年下降51.14%；直接财产损失184.7万元，比上年下降81.95%。

【安全事故调查处理】 2023年，长寿区排查发现重大事故隐患182起，督促完成整改157起，整改率86.26%，实施行政处罚533家次，罚款576.96万元；对企业和企业主要负责人“一案双查”7次；责令停产整顿企业7家；曝光、约谈、联合惩戒企业21家。 （张　宁）

消防救援

【概况】 2023年，区消防救援支队接处警1600余起，营救疏散被困群众320余人，抢救财产1400万元，完成“3·20”聚狮新材料火灾、“8·11”九橡容大仓库火灾、“11·29”化粪池事故等处置任务，全年未发生较大以上火灾事故。

【消防安全管理】 2023年，区消防救援支队编制《建筑火灾移动喷射器具使用指导意见》，对支队各类型移动炮、车载炮、水枪等开展实战效能测试，规范常规住宅火灾、高（多）层建筑外立面火灾、大空间建筑火灾移动喷射器具使用，在全市率先推行40毫米水带实战运用。探索消防战船远程供水战术创新，通过定制水面固定漂浮水带装置，实现消防战船远距离离岸供水。联合经开区管委会，为支队配备50吨泡沫灭火剂，推动化工园区26家危化品企业开展泡沫储罐改造，紧急情况下可调集538吨泡沫，其中6%抗溶性水成膜泡沫421吨，3%抗溶性水成膜泡沫117吨，在辖区最大油库企业挂牌成立化工实训基地。联合长寿区水利局，依托小石门长江水源工程，在化工园区布点规划3个消防取水口，最大流量可达4000升/秒。与公安、卫健、气象等部门签订共建协议，健全联合会商、信息通报和预警联动等机制。开展火灾防控“除险清患”专项行动，探索实施动火作业全过程监管“一件事”，构建“报备、审批、分析、理赔”全过程闭环监管体系，实现“事前预防、事中管控、事后追溯”全链条管理。推动“数字消防”融入全区数字重庆建设，融入全市高层建筑消防安全智管平台，实现全区高层建筑“一楼一

2023年10月9日，区消防救援支队开展消防安全专项检查　（廖云飞　摄）

码”。成立全市首支物业企业消防安全联合服务队，“拉网式”排查全区高层建筑996栋，排查整治隐患558处，85栋高层建筑恢复消防用水。聘请第三方社会服务机构开展18栋“三无”老旧高层建筑消防设施维护保养工作。开展厂房库房消防安全专项整治“回头看”，排查整改隐患571处。开展“生命通道”重点区域整治，查处违规占用消防车道行为634起、清障37处。排查医疗、养老机构32家，发现整改隐患71处。至年末，全区火灾起数比上年下降53.9%，全年未发生较大以上火灾事故。

【消防队伍建设】　2023年，区消防救援支队修订完善《从优待队十项措施》，开展督导检查98次，发现并整治问题290余条。开展涉赌涉贷、管酒治酒专项整治，对支队259人开展涉赌涉贷问题排查，处理重点线索7条，完成人员饮酒检测和实地抽查900余人次。围绕“锻造纪律严明、作风过硬的主力军国家队”目标，开展“条令纲要学习月”活动，战区条令精品课、内务会操均获评战区第一。出台《2023年党风廉政建设意见》，制定2个责任清单，专题召开党风廉政建设会议，支队党委书记讲授专题党课1次、纪委书记讲授法纪教育课1次、集体廉政谈话2次。聚焦防汛抗旱、安全生产领域执纪问责等重大任务，下发监督意见书6份，常态开展重要节日、敏感节点指战员节前教育。组建高空绳索救援编队，邀请“绳命”团队开展专业培训，7人取得个人1级和团体2级资质认证。坚持每月对各消防站开展“人、车、装”和“技、体、理”等战训基础工作检查考核并通报，提升队伍执勤战备规范化、专业化水平，编制的灭火救援基础手册获评市消防救援总队优秀等次。

【消防救援演练】　2023年，区消防救援支队共熟悉重点单位120次，开展实战演练115次，举办桌面推演、战例复盘和业务大讲堂61次。组建化工专班，每月对2家危化品企业开展驻厂调研，摸清企业本质安全风险底线；同步模拟设定灾情，按照池火、罐火、装置火处置战法开展化工编队联合演练，并在全市战训骨干培训班开展化工灭火救援战术实操教学演示。深化初战联战“两项改革”，按照标准配备卫星通信、自组网、综合定位系统等装备，开展常态化拉动点名、大震巨灾应急通信保障能力拉动和前突拉动等科目训练。

【消防宣传教育】　2023年，区消防救援支队会同区教委开展“开学第一课”活动；联合相关行业部门培育消防志愿队伍19支，开展“走街串巷话消防”等宣传活动52次；开展进校园、进社区等消防安全“五进”宣传活动81次，线上线下推送宣传引导信息50万条次，张贴海报5万余份，发放宣传资料8万余份；消防站、科普教育基地常态化开放，邀请重点单位员工、企事业单位代表、社区群众、学校师生等群体参观体验；镇街消防工作站每周开展“走街串巷话消防”宣传活动；支队官方微信、微博每日推送消防安全知识，抖音、快手每周更新消防宣传视频；与重庆日报社签订新媒体合作协议，创作消防科普小剧场5部在市级媒体滚动播放，创作抖音素材消防员“小蜜蜂”“消防飞剑”等获千万播放量。承办2023年重庆市防灾减灾暨火灾防控除险清患专项行动主题宣传活动，500余人参与，中国消防、重庆消防、第一眼新闻同步直播，近200万人在线观看，参与互动；举办“119”消防宣传月启动仪式暨消防救援队伍践行授旗训词精神五周年主题活动，其间举办119消防嘉年华大型夜市主题直播活动，在线观看超百万人次。　（令狐锐洁）

应急救援

【概况】　2023年，长寿区建立1600

平方米区级物资储备库，储备无人机、水泵、冲锋舟、生命探测仪、风力灭火机、油锯等救灾及应急救援物资3万余件，开展日常检查和维护保养，保障应急救援和至少3000人紧急转移安置所需。全年投入70万元采购森林灭火器材发放到2997个“十户联防体”；完善泡沫灭火剂联储、联用、联调机制，新购52吨泡沫灭火剂；利用2023年度广西壮族自治区对口援助资金400万元，完成长寿区综合应急救援基地建设，营区占地面积0.6公顷，办公用房2000平方米，训练场地1000平方米。

【应急救援队伍建设】 2023年，长寿区人民政府第38次常务会审议通过《长寿区专业应急救援队伍组建及运行方案》，确定成立30人的专业应急救援支队直属大队、15人的国有林场专职森林消防队以及共计83人的葛兰、石堰、云台、长寿湖、云集、龙河、洪湖7支街镇专业应急救援大队，全区专业应急救援队伍总计128人。长寿区专业应急救援队伍根据《重庆市应急救援队伍训练与考核大纲》开展消防救援、森林防灭火、水域救援、防汛防涝、地质灾害等科目训练。参加市、区组织的森林防灭火、医疗救护、水上救援等各类培训。与辖区社会救援力量开展联勤联训，与长寿区蓝天救援队开展水域救援训练2次、森林灭火演练2次。

【灾害救助与重建】 2023年，长寿区共下拨倒房重建和过渡资金11.36万元（涉及8户7人21间房屋）、应急期救助资金4.3万元；下达各街镇冬春救助资金392.34万元，人均约204元。 （张　宁）

卫生应急

【概况】 2023年，长寿区加强卫生应急队伍建设，提升卫生应急救援能力，健全完善公共卫生事件应急处置机制，减少突发公共卫生事件对公共安全和经济社会发展造成危害。年内，开展事故类突发事件紧急医疗救援145起，救治伤员213人。全年全区未发生重大传染病突发公共卫生事件。

【卫生应急体系建设】 2023年，长寿区以建设标准化指挥中心为重点，融合多种信息通信平台，建立统一、高效的指挥体系。制定全区院前急救考核办法和院前急救应急预案，修订《长寿区突发公共卫生事件专项应急预案》。执行《重庆市院前医疗急救工作制度规范（试行）》，加强120救护车管理和院前医疗急救工作，定期通报各医院核心指标完成情况。全区可供调派的救护车33辆，院前急救人员专兼职共216名，进行规范化培训，实行持证上岗。全年卫生应急电话10秒接听率99.22%、急救呼叫满足率100%、3分钟出车率91.01%、院前急救病历书写率95.84%、平均急救反应时间达标。规范管理洪湖镇卫生院、葛兰镇卫生院、区人民医院、长寿湖镇卫生院四个区级库房，满足医疗物资应急保障。

【卫生应急队伍建设】 2023年，长寿区有区级紧急医学救援队伍3支，突发中毒事件处置队伍3支，突发急性传染病防控队伍3支，突发事件心理救援队伍1支。组建4支背囊化应急小分队（紧急医学救援、突发急性传染病防控、突发中毒事件处置、突发事件心理救援），按标准配齐装备。提供各类会议、考核考试、体育赛事、文娱活动、宣传活动、领导视察等大型活动医疗保障。完成“长寿湖半程马拉松赛”“全市消防系统篮球比赛”“2023长寿湖龙舟邀请赛”“2023中匈皮划艇赛”“2023长寿湖休闲垂钓大赛”及高考、中考的医疗保障。全年累计开展各类医疗保障68次，出动救护车112台次、医务人员201人次。

【卫生应急救援能力提升】 2023年，长寿区组织参加市级各类应急培训86人次，组织区级培训192人次。组织参加“长寿区‘5·26’重钢环保事故应急演练”“长寿区‘5·19’长寿湖森林火灾事故应急演练”“长寿区‘6·15’防空应急演练”。开展全区新冠病毒新变异株引发第二波疫情防控桌面演练。组织区人民医院参加全市公众应急技能提升行动师资比赛获得三等奖，组织区中医院参加重庆市2023年公立中医类医院急诊急救技能竞赛获得二等奖。组织洪湖镇卫生院和葛兰卫生院参加邻水县“川渝一家亲·同台赛技能”急救技能大赛获得三等奖。全年开展事故类突发事件紧急医疗救援145起，救治伤员213人。

【公众卫生应急知识宣传】 2023年，长寿区开展公众卫生应急技能提升行动，通过统一培训师资标准、统一公众培训基地标准、统一公众培训合格标准，提升公众卫生应急技能。区人民医院13名具备资质的培训导师长期致力于公众急救知识普及、急救技能推广。全年向全区招募学员340余人，举办公众应急培训4期。各医疗机构利用“国际减灾日”“世界急救日”开展宣传活动，共发放宣传资料3.2万余份，LED标语宣传29条，健康咨询6200余人次。 （罗　晋）

镇　街道

长寿湖镇

【概况】　长寿湖镇地处长寿区东北角，距重庆主城58千米，距长寿城区18千米，渝万高速、渝万高铁均在长寿湖设有出口和站点。2023年，辖区面积104.5平方千米，城镇建成区面积2.8平方千米；辖13个村、1个社区，全镇户籍人口近5万人，常住人口近3万人。境内水源、电力、旅游资源丰富，盛产血脐、长寿柚、生态茶、有机生态鱼、血豆腐、鱼面等特色农产品。年内，推进基础设施建设，新开工项目16个，完成建设12个，完成投资576万元；续建项目5个，全部完工，完成投资857万元。完成民生实事项目4个。

【经济建设】　2023年，长寿湖镇实现地区生产总值20.54亿元，比上年增长7%。实现镇财政预算收入4674.92万元，其中一般预算收入4674.92万元，比上年减少887.41万元，下降15.95%。全年新增各类市场主体297家，完成目标的116.5%，净增率158%，其中招商引资企业落地15家，注册资本约6000万元。辖区内注册各类市场主体累计2556家，“四上”企业16家，限额以上个体工商户20家。聚力实施“3113”项目攻坚行动计划，完成项目用地内房屋拆迁16户1890平方米，化解老大难信访问题和协调建设施工矛盾23起，服务推进长寿湖文化产业园太阳季度假村、老槽口大桥等10个区级重大项目建设。规范落实农村产权流转交易市场管理，村集体经济总收入263.18万元，富硒有机鱼、寿湖红橙、天赐寿岛牌茶叶等特色农产品收益2.3亿元。培育农村家庭农场、家庭作坊、种植养殖大户发展为个体工商户30余家，一、三产融合主体80余家。打造“寿湖红橙”区域品牌，投资200万元建设柑橘采后智能洗选基地。

【政治建设】　2023年，长寿湖镇开展村社区“两委”班子回访，调整不胜任干部1人。龙沟村获评五好班子，“法治小院”打造成乡村治理品牌。玉华村党支部引领村集体利用复耕复种增收7万元，涨幅90%。完成“141”党建统领基层治理体系构建，梳理核心业务21项，归集数据16560条，线上线下工作相互融合实质运转，镇区两级指挥中心贯通扁平化运作。组建“有个说法”讲议堂，宣讲117场，调解矛盾纠纷462起。构建农村低速电动车管理等4个“一件事”场景。党组织培养优秀青年28名，发展党员11名，按期转正7名，35岁以下党员占67%。探索党员分类教育管理，一对一联系流动党员帮学，利用线上线下按期开展“三会一课”、主题党日抓实党员教育。

【文化建设】　2023年，长寿湖镇开展文化活动36场，组织参加全区第三届运动会、全国太极拳比赛（南部赛区）等体育赛事。拍摄“龙溪河拖滩号子”“长寿民歌”市级非遗项目专题片在网络平台展示，创建区级社区教育特色品牌2个。龙沟村特色乡情馆建成投用，“法治小院”听民生、解难题，推动乡风文明建设，风清气顺。实施素质教育，以乡村少年宫建设为抓手，开展“三声教育”，教师获区级表彰26人次、区级等级奖143人次、市级等级奖15人次，学生获区级等级奖62人次、市级等级奖5人次。

【社会建设】　2023年，长寿湖镇发放各类救助资金1391万元、退役军人和其他优抚对象抚恤补助资金460万元、困难人员慰问金31万元，1814名残疾人全部签约家庭医生服务，301名残疾人享受精准康复服务。免费为老年人体检3441人次，家庭医生履约服务群众1.8万人次。发挥村居养老服务站作用，全年探访老人1800余次，帮助350余名分散供养特困人员得以安稳度夏。争取中央资金120万元完善养老院消防设施，完成90户困难老人居家适老化改造。落实困难群体养老保险代缴政策，困难群体基本养老保险实现100%参保；社保扩面参保1163人，新农合参保33667人，完成计划104%。开展森林防火、消防救援、山洪灾害防治应急演练4次，镇村干部204人参与巡林工作。做好“7·6”“7·21”汛情抢险及“灾后重建”工作，疏散群众300余名，向上级争取汛情抢险资金100万元，编制玉华村1组鱼塘堡坎加固方案，整修道路隐患38处，更换毁坏饮水管道4　千米，帮助受灾群众申请困难救助、重建资金6.6万元，地灾点附近36处危险房屋申报纳入金土工程搬迁计划。排查、整治各类安全隐患160余个，查处农村道路交通安全违法行为240余起，纠正、解决渡口渡船和自用船安全问题3个。

【生态文明建设】　2023年，长寿湖镇推进蓝天、碧水、净土保卫战。强化大气污染防治，全面禁烧秸秆，开展企业涉气设施巡查16次，加强道路冲洗、公厕保洁及垃圾收运设施清洗，空气质量优良天数309天。定期开展农村小型污水处理设施及场镇市政管网巡查管护，累计开展次级河流清漂37次，清理漂浮垃圾40余吨，长寿湖、龙溪河保持III类水质，集中式饮用水水源地水质达标率100%。提升固体废物处置能力，保障辖区460个垃圾收运点位的日常收运，生活垃圾收集转运率96%以上。

【长寿湖镇获评重庆市生态文明建设示范镇】　长寿湖镇推进生态文明建设，将生态制度、生态经济、生态环境、生态屏障、生态安全、生态人居和生态文化7个方面共25项指标逐一细化分解，责任落实到人。投入资金500余万元，实施人居环境整治、场镇环境整治、美丽乡村宜居建设，改善农村基础设施，对垃圾清运、沼气建设等项目实行“以奖代补”。整治农村黑臭水沟，农村饮用水卫生合格率100%。2023年3月，该镇被重庆市生态环境局命名为重庆市第十一批生态文明建设示范乡镇。　（游诗语）

云台镇

【概况】　云台镇位于长寿区东北部，东接垫江县，南与石堰镇接壤，西与四川省邻水县毗邻，北靠海棠镇，镇政府驻地云台场，距长寿城区35千米，有沪渝高速G50、渝巫路S243和渝万城际铁路穿境而过。地形属三级台地浅丘区，海拔305～1009米，辖区面积97平方千米，耕地面积5530.6公顷（其中基本农田3466.05公顷），林地面积3600公顷，森林覆盖率48.8%。辖内有10万立方米的天然气配气站1个。14条河流，5座水库。发电站2座，装机容量2000千瓦，110万千伏安和3.5万千伏安变电站2座。云台镇是国家级重点镇、百强镇，重庆市中心镇、规划发展的市级试点小城镇、市级中小企业创业创新基地。2023年，全镇辖13个行政村和1个社区，户籍人口5.03万人，常住人口2.47万人。全年生产总值9.11亿元。

【经济建设】　2023年，云台镇新增市场主体234户、净增103户，分别增长130%、147.14%，名列全区第一。开展服务企业行动，助力清迈良园发展研学产业，引导桥坝村、应祝村等村集体经济组织与企业合作经营，完成信易贷·渝惠融平台用户注册200家，申报农村致富带头人4家。完成青云农机合作社收入和利润双翻番计划，建成黄葛李子品牌小样，一叶乡居民宿率先打造明月山人文农旅民宿产业。盘活利用撂荒地25.73公顷，新增耕地23.33公顷，整治耕地“非粮化”图斑89.98公顷。建成部级水稻绿色高产高效行动项目和“水稻单产提升示范片”666.67公顷，试验“玉米大豆带状复合”种植206.67公顷，种植蔬菜933.33公顷。全年存栏生猪约2万头，存笼家禽约32万羽。推广鱼塘养殖技术，渔业年产量1950吨。围绕“两不愁三保障”对全镇337户脱贫户、7户监测户落实帮扶政策，发放巩固脱贫产业到户奖补资金33.2万元、小额信贷贷款18万元。发放义务教育阶段脱贫和监测对象家庭学生困难补助和生活补助60余万元，帮助脱贫、边缘易致贫人口稳岗就业462人，人均纯收入提高3169.3元；投资50余万元，完成梅沱、拱桥等村抗旱提水工程，整修水井、提灌站等403处，新增人饮管线8000余米。

【政治建设】　2023年，云台镇召开警示教育大会和班子专题民主生活会；开展集中学习研讨16次，讲专题党课2次，遍访14个村居开展调查研究，形成换届后村（社区）干部队伍建设调研报告，检视班子问题3个、个人问题5个，制定整改措施，落实闭环销号。开展防止形式主义突出问题为基层减负等7个专项整治，会议、文件、督查、考核持续精简。办理“民呼我为”政务咨询事件363件，比上年增长175%，办理时间比上年下降41.7%。完善“141”基层智治体系，处理各类事件2494件。修订完善议事决策、项目监管等制度11个；开设“云台大讲堂”。

【文化建设】　2023年，云台镇免费开放镇村文化服务设施，开展文化文艺活动150余场，新增篮球架1件、健身路径22条。举办首届桥坝蓝莓采摘节，协助举办清迈十年乡村音乐会，接待游客1万余人次。市级乡村振兴游学项目验收；八字教育学习中心获评区级社区教育体系建设示范基地。

【社会建设】　2023年，云台镇投入182万元完成公共服务项目建设；投资180万元完成人防二期项目建设；投资400余万元完成2023年大中型水库移民扶持资金项目；投资260余万元建设“四好农村路”3.2千米。加强市政设施管理，维修更换路灯40盏、管网井盖30处。全年城镇新增就业152人，帮扶困难群体再就业163人，就业率100%；发放公益性岗位待遇964人次、103.41万元，脱贫人员就业完成率106%；举行现场招聘会3次，提供岗位245个；办理创业担保贷款15笔、276万元，服务应届毕业生就业创业81人。城乡居民养老保险新增参保861人，发放城乡居民基本养老保险金900余万元；开设日间“老年食堂”。城乡居民医保参保率88.91%；保障城乡低保、特困人员、困境儿童、残疾人、高龄老人等重点人群生活所需，发放专项资金约1.45万人次、1100万元。推进公共健康卫生服务，重点人群家庭医生签约率100%；完成65岁以上老年人体检4448人、城乡妇女“两癌”筛查778人，发放计生特扶家庭慰问金2万余元。对村级退役军人服务站进行提档改造；筹措资金9万余元，开展退役军人帮扶慰问150余人次；办证领证1109人。开展重大隐患排查整治2023行动，改造特殊困难群体危房10套。完成云逸佳苑重大消防安全隐患整治工作，完善252家“九小”场所风险隐患线下上报体系。在辖区内安装高清摄像头，对违法行为以及山体滑坡、库区山火等安全隐患做到全天候监测。全年开展安全检查300余家次，排查整改风险隐患200余处；整改铁路安全隐患6处、公路隐患33处。组建应急队伍15支，开展各类应急演练30次，汛期紧急转移安置群众197人。全年处理信访来件33件，比上年下降41.9%，班子成员接访群众572人次，排查调解纠纷235件次。排查食品药品安全隐患，检查经营单位231户次。

【生态文明建设】　2023年，云台镇开展“6·5”世界环境日、垃圾分类宣传等活动53次。开展畜禽养殖监管，整改问题7个。对辖区内加油站油气回收系统巡查4次，每月开展冲洗降尘。开展河流污染源排查整治行动，排查整改问题17个。组织清掏闲置废弃老井200余口，实施人居环境示范湾落创建和民生小项目建设，解决群众急难愁盼问题27个。落实河长制，处置违法违规行为2例。开展农膜及农药包装物回收、秸秆禁烧和畜禽废弃物综合利用等工作。推行落实林长制，建立14支巡护队伍，投资60万元完成森林防火基础设施建设；加强林业有害生物防控监管，松材线虫病处置率100%；配置垃圾运输桶200个，垃圾压缩站1个，垃圾收运车3辆。建成13个镇级人居环境示范点，改造农村户厕47户，安排100余人从事农村人居环境保洁工作。

【村集体经济发展】　2023年，云台镇各村集体累计固定资产10350.18万元，全年整合财政奖补资金200万元，扶持村集体经济发展，各村集体全年收入472.9万元，年收入在5万元以上的村14个，10万元以上的村8个，50万元以上的村2个，100万元以上的村1个，200万元以上的村1个。各村集体经济收入平均增加3万元。应祝村、桥坝村采取企业+村集体经济组织+专业合作社+农户的方式，由企业出资金和技术，村集体负责劳务组织和日常管理，发展玉米大豆带状复合种植、榨菜、鱼腥草、黄精等产业。应祝村集体经济组织领办的化群土地流转合作社上半年共完成粮油种植111.33公顷，收获干玉米250吨，实现销售收入70万元，为集体经济组织创收13万元，提供固定就业岗位40余个，全年带动全村劳动力实现工资51万元以上（其中脱贫户、低保户8万元左右）。青云村集体经济组织领办的青云农机合作社全年收入200万元，比上年增长200%。黄葛村、梅沱村等村对撂荒地整治、高标准农田改造后群众不愿、不能种的土地，由村集体经济组织全部收回并通过与种植大户、专业合作社合作，成片种植南瓜、油菜等作物。小岩村集体经济组织与中国联通合作，成立通信合作社为当地群众办理通信服务，全年收入约20万元。梅沱村村集体领办的大蜂车合作社，养蜂100箱，村集体收入5万元。八字村依托清迈良园，村干部领办特色餐饮。八字村获批“市级乡村振兴示范村”建设名单。

（蓝浚涵）

葛兰镇

【概况】　葛兰镇地处长寿区西北部腹心，桃花溪上游、明月山东麓，西与四川邻水接壤，南邻八颗街道，北邻石堰镇，东邻新市街道。葛兰镇是全市规划发展的“百个经济强镇”“百个中心商贸镇”“市级示范小城镇”“市级文明镇标兵”“首批启动的45个中心镇”“市级中小企业创业基地”“重庆市交通安全文明镇”“生态文明建设示范乡镇”“重庆市安全用电示范镇”“全市互联网小镇”之一。2023年，辖区面积110.9平方千米，耕地面积54.23公顷。全镇户籍人口30769户68756人，城镇常住人口3万余人，流动人口3000余人。

【经济建设】　2023年，葛兰镇制止耕地“非农化”，防止耕地“非粮化”，全年净增耕地27.2公顷。实施部级水稻绿色高产高效行动项目，打造示范基地698公顷，推广玉米大豆复合种植模式162.95公顷，开展水稻有机肥替代化肥应用示范100公顷，病虫害统防统治833.33公顷，粮食综合产能稳定在3.5万吨以上。培育规模猪场13家、规模鸡场32家。培育国家级农业龙头企业1家，市、区两级农业龙头企业28家、科技型企业48家、区级乡村产业振兴带头人“头雁”计划对象2名、国家级水产健康养殖示范场2个、农业农村部畜禽养殖标准化示范场1个。完成全国第五次经济普查清查阶段各项任务，涉及单位和个体用户7753个。全年新增市场主体364户、净增178户，累计4597户。优化营商环境，主动向市场主体送惠企政策180条、上门服务100余次，办理留抵退税等政策退税38.2万元，惠及68户。打造具有地域品牌辨识度的“梦怡豆腐乳”“葛兰米粉”“葛兰白糕”等农产品加工业标志性产品。服务百亿级健康产业园区，引进园区企业62家，43家企业建成投产，其中规上企业33家，全年工业生产总值112亿元。组建园区工作专班，全年收集意见建议47条，协调解决问题34个。依托园区企业重庆洪成食品公司与西南大学食品学院建立联合教学研发基地，服务并辐射周边企业。推进葛兰园区食品“共享检验室”建设，为32家食品生产企业解决出厂检验难问题。

【政治建设】　2023年，葛兰镇以党的政治建设为统领，强化政治监督，深化“巡审融合”，推动区委巡察、审计整改意见落实。以习近平新时代中国特色社会主义思想为指导，开展主题教育。落实意识形态工作责任制，落实党委主体责任，党委书记第一责任人、镇班子成员“一岗双责”责任。2月，葛兰镇被确定为舆情信息市级直报点。推进党建统领基层治理“141”体系建设，划分网格55个、配齐配强网格治理团队，规范建设基层治理指挥中心，用好一体化治理智治平台，形成上联区、下通村（社区），横向协同“四板块”的工作格局。

【文化建设】　2023年，葛兰镇推进文化体育基础设施建设，完成枯井村等4个村农体工程改造，配置篮球架4副，新增健身器材26套、乒乓球台2副，新增体育场地面积1120平方米，累计体育面积94897平方米，人均体育面积2.93平方米，高于全国人均体育面积21.6%。举办全民阅读宣传、“巾帼微课堂”和各项培训教育活动32次，受益群众2000余人。葛兰桥社区太极拳队获评长寿区示范性终身学习团队。葛兰米粉（长寿米粉）制作工艺获评长寿区终身学习品牌称号。新增新时代文明实践志愿者注册215人、团队2个，开展各类志愿服务活动828场次。完成重庆凯年食品有限公司年润腊味制作技艺和重庆市嘉诺食品有限公司巴渝天椒火锅底料传统制作技艺区级非物质文化遗产项目申报。

【社会建设】　2023年，葛兰镇新建“四好农村路”冯庄村冼上路1.32千米、癞喻路1.94千米，完成水毁整治9处，修复破损路面31处、面积2317平方米。投入273万元，完成21个村公共服务项目建设，新建公路2.9千米、便道4.3千米、自来水管网17.5千米、健身场地3处，维修人饮设施12处，安装路灯102盏。全年发放农村低保金766.67万元，发放城镇低保金102.10万元，覆盖城乡低保户883户1475人。发放农村特困救助供养金469.89万元、高龄营养补贴33.27万元、残疾人两项补贴90.3万元、征地农转非生活困难补助150余万元。对5878名65岁以上慢性病老人实施健康管理。城乡居民医保参保率94.05%，城乡居民养老保险扩面参保征收完成率50.72%。城镇登记失业率控制在2%以内。开展国防教育和双拥宣传，走访慰问退役军人及烈属145人次，悬挂“光荣之家”牌匾30户，送立功喜报25次。为395名重点优抚对象发放抚恤补助金604万元，免费体检265人次。成立盐井村“集结号”退役军人志愿服务队，获评“重庆市最佳志愿服务组织”。组建普通民兵队伍、应急排基干民兵队伍，开展应急排基干民兵点验2次、训练活动18场次。完成盐井村新时代文明实践站标准化建设、黄家坝村妇女儿童维权站建设。新建“莎姐守未”幸福驿站1处，建立困境未成年人数据库，落实定期探访。办理来信来访318件，调处各类纠纷780件次。建立区镇人大代表“进家入站”接访制度，接访群众80余人次，收集社情民意20余条。完成全镇1.87万栋自建房风险隐患排查，完成88栋经营性自建房安全隐患销号，对各类生产经营场所开展安全检查423家次，发现隐患267条，消除安全隐患256条。推进农村电网升级改造、居民漏电保护器安装，创建成为重庆市“安全用电示范镇”。开展全镇地灾点巡察500余次，汛期转移地灾点威胁区内群众457人次，金土工程搬迁避让32户66人。开展打击电信网络诈骗行动，发放反诈宣传资料2万余份，引导群众签订反诈承诺书共计1.5万余份；开展法治宣传“院坝会”100余场次、巡逻253场次。

【生态文明建设】 2023年，葛兰镇实施兰兴村、南中村、沙河村美丽乡村项目建设，总投入300万元用于村庄美化、亮化、绿化、健身器材安装等。开展“村庄清洁行动”，完成户厕改造53户，开展人居环境整治活动230次，评选清洁示范户138户、示范组63个。推进生活垃圾分类治理，开展宣传活动120余次。规范农房建设选址，办理农村建房规划许可证207件，20户获评区级“美丽庭院”。聘请专业物管公司保洁场镇，清除牛皮癣100余处，新建小微停车场2869平方米，维修市政设施210余处、步行街方砖52平方米，维修清掏地漏93个，消除塌陷公路井圈31个，悬挂井盖防坠网287张，整治占道经营和流动摊点80余处。摸排整治违法建筑，开展违建巡查20次，处理违建举报6起，拆除存量违建3件。创建成为“重庆市生态文明建设示范乡镇”。全镇安放垃圾箱281个、垃圾桶579个，全年转运处置垃圾8000余吨，清理河面漂浮物及垃圾350余吨。全年巡河2833次，总投资2500万元实施长寿区桃花溪葛兰段库岸安全防护工程。新建污水应急调蓄池1700立方米，实施场镇部分片区雨污分流。开展第三次全国土壤普查，全镇农药比上年减少0.42吨，化肥用量减少5.9吨，整改畜禽养殖污染问题52件。完成义务植树栽种、管护、育苗共计10万株，完成松材线虫除治1666.67公顷，森林覆盖率54%。

【葛兰镇院坝会共商共建幸福家园】 2023年，葛兰镇制定党群干群“院坝会”例会机制，全年累计召开院坝会200余次，解决或反馈群众诉求300余件。开展上门为民服务1000余人次，为企业送政策上门100余次，解决企业群众诉求500余项，回访市场主体300余家，企业群众满意率100%，增强企业和群众幸福感和获得感。（葛兰镇）

2023年5月17日，葛兰镇领导在天台村组织召开院坝会 （张 群 摄）

但渡镇

【概况】 但渡镇位于长寿以东，距离长寿城区6千米，东、南与涪陵区李渡街道交界，西与凤城街道毗邻，西北与长寿湖镇接壤，北与邻封镇为邻。辖区面积57.4平方千米，森林覆盖率68.5%。但渡镇地形以山地、丘陵为主，有黄草山、阳鹤山、龙溪河、丁木湖等，页岩、大青石、天然气、水能等资源，唐代楠木院遗址、五龙寨、清代小封洞石刻等人文资源，沙田柚、花椒、笋竹、翠冠梨等特色农产品。镇域内有重庆长风化学工业有限公司、回龙寨电站、下洞电站等国有企业。2023年，但渡镇辖1个社区、8个行政村，66个村（居）民小组。户籍人口17519人（常住人口6245人，流动人口1403人），人口

2023年10月13日，重庆日报长寿区但渡镇乡村振兴影像调研基地授牌仪式现场 （但渡镇 供图）

密度305.2人/平方千米。年内，但渡镇在重庆市首届和美乡村才艺大赛“长寿村晚”中获一等奖。10月13日，但渡镇获评重庆日报·视觉重庆“乡村振兴影像调研基地”。

【经济建设】 2023年，但渡镇新增市场主体56家，净增30家，市场主体累计653家。落实专人为64家企业提供帮办导办服务。调解长寿区雨路纯净水厂与居民用水矛盾。引进冰河时代食品配送（重庆）有限公司，拓宽农副产品销售渠道。盘活闲置资源建成大叶麻竹笋加工厂，助推重庆笋宝农业开发有限公司形成全产业链。成渝双城经济圈重大项目黄草峡储气库项目（二期）完成50%总体工程量。龙溪河环境综合整治与生态保护示范项目但渡镇防洪及饮水源保护工程完成90%工程量。“两岸青山·千里林带”项目（长寿段）完工。城乡供水一体化工程涉及但渡镇主体工程完工。谋划龙溪河（但渡段）全域国土综合整治项目，该项目纳入2023年世界级运动康养旅游目的地重大项目清单（前期及储备项目），总投资约1.5亿元。建设但渡村、曾祠村、未名村约466.67公顷高标准农田。全年水稻种植面积820公顷，产量6519吨；玉米种植面积500公顷，产量3487.5吨；蔬菜种植面积158.47公顷，产量3565.5吨；柑橘种植面积52.95公顷，产量约820吨，枇杷、李子、葡萄等伏淡季水果种植面积20余公顷，产量400余吨；花椒种植面积106.93公顷，产量81.75吨。楠木院村翠冠梨产业经过3年发展初具规模，种植面积66.67公顷，产量1200余吨。龙寨村华犇肉牛养殖厂出栏肉牛1100余头，产量位居全市第二。大叶麻竹笋产业链初步成型，规模100公顷，产量约1400吨；全年水产产量1700吨；牛肉、猪肉产量192吨。完成耕地恢复15.8公顷，耕地非粮化整治市级验收46.67公顷，撂荒地复耕复种面积5.46公顷。邀请专家开展农技、病虫害防治等提升培训17次；为农户免费发放玉米、水稻种子、微肥等3吨；开展生猪牛羊免疫7000余头，鸡鸭鹅禽免疫4万羽，挂诱剂球1.3万余个；组织第三方社会公司喷施叶面肥26.67公顷，为27户农户申报农机补助。

【政治建设】 2023年，但渡镇开展党委理论学习中心组集中学习12次，召开党委会21次，研究党建相关议题20项，专题研究党建工作4次、意识形态工作2次，镇党委书记带头讲党课2次。全年对班子成员、村（社区）支部书记、机关干部谈心谈话30次，班子成员与所驻村（社区）“两委”干部、分管站室负责人谈心谈话50次，开展“以案四说”警示教育4次，约谈党员干部34人。全年发展党员4名、预备党员转正4名，培养入党积极分子5名，成立非公联合党支部1个，常态化开展好“三会一课”、主题党日等组织生活。完成未名村软弱涣散基层党组织整顿，整改满意率100%。在重点村分类管理工作中，推动但渡村解决各类矛盾问题11件。以党支部为单位，通过中心组扩大学习会、“三会一课”、专题组织生活会等载体，全覆盖开展主题教育。全年开展专题研讨9次，到各村（社区）、企业讲党课10场，开展集中学习5次；领导班子成员走访调研村社区、镇级部门、企业等12个，调研发现问题21个。收集急难愁盼民生问题清单39条，全部落实整改。

【文化建设】 2023年，但渡镇完成8个村级公共服务项目建设，为8个村更新文化展板，采取新建、扩建、改建等方式对功能滞后、配套较差的村便民服务中心进行改造升级。建设“农家书屋”9个，配备图书管理员9名，阅读文本2.37万册，年阅读量1.2万人次。依托新时代文明实践站（所）、文化活动广场等文化阵地，开展“公益电影进农村”“文化进万家”等活动30余场次。以“我们的节日”为主题，以元旦、春节、端午节、中秋节等节假日为载体，开展“迎新春、包饺子”活动、“巧手生花·制扇至美”妇女节主题活动、“童心童趣·彩绘世界”儿童节主题活动、“粽意艾草香、情暖寄端阳”活动、

“细品秋糍香”中秋节主题活动等系列文化活动。加强文艺骨干队伍建设和基层文艺活动引导，举办“学习二十大·奋进新征程”、庆“七一”等系列文艺汇演活动10场，覆盖群众3000余人次。但渡镇在重庆市首届和美乡村才艺大赛“长寿村晚”中获一等奖。申报农体工程、国球进社区等项目8个，投资3万元为兴同村、曾祠村、楠木院村更新安装篮球架、乒乓球台。成立文物保护巡查工作小组，定期对区级文物保护单位十二殿石刻和龙寨石室墓、老岩寨菩萨造像等12处未定级文物保护单位开展巡查27次，在郑家湾语录碑、观音岩摩崖造像及石刻等地向周边村民宣传文物保护知识。

【社会建设】 2023年，但渡镇投资1100余万元完善基础设施建设。完成“四好农村路”中黎路、长楠路约6.7千米公路建设，油化楠木院村吊洞公路0.5千米。安装路灯145盏，实施山坪塘整治5口，修建蓄水池1个、提灌站3个，惠及群众400余户。完成曾祠村、升高村美丽乡村项目建设，完成但渡村、楠木院村2个散居移民点基础设施建设，升高村党群服务中心及五星级“渝馨家园”建成投用。举办“春风行动”现场招聘会5场，开发公益岗位109个，城镇新增就业1000余人，重点人群帮扶率100%，帮扶就业率100%，离校未就业高校毕业生就业率100%，全区排名第一。组织群众参加就业培训1100余人次，1012人培训后实现就业，全年城镇登记失业率低于3%。累计为灵活就业人员10人发放社保补贴10余万元，为自主创业48人发放小额担保贷款150万元，带动96人实现就业。全镇城乡居民基本养老保险共参保9322人，脱贫人员和特困人员参保率均达100%；城乡居民基本医疗保险共参保13492人，脱贫人员及民政标识人员参保率100%；为四类人员办理特病卡2746张。组织114名享受国家定期抚恤补助优抚对象进行免费体检，组织35名妇女开展“两癌”筛查，完成1000余名在家60岁以上老年人健康体检工作。为1445名群众建立公共卫生档案。计划生育奖励扶助对象1212人，发放扶助资金240余万元。全年为600余名低保户发放低保金351万元，为特困人员180余人发放特困补贴215万元，为105人次开展临时救助28万余元，为事实无人抚养儿童、定量救助人员等困难群体发放救助金16万余元，对8名事实无人抚养儿童走访慰问。全年定期发放抚恤补助金约180万元，落实退役军人困难帮扶19人次2.58万元。常态化为2名残疾儿童开展送教上门服务，全年雨露计划职业教育补助10人次，共补助1.32万元。依托社区学校，投资3万元开设8门公益课程，全年上课86节。全年4名村居干部通过社工资格考试，累计9名村居干部获得初级社工服务证并获得职务补贴。村居信息化平台服务能力提升，通过智慧社区、渝快办系统服务群众1600余人次。累计开展残疾人健康主题活动57次。但渡镇社保所先后获评市、区两级“巾帼文明岗”。

【生态文明建设】 2023年，但渡镇开展大气污染治理，管控露天焚烧，全年空气质量优良率稳定在86%以上。落实辖区企业排放日常监管制度，全年开展排污检查65次，立案处罚1家。全年各级河长对辖区14条河流开展巡河2011次，完成率130%。对辖区河流常态化巡查清漂50余次，清理河面漂浮物85吨、河岸垃圾52吨，龙溪河、但渡河水质全年稳定在Ⅲ类以上，获龙溪河流域生态保护补偿28万元，全年考核居全区第四位。完成退耕还林319.95公顷森林抚育工作。对兴同村、未名村、曾祠村退耕还林工程33.33公顷以及天保工程1866.67公顷森林加强管护，全镇森林覆盖率68.8%。落实长江十年禁渔政策，拆除龙溪河张家湾段围河养鱼河堰7处。全年完成10户美丽庭院申报工作，改造无害化卫生厕所34户。利用“3·5”学雷锋活动、“家家户户搞卫生、干干净净迎新春”等活动，开展人居环境整治示范活动22次，全年开展清洁示范户评比12次。投资3万元新增8块乡村治理人居环境宣传栏。推广乡村治理积分制，在9个村（社区）建立积分兑换制度，完成2次积分现场兑换活动，打造区级乡村治理积分推广示范村1个。设置垃圾分类文化墙4处，开展垃圾分类活动40次，整改村民生活垃圾投放点，更换辖区老旧垃圾收运设施。

【“和美宜居湾落”打造】 2023年，但渡镇围绕“山水但渡·康居美地”价值目标，按照“小规模、组团式、微田园、生态化”的理念，以“微改造、精提升”为措施，打造“和美宜居湾落”。全年累计投资769万元，完成龙溪河岸6个湾落136栋民房的风貌改造设计和3.2万平方米的民房外立面装饰造型；保留乡村记忆，融入农耕文化、山水文化等本土文化，利用瓦片、稻草、枯木、传统农具等元素，对原有花台、梯坎、缓坡等进行改造升级。累计硬化和翻新院坝1.4万平方米，对原有村主干道和入村道路进行重新规划和油化修复，累计修复路面和油化道路9600平方米，组团布置文化广场5个，增设广场休闲凳椅与健身器材17套、照明设施14套，增添文化宣传栏5个，136户703名新村民尽享“10分钟生产生活圈”的便利。 （陈宇豪）

邻封镇

【概况】　邻封镇地处长寿东部，东邻长寿湖镇，南与但渡镇毗邻，西与渡舟街道接壤，北与双龙镇为邻，距区政府驻地23千米，辖区面积55.85平方千米，森林覆盖率80%以上。特产有沙田柚，种植历史130多年，有“中国长寿柚之乡”之称。邻封镇先后获“中国最具特色名镇”“全国生态特色旅游镇”“重庆市生态镇”“重庆市卫生镇”“重庆市历史文化名镇”“重庆市‘一村一品’示范镇”“重庆最美养生小镇”“重庆气候养生地”“川渝最美文旅小镇”“重庆市乡村治理示范镇”“重庆市生态文明建设示范镇”等称号；以长寿柚产业为基础，依托“柚文化”“水电文化”等自然人文历史，发展美丽乡村生态旅游，打造“中华名果——长寿柚之乡”“十里柚乡·百里花海乡村生态观光园”“邻封三绝——东林古寺、龙溪碧水、万亩柚林”等旅游品牌，形成“春赏花、夏戏水、秋采果、冬养生”的四季旅游形态。2023年，邻封镇辖10个行政村、1个社区，96个村（居）民小组，户籍人口3.2万余人，常住人口约1.2万人。年内，邻封村获批全国村级议事协商创新实验试点单位，是全市首批清廉村居标杆单位。

【经济建设】　2023年，邻封镇加强财政补助资金投入，培育市场主体。引进仙杯酒业公司、简一生态农业（重庆）有限公司等重点企业，培育市场主体95家，超额完成全年任务。完成渔业发展资金项目扶持3家23万元；发放家庭农场补助资金20万元；完成三产融合试点项目建设2个，财政补助资金51万元。培育农村致富带头人5个，发放财政补助5万元；培育农业科技示范主体5家，发放财政补助1.5万元；培育乡村振兴领头雁1个；7家农业经营主体享受农业生产救灾资金0.5万元。推进集体经济组织“公司化”运营，推动集体产权交易，引进村集体经济发展优质“乡村合伙人”。村集体经济收入总额170余万元，其中邻封村邻封建筑工程有限公司经营性收入近60万元，上坪村实现经营性收入25.2万元，庙山村入股木丁加工厂分红3.5万元。

【政治建设】　2023年，邻封镇党委制定个人及班子学习计划12个，形成发言材料39篇。班子成员到村讲党课9次，覆盖党员300余名。调研发现问题32项，形成调研成果26项，提出整改措施43项，解决群众急难愁盼问题14项，完成民生事项33项，惠及群众4000余人。推进“党建扎桩·治理结网”工程，运行一体化治理智治平台，设立60平方米基层治理指挥中心，划分23个网格，配齐人员，完成网格任务1.93万件，流转网格事件506件，梳理核心业务和工作事项，建立人、房、地、事、物“一本账”。建成“长寿柚产业大脑”，落地长寿柚供销撮合“一件事”场景。全年发展党员7名，均为大专以上学历，其中6名党员在35岁以下。开展支部主题党日活动173次，党支部集中学习157次。从农村致富带头人、乡贤人士中挖掘人才，确保村级党组织至少有2名后备干部储备人选。

【文化建设】　2023年，邻封镇实施“龙溪大鼓”提档升级以及5支业余文艺队伍培训，开展送文化下乡、送惠民电影进村居等文化惠民活动80余场。推出“邻封一日游”精品旅游线路，举办“长寿柚擂台赛”“长寿柚乡村文化旅游节”等文旅活动，形成“春赏花、夏戏水、秋采果、冬养生”的农文旅新形态。打造邻封镇公共文化服务超市、邻封村乡村文化振兴阵地建设示范点，建成区级“农家书屋”示范点、村级文化服务站等文化阵地12个，常态化开展读书会、书法、绘画等交流培训30余场。

【社会建设】　2023年，邻封镇完成22165人医疗保险参保工作，完成率108.39%。上报审批600余人征地生活困难补助款50多万元、社保补贴人数34人。发放孤儿及事实无人抚养儿童救助金4.6万元。申报关爱基金4人，解决资金1万元。筹资10万余元，完成“渝馨家园”建设。实施阳光家园计划，居家托养29人、寄宿制托养6人、日间照料10人。创新打造“左邻柚舍”议事品牌，推进邻封村议事协商创新实验试点。推进11个村（居）新时代文明实践站建设，成立13支志愿服务队，注册志愿者1003人，开展志愿服务活动800余场。投入109万元，修建村级人行便道12.74千米、灌溉水池75立方米；投入20万元，开展10个村社工服务项目，落实社会工作三级服务体系建设。推进长寿湖旅游大道邻封段、“四好农村路”建设、美丽乡村建设、农村人居环境整治等重点项目建设；完成邻封场镇排水管网应急建设项目。开展综合治理，全年调处各类矛盾纠纷15件，化解信访案件18件。

【生态文明建设】　2023年，邻封镇投入198万元，完成长寿柚产业核心区节水灌溉项目建设；投入200万元，新建步道8545米，渠道485米，过水箱涵1座，整修提灌站3座。投入100万元，完成魏家河坎柚林步道和景观提升工程。投入300万元，实施上硐村、焦家村、邻封村3个湾落人居环境整治工程。开展14次长四中、加油站等5处泵房设备维修。投入3.2万元，完成柚香广场停车场旁64米排水沟整治。清理河流和水库岸边垃圾154吨、打捞漂浮物144吨；投入13.28万元，完善饮用水源地保护区3处监控设施和4块标识标牌，安装防护隔离网320米。完成“非粮化”64.79公顷698个常规图斑外业核查，工程恢复93个60.8公顷。完成“非粮化”应急图斑312个83.27公顷外业核查，处置68.67公顷，占82.86%。完成“非农化”42个应急图斑外业核查。完成耕地恢复任务42.57公顷。7个自然资源违法违规图斑整改销号。

【“柚邻清风”品牌打造】 2023年，邻封镇推进清廉村居建设，以长寿柚特色产业为支撑，以数字乡村建设为动能，以清廉村居建设为保障的“柚邻清风”品牌，得到中央纪委国家监委、中央组织部、农业农村部肯定。“柚好柚强”抓党建，坚持“党建扎桩·治理结网”思路，建立基层治理指挥中心。整合构建基层治理“四板块”，设置23个基层网格，配齐网格人员，完成网格任务1.93万件，流转网格事件506件，推动网格治理实体化、实战化、实效化，实现“网中有格、格中有人、事在格办”。“柚清柚廉”抓作风，完善区、镇、村三级监督网络，运用街镇纪（工）委“监督十条”、乡村振兴“监督十条”，推行“码上监督”数字化应用场景，推进镇党委对村社区开展巡察试点工作，实行村党支部纪检委员、监督委员会主任、监察监督员“三员合一”，整合基层监督力量，对村级事务实行全生命周期闭环监督。“柚商柚量”抓议事，以全国村级议事协商创新实验试点为契机，构建“五五议事·合和共兴”机制，成立清廉议事协商小组，分类制定清廉议事清单，打造“左邻柚舍”议事阵地，做实“柚林议事”品牌，解决长寿柚产业发展、基础设施建设等难点堵点问题96个。“柚兴柚旺”抓产业，围绕发展绿色低碳生态农业，传承发展长寿柚产业，推动长寿柚首次销售中国香港地区，在泰国、马来西亚等7个国家推介，并在“第八届全球外交官中国文化之夜”展出。打造“邻封寿柚”品牌，被评为中国国际农业博览会名牌产品，获“中华名果”等称号，获亚太地区地理商标认证。“柚绿柚美”抓生态，修复龙溪河，改善生态环境。依托长寿柚产业优势，以万亩柚林、龙溪碧水、东林古寺“邻封三绝”为依托，开发柚子菜、柚花蜜等延伸产品，打造露营基地等旅游打卡地，全年接待游客10万人次，实现旅游收入3000万元。“柚甜柚暖”抓民生，实施乡村建设行动，补齐基础设施、公共服务短板。回应群众需求，推动十大民生实事，明确时间表、路线图，倒排时序，定期通报阶段性进展情况、部署推进举措，完成年度目标任务。开展农村困难群众防返贫动态监测，累计排查2095人次，整改疑似问题6个，全镇无返贫、致贫现象。落实产业到户政策，鼓励脱贫户发展产业增收，全年发放脱贫户产业到户奖补216户次，发放补贴资金22.63万元。“柚根柚魂”抓文化，深挖“柚廉”特色文化，打造“柚廉”文化乡村。以“长于文、寿于和，人人利他、人人成长、人人长寿”的新时代长寿人文精神为基底，凝练发展邻封村特有的“柚廉”。（叶子榆）

2023年6月21日，邻封镇邻封村召开“左邻柚舍”议事协商会

（区融媒体中心 供图）

云集镇

【概况】 云集镇位于长寿区东北部，东与丰都县相邻，南与涪陵区接壤，西接长寿湖镇，北临垫江县，辖区面积115.32平方千米，镇政府驻地华中场镇，距长寿城区39千米。耕地面积3933.33公顷，水域面积533.33公顷，森林面积6133.33公顷，森林覆盖率62.6%。该镇为红军高级将领杨克明烈士故乡，建有杨克明故居陈列馆，为全区干部教育培训和爱国主义教育基地。全镇坚持“红色文化+绿色生态+金色产业”的发展思路，发展以柑橘、榨菜、油茶等产业为主，枇杷、蜂糖李、翠冠梨等多种农业产业互补的生态农业，打造“寿乡福

地 宝藏云集”名片、村集体经济发展示范镇和乡村旅游名镇。2023年，云集镇辖1个社区11个行政村，93个村（居）民小组，3个场镇；户籍人口3.5万余人。年内，云集镇创建重庆市生态文明建设示范镇；村歌《青丰颂》在2023中国村歌大赛总决赛中获三等奖。

【经济建设】 2023年，云集镇粮食种植面积2066.67公顷，果树种植面积1800公顷，蔬菜播种面积2533.33公顷，玉米大豆带状复合种植面积226.2公顷。实施水稻“三虫一病”飞防项目统防统治519公顷。投入资金67万元，实施水产养殖尾水治理项目；投入资金168万元，完成血橙产业核心区节水灌溉建设项目；投入资金65万元，完成财政衔接推进乡村振兴补助种植业项目；投入资金3745万元，实施高标准农田建设项目。全年培育家庭农场65家，农村专业合作社26家，农业龙头企业5家，种粮大户1户，申报“两品一标”农产品2个。免疫生猪1.09万余头，家禽7万余只。推动农文旅业融合发展，坚持“生态农业+红色乡村旅游”发展思路，推动红色文化品牌打造，实施红色村组织振兴建设，推进青丰村红色美丽村庄试点工作。投资400万元，完成大胜村黄家湾移民美丽家园建设项目主体工程；投资400万元，完成大胜村魏家沟及万寿等村移民美丽家园建设项目主体工程。推进市场主体培育，全年新增各类市场主体87家，完成任务的124.29%；净增31家，完成任务的124%。开展招商引资活动，接待到镇考察、调研企业11家，拜访区外企业7家，促成项目落地企业1家。全年申报科技型企业3家。完成第五次全国经济普查工作，个体户采集数1573户，新增个体户1330户。

【政治建设】 2023年，云集镇开展学习贯彻习近平新时代中国特色社会主义思想主题教育，履行党风廉政建设“一岗双责”，把基层党组织书记抓党建工作纳入党建述职考核内容。加强意识形态阵地管理和网络舆情监管，落实“双网格”工作制度。提拔科级领导干部2名，试用期满转正2名。发展预备党员8名，预备党员转正6名。回引本土人才1人，选举村委委员2人，培养后备干部5人。紧盯元旦、国庆、春节等关键时间节点，监督检查5次，发现问题3个，督促相关村（社区）和科室整改到位。常态化发送“节前”“升学季”廉洁短信240余条，开展警示教育5次，通报曝光典型案例2期，警示教育300余人次。推进廉洁机关建设和“清廉村居”建设试点工作，探索实施“355”廉洁工程。

2023年9月25日，长寿区云集镇大胜村黄家湾移民美丽家园建设项目竣工

（云集镇　供图）

【文化建设】 2023年，云集镇联合杨克明故居陈列馆开展杨克明故事巡展进学校、进社区活动。推进“书香云集”建设，投入资金200余万元，对镇文化服务中心进行提档升级改造；全镇11个村“农家书屋”和镇图书馆免费对外开放，镇文化室全年接待6000余人次，各村图书室全年接待5000余人次。组织党员干部、村民代表与专业人才共同参与创作各村村歌村舞和宣传短视频，先后完成镇歌《美好云集》和《青丰颂》《大胜美如画》《美丽的玛瑙我的家》等12首村歌创作以及相关短视频制作，其中村歌《青丰颂》在2023中国村歌大赛总决赛中获三等奖。成立镇文艺志愿服务队伍，邀请专业团队指导编排文艺节目，进行村居巡演50余场，累计观众1万余人次。

【社会建设】 2023年，云集镇完成扶贫项目资产后续管理工作，清理扶贫项目15个，涉及资金500.3万元。常态化开展防返贫监测工作，全年新增监测户3户。开展“大走访、大排查、大整改”行动，发现梳理“两不愁三保障”疑似问题4个，整改4个。完成2023年度巩固拓展脱贫攻坚成果同乡村振兴有效衔接就业创业技能培训和长寿区雨露计划职业教育补助工作。申报2023年巩固脱贫产业到户奖补项目462户，兑现资金145万元。统筹推进衔接资金项目实施，申报衔接资金项目5个，完成少数民族发展资金项目1个。投入138万元，完成大同村农田灌溉项目、电商产业园品牌建设推广运营项目、林下养殖项目及农村人居环境补短板项目。申报“数商兴农工程”试点示范村建设项目、抓党建促振兴示范项目、长寿区镇村农业综合服务基地建设项目，涉及资金2290万元。推进基础设施建设，投资900万元，配合区水利局完成关山坡水厂改造提升工程；投资980万元，配合国电投狮子滩发电公司完成飞水洞水库抽水蓄能管网替代工程；投资50万元，完成玉龙村水管搬迁项目，改造管线7200米。推进官栈河大桥建设，实施“四好农村路”建设2.1千米，实施玉龙村至青丰村农村公路改造工程，完成玉龙村段3.7千米沥青混凝土铺设，完成16千米道路的土地丈量、设施清理、拆迁房屋登记等工作。完成危房改造7户。投资30万元完成“渝馨家园”建设。发放各类民政补贴、救助金1170余万元。城乡居民养老保险覆盖率、医疗保险登记参保率分别为98%、99.8%。累计开发公益性岗位381个，举办现场招聘会3次，开展就业技能培训87人。开展公共卫生服务，为65岁以上老年人免费体检2871人次，健康管理高血压2803人、糖尿病861人。加强安全生产管理，对非煤矿山、工贸企业和烟花爆竹零售开展检查83次；开展燃气安全拉网式排查8次，组织燃气安全宣传讲座12次，发放宣传资料3500余份；对各类交通违规、违法行为劝导纠正3200余次，联合镇派出所共处罚乡村道路交通安全违法行为360余次，制作交通安全宣传展板36块、悬挂标语58幅，发放交通安全宣传手册1800余份。联合区交通局开展自用船搭客载人检查260余艘次，查处各类自用船舶违法载人、超载问题12件次。投入资金15万元，整治地灾滑坡2处，开展森林防火应急演练1次、地灾隐患点应急演练16次。投资50万元，开展农村道路水毁整治40余处。加强社会治理，建成基层治理指挥中心，构建党的建设、经济发展、平安法治、民生服务4个板块，全镇17个站、办、所、中心等综合办事机构、6个区级派驻机构全部纳入，科学设岗，定人定责。全镇划分29个网格，每个网格严格按照“一长三员”标准配置网格员队伍，完善网格N力量，开展“一标三实”基础信息采集，录入实有人口6769人、建筑总数1.33万个、单位场所886个等。健全“网格吹哨、部门报到”问题解决闭环机制，对发现的网格事件，实行分级分类办理，实现“小事不出网格，大事不出村（社区），难事不出镇街”。全年化解“治重化积”案件2件、群众信访问题清单3件。领导接访群众306人次，解决群众反映的困难和问题205件。健全矛盾纠纷排查化解机制，镇、村（社区）两级调委会排查矛盾纠纷218件，调解成功213件，成功率98%。

【生态文明建设】 2023年，云集镇开展涉污企业巡查监管，全年出动检查90余人次，督促辖区石材厂、造船厂等企业履行环保主体责任，上报污水处理设施运行情况。利用中央水污染防治资金3015万元，实施包含6000余米生态护岸、7.4万余平方米河流生态缓冲带、1.8万余平方米水下森林等内容的高洞河（长寿段）生态修复项目。创建重庆市生态文明建设示范镇，修订完善云集镇突发环境事件应急预案。投入35万元，完成飞水洞水库饮用水水源地替代工程的视频监控系统等搬迁安装工作；编制完成《云集镇黑沟水库饮用水水源地环境状况调查评估》《云集镇黑沟水库“一源一策”整治方案》。开展大气污染防治工作，实施餐饮企业油烟专项检查40余次，发放臭氧告知书20余份。完成改厕19户。开展农村人居环境整治督查检查，发现问题115处，整改115处。全镇申报乡村治理项目2个，完成飞龙村2023年乡村治理积分制推广示范村项目建设。青丰村获评市级乡村治理示范村，飞龙村获评市级宜居宜业和美乡村。开展场镇卫生清扫保洁和农村垃圾清运，推进全镇垃圾分类。落实“镇、村两级林长+网格护林员”“十户联防”责任机制，签订森林防火目标责任书11份，发放张贴森林防火宣传单1万余份，制作宣传标语牌200余块。投入资金60万元，完成3个消防水箱、2千米森林防火隔离带建设。开展全域国土绿化，全年义务植树苗木200余株、花种2万余平方米。兑现林业生态惠民资金69.18万元。办理使用林地手续13件、林地批准面积4.47公顷，发放林木采伐许可证19份、林木蓄积58.5立方米，完成16个森林督察图斑核查、7个图斑问题整改，办结涉林违法案件1件。恢复耕地并举证通过29.78公顷。完成耕地非粮化应急处置83.25公顷，处置率83.34%。全年发放告市民书3000份、张贴乱占耕地、违建整治宣传画30份，悬挂横幅15幅。

【农村集体经济发展】 2023年，云集镇12个村居全面实施“三变”改革。构建11个村集体联合社+1个镇联合公司+12个经济合作社+N个专业合作社（公司）的发展模式，推动农村集体经济发展。全镇12个村（社区）分别成立柑橘、榨菜、油茶、枇杷、蔬菜、粮食种植加工、生猪养殖、民宿、电商、劳务、快递物流及物业服务公司或合作社。通过运营年底实现各联合社收入超10万元的目标，其中青丰村股份经济合作联合社收入255.4万元。 （杨晋华）

双龙镇

【概况】　双龙镇位于长寿城区东北部，地处长寿湖西岸，距长寿城区22千米，距长寿湖风景区5千米，镇政府驻地双龙社区龙祥街三巷2号。辖区面积56.97平方千米，其中城镇建成区面积1.8平方千米，耕地面积3001.8公顷（田2411.4公顷、土590.4公顷）。辖11个行政村、1个社区，85个村（居）民小组。2023年，户籍总户数18294户，总人口37527人，其中男性18594人、女性18933人，农业人口31696人，非农业人口5429人。辖区渝宜高速公路、长寿湖旅游高速公路横穿而过；渝万高铁长寿湖站设站双龙，从双龙乘坐高铁到重庆主城20分钟、到长寿城区8分钟；龙湖迎宾大道、何华路、长（寿）双（龙）路、双（龙）乐（温）路、三（平）罗（围）路等公路在境内交会贯通。辖区有罗围寿山风景、田园风光、历史古迹等，其中“罗围寿山风光”入选“长寿新八景”。

【经济建设】　2023年，双龙镇新增市场主体226户，完成年计划的125.56%；净增市场主体101户，完成年计划的144.29%。各类市场主体累计2605户。其中，企业297户，个体户2270户，专业合作社38户。中盐重庆长寿公司盐卤业生产34.58万吨，比上年减少0.41万吨；产值5658万元，减少6517万元。全镇粮食总产19267.5吨，比上年增产56.5吨，增长0.29%；水稻播种面积1600公顷，产量14288.4吨，增产1260.3吨，增长8.8%。水果种植面积1263.3公顷，产量16926吨，增产1319吨，增长8.45%；蔬菜产量17624吨，增产934吨、增长5.59%。引进柑橘企业10家，培育家庭农场19家，种植塔罗科血橙、金秋砂糖橘等各类柑橘1133.33公顷；联合农业开发有限公司生产的湖岸联橙牌塔罗科血橙被认定为名牌农产品；新发展蔬菜种植基地4家，种植蔬菜40公顷。推动养殖业发展，全镇有规模养殖场16个（以100头生猪当量计算），其中养猪场12个、养鸡场3个、养牛场1个。全年出栏育肥猪7281头，家禽157973只，肉种鸡苗约746.41万羽，禽蛋产量963吨。各类水产品面积431公顷，产量6479吨，比上年减产41吨；新培育水产养殖家庭农场60余家，养殖水面320公顷，年产水产品4000余吨。推动农业园区发展，双龙镇农业园区提升为“国家级农业示范园区”，面积837.3公顷，涉及9个村、1个社区，晚熟柑橘种植面积566.8公顷、蔬菜种植面积71.3公顷、花卉苗木种植面积142.6公顷；灵芝种植面积13.6公顷，草坪种植面积26.4公顷，花椒种植面积16.6公顷。入园企业18家，全年农业园区企业柑橘产量6000余吨，蔬菜产量0.8万吨。全年累计引进农业企业17家、发展家庭农场104家，培育致富带头人6名，带动农户200余户。申报示范家庭农场1家，监测合格龙头企业12家。申报农业产业项目19个，财政补助资金376.25万元，助力杰冠等18个新型经营主体提档升级。落实到户产业奖补政策，全年验收228户、补助33.07万元。推进小额信贷工作，累计贷款263人次、360.45万元。推进集体经济发展，完成村委会与村集体经济账务分离，红岩村通过股权化分红、农机租赁等方式为集体经济创收6.5万元。全镇全年一般公共预算收入3743.28万元，一般公共预算支出3743.28万元。

【政治建设】　2023年，双龙镇党员总数1191名；农村党支部11个，党员924名；社区党支部3个，党员130人；机关党支部1个，党员61名；退休职工党支部1个，党员76名；全年发展党员8名，转正6名，关心关爱困难党员298人次。依托“三会一课”、农村远程教育、新时代文明实践所（站/点）等加强党员教育管理，镇、村党组织集中学习300余次。探索在家党员积分制管理，对发挥先锋模范作用的党员进行“挂牌亮户”；对流动党员实行牵线管理，组织在家党员干部与流动党员结对学习；对老弱党员实行关怀管理，由村内任职党员负责一对一结对帮扶和上门送学。探索“一领三治、共建共治共享”的院落党建新模式，将党群服务、村民文娱、创业交流等功能从村党群服务中心延伸到院落。全镇各村院落开展“党群连心议事站”活动100余次，参与村民5000余人次；通过各治理队伍解决群众诉求40余个、化解邻里纠纷180余件。全镇各级党组织落实第一议题制度，通过党委会、理论学习中心组学习、“三会一课”、专题讲座、宣讲宣传、学习比赛等形式学习贯彻500余次，花鼓微宣讲《话说双龙》获全区微宣讲大赛二等奖，3人获全区“学习强国”知识竞赛三等奖，1人代表长寿参加全市总决赛获三等奖，3人获全区公民科学素养大赛二等奖。聚焦全区“两地一城”目标、“3113”项目攻坚行动计划，开展新时代文明实践系列活动1400余场次，培育“长寿好人”2名，“重庆好人”1名、长寿区示范性终身学习团队1个、百姓学习之星1人，通过《重庆日报》《公民报》《长寿日报》等媒体正面宣传报道100余次。全年专题研究意识形态工作4次，严格管控课堂、讲坛、讲座等场所，深入村居、农家乐、宗教场所等检查20余次，清理脏污破损公益广告12处。开展校园周边环境综合治理和非法传教活动整治10余次。

【文化建设】　2023年，双龙镇申报科技型企业7家，审核通过备案入库6家。开展实用技术培训7次，培训人员1100余人次；开展新技术推广培训2次，培训人员180人次；开展科技下乡活动18场次，培训人员510人次；机械化耕作、收割培训171人次。全镇文体阵地51个，其中镇综合文化站1个、"农家书屋"11个、农体健身点39个，常年免费对外开放。全年开展武术下乡、演出下乡、文艺培训、技能培训、运动会及传统节日包粽子打糍粑等文体活动100余场次，放映惠民电影144场，申报区级非遗传承项目1个，完成"长寿滑稽故事""蜀绣"非遗项目传承人申报，新建双龙中学、双龙中心校2个基层"扫黄打非"工作站点。开展文体市场检查15次，辖区无重大违规经营行为和安全责任事故发生。全镇共有文物20处，其中区级文物保护单位3处（张家祠堂、罗围老街民居、廖井丹故居），全年无重大文物损毁事故发生。全镇有市级非物质文化遗产2项，分别为长寿血豆腐制作工艺、花鼓；花鼓代表性传承人韩德露在双龙中心校开办免费培训80余课次。

【社会建设】　2023年，双龙镇有脱贫户429户875人，监测对象21户36人。全年产业到户产业补助226户，共32.92万元，改造危房4户。开发非全日制公益性岗位2个，农村服务型岗位8个，为跨区域务工人员135人发放交通补贴共1.26万元。全年城镇新增就业48人，就业困难人员就业71人。办理灵活就业社保、医保补贴81人。开发全日制公益性岗位7个，使用7人；使用非全日制公益性岗位5人，服务型岗位223人；完成离校未就业高校毕业生实名定制服务48人。办理征地农转非"4050"（女性年满40周岁、男性年满50周岁）以上人员生活困难补助，累计2583人。完成城乡居民医疗保险25937人；办理城镇职工医疗保险参保登记86人。办理城乡居民养老保险新参保945人，退休804人，死亡退费319人，办理生物认证4300余人。吸纳低收入人群在帮扶车间就业8人，为238人提供公益性岗位，以工代赈帮助就业157人，鼓励441名脱贫人口外出就业；组织脱贫户开展技能培训、家服培训及以工代训19人次。家庭医生签约8636户、17327人。新增国家级计生奖励扶助对象202人、特别扶助12人、四级残疾扶助对象2人、手术并发症对象1人，区级独生子女父母一次性奖励金发放对象67人。全镇有卫生院1所，属国家一级甲等医院，下设罗围分院、村卫生室11个、社区卫生服务站1个；医院有职工78人（含临聘9人），其中专业技术人员69人（副高职称8人、中级职称29人、初级职称28人）。医院床位编制70张，开放床位70张，其中罗围分院10张。全镇有农村低保278户、412人，累计发放低保金233.59万元；有城市低保户68户、88人，累计发放低保金70.39万元。临时困难救助185人，救助金额45.99万元。特困人员266人，其中集中供养53人、分散供养213人，累计发放供养金300.68万元；特困人员照料护理补贴发放2921人次，累计发放金额30.02万元。为事实无人抚养儿童3人发放救助金54324元。全年发放优抚金419.27万元、节日慰问金14.04万元、入伍优待金15.66万元；走访慰问99人2.33万元；新增办理农村籍退役军人60周岁及以上生活补贴13人。共发放高龄老人补贴22.88万元；民政两项补助979人次，发放补贴19.58万元。残疾人两项补助5985人次，发放补贴44088元。居家托养照料25人，发放辅具42件。全镇有学校6所，其中区属高中1所，镇教管中心管理学校5所（小学1所、幼儿园3所、培训机构1个）。全镇师生获市、区各类表彰和奖励400余人次。开展烟花爆竹专项检查74家次，排查整改隐患4起；开展道路交通安全检查，全年检查车辆1900余辆、纠违200余辆、处罚67辆；消防安全执法检查120家次，开展非煤矿山检查26次；下达行政处罚决定书20份，警告14份，处罚950元。组织开展综合应急演练22次，避险转移群众65人次；为受灾严重的3户申请巨灾保险5000元；全年受灾947户、1067人，发放冬春生活救助资金21.79万元。建成群力村、飞石村、谷黄村"四好农村路"5.22千米，恢复尖山村、罗围村、长寿寨村、谷黄村、连丰村等水毁公路13处，安装村道护栏3.76千米。整治养护红岩村焦双路、飞石村袁家岩、飞石村猴子洞、长寿寨村马明路660米。为106户生活困难群众免费安装液化气自闭阀和波纹管。签订严重精神障碍患者监护人以奖代补协议34人，支付以奖代补奖励9.3万元。全年刑事案件发生42件，破获29件，破案率69%。治安拘留14人，罚款20人；受理民事纠纷332件，调解329件，调解成功率99.1%。

【生态文明建设】　2023年，双龙镇开展环境执法检查，镇村联动检查300余人次，发放"打赢蓝天保卫战告知书"25份，新建垃圾分类示范村1个，开展垃圾分类检查、宣传48次。强化饮用水源地规范化建设，聘请监督员2名，清理垃圾、漂浮物10余吨，更换防护网90米。完成土地整治226.67公顷。启动亚行双龙河治理项目一期建设，清淤河道4.8万余立方米、设立格宾网挡墙1.2万立方米。全年改建户厕81户，农村公厕1座。投入300万元，实施天堂村、连丰村、双龙社区“美丽乡村”项目，新增路灯300盏、优化公共休闲区域3500余平方米、花台1000余平方米。实施红岩村人居环境“补短板”项目，修建余家榜上湾、下湾排水沟1350米。推进“户集—村收—镇运—区处理”农村垃圾处理体系，维修垃圾箱40个，增配垃圾桶214个，设置场镇建筑垃圾临时堆放点1个，天堂、长寿寨、群力、龙滩、连丰等5个村创建农村生活垃圾分类示范村。开展村庄清洁集中行动36场次，清除陈年垃圾、建筑垃圾等10余吨。实施亚行项目河道综合整治1.7千米，完成场镇雨污水管网应急改造。完成沿河16个养殖大户水产养殖尾水治理。开展文家冲水库、吼水湾水库、双龙河清漂工作，清理打捞浮漂、杂草等漂浮物及白色垃圾90余吨。

【“院落党建”模式打造】 2023年，双龙镇打造“院落党建”模式，将党群服务、村民文娱、创业交流等功能从村党群服务中心延伸到院落，在长寿寨、红岩、连丰3个村打造院落党群驿站。将159个散居小院整合为35个“自然村院落”，以“院落”为单元设立党群连心议事站，设置院落党小组，从产业发展、矛盾化解、群众诉求、乡风文明等10个方面细分党建工作单元，形成“村两委+院落党小组+群众”的乡村院落微治理格局。将每月20日定为“院落工作日”，结合主题党日活动、党员志愿服务活动等，开展镇、村、湾三级“议十事”活动，全年开展政策宣传153次、民主议事61次，推选出最美邻居、最美儿媳等12名，文明家庭30户。实施院落党群治理，成立院落自治委员会35个，针对院落议事中收集的社情民意，自主化解群众矛盾纠纷107件，引导解决农产品销售、人居环境、交通出行等群众急难愁盼问题106个。至年末，全镇有长寿寨、红岩、连丰3个村13个示范引领点位，培育出飞石村“飞石夜话”、连丰村“火锅夜话”、红岩村“趣味运动会”等党建品牌。

（双龙镇）

龙河镇

【概况】 龙河镇地处长寿区东北部，距长寿城区18千米、重庆主城78千米，渝宜高速、渝万高铁交会过境，辖区面积89.9平方千米，辖17个村、1个社区，121个村（居）民小组。辖区内龙溪河、蔡家河、双龙河穿境而过，与国家AAAA级旅游景区长寿湖毗邻，全镇9个村临湖，森林覆盖率49%。龙河镇是市级乡村振兴综合试验示范试点镇，共创建国家级示范村3个，市级示范村5个，获评中国美丽乡村建设示范镇、重庆市休闲农业和乡村旅游示范镇、重庆市“一村一品”示范镇、重庆市文明村镇、巴蜀气候康养地等。2023年，辖区有20200户，45929人，其中男性23487人、女性22442人。获重庆市生态文明示范镇、第七批重庆市“扫黄打非”进基层示范点、长寿区无邪教示范镇、长寿区新时代文明实践所示范点等称号，在全区街镇综合目标管理考核中获得“优秀”等次，名列全区第二位。安全生产、生活垃圾分类、农村人居环境整治、巩固拓展脱贫攻坚成果同乡村振兴有效衔接等工作绩效考核位居全区前三名。

【经济建设】 2023年，龙河镇实现财政收入3810万元，税收收入535万元，农村居民人均可支配收入2.36万元。新增各类市场主体171户，净增市场主体104个。累计有市场主体1691户，其中企业296户、个体工商户1329户、农民专业合作社66户。有农业企业36家，其中市级龙头企业3家，区级龙头企业12家，家庭农场96家。全年落户注册企业28家，其中建筑建材劳务类公司5家，医药类公司5家，农业类公司11家，商贸类公司3家，服装、酒店管理、广告类、旅游服务类公司各1家。全镇种植业产值2.5亿元，畜牧水产业产值2亿余元。依托长寿慢城资源优势，发展乡村休闲旅游业。丰富合兴村蔡家河沿岸环境元素，新增种植培育向日葵、粉黛草4公顷，打造慢城网红打卡地和特色研学旅游名片。以“旅游+”为路径，引入民宿、研学、电商等旅游新业态，小橘乐园、紫园露营基地、萌宠乐园、小橘集市等项目陆续对外营业。推进基础设施建设，乐温大桥建成通车，新建“四好农村路”6千米，合兴至石堰道路油化项目建成投用。实施永兴村人居环境补短板项目和合兴村、四坪村美丽乡村项目。龙新路获评全国首届“公路+农业”融合发展“十佳案例”。

【政治建设】 2023年，龙河镇举办读书班7天，开展专题党课30场，形成调研报告12份，推进3个问题整治，完成5项民生实事。利用重要时间节点开展纪法学习，通报违反中央八项规定精神、“四风”问题和腐败问题的典型案例5次，观看警示教育片1次。推进“廉洁政府”和“清廉村居”建设，投入10万元，打造清廉机关廉政图书角、3个村清廉家风院落，开展“清廉机关”演讲比赛1次。推进法治政府建设，把依法行政贯穿政府工作全过程，全镇持有执法证件人员24人，常态化聘请专业律师1名，实现村居法律顾问全覆盖，推进合法性审查工作，应审尽审，行政争议“零败诉”。全年在场镇、学校开展“八五”普法宣传活动11场次。扛起意识形态工作主体责任，掌握意识形态工作领导权、管理权、话语权，筑牢思想防线，镇党委书记带队下沉基层一线督查指导意识形态工作80余次。

【文化建设】 2023年，龙河镇举办全市“书香重庆 红岩少年”讲故事大赛、长寿区全民健身太极拳巡演、橘香清明田园诗会、端午民俗活动、中秋国庆村歌比赛等大型活动12场，其中橘香清明田园诗会被中央电视台、人民网、央广网等主流媒体报道，网络直播观看量123万人次。“我在慢城有棵树”认养活动、长桌宴、豆腐宴相继获得人民日报社、《经济网》报道。保合村与西南大学联合创作《念慢城——长寿慢城之歌》情景剧，创作视频网上浏览量3万多人次，获长寿区首届“长寿村晚”特等奖，受央视邀请参加川渝协作“唱春歌，迎大年”主题活动。在镇、村两级建设新时代文明实践所、实践站，开展党的方针政策、新风良俗、医疗保健等文明实践活动，保合村入选长寿区新时代文明实践所示范点。推出“橘乡龙门阵”宣讲品牌，开展90余场，覆盖群众1万人次。推动移风易俗，强化先进典型示范，乡贤曹礼远被评为“重庆好人”。

【社会建设】 2023年，龙河镇累计完成D级危房改造11户，C级4户。完成47口山坪塘整治，保障群众生产生活用水。整合养老服务中心设施场地，建成3星级“渝馨家园”。推动基本养老保险“应保尽保，应领尽领”，累计发放养老金2400余万元，丧葬费60余万元。累计发放低保金、特困供养金等民政救助及补贴1068万元，发放计划生育家庭奖扶金额260万元，发放优待抚恤补助金、优抚慰问金等545余万元。开发全日制公益性岗位20个，就业援助服务惠及133人，就业率100%。推进素质教育提升，龙河中学全年升入重点高中学生27名，教师获得区级及以上各类奖项57人次，学生获得区级及以上各类奖项25人次。创建健康村（社区）4个，完善居民健康档案26168份，65岁以上老年人健康体检4123人，“两癌”筛查813人。河堰村余志高被评为重庆市百名健康老人之一。区运会广播操比赛获得一等奖，永兴村彭徐莉和仁和村程天艳跳绳比赛获全区第一，跳绳女子团体赛获得第一名。基层治理指挥中心建成投用，上线运行“一体化治理智治平台”。侵财类案件比上年下降30%，化解信访积案12个。龙兴社区获评重庆市“扫黄打非进基层示范点”。

【生态文明建设】 2023年，龙河镇常态化开展龙河、仁和污水处理厂及17座一体化污水处理设备日常巡查，实施亚投行龙河、双龙河河道整治。完成耕地恢复72.67公顷，平整土地88.67公顷。完成仁和村低效园林地开发项目，新增耕地约60公顷。推行“河长制”“林长制”，全年镇级河长巡河40次，村级河长巡河1000余次。落实村级林长17人，聘用17名网格护林员，共计开展巡护山林3800余次，更换林长制公示牌18块。开展农村厕所革命，发放改厕明白卡宣传资料1000余份，指导改厕127户。指导各村每季度以1～2个湾落为重点开展人居环境整治，开展人居环境主题宣讲活动4次，村庄清洁行动50余次。获评重庆市生态文明建设示范镇。咸丰村陈兴荣家庭被评为长寿区十佳“最美庭院”。

【村级集体经济发展】 2023年，龙河镇探索出资产收益型、资产盘活型、劳务创收型、产业带动型、股份合作型、利益联结型的六种集体经济发展类型，全镇17个村均成立村级集体经济组织，分别立足各自资源禀赋、历史渊源、人才优势等发展不同类型的村级集体经济，全年实现经营性收入2100万元，经营性收益120万元；经营性收入超过10万元的村100%，消除农村集体经济“空壳村”。保合村依托长寿慢城乡村休闲

2023年11月19日，龙河镇保合村邀请“我在慢城有棵树”果树认养人参加采摘节和长桌宴活动 （龙河镇 供图）

旅游和地处长寿慢城核心区的优势，创办“喜农舍农特产品超市门店+电商直播平台”，通过“线上+线下”推介销售柑橘、蜂蜜、龙酿酒、甘麻花等农特产品，与行千里、德劭旅行等旅行社合作为慢城引入游客5000余人，超市和电商销售额突破30万元，村集体实现收益3.5万元，带动秀才湾30余户村民发展餐饮民宿，户均增收2万元。9月，保合村与柑橘协会、高新果业合作，将脱管果园的果树高换培植后重新招商，自创、自办、自营开展秀才果冻橙果树认养活动，认养果树500余棵，并开展采摘节、长桌宴等农耕农事民俗体验活动，带动慢城餐饮民宿、农产品销售，为村集体经济增加收入10余万元。四坪村协助龙河兔业发展畜禽养殖项目，总投资62.5万元，村集体利用财政补助资金投资入股50万元，按5%固定分红，5年内每年获保底性收益2.5万元。全镇有股份合作类项目25个，涉及10个村，村集体经济持股资金约700万元，年保底分红收益35万元。建立投资入股、年底分红等利益联结机制，探索“飞地经济+集体经济”抱团发展新路径，利用市级水库移民产业转型升级项目资金1800万元，17个村集体出资参股40万元，在重庆东部国际农产品交易中心统一购置18个门面，面积2186平方米，打造果蔬冷链、仓储、分拣包装、销售一体化平台，资产权属归龙河镇17个移民村所有。与永辉超市签订11个门面8年租赁合同，每年租金30万元。各村权属比例按照原移民数计算，占比最多的村年收益4.2万元，占比最少的村年收益3000元。永兴村将财政专项扶贫资金65万元投给保合环境工程公司购买机械设备，该公司每年收益4.5万元。全镇有利益联结类项目10个，涉及9个村，项目资金365万元，年保底性分红20万元。（龙河镇）

海棠镇

【概况】 海棠镇位于长寿区北部，地处长寿区、垫江县和邻水县三区县交界处，渝宜高速（G50）、渝万高铁及渝巫路（G243）穿境而过。距G50高速云台出口、澄溪出口各5千米，距区行政中心45千米，距长寿深水港码头50千米，距重庆市中心90千米。辖1个社区和9个行政村，64个村民小组，户籍人口3.2万人（常住人口1.6万人）。辖区面积46平方千米，有耕地22.27平方千米，林地21.33平方千米。粮食产量1.2万吨，蔬菜产量0.55万吨，水果产量0.26万吨。

【经济建设】 2023年，海棠镇整治“非农化”图斑21个7.27公顷，完成率109%；整治“非粮化”图斑323个112公顷；完成撂荒地整治图斑48块18.67公顷，实施耕地恢复7.87公顷，完成率118%。加强耕地用地管制，从严审批宅基地，开展建房审批用地68户，拆除存量违法建筑4处652.72平方米。全年播种粮食作物2100公顷，产量1.24万吨，比上年增长1.5%；建成油菜全程机械化示范基地253.33公顷；投入11万元开展柑橘大实蝇防控防治，培育柑橘产业138.53公顷；推广农业机械化，鼓励购置农机58台、补贴21.19万元。投入400万元实施庄严村、海棠村、小河村散居移民基础设施提升项目，投入200万元实施水库除险加固项目，投入165万元实施土桥、古林、建生等村抗旱供水工程。引入市场主体8家，发展“稻田+”产业模式示范76.47公顷，产值170余万元；引进“中稻+再生稻”模式企业5家，建立示范基地53.33公顷；引进大豆玉米带状复合种植大户6家，示范种植140公顷，申请补贴70余万元；海棠村、小河村、建生村、清泉村开展“水稻—绿肥”轮作模式示范种植14公顷；金子村探索村集体经济组织“代耕代种、代管代收”社会化服务模式，代耕代种耕地110公顷。成立9个村集体经济组织、集体经济劳务合作社，全年村级集体经济收入180万元。全年新增市场主体79户、净增40户，市场主体总数769户，规上企业2家。开展第五次全国经济普查，清查个体经营户1044户、单位231个。聚焦“两不愁三保障”巩固提升以及产业帮扶、稳岗就业、检查考核发现问题整改等重点环节，走访农户1万余户，排查问题19个，帮助解决实际困难31个，新增易致贫监测户1户。开展防返贫帮扶工作，实施危房改造7户，开展新增“四类人员”房屋鉴定8户，纳入兜底保障95人，发展致富带头人3人，兑付产业到户奖补资金207户22万元，兑付“雨露计划”职业教育补助资金17人2.2万元，开发公益性岗位81个，实现稳岗就业478人，发放交通补贴3.9万元；新增小额信贷71.2万元。投入102万元实施“海八路”养护工程，完成320米断头路扩宽硬化。

【政治建设】 2023年，海棠镇党委下辖党支部14个，党员总数911名（其中农村党员782人）。推动“一中心四板块一网格”规范化建设，设置岗位20个，调整优化网格、微网格104个，选配网格员、网格指导员140名；梳理业务188项，通过一体化平台办理事件2240件，办结率100%。组织中心组学习11次，召开党委会25次，专题研究党建工作12次。开展主题教育，讲授专题党课24场、撰写调研报告10篇，自查整改问题39个，制定镇级民生实事清单10项，建立长效机制4个。实施重点村分类管理，举办业务培训3期、廉政讲堂4场；开展警示教育6场，廉政提醒镇村干部8人次，党纪处分2人；商调、新招录9人，职务职级晋升3人。探索党建统领乡村“院落微治理”，与乡村治理积分制相结合，农户参与率95%以上，发放积分3.2万分，兑换奖励3.2万元，兑换率排名全区第一。

【文化建设】 2023年，海棠镇“长寿传统服饰缝制工艺”申报成为区级非遗项目，“海棠唢呐”评为长寿区“终身学习活动品牌”；1人获评“百姓学习之星”；获全国太极拳（南部赛区）集体二十四式比赛集体二等奖。新建新时代文明实践点1个，庄严村获评“区级新时代文明星级站”；图书室、“农家书屋”免费开放，借阅量5700余人次。开展文化活动65场，放映惠民电影120场，开展新时代文明实践志愿服务活动1300余场，开展校园及周边“扫黄打非”行动4次。海棠中学获区教育质量评价“一等奖”，市级重点中学录取141人，完成率136%，位列街镇中学第一名；海棠中心校连续23年获区综合督导考核先进集体或一等奖，教育质量考核获得“一等奖”，位列街镇小学第一名。

【社会建设】 2023年，海棠镇办理残疾人“两项补贴”502人，救助孤儿、事实无人抚养儿童12人，关爱留守儿童129人，办理低保46户92人。临时救助困难群众200户50余万元，低保、特困兜底保障628户600余万元；发放自然灾害救助资金857人次13万元。发放优抚金180万余元，慰问退役军人及烈属129人4万余元，申报全国示范村级服务站10个，评选“最美退役军人”1人。投入100万元实施养老服务中心建设；慰问特扶家庭29户2.15万元；家庭医生签约4047户8047人，完成65岁以上老年人免费健康体检2800余人，农村妇女“两癌”免费筛查220人；严重精神障碍患者规范管理率96%、在册患者服药率100%、面访率90%，全年无肇事肇祸事件发生。组织150人参加就业培训，指导毕业生就业59人，完成就业再就业147人；办理社会保障卡居民服务“一卡通”2000余人，征收城乡养老保险300余万元，发放4050人员征地后生活困难补助2400余人200余万元；居民医保参保2.4万人。推进“互联网+政务服务”建设，处理群众诉求150余件次，群众满意度95%以上，行政许可事项总体提速70%以上。应对7轮暴雨天气过程，特别是应对“8·23”10级大风冰雹极端天气，抢通道路33处，消除风险隐患100余处，转移群众20余人。检查30个重点场所安全生产，消防安全检查200余次，免费安装燃气安全装置336户。开展地灾、防汛应急演练4次，消除隐患21处。推进道路交通违章查纠，出动执法200余次，查处违章行为300余起，排查整治安全隐患9处，全年无重大交通安全事故发生。组织铁路沿线大排查，排查整改安全隐患20余处。坚持领导班子成员公开接访制度，领导接访下访500余人次，调解矛盾纠纷130余件次，化解信访积案3件。开展治安巡逻防控，全年盗窃发案率下降76.9%。

【生态文明建设】 2023年，海棠镇投入380万元实施场镇污水管网改造，修复污水管网破损，整改雨污混流。投入16万元实施观音河水质生态修复工程，清漂清运垃圾300立方米，种植芦苇2000窝、水生植物4000平方米。推动打渔溪污染治理联防联控，跨区域协调赔付水稻受损36户4.67公顷，补偿款4.9万元。镇村级河长开展巡河974次，发现并整改问题32个，打渔溪、张巴河考核断面水质高于入境断面12次。强化森林资源保护，200余名干部群众常态开展“防、封、管、巡”，建成标准森林防火植物检疫检查站4座，设立临时检查卡口10个，聘用护林人员19名，落实“湾长”15名，制定《海棠镇森林火灾扑救预案》，推动“十户联保”工作机制落实；投资60万元新建森林防火消防水池（水箱）3座、森林防火阻隔带2千米；打击涉野生动物违法行为，全年立案查处1起，采取行政强制措施1人。实施农村户厕改造80

长寿区海棠镇古林村建成的高标准农田 （蒋军武 2023年3月摄）

户，建成农村生活垃圾分类示范村5个。

【“长寿粮仓·花境海棠”建设】 2023年，海棠镇推动“长寿粮仓·花境海棠”建设。实施“海棠丰谷”计划，以全域高标准农田整治为契机种好“一袋粮”。投入1.17亿元建成高标准农田1260公顷，培育千亩级粮油高产高效示范基地4个，流转耕地506.67公顷，水稻测产550千克/亩，粮油播种面积和产量实现“双增长”。3月，全区高标准农田建设暨春耕生产现场会在海棠镇召开。实施“海棠乡愁”计划，发挥海棠籍企业家的市场优势育好“一朵花”。培育海棠花66.67公顷，种植中药材20公顷，连片种植油菜533.33公顷。优化营商环境，扶持园区企业6家，常年带动就业100余人，实现产值5400万元，缴纳税金160万元。回引19名海棠籍企业家加入海棠商会，参与家乡建设，创办13家企业。 （海棠镇）

石堰镇

【概况】 2023年，石堰镇辖区面积107.18平方千米，辖20个行政村、133个村民小组，1个社区，11个居民小组。总户数23365户，总人口57052人，其中农业人口49748人，非农业人口7304人。土地面积91.20平方千米，其中耕地面积62.17平方千米。全年实现预算内收入4634.06万元，其中一般公共预算财政拨款收入4203.06万元，财政预算总收入比上年下降3.77%。预算内支出4634.06万元。创建成为重庆市生态文明建设示范乡镇，石安村被评为第六批重庆市“扫黄打非”进基层示范点，2人次获市级表彰，民调排名首次进入全区前三位。

【经济建设】 2023年，石堰镇实现地区生产总值59553万元，比上年增长3.6%。其中第一产业产值37609万元，比上年增长3.7%；第二产业产值8355万元，比上年增长2.8%；第三产业产值14125万元，比上年增长4.4%。完成固定资产投资12175万元，比上年增长5%。辖区内有市场经济主体2172家，其中企业372家、个体工商户1720家、农民专业合作社80家；全年新培育市场主体210家，其中企业14家，个体工商户179家，农民专业合作社17家。全年播种稻谷、大豆、绿豆、马铃薯、甘薯等粮食作物4956公顷，产量28871.1吨；种植蔬菜及食用菌1272.18公顷，32715.56吨；种植西瓜、香瓜等瓜果154.8公顷，产量4043.14吨；种植园林水果1191.8公顷，产量18902.59吨；种植核桃、板栗等食用坚果56.6公顷，产量263吨。粮油总产量50977.9吨。产地检疫生猪11161头、牛250头、家禽23.1万只，产地检疫生猪7085头、牛126头、家禽18.9万只，分别比上年增长57.5%、98.4%、22.2%。年末存栏生猪7160头，比上年增长5.1%；存栏牛698头，比上年下降20.1%；存栏羊176只，比上年下降23.1%；存笼鸡386915只，比上年增长23.8%；存笼鸭16829只，比上年下降10.8%；存笼鹅3127只，比上年增长98.8%。核实销号105个“非农化”图斑，完成86.67公顷耕地“非粮化”整治。开展耕地卫片执法，核查整改41处疑似新增乱占耕地建房图斑，完成年度卫片执法34个违法图斑、市级综合监测监管问题线索反馈的10个问题图斑及市级审计反馈7个问题图斑的整改，清理退出73.33公顷草坪。完成27.33公顷低效园林地整治。组织恢复96个图斑共37.19公顷耕地，净增耕地面积27.05公顷。

【政治建设】 2023年，石堰镇下设基层党组织25个，比上年增加1个；党员1681人，比上年减少6人。发展党员14人，转正预备党员13人，办理组织关系转接42人。发放“光荣在党50年”纪念章32枚，3年累计发放526枚。诫勉谈话2人，党纪处分4人，其中开除党籍处分1人，党内严重警告处分2人，党内警告处分1人。开展学习贯彻习近平新时代中国特色社会主义思想主题教育，开展集中学习研讨7次，中心组学习12次。基层支部利用“三会一课”“主题党日”开展集中学习交流113次。建成义和村、兴隆村“干部赶场”服务驿站。由班子成员带队常态化开展“夜访”，变“群众上访”为“干部下访”，被《重庆日报》《重庆法治报》等多家市级媒体报道，在全区“一把手”例会和政法工作会交流发言。

【文化建设】 2023年，石堰镇升级改造文化服务中心功能室，开展送春联下乡、端午节文艺汇演等镇级文化活动20余场，放映惠民电影80余场，开展党的创新理论宣讲、社区服务、环保卫生、信息宣传等各类志愿服务活动共2000余次。参加长寿区公民科学素质大赛获一等奖，参加长寿区第三届运动会获镇街组第四名、田径比赛镇街组团体总分第二名。石兴社区新时代文明实践站被评为长寿区新时代文明实践星级站、区级社区教育老年教育示范基地。1个家庭被评为长寿区“绿色家庭”，2名村民被评为长寿区2023年新时代“长寿好人”。

【社会建设】 2023年，石堰镇落实744户1187名低保对象、465名特困人员、7名孤儿和12名事实无人抚养儿童救助政策，临时救助各类困难群众224人，累计发放各类救助金1300万元。为391名优抚对象发放优抚资金570万元。为76名经济困难的高龄老年人、39名经济困难的失能老年人发放养老服务补贴27.38万元。发放贫困残疾人生活补贴33.912万元4240人次；发放重度残疾人护理补贴54.204万元6595人次。为2708人发放计生奖扶资金326.5万元。完成80户“特殊困难老年人家庭”适老化改造。全年脱贫户及监测户共出户21人、入户2人，新增脱贫不稳定户1户2人，完成危房改造10户。为2.22万户农户发放耕地地力保护补贴603.8万元，为5820户农户发放种粮补贴53.7万元。为364户脱贫户发放产业奖补资金85.14万元。新增城乡居民养老保险参保1574人，累计3.2万人，参保率95%；居保达龄领取待遇人数10751人，资格认证率100%，待遇发放准确率100%；城乡居民医保参保4.4万人，实现医疗保障全覆盖。联合区人才和就业中心联合举办5场大型招聘会，共签订意向性用工合同68人次，举行3场失业人员再就业培训，免费为298名失业人员提供实用技能培训，开发全日制、非全日制及服务型岗位153个，困难群体就业帮扶228人，为34名“4050”城镇就业困难人员办理社保和医保补贴。动态更新人力资源库务工人员就业信息2.89万条。石堰中学91人考入市级重点中学，获区教委教育教学质量一等奖，获“海军青少年航空学校优质生源基地”和“科技特色”学校称号。石堰中心校“小学生习惯养成与评价”试点项目纳入长寿区社会民生领域重大改革项目，在全区16所学校推广。引进现代医疗设施设备，提升医疗保障服务水平，全年完成门诊28589人次；出院2168人次；出院患者次均费用2132.63元，比上年下降21.01%。累计建立居民电子档案28847份，适龄儿童建证、建卡率100%，入托入学接种查验率100%；严重精神障碍患者、结核病患者规范管理率分别为85%、100%。办理“民呼我为”事项376件，办结率100%，满意度达97.27%。办理各类转办、交办和自排信访及矛盾纠纷488件，化解479件，化解率98.16%。开展各类执法检查100余次，排查出安全隐患400余处，下达整改通知书16份。落实集体聚餐申报备案制度，全年备案131起。办理各类违法食品药品案件5件，罚款3.5万元。开展汛前安全检查50余次，完成纲要水库、长堰水库、三倒拐水库和铁炉沟水库4个病险水库除险加固整治。实施危岩排危工程2起。完成“四好农村路”升级改造8千米。安装10个村3.7千米道路边坡护栏。投资89万元完成朝阳村错车道新增、石堰中学路口扩宽等群众关心的项目18件。投入23.7万元用于社区路面修复、清掏化粪池、安装路灯等。投资249万元实施公服项目43个。投资200万元完成兴庄村、木耳村美丽乡村建设。阻止燃烧秸秆、烧荒积肥等50余起。为9个村党群服务中心修建残疾人通道。

【生态文明建设】　2023年，石堰镇推进农村生活垃圾治理、厕所革命，创建成为第十一批重庆市生态文明建设示范镇。全年清理废旧广告牌200个、牛皮癣100余处。全镇农村生活垃圾收运治理实现全覆盖。开展村庄清洁行动评比12次，评选出317个示范户、37个美丽庭院，完成54户卫厕改造。完成桃花溪河岸生态修复及环境综合整治项目。落实河长制，镇村两级累计巡河3357次，清理河岸垃圾117吨、河道漂浮物103吨，龙溪河、桃花溪年度水质达标，河长制考核排名全区第二名。审批准入1家新建养殖场，常态化开展46家畜禽养殖场巡查监管。推进废弃农膜回收网络建设，农膜回收率89%以上。开展矿区历史遗留固体废物污染源排查整治，投入200万元对龙寨、瑞浩等关闭煤矿进行生态修复。投资844万元，实施高庙村产业转型升级配套项目、朝阳村人居环境整治项目、石堰村、义和村散居移民点基础设施建设项目。

【高标准农田建设】　2023年，石堰镇共实施2个高标准农田建设项目。位于干坝村和狮子村的高标准农田项目，总面积520公顷，总投资2217万元。位于普子村和石坝村丘陵山区高标准农田改造提升示范工程项目，总面积372.2公顷，总投资2245万元。全镇累计建成高标准农田2333.33公顷，涉及13个村、72个村民小组。

（李　林）

石堰镇普子村刘家湾　　（钟春霞　2023年4月10日摄）

洪湖镇

【概况】　洪湖镇位于长寿区西部，毗邻八颗街道、葛兰镇、万顺镇，渝北区大盛镇、统景镇、大湾镇，以及四川省邻水县御临镇、黎家镇。距长寿主城38千米，重庆主城65千米，四川邻水主城41千米。盛产鱼鲤鱼、鲫鱼等20余种鱼类，有20余家各类农家乐提供餐饮住宿。西山竹海位于洪湖镇芦池村，为长寿、渝北和四川邻水三县（区）交界之地，最高海拔980米，面积3.8平方千米。洪湖自古人文兴盛，拥有高峰寨、称沱石拱桥、峰顶寺等历史文物48处。2023年，辖区面积103.65平方千米，镇耕地面积18.67平方千米，森林面积55.33平方千米，辖14个村，1个社区，108个村民小组，15995户，人口36520人（常住人口10994人）。有21个党支部，1136名党员。

【经济建设】　2023年，洪湖镇水稻种植面积933.33公顷，产量7000余吨；玉米种植面积433.33公顷，产量3000余吨；高粱、小麦种植面积100公顷，产量300余吨；大豆种植面积420公顷，产量700余吨；马铃薯种植面积240公顷，产量800余吨。柑橘种植面积超过666.67公顷、生态梨面积200公顷、高山李子133.33公顷、葡萄面积66.67公顷。投资约3000万元，完成草堰村、坪滩村高标准农田整治500公顷，坪滩村利用撂荒地种植高粱44.67公顷、油菜26.67公顷，实现产值118.7万元。投入资金100万元，为凤凰、普兴、坪滩等6个村购买农用机具、完善农场设施。在普兴村探索实验稻鱼、稻蟹、稻虾、稻甲鱼等综合立体种养13.33公顷，实现集体经济收入17万元。完成耕地恢复35.68公顷、整治“非粮化”问题图斑91.86公顷。投入1400余万元推出“橘香悦动村”“四季花果采摘园”、云端露营基地等项目，打造规模化生产与“户外有氧运动”为核心的现代农业产旅融合发展示范工程。橘香悦动村项目入选全市第一批“万企兴万村”行动典型项目。结合“山水田园”的资源优势，培育市级龙头企业2个、市级专业合作社1个，完成绿色有机食品认证1个企业8个产品；新增市场主体228户，完成预期目标的120%；打造“大洪湖有机鱼”“三合高山生态大米”“洪湖翠冠梨”等特色品牌，形成千万产值特色产业。“三合高山生态大米”纳入“自然长寿”区域品牌，并在北京展示展销。

【政治建设】　2023年，洪湖镇研究党建议题67个，开展党建督查4次，定期谈心谈话45人次。加强队伍建设，公务员晋升2人，事业单位晋升晋级5人，调进调出机关干部12人，调整村“两委”成员和本土人才5人，纳新和转正中共党员19人。投资130万元完善称沱村、表耳村党群服务中心功能，整顿软弱涣散基层党组织调整村干部3人。健全完善“141”党建统领基层智治体系，划分网格21个，微网格116个，配备“一长三员”67人，打造“网中有格、人在格上、事在格中”的服务管理格局。制定下发意识形态工作计划，把意识形态工作纳入党委理论学习中心组学习和党建考核指标体系，开展检查19次，清理QQ微信群112个。开展主题教育集中研讨3次，上专题党课10次，完成调研课题10个，形成调研成果28项。完成民生实事10件。

【文化建设】　2023年，洪湖镇组织培训文化骨干4次，组织文化队伍参加区级文艺团体比赛2次。建成农村文艺表演团队15支，组织开展洪湖镇迎新春等活动。组织文化惠民活动30余次，开展全民阅读活动180余次。利用新时代文明实践所、学校、社会科学组织、文艺组织等文化阵地，开展文明实践活动，宣传党和国家的路线、方针、政策，开展科普宣传和实用技术培训，举办科技讲座、传授先进技术。把宣传教育和文化艺术活

2023年8月22日，洪湖镇党委书记、镇级林长任明全（左）与群众面对面交流，宣传讲解防火政策以及违规用火的危害性　（洪湖镇　供图）

动、娱乐活动、体育活动相结合，寓教于乐。

【社会建设】　2023年，洪湖镇发放惠民资金3000万元。举办劳动技能培训5场、现场招聘会3场，脱贫人口稳岗就业605人，为脱贫人口提供非全日制公益性岗位55个，开发全日制公益性岗位28个。城乡居民参加医疗保险22769人，实现全覆盖；推进基本养老保险提质扩面工作，全镇扩面参保642人，完成低保、特困、重残等特殊人群参加居保养老保险。更新失业人员人力资源信息库17651人，补贴脱贫人员457人跨区域往返城市间交通费用29150元，发放城乡低保4594户次350.2万元、特困金3278人次311.85万元，落实民政“四项”补贴7322人次68.1万元、临时救助137人36万元。完成6个村卫生室提档升级，家庭签约医生服务4935人，动态管理居民健康档案4211份。发放计划生育家庭奖励扶助金939人109.236万元。开展信访矛盾化解，调处各类矛盾纠纷165件，化解信访积案3件。优化重度精神障碍患者关爱帮扶小组，走访入户2160余次。开展全民电信反诈骗等专项行动，张贴海报150次、发放宣传资料6000份，入户签订反诈承诺书5000余份，15个村居通过微信群、朋友圈发送宣传信息2000余条。制定完善水源污染、地质灾害、突发性公共事件等应急预案7个。发放防溺水、道路交通安全告知书、森林防火禁火令等宣传资料1.2万余份。开展交通安全劝导165次。开展消防安全、地质灾害防治等培训10场，开展综合应急演练1次。处置房屋火情29起，抢救被困人员5人、疏散818人，排查重点单位消防安全隐患19处。高温伏旱期间，建成消防水池3个，防火通道6千米；安排42名护林员，启动1个瞭望点、7个检查站、15个临时卡口，全时段、全地域对所属林区进行封控，处置火情94起；对干旱缺水地区，组织消防车3辆送水入户，共计出动350余台次，解决1500余人间歇性缺水问题。

【生态文明建设】　2023年，洪湖镇组织“美丽庭院”示范户到村居、院落开展宣讲150余场次；投入环卫经费99万元，增加公益性岗位人员68名，建成10个区级垃圾分类示范村。全年评选市级“最美庭院”1户，区级十佳“最美庭院”2户、“最美庭落”10户、“绿色家庭”1户，镇级“十佳清洁户”28户，新建美丽宜居乡村1个。投入资金23.1万元，完成改厕81户；出台《洪湖镇人居环境整治考核细则》，成立5个环境整治专项检查小组，投入10万元考核经费，通过环境卫生“自纠自查自改”监督管理，发挥典型样板的示范作用，促进农村人居环境改善。完成凤凰村美丽乡村建设项目，打通场镇至电厂公园堵点，解决曹家坝“脏乱差”现象。维护、整修污水管网9千米。拆除散乱破损广告牌20个。排查辖区废品收购污染源和企业污染源等20次，场镇垃圾收集实现日产日清。

【山地特色小镇建设】　2023年，洪湖镇推进农文旅融合发展。依托云龟山樱花、谯定书院、西山竹海以及万顺温泉等乡村游玩新热点，拓展三合、芦池片区休闲农业、观光农业功能，完成芦池至五龙白改黑项目水稳层建设。完成总投资850万元的芦池片区美丽家园前期建设，打造农旅结合的绿色发展长廊。推进场镇文化基础设施建设，完善各村居文化广场，提升洪湖文化内涵，挖掘文化底蕴，打造知名文旅小镇。完成总投资约1000万元的董家沟河沟（草堰段）整治项目前期工作，总投资3700万元大过河生态修复项目落地。对明月山和铜锣山一带4000公顷天然森林加强保护。对200公顷竹海加强管护。发挥千岛大洪湖生态优势，探索以湖为单元的空间治理新机制、以湖为抓手的生态修复新模式和以湖为特色的绿色发展新路径。建立农村人居环境改善长效机制，签订村规民约，实行“门前三包”。全域开展人居环境整治，农村户厕改造、垃圾处理、污水治理实现全覆盖。　（洪湖镇）

万顺镇

【概况】　万顺镇位于长寿明月山西部与渝北铜锣山东部之间的大洪湖畔，地处长寿城区、渝北城区和邻水县城“一小时经济圈”的中心地带。2023年，辖区面积57平方千米，场镇面积0.79平方千米，辖8个村，1个社区，76个村（居）民小组，全镇总人口28031人，常住人口8342人。该镇获评长寿区重大项目攻坚及招商工作先进集体、2023年迎峰度夏保供电工作先进单位，创建成为市级卫生镇、市级互联网小镇、区级安全用电示范镇。创建市级美丽庭院1个、区级无邪教村（社区）9个。东风村获评重庆市第四批乡村旅游重点村，白合村瑞庄农民工返乡创业园获评2023年“市级创业园区”。“民呼我为”为民办事满意度居全区第一，民调满意度全区第五。

【经济建设】　2023年，万顺镇村集体经济收入持续发展壮大，6个村集体经济收益突破5万元，2个村达50万元以上，全镇8个村集体经济总收入232.51万元，比上年增长102.69%。全年财政收入2567.61万元，税收

300.43万元，比上年增长28%。粮食产量超1.35万吨，出栏生猪3.2万余头，存笼蛋鸡9万余只，出栏肉鸭23万余只，禽蛋产量1900余吨。特色果蔬产量500余吨，有机鱼产量900吨。完成万花村高标准农田改造133.33公顷，耕地恢复补足14.67公顷，净增耕地面积10公顷，整治耕地“非粮化”图斑、应急图斑23.29公顷。全镇粮油种植面积2200公顷，玉米大豆带状复合种植面积73.33公顷，农作物耕种收综合机械化突破173.33公顷，主要农作物测土配方施肥技术覆盖率95%，化肥、农药再利用率40%以上，农膜回收率87%，清理田间地头废弃物42吨。发放耕地地力保护补贴、实际种粮农民一次性补贴合计3240公顷379万元。建立联系企业长效机制，为企业解决实际问题46个，引导扶持企业申报项目48个。全年招商引资企业2个，计划投资8000万元。培育农业品牌，全年认证“两品一标”企业6家，认证产品10个，创建培育区级以上名牌农产品1个，区级龙头企业8家，累计13家。新建立10个优质企业红榜名录库。新增市场主体117户，累计1112户，注册资金总额3.57亿元。全年累计总投资1600余万元，建成项目48个。推动农文旅融合发展，争取乡村振兴补助资金1600余万元，完成煌烜农业等8家农业企业提档升级；投资300余万元，完成硕葱农业等4家企业三产融合发展试点项目；巩固优化柑橘、李子等高效经济作物466.67公顷，火龙果、优质松鹤大米、优质柑橘等特色种植年产500余吨，产值2000余万元。特色鳜鱼、翘嘴红鲌等高品质有机鱼年产值3500余万元。扶持屏岚秀谷、五云山、敏羲现代农业体验园等农旅融合项目提档升级；申报长寿区“十四五”乡村产业融合发展储备项目10个。

【政治建设】 2023年，万顺镇有11个党支部，846名党员。全年开展主题教育集中研讨交流3场次、党委理论学习中心组学习12次、干部职工政治理论学习10次、干部大讲堂8期。开展“习语连心·理响万顺”等宣讲活动120余场。通过每周五“干部大讲堂”等学习载体，促干部政治思想和理论水平提升。开展村（居）两委班子回访和软弱涣散党组织整顿，调整书记1名、支委委员2名。全年吸纳积极分子21名，发展党员5名，成立党支部1个。各支部开展“主题党日”“三会一课”70余次。开展“查实情，问民计，聚合力，谋发展”走访活动，收集整改问题25个。开展作风问题专项整治11次，廉政教育5次，处置问题线索4条。

【文化建设】 2023年，万顺镇创编“万顺如画”“走进万事顺遂的地方”等富含地方特色的歌曲；申报地方特色名菜“谯定益寿鱼头煲”为区非遗项目；广场新安装二代智慧健身器材11套；新建居民健身点2个、村组文体广场5个，完成四重村戛子山谯定文化广场改造。建成10个新时代文明实践站，组建“巧手匠心”“万顺·阿姐”等特色志愿服务队4支。6月27日，重庆市长寿区妇联携手四川省广安市邻水县妇联在长寿区万顺镇东风村成立“川渝两地妇女儿童维权站”。挂牌仪式结束后，长寿区妇联和邻水县妇联共同开展法治宣传讲座，邀请长寿区万顺镇派出所民警讲解防拐卖知识，长寿区万顺镇、邻水县黎家镇30余名妇女群众参加活动。

【社会建设】 2023年，万顺镇累计办理残疾证46人，入户评残16户，发放残疾人补助金3715人次29万元、城乡低保金183户116万元、特困对象特困金3489人次189万元；发放经济困难高龄失能老人补助金129人16万元，困难群体社会临时救助金48人20万元。推进退役军人“高质量服务站”创建，优待证办理率98%，综合考核获全区第一。居民养老保险参保人数19616人，特困、低保、重残居民参保率100%，扩面参保574人。合作医疗参保17073人，完成率104.85%，排名全区第二。卫生院通过一级医院等级评定。九石坎医院医养中心建成投用，全年接诊患者7万

2023年6月27日，重庆市长寿区妇联携手四川省广安市邻水县妇联在长寿区万顺镇东风村成立“川渝两地妇女儿童维权站” （万顺镇　供图）

人次。投入110万元改造万顺镇养老服务中心，创建成为星级“渝馨家园”。核查山洪地灾隐患点21处，完成地灾点治理1个。制止、扑灭农事用火59例，依据村规民约处罚29起、行政处罚2起；新建森林消防水池6个、消防通道10.3千米，扩宽错车弯道2处。开展消防、地质灾害和防洪应急演练12次。开展道路交通安全上路和驻站检查284次，检查车辆6900车次，纠正违章650起，处罚371起，处罚金额7000余元；开展水上交通联合执法检查巡查35次，制止违规行为60余起。查处建筑工地违章3起，排查整改安全隐患37个，全年未发生安全生产亡人事故。累计排查化解矛盾纠纷326起，重大矛盾纠纷18起，化解率100%。侦办刑事案件11起，诈骗案发率比上年下降20%。实施四重村王家中湾滑坡点“金土工程”搬迁避让，搬迁4户16人，补助资金27.2万元，完成D级危房改造2户，四类人群房屋维护200余栋。投资1600万元，完成2023年财政衔接推进乡村振兴补助资金项目。投入20万元新建应急供水保障工程。资助困难学生55人，落实各项补助36.4万元。推进就业及产业帮扶，兑现产业奖补232户74.3万元；申请小额贷款44户150万元，带动贫困人口就业448人。

【生态文明建设】 2023年，万顺镇投入70万元推动农村人居环境综合整治。完善农村生活垃圾分类集中投放点12个，建成示范村7个。投资50万元改善污水管网等基础设施，实现粪污无害化处理。完成农贸市场改造，规范市场活禽宰杀环境。完成村庄“亮化工程”，新安装太阳能路灯450盏，完成东风村移民美丽家园、院子村等4个村美丽乡村重点项目建设，风貌改造民房120栋，规范农户自建房屋350栋，建成文化展示墙1600平方米。投资260万元完成石板丘、石河溪病险水库整治。新建和改造“四好农村路”4.5千米，“万九路”扩规提质项目完成70%。完善4个饮水源保护地环保设施，推动水源地水质改善。开展“巾帼护河”“河小青”等护河清漂志愿服务12次。

【美丽乡村建设】 2023年，万顺镇打造望得见山、看得见水、记得住乡愁的和美乡村。完成《万顺镇突发环境事件应急预案》编制。全年集中饮用水源地水质达标率100%，大洪湖水质常年保持Ⅲ类以上，负氧离子含量平均值3000个/立方厘米，$PM_{2.5}$浓度约17微克/立方米。在全区民意调查中，城镇生态环境评价满意度列第一、农村生态环境评价满意度列第四。推广稻田综合种养、果粮套种、秸秆资源化利用等生态农业模式，主要农作物测土配方施肥技术覆盖率95%，农膜回收率90%。推动水产养殖、果蔬种植等现代生态农业发展，全年新增市场主体中涉农涉旅87家，带动就业600余人。大洪湖有机鱼产量500余吨，全镇渔业产值3500余万元。发挥山、水、林、田、湖、泉等生态资源优势，推动三归溪谷、东篱田园、屏岚秀谷等农旅融合产业发展，民宿、露营、观光、采摘、摄影、垂钓等农旅产品吸引游客，全年接待区外游客6万余人次，带动群众就业500余人，人均增收近万元。投入资金2000余万元，对万顺河、胡家河水环境实施整治，水质从劣Ⅴ类提升到Ⅲ类，2公顷水淹地全部恢复耕地功能。责停围湖筑坝、污水直排等问题5起，整治“四乱”问题62处。关停全镇最具规模的双龙岛农家乐，打击饮水源保护区内违建、经营行为2起，整治肥水养殖5家。牵头建立长邻两地环大洪湖乡镇联席会议制度，健全跨界流域生态环境联防联治机制，签订跨界河流管理等联防联治协议7个，开展联合巡护、专项整治80余次。以创建市级卫生镇为契机，强化人居环境综合治理。全年清运垃圾1.5万余吨，推动农村户厕改造1700余户，无害化卫生厕所普及率90%。投入资金3000余万元，实施东风、石龙村等美丽家园项目，惠及群众5000余人，东风村列入重庆市第四批乡村旅游重点村名录。 （万顺镇）

菩提街道

【概况】 菩提街道位于长寿主城区，东接但渡镇，南连凤城街道，西邻八颗街道，北连渡舟街道。2023年，辖7个社区、5个村，辖区面积37.71平方千米，其中耕地面积5.09平方千米。有户籍人口7.36万人，常住人口24.76万人。辖区有学校50所。其中，大学1所，中学2所，小学6所，幼儿园38所（其中公办幼儿园7所、民办幼儿园31所）。有医院诊所113家（其中公立医院2家，民营医院6家，诊所105家）。有大型商业综合体7个。

【经济建设】 2023年，菩提街道实现财政总收入5507.51万元。其中，一般公共预算收入5388.11万元，基金预算收入119.41万元。全年财政预算支出5507.51万元。其中，人员经费支出1935.99万元，公用经费支出584.54万元，项目支出2986.98万元。全年种植（间种、套种、轮种、混种）粮食作物553.67公顷，总产量3060.6吨。其中，玉米133.33公顷，产量930吨；稻谷186.67公顷，产量1484吨；红薯66.67公顷，产量240吨；马铃薯66.67公顷，产量241.1吨；豆类100.33公顷，产量165.5吨。全年种植蔬菜及食用菌类123.07公顷，产量3130吨；种植园林水果14.6公顷，产量207吨。出栏生猪1265头、家禽19706羽，产禽蛋6吨；出栏山羊263只、肉牛27头，其他畜产品（包括兔肉、羊肉等）7吨；全年养殖水塘面积18.93公顷，总产量102吨；完成农作物病虫害综合防治13.33公顷，玉米条播种植13.33公顷。全街道有个体工商户19828户，年内新发展市场主体3751户、净增市场主体2123户。推动五村联营村集体经济组织发展，全年实现营业收入166万元。

【政治建设】 2023年，菩提街道召开中心组理论学习12次，党建工作专题会议14次，举办学习宣传党的二十大精神暨“六讲”志愿服务进基层42场次。开展主题教育，领导班子专题研讨6次，查找突出问题47条，撰写调研报告12篇、提出对策建议66条，解决群众反映强烈民生事项6件，检视整改销号问题3个。开展村（社区）“两委”班子换届“回头看”，落实13个村（社区）分级分类管理措施，制定“一支一策”工作方案。开展碧园社区软弱涣散党组织整顿，处理社区干部1名。新建非公领域党组织4个，全覆盖建立网格党组织。延伸组织覆盖，新建菩提商会、金科阳光小镇等党群服务阵地3个。践行“四下基层”，到村居、非公党组织、企业走访调研50余次。发展党员7名，回引本土人才1人，储备村级后备力量10人。推进党风廉政建设和反腐败工作，开展监督检查35次，查阅村居财务凭据38本，整改问题12个。

【文化建设】 2023年，菩提街道新增全民健身路径2个，羽毛球场3个，足球场1个，篮球场3个，羽毛球场3个，游泳池1个。开展节日庆祝、垃圾分类宣传等各类宣传文艺演出32场次；常态化开设广场舞、书法、健身操、合唱4项免费活动项目，举办合唱、健身操、书法、瑜伽、暑期儿童绘画等培训153课次，放映惠民电影114场次。

【社会建设】 2023年，菩提街道协助区水利局完成阳鹤村、红花村等4个村1800余户“一户一表”饮用水管网改造。投入资金186.48万元，完成红花村散居移民点环境整治，油化公路2.4千米，安装太阳能路灯86盏。投入资金21万元，完成阳鹤村10组1.6千米健身步道硬化。争取项目资金53万元，完成5个村级公共服务和社会管理项目建设。新建阳鹤村—东新村通组公路暨“四好农村路”4128米；投入资金4万余元，完成辖区农村道路日常养护30千米，农村硬化道路养护率100%。全年排查道路隐患6处，隐患整治率100%。增设提醒标志2块，减速带15米，安装波形护栏360米。全年发放城市低保99户107.58万元，农村低保52户39.27万元；发放大病医疗救助39人30.13万元、特困救助50人60.61万元；发放高龄老人营养补贴2061人次23.28万元，申请慈善协会大病救助5人，集中供养特困人员11人；发放贫困残疾人生活补贴854人次6.83万元，发放重度残疾人护理补贴3201人次26.30万元，发放高龄失能养老服务补贴72人次1.44万元。高温酷暑期间，摸清辖区42名分散供养特困老人情况，按照老人意愿逐一落实安置措施。办理生育服务证1036件、独生子女光荣证18件、婚育证明594件，发放计划生育奖励扶助80.01万元；完成城乡育龄妇女“两癌”筛查6000人次、孕优检查273对，对65岁以上老人健康体检1.17万人次。全年受理养老保险相关业务981件，办理养老保险相关业务596件，养老保险各类信息维护办理161件；完成养老保险待遇人员指纹采集1338人，现场认证15344人，异地协助认证初审457人，暂停、上报死亡人员103人，核实超期未资格认证待遇暂停人员370人。动员45355人参加医疗保险，收缴医疗保险费1700余万元，办理特病及打印特病卡162人，办理以个人身份参加职

2023年3月2日，菩提街道在区体育中心举办新时代文明实践“六讲”志愿服务活动
（菩提街道 供图）

工医疗保险326人。开展反诈专项行动，依托辖区313个网格，建立反诈微信群400余个，推送反诈相关内容3000余条，发放宣传资料10万余份。全年调解各类矛盾纠纷5800余件；接待来访群众730余人次，协调解决重点信访问题12个。菩提“邻聚里”治理模式成为长寿区社会矛盾纠纷化解处置攻坚战最佳实践案例之一。

【生态文明建设】 2023年，菩提街道在农村增设垃圾箱、垃圾桶214个，设置警示标牌4块，张贴垃圾桶标识40余张、宣传画60余张。出动120余人和10余台车辆开展清洁行动12次，累计清理垃圾716吨。农村改厕7户，协调资金40余万元完成红花村农村公厕建设。全区开展垃圾分类宣传活动40余场次，发放宣传手册10万余份，悬挂宣传横幅60幅，更换各类垃圾桶200余个，增设四分类垃圾收集点6个、两分类垃圾收集点20余个，张贴垃圾分类标识400余张、宣传画3500余张；完成71个物业小区楼层撤桶，对辖区13个示范小区和9个自愿申请改造小区近400个点位进行垃圾分类设施改造。推进城区环境改善，全年处置违法建筑198宗，总面积1.15万平方米，其中拆除违法建筑91宗，面积9359.53平方米，处置罚没类违建107宗，面积2111.71平方米，处罚金额534.23万元。推进综合执法改革试点，承接10个部门赋权执法事项41项，针对违法搭建、占道经营等行为开展“综合查一次”集成式执法2次、日常行政检查22次，完成普通程序立案调查3件、调查处罚1件，警告并处罚款5000元。推进三大污染防治，全年制止露天焚烧行为427起；处置大气风险管控污染告警556起，处置率100%；完善龙溪河集中式饮用水源地环境监管，开展水源地周边环境和水源地附近8家企业巡查55次，发现整改问题16个；累计巡查桃花溪、龙溪河、古佛河排口、河面、河岸142次，发现并整改污水泄漏、雨污管网混排等问题18个。

【就业服务】 2023年，菩提街道收集发布就业信息600余条，完成失业登记1842人、就业登记1140人，为359名高校毕业生开展系统性定制服务，提供全日制公益性岗位解决就业34人。落实就业帮扶政策，核实灵活就业2500余人，办理灵活就业社保补贴1720人1011.9万元，发放脱贫人员跨区域务工交通补贴13人1550元。

【安全管理】 2023年，菩提街道开展机动车执法检查109次，检查机动车2310辆次，查处违法、违规违章行为机动车415辆次，处罚334人次，实现辖区农村道路亡人事故“零发生”。开展道路交通、建筑工地、危化品等重点领域安全检查执法52次，排查隐患17项，下达整改通知书7份，整改率100%。联合学校、商务委对辖区人员密集场所进行安全检查，排查幼儿园、学校、商场、“九小场所”357家次，发现隐患53条，均落实整改。排查、清理城镇和农村经营性自建房60栋，通过封存方式消除存在安全隐患经营性房屋1户，销号整改率100%。开展高层建筑消防安全专项整治行动，排查高层建筑565幢，整改各类消防隐患198条。高温期间，设置固定封山卡口1个、防火卡点1个，覆盖辖区所有进山路口。以村为单位组建55名村民巡逻队伍，分早中晚三班带装巡护巡查，实行24小时严防死守，禁止火源进山入村。

【党建统领基层治理】 2023年，菩提街道聚焦基层智治，依托“菩提·邻聚里”党建品牌，推动基层治理提质增效。健全体系架构。组建核心业务梳理、数据归集及“一表通”“一件事”场景谋划等9个工作专班打表推进。迭代优化“四板块”岗位设置，确定16个固定岗位和网格管理岗、物业服务岗等7个特色岗位；打破科室站所人员身份界限，将街道78名干部职工和19名部门下沉人员编入23个岗位统一管理和使用，推动实现“一人多能”、同板块“一岗通办”。科学划分313个基层网格（290个城市综合网格、15个专属网格、8个农村网格），选配“一长三员”1031名；建立42个“邻聚里·网格驿站”，打造5分钟便民服务圈，推进社保扩面增收、医保收缴、指纹生存认证等5项服务事项下沉网格，推出便民利民措施14项，开设编程、早教等“周末课堂”122期，开展垃圾分类、孝老爱老等各类志愿服务活动1500余场次，设置便民无烟熏制点6个，惠及群众20余万人。落实24小时值班制度，坚持日调度、周研判、月复盘，梳理形成违建治理、反诈劝阻等9个高频多跨事项标准化处置方案；健全任务下派、事件流转、考核督办等12项工作机制，形成《菩提街道党建统领基层智治标准化指南1.0》。梳理“四板块”核心业务11项、一级业务36项、二级业务93项，完成11项核心业务标准化处置流程图绘制，推动实现“一件事一次办”，小康动力环保投诉、集市摊贩占道经营等11个重大问题得到解决。建立企业服务“五个一”制度（搭建一个政企沟通平台、选派一名服务专员、每月举办一次企业“沙龙”、每季度开展一次企业“问诊”、每半年开展一次企业“开放日”活动），帮助企业解决用工、融资等困难诉求106件次。开展网格员业务培训80余场次，提升网格员履职能力，全年解决各类网格事件9617件次，化解矛盾纠纷3287件次，消除安全隐患2953起，推进“常春藤保交楼”“天工睿城违建集中拆除”等11个重大问题解决；建立电信网络诈骗反诈预警劝阻机制，劝阻235人次。（周　雷）

凤城街道

【概况】　凤城街道地处长江北岸，位于长寿城区，东与但渡镇相邻，南与涪陵交界，西与晏家街道毗邻，北与菩提街道接壤，辖区面积44.76平方千米，办事处驻凤城黄桷堡3号。辖区长江过境岸线长11.78千米，有渝长、渝万、渝涪高速公路过境。辖区有中职学校1所（重庆市行知职业技术学校），区属中学3所（长寿一中、长寿二中、长寿实验中学），区属小学4所（长寿实验一小、长寿实验二小、长寿实验三小、黄桷湾小学），区属幼儿园1所（长寿区示范幼儿园），区属特殊教育学校1所（长寿区特殊教育学校），街道所属学校3所（凤一小、凤二小、凤三小）；长寿区人民医院（北观院区）、长寿区中医院分院、长寿化工医院均在辖区内。旅游资源有长寿客运缆车（国内轨道最长、坡度最陡、运行最久）、林庄学堂（中共在重庆地区第一个党组织诞生地）、白塔、桓侯宫、三倒拐，有“长寿八景”中的五景——“桃源仙洞”“西岩瀑布”“凤山春色”“龙溪夜月”“定慧晓钟”。2023年，下辖13个社区，9个村，252个居民组，118个村民小组，总人口14.3万人，其中户籍人口10.5万人。年内，打造凤城“奉诚·吾管”党建品牌。

【经济建设】　2023年，凤城街道新增市场主体3192家，超额完成年度预期目标23.72%。落实“放管服”措施，设置帮办导办窗口1个，推进线下“一窗综办”、线上“一网通办”等服务。落实各项惠企政策，支持辖区企业转型升级、技术改造、扩大再投资，帮助勋勋食品有限公司争取区级农业贷款贴息。推进第五次经济普查工作，完成前期地毯式清查和查遗补漏工作，清查单位4115户，个体20913户，陆续推进单位和个体赋码工作。发展乡村旅游业，投资970万元，打造永丰村青脆李、花椒、柑橘3大特色种植业及休闲农家观光旅游业，实现产值198万元；投资600余万元，推进古佛河整治项目，打造白庙村菩提小院农旅体验园，实现年营业收入70余万元，村集体获收益5万元；投资约400万元，打造走马村走马驿站及特色竹笋宴，实现年营业收入100万元，村集体获收益3万元。强化农村集体经济组织“三资”管理，完成村集体经济组织与村委会分账核算，完成农村产权交易814.8万元。开展防止返贫监测帮扶第二轮集中排查，共排查脱贫户775户891人，全年人均可支配收入比上年增长16.06%。

【政治建设】　2023年，凤城街道发展党员8名、转正预备党员16名。加强村（社区）队伍建设，完成村居干部调整2人、补充本土人才3人。利用“141”基层治理智治平台，划分网格224个，配齐专属网格员，每日开展日常走访、安全隐患排查。整合“渝快政”、信访、“一表通”、“九小场所”等各类数字应用平台，实现指挥中心“一键调度”到岗到人、“一屏掌控”街道事务、“一棒指挥”各项工作，任务全流程闭环管理，事件“五事五办”分级处置，“一事一专班”处置。完善“三重一大”议事规则，坚持重大事项决策、重要干部任免、重要项目安排和大额资金使用由党工委讨论决策。推进清廉单元建设，推动清廉机关、清廉村居、清廉文化建设，一体推进“三不腐”，推动作风建设。全年辖区人大代表累计接待群众1.2万余人次，15名区人大代表参与“两地一城”“3113”项目攻坚行动计划，涉及100余个项目，其中特别重大项目15个。

【文化建设】　2023年，凤城街道举办群众文化活动98场次，组织参加长寿区第十六届老年人文体展示获二等奖；组织参与长寿区第十届群众广场舞展演获“优美作品”“组织工作奖”，组织参与第三届区运动会获街镇组团体总分第二名。建设“农家书屋”、书架工程，配优所需书籍，开展全民阅读推广活动50余场次。申报第十批非物质文化遗产代表性项目薛微微五香红卤及其代表性传承人柯伟，申报第九批非物质文化遗产代表性传承人张勇。定期明察暗访校园周边、文娱场所、农村营业性演出市场，查处售卖不良导向文化产品、允许未成年人进入等违规经营行为，取缔农村大棚演出。推动文物保护及旅游发展，针对3处市级、11处区级、13处未定级文物及旅游景点定期开展安全检查，联合设计单位修缮桓侯宫、武庙2处文物，实施市级文物林庄学堂抢险加固工程，谋划打造三倒拐、定慧寺、桓侯宫、文峰塔一线精品旅游线路。

【社会建设】　2023年，凤城街道推进滨江纾困，促成滨江片区D级危房及陈旧房置换签约620户。摸底调查212栋危旧房屋，对排查出C、D级危房161栋出具鉴定认定报告；核查186栋经营性自建房屋及7000余栋非经营性自建房屋安全情况，对存在严重安全隐患的房屋全面整改销号。开展违法建设治理，全年治理违建24件，拆除违建1001平方米。实施困难群众救助，全年新增低保117人、特困18人，办理医疗救助107人、临时生活救助119人、专项救助3人；全年共发放低保金1474.96万元、特困金201.90万元、定期定量救济25.11万元、高龄老人营养补贴76.34万元。关爱帮扶“一老一小”，极端高温天气期间，对638名独居老人、96名特困老人实行一对一关爱帮扶；为1.32万名老年人开展免费体检，为60户特殊困难老年人家庭进行适老化改造，引进社会资本400余万元对福利院提档升级改造；开展“莎姐守未”专项行动暨暑期防溺水工作，保护“五类”未成年人身心健康。更新人力资源数据库数据6.55万人；发放“4050”人员灵活就业社保补贴1134人800余万元；开发公益性岗位102个，发放补贴150余万元；帮扶272名离校未就业大学生实现100%就业。全年发放抚恤优待补助金1662.27万元，发放医疗、困难帮扶资金90万余元。推荐62名退役军人就业，推荐5名退役军人再就业。全年受理群众信访事项225件，办结218件；领导干部开展每周信访“接访下访”专项行动190余次。打击违法犯罪，辖区派出所共查处治安案件242件，立刑事案件541件，刑事案件发生率比上年下降5.77%。保障食品药品安全，每季度召开1次食品药品安委会例会、2次安全风险分析研判会，全年开展食药领域督查8000余人次，查处问题500余起。集中开展为期4个月的白酒小作坊专项整治，共整治登记在册的白酒生产企业27家。强化农村家宴管理，利用“重庆市阳光食品”APP远程监督，保障家宴食品安全，全年共备案登记25家次。开展重点领域餐饮食品安全专项检查，共排查学校（含托幼机构）19家、医院5家、养老院6家、机关9家。开展重大事故隐患专项排查整治行动和火灾防控“除险清患”专项行动，组织自查安全隐患62条。排查高层建筑、三合一场所、九小场所120余处，治理消防安全隐患100余起。开展危化、工贸、烟花爆竹企业执法检查125家次，下达执法文书125份，责令企业闭环整治隐患148起。开展“交安行动”36次、交通执法检查110次，查处违法行为187起。投入专项资金22.4万余元，完善农村道路防护设施、修复破损路面、整治水毁路段。投入应急救援资金和街道财政资金10万余元，对11个地灾点、55处地质隐患点开展雨前、雨中、雨后巡查，应急排危1次、降险排危3次。

【生态文明建设】 2023年，凤城街道结合“两岸青山·千里林带”“老旧小区改造”“三道拐历史街区美化”“美丽乡村建设”“综治中心建设”等项目，在路边坡、步道、公园、小区公共区域、居民庭院、农村村庄院落、山地种植三角梅、樱花、桂花、蜡梅等花木果树，打造项目景观13处，各村（社区）绿化点79处，涉及面积4.42万平方米，提升居民区花园门户景观28处。推进垃圾分类，开展“撤桶行动”“桶边值守行动”，打造凤城大院、寿城水岸D区垃圾分类示范小区。加强农村人居环境整治，开展“三清一改”活动，实施厕所革命，推动卫生厕所普及率85%以上。开展人居环境“三级评比”及乡村治理积分制，优化考核评比、积分兑换机制。强化露天焚烧管控，加强8个空气质量网格化监测微站、13个高污染燃料禁燃区、5个无烟熏制腊制品免费服务点运营管理，处置露天焚烧200余起、监测微站告警任务1193条，整改市帮扶督导组反馈问题23个。落实林长制，完成巡护831次，其中街道林长巡护41次，村社林长巡护790次。落实河长制，全年巡河1346人次，其中街道河长巡河85人次，村级河长巡河1261人次。

【“奉诚·吾管”党建品牌打造】 2023年，凤城街道突出党员特点和凤城实际，打造党员工作团队及平台，形成“奉诚·吾管”党建品牌。发挥网格员、党员“桥梁”作用，开展入户宣传、集中座谈、发动居民参与共建基金出资，通过“单体楼栋小区化

凤城街道三峡路园丁苑自治小区 （凤城街道 2023年9月摄）

管理、资产基金化运作、事务民主化协商、服务清单化供给、收益共享化分配”的“五化协同”模式，打造“单体楼栋自治小区2.0”版本，解决老旧城区物业纠纷和服务供给难题。三峡路园丁苑经党组织引领，选举5名党员及居民组建业委会，按照居民、社区、街道、联系部门“四个出一点”原则建立初始共建基金，筹集资金2万元，开设专户并由业委会管理。整合停车位24个、充电桩4个和广告位作为公共资产，每年产生收入2.5万元，收益纳入基金管理，用作大修基金、文体活动经费。建立小区公约、议事制度，明确共建基金支出标准、公共资产收费标准、物业服务清单等12项协商事项。全年开展民主协商3次，商定停车场收费办法及每车每月60元收费标准，商定基础物业服务清单及每户每月6元收费标准。

（周子溶）

晏家街道

【概况】 晏家街道地处长寿城区西郊，地理位置优越，区位优势突出，是长寿经济技术开发区主要所在地，是建设具有全球影响力的新材料高地主战场。2003年区划调整撤并原晏家镇和朱家镇而设立，工业基础雄厚，基础设施完备，南临长江，东与长寿主城毗连，西依明月山与渝北区接壤，渝宜高速、渝长高速、渝涪高速、渝利高铁、渝万高铁、渝怀铁路等交通干线纵横全境，是长寿的交通枢纽、工业高地和物流中心。辖9个社区、8个行政村，辖区面积约95平方千米，总人口约10万人。2023年，晏家街道聚力实施“3113”项目攻坚行动计划，推进新材料项目、两江新区至长寿快速通道、小石门城乡供水一体化工程、兴港大道等21个重特大项目建设，构建“产城融合”新格局，助力长寿经开区建设具有全球影响力的新材料高地，打造世界一流园区“后花园”。

【经济建设】 2023年，晏家街道蔬菜产量1849.24吨、水果产量535.8吨、水稻产量49.5吨、玉米产量650.08吨。出栏生猪8180头、鸡222994只、鸭48173只、鹅28571只，鸡蛋产量590.19吨、鸭蛋产量37.5吨、鹅蛋产量28.56吨。一般公共预算收入6073.65万元，一般公共预算支出6073.65万元。壮大集体经济，育才路社区打造“夜市一条街”；石门村打造乡村网红品牌；金龙村依托废弃矿坑打造生态公园；龙门村建成“鱼跃龙门·经开驿站”，接待游客超24万人次，营业收入450余万元。全年8个村村集体经营性收入共计133.74万元。

【政治建设】 2023年，晏家街道党工委领导班子理论学习中心组学习11次，召开专题组织生活会30次，支部大会300余次，组织机关党员干部集中学习9次。夯实村（社区）班子建设，结合村（社区）届中“两委”班子分析研判工作，开展软弱涣散村（社区）党组织整顿，强化对村（社区）干部特别是“一肩挑”人员监督管理，完成村（社区）“五好”班子推选工作。充实街道网格力量，17个村（社区）共划分为93个网格，全覆盖单独建立党组织，其中党支部26个，党小组67个，配齐配强网格人员529名，召开网格员培训会6次。构建“141”基层智治体系，形成“中心统筹、平台运行、上下联动、左右协同”的基层治理新格局。完成基层治理指挥中心打造、“141”组织架构搭建、四板块划分、机制建设等工作，市委组织部部长现场调研时给予肯定。

【文化建设】 2023年，晏家街道争取中央资金2000万元，实施长寿区晏家体育智慧公园项目，构建更高水平的全民健身公共服务体系。累计开展人居环境整治、反诈宣传、残疾人家庭医生签约、粽情端午等新时代文明实践志愿服务活动240余场。选派文体干部参加广场舞、太极拳及国民体质检测等项目培训，组建晏家街道门球队，实现辖区文体活动形式多样；组队参加长寿区第三届运动会，“晏之韵”龙舞表演队和“不忘初心”广场舞代表队在展演中分别获得第二名和第一名。街道社区教育学校创评区级社区教育学校示范基地，创评市级学习型团队——“尚善致远”太极队、市级终身学习品牌——“晏之韵”龙舞表演队，区级学习型团队——“小喇叭”志愿者服务团队。聂德均、陈燕获评市区百姓学习之星。社区教育微课大赛连续两年获市级奖。社区教育年度考核排全区第一名。

【社会建设】 2023年，晏家街道完成“长寿区晏家工业社区”组建，按照每个网格40~60家企业，划分网格，配备专职工作者，服务经开区企业和职工。举办各类职业培训3期，培训人员185人。强化劳动监察行政执法，劳动监察案件结案率100%。开展“冬送温暖”等活动，走访慰问困难群众115人，残疾人104人。开展城乡居民养老保险下沉业务工作，新增低保29户51人。建立居民健康档案3万余人，建档率90%以上，65岁以上老年人健康体检5290人次，规范健康管理4842人；辖区内有医疗机构22家，设有社区卫生服务站2个，村卫生室4个，家庭医生巡诊服务点

4个，有乡村医生13人，签订家庭医生协议7834户、14420人，其中65岁以上老人5414人。全年受理各类信访件243件，办理网上信访35件，系统案件及时受理率100%、及时办结率100%。完成矛盾纠纷排查541件，化解520件；人民调解157起。化解“治重化积”交办案件6件，其中街道牵头4件、协办配合2件。刑事案件、行政案件发案率分别比上年下降33.22%、33.33%。出动执法人员344人次，累计检查生产、消防、交通道路等各类场所168家次，发现问题隐患28个，全部整改完毕。常态化开展房屋安全巡查，排查出疑似C、D级房屋440户，并对长期无人居住的405户房屋采取封闭管理措施，对有人居住的35户实施劝离工作和动态监测，实施1个四类人员D级房屋改造。争取73.59万元建成“四好农村路”金龙村干大道823.34米。

【生态文明建设】 2023年，晏家街道开展农村生活垃圾无害化、减量化、分类化处置，清理生活垃圾17吨，畜禽粪污4吨；完成晏家河、沙溪河沿线及河泉水库、雁家沟水库饮水源污染源排查工作；建设长江重庆段“两岸青山·千里林带”，实现低效林改造93.33公顷、森林抚育266.67公顷，建成区、园区及码头绿化美化20公顷。争取中央资金3213万元，实施曹家堡、晏山片区环境改造工程；投资约8000万元，建成投用晏家公园二期、兰家山森林公园以及滨河公园三大公园，面积约33.33公顷。

【征地拆迁】 2023年，晏家街道涉及建设具有全球影响力的新材料高地共有项目77个，其中9个特别重大项目、29个拟开工项目、22个续建项目、17个需开展前期工作项目，涉及新启动建设项目16个；涉及中国生命科学城项目3个，用地面积400公顷，实施新征地面积333.33公顷。街道成立“3113”晏家项目攻坚行动计划工作领导小组，设立专项工作组13个，实行“一个项目、一套班子、一个方案”工作机制，对各个项目前期的征地拆迁等工作进行全面摸排和分析研判，突出重点，细化任务，打表推进。一新材料项目需征地159公顷，实际完成项目地块及边坡挡墙用地186.67公顷，创造1天完成征地红线勘界放线、3天完成16个村组的群众动员大会、7天完成拆迁房屋丈量清理、15天完成400余户农房拆迁协议签订、60天完成一期项目60公顷土地交付工作的晏家新速度。（晏家街道）

江南街道

【概况】 江南街道位于长江之滨，东与涪陵相邻，西与巴南接壤，北与凤城、晏家隔江相望，地处三区交界的地域要冲，是重庆三峡库区的移民重镇，长江黄金水道绕城而过，境内有深水岸线21千米。茶涪路、龙石路、五庆路、大碉路等干线公路纵横交错，长寿长江大桥、经开区长江大桥及铁路大桥将江南与长寿主城紧密相连。渝怀铁路、重钢铁路支线在江南设站汇集。2023年，辖区面积67.89平方千米，其中耕地面积13.43平方千米。城市建成区面积（含重钢和循环经济园区）11.2平方千米。辖7个村、2个社区，总人口20504人（其中农业人口8594人、非农业人口11910人），常住人口18856人。

【经济建设】 2023年，江南街道市场主体新增525户、净增410户。开展第五次经济普查经营主体清查，完成辖区企业363家、个体经营户3148家前期清查和摸排走访。推进企地共建，建立重钢相关党组织与街道党工委及天星村、大元村、五堡村3个村党支部的结对共建机制，组织村居干部、学生参观重钢内部红色教育基地博物馆4次；组织江南酿酒、新米、活禽等特色农产品进入重钢。聚焦中国长寿生命科学城建设，推进长寿区建筑垃圾分拣场项目建设，完成龙桥湖村征地3.14公顷。推进重庆国际金属循环产业园项目（盘子石）码头土地征收工作，涉及新征地28.67公顷，106栋360人。打造江南枇杷品牌，争取乡村振兴衔接资金26.97万元，开展“枇杷溢香·怡悦江南”第二届枇杷季暨乡村旅游采摘节主题营销活动，枇杷单价比往年提高3元左右。

【政治建设】 2023年，江南街道组织开展理论学习中心组学习14次；开展学习贯彻习近平新时代中国特色社会主义思想主题教育，形成调研报告11篇。开展村（社区）“两委”班子届中分析研判和重点村分类管理试点，调整村居干部3人、补充本土人才4人。发展党员5名、预备党员转正7名，发放“光荣在党50年”纪念章8枚，走访慰问生活困难党员140名。专题研判意识形态工作2次，处置市政管理、卫生健康、社会民生、交通管理等相关舆情11条。聚焦乡村振兴、安全生产、工程项目等重点领域，推进“以案四说”，以清廉机关和清廉村居建设为抓手，一体推进“三不腐”。全年开展会纪会风监督20余次。运用监督执纪“四种形态”，立案查处1件，党内警告处分1人；政务处分1人、开除党籍1人、诫勉1人。

【文化建设】 2023年，江南街道新建大元村、五堡村、龙桥湖村健身设施共18处，增补健身器材108件。提档新时代文明实践所站功能，共开展活动860余场次，参与活动1万余人次。修缮应急广播安装点位12个、设备14套，全年播放惠民电影108场。申报非遗项目“枇杷膏”“六子冲”2个，非遗传承人（熬麻糖、巴寡妇清的传说）2个。开展群众文化活动，承办市级非遗曲艺进街镇、区级武术下乡等文艺活动，参加区广场舞比赛获二等奖、区广播体操比赛获二等奖、区老年文体展示比赛获三等奖。

【社会建设】 2023年，江南街道重点人群就业帮扶176人，办理灵活就业登记和失业登记300余人，申报灵活就业补贴166人；开发公益性岗位就业80余人，护航高校毕业生就业创业20人。完成社保扩面参保218人，低保、重残疾、困难群体参保率100%，采集养老保险待遇资格指纹认证4626人；城乡居民医保应保尽保，四类人员参保率100%，居民参保1.5万余人，制发社会保障卡2298张。落实计生奖扶政策622人，特别扶助67人。发放冬春生活救助10.8万元、682人。开展困难群体关心关爱，落实重度精神障碍患者服务管理，排查走访精神障碍患者111名，送医送治7人；发放低保金255.6万元、5294人次；大病临时救助57人次23.9万元、特困供养金及慰问金115人131.3万元、事实无人抚养孤儿生活救助6人10.1万元、各类高龄或失能老人补贴205人次28.87万元；举办残疾人活动14场，发放残疾人“两项补贴”29.98万元、359人次，申请家庭医生精准康复服务208人。落实防返贫动态监测和帮扶机制，将88户脱贫户和7户边缘易致贫户纳入常态化管理，共走访脱贫户和监测户95户202人，一般农户255户416人，排查发现问题10个，均完成整改；完成8个村居“积分制”试行推广，成员身份确认登记1591户2589人，累计开展评比37次，推进乡村治理。修建“四好农村路”3条近6千米；完成龙桥湖村、扇沱村美丽乡村项目和大元村抗旱供水工程建设；完成大堡村人居环境改造工程，硬化公路4.6千米，改造人居环境52户，安装太阳能路灯166盏；完成花生沟水库除险加固工程和辖区3个移民高切坡维修养护。

【生态文明建设】 2023年，江南街道落实常态化巡河巡林，全年发现并解决问题37个。完成“两岸青山·千里林带”建设440公顷，松材线虫治理660公顷。完成水源地规范化建设投资86.8万元，整治黑臭水体1处。加强江南污水处理厂和扇沱污水处理厂的日常监管，杜绝雨污混流和污水直排长江。对辖区50余家涉烟涉气企业发放臭氧告知书，对辖区16家涉气企业开展实地核查检查，督促错峰减排。制止露天烧烤20起，阻止露天焚烧、野外烧荒30余起，完成餐饮企业油烟管道改造2家。加强畜禽养殖污染监管，38家企业环保设施齐备，通过环境影响评价验收合格2家、网上备案12家。按照“一口一策”要求对辖区内41个长江入河排污口全部整改销号，饮用水源地达标率100%。推进撂荒耕地复耕复种，全年整治卫片图斑12块，非农化、非粮化图斑181块，面积51.65公顷，耕地补足约13.33公顷。

【平安建设】 2023年，江南街道建立“党政同责、一岗双责、齐抓共管”的安全生产责任体系，结合“重庆市九小场所智管应用平台”，厘清辖区九小场所417家，开展各类安全检查523家次，排查并整改安全隐患156个，查处违法行为13件。专项开展道路交通安全检查96次，开具道路交通违法简易处罚108件。组建应急救援队伍150余人，开展各类应急演练7次。全年接待来访群众261批270人次，反映信访问题261件，办结249件，办结率95%；开展“大排查大起底大化解”专项行动，排查化解矛盾纠纷11次；开展反诈宣传和处置，发放宣传资料5000余份，联合派出所处置诈骗案件21起。推进基层智治体系建设，划分网格27个，配备“一长三员”99人，累计完成走访任务2.1万个、办理网格上报事件1763个。健全完善“一中心四板块一网格”运行机制12个，聚焦高频多跨事项，梳理核心业务13个、“一件事”场景2个。

2023年10月20日，江南街道举行江之南生态农业发展有限公司揭牌仪式

（江南街道　供图）

【集体经济发展新模式构建】　2023年，江南街道构建“1+8+N”集体经济发展新模式，成立集体经济联营公司——江之南生态农业发展有限公司，8个村居集体经济组织独资控股的集体经济公司共同参与，整合国有平台、私有经济、其他市场经济主体等多元化组织资源，承接各类小型建设、劳务输出等业务。龙桥湖村争取财政衔接乡村振兴补助资金70万元，购买挖机1台，用于培育新型集体经济。全年实现经营性收入268.66万元（每个村居集体经济经营收入均超10万元），比上年增长129%。（曾小娟）

渡舟街道

【概况】　渡舟街道位于长寿城区正北边，东与邻封镇、但渡镇接壤，南接凤城街道，西与八颗街道接壤，北与新市街道相邻。2023年，辖区面积52.63平方千米，耕地面积2563.4公顷，辖13个村，4个社区，户籍人口4.24万人。渝利、渝万铁路贯穿境内，长寿北站日均班次91列。辖区启动农产品交易中心、东部汽贸城、智慧物流园百亿级专业市场建设，三科农商城为全市一级农产品批发市场，东聚物流为全区快递行业、家居行业集散地。桃花溪横穿渡舟境内，沿线建成8千米休闲步道；有畾山、磨盘山、马鞍山等山峰；有巴乡谷度假村、小河源等各类农家乐9家。“369讲堂”获评长寿区终身学习品牌和书香品牌，“诗香渡舟”是重庆市终身学习品牌，启动《诗香渡舟》诗集编印。特色产品有薄脆、血豆腐等。

【经济建设】　2023年，渡舟街道做好第五次全国经济普查17个普查区和32个普查小区的划分，完成862户法人单位、66户产业活动单位、4272户个体工商户数据的采集录入工作。全年新增市场主体1627户，占全年新增900户目标的180.78%；净增市场主体1105户，占全年净增500户目标的221%。辖区实有市场主体5374户，规上企业16家。推进长寿湖文旅大道渡舟段、“一平方千米”、北城加油站等项目征迁。牵头制定渡舟老街片区综合改造项目总体工作方案，推动项目纳入2023年城市更新项目库并通过评审，启动子项目建设。支持三科农商城与菜鸟合作建设上行枢纽仓及赋能基地，推动三科农商城一级冷链物流节点主体工程建设。对17个村157个核算单位的账务完成分离。发展新型农村集体经济，河塘村等种植特色经济林66.67公顷，高峰村通过实施“乡情俱乐部”项目进行资产参股，7个村成立集体经济合作社。

【政治建设】　2023年，渡舟街道落实区委区政府和街道党工委工作要求，接受人大法律监督、工作监督，支持和保障人大开展工作，开展“四下基层”调研。执行民主集中制。组织集中学习习近平总书记重要讲话精神和上级文件精神、决策部署。落实法治政府建设示范区创建任务，完善法律顾问、信息公开、“互联网＋督查”等制度机制。落实区委巡察整改，开展财政补贴企业类专项整治，推进清廉村居建设。实施党建统领基层智治，建立“一中心四板块一网格”运行机制，设立网格50个、微网格236个。

【文化建设】　2023年，渡舟街道完善居民健身活动设施，普及农村居民健身场所，推进群众性文体活动全覆盖。推进“369讲堂”品牌建设，开讲60余场次。加强新时代文明实践站（所）建设，推进“书香渡舟”“诗香渡舟”等品牌建设。

【社会建设】　2023年，渡舟街道城乡居民医保参保完成率98.9%。城乡低保兜底365户590人，供养特困老人168人，临时救助困难群众91户172人，救助精神病人51人，服务和救助残疾人和高龄失能老人1310人，救助困难退役军人47人，国家计生奖扶1858人。分级分类帮扶城乡“4050”人员、困难人员、应届毕业生、退役军人等重点群体就业。通过“一事一议”财政奖补项目修建人行便道、修复塘坎堤坝、安装各类路灯。查处违建7件，拆除违建面积2870平方米。完成智慧城管APP交办案件106件，涉及市政园林、保洁等。开展社会矛盾纠纷化解攻坚战，领导干部带头接访下访122件次、347人次，矛盾纠纷化解率96%。结合社会治安区级挂牌整治推进社会治安防控体系建设，组织开展夜间巡逻189次。开展重大事故隐患专项排查整治2023行动，排查整改重点领域风险隐患31起，开展应急演练4次，汛期避险转移人员128人次，配备应急保障车1台。编制更新防汛抗旱应急预案，建立应急队伍，购置应急物资，整治病险水库3座，汛期疏散转移天井湾危岩受威胁群众4次。

【生态文明建设】　2023年，渡舟街道开展治扬尘、治尾气、治烟花爆竹燃放等行动。辖区3个示范小区落实桶边值守，宣传引导纠错分拣，以点带面推动垃圾分类工作。巩固“户集—镇收—区处理”的垃圾处理模式，农村生活垃圾收集率98%，月收集清运垃圾量83余吨。投入资金20万元，推进桃花溪流域渡舟段综合治理，落实焦家河流域渡舟段清淤清漂措施，协同整治纳溪河渡舟段2千米。落实林长制，推进林业资源保护。

【"369"讲堂品牌打造】 2023年，渡舟街道"369"讲堂被评为2023年长寿区终身学习品牌，"369"讲堂"党的创新理论"课程被评为重庆市社区教育老年教育百门课程进社区行动项目。渡舟街道"369"讲堂开设在场镇人员流动量大的桥头茶馆、文化广场、各村（社区）人员密集的农家小院。每逢3、6、9赶集日，街道邀请专家学者、先进人物、党员干部现场讲授政治理论、科技文化、先进典型、惠民政策；现场协商议事、调解矛盾、收集民情民意，打通服务群众"最后一千米"，引导群众争做"369新渡舟人"，即：树立正确"三观"（人生观、世界观、价值观）、争做"六有"新人（有理想、有追求、有担当、有作为、有品质、有修养的时代新人）、享受人生"九乐"（满足常乐、天伦之乐、运动之乐、助人为乐、忘年寻乐、忍让是乐、读书找乐、想象有乐、平静也乐）。"369"讲堂全年开展活动60余场次，接访群众130余人次，处理群众反馈问题62件，惠及群众近万人。 （渡舟街道）

新市街道

【概况】 新市街道位于长寿区主城以北8千米处，东与双龙、龙河镇接壤，南与渡舟街道相连，西与八颗街道为邻，北接葛兰镇。辖区面积37平方千米（其中耕地面积2506.67公顷，城镇建成区面积约7平方千米），森林覆盖率18.28%。辖区地势平坦，北城大道直抵新市，高速路渝长复线设长寿北互通，长垫路南北贯通，国道351东西贯穿。桃花溪、纳溪河横贯全境，有叶家沟、龙家沟、东门、东风4座中小型水库，76口山坪塘。2023年，辖区户籍人口30039人，设1个社区居委会和8个行政村，60个村（居）民小组。年内，新市街道办事处获全市2022年巩固拓展脱贫攻坚成果同乡村振兴有效衔接先进典型，获评长寿区重大项目攻坚及招商工作先进集体；新同村获市级"乡村治理示范村"称号。

【经济建设】 2023年，新市街道承接高新区社会管理职能，分级分类服务园区企业，到企业开展安全环保检查86次，发现并整改污水管网破损等安全环保问题121个。建立班子成员结对走访和服务企业机制，解决企业生产经营中的困难及矛盾纠纷50余个，帮助企业选聘用工人员140余人，保障重庆工信职业学院扩招学生4000余名。围绕学校和企业人员"食、娱、需"布局"夜经济"，培育新增餐饮、酒店等服务类经营户20余家。新市商会被评为2022—2023年长寿区"四好"商会。成立培育服务市场主体领导小组，编制乡村振兴全域规划方案，谋划招商项目15个，举办招商推介活动1场，签订投资协议4份，协议引资金额1.2亿元。引进魔吉岚项目，谋划打造集亲子活动、乡村游、度假、休闲等多种功能于一体全产业链条。全年新增市场主体353家，完成区下达任务的106%。辖区规上企业年产值107.07亿元。全年种植水稻、玉米等1533.33公顷，粮食产量1.05万吨。街道8个村集体经济全部实现年收入过5万元目标，10万元以上村占比75%。投入500余万元打造东门村地火网红直播基地、新市村牛稼庄特色餐饮、红土地村"伏羊汤"特色农家乐和新同村"禾得·自然艺术园"研学基地，全年吸引游客和食客4万余人次。

【政治建设】 2023年，新市街道党工委专题研究党建工作24次；组织中心组集中学习21次，开展主题党日活动12次，开展"板凳讲堂"等理论宣讲70余场次，受教育党员干部群众6000余人次。坚持学用贯通，紧扣"学思想、强党性、重实践、建新功"总要求，组织专题学习100余次，开展主题党课41场，检视整改问题3个，明确调研课题11个，推动解决群众关切的"关键小事"30余件。全年党工委分18个议题研究党风廉政建设、巡察整改等工作。落实"885"工作机制，上级反馈八张问题清单问题32项，办结销号27项，其余整改中。完成巡察反馈的3大类82个突出问题整改工作。开展"中梗阻""不作为慢作为乱作为"专项整治，自查问题18个，整改17个，其余整改中。全年共处置问题线索9件，立案3件，给予党纪政纪处分3人、诫勉3人、批评教育5人。推进清廉村居建设，在9个村居设置纪检监察宣传专栏和廉洁文化宣传阵地。开设"周五课堂""青年干部上讲台"等活动和村干部、网格员专题培训。选拔任用科级干部2名，试用期满转正科级干部2名。发展党员12名。回引本土人才袁杰回乡创业，打造"禾得·自然艺术园"项目，乡土人才韩文昌返乡当"农民"，带动邻里乡亲共同致富。推进重点村分类管理工作，整顿转化1个软弱涣散党组织，选派12名班子成员为非公企业党建工作指导员，推进工业社区试点建设。红土地村被评为长寿区2022年度"五好"村（社区）"两委"班子。

【文化建设】 2023年，新市街道培育"新同腰鼓队"等文艺队伍5支，通过"乡村村晚"等开展送文化下乡36场，惠及群众1.1万人。强化社区教育，增设舞蹈班、太极拳班、朗诵班、书法班等公益性课程，参加群众1000余人次。开展新时代文明实践活动40余场、理论宣讲活动70余场，受众6000人次，街道新时代文明实践工作获区级一等奖，新时代文明实践所被评为区级星级所，河石桥社区、新同村新时代文明实践站被评为区级星级站。街道获区第三届运动会田径比赛第一名、乒乓球比赛第四名、广播体操比赛二等奖。启动河石桥社区文化休闲广场项目前期工作。

【社会建设】　2023年，新市街道发放计生奖扶、特扶资金268万元，失独家庭、严重精神障碍患者等特殊群体免费健康体检全覆盖，惠及群众2960人。动态清零“两不愁三保障”突出问题，脱贫劳动力外出就业260人，兑现到户产业奖补16.6万元，危房改造及无房户新建保障住房6户，脱贫人口人均纯收入增长2891.8元。累计发放城乡困难群众救助资金516万余元，帮扶救助2000余人次。发放残疾人补贴31万元，在新同村、河石桥社区残疾人文体示范点和五星综合服务型“渝馨家园”开展残疾人活动88场次，服务残疾人1400人次。推进就业再就业帮扶，重点帮扶失业人员97人，召开招聘会4场次。新增参加养老保险缴费589人，居民医保参保2万余人。发放抚恤和生活优待金295.3万元，走访慰问退役军人及军属52人。开展消防、地灾、防汛应急演练7次，开展各类安全执法检查126次，整改夹刀石危岩等各类安全隐患266起，安全生产检查闭环率100%。以“夏季治安百日行动”为抓手，建立村组巡逻队130人开展常态化巡逻。调处群众矛盾纠纷499件，化解李某某、胥某某等信访积案2件，累计办理信访案件39件，信访率下降38.1%。投入240万元，实施北城大道景观提升工程，安装路灯及庭院灯138盏。建成农村四好公路120千米，实现湾湾通达。投入300余万元，完善灌溉管网和饮水管网，新增灌溉面积200公顷，提升4个村4000余农户供水安全和质量。启用新市华府地下车库并对外开放，增加停车位350个。

【生态文明建设】　2023年，新市街道开展以农村院落周边黑臭水体为重点的环境综合整治，投入30余万元整治江家石塔黑臭水体，清淤1000余立方米、修建水系连通沟渠600米、新建生态驳岸230平方米。投入10万元，对人居环境进行季度评比考核，辖区1874户农户参与“积分制”活动累计积分11.33万分，兑换奖品463户，评选“卫生示范户”198个，颁发流动红旗198面。开展“村庄清洁日”“村庄清洁周”活动，清理生活垃圾2500余吨。巡查重点养殖场、污水处理厂等120余次，整改问题9个。成立禁止露天焚烧专职巡逻队，制止露天焚烧行为53起。落实河长制，累计巡河812次，组建7人巡护清漂队，清理桃花溪及支流河面漂浮物和岸边垃圾160余吨。推进“厕所革命”，完成户厕改造12户。申报垃圾分类示范村5个。投入800余万元，完成污水处理厂1200立方米/日扩能至2000立方米/日的升级项目；投入200余万元，实施场镇二三级污水管网升级改造。投用新建公厕1处，升级四分类垃圾亭9套、两分类垃圾桶20套。投入2500万元，完成纳溪河治理工程，治理河道5.7千米，新建七彩健康步道11千米。

【基层治理“1234”工作法】　2023年，新市街道创新探索基层治理“1234”工作法。坚持以党建为引领，把党员干部“统起来”；以“聚闲亭”“板凳讲堂”“说句新里话”3大品牌为载体，开展“七讲”、群众恳谈会等活动200余场次；以“讲”“评”“议”“做”4项行动为抓手，解决群众身边灌溉管网改造升级、乡村公路主干道路灯全覆盖等民生问题80余件。完善“141”基层智治体系，规范建设基层治理指挥中心，设置“四板块”工作岗位19个，梳理核心业务18个，谋划“一件事”场景3个，形成街道“数据池”。实施党建统领网格治理专项行动，为22个网格配齐“1+3+N”网格力量，健全网格员全链条管理等运行机制，发挥网格作用。“区—街道—村社”三级中心实现事件流转贯通，通过智治平台下发任务15672条、处理事件1361件。

（吴　萍）

八颗街道

【概况】　八颗街道位于长寿主城区西郊，东临桃花溪，南靠晏家街道，西倚明月山，北傍葛兰镇。2023年，辖区面积99.25平方千米，辖1个社区及15个村，有5个居民小组及119个村民小组。辖区户籍人口19960户，45529人。4月14日，八颗街道办事处获评“重庆市2022年生活垃圾分类成绩突出单位”。

【经济建设】　2023年，八颗街道新增市场主体210户，完成年度目标任务的116.66%；净增市场主体115户，完成年度目标的191.66%。有专业合作社24个，家庭农场31个，种植大户10家。粮食总产量2.05万吨，蔬菜总产量2.32万吨，水果总产量1744吨；生猪存栏1.37万头，出栏6589头；家禽存笼75.3万羽，出栏35.81万羽；牛存栏643头，出栏161头；羊存栏1243头，出栏795头；蛋鸡存笼71.65万羽，产蛋1810吨。29家工业企业年产值1.25亿元，92家商贸服务业全年零售额5302万元，25家达限个体户全年营业总收入1亿元。街道全年税收收入2638.81万元。

【政治建设】 2023年，八颗街道开展“学习贯彻习近平新时代中国特色社会主义思想”主题教育，举办领导班子专题读书班7天、专题研讨3次、理论学习中心组专题学习4次；组建领导宣讲队1支、院坝宣讲队16支，开展专题党课20余场次、院坝宣讲110余场次，引导基层党员群众3500余人学习领会习近平新时代中国特色社会主义思想。全年发展党员8人，转正党员5人。全年选任科级领导干部4人，平级交流10人，晋升职级公务员3人。推进重点村分类管理，建立梓潼村“潼话会”党建引领“1+9+N”网格。全覆盖开展16个村（社区）党群服务中心规范化建设。新选派石马村、梓潼村党支部书记2人。推进反腐败建设，设置作风建设监督制度牌19块，对安全生产、乡村振兴、营商环境、“3113”项目攻坚行动计划等重点领域开展监督检查6次，对“吃公函”“窗口腐败”“酒驾醉驾”“赌博”等问题开展专项整治6次。依法依规核办线索，受理问题线索3件，立案1件。推进廉政教育，对街道二级部门负责人、村（社区）书记等开展廉政谈话60余人次，在春节、端午节等节前进行集体廉政提醒4次。

【文化建设】 2023年，八颗街道有文物点44处，综合文化服务中心16个，下设图书室、多功能活动室、展览室、篮球场、文化广场等室内外活动场所并免费开放。申报农民体育更新工程项目5个，成立新时代文明实践所1个、新时代文明实践站16个、志愿者队伍24支，注册志愿者1569人。全年开展篮球赛、太极比赛、广场舞比赛等文化体育活动10场；开展“六一·残健共融亲子活动”“榜样面对面”“我们的节日·中秋”等特色志愿活动639场；开展安全知识、垃圾分类、法律法规、养老医保等宣传宣讲活动289场；开展“阅读悦美·悦享长寿”全民阅读活动，惠及4000余人；开展以养老护理、母婴护理为主的“家庭健康护理”培训4次，参与人员200人次；开展社区教育教师能力提升培训20余次，培训人员60人次；开展健康常识、法治教育、农民实用技术培训、电信反诈宣传等培训教育活动150余次，受众6000余人。街道20余户家庭获评“美丽庭院”“文明家庭”。

【社会建设】 2023年，八颗街道整治武华村、曙光村农田2.97平方千米；实施一、二、三产融合发展项目7个；推进梓潼村“潼画园”现代观光农业示范园建设前期工作，水井村“长寿人家”纳入全区股权化改革试点民宿建设项目，八颗村“月牙小院”带火近郊周末游。编制街道城市更新概念性规划及项目策划，打造“八颗·八彩”特色街道，实施老旧小区燃气改造36户，新建八颗市民文化活动广场和五人制社会足球场，升级改造森香蓝庭小区周边环境；更换、维修市政路灯31盏、公厕设施88件，疏通污水管道1279米，清理污水井65个，修复人行道路面15处；规范店招8处，拆除破损店招4处。对辖区脱贫户259户578人、监测对象12户21人实施防返贫监测，发放产业到户奖补资金122户、16.4万元，通过小额信贷累计放款182户次、287.99万元，雨露计划职业教育覆盖10个村、21人，通过农村服务型岗位带动86人实现务工增收39.4万元，采用新型利益联结模式带动村集体、脱贫户实现年增收近18万元。实施重点民生项目，前进水库除险加固工程加快建设，抗旱提水、抗旱供水工程通过验收，城乡一体化供水工程覆盖高山村落；修建美满村车行桥1座；幸福村皂角坝至对窝冲公路养护项目、丰胜村陈余路、杨冉路等公路工程通过验收；新建及改造农村公路5.6千米；升级改造天然气主管2千米；实施八颗敬老院提档升级工程；全年开放八颗渝馨家园，开展残疾人日间照料100余场次，服务老年残疾群体1200人次。全年评定低保65人，认定特困人员10人，申请残疾人“两项补贴”565人，发放临时救助金49.08万元，发放高龄老人、失能老人、孤儿等特殊困难群体救助金45.5万元。完善居民养老保险和医疗保险服务体系，办理养老保险参保840人、资格认证4866人，办理居民医保参保33253人。辖区有社区卫生服务中心1个，村卫生室16所，开展义诊15次，签约家庭医生3524户、7126人。老年人健康档案建档率100%。组织82对夫妇进行孕前优生健康检查，办理生育服务证97件；评估重度精神障碍患者及疑似患者272人，规范管理率98.86%。组建长寿区八颗九年制学校，辖区适龄儿童、少年入学率100%；辖区有区级师德师风建设标兵1人、区级优秀班主任3人、区级优秀德育工作者3人；50余人次学生获市、区科技创新大赛、科学素养大赛、演讲比赛等奖励。加强安全生产管理，全年对重点燃气场所、沼气使用场所、村道交通、关闭矿山等重点领域开展执法检查1489次，下达执法文书164份，实施行政处罚88件次；全年闭环整改安全隐患49件。调解土地争议纠纷、合同纠纷、赡养纠纷等矛盾纠纷253起，提供法律援助9件；开展治安巡逻478次，劝阻电信诈骗98人，刑事案件比上年下降33%、治安案件比上年下降35%、盗窃案件比上年下降58%。落实“885”工作体系，实现“八张问题清单”248个问题全部销号；完成街道“141”基层智治体系建设，街道网格员日活率保持100%，累计完成线上事件流转685件，任务完成情况排名全区第一。莲花街社区获评长寿区“五好”村（社区）“两委”班子。推进“渝快办”办件，全年办件503件，办件及时率100%；受理“民呼我为”平台群众反映事项493件，满意率98.19%，满意率和办结时长均排名全区第三。

【生态文明建设】 2023年，八颗街道实施蓝天、碧水、净土保卫战。鹿坪村、八颗村美丽乡村建设项目建成投用。实施农村改厕11户。整改人居环境问题1563个，整改率100%。开展空气污染预警与应对工作12次，实施降尘作业203次、场镇路面冲洗作业42次，制止露天焚烧91起，指导绿色处理秸秆1.2万吨。治理34家餐饮店餐饮油烟，餐饮店餐厨垃圾收运协议签订率100%；投入240万元购买社会服务，由专业公司承担场镇保洁和全街道垃圾清运工作。3个加油站油气回收设施正常运行，设置无烟腊制品熏制点1个并免费开放。投入400余万元，实施黑臭水体生态治理项目4个，治理黑臭水体1.2万平方米；清理河道垃圾110余吨；消除污水泵站及管网问题23件次；整改武华水库、高产水库环保问题3个；生活垃圾无害化处理率100%；实施水肥一体化推广17.33公顷，施用配方肥面积66.67公顷、有机肥面积110.67公顷，化肥减量超15%。

【垃圾分类获市级表彰】 2023年4月14日，八颗街道办事处被重庆市生活垃圾分类工作领导小组办公室评为“重庆市2022年生活垃圾分类成绩突出单位”。八颗街道加强垃圾分类全链条管理，设立分类示范点位23个。街道办事处建环中心工作人员到社区开展垃圾分类宣传引导活动，全年分类回收利用垃圾40余吨。

（彭　佳　周丽梅）

2023年7月31日，八颗街道办事处建环中心工作人员在莲花街社区开展垃圾分类宣传　（八颗街道　供图）

人物　荣誉

全国五一劳动奖章获得者

冉龙江　男，汉族，1966年出生，重庆市涪陵区人，初中文化，重庆一洋化工设备制造有限公司技师，2010年获重庆五一劳动奖章。他自参加工作以来，勤勤恳恳，刻苦钻研，立足本职，勇挑重担，为公司的发展壮大作出了突出贡献。2009年，在“重庆宗申杯”摩配行业技能比赛中获一等奖。2013年，在对中国兵器工业部208研究所枪弹试验场的制造中，该设备是亚洲最大试验场，精度要求也是亚洲第一，他开动脑筋，想办法、出主意，使工期提前半月完工，受到国家领导人称赞。2023年4月，获“全国五一劳动奖章”称号。

（区总工会）

中国好人

李洪志　女，汉族，1945年7月生，中共党员，长寿区凤城街道梅村社区十二党支部书记。她开展调解工作20余年，坚持用法律化解纠纷，认真学习《人民调解工作程序》等法律法规，让调解更有说服力，让调解双方心服口服。她通过“传、帮、带”的方式，壮大调解队伍，调解员已发展成为“老中青”三代共23人。她敢于面对矛盾，2011年，原长化厂破产，面对企业破产后遗留的医疗、工伤、环保搬迁等问题，她牵头成功化解上百起矛盾纠纷。她工作认真负责，成功化解各类矛盾纠纷1300余起，挽回损失600余万元。2023年6月，被中央宣传部、中央文明办评为“中国好人”。

（区委宣传部）

中国好医生

杨俊荣　女，汉族，1968年4月生，中共党员，重庆市长寿区中医院针灸科主任、主任中医师。1988年参加工作以来，兢兢业业，勤奋工作。她率先在本地区引进和开展液波透骨疗法、醒脑开窍针刺法、圆利针和超微针刀疗法等新技术，对肩周炎、面瘫、颈椎病、腰椎病、乳腺增生等疾病的治疗有较好效果。她刻苦钻研，发表《小针刀治疗脊源性心律失常28例》《“原输配穴”埋线治疗失眠症80例疗效观察》《针刀结合中药治疗乳腺增生病43例》等论文20余篇；主持完成区级科研项目《医用臭氧治疗骨性关节炎的临床研究》《运用超微针刀刺激颈夹脊穴治疗神经根型颈椎病的临床疗效观察》《小针刀治疗腰椎间盘突出症的临床研究》；参研区科研项目《耳穴放血疗法对湿疹患者体内前列腺素E2、血栓素B2及6-酮基-前列腺素F12含量的影响》；主持完成市卫生健康委科研项目《电针加运动疗法联合生物力学矫形鞋垫治疗非创新膝关节骨性关节炎的临床疗效观察》，参研市卫生健康委科研项目《耳穴放血疗法对湿疹患者体内白三烯及IL10含量的影响》《自拟方联合太极六合针法治疗顽固性面瘫的临床疗效观察》等。她带领的针灸科从无到有、从小到大，成为国家中医药管理局重点专科培育专科建设单位、重庆市青年文明号。2011年，她被授予“重庆市五一巾帼标兵”称号；2016年，获“重庆五一劳动奖章”；2019年，获“全国五一劳动奖章”；2023年11月，被中央文明办、国家卫生健康委评为“中国好医生”。

（区卫生健康委）

全国最美退役军人

殷其龙 男，汉族，1975年出生，中共党员，1994年入伍，1997年退役，重庆市出租汽车有限责任公司第二分公司驾驶员，第十四届全国人大代表。他始终以“立足本职、爱岗敬业、服务乘客、奉献社会”作为行为准则，对待工作任劳任怨，兢兢业业；对待业务技能努力钻研，精益求精；对待同事团结互助，乐于奉献；对待生活充满热情，热心公益，用实际行动诠释了退役军人在平凡岗位上不平凡的担当。2017年，他被重庆市总工会授予“重庆五一劳动奖章”；2020年，被重庆市评为“抗击新冠肺炎疫情优秀志愿者”；2021年，被全国总工会授予“五一劳动奖章”；2022年，被中共重庆市委宣传部、重庆市精神文明建设委员会办公室、重庆市退役军人事务局、重庆警备区政治工作局授予重庆市“最美退役军人”称号。2023年10月，被中共中央宣传部、退役军人事务部、中央军委政治工作部授予全国“最美退役军人”称号。

（区退役军人事务局）

立功军人

李石勇 男，1987年1月出生，重庆长寿区人，中共党员，2006年8月入伍，空军某基地训练处主任。因在战备训练中表现突出，2023年1月被中国人民解放军空军某部评立二等功。常年参加重大任务成绩优异，2023年1月获空军优秀飞行员二级表彰。（区退役军人事务局）

逝世人物

刘邦兴 男，汉族，重庆长寿人，生于1926年1月，小学文化。1944年5月至1946年8月，被国民党拉壮丁在50军当兵；1946年8月至1955年4月，在新四军华中野战军第六纵队（24集团军）当战士；1955年5月至1980年10月，任长寿县双龙区合兴乡供销社副主任。1980年10月退休，1982年10月退休改离休。2023年1月去世。

余日祥 男，汉族，祖籍浙江淳安，生于1933年1月，高中学历，中共党员。1949年5月至1949年12月，参加中国人民解放军；1949年12月至1955年12月，先后在长寿县文教组、县委秘书处、双龙区委会、万顺区委会工作；1956年1月至1987年2月，先后在涪陵地区农工部、长寿县洪湖区委、长寿县政协等单位工作；1987年2月至1993年2月，任长寿县政协秘书长。1993年3月离休。2023年1月去世。

王俭素 女，汉族，河南清丰人，生于1925年4月，初中及以下文化，中共党员。1945年1月至1955年1月，在河南军区八分区医院工作；1955年1月至1959年11月，在四川省水力建设工程局工作；1959年11月至1985年8月，在重庆市长寿湖渔场工作。1985年8月离休，享受按副省（部）长级标准报销医疗费待遇。2023年1月去世。

孔琦 男，汉族，祖籍重庆长寿，生于1927年8月，高小学历1948年10月至1955年5月，在解放军54军145师历任通讯员、排长、司务长；1955年6月至1955年8月，云台乡务农；1955年9月至1987年12月先后在石圾供销社、西山农场、关口贸易商店、县百货公司等单位工作。1988年1月离休。2023年9月去世。

黄辰 男，汉族，祖籍浙江兰溪，生于1928年10月，中专学历，中共党员。1949年5月至1949年9月，二野军大三分校学员；1949年9月至1949年12月，西南服务团进军西南途中；1949年12月至1988年12月，先后在县百货公司、县商务局、县食品公司、县矿业烟酒公司、县蔬菜公司、县商业车队、县物价委员会等单位工作。1988年12月离休。2023年12月去世。（区委老干局）

集体荣誉

2023年长寿区获省部级表彰先进单位一览表

表37

单位名称	获奖名称	授奖单位	获奖时间
长寿区侨联“侨胞之家”	2021—2022年度全国侨联系统“侨胞之家”典型选树单位	中国侨联	2023年1月
长寿区税务局财务管理科	全国巾帼建功先进集体	全国妇联	2023年2月
长寿区妇幼保健院儿科	全国巾帼文明岗	全国妇联	2023年3月
重庆化工职业学院	2023年金砖国家职业技能大赛网络营销赛项区域选拔赛（重庆市）三等奖	金砖国家工商理事会技能发展工作组	2023年6月
重庆化工职业学院	2023年金砖国家职业技能大赛建筑信息建模赛项区域选拔赛（第一场）二等奖及晋级	金砖国家工商理事会技能发展工作组	2023年6月
长寿区人民政府	2023年“长寿湖杯”国际棋联女子世界锦标赛对抗赛最佳组织奖	世界国际象棋联合会	2023年7月
重庆化工职业学院	2023年金砖国家职业技能大赛农业物联网（智慧农业）赛项全国选拔暨国内决赛一等奖	金砖国家工商理事会技能发展工作组	2023年7月
重庆化工职业学院	2023年金砖国家职业技能大赛建筑信息建模赛项全国选拔暨国内决赛三等奖	金砖国家工商理事会技能发展工作组	2023年7月
长寿区侨联	第二十三届“世界华人学生作文大赛”优秀组织单位	中国侨联、全国台联、人民日报海外版、《快乐作文》杂志	2023年7月
重庆化工职业学院	2023年全国职业院校技能大赛高职组一等奖	全国职业院校技能大赛组织委员会（教育部等37部门）	2023年8月
长寿区人民法院长寿湖人民法庭	第二十一届一星级全国青年文明号	共青团中央	2023年8月
长寿区税务局第一税务所	全国青年文明号	共青团中央	2023年8月
重庆化工职业学院	2023年金砖国家职业技能大赛农业物联网赛项银奖	金砖国家工商理事会技能发展工作组	2023年9月
重庆化工职业学院	2023年全国职业院校技能大赛高职组二等奖	全国职业院校技能大赛组织委员会（教育部等37部门）	2023年9月
重庆化工职业学院	2023金砖国家职业技能大赛智慧金融（川渝）区域选拔赛二等奖	南非高等教育与培训部、金砖国家工商理事会、南非豪登省政府	2023年9月
重庆化工职业学院	2023年金砖国家职业技能大赛web技术赛项区域选拔赛（西区）三等奖	金砖国家工商理事会技能发展工作组	2023年9月
长寿区重大疑难复杂矛盾纠纷人民调解委员会驻法院调解工作室	全国模范人民调解委员会	司法部	2023年9月

续表37

单位名称	获奖名称	授奖单位	获奖时间
重庆化工职业学院	2023年金砖国家职业技能大赛人工智能机器人系统集成及应用赛项区域选拔赛（华西）一等奖及晋级	金砖国家工商理事会技能发展工作组	2023年10月
重庆化工职业学院	2023年金砖国家职业技能大赛人工智能计算机视觉应用赛项区域选拔赛三等奖	金砖国家工商理事会技能发展工作组	2023年10月
重庆化工职业学院	2023年全国职业院校技能大赛高职组三等奖	全国职业院校技能大赛组织委员会（教育部等37部门）	2023年10月
重庆化工职业学院	全国职业院校技能大赛教学能力比赛一等奖	教育部	2023年11月
重庆化工职业学院	2023金砖国家职业技能大赛中国分赛区人工智能机器人系统集成及应用赛项国际总决赛二等奖	金砖国家工商理事会技能发展工作组	2023年11月
长寿区葛兰镇盐井村	第三批全国乡村治理示范村	农业农村部、中央宣传部、司法部	2023年11月
重庆长风化学工业有限公司	国家级绿色工厂	工业和信息化部	2023年11月
重庆市长寿区青少年业余体校	国家高水平体育后备人才基地（2021—2024）	国家体育总局	2023年11月
重庆市远恒佳学校	国家高水平体育后备人才基地（2021—2024）	国家体育总局	2023年11月
长寿区	全国平安渔业示范县	农业农村部	2023年12月
重庆化工职业学院	2023金砖国家职业技能大赛中国分赛区工业机器人数字孪生技术应用赛项国际总决赛三等奖	金砖国家工商理事会技能发展工作组	2023年12月
长寿区检察院不起诉理由说明书《王郁琦故意伤害案》	第一届全国检察机关优秀刑事检察文书提名	最高人民检察院	2023年12月
长寿区总工会国家电网户外劳动者服务站点	全国2023年“最美户外劳动者服务站点”	中华全国总工会	2023年12月
长寿区劳动争议纠纷一站式处置平台	全国2023年度工作突出基层劳动人事争议调解组织	中华全国总工会	2023年12月
长寿区检察院	2023年度《检察日报》读报用报先进单位	最高人民检察院	2024年1月
长寿区菩提商会	2023年全国“四好商会”	中华全国工商业联合会	2024年1月
长寿区凤城街道顺风亭社区党支部	重庆市平安建设先进集体（2019—2022年度）	中共重庆市委、重庆市人民政府	2023年2月
长寿区市场监督管理局综合科	重庆市食品药品安全工作先进集体	重庆市人民政府	2023年5月
长寿湖旅游景区管理股份有限公司	重庆市企业创新奖	重庆市人民政府	2023年8月
长寿区	重庆市第八届双拥模范城	中共重庆市委、重庆市人民政府、重庆警备区	2023年10月
长寿区人力社保局	重庆市拥军优属模范单位	中共重庆市委、重庆市人民政府、重庆警备区	2023年10月

个人荣誉

2023年长寿区获省部级表彰先进个人一览表

表38

获奖人	工作单位及职务	获奖名称	授奖单位	获奖时间
龚　会	长寿区新市中学教师	“情暖老兵——为退役军人排忧解难”征文活动个人组一等奖	退役军人事务部	2023年2月
张红波	长寿区凤城监狱狱政科副科长	全国监狱先进个人	司法部	2023年3月
冉龙江	重庆一洋化工设备制造有限公司工人	全国五一劳动奖章	中华全国总工会	2023年4月
廖　尹	重庆市长寿区公安局凤山派出所民警	全国公安机关成绩突出青年民警	公安部、共青团中央	2023年5月
李洪志	长寿区凤城街道梅村社区十二党支部书记、上半段居民组组长	中国好人	中央宣传部、中央文明办	2023年6月
赵广辉	长寿区文化馆党支部书记、馆长	全国文化科技卫生“三下乡”活动服务标兵	中央宣传部	2023年8月
廖传荣	长寿区侨联党组书记、主席	全国归侨侨眷先进个人	中国侨联、国务院侨务办公室	2023年8月
殷其龙	重庆市出租汽车有限责任公司第二分公司员工	全国“最美退役军人”	中央宣传部、退役军人事务部	2023年10月
张琛琛	长寿区人民法院民事审判一庭副庭长	全国维护妇女儿童权益先进个人	全国妇联	2023年10月
马　靓	长寿区税务局第三税务所副所长	2023年全国税务系统练兵比武活动数据应用岗优胜个人	国家税务总局	2023年10月
杨俊荣	长寿区中医院针灸科主任	中国好医生	中央文明办、国家卫生健康委	2023年11月
周在富	重庆化工职业学院制药工程学院院长	2023年享受政府特殊津贴人员	人力资源和社会保障部	2023年12月
马卫东	重庆市长寿区公安局环境安全保卫支队民警	重庆市食品药品安全工作先进个人	重庆市人民政府	2023年5月
陈小莉	长寿区就业和人才中心副主任	重庆市就业创业工作先进个人	重庆市人民政府	2023年9月
程锦荣	长寿区葛兰镇盐井村党支部书记	重庆市拥军优属模范个人	中共重庆市委、重庆市人民政府、重庆警备区	2023年10月

统计资料

2023年长寿区国民经济和社会发展主要指标统计表

表39

指标名称	计量单位	数量	比上年增长（%）
土地、人口与就业			
行政区域面积	平方千米	1421.4	持平
年末户籍总户数	万户	38.2	持平
年末户籍总人口	万人	86.4	-6
#城镇人口	万人	38	-0.5
#男性	万人	43.6	-2
女性	万人	42.7	-1.2
年平均户籍人口	万人	86.65	-0.6
常住人口	万人	68.14	-0.9
#城镇人口	万人	48.99	-0.01
城镇化率	%	71.9	升0.63个百分点
出生人口	人	4077	-5.8
死亡人口	人	5989	2.1
人口自然增长率	‰	-5.72	升0.92个千分点
城镇调查失业率	%	5.3	—
国民经济核算			

续表39

指标名称	计量单位	数量	比上年增长（%）
全区生产总值	亿元	956.73	7.1
第一产业	亿元	66.58	4.5
第二产业	亿元	585.14	7.9
工　业	亿元	501.22	7.7
建筑业	亿元	83.92	9.2
第三产业	亿元	305.01	6.3
批发和零售业	亿元	81.97	8.2
交通运输仓储和邮政业	亿元	28.76	7.6
住宿和餐饮业	亿元	12.47	10.9
金融业	亿元	29.12	6.6
房地产业	亿元	25.55	3.9
其他服务业	亿元	125.68	4.8
农林牧渔业及辅助性活动	亿元	1.47	5.8
农业			
产值及主要农产品产量			
农林牧渔业总产值	万元	1012275.4	3.0
农业	万元	542034.1	6.8
林业	万元	20823.2	5.0
牧业	万元	315373.4	−3.3
渔业	万元	110718.9	3.5
农林牧渔专业及辅助性活动	万元	23325.8	5.8
粮食产量	万吨	33.1	1.9
园林水果产量	万吨	21.9	10.5
蔬菜产量	万吨	40.6	4.0
禽蛋产量	万吨	7.1	8.8
水产品产量	万吨	4.8	3.1
出栏生猪	万头	60.9	3.7
出栏家禽	万只	1142.6	6.1
出栏羊	只	11152	−25.4
出栏牛	只	4220	−12.6
工　业			
规上工业			
工业企业数	个	303	3.4
其中：经开区	个	207	4.0
高新区	个	75	2.7
工业总产值	亿元	1577.9	6.2
其中：长寿经开区	亿元	1349.5	10.5
高新区	亿元	203	−12.2
其中：重工业	亿元	1321.5	7.0
其中：轻工业	亿元	256.4	2.6

续表39

指标名称	计量单位	数量	比上年增长（%）
规上工业增加值	亿元	—	8.6
规上工业主要产品产量			
家具	件	1560499	-47.1
化学药品原药	吨	3529	49.7
饲料	吨	166605	-2.9
涂料	吨	434802	112.7
精甲醇	吨	1548031	-0.9
合成氨（无水氨）	吨	178339	17.4
合成纤维聚合物	吨	158978	3.0
化学纤维	吨	16814	40.2
生铁	吨	6516047	-9.9
粗钢	吨	7891936	-9.8
钢材	吨	10741052	15.7
冰乙酸（冰醋酸）	吨	478584	-1.2
变压器	千伏安	10092849	29.4
甲醛	吨	63386	11.2
塑料制品	吨	100828	65.4
橡胶轮胎外胎	万条	513.9	10.2
商品混凝土	万立方米	105.9	32.6
初级形态塑料	吨	462546	3.5
硫酸（折100%）	吨	502621	17.7
发动机	千瓦	24774453	61.9
水泥	吨	1169073	13.6
烧碱（折100%）	吨	184330	-4.4
玻璃纤维布	万米	11094	4.8
饮料酒	千升	84.5	-60.4
印制电路板	万平方米	3.4	-76.9
规上工业企业经济效益			
营业收入	亿元	1401.2	-1.4
其中：经开区	亿元	1216.0	-4.9
高新区	亿元	169.7	33.8
税金（万元）	万元	267312	4.5
其中：经开区	万元	250770	7.0
高新区	万元	10504	-41.2
亏损企业个数	个	93	9.4
利润总额	万元	182419	-72.6
其中：经开区	万元	143763	-77.2
高新区	万元	32161	-7.0
收入利润率	%	1.3	降3.4个点
其中：经开区	%	1.2	降3.7个点

续表39

指标名称	计量单位	数量	比上年增长（%）
高新区	%	1.9	降0.8个点
建筑业			
总产值	亿元	346.5	9.9
建筑工程产值	亿元	323.5	7.8
安装工程产值	亿元	17.3	20.3
其他产值	亿元	5.7	—
房屋建筑施工面积	万平方米	2119.2	3.5
#本年新开工面积	万平方米	134.0	-29.5
房屋建筑竣工面积	万平方米	665.5	1.8
竣工房屋价值	亿元	107.6	1.2
交通运输			
货物运输总量	万吨	11139.9	6.7
公路	万吨	10814	6.7
水运	万吨	325.9	8.7
旅客运输量	万人	764.9	7.0
公路	万人	761	6.9
水运	万人	3.9	25.4
港口货物吞吐量	万吨	2779	17.5
固定资产投资（绝对额不公布）			
投资总额	—	—	11.5
项目投资	—	—	12.3
#基础设施建设	—	—	16.0
工业投资	—	—	15.2
民间投资	—	—	17.6
工业技改投资	—	—	62.2
高技术产业	—	—	137.9
按登记注册类型分			
内资企业	—	—	13.4
港澳台商投资企业	—	—	-66.1
外商投资企业	—	—	-28.0
按构成分			
建筑安装工程	—	—	9.9
设备工器具购置	—	—	18.0
其他费用	—	—	33.9
房地产开发投资	—	—	0.4
地产市场			
商品房建设与销售			
房地产开发投资	亿元	19.6	0.4
#住宅	亿元	11.1	-8
办公楼	亿元	0	0

续表39

指标名称	计量单位	数量	比上年增长（%）
商业营业用房	亿元	5.4	6.5
施工面积	万平方米	178.2	-12
#住宅	万平方米	104.0	-14.4
办公楼	万平方米	0	0
商业营业用房	万平方米	41.4	-12.7
新开工面积	万平方米	15.7	9.5
#住宅	万平方米	10.8	4
办公楼	万平方米	0	0
商业营业用房	万平方米	0.2	-82.6
竣工面积	万平方米	55.3	64.1
#住宅	万平方米	27.7	11.7
办公楼	万平方米	0	0
商业营业用房	万平方米	21.4	945
销售面积	万平方米	29.7	6.4
#住宅	万平方米	15.5	-20
办公楼	万平方米	0	0
商业营业用房	万平方米	9.8	91.5
销售额	亿元	16.3	14.7
#住宅	亿元	8.2	-16.2
办公楼	亿元	0	0
商业营业用房	亿元	7.4	90.9
国内贸易			
社会消费品零售总额	亿元	338.7	9.2
#限额以上企业（单位）消费品零售额	亿元	84	12.4
按销售单位所在地分（限上）	亿元		
城镇	亿元	78.3	12
乡村	亿元	5.7	18.2
按消费类型分（限上）	亿元		
商品零售	亿元	68.6	11.6
餐饮收入	亿元	15.4	16
批发业销售额	亿元	1012.7	9.4
零售业销售额	亿元	219.8	11.1
住宿业营业额	亿元	19.6	15.9
餐饮业营业额	亿元	37	15.6
财政			
财政收支			
一般公共预算收入	万元	511146	1.3
税收收入小计	万元	256074	5.8
#增值税	万元	90159	64.6
企业所得税	万元	32883	-45.5

续表39

指标名称	计量单位	数量	比上年增长（%）
个人所得税	万元	8110	-14.2
城市维护建设税	万元	19948	0.1
契税	万元	8860	-22.8
非税收入	万元	255072	-2.8
一般公共预算支出	万元	904681	-0.8
#一般公共服务	万元	55486	-8.5
教育支出	万元	158457	0.4
社会保障和就业	万元	122378	8.7
卫生健康	万元	82258	7.0
城乡社区	万元	200288	-12.2
农林水	万元	83750	14.6
金融			
金融机构存贷款余额			
本外币存款余额	亿元	835.08	11.4
#人民币存款	亿元	827.02	11.2
#住户存款	亿元	666.34	12.3
非金融企业存款	亿元	119.96	17.2
广义政府存款	亿元	48.19	-10.2
非银行业金融机构存款	亿元	0.45	546.7
本外币贷款余额	亿元	595.93	13.1
#人民币贷款	亿元	595.93	13.1
#住户贷款	亿元	184.54	5.9
#短期贷款	亿元	48.16	6.5
中长期贷款	亿元	136.38	5.7
非金融企业及机关团体贷款	亿元	411.39	16.7
能源			
规上工业能源消费			
消费总量	万吨标煤	1096.85	1.0
其中：煤炭	万吨	831.9	6.0
其中：原煤	万吨	390.1	5.9
洗精煤	万吨	441.8	6.0
电	亿度	97.3	10.2
天然气	亿立方	23.8	-4.8
热力	万百万千焦	2428.5	-4.2
生产情况			
发电量	亿度	57.5	26.9
服务业			
规模以上服务业			
企业个数	个	86	1.2
营业收入	万元	647593	1.8

续表39

指标名称	计量单位	数量	比上年增长（%）
#交通运输仓储和邮政业	万元	282207	4.1
租赁和商务服务业	万元	109184	10.3
科学研究和技术服务业	万元	14094	5.6
营业利润	亿元	-5.7	—
营业收入利润率	%	-8.72	降13.7个百分点
居民收支			
全体居民人均可支配收入	元	39696	5
城镇居民人均可支配收入	元	46625	4.3
农村居民人均可支配收入	元	22504	6.3
全体居民人均消费支出	元	29311	5.3
#食品烟酒	元	9249	4.4
城镇居民人均消费支出	元	34309	4.8
#食品烟酒	元	10618	4.2
农村居民人均消费支出	元	16914	5.5
#食品烟酒	元	5855	3.2

（区统计局）

2023年长寿区主要统计指标全市排位表

表40

指标	单位	总量	全市排位	考核组排位	增速（%）	全市排位	考核组排位
年末常住人口	万人	68.14	—	—	-0.89	—	—
地区生产总值（GDP）	亿元	956.73	—	—	7.1	6	4
第一产业增加值	亿元	66.58	—	—	4.5	21	9
第二产业增加值	亿元	585.14	—	—	7.9	16	6
第三产业增加值	亿元	305.01	—	—	6.3	16	11
规上工业增加值	亿元	—	—	—	8.6	14	8
建筑业总产值	亿元	346.5	—	—	9.9	20	10
固定资产投资	亿元	—	—	—	11.5	18	6
工业投资	亿元	—	—	—	15.2	28	15
房地产业投资	亿元	19.55	—	—	0.4	15	7
商品房销售面积	万平方米	29.7	—	—	6.4	6	5
社会消费品零售总额	亿元	338.68	16	13	9.2	8	6
全体居民人均可支配收入	元	39696	16	15	5.0	23	10
城镇居民人均可支配收入	元	46625	23	18	4.3	9	8
农村居民人均可支配收入	元	22504	14	12	6.3	17	5

说明：考核组排位指重庆主城22个都市区排位。

（区统计局）

2023年长寿区全社会固定资产投资构成情况统计表

表41 单位：万元

指标名称	2023年	2022年	同比±%
总计（不含跨地区）	3460186	3102361	11.53
按计划管理渠道分			
基础设施投资	1116752	962961	15.97
工业	1828858	1586958	15.24
房地产开发	195532	194678	0.4
项目按控股类型分			
国有控股	1822047	1646684	10.6
集体控股	51717	29331	76.3
私人控股	1341770	1131492	18.6
港澳台商控股	10705	31538	−66.1
外商控股	29857	37448	−20.3
其他	8558	31190	−72.6

（区统计局）

2023年长寿区分行业项目资产投资完成额统计表

表42　　　　单位：万元

指标名称	2023年	2022年	同比±%
总计（不含跨地区）	3264654	2907683	12.3
（一）农、林、牧、渔业	19589	37352	-47.6
（二）采矿业	0	0	—
（三）制造业	1746786	1493321	17.0
（四）电力、热力、燃气及水的生产和供应业	82072	93637	-12.4
（五）建筑业	0	0	—
（六）批发和零售业	17830	24640	-27.6
（七）交通运输、仓储和邮政业	319765	444013	-28.0
（八）住宿和餐饮业	0	0	—
（九）信息传输、软件和信息技术服务业	101450	10186	896.0
（十）金融业	0	0	—
（十一）房地产业	829	2171	-61.8
（十二）租赁和商务服务业	0	5638	-100.0
（十三）科学研究和技术服务业	97457	2112	4514.4
（十四）水利、环境和公共设施管理业	690468	531118	30.0
（十五）居民服务和其他服务业	16021	4997	220.6
（十六）教育	13952	75669	-81.6
（十七）卫生和社会工作	47483	113209	-58.1
（十八）文化、体育和娱乐业	110952	69620	59.4
（十九）公共管理和社会组织	0	0	—
（二十）国际组织	0	0	—

（区统计局）

2023年长寿区农林牧渔业总产值统计表

表43 （现价）

指标名称	单位	2023年	同比±%
农林牧渔业总产值	万元	1012275	3.0
农业	万元	542034	6.8
谷物及其他作物	万元	168711	18
蔬菜园艺作物	万元	178425	5.4
水果、坚果、饮料和香料作物	万元	194508	-0.2
林业	万元	20823	5.0
牧业	万元	315373	-3.3
#牲畜饲养	万元	7372	-14
家禽饲养	万元	112277	-4
渔业	万元	110719	3.5
#养殖	万元	110299	3.1
农林牧渔服务业	万元	23326	5.8

（区统计局）

2023年长寿区农村基层基本情况统计表

表44

指标名称	单位	2023年	2022年	同比±%
乡镇政府	个	12	12	持平
#镇政府	个	12	12	持平
村民委员会	个	221	221	持平
自来水受益村数	个	221	221	持平
通汽车村数	个	221	221	持平
通电话村数	个	221	221	持平

（区统计局）

附　录

2023年长寿区组织机构及其负责人名录

一、区委

书　记：刘小强
副书记：戴　明
　　　　师明萌（女）
常　委：刘小强
　　　　戴　明
　　　　师明萌（女）
　　　　冉　洪（6月离任）
　　　　汤晓强
　　　　卓大林（12月离任）
　　　　张明万
　　　　胡红兵（9月任）
　　　　胡文军（女）
　　　　郑钦予（12月任）
　　　　张　昕（9月离任）
　　　　李福科
　　　　李兴建
　　　　王世昌（9月任）

二、区人大常委会

主　任：王身高
副主任：李吉华
　　　　王永全
　　　　罗建平
　　　　廖智辉（女）
　　　　邓永春

三、区政府

区　长：戴　明
常务副区长：卓大林（12月离任）
　　　　　　郑钦予（12月任）
区政府党组成员：冉　洪（9月离任）
　　　　　　　　胡红兵（9月任）
副区长：刘朝煜
　　　　江发茂
　　　　涂　庆
　　　　蒋发平
　　　　邹翔名
　　　　李　佳（女，7月任）

四、区政协

主　席：何以龙
副主席：付　恺
　　　　郑　勇（12月离任）
　　　　陈　红（女）
　　　　杨华林
　　　　谭静波
　　　　袁　翔
　　　　杨泽民
　　　　唐贤明（12月任）

五、长寿经开区

党工委书记：刘小强

党工委副书记、主任：宋　平（3月离任）
冉　洪（6月任党工委副书记，7月任主任）
副主任：殷湖北
程学明
陈爱军（2024年3月，涉嫌严重违纪违法，接受重庆市纪委监委纪律审查和监察调查，10月被开除党籍、公职）

六、区纪委监委

纪委书记、监委主任：胡文军（女）
纪委常务副书记、监委副主任：樊晓君
纪委副书记、监委副主任：唐红伟（8月离任纪委副书记，9月离任监委副主任）
杨　刚
王　舰（8月任纪委副书记，9月任监委副主任）
纪委常委、监委委员：张　刚
赵　蓉（女，正处级）
张　林
纪委常委：韩　靖
丁　鹊

七、区法院

院　长：谭　卫
副院长：王义尧
余正华
殷俊勇
纪检组长：殷　俊
政治部主任：余声文
执行局局长：王俊义
政　委：谢　葵
专职审委会委员：徐　静（女）
罗淑芳（女）

八、区检察院

检察长：陈　康
副检察长：周　红
但　愉（女）
王　康
政治部主任：江　瑛（女）
检委会专职委员：祖小彬
代　鹏
陈万堂
韩为民（5月离任）

九、区级部门（单位）

（一）区委部门

1. 区委办公室

主　任：赖纪伟
副主任：余　勇（1月离任）
钟其东（2月任）
张　李（女）
徐绍进（11月任）
赵　超（2月任　）
毕　成

区委机要局（区密码管理局）

局　长：毕　成（兼，11月任）
专职密码督查员：钟其东（副处级，2月离任）
韩　黎（副处级，2月任）

区国家保密局

局　长：钟其东（兼，2月任）

区委保密委员会办公室

主　任：钟其东（兼，2月任）
专职副主任：徐绍进（副处级，11月离任）
张　伟（副处级，11月任）

区档案局

局　长：张　李（女，兼，11月任）

区档案馆

馆　长：陈　红
副馆长：邓　健　操千秋

区纪委监委驻区委办公室纪检监察组

组　长：姚雪玲（女，3月离任）
邵小容（女，11月任）

2. 区委组织部

部　长：李福科
副部长：邓　军（主持日常工作、正处级）
蒲　实（正处级，兼）
郎　庆（女）
胡　凯（11月离任）
袁时雨（11月任）
部务委员：任元元（女）
袁时雨（11月离任）
张明浩（11月任）
区委非公工委书记：邓　军（兼）
专职副书记：周　游

3. 区委宣传部

部　长：汤晓强
副部长：张光勇（主持日常工作、正处级）
陈小平（正处级，兼新闻出版局局长）
王　剑
刘代明
曾　娅（女，11月离任）
区文明城区建设管理中心主任：张　莲（女）
副主任：毕怀勇
车　涛（女，11月任）
区委网信办（区网信办）主任：曾　娅（女，11月任）
区纪委监委驻区委宣传部纪检监察组组长：江　彤

4. 区委统战部

部　长：李兴建
副部长：但小平（主持日常工作、正处级）
董瑞芳（女，正处级）
韦本能（正处级）
喻　璐（女）
张凤青
区侨办主任：喻　璐（女，兼）
区民族宗教委主任：董瑞芳（女，正处级，兼）

5. 区委政法委

书　记：张明万

副书记：涂　庆
贺　楠（主持日常工作，正处级，5月任）
刘宗亮（正处级，3月离任）
罗　立（正处级）
骆　莉（女）
项利君（女）
文继鸿（挂职）
政治部主任：李凤龙

6. 区委编办
主　任：张安才
副主任：彭　飞（11月离任）
庞仁建（11月任）
何忠娟（女）

7. 区委直属机关工委
书　记：李健康
副书记：李　蓉（女）
纪检监察工委书记：张俊逸

8. 区委巡察办
主　任：樊晓君（11月离任）
王　舰（11月任）
副主任：王童灵　何　章
区委巡察组正处级巡察专员：吕广文
邓　文（女）
胡志淑（女）
税诗凯
区委巡察组副处级巡察专员：
陈炯莉（女）
瞿　怡（女）
汤世华
崔　犁

9. 区委老干部局
局　长：蒲　实
副局长：庞仁建（11月离任）
叶彦如（女，11月任）

10. 区委党校
校　长（兼）：师明萌（女）
区行政学院院长（兼）：卓大林
区社会主义学院院长（兼）：
何以龙（2月离任）
王永全（2月任）
常务副校长（兼常务副院长）：
余代中（11月离任）
张新明（11月任）
副校长（兼副院长）：喻　科
彭名洪
校务委员：黄游芳（女）
陈国富

11. 区委党研室（区志研室）
主　任：陈　影（女，11月任）
副主任：陈　影（女，11月离任）

12. 区委农业农村工委
工委书记：殷道川
专职副书记：李　迅（正处级）
委　员：王小瑜（正处级）
左晓红（女）
郑永红
吴雷波
杨　杰
魏　刚（11月任）
区监察委员会驻区农业农村委纪检监察组组长：左晓红（女）

13. 区委教育工委
书　记：张新明（11月离任）
张常宝（11月任）
专职副书记：叶绍举（正处级）
委　员：甘秉洪（正处级）
黎　云
蒋　铁
区纪委监委驻区教委纪检监察组组长：黎　云

14. 区融媒体中心
主　任：陈小平（11月离任）
张明玖（11月任）
副主任：袁　准
张世路
许先彬
陶　蕾（女）

（二）区人大常委会机关

1. 办公室
主　任：罗方全
副主任：黄　磊（正处级）
黄学梅（女）

2. 监察和法制委员会
主任委员、办公室主任：马志强
副主任委员、办公室副主任：董祥凯
办公室副主任：刘盛春

3. 财政经济委员会
主任委员、办公室主任：陈显明（4月离任）
副主任委员、办公室副主任：鲁　斌
副主任委员：陈春云（正处级）
办公室副主任：郝　赟

4. 教育科学文化卫生委员会
主任委员、办公室主任：蒋中尧
副主任委员、办公室副主任：
张秀兰（女）
办公室副主任：项　晓（女）

5. 社会建设委员会
主任委员：汪升平
副主任委员：秦　雪（女，正处级）
向瑞芳（女，正处级）

6. 人事代表工作委员会
主　任：但晓琴（女）
副主任：向中明　黄　林

7. 城乡建设环境保护工作委员会
主　任：彭朝辉
副主任：王小玉（女）
陈大强（4月离任）
王世平（11月任）

8. 财政预算工作委员会
主　任：陈春云
副主任：杨　玲（女）

9.信访办公室

主　任：秦　雪（女）

10.法制工作委员会

副主任：黎　韬（11月任）

（三）区政府部门

1.区政府办公室

主　任：张常宝（11月离任）
　　王　涛（11月任；2024年3月，涉嫌严重违纪违法，接受长寿区纪委监委纪律审查和监察调查，11月被开除公职，12月被开除党籍）
副主任：殷　铭（兼，正处级）
　　胡良波（3月离任）
　　李　浩（3月任）
　　周小淳（女）
　　季　凯
区纪委监委驻区政府办公室纪检组
　　组长：姚　君（女）
区公共资源交易中心主任：余　勇（正处级）
区政府电子政务中心主任：
　　鲁　巧（女）
副主任：姚　建
　　张　异
　　周　一（3月任）
区征收事务中心主任：张建中
副主任：刘洪明
　　周洪君（女）
区政府外事办主任（兼）：张常宝（11月离任）
　　王　涛（11月任；2024年3月，涉嫌严重违纪违法，接受长寿区纪委监委纪律审查和监察调查，11月被开除公职，12月被开除党籍）

2.区发展改革委

主　任：张　涛
副主任：孙艳艳（女）
　　胡继均
　　余川维
　　肖　江（11月挂职）
区经济研究发展中心副主任：赵荣飞
　　张明玖（1月任，11月离任）
　　陈宇凌（女，11月任）
区纪委监委驻区发展改革委纪检监察组组长：陶小琴（女）

3.区教委

主　任：张新明（11月离任）
　　张常宝（11月任）
总督学：张新明（11月离任）
　　张常宝（11月任）
副主任：蒋　铁

4.区科技局

局　长：周昊杰（女）
副局长：卢　敏（女）

5.区经济信息委

主　任：刘兴波
副主任：车选科　邵铭杰
　　张　冰（女）

6.区公安局

局　长：涂　庆
政　委：张　兵
常务副局长：袁小平
副局长：唐　峰
　　张　彪
　　张　罗
政治处主任：周　琳
区纪委监委驻区公安局纪检监察组
　　组长：郑小松
治安支队支队长：唐　峰
政　委：阳荣亮
校园安保支队支队长：梁　军
警卫处政委：陈　林
刑警支队政委：罗渝梅（女）

7.区民政局

党委书记：巴　顿（藏族）
局　长：李　佳（女）
副局长：郭　蓉（女）（11月离任）
　　邓商国
　　黄　帮
　　林正澜（11月任）
区纪委监委驻区民政局纪检监察组
　　组长：程　莉（女）

8.区司法局

局　长：邹楚蕾（女）
副局长：王利飞
　　黎　韬（11月离任）
　　杨　飞（11月任）
　　张　杰（女，11月任）
政治处主任：杨　飞（11月离任）
　　向小云（11月任）

9.区财政局

局　长：黄　勇
副局长：郭健智
　　雷康平
　　蹇丽琼（女）
区纪委监委驻区财政局纪检监察组
　　组长：宋　焱
区政府投资项目评审中心主任：
　　戴莺婧（女）

10.区人力社保局

局　长：叶俊英（女）
副局长：叶　静（女）
　　邹　涛（11月离任）
　　席小兵
　　彭　飞（11月任）
区社会保险事务中心主任：唐　克（11月离任）
　　邹　涛（11月任）
副主任：邓念龙　李苏刚
区就业和人才中心主任：梁建雯（11月离任）
　　胡　鸿（11月任）

11.区生态环境局

局　长：罗小玲（女）
副局长：王世平（12月离任）

尤明刚
任　虹（女，12月离任）
胥宏亮（12月任）
区生态环境综合行政执法支队支队长：
王世平（12月离任）
袁　俊（12月任）
局党组成员：杜全超

12. 区住房城乡建委
党委书记：唐贤明
主　任：唐贤明（2月离任）
戚谊熙（2月任）
副主任：徐晓核
彭　涛（3月离任）
区纪委监委驻区住房城乡建委纪检监察组组长：邱　憬（11月离任）
区城市建设服务中心主任：黄亚微（女，1月离任）
陈忠平（1月任）
副主任：周　强
陈秀菊（女，11月离任）
包中学（11月任）
区住房城乡建委党委委员：
黄亚微（女）

13. 区城市管理局
党组书记：刘　勇（11月离任）
胡　凯（11月任）
局　长：刘　勇（2月离任）
陶　颖（女，2月任）
副局长：黎　勇
陶　颖（女，2月离任）
甘立勇
重庆市长寿区城市管理服务中心（正处级）：
主　任：胡建允（1月离任）
李华锋（1月任）
副主任：邹　红
陈利平
重庆市长寿区城市管理综合行政执法支队（副处级）：
支队长：王　东

14. 区交通局
局　长：王　涛（11月离任；2024年3月，涉嫌严重违纪违法，接受长寿区纪委监委纪律审查和监察调查，11月被开除公职，12月被开除党籍）
樊　飞（11月任）
副局长：熊芜艺（女）
殷　民
明　鑫（挂职，11月离任）
区临港经济发展服务中心主任：车文利
副主任：李科学
杨学惠（女）
区交通运输综合行政执法支队支队长：
李西彬
区纪委监委驻区交通局纪检监察组组长：余淑碧（女）

15. 区水利局
局　长：胡　勇（5月任）
副局长：冉华山
左　虹（女）
徐　冰（女）
区水务建管中心主任：胡　勇（5月离任）
副主任：李军毅
王红梅（女）
罗明星

16. 区农业农村委
主　任：殷道川（兼区乡村振兴局局长）
副主任：吴雷波（兼区乡村振兴局副局长）
杨　杰
曹友树（3月离任）
魏　刚（11月任）
区农业技术科研服务中心主任：
张　雪（女）
区农业发展服务中心副主任：何晓伟
卓洪安（11月任）
区农业综合行政执法支队队长：郑永红

17. 区商务委
主　任：华一兵
副主任：张　斌
张满丽（女）
吕兴建
区商贸物流建设管理服务中心主任：
韩忠东
副主任：黄　静（女）
谢杰仁

18. 区文化旅游委
主　任：杨洪梅（女）
副主任：陈　渝（土家族）
刘智勇
区旅游发展服务中心主任：程凤光
副主任：岑　欢（女）
谭　勇
区文化市场综合行政执法支队支队长：
李　勇

19. 区卫生健康委
主　任：余　建
副主任：刘江鹏（11月离任）
文　星
区纪委监委驻区卫生健康委纪检监察组组长：李　好（女）
红十字会常务副会长：沈洪英（女）
卫生健康服务中心主任：罗　娟（女，9月离任）
区卫生健康委党委委员：付晓兰（女，11月任）
区卫生健康综合行政执法支队支队长：
叶凌云

20. 区退役军人事务局
局　长：张自力
副局长：余超航
梅模楷
吴文明（兼）

21. 区应急管理局
局　长：杨　勇
副局长：陈松涛

黄小波
但霞辉（女）
区应急管理综合行政执法支队支队长：
喻　刚（2023年8月，涉嫌违反国家法律法规，接受长寿区纪委监委纪律审查和监察调查，2024年1月被开除党籍、撤职）

22. 区审计局
局　长：王见付
副局长：李　敏（女）
江大才
程雪艳（女）
纪检组长：陈湧健
区经济责任审计工作联席会议办公室
主任：赵　勇

23. 区统计局
局　长：陶中荣（2月离任）
程　涛（2月任）
副局长：徐胜利
向　祝
汤殿平

24. 区医保局
局　长：程　勇
副局长：陈　键
医保事务中心主任：修一平

25. 区国资委
党委书记：陈小钢
主　任：陈小钢（4月离任）
曹友树（4月任）
副主任：傅军化（3月离任）
周　华（土家族，3月任）

26. 区林业局
局　长：贺　楠（5月离任）
唐红伟（5月任）
副局长：王丽萍（女，12月离任）
操晓彬
汤秀琴（女）

邬　亮（12月任）
区风景名胜区事务中心主任：
张春兰（女）
副主任：张　峰（女）

27. 区政府研究室
主　任：余　勇（2月任）
副主任：杨　瑶（女）
焦　旺
28. 区信访办公室
主　任：殷　铭
副主任：郭水英（女）
周科建
章　静
信访督查专员：余　豹（女）
向小云（11月离任）

29. 区大数据发展局
局　长：张　灿
副局长：王国兵

30. 区招商投资促进局
局　长：张　斐（2月任）
副局长：张溪桥（女，1月离任）
周　勇
刘小波

31. 区机关事务局
局　长：樊　飞（11月离任）
江翊萍（女，11月任）
副局长：江翊萍（女，11月离任）
张青彦（3月任）

32. 区政务服务管理办
主　任：刘维红（女）
副主任：郑　雪（女）

（四）区政协机关

1. 办公室
区政协秘书长、办公室主任：赵永旗
副主任：许孟雯（女）
吕佳蔚（女，土家族）

2. 文化文史和学习委员会（文化文史和学习委员会办公室）
主　任：李切勇
副主任：程　庸（正处级，未任文化文史和学习委员会办公室副主任）
廖　霞（女）

3. 提案委员会（提案委员会办公室）
主　任：孔庆春（3月离任办公室主任）
周晓光（女，3月任办公室主任）
副主任：石　静（女）

4. 经济委员会（经济委员会办公室）
主　任：马绍全

5. 社会事务委员会（社会事务委员会办公室）
主　任：刘　洪（女，12月离任委员会主任）
余代中（12月任委员会主任）
副主任：韩　静（女）

6. 社会法制委员会
主　任：高　波
副主任：汤鸿静（女）

7. 城建环保委员会
主　任：刘　勇（12月任）
副主任：张　余（女）

8. 委员联络委员会
主　任：叶海涛
副主任：周晓光（女，3月离任）
雷斯雅（女，12月任）

9. 农业和农村委员会
主　任：喻可君（女）
副主任：樊学武

（五）经开区各部门

1.党政办公室
主　任：彭长龙
副主任：吴　瑜（女）
　　　　赵　创
　　　　钟金杭

2.经贸合作局
局　长：董泽明
副局长：朱　宁

3.建设管理局
局　长：李川龙（2024年7月，涉嫌严重违纪违法，接受长寿区纪委监委纪律审查和监察调查，10月被开除党籍、公职）
副局长：杨　寒

4.经济运行局
局　长：周应林
副局长：魏玉兰（女）
　　　　黄　桢（女）

5.财务局
局　长：李晓裕（女）
副局长：但玉榕（女）
　　　　王　林

6.应急管理局
局　长：蒋　轩（土家族）
副局长：宋　杨　伍锋林

7.生态环境局
局　长：陈　波
副局长：张　群（土家族）

8.土地房屋征收事务中心
主　任：陈　跃
副主任：廖占平
　　　　陈秀菊（女，11月任职）

9.应急管理中心
主　任：何世林
副主任：肖书东
　　　　李　羲（12月任职）

10创新服务中心
主　任：周莉萍（2024年4月，涉嫌职务违法，接受长寿区纪委监委监察调查，9月被撤职）
副主任：黄立轩
　　　　陆传彪

11.区纪委监委驻长寿经开区纪检监察组
组　长：向　青（女，2月任）
副组长：程小莉（女）

（六）区纪检监察机关

1.办公室主任：向　青（女，2月离任）
组织部部长：刘思岑（女）
宣传部部长：赵　超（2月离任）
　　　　　　青　琼（女，2月任）
2.法规研究室主任：李　胜
3.党风政风监督室主任：李　伟（11月离任）
4.案件监督管理室主任：冉　惠（女，土家族）
5.第一监督检查室主任：余东升
6.第二监督检查室主任：王　松（9月离任）
7.第四监督检查室主任：孟　霞（女）
8.第五监督检查室主任：陈镜羽（女）
9.第七审查调查室主任：李春广
10.第八审查调查室主任：李腾飞
11.案件审理室主任：杨蕊萍（女）
12.纪检监察干部监督室主任：李　川（女，11月离任）
13.区监察委员会派出第一监察室主任：张国慧（女）
14.区监察委员会派出第二监察室主任：罗素琼（女，3月离任）
15.区监察委员会派出第三监察室主任：徐　浩
16.区监察委员会派出第四监察室主任：谭　睿
17.区监察委员会派出第五监察室主任：骆　驰

（七）民主党派、区工商联

1.民革长寿区委会
主　委：谭静波
副主委：朱　玲（女）
　　　　郑　雪（女，兼）
　　　　江光群（女，兼）
　　　　王正伟（兼）

2.民进长寿区委会
主任委员：李　佳（女）
副主任委员：吕兴建（兼）
　　　　　　程小亮（兼）
　　　　　　黄　程
　　　　　　焦钱莉（女，兼）
　　　　　　梅　红（女，兼）

3.农工党长寿区委会
主　委：张昌红（女，2月离任）
　　　　戚谊熙（2月任）
副主委：戚谊熙（兼，2月离任）
　　　　陶伯林（兼）
　　　　周　兵（兼）
　　　　杨　莉（女）
　　　　李红波（兼）
　　　　陈思宇（女，兼）

4.九三学社重庆市长寿区委员会
主　委：陈　红（女）
副主委：程　庸（兼）
　　　　陶　颖（女，兼）
　　　　周丽容（女）
　　　　谭紫昕（女，兼）
　　　　何世林（兼）

5.区工商联（总商会）
主　席（会长）：杨泽民
党组书记、常务副主席、总商会副会长：韦本能
副主席（副会长）：张中华（正处级）

黄家菊（女）
秘书长（兼）：黄家菊（女）

（八）群众团体

1. 区总工会
主　席：李吉华（兼）
党组书记、常务副主席：
张冬芬（女）
副主席：杨　耀
雷斯雅（女，11月离任）
王丽萍（女，11月任）

2. 共青团长寿区委
书　记：斯　臻
副书记：叶彦如（女，11月离任）
黄　鹏
高　兴（女，11月任）

3. 区妇女联合会
主　席：况敬蓉（女）
副主席：刘江红（女）
周　艳（女）

4. 区科学技术协会
主　席：程　涛（4月离任）
张溪桥（女，4月任）
副主席：李虹静（女）

5. 区归侨侨眷联合会
主　席：廖传荣（女）
副主席：黄小明

6. 区残疾人联合会
理事长：王　伟
副理事长：熊中志

7. 区供销社
理事会主任：陈治全（9月离任）
潘正庆（9月任）
理事会副主任：王　宣（正处级，9月离任）
张碧英（女）
王　松（9月任）
监事会主任：余振勇

8. 区文学艺术界联合会
专职副主席：雷丽群（女）

9. 区法学会
会　长（兼）：王身高（11月离任）
张明万（11月任）
常务副会长（兼）：贺　楠（11月任）
副会长（兼）：湛秀英（11月离任）
戴家强（11月离任）
文应船（11月离任）
马志强（11月任）
王义尧（11月任）
汤鸿静（11月任）
邹楚蕾
罗　立
周　红
姚　建（11月任）
袁小平（11月任）
秘书长：黄南天

（九）部分事业单位

1. 区现代农业园区发展服务中心
副主任：徐世才
王巨林

2. 区畜牧兽医事务中心
主　任：王小瑜
副主任：刘海容（女）
刘海平

3. 区风景名胜区事务中心
主　任：张春兰（女）
副主任：张　峰（女）

4. 重庆市长寿高新区服务中心
长寿高新区党工委书记：蒋发平（兼，1月任）
长寿高新区党工委副书记、管委会主任：孙廷胜（1月任）
主　任：孙廷胜（1月任）
副主任：胡　云
罗小龙
长寿高新区党工委委员：陈碧容（女，兼，1月任）
陶中荣（兼，1月任）

十、镇　街道

1. 长寿湖镇
党委书记：程　康
镇　长：赵雪峰
人大主席：余津丞
副书记：郑　颖（女）
人大副主席：张　鹏（兼）
纪委书记：唐英杰
政法委员：吴　晋
武装部部长：汤　敏
副镇长：胥宏亮（12月离任）
张　耀
汤　敏
汤　芹（女）
组织委员：张　鹏
宣传委员：彭　润（女）
统战委员：郑　颖（女）

2. 云台镇
党委书记：朱　浩
镇　长：陶治国
人大主席：廖仿志
副书记：张　伟
人大副主席：张　伟（兼）
纪委书记：张泓洋
政法委员：王仁科
武装部部长：郑延龄
副镇长：郑延龄
高　强
徐　筝
黄原芳（女）
组织委员：曾晓东（2月离任）
邱　伟（2月任）
宣传委员：李　佳（女）
统战委员：李　佳（女）

3. 葛兰镇
党委书记：张麒麟

镇　长：彭继坎
人大主席：席光勇
副书记：高　峰
人大副主席：邓松柏（兼）
纪委书记：赵玮炜（女）
政法委员：周其明
武装部部长：程文龙
副镇长：焦跃彬
　　　　程文龙
　　　　张建美（女）
　　　　张文龙
组织委员：邓松柏
宣传委员：谷小雨（女）
统战委员：谷小雨（女）

4. 但渡镇
党委书记：陈　霄
镇　长：夏　阳
人大主席：吴国全
副书记：陈　尹（女）
人大副主席：陈　尹（女，兼）
纪委书记：李　渊
政法委员：程光术
武装部部长：汪俊宇
副镇长：汪俊宇
　　　　程光术
　　　　彭　渝
组织委员：程润红（女）
宣传委员：金　瑜（女，苗族）
统战委员：金　瑜（女，苗族）

5. 邻封镇
党委书记：周　剑
镇　长：袁　波
人大主席：向　林
副书记：胡韩霞（女）
人大副主席：邹　仪（兼）
纪委书记：唐小兰（女）
政法委员：陈　辉
武装部部长：刘名星
副镇长：刘名星
　　　　龙　茜（女）
　　　　蔡　吉
组织委员：邹　仪
宣传委员：陈　辉
统战委员：胡韩霞（女）

6. 云集镇
党委书记：周　强
镇　长：蒋　川
人大主席：陈华强
副书记：江世笑（9月离任）
人大副主席：杨雪莲（女，兼）
纪委书记：陶　科
政法委员：李岩军
武装部部长：余春桥
副镇长：李岩军
　　　　余春桥
　　　　尚家竹
组织委员：杨雪莲（女）
宣传委员：代　静（女）
统战委员：代　静（女）

7. 双龙镇
党委书记：邓建国
镇　长：江小洪
人大主席：邹红梅（女）
副书记：刘　科
人大副主席：谭其军（女，兼）
纪委书记：刘　彦
政法委员：杨　斌
武装部部长：阳　奎
副镇长：阳　奎
　　　　朱玉梅（女）
　　　　罗　政
　　　　周　锦
组织委员：谭其军（女）
宣传委员：陶　亮
统战委员：刘　科

8. 龙河镇
党委书记：袁建军
镇　长：顾艳春（蒙古族）
人大主席：袁　方（女）
副书记：万　阳
人大副主席：陈跃勇（兼）
纪委书记：何　欣
政法委员：徐小林
武装部部长：栾亨攀
副镇长：车　念
　　　　栾亨攀
　　　　陈忠云
　　　　王　莉（女）
组织委员：陈跃勇
宣传委员：吴永琼（女）
统战委员：万　阳

9. 海棠镇
党委书记：黄广泉
镇　长：夏白川
人大主席：蒲　涛
副书记：马　勇
人大副主席：朱刚峰（兼）
纪委书记：向文静（女）
政法委员：瞿勇强
武装部部长：刘　亚
副镇长：刘　亚
　　　　陆　钰（女）
　　　　瞿勇强
组织委员：朱刚峰
宣传委员：阮庆蓉（女）
统战委员：阮庆蓉（女）

10. 石堰镇
党委书记：唐慧芳（女）
镇　长：潘正庆（9月离任）
人大主席：雷现平（11月离任）
副书记：夏心明（11月离任）
　　　　康　彪（11月任）
人大专职副主席：刘　刚
纪委书记：康　彪（11月离任）
政法委员：项　聪
武装部部长：李　鹏
副镇长：李　鹏
　　　　瞿小红（女）
　　　　王伟（1月任）
组织委员：游韵郁（女）
宣传委员：牟　勇
统战委员：牟　勇

11.洪湖镇
党委书记：魏　伟（1月离任）
任明全（1月任）
镇　长：文遵皓
人大主席：周　伟
副书记：高雪莲（女）
人大副主席：毛　庆（土家族，兼）
纪委书记：符　寅（女）
政法委员：陈　敏
武装部部长：汪　建
副镇长：陈　敏
汪　建
郭永乐
组织委员：毛　庆（土家族）
宣传委员：甘　松
统战委员：甘　松

12.万顺镇
党委书记：苏　勇
镇　长：刘俊材
人大主席：张　刚
副书记：操良超
人大副主席：李　波（兼，2024年12月，涉嫌违反国家法律法规，接受长寿区纪委监委纪律审查）
纪委书记：廖前莉（女）
政法委员：喻可胜
武装部部长：邓正勇
副镇长：喻可胜
邓正勇
夏晋晋
组织委员：李　波（2024年12月，涉嫌违反国家法律法规，接受长寿区纪委监委纪律审查）
宣传委员：廖　霞（女）
统战委员：廖　霞（女）

13.菩提街道
党工委书记：杨　一（女）
办事处主任：杨　勇
人大工委主任：李泉勇
副书记：孔　轶
人大工委副主任：赵青青（女，兼）
纪工委书记：韦爱国
政法委员：石　磊
武装部部长：韩　静
办事处副主任：韩　静
黄忠诚
张雪彬
白　兵
组织委员：赵青青（女）
宣传委员：陆　莲（女）
统战委员：孔　轶

14.凤城街道
党工委书记：向长生
办事处主任：向长生（9月离任）
罗　耀（9月任）
人大工委主任：王　舰（9月离任）
雷现平（11月任）
副书记：但文胜
人大工委副主任：洪啸（兼）
纪工委书记：李泽碧（女）
政法委员：江　洞
武装部部长：李　浩（3月离任）
办事处副主任：李　浩（3月离任）
殷道学
罗　利（女）
邱晓荣
组织委员：洪　啸
宣传委员：王　千（女）
统战委员：但文胜

15.晏家街道
党工委书记：殷湖北（兼）
办事处主任：冯　渝
人大工委主任：罗　耀（12月离任）
副书记：黄　勇
人大工委副主任：钟　臻（女，兼）
纪工委书记：危　勇
政法委员：杨普顺
武装部部长：商誉锋
办事处副主任：王　斌
张锦程
商誉锋
李　英（女）
组织委员：钟　臻（女）
宣传委员：张小丽（女）
统战委员：张小丽（女）

16.江南街道
党工委书记：傅家成
办事处主任：阳　兰（女）
人大工委主任：熊道富
人大工委副主任：叶　蒙（兼）
纪工委书记：王　涛（女）
政法委员：杨建军
武装部部长：王远波
办事处副主任：王远波
胡瑞清
徐　嘉
李小凤（女）
组织委员：叶　蒙
宣传委员：王　静（女）
统战委员：王　静（女）

17.渡舟街道
党工委书记：雷现强
办事处主任：吴权平
人大工委主任：高智伟
人大工委副主任：陈洪屹（女，兼）
纪工委书记：段小刚
政法委员：刘政权
武装部部长：游　鹏
办事处副主任：张轶彭
李长茂（苗族）
游　鹏
黄　颖（女）
组织委员：陈洪屹（女）
宣统委员：江凤梅（女）
统战委员：江凤梅（女）

18.新市街道
党工委书记：伍文波
办事处主任：陶　然
人大工委主任：白腊泉
副书记：周　昕（女）
人大工委副主任：周　洋（兼）

纪工委书记：王小强
政法委员：周　洋
武装部部长：殷家斌
办事处副主任：殷家斌
　　　　陈　华
　　　　樊　妍（女）
　　　　刘星星
组织委员：陈立业（女）
宣传委员：黄明辉（瑶族）
统战委员：黄明辉（瑶族）

19.八颗街道
党工委书记：魏　伟（1月任）
办事处主任：尹　红（女）
人大工委主任：黄洪飞
副书记：袁　健
人大工委副主任：张成文（兼）
纪工委书记：李　果
政法委员：祝明合
武装部部长：代志伟
办事处副主任：代志伟
　　　　唐远鸿
　　　　陈雪容（女）
　　　　张青彦（3月离任）
　　　　李　鹏（3月任）
组织委员：张成文
宣传委员：甘　彦（女）
统战委员：甘　彦（女）

（区委组织部）

十一、其他单位

（一）驻区市直单位

1.重庆市长寿区规划和自然资源局
党组书记：杨　林（7月离任）
　　　　杨皋伶（8月任）
局　长：戚谊熙（1月离任）
　　　　杨　林（1月任、7月离任）
　　　　杨皋伶（8月任）
副局长：吴从波
　　　　陈　琳
　　　　李忠朕
纪检组组长：杨　权（11月离任）
综合行政执法支队支队长：邵　强
区土地储备整治中心主任：余上云
区土地储备中心副主任：田维军（10月任）
　　　　张家瑞（5月任）

2.重庆市长寿区市场监督管理局
党组书记、局长：赵欣（兼区知识产权局局长）
副局长：雷现用(2月离任）
　　　　高　忠
　　　　余　科
　　　　杨　涛（9月离任）
　　　　刘　宁
　　　　罗　静（女）
纪检组组长：黄　蓉（女，9月离任）
区市场监管综合行政执法支队支队长：郭冠祥

3.重庆市长寿区气象局
党组书记、局长：田凤国
副局长：米洪洁　张　琦
纪检组长：张　琦

4.国家税务总局重庆市长寿区税务局
党委书记、局长：黄晓霞（女，9月离任）
　　　　程　波（9月任）
副局长：徐成林
　　　　黄荣明
　　　　罗　旋
　　　　傅伟峰
纪检组组长：徐盛航
总会计师：梁　锋
总经济师：刘　密（女）

5.重庆市长寿区烟草专卖局
党组书记、局长、经理：秦　宝
纪检组组长、副局长：龙　江（5月离任）
副经理：李　砚（女）

6.中国邮政集团有限公司重庆市长寿区分公司
党总支书记、总经理：杨秀琴（女）
副总经理、工会主席：刘　涛
副总经理：吴丽萍（女）

7.重庆市凤城监狱
党委书记、监狱长：杨志立
党委副书记、政委：廖伯涛
副监狱长：艾学礼
　　　　李海林
　　　　何宝成
　　　　冉应杰（长宁公司总经理）
政治处主任：石　展
纪委书记：吴　宏

8.重庆市住房公积金管理中心长寿区分中心
主　任：敬　行（女）
副主任：傅歆芯（女）

9.重庆市长寿区消防救援支队
政治委员：蒲　伟（党委书记）
支队长：王跃平（党委副书记）
副支队长：彭　波（党委成员）
　　　　李兴旺（党委成员）
　　　　涂　毅（党委成员）
副政治委员：胡志兵（党委成员）

10.中国人民银行长寿中心支行
行　长：宦雪峰（3月离任）
　　　　胡国正（3月任）
副行长：黄宪荣
　　　　吕　军
　　　　刘姝姝（女）
纪委书记：梁　雁（女）
党委委员：徐春颖（女）

11.长江海事局长寿海事处
处　长：谢奉璋
副处长：唐　若
　　　　陈　华
纪检专员：雷　荣

12.国网重庆市电力公司长寿供电分公司
总经理、党委副书记：匡红刚

党委书记、副总经理：刘佳雄
副总经理、总工程师：胡宗军
纪委书记、工会主席：任永礼
副总经理：许晓川
　　　　　肖　霖（3月任）
海鼎公司执行董事（法定代表人）、
　　党总支书记：钟光强

13.中国电信股份有限公司长寿分公司
总经理：黄　雁（女，8月离任）
　　　　童　黎（女，8月任）
副总经理：张中萍
　　　　　李　宪
　　　　　杨益军

14.中国移动通信集团重庆有限公司长寿分公司
总经理：朱贤泽
副总经理：刘　月（女）
　　　　　杨元元（女）

15.中国联合网络通信有限公司重庆市长寿区分公司
总经理：唐世友
副总经理：杨家强（9月任）
　　　　　彭　晶
　　　　　吴　静（女，9月离任）

16.中国广电重庆网络股份有限公司长寿区分公司
总经理：陆　军
副总经理：蔡　伟
　　　　　陈祖梁

（二）在长部分企事业单位

1.重庆化工职业学院
党委书记：范永同
副书记：李慧民（1月离任）
院　长：李慧民（2月离任）
副书记、院长：李廷真（3月任）
副书记：代　刃
副院长：张　荣
　　　　黄明光（2月离任）
　　　　王　波（10月任）
纪委书记：但　军

2.重庆工信职业学院
党委书记：高　明
副书记、院长：杜宏伟
副书记：吴　瑶
副院长：柴彬堂
　　　　阮仁全
纪委书记：金文娟

3.中国农业发展银行重庆市长寿区支行
行　长：谭克林（12月离任）
副行长：余敬海（12月履行代行长职责）
　　　　张必逾

4.中国工商银行股份有限公司重庆长寿支行
行　长：张　燕
副行长：陈晓林
　　　　吴莉娜（女）
纪委书记：杨　斌

5.中国农业银行股份有限公司重庆长寿支行
党委书记、行长：陈　轲
副行长：廖　骏（2月离任）
　　　　李　升
　　　　肖黔渝（2月任）
纪委书记：肖黔渝（2月离任）
　　　　　彭怡宁（女，3月任）

6.中国银行股份有限公司重庆长寿支行
行　长：夏黎露（女，4月离任）
　　　　彭　灏（4月任）
副行长：廖志勇（12月离任）
　　　　李　玲（女）
　　　　李德伟（7月任）

7.中国建设银行股份有限公司重庆长寿支行
行　长：杨　东（3月离任）
　　　　庹汉诚（3月任）
副行长：易笑竹（女）
　　　　王小波
　　　　陈汐颖
驻行纪检组长：贺　军

8.交通银行股份有限公司重庆长寿支行
行　长：罗　安
副行长：张　影
　　　　余朝毅（女，9月离任）
　　　　欧阳春辉（9月任）

9.重庆银行股份有限公司长寿支行
党支部书记、行长：颜小川
副行长：刘　婕（女）

10.中国邮政储蓄银行重庆长寿区支行
党支部书记、行长：吴宏伟（4月任）
副行长：李　霞（女）
　　　　李　正（1月任）

11.招商银行股份有限公司重庆长寿支行
行　长：邹　旭（女，6月离任）
　　　　吴　亮（6月任）
支行公司金融客户部总经理：吴　亮（6月离任）
行长助理：余　勇　邹　旭（女，6月任）

12.重庆农村商业银行股份有限公司长寿支行
党委书记、行长：李义力
纪委书记、副行长：李克波
副行长：谢　镜

13.上海浦东发展银行股份有限公司重庆长寿支行
行　长：吕　强
副行长：陈俊材

14.中国人民财产保险股份有限公司重庆市长寿支公司
总经理：杨同均

副总经理：唐大忠
总经理助理：谢濒锋

15. 中国平安财产保险股份有限公司重庆市长寿支公司
总经理：薛顺建（10月离任）
邹远远（10月任）
副总经理：黄　超（2月离任）
陈　艳（女，3月任）
叶　刚

16. 中国人寿保险股份有限公司重庆市长寿区支公司
总经理：霍　春（1月离任）
龙　宇（女，1月任）
副总经理：龙　宇（女，1月离任）
总经理助理：师　军（2月任）

17. 中国平安人寿保险股份有限公司重庆市长寿支公司
经　理：刘航志

18. 重庆钢铁股份有限公司
党委书记、董事长：谢志雄
党委副书记、总裁：孟文旺
高级副总裁：邹　安
谢　超
张永忠（8月离任）
赵仕清（11月任）
党委副书记、纪委书记、工会主席：
姚小虎
副总裁：黎均红
郭　毅（6月离任）
胡　明（11月任）

19. 中国石化集团重庆川维化工有限公司
执行董事、党委书记：严　红
总经理、党委副书记（兼）：杨宇桐
（4月离任）
秦庆伟（9月任）
党委副书记、纪委书记、工会主席、
监事：周玉伟
副总经理：秦庆伟（9月离任）
袁代红
总会计师、总法律顾问：康太全

20. 扬子江乙酰化工有限公司
总经理：黄　远
副总经理：黄　昌（1月离任）
蔡克西（1月任）

21. 重庆长风化学工业有限公司
党委书记、执行董事、总经理：
杨振宁（10月离任）
党委书记、执行董事：周召贵（兼，
10月任）
副总经理：李舒涛（10月任党委副书
记，同时主持日常工作）
王　征
唐　勇
党委副书记、纪委书记、工会主席：
张贵谦
总工程师、副总经理：周树新

22. 长航川江船业有限公司
支部书记、总经理：杨　强
副总经理、安全总监：刘志凯
副总经理：向先彬

23. 重庆化工码头有限公司
党委书记、董事长、总经理：孙　勇
（12月离任）
王志宇（12月任）
党委副书记、纪委书记、工会主席：
向　毅
副经理：唐　柯
吴立方
黄祖驷
屈定彬

24. 国家电投集团重庆狮子滩发电有限公司
执行董事、总经理：岳宗科
党委书记：张　健
副总经理：李其昌
郑宇松
石茂国
纪委书记：阳清伟（11月任）

25. 重庆凯源石油天然气有限责任公司长寿分公司
总经理：彭　净（女，6月离任）
夏宇峰（11月任）
书　记：吴明全
副经理：骆勋国
陈洪明
刘　勇（8月离任）

26. 重庆渝长燃气自来水有限公司
执行董事、党委书记：廖　强
总经理、党委副书记：何卫宁
党委副书记、纪委书记、工会主席：
李兆吉
副总经理、安全总监：李　衡

27. 重庆百货大楼股份有限公司长寿商场
总经理：朱翔徽
副总经理：王秋兰（女）
陈　竹

28. 新世纪百货长寿商都
总经理：朱翔徽
副总经理：王秋兰（女）
陈　竹

29. 重庆市汽车运输（集团）有限责任公司六分公司
党总支书记（兼经理）：谈立志
副经理：李永胜
马　江

30. 重庆市长寿区凤城公共交通有限公司
董事长兼总经理：陈　鸣
副经理：杨贵兵

吴德全（5月任）

（三）区属部分国有企业

1.重庆长寿开发投资（集团）有限公司

董事长：陈忠平（1月离任）

陈碧容（女，1月任）

总经理：陈碧容（女，1月离任）

陶中荣（1月任）

监事会主席：但唐勇（3月离任）

傅军化（3月任）

一级专务：郑　策（6月任）

副总经理：薛咏涛

晏　丽（女）

宗华东（3月离任）

徐泽明（3月任）

纪委书记：梁　志

财务总监：周琦钧

2.重庆长寿乡村建设集团有限公司

董事长：郑　策（1月离任）

陈　路　（1月任）

总经理：孔　涛（1月离任）

胡建允（1月任）

监事会主席：王　强（1月离任）

常务副总经理：邓　珊（女）

纪委书记：刘　箭

副总经理：崔　艳（女，1月任）

吕零平（3月离任）

3.重庆长寿投资发展集团有限公司

董事长：杨福仁（3月任职）

总　裁：周　磊（3月任职）

财务总监：叶　茂

4.长寿东方物业公司

副总经理：王志勇

2023年长寿区重要文件目录

2023年中共长寿区委重要文件目录一览表

表45

发文字号	文件标题	发文时间
长寿委发〔2023〕1号	区委、区政府关于做好2023年全面推进乡村振兴重点工作的实施意见	2023年3月8日
长寿委发〔2023〕2号	区委关于深入学习贯彻党的二十大精神　坚决拥护“两个确立”　坚决做到“两个维护”　全力推进国际化绿色化智能化人文化中国长寿城建设奋力书写新时代新征程新重庆长寿篇章的决定	2023年1月6日
长寿委发〔2023〕9号	区委、区政府关于印发《支持长寿高新区创建国家级高新区的意见》的通知	2023年3月9日
长寿委发〔2023〕11号	区委、区政府关于印发《关于贯彻落实市委市政府〈关于健全完善现代化社会治理体系一体推进平安重庆法治重庆建设的实施意见>的实施方案》的通知	2023年3月17日
长寿委发〔2023〕13号	区委、区政府关于印发《重庆市长寿区基础教育品质提升行动计划》的通知	2023年5月18日
长寿委发〔2023〕16号	区委关于深入学习贯彻习近平新时代中国特色社会主义思想加强党建统领持续修复净化政治生态全面提高党的领导力组织力加快建设新时代市域党建新高地长寿范例的意见	2023年8月8日
长寿委发〔2023〕17号	区委、区政府关于印发《长寿区加快建设西部陆海新通道五年实施方案（2023-2027年）》的通知	2023年8月8日
长寿委发〔2023〕19号	区委关于推进数字重庆建设打造中国西部数谷的意见	2023年9月11日
长寿委发〔2023〕20号	区委印发《关于在全区深入开展学习贯彻习近平新时代中国特色社会主义思想主题教育的实施方案》的通知	2023年9月16日
长寿委发〔2023〕22号	区委关于印发《长寿区领导干部工作生活带头十条要求》的通知	2023年11月29日

（区委办公室）

2023年长寿区人民政府重要文件目录一览表

表46

发文字号	文件标题	发文日期
长寿府发〔2023〕11号	关于印发2023年全区安全生产与自然灾害防治工作要点的通知	2023年3月14日
长寿府发〔2023〕15号	关于印发广西壮族自治区对口支援三峡库区重庆市长寿区合作实施规划的通知	2023年4月29日
长寿府发〔2023〕18号	关于印发重庆市长寿区推动成渝地区双城经济圈建设实施方案（2023—2027年）的通知	2023年6月29日
长寿府发〔2023〕20号	关于区管重点国有企业领导人员免去现职后有关管理意见的通知	2023年7月18日
长寿府发〔2023〕21号	关于印发重庆市长寿区人民政府工作规则的通知	2023年7月14日
长寿府发〔2023〕28号	关于印发长寿区养老服务发展“十四五”规划的通知	2023年10月7日
长寿府发〔2023〕29号	关于印发长寿区养老服务设施专项规划（2022—2035）的通知	2023年10月7日
长寿府发〔2023〕35号	关于印发重庆市长寿区国民经济和社会发展第十四个五年规划和二〇三五年远景目标纲要实施情况中期评估报告的通知	2023年12月1日
长寿府发〔2023〕36号	关于集体土地征收实行安置房安置有关问题的通知	2023年12月14日

（区政府办公室）

2023年中共长寿区委办公室重要文件目录一览表

表47

发文字号	文件标题	发文日期
长寿委办〔2023〕4号	区委办、区政府办关于印发《重庆市长寿区贯彻落实国家统计督察“回头看”反馈意见整改工作方案》的通知	2023年1月20日
长寿委办〔2023〕5号	区委办印发《关于进一步增强前瞻性引领性计划性建立重要事项统筹谋划工作机制的方案》的通知	2023年1月20日
长寿委办发〔2023〕4号	区委办、区政府办关于印发长寿区“3113”项目攻坚行动计划重大项目2023年度工作计划的通知	2023年1月18日
长寿委办发〔2023〕5号	区委办、区政府办关于印发《关于进一步深化长寿经济技术开发区行政审批和行政执法体制机制改革实施方案》的通知	2023年1月20日
长寿委办发〔2023〕7号	区委办、区政府关于印发《长寿区2022年度党委和政府落实耕地保护和粮食安全责任制考核工作方案》的通知	2023年2月3日
长寿委办发〔2023〕13号	区委办、区政府办关于印发《长寿区2023年重点工作目标任务》的通报	2023年4月28日
长寿委办发〔2023〕16号	中共重庆市长寿区委办公室　重庆市长寿区人民政府办公室关于进一步明确部分行业领域安全生产监管职责的通知	2023年5月16日
长寿委办发〔2023〕17号	区委办、区政府办关于印发《〈支持长寿高新区创建国家级高新区的意见〉任务分解表》的通知	2023年5月19日
长寿委发〔2023〕24号	区委办、区政府办关于印发《重庆市长寿区常态化“三服务”机制服务企业工作方案》的通知	2023年8月8日
长寿委办发〔2023〕25号	区委办、区政府办关于印发《2023年全区生态环境保护重点目标任务》的通知	2023年8月11日
长寿委办发〔2023〕28号	区委办、区政府办关于印发《长寿区贯彻落实重庆市推动民营经济高质量发展大会目标任务分解方案》的通知	2023年10月7日

（区委办公室）

2023年长寿区人民政府办公室重要文件目录一览表

表48

发文字号	文件标题	发文日期
长寿府办发〔2023〕1号	关于印发《重庆市长寿区水生态环境保护“十四五”规划（2021—2025）》的通知	2023年1月6日
长寿府办发〔2023〕2号	关于优化调整2023年培育服务市场主体预期目标的通知	2023年1月17日
长寿府办发〔2023〕3号	关于贯彻落实重庆市知识产权保护和运用“十四五”规划（2021—2025年）的实施意见	2023年1月6日
长寿府办发〔2023〕5号	关于印发2023年重点民生实事工作目标任务的通知	2023年2月23日
长寿府办发〔2023〕7号	关于印发《长寿区政务服务整改提升工作方案》的通知	2023年2月28日
长寿府办发〔2023〕9号	关于印发重庆市长寿区矿产资源总体规划（2021—2025年）的通知	2023年3月17日
长寿府办发〔2023〕10号	关于印发长寿区贯彻落实重庆市进一步支持市场主体发展推动经济企稳恢复提振政策措施任务分工方案的通知	2023年3月27日
长寿府办发〔2023〕11号	关于细化调整2023年培育服务市场主体预期目标的通知	2023年3月28日
长寿府办发〔2023〕12号	关于印发长寿区建设绿色金融改革创新试验区实施方案的通知	2023年3月28日
长寿府办发〔2023〕13号	关于印发重庆市长寿区冷链物流高质量发展实施方案（2021—2025年）的通知	2023年3月30日
长寿府办发〔2023〕15号	关于印发重庆市长寿区入河排污口排查整治和监督管理工作方案的通知	2023年3月30日
长寿府办发〔2023〕20号	关于印发重庆市长寿区转贷应急周转资金管理办法的通知	2023年4月17日
长寿府办发〔2023〕21号	关于印发重庆市长寿区高新技术企业和科技型企业“双倍增”行动计划实施方案（2023—2027年）的通知	2023年5月5日
长寿府办发〔2023〕22号	关于印发重庆市长寿区长江入河排污口整治工作方案（2022年修订版）的通知	2023年5月4日
长寿府办发〔2023〕23号	关于印发重庆市长寿区防汛抗旱应急预案的通知	2023年4月21日
长寿府办发〔2023〕24号	关于印发重庆市长寿区自然灾害预警发布及响应规范（试行）的通知	2023年5月7日
长寿府办发〔2023〕25号	关于印发重庆市长寿区培育服务市场主体工作经费奖励办法（暂行）的通知	2023年5月6日
长寿府办发〔2023〕26号	关于印发重庆市长寿区重污染天气应急预案（2023年修订版）的通知	2023年4月27日

续表48

发文字号	文件标题	发文日期
长寿府办发〔2023〕27号	关于进一步加强大中型水库移民后期扶持直补人口动态管理工作的通知	2023年5月7日
长寿府办发〔2023〕28号	关于印发《政府法律顾问列席区政府常务会议工作制度（试行）》的通知	2023年5月12日
长寿府办发〔2023〕30号	关于印发重庆市长寿区健全重特大疾病医疗保险和救助制度实施办法的通知	2023年5月23日
长寿府办发〔2023〕31号	关于印发重庆市长寿区创建重庆市节水型城市工作方案的通知	2023年5月26日
长寿府办发〔2023〕32号	关于印发重庆市长寿区新污染物治理工作方案的通知	2023年6月9日
长寿府办发〔2023〕33号	关于印发重庆市长寿区推动成渝地区双城经济圈建设实施方案(2023—2027年）工作目标任务的通知	2023年6月29日
长寿府办发〔2023〕34号	关于印发长寿区中小微企业融资风险补偿资金管理办法（试行）的通知	2023年6月30日
长寿府办发〔2023〕35号	关于印发2023年全区法治政府建设工作要点的通知	2023年7月3日
长寿府办发〔2023〕38号	关于印发长寿区大洪湖水库水源地保护区内违法建设项目问题整改方案的通知	2023年7月4日
长寿府办发〔2023〕39号	关于印发龙溪河支流水环境质量提升工作方案的通知	2023年7月13日
长寿府办发〔2023〕40号	关于印发《长寿区人民政府重大行政决策专家论证管理办法》等文件的通知	2023年7月17日
长寿府办发〔2023〕41号	关于印发《长寿区行政规范性文件争议协调处理办法》等文件的通知	2023年7月17日
长寿府办发〔2023〕42号	关于印发长寿区探索农村产权流转交易市场化体系建设实施方案（试行）的通知	2023年7月14日
长寿府办发〔2023〕43号	关于印发共推成渝地区双城经济圈建设工作机制的通知	2023年7月14日
长寿府办发〔2023〕44号	关于印发《重庆市长寿区统筹驻外招商工作方案》的通知	2023年7月26日
长寿府办发〔2023〕46号	关于印发长寿区2023年优化营商环境激发市场活力重点任务清单分工方案的通知	2023年8月16日
长寿府办发〔2023〕47号	关于印发重庆市长寿区药品和医疗器械安全突发事件应急预案的通知	2023年8月2日
长寿府办发〔2023〕53号	关于印发重庆市长寿区人民政府2023年度重大行政决策事项目录的通知	2023年9月20日
长寿府办发〔2023〕54号	关于印发重庆市长寿区特殊工时审批管理服务优化改革方案（试行）的通知	2023年9月11日

续表48

发文字号	文件标题	发文日期
长寿府办发〔2023〕57号	关于印发重庆市长寿区行政许可事项清单（2023年版）的通知	2023年10月19日
长寿府办发〔2023〕60号	关于印发长寿区金融支持农村集体经济组织融资方案（试行）的通知	2023年11月1日
长寿府办发〔2023〕61号	关于印发重庆市长寿区深化镇街综合行政执法改革实施方案的通知	2023年11月8日
长寿府办发〔2023〕62号	关于公布重庆市长寿区镇街综合行政执法事项清单（2023年）的通知	2023年11月29日
长寿府办发〔2023〕63号	关于印发重庆市长寿区特种设备事故应急预案（2023年修订版）的通知	2023年11月27日
长寿府办发〔2023〕64号	关于印发重庆市长寿区扩大中等收入群体提高低收入群体收入实施方案（2023—2027年）的通知	2023年11月28日
长寿府办发〔2023〕65号	关于印发重庆市长寿区2024年度城乡居民基本医疗保险参保征缴工作实施方案的通知	2023年12月4日
长寿府办发〔2023〕67号	关于印发重庆市长寿区政府投资数字化项目管理暂行办法的通知	2023年12月8日
长寿府办发〔2023〕71号	关于印发长寿区政务服务“一窗综办”改革窗口人员及经费划转工作方案的通知	2023年12月18日
长寿府办发〔2023〕73号	关于印发长寿区养犬管理工作领导小组办公室工作规则的通知	2023年12月19日
长寿府办发〔2023〕76号	关于印发重庆市长寿区深入打好长江保护修复攻坚战行动方案的通知	2023年12月20日
长寿府办发〔2023〕78号	关于印发重庆市长寿区用水权交易改革工作方案的通知	2023年12月25日
长寿府办发〔2023〕80号	关于印发重庆市长寿区进一步强化招商投资促进工作的若干政策措施的通知	2023年12月27日

（区政府办公室）

2023年长寿区新评高级专业技术职称人员一览表

表49

序号	姓　名	性别	单位及职务	专业领域	专业技术职称
1	冒廷剑	男	重庆智荟数创科技有限公司	工业互联网与智能制造专业	高级工程师
2	殷贵富	男	重庆渝安智能悬架有限公司	工业互联网与智能制造	高级工程师
3	张渠兰	女	重庆梅塞尔气体产品有限公司	工业互联网与智能制造	高级工程师
4	杜昌兰	女	重庆凯恩机械制造股份有限公司	绿色低碳	高级工程师
5	靳东峰	男	重庆鑫富化工有限公司	化工	高级工程师
6	曹　刚	男	重庆南桐环保科技有限公司	BIM咨询	高级工程师
7	黎云君	男	重庆创耀建筑工程咨询有限公司	市政工程	高级工程师
8	张　梁	男	重庆专正工程监理有限公司	公路工程	高级工程师
9	苟　格	男	重庆市长寿高新区服务中心	应急工程专业	高级工程师
10	董　兰	女	重庆创耀建筑工程咨询有限公司	建筑装饰	高级工程师
11	钟深城	男	重庆创耀建筑工程咨询有限公司	工程管理	高级工程师
12	颜朝琴	女	和信海纳川（重庆）汽车部件有限公司	智能制造	高级工程师
13	胡洪铭	男	重庆拓奇新材料有限公司	化工	高级工程师
14	王天喜	男	重庆正西建设工程有限公司	建筑工程	高级工程师
15	罗　健	男	重庆开投建设工程有限公司	建筑工程	高级工程师
16	陈建伟	男	重庆渝江新高模具有限公司	工业互联网与智能制造	高级工程师
17	虞功文	男	重庆创隆建筑劳务有限公司	公路工程	高级工程师
18	朱　峻	男	重庆创隆建筑劳务有限公司	水利水电	高级工程师
19	徐文涛	男	重庆创耀建筑工程咨询有限公司	机电工程	高级工程师
20	李大权	男	重庆钓鱼城建设监理咨询有限公司	建筑工程	高级工程师
21	王　伟	男	重庆创隆建筑劳务有限公司	公路工程	高级工程师
22	李俊良	男	重庆创耀建筑工程咨询有限公司	机电工程	高级工程师
23	韩承林	男	重庆正信建设监理有限公司	建筑工程	高级工程师
24	廖静文	男	重庆市城口县日昌升新型建筑材料有限公司	应急工程	高级工程师
25	郭兵强	男	重庆亿煊新材料科技有限公司	纺织工程	高级工程师
26	江　红	女	重庆市超群工业股份有限公司	绿色低碳	高级工程师
27	杨　光	男	施密特电梯有限公司	工业互联网与智能制造	高级工程师
28	韩生全	男	重庆迅昌汽车零部件有限公司	绿色低碳	高级工程师
29	刘亚菲	女	中荣（重庆）化工分销服务有限公司	工业互联网与智能制造	高级工程师
30	聂　鹏	男	中荣（重庆）化工分销服务有限公司	工业互联网与智能制造	高级工程师
31	王开基	男	重庆玺航劳务有限公司	建筑工程	高级工程师
32	汪洪飞	男	重庆鼎盛印务股份有限公司	工业互联网与智能制造	高级工程师

续表49

序号	姓　名	性别	单位及职务	专业领域	专业技术职称
33	谢宗霖	男	重庆威斯特电梯有限公司	工业互联网与智能制造	高级工程师
34	丁仁杰	男	重庆鑫富化工有限公司	化工	高级工程师
35	胡　斌	男	安徽凝立项目管理有限公司	建筑工程	高级工程师
36	黄　俊	男	重庆能控动力技术有限公司	给排水	高级工程师
37	沈渝钧	男	重庆市同浩聚联建筑工程有限公司	市政工程	高级工程师
38	田时忠	男	重庆市新溉宇建设工程咨询有限公司	市政工程	高级工程师
39	钟仁员	男	重庆国网实业发展有限公司	电力工程	高级工程师
40	邹劲松	男	安徽寅芝发建设有限公司	建筑工程	高级工程师
41	何　潇	男	重庆新嘉泽实业有限公司	电力	高级工程师
42	郭　羽	男	重庆市港培建设工程有限公司	建筑工程	高级工程师
43	朱惠军	男	重庆市宏贵建设有限公司	公路工程	高级工程师
44	刘理彬	男	重庆宸玖建筑工程有限公司	环境工程	高级工程师
45	黄治全	男	四川现代建设咨询监理有限公司	建筑工程管理	高级工程师
46	杜鹏华	男	重庆鑫昊工程造价咨询有限责任公司	工程造价	高级工程师
47	张　瑜	女	重庆市嘉禾工程造价咨询事务所有限公司	工程造价	高级工程师
48	钟志德	男	重庆川维物流有限公司	高级轮机长	高级轮机长
49	黄树云	男	重庆丞鸣燃气有限责任公司	燃气工程	高级工程师
50	孙立锴	男	重庆创隆建筑劳务有限公司	水利水电	高级工程师
51	廖忠荣	男	重庆贵国实业有限公司	安装工程	高级工程师
52	谭　红	男	四川赛德工程管理有限责任公司	工程管理	高级工程师
53	何峥嵘	女	重庆创隆建筑劳务有限公司	建筑工程	高级工程师
54	彭中位	男	重庆西派建设工程有限公司	建筑工程	高级工程师
55	李孝国	男	重庆龙都建设集团有限公司	建筑	高级工程师
56	彭　强	男	中保能（重庆）新能源有限公司	电力工程	高级工程师
57	赵　静	男	黑龙江瑞兴工程管理咨询有限公司重庆分公司	工程监理	高级工程师
58	叶红时	男	重庆恒蓁房地产开发有限公司	建筑工程	高级工程师
59	周　雨	男	重庆职卫科技有限公司	岩土工程	高级工程师
60	张　俊	男	重庆川维石化工程有限责任公司	土木工程	高级工程师
61	曹　刚	男	重庆电子工程职业学院	工程管理	高级工程师
62	李珂宇	男	重庆硷灿建筑工程有限公司	市政工程	高级工程师
63	刘利刚	男	重庆鹏帆建设集团有限公司	建筑工程	高级工程师
64	李智渊	男	重庆筑沐建筑工程有限公司	市政工程	高级工程师
65	张洪亮	男	华融化学（成都）有限公司	化工	高级工程师
66	吕剑烽	男	重庆宏耀建设（集团）有限公司	公路工程	高级工程师
67	雷　雨	男	重庆瑞信气体有限公司	机械	高级工程师
68	甘国勇	男	重庆龙旭建设集团有限责任公司	市政公用工程	高级工程师

续表49

序号	姓　名	性别	单位及职务	专业领域	专业技术职称
69	李刚强	男	渝年建设集团有限公司	建筑工程	高级工程师
70	杨　娇	女	重庆川维石化工程有限责任公司	仪表	高级工程师
71	李林峰	男	重庆川维石化工程有限责任公司	仪表	高级工程师
72	冯银山	男	重庆蜀驰房地产开发有限公司	机电设计	高级工程师
73	罗媛元	女	重庆川维石化工程有限责任公司	自动化	高级工程师
74	郭　星	男	重庆申润劳务有限公司	建筑工程	高级工程师
75	周左龙	男	重庆川维石化工程有限责任公司	给排水	高级工程师
76	孟贵均	男	重庆川维石化工程有限责任公司	安装工程	高级工程师
77	潘志勇	男	重庆龙杨兴建筑工程有限公司	建筑工程	高级工程师
78	陈　勇	男	重庆美坤实业有限公司	工程造价	高级工程师
79	陈　辉	男	重庆固善建筑工程有限公司	建筑工程	高级工程师
80	王国洪	男	重庆旭凯建设集团有限公司	市政工程	高级工程师
81	张　勇	男	广西中信恒泰工程顾问有限公司重庆分公司	工程管理	高级工程师
82	周朝萍	女	重庆市长寿区葛兰镇农业服务中心	养殖（畜牧）	高级畜牧师
83	牟小松	男	重庆市渝青建筑工程有限公司	建筑工程	高级工程师
84	陶朝益	男	重庆亚太工程建设监理有限公司	市政工程	高级工程师
85	任　鹏	男	重庆贤仕达科技有限公司	建筑工程	高级工程师
86	甘国元	男	重庆渝发建设有限公司	建筑工程	高级工程师
87	杨　涛	男	重庆平湖通信技术有限公司	建筑工程	高级工程师
88	张方银	男	重庆高田实业集团有限公司	公路工程	高级工程师
89	熊　坤	男	重庆明兴精锐实业（集团）有限公司	建筑工程	高级工程师
90	付远照	男	重庆创隆建筑劳务有限公司	市政工程	高级工程师
91	吴世岗	男	重庆市垫江县碧桂园房地产开发有限公司	建筑工程	高级工程师
92	韩　越	女	重庆汇洋建设工程管理有限公司	工程监理	高级工程师
93	杨金燕	女	重庆市长寿区公路事务中心	人力资源管理	高级人力资源管理师
94	李凤杨	男	重庆渝发建设有限公司	建筑工程	高级工程师
95	李俊林	男	重庆市长寿区公路事务中心	道路工程	高级工程师
96	陈文龙	男	重庆山驿建筑安装有限公司	建筑工程	高级工程师
97	陈　静	女	重庆铭胤建设工程有限公司	工程管理	高级工程师
98	夏　欣	女	重庆市沂昊电力工程有限公司	电力工程	高级工程师
99	林昱希	女	重庆锦辉物业发展有限公司	建筑工程	高级工程师
100	袁明生	男	重庆信航建设工程有限公司	市政工程	高级工程师
101	陈德明	男	重庆庆友工程项目管理有限公司	建筑工程	高级工程师
102	杨　滨	男	重庆川维石化工程有限责任公司	化工	高级工程师
103	周　磊	男	四川衡成建设工程检测有限责任公司	工程检测	高级工程师
104	尧　敏	女	重庆市长寿区融媒体中心	档案专业	副研究馆员

续表49

序号	姓　名	性别	单位及职务	专业领域	专业技术职称
105	禹　兵	男	重庆市浩泞建筑工程有限公司	建筑工程	高级工程师
106	樊柯宇	男	重庆长寿开投建设有限公司	工程项目管理	高级工程师
107	张　轩	男	重庆市长寿区邻封镇农业服务中心	农业技术推广	高级农艺师
108	吴义艳	女	重庆川维石化工程有限责任公司	化学工程与工艺	高级工程师
109	包袁莉	女	重庆市长寿区邻封镇农业服务中心	农技推广	高级农艺师
110	王　意	男	四川省瑞方人力资源管理有限公司重庆分公司	土木工程	高级工程师
111	赵颖聪	男	重庆川维石化工程有限责任公司	电气	高级工程师
112	陈　娜	女	重庆夔州建筑有限责任公司	建筑工程	高级工程师
113	肖凌乔	女	重庆川维石化工程有限责任公司	机械	高级工程师
114	彭大水	男	浙江江南工程管理股份有限公司	建筑工程	高级工程师
115	贾文兵	男	重庆瑜鑫宸消防设备有限公司	建筑工程	高级工程师
116	杨　童	男	重庆长寿开投建设有限公司	概预算	高级工程师
117	蒲杨强	男	重庆聚亿森人力资源管理有限公司	机电工程	高级工程师
118	冉　勇	男	重庆晨匠峰建筑劳务有限公司	结构工程	高级工程师
119	余亚玲	女	重庆川维石化工程有限责任公司	化学工程与工艺	高级工程师
120	王朝双	女	重庆长寿经开区生态环境建设有限公司	市政公用工程	高级工程师
121	李孟东	男	亿森建工集团有限公司	建筑工程	高级工程师
122	张　柯	男	重庆市捷晟工程项目管理有限公司	建筑工程	高级工程师
123	张前渝	女	重庆美泽建筑工程有限公司	建筑工程	高级工程师
124	钟家鑫	女	重庆筑能渝兴建设工程质量检测有限公司	工程检测	高级工程师
125	董燿玮	男	重庆川维石化工程有限责任公司	机械	高级工程师
126	陈　宾	男	重庆川南环保科技有限公司	工程管理	高级工程师
127	赵隆祥	男	西藏巨龙铜业有限公司	工程管理	高级工程师
128	张　聪	男	重庆亿煊新材料科技有限公司	无机非金属材料工程	高级工程师
129	李　宁	男	重庆汇洋建设工程管理有限公司	建筑工程	高级工程师
130	况　涛	男	重庆长寿开投建设有限公司	工程项目管理	高级工程师
131	谭曹钦	男	重庆渝发建设有限公司	建筑	高级工程师
132	万海瑞	男	重庆卓州建设工程有限公司	建筑工程	高级工程师
133	赵　均	女	重庆市长寿区疾病预防控制中心	科学传播	副研究员
134	王利民	男	重庆川维石化工程有限责任公司	机电安装	高级工程师
135	汪　滔	男	重庆长寿开投建设有限公司	工程项目管理	高级工程师
136	陈郑兰	女	重庆端悦建筑工程有限公司	电气	高级工程师
137	袁　征	男	重庆江锦建设（集团）有限公司	建筑工程	高级工程师
138	汪跃飞	男	重庆长寿开投建设有限公司	项目工程管理	高级工程师
139	彭　彪	男	四川省吉宏工程项目管理有限公司	公路工程	高级工程师
140	蔡剑桥	男	重庆实创趋势房地产开发有限公司	建筑	高级工程师

续表49

序号	姓 名	性别	单位及职务	专业领域	专业技术职称
141	田荣敏	女	重庆海益建筑安装工程有限公司	市政工程	高级工程师
142	黄 剑	男	重庆龙翰环保工程有限公司	水土保持	高级工程师
143	王东升	男	重庆华迈建筑劳务有限公司	建筑工程	高级工程师
144	卓俊杰	男	重庆长云建设有限公司	建筑工程	高级工程师
145	郑荣强	男	重庆市长寿生态旅业开发集团有限公司	市政公用工程	高级工程师
146	屈万红	男	重庆市公平建筑安装工程有限公司	建筑工程	高级工程师
147	蒲 桃	男	广安摩珈生物科技有限公司	化学工程	高级工程师
148	吴 达	男	重庆市中泰工程监理有限公司	建筑工程	高级工程师
149	李 勇	男	重庆侨城建筑工程有限公司	建筑工程	高级工程师
150	廖 江	男	江西晟铭建设工程有限公司	市政工程	高级工程师
151	陈 英	女	重庆恩力吉投资有限责任公司	副研究馆员	副研究馆员
152	马 玲	女	务腾咨询（上海）有限公司重庆分公司	工程造价	高级工程师
153	韩易均	男	重庆海雕建筑工程有限公司	建筑工程	高级工程师
154	曾宪龙	男	重庆长寿开投建设有限公司	工程项目管理	高级工程师
155	刘 斌	男	重庆钢铁股份有限公司	机械	高级工程师
156	程 亿	男	重庆长云建设有限公司	建筑	高级工程师
157	樊广兵	男	重庆长寿开投建设有限公司	建筑工程	高级工程师
158	向升林	男	重庆长寿经济技术开发区开发投资集团有限公司	冶金工程	高级工程师
159	贾继承	男	重庆渝云建设有限公司	市政工程	高级工程师
160	吕 琴	女	重庆迪泰科建设工程检测有限公司	工程检测	高级工程师
161	朱 堃	男	重庆市长寿区疾病预防控制中心	档案管理	副研究馆员
162	黄鸿皓	男	重庆永鑫工程项目管理有限公司	建筑工程	高级工程师
163	严佳玕	男	重庆恩力吉投资有限责任公司	电气	高级工程师
164	童建春	男	同致诚工程咨询有限公司	市政工程	高级工程师
165	梁启富	男	重庆飞傲建筑劳务有限公司	建筑工程	高级工程师
166	阮乐军	男	重庆华筑建筑设计集团有限公司第六分公司	建筑工程	高级工程师
167	任晓凤	女	重庆市长寿区公共租赁住房管理所	工程项目管理	高级工程师
168	余礼介	男	重庆市中泰工程监理有限公司	建筑工程	高级工程师
169	陶晓忠	男	重庆市建永工程监理有限公司	工程管理	高级工程师
170	黄晓凤	女	重庆盈新数字科技有限责任公司	工程项目管理	高级工程师
171	殷 建	男	重庆市长寿区园林绿化管理所	园林工程	高级工程师
172	聂 鹏	男	中建八局第四建设有限公司重庆分公司	建筑工程	高级工程师
173	陈明吉	男	林德化医（重庆）气体有限公司	高级工程师（化工）	高级工程师
174	曾 丽	女	重庆长寿建筑安装有限公司	工程项目管理	高级工程师
175	宋丽丽	女	重庆弗迪锂电池有限公司	化工工程	高级工程师

续表49

序号	姓　名	性别	单位及职务	专业领域	专业技术职称
176	杨和祥	男	重庆权宏建筑工程有限公司	建筑工程	高级工程师
177	黄永红	男	重庆龙上行城市建设集团有限公司	建筑工程	高级工程师
178	王　林	男	深圳市森蓝建设集团有限公司	建筑工程	高级工程师
179	张　燕	女	重庆长寿经济技术开发区开发投资集团有限公司	化工工艺	高级工程师
180	穆雅玲	女	重庆长橡建设有限公司	建筑工程	高级工程师
181	王亚利	女	重庆市长寿区八颗街道农业服务中心	种植业	高级农艺师
182	唐　宇	男	广东依瑞建设有限公司	建筑工程	高级工程师
183	敬建强	男	重庆北岸工业设备安装有限公司	机电工程	高级工程师
184	刘冬爱	女	重庆长寿经济技术开发区开发投资集团有限公司	城乡规划	高级工程师
185	张　锋	男	重庆龙珠建筑工程有限公司	建筑工程	高级工程师
186	万华龙	男	重庆长寿经济技术开发区开发投资集团有限公司	化学工程	高级工程师
187	赵　旭	男	重庆智铭达建筑工程有限公司	建筑工程	高级工程师
188	何永刚	男	重庆钢铁股份有限公司	电气	高级工程师
189	夏远福	男	重庆市铁丰建筑工程有限公司	建筑工程	高级工程师
190	柳　岸	男	重庆钢铁股份有限公司	机械	高级工程师
191	陈晓波	男	重庆驷道工程咨询有限公司	建筑工程	高级工程师
192	葛　伟	男	重庆君之和建筑装饰工程有限公司	工程管理	高级工程师
193	罗正兰	女	重庆飞华环保科技有限责任公司	化工工艺	高级工程师
194	陈　刚	男	重庆长云建设有限公司	工程造价	高级工程师
195	刘　登	男	重庆中科建设（集团）有限公司	建筑工程	高级工程师
196	曹小伟	男	重庆市朗蕴园林工程有限公司	市政工程	高级工程师
197	杨　霁	男	重庆飞华环保科技有限责任公司	化工工艺	高级工程师
198	邓　立	男	重庆市长寿区规划和自然资源局	园林工程	高级工程师
199	冯仁荣	男	重庆国幅工程管理咨询有限公司	市政工程	高级工程师
200	潘永斌	男	重庆飞华环保科技有限责任公司	焊接工艺	高级工程师
201	叶　锐	男	广东鲁班行技术管理有限公司	建筑工程	高级工程师
202	樊红才	男	重庆市环境保护工程监理有限公司	建筑工程	高级工程师
203	张靖雨	男	重庆市长寿区建设工程质量监督站	质量监督	高级工程师
204	陈　浩	男	广东坚稳机电设备系统有限公司	机电	高级工程师
205	周　越	女	重庆长寿开发投资（集团）有限公司	工程项目管理	高级工程师
206	田贵名	男	福安药业集团重庆博圣制药有限公司	制药工程	高级工程师
207	夏定友	男	重庆市定厦建筑工程有限公司	市政工程	高级工程师
208	杨宗春	男	四川省吉宏工程项目管理有限公司	公路工程	高级工程师
209	王大刚	男	重庆康盛监理咨询有限公司	工程管理	高级工程师

续表49

序号	姓　名	性别	单位及职务	专业领域	专业技术职称
210	彭光明	男	方大国际工程咨询股份有限公司万州分公司	工程项目管理	高级工程师
211	周文海	男	重庆嘉逊建筑营造工程有限公司	建筑工程	高级工程师
212	丁万娟	女	四川省吉宏工程项目管理有限公司	公路工程	高级工程师
213	傅　畅	男	重庆钢铁股份有限公司	工程管理	高级工程师
214	李　勇	男	重庆颐智元科技有限公司	自动化	高级工程师
215	付雪峰	男	重庆市华东建筑集团有限公司	工民建	高级工程师
216	肖　荣	男	四川省吉宏工程项目管理有限公司成都分公司	公路工程	高级工程师
217	夏高强	男	重庆中诚项目管理有限公司	建筑工程	高级工程师
218	黄　君	男	重庆渝云建设有限公司	建筑工程	高级工程师
219	邬　波	男	四川省吉宏工程项目管理有限公司	公路工程	高级工程师
220	文塘群	女	万科（重庆）企业有限公司	会计学	高级会计师
221	聂　爽	男	重庆天穗环保科技有限公司	化工工艺	高级工程师
222	胡　利	男	重庆钢铁股份有限公司	轧钢	高级工程师
223	丁立国	男	重庆捷图建设工程有限公司	机电工程	高级工程师
224	赵志金	男	浙江江南工程管理股份有限公司	市政工程	高级工程师
225	邓礼文	男	重庆文航工程咨询有限公司	工程造价	高级工程师
226	游玉琪	女	重庆拓邦工程项目管理有限公司	建筑工程	高级工程师
227	胡先洪	男	中电科普天科技股份有限公司重庆分公司	电子信息	高级工程师
228	苟国英	女	重庆市长寿湖旅游景区管理股份有限公司	会计	高级会计师
229	毛建云	男	四川省吉宏工程项目管理有限公司	公路工程	高级工程师
230	徐少旭	男	重庆钢铁股份有限公司	轧钢	高级工程师
231	黄建东	男	重庆博腾制药科技股份有限公司	药品与医疗器械	高级工程师
232	陆青山	男	中院学城（重庆）建筑工程有限公司	工程造价	高级工程师
233	文成华	男	重庆浩龙建设集团有限公司	建筑工程	高级工程师
234	赵广辉	男	重庆市长寿区文化馆	群众文化	副研究馆员
235	刘宜湘	男	重庆钢铁股份有限公司	化学分析	高级工程师
236	钟玉梅	女	重庆强特包装制品有限公司	财务管理	高级会计师
237	邹　洋	男	重庆市长寿区建设工程施工安全监督站	安全监督	高级工程师
238	肖　超	男	重庆钢铁股份有限公司	炼铁	高级工程师
239	叶　鹏	男	重庆长云建设有限公司	建筑	高级工程师
240	兰金辉	男	重庆钢铁股份有限公司	轧钢	高级工程师
241	郝汗青	女	重庆舟航建筑工程有限公司	建筑工程	高级工程师
242	罗　勃	男	重庆永渝检验检测技术有限公司	工程检测	高级工程师
243	田小也	女	福安药业（集团）股份有限公司	会计	高级会计师
244	颜光辉	男	重庆钢铁股份有限公司	安全	高级工程师

续表49

序号	姓　名	性别	单位及职务	专业领域	专业技术职称
245	吴讯杰	男	重庆钢铁股份有限公司	机械	高级工程师
246	周俊佳	男	重庆市长寿区规划和自然资源局	国土空间规划	高级工程师
247	曹丽明	女	重庆钢铁股份有限公司	机械	高级工程师
248	高　林	男	重庆钢铁股份有限公司	电气	高级工程师
249	王　田	男	重庆钢铁股份有限公司	冶金	高级工程师
250	王春涛	男	重庆智渝工程设计有限公司	建筑工程	高级工程师
251	邓　强	男	重庆市长寿区文化馆	群众文化	副研究馆员
252	张　凯	男	重庆嘉熹房地产开发有限公司	工程管理	高级工程师
253	严　林	男	重庆长寿经济技术开发区开发投资集团有限公司	生态环境	高级工程师
254	罗光伟	男	重庆钢铁股份有限公司	安全	高级工程师
255	赖龙发	男	重庆筑能建设工程质量检测有限公司	工程检测	高级工程师
256	母世才	男	重庆航天巴山摩托车制造有限公司	机械工程	高级工程师
257	李景涛	男	重庆航天巴山摩托车制造有限公司	机械工程	高级工程师
258	林小刚	男	重庆钢铁股份有限公司	轧钢	高级工程师
259	陈　帆	男	重庆盈丰地产有限公司	工程造价	高级工程师
260	卢进波	男	重庆渝发建设有限公司	建筑工程	高级工程师
261	冉　波	男	重庆钢铁股份有限公司	机械	高级工程师
262	唐瑞晏	男	重庆钢铁股份有限公司	电气工程	高级工程师
263	刘　林	女	重庆泽京房地产开发有限公司	园林工程	高级工程师
264	程　娜	女	重庆兴达建设监理有限公司	工程咨询	高级工程师
265	唐春龙	男	重庆海康威视科技有限公司	安装工程	高级工程师
266	熊　辉	男	重庆钢铁股份有限公司	工程管理	高级工程师
267	向　宇	男	西安铁一院工程咨询管理有限公司	工程项目管理	高级工程师
268	杨新权	男	四川云洪建设工程有限公司	公路工程	高级工程师
269	姚俊波	男	重庆钢铁股份有限公司	轧钢	高级工程师
270	陈代巧	男	重庆钢铁股份有限公司	轧钢	高级工程师
271	陈显斌	男	重庆长云建设有限公司	建筑	高级工程师
272	徐　俨	女	重庆林峰建筑工程有限公司	建筑	高级工程师
273	李森舟	男	重庆博腾制药科技股份有限公司	化工工程	高级工程师
274	黄　可	男	重庆钢铁股份有限公司	焦化	高级工程师
275	王才文	男	重庆钢铁股份有限公司	烧结技术	高级工程师
276	张　俊	男	重庆钢铁股份有限公司	冶金工程	高级工程师
277	李宏伟	男	重庆钢铁股份有限公司	轧钢	高级工程师
278	徐　波	男	重庆明辰建筑科技有限责任公司	工程造价	高级工程师
279	周　建	男	四川建科工程建设管理有限公司重庆分公司	土木工程	高级工程师

续表49

序号	姓　名	性别	单位及职务	专业领域	专业技术职称
280	杨　华	男	重庆钢铁股份有限公司	轧钢	高级工程师
281	罗发富	男	重庆钢铁股份有限公司	炼铁	高级工程师
282	黄沙沙	女	重庆钢铁能源环保有限公司	化学分析	高级工程师
283	陈　军	男	重庆钢铁股份有限公司	电气	高级工程师
284	陈健康	男	德京集团有限公司	水利水电	高级工程师
285	李晓东	男	重庆普力晟新材料有限公司	化工化纤	高级工程师
286	黄超斌	男	重庆钢铁股份有限公司	电气	高级工程师
287	王　斌	男	重庆泉河建设有限公司	市政工程	高级工程师
288	李　浩	男	重庆两江建筑工程有限公司	建筑工程	高级工程师
289	尹述涛	男	重庆创意装饰工程有限责任公司	建筑工程	高级工程师
290	胡雪飞	男	重庆钢铁股份有限公司	安全	高级工程师
291	黄恋苏	男	宁波市政工程建设集团股份有限公司	机电安装	高级工程师
292	任建国	男	重庆钢铁股份有限公司	炼铁	高级工程师
293	刘　波	男	重庆钢铁股份有限公司	工程管理	高级工程师
294	游　运	男	重庆市长寿区云台镇建设环保服务中心	生态环境	高级工程师
295	徐　春	男	重庆钢铁股份有限公司	环境工程	高级工程师
296	孙　林	男	重庆六零七建材有限公司	采矿工程	高级工程师
297	朱聂胜	男	重庆钢铁股份有限公司	炼铁	高级工程师
298	肖　辉	男	四川省吉宏工程项目管理有限公司	公路工程	高级工程师
299	文　胜	男	四川省吉宏工程项目管理有限公司	公路工程	高级工程师
300	赵人均	男	重庆智铭达建筑工程有限公司	市政工程	高级工程师
301	陈　超	男	重庆钢铁股份有限公司	机械	高级工程师
302	里建军	男	重庆钢铁股份有限公司	焦化	高级工程师
303	冯　彦	男	重庆钢铁股份有限公司	电气	高级工程师
304	肖　洒	男	重庆钢铁股份有限公司	轧钢	高级工程师
305	金旭韬	男	重庆钢铁股份有限公司	电气	高级工程师
306	王建征	男	重庆钢铁股份有限公司	机械	高级工程师
307	申家春	男	重庆长寿开投建设有限公司	工程项目管理	高级工程师
308	文武杰	男	重庆长寿经济技术开发区开发投资集团有限公司	工程造价	高级工程师
309	唐红军	男	重庆钢铁股份有限公司	电气	高级工程师
310	吴昊彧	男	重庆长寿开投建设有限公司	工程项目管理	高级工程师
311	刘春燕	女	重庆长云建设有限公司	市政工程	高级工程师
312	陈　路	男	重庆存泰建筑工程有限公司	项目管理	高级工程师
313	李　羽	男	重庆源真工程造价咨询有限公司	机电工程	高级工程师
314	袁明华	男	福安药业集团重庆博圣制药有限公司	制药工程	高级工程师
315	冉宏桃	男	渝州建设集团有限公司	市政工程	高级工程师

续表49

序号	姓　名	性别	单位及职务	专业领域	专业技术职称
316	邹　波	男	渝州建设集团有限公司	公路工程	高级工程师
317	卢　焱	男	重庆珈旭道路工程有限公司	市政工程	高级工程师
318	郭　熙	女	重庆市长寿中学校	语文	高级教师
319	叶俊辉	女	重庆市长寿第一中学校	语文	高级教师
320	吴　健	男	重庆市长寿第一中学校	语文	高级教师
321	陈严会	女	重庆市长寿区第三实验小学校	语文	高级教师
322	彭代碧	女	重庆市长寿区渡舟街道中心小学校	语文	高级教师
323	孙李英	女	重庆市长寿区晶山小学校	语文	高级教师
324	张瑜瑶	女	重庆市长寿区桃源小学校	语文	高级教师
325	左明英	女	重庆市长寿葛兰中学校	语文	高级教师
326	黄玉梅	女	重庆市长寿中学校	英语	高级教师
327	谈建平	男	重庆市长寿川维中学校	英语	高级教师
328	焦钱莉	女	重庆市长寿川维中学校	英语	高级教师
329	彭志芬	女	重庆市长寿川维中学校	英语	高级教师
330	周诗君	女	重庆市长寿第一中学校	英语	高级教师
331	曾　慧	女	重庆市长寿区树人幼儿园	学前教育	高级教师
332	余　倩	女	重庆市长寿区古镇小学校	音乐	高级教师
333	梅小红	女	重庆市长寿中学校	音乐	高级教师
334	王筱夫	男	重庆市长寿中学校	心理教育	高级教师
335	龙　影	男	重庆市长寿中学校	数学	高级教师
336	龙小丽	女	重庆市长寿区第一实验小学校	数学	高级教师
337	张春明	男	重庆市长寿区古镇小学校	数学	高级教师
338	苏文涛	男	重庆市长寿川维中学校	数学	高级教师
339	陈德充	男	重庆市长寿川维中学校	数学	高级教师
340	刘德锦	男	重庆市长寿第一中学校	数学	高级教师
341	陈凤群	女	重庆市长寿区第三实验小学校	数学	高级教师
342	潘　蓉	女	重庆市长寿区晶山小学校	数学	高级教师
343	余　洪	男	重庆市长寿区石堰镇初级中学校	数学	高级教师
344	徐　川	男	重庆市长寿中学校	物理	高级教师
345	陈光华	男	重庆市长寿实验中学校	物理	高级教师
346	张赤应	男	重庆市长寿第一中学校	物理	高级教师
347	黄志勇	男	重庆市长寿实验中学校	生物	高级教师
348	肖央红	男	重庆市长寿中学校	信息技术	高级教师
349	张　璇	女	重庆市长寿第一中学校	信息技术	高级教师
350	龚长国	男	重庆市长寿龙溪中学校	地理	高级教师
351	刘　军	男	重庆市长寿实验中学校	体育与健康	高级教师

续表49

序号	姓　名	性别	单位及职务	专业领域	专业技术职称
352	谢　斌	男	重庆市长寿川维中学校	体育与健康	高级教师
353	舒　红	女	重庆市长寿区川维小学校	体育与健康	高级教师
354	董克波	男	重庆市长寿区特殊教育学校	体育与健康	高级教师
355	徐　艇	男	重庆市长寿区云台中学校	体育与健康	高级教师
356	文津津	女	重庆市长寿区八颗街道社区卫生服务中心	公共管理	副主任护师
357	游　芳	女	重庆市长寿区八颗街道社区卫生服务中心	中西医结合	副主任医师
358	陈秋莲	女	重庆市长寿区长寿湖镇卫生院	临床医学	副主任医师
359	何　铁	女	重庆市长寿区长寿湖镇卫生院	护理学	副主任护师
360	廖　静	女	重庆市长寿区长寿湖镇卫生院	护理学	副主任护师
361	任　渝	女	重庆市长寿区长寿湖镇卫生院	护理学	副主任护师
362	田　甜	女	重庆市长寿区长寿湖镇卫生院	护理学	副主任护师
363	叶玲玲	女	重庆市长寿区长寿湖镇卫生院	护理学	副主任护师
364	焦海容	女	重庆市长寿区渡舟街道社区卫生服务中心	护理学	副主任护师
365	江　维	男	重庆市长寿区凤城社区卫生服务中心	全科医学	副主任医师
366	章　莉	女	重庆市长寿区凤城社区卫生服务中心	全科医学	副主任医师
367	张　琦	女	重庆市长寿区妇幼保健院	妇产科学	副主任医师
368	秦秀容	女	重庆市长寿区葛兰镇卫生院	护理	副主任护师
369	王　姚	女	重庆市长寿区葛兰镇卫生院	临床检验医学技术	副主任技师
370	张　雪	女	重庆市长寿区葛兰镇卫生院	护理	副主任护师
371	赵家荣	男	重庆市长寿区葛兰镇卫生院	药学	副主任药师
372	邹洪丽	女	重庆市长寿区葛兰镇卫生院	护理	副主任护师
373	张　娴	女	重庆市长寿区海棠镇卫生院	护理	副主任护师
374	陈　凤	女	重庆市长寿区洪湖镇卫生院	护理学	副主任护师
375	陈明霞	女	重庆市长寿区疾病预防控制中心	预防医学	副主任医师
376	钱　姣	女	重庆市长寿区疾病预防控制中心	卫生检验	副主任技师
377	陶　冶	男	重庆市长寿区疾病预防控制中心	卫生检验	副主任技师
378	杨　亮	男	重庆市长寿区疾病预防控制中心	预防医学	副主任医师
379	戴雁飞	男	重庆市长寿区江南街道社区卫生服务中心	全科医学	副主任医师
380	罗永勇	男	重庆长寿区江南街道社区卫生服务中心	中医学	副主任医师
381	张雪萍	女	重庆市长寿区江南街道社区卫生服务中心	护理	副主任护师
382	李钱英	女	重庆市长寿区精神卫生中心	护理学	副主任护师
383	张春雨	女	重庆市长寿区精神卫生中心	护理学	副主任护师
384	张学智	男	重庆市长寿区邻封镇卫生院	中西医结合学	副主任医师
385	左　娟	女	重庆市长寿区龙河镇卫生院	护理学	副主任护师
386	路鹏飞	男	重庆市长寿区人民医院	骨科学	副主任医师
387	王　洋	女	重庆市长寿区人民医院	护理学	副主任护师

续表49

序号	姓　名	性别	单位及职务	专业领域	专业技术职称
388	文唐敏	男	重庆市长寿区人民医院	神经外科学	副主任医师
389	叶　钢	男	重庆市长寿区人民医院	普通外科	副主任医师
390	游来君	男	重庆市长寿区石堰镇卫生院	临床医学	副主任药师
391	胡　静	女	重庆市长寿区双龙镇卫生院	检验	副主任技师
392	廖富林	男	重庆市长寿区双龙镇卫生院	临床医学	副主任医师
393	舒德平	女	重庆市长寿区双龙镇卫生院	护理学	副主任护师
394	杨洪英	女	重庆市长寿区双龙镇卫生院	护理学	副主任护师
395	刘　涛	男	重庆市长寿区云集镇卫生院	药学	副主任药师
396	王开菊	女	重庆市长寿区云集镇华中	临床医学	副主任医师
397	韩明琼	女	重庆市长寿区云台镇卫生院	副主任技师	副主任技师
398	陈　玺	男	重庆市长寿区中医院	普通外科	副主任医师
399	胡仇会	女	重庆市长寿区中医院	妇产科护理	副主任护师
400	李莉佳	女	重庆市长寿区中医院	妇产科	副主任医师
401	欧升聪	男	重庆市长寿区中医院	眼科	副主任医师
402	任海燕	女	重庆市长寿区中医院	临床医学检验	副主任技师
403	谭红霖	男	重庆市长寿区中医院	中医骨伤科	副主任医师
404	杨　梅	女	重庆市长寿区中医院	内科护理	副主任护师
405	杨小丽	女	重庆市长寿区中医院	慢性非传染性疾病控制	副主任医师
406	张文明	男	重庆市长寿区中医院	中西医结合内科	副主任医师
407	张小玲	女	重庆市长寿区中医院	普通内科	副主任医师
408	曾召军	男	翼空间（重庆）创业孵化器有限公司	电子信息	高级工程师
409	王永茜	女	重庆康普化学工业股份有限公司	冶金工程	高级工程师
410	杨　帆	男	重庆康普化学工业股份有限公司	冶金工程	高级工程师
411	汪世川	男	重庆康普化学工业股份有限公司	冶金工程	高级工程师
412	刘　兵	男	重庆望变电气（集团）股份有限公司	电气	高级工程师
413	杨　涛	男	重庆紫光华山智安科技有限公司	大数据	高级工程师
414	杨双燕	女	重庆市长寿中学校	教育	高级教师
415	任禹杭	男	重庆空港人力资源管理有限公司	曲艺	二级演员
416	蔡中文	男	重庆康乐制药有限公司	化工医药	正高级工程师
417	刘金辉	男	重庆康普化学工业股份有限公司	化学工程技术	正高级工程师
418	杨　洋	男	重庆川维石化工程有限责任公司	化工工艺	正高级工程师
419	胡昌志	男	重庆钢铁股份有限公司	炼钢	正高级工程师
420	张志跃	男	重庆凯林制药有限公司	化学制药	正高级工程师
421	肖　军	男	西恒工程咨询集团有限公司	市政公用工程	正高级工程师
422	周旭东	男	福安药业（集团）股份有限公司	制药工程	正高级工程师
423	宋　礁	男	重庆长寿开投建设有限公司	工程项目管理	正高级工程师

续表49

序号	姓　名	性别	单位及职务	专业领域	专业技术职称
424	洪荣川	男	福安药业集团重庆博圣制药有限公司	制药工程	正高级工程师
425	聂　玲	女	重庆市长寿区文化馆	群众文化	研究馆员
426	郭子维	男	福安药业（集团）股份有限公司	制药工程	正高级工程师
427	赵　伟	男	重庆钢铁股份有限公司	电气工程	正高级工程师
428	陈丽娟	女	重庆川维石化工程有限责任公司	自动控制	正高级工程师
429	张　焱	女	重庆市长寿区农产品质量安全中心	农业技术推广	正高级农艺师
430	张小平	男	重庆市长寿实验中学校	教育	正高级教师
431	徐光碧	女	重庆市长寿区洪湖镇卫生院	卫生	主任医师
432	邓维娜	女	重庆市长寿区精神卫生中心	卫生	主任护师
433	蒋泰君	女	重庆市长寿区精神卫生中心	卫生	主任护师
434	谭　剑	男	重庆市长寿区精神卫生中心	卫生	主任医师
435	郑兆斌	男	重庆市长寿区人民医院	卫生	主任医师
436	董彩凤	女	重庆市长寿区中医院	卫生	主任医师
437	汪鸣华	女	重庆市长寿区中医院	卫生	主任医师
438	牟海波	女	长寿区人民医院	卫生	主任医师
439	彭　晖	男	施密特电梯有限公司	机电工程	正高级工程师

索　引

说　明

一、本索引采用主题词分析法，按主题词首字汉语拼音字母顺序排列。索引主题词后的阿拉伯数字表示该主题内容所在页码。

二、“特载”“专文”“大事记”“人物　荣誉”“统计资料”“附录”等部分具体内容和镇（街）的“概况”“经济建设”“政治建设”“文化建设”“社会建设”“生态文明建设”统一条目未做索引。

三、索引款目下缩进一格各占一行分别排列的款目为同一主题的“附见”，索引款目后标有2个以上页码的为同主题的“参见”。为便于读者检索，内容有交叉的款目在索引中重复出现。

四、以引号、书名号等标点符号开头的索引词与其他索引词混编，以数字、字母开头的索引词集中放在末尾。

主题词索引

A

B

C

D

H

J

K

L

M

N

P

Q

R

S

T

W

X

Y

Z

表格索引